BASTEI
LÜBBE

Von David Weber sind bei Bastei Lübbe Taschenbücher lieferbar:

HONOR HARRINGTON

23 194	Band 1	Auf verlorenem Posten
23 199	Band 2	Die Ehre der Königin
23 205	Band 3	Ein schneller Sieg
23 211	Band 4	Mit Schimpf und Schande
23 217	Band 5	Im Exil
23 223	Band 6	Ehre unter Feinden
23 229	Band 7	In Feindeshand
23 235	Band 8	Die Siedler von Sphinx (mit D. Drake und S. M. Stirling)
23 241	Band 9	Der Stolz der Flotte
23 247	Band 10	Die Baumkatzen von Sphinx (mit L. Evans u. a.)
23 253	Band 11	Wie Phoenix aus der Asche
23 264	Band 12	Die Raumkadettin von Sphinx (mit E. Flint)
23 276	Band 13	Ein neuer Krieg
23 277	Band 14	Honors Krieg (zweiter und abschließender Teil von »Ein neuer Krieg«)
23 287	Band 15	Die Spione von Sphinx (mit J. Ringo, E. Flint u. a.)
23 292	Band 16	Der Sklavenplanet (D. Weber u. a.)
23 305	Band 17	Um jeden Preis
23 309	Band 18	Auf Biegen und Brechen
23 318	Band 19	Der Schatten von Saganami
In Vorbereitung:		An Bord der Hexapuma

DIE ABENTEUER DES COLIN MACINTYRE

23 299	Band 1	Der Mond der Meuterer
23 301	Band 2	Das Armageddon-Vermächtnis
23 311	Band 3	Die Erben des Imperiums

DER MARDUK-ZYKLUS (mit John Ringo)

23 284	Band 1	Das Bronze-Bataillon
23 289	Band 2	Die Marduk-Mission
23 296	Band 3	Marsch zu den Sternen
23 314	Band 4	Das trojanische Schiff

23 281		Die Excalibur Alternative

Über den Autor:
David Weber ist ein Phänomen: Ungeheuer produktiv (er hat zahlreiche Fantasy- und Science-Fiction-Romane geschrieben), erlangte er Popularität mit der HONOR-HARRINGTON-Reihe, die inzwischen nicht nur in den USA zu den bestverkauften SF-Serien zählt. David Weber wird gerne mit C. S. Forester verglichen, aber auch mit Autoren wie Heinlein und Asimov. Er lebt heute mit seiner Familie in South Carolina.

David Weber

HONOR HARRINGTON

In Feindeshand

Roman

Ins Deutsche übertragen von Dietmar Schmidt

BASTEI LÜBBE

BASTEI LÜBBE TASCHENBUCH
Band 23229

1. Auflage: Oktober 2000
2. Auflage: Oktober 2001
3. Auflage: November 2007

Vollständige Taschenbuchausgabe

Bastei Lübbe Taschenbücher in der Verlagsgruppe Lübbe

Deutsche Erstveröffentlichung

Titel der amerikanischen Originalausgabe: »In Enemy Hands«
Published by arrangements with Bean Publishing Enterprise
Dieses Buch wurde vermittelt durch die Literarische
Agentur Thomas Schlück GmbH, 30827 Garbsen

Lektorat: Ruggero Leó / Stefan Bauer
Titelillustration: David Mattingly / Agenur Schlück
Umschlaggestaltung: QuadroGrafik, Bensberg
Satz: Fotosatz Steckstor, Rösrath
Druck und Verarbeitung: Brodard & Taupin, La Flèche
Printed in France
ISBN 978-3-404-23229-1

Für Sharon, die mich trotz allem liebt

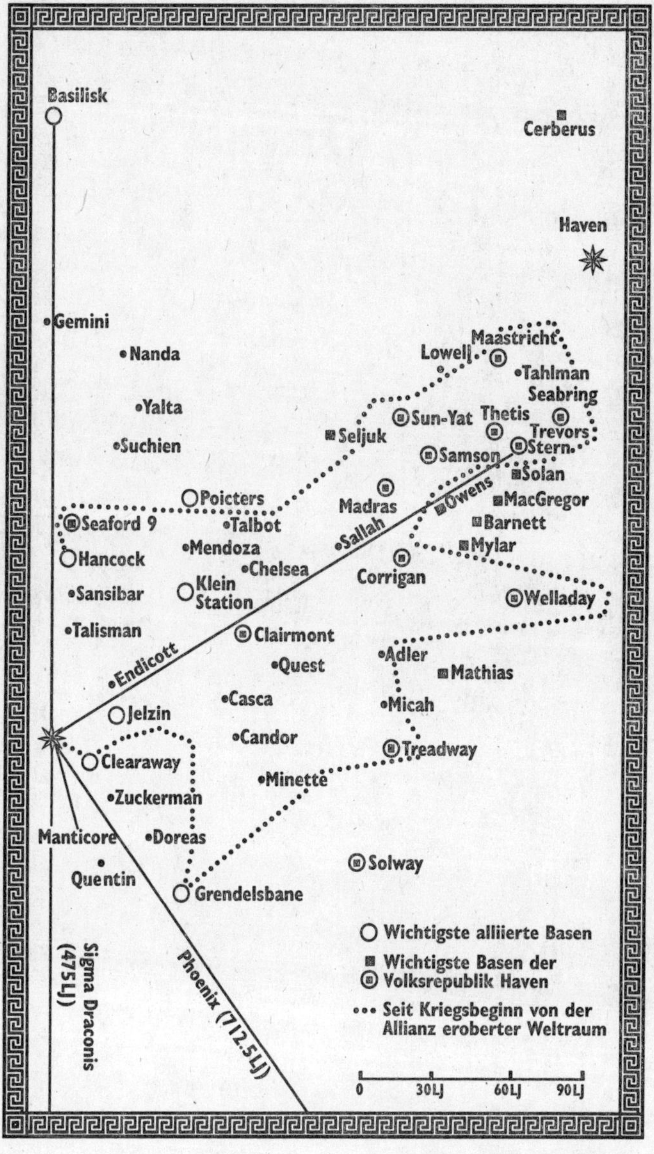

Basilisk
Cerberus
Haven
Gemini
Nanda
Yalta
Suchien
Maastricht
Lowell
Tahlman
Seabring
Sun-Yat
Thetis
Trevors
Seljuk
Samson
Stern
Solan
Madras
Owens
MacGregor
Poicters
Seaford 9
Talbot
Sallah
Barnett
Mylar
Hancock
Mendoza
Chelsea
Corrigan
Sansibar
Klein Station
Welladay
Talisman
Clairmont
Endicott
Adler
Quest
Mathias
Casca
Micah
Jelzin
Candor
Treadway
Clearaway
Minette
Zuckerman
Manticore
Doreas
Solway
Quentin
Grendelsbane
Wichtigste alliierte Basen
Wichtigste Basen der Volksrepublik Haven
Seit Kriegsbeginn von der Allianz eroberter Weltraum
Sigma Draconis (475LJ)
Phoenix (712.5LJ)
0
30LJ
60LJ
90LJ

Prolog

»Nach meinem Dafürhalten ist das ein Fehler – ein großer Fehler«, erklärte Cordelia Ransom. Nur das Funkeln in ihren blauen Augen verriet Gefühl; ihre sonst so leidenschaftliche Stimme, mit der sie mühelos Menschenmassen zu frenetischen Sprechchören anzustacheln vermochte, klang kalt, fast ungerührt. Daraus schloß Robert Stanton Pierre, wie sehr die Frage, die das Triumvirat gerade diskutierte, die Informationsministerin aufgewühlt hatte.

Er bemühte sich, gerade genügend Härte in seine betont gelassene Antwort zu legen, um Ransoms Bestimmtheit den Boden zu nehmen; ihre Unerbittlichkeit ließ ihn frösteln. »Da muß ich wohl anderer Meinung sein, sonst hätte ich den Vorschlag nicht ausgesprochen«, entgegnete er und sah ihr in die Augen. Obwohl Ransom letztlich zuerst den Blick senkte, strengte das Kräftemessen Pierre deutlich stärker an, als es sollte, dessen war er sich deutlich bewußt. Er konnte nur hoffen, daß Ransom sein Unbehagen nicht bemerkt hatte.

Offiziell gebot in der gewaltigen Volksrepublik von Haven niemand über mehr Macht als Rob S. Pierre. Als Begründer und Kopf des Komitees für Öffentliche Sicherheit war sein Wort Gesetz und seine Macht über die Bürger der Republik absolut. Dennoch stieß selbst er rasch an Grenzen, und nur eine dieser Grenzen hatte ihn von der Unumgänglichkeit des Vorschlags überzeugt, den er soeben geäußert hatte. Daß die Schranken, an denen Pierre nicht weiterkam, unsichtbar sein mußten für jeden, der nicht dem Komitee für Öffentliche Sicherheit angehörte, bedeutete leider längst noch nicht, daß sie nicht existierten.

Sein Regime war eine Revolutionsregierung und hatte die Herrschaft über die Republik gewaltsam an sich gebracht. Nach dem Umsturz hatte das Quorum des Volkes dem neuen Kabinett einen geschäftsführenden Charakter zugestanden; doch war es ein offenes Geheimnis, daß die Regierung die Kompetenzen schon seit langem überschritt, die ihr zugestanden worden waren. Im Glauben, lediglich ein Übergangskabinett ins Leben zu rufen, stimmte das Quorum ab und bewilligte Pierres Vorschlag, das Komitee zu gründen. Man bestätigte ihn als Vorsitzenden und ging allgemein davon aus, daß das Komitee so rasch wie möglich die innere Sicherheit wiederherstellte – und mehr nicht. Binnen kurzem mußte das Quorum erkennen, was es wirklich in die Welt gesetzt hatte: eine oligarchische Diktatur, die zum Machterhalt und zur Durchsetzung ihrer Ziele vor Nötigung, Unterdrückung und unverhohlenem Staatsterror nicht zurückschreckte. Genau darauf aber lief Pierres Problem hinaus: Indem er rücksichtslos und unter Anwendung von Gewalt seine Befugnisse überschritt, hatte er seine Macht zwar deutlich demonstriert, zugleich aber seine Autorität jener subtilen Eigenschaft beraubt, die man gemeinhin als ›Legitimität‹ bezeichnet. Eine Herrschaft jedoch, die auf Gewalt oder Gewaltandrohung beruht, kann leicht durch Gewalt gestürzt werden.

Als ein Gebilde der Gewalt durfte Pierres Komitee sich nicht auf das Gesetz oder das Gewohnheitsrecht berufen. *Merkwürdig, wie wenig Gedanken sich die Menschen um eine Regierung machen, die diese Rechtfertigung besitzt,* dachte er wehmütig. Ebenso merkwürdig, wie sehr es eine Gesellschaft zu erschüttern vermochte, wenn man sie eines grundlegenden Gesellschaftsvertrages beraubte, der zweifelsohne ausgesprochen schlecht gewesen war. Die Erschütterungen pflanzten sich stets so lange fort, bis ein neuer Vertrag, den alle Beteiligten als rechtens erachteten, den alten ersetzte. Pierre hatte sich längst eingestanden, die Folgen seiner Revolution bei weitem unterschätzt zu haben, als er sich damals für den Weg der Gewalt entschied. Für die Zeit nach dem Umsturz hatte er zwar mit Unruhen gerechnet, war jedoch davon ausgegangen, daß er und seine Mitverschwörer nur die heiklen ersten Monate überstehen müßten. Danach hätte sich seinen Erwartungen zufolge die Herrschaft des Komitees in den Augen der Regierten von selbst legitimieren müssen. *Ja, so hätte es sein sollen,* sagte er sich einmal mehr, doch daß es in der Realität ganz anders gekommen war, ließ sich nicht bestreiten.

Das Komitee hielt die Macht nun so fest in der Hand wie zuvor die Legislaturisten, die es niedergeworfen hatte. Im Gegensatz zu den Legislaturisten war Pierre von der Notwendigkeit und Durchführbarkeit von Reformen überzeugt gewesen und hatte ehrlich geglaubt, durch seine Reformen eine Wende zum Besseren einzuleiten; deshalb war er zum Revolutionär geworden. Doch seine Machtübernahme hatte eine Situation erschaffen, in der für Pierres Neider nur noch eines zählte: ihm diese Macht wieder zu entreißen. Denn seine eigene Vorgehensweise hatte nicht nur sämtliche gewaltfreien Wege zur Macht beseitigt, sondern auch jeden einschränkenden Rechtsgebrauch ihrer Ausübung eliminiert.

Unter dem Strich war das nach außen hin allmächtige Komitee für Öffentliche Sicherheit deshalb ein weitaus zerbrechlicheres Gebilde, als es den Anschein hatte. Den Dolisten und Proles gegenüber stellte das Komitee unerschütterliche Zuversicht zur Schau, doch Pierre und seine Amtsgenossen wußten nur zu gut, daß ständig Verschwörer am Werk waren und auf einen neuen Umsturz hinarbeiteten. *Wer könnte es ihnen verdenken?* fragte sich Pierre. Hatte das Komitee denn nicht selber die vorherigen Herren und Meister der Volksrepublik gestürzt? Und hatte das lange Monopol der Legislaturisten auf die Staatsgewalt nicht Verrückte und Fanatiker aller Couleur im Überfluß hervorgebracht? Das Komitee war kein Sammelbecken aller revolutionären Strömungen gewesen, bei weitem nicht. Vielmehr verfolgte es alle ›Volksfeinde‹ mit solcher Rücksichtslosigkeit, daß es sich ständig neue potentielle – und inbrünstige – Gegner schuf.

Einige Feinde des Komitees legten die gefährliche Entschlossenheit an den Tag, ihrem Groll Taten folgen zu lassen. Die offensichtlich Verrückten erwiesen sich (wie die Zeroisten, die Charles Froidans Forderung nach der Abschaffung des Geldes unterstützten) zum Glück meist als zu unfähig, um auch nur eine Bottle-Party zu organisieren – von einem Staatsstreich ganz zu schweigen. Andere hatten sich zunächst als bessere Verschwörer erwiesen – etwa die Parnassisten, zu deren Zielen die Hinrichtung aller Bürokraten gehört hatte, weil deren Berufswahl angeblich bereits einen *Prima-facie*-Beweis für Verrat gegen das Volk darstellte; aber auch die Parnassisten waren offenbar außerstande gewesen, den richtigen Zeitpunkt abzuwarten. Indem sie ihren Zug zu früh machten, hatten sie sich unter den konkurrierenden Extremisten zu viele Feinde gemacht. So fiel es Pierre und dem Amt für Systemsicherheit nicht schwer, eine Fraktion gegen die andere auszuspielen und am Ende alle zu vernichten. (Um der Wahrheit die Ehre zu geben, war Pierre diese Entscheidung schwergefallen. Er brachte den Ansichten der Parnassisten eine gewisse Sympathie entgegen, weil er ständig mit dem aufgeblähten, schleichend langsam operierenden Beamtenapparat zu tun hatte, den ihm die Legislaturisten hinterlassen hatten. Am Ende mußte er jedoch zum eigenen Bedauern einsehen, daß das Komitee nicht auf die Bürokraten verzichten konnte, wenn es die Republik in Gang halten wollte.)

Bei anderen Komiteegegnern handelte es sich zwar ebenfalls um Irrsinnige – allerdings um eine viel gefährlichere Variante: Diese Gegner wußten den geeignetsten Zeitpunkt abzuwarten und verstanden sich außerordentlich gut auf Geheimhaltungsmaßnahmen. In diese Kategorie hatten LaBœufs Levellers gehört. Als Gesellschaftsideal propagierten die Levellers ein System, demgegenüber eine Anarchie fürchterlich reglementiert erschien. Zwar lehnten sie jegliche Form von Organisation ab, waren aber jedoch bei ihrem Aufstand so gezielt und koordiniert vorgegangen, daß in den schweren Kämpfen mehrere Millionen Menschen den Tod gefunden hatten, obwohl der Aufruhr keinen Tag lang andauerte. *Erstaunlich, was ein bißchen kinetisches Bombardement aus der Umlaufbahn und ein paar kleine Atombomben in einer Sechsunddreißig-Millionen-Stadt anrichten können,* dachte Rob S. Pierre. *Im Grunde haben wir noch Glück gehabt, denn die Zahl der Opfer hätte viel höher sein können ... Wenigstens hat keiner der bekannten Levellers-Anführer das Blutbad überlebt. Keiner der* bekannten ... – Für Pierre stand fest, daß zumindest einige, wenn nicht gar alle Angehörigen des innersten Levellers-Kaders Sitze im Komitee für Öffentliche Sicherheit innehatten. Anders ließ sich nicht erklären, daß der Putsch beinahe erfolgreich verlaufen wäre; die Unbekannten waren jedoch unerkannt davongekommen ... bis jetzt jedenfalls.

In Anbetracht der Umstände verwunderte es Pierre

nicht weiter, daß er seine bedrückende, ständig zunehmende Unsicherheit nicht abzuschütteln vermochte und sein ursprüngliches Reformbestreben unter der immer schwerer werdenden Last seiner Sorgen zermalmt wurde. Schlimm genug, wenn sein Gefühl der Verletzlichkeit bloßer Verfolgungswahn ohne sachliche Grundlage gewesen wäre. Seit dem Aufstand der Levellers aber besaß Pierre den handfesten Beweis, daß er nicht nur Feinde hatte, sondern daß diese Feinde ihm zudem nach Leib und Leben trachteten. Nach jedem Strohhalm hätte er gegriffen, um dem Komitee auch nur ein Quentchen mehr Stabilität zu verleihen; egal mit welchen Mitteln, Pierre mußte sich Rückhalt verschaffen. Zu diesen Sorgen gesellte sich die Notwendigkeit, den Krieg zu gewinnen, den die vorherige Regierung der Volksrepublik angezettelt hatte. All diese Fakten hatten Pierre dazu bewogen, jenen Vorschlag zu machen, dem Ransom mit solcher Ablehnung begegnet war. Nun bat er Oscar Saint-Just mit Blicken um Rückendeckung.

Ein Außenstehender hätte Oscar Saint-Just gewiß für das zweitmächtigste Mitglied des Triumvirats gehalten, das an der Spitze des Komitees und damit der VRH stand. In taktischer Hinsicht hätten ihm einige sogar noch mehr Macht zugetraut als Robert Pierre, denn Oscar Saint-Just gehörte die eiserne Faust, die über das gefürchtete Amt für Systemsicherheit gebot. Doch auch hier mochte der äußere Anschein trügen. Als Minister für Systemsicherheit war Saint-Just der Vollstrecker des Komitees, und die Grundlage seiner Macht war daher erheblich leichter zu erkennen als im Falle Ransoms. Schließlich war Pierre willens gewesen, Saint-Just diese Macht anzuvertrauen, was eindeutig bewies, daß Saint-Just für ihn niemals zu der Bedrohung werden konnte, als die

Cordelia Ransom sich eines Tages vielleicht entpuppte. Oscar wußte, daß sein Ruf als oberster Gefängniswärter der Republik es ihm unmöglich machte, lange an der Macht zu bleiben, sollte er sie sich aneignen. Man setzte ihn mit dem Staatsterror der SyS gleich; er war die Zielscheibe aller Furcht, allen Hasses und allen Grolls, den das Komitee für Öffentliche Sicherheit erweckte. Zudem hegte er nicht den Ehrgeiz, seinen Vorgesetzten von seinem Platz zu verdrängen. Pierre hatte Saint-Just hinreichend Fallen gestellt, doch Oscar hatte keine einzige dieser scheinbaren Gelegenheiten ergriffen, denn er wußte genau, wie weit er gehen durfte.

Ransom hingegen war anders gestrickt; sie kannte ihre Grenzen nicht, und niemals hätte Pierre ihr Saint-Justs Position anvertraut. Ransom war zu unberechenbar – was für Pierre gleichbedeutend war mit ›unzuverlässig‹. Und während er entschlossen war, auf den Ruinen des alten, gemeuchelten Machtgebildes etwas Neues, Dauerhaftes zu errichten, schien sie meist mehr an der bloßen Ausübung ihrer Macht interessiert zu sein, anstatt sie zweckdienlich zu nutzen. Ging es darum, den Massenzorn des Pöbels zu lenken, so war sie in ihrem Element; sie verstand es ausgezeichnet, diesen Zorn von Pierre und seinem Regime abzuhalten und auf Sündenböcke zu richten – deshalb war sie so wertvoll. Doch weil sie dieses Talent besaß, präsentierte das ihr unterstellte Amt für Öffentliche Information jedes Thema letztendlich auf die von ihr gewünschte Weise. Ransom erlangte dadurch gewaltigen Einfluß – Einfluß, den man zwar nicht greifen konnte, der jedoch furchteinflößend real war und sie fast auf dieselbe Stufe wie Saint-Just stellte. Und Pierre durfte einen weiteren Faktor, der zu Ransoms Macht beitrug, niemals aus den Augen verlieren: Sie verfügte über zahlreiche Spitzel innerhalb von Oscars Organisation.

Unmittelbar nach dem Putsch, bevor Pierre ihr den Ministertitel verlieh – oder sollte man gleich sagen: überließ? –, hatte Ransom zu den umherreisenden Propagandisten des Komitees für Öffentliche Sicherheit gehört und mit der SyS zusammengearbeitet. Nach wie vor pflegte sie die persönlichen Kontakte, die sie damals geknüpft hatte. Daß sie und Saint-Just mit gleicher Leidenschaft Hausmächte errichteten (wenn auch aus unterschiedlichen Beweggründen), verschlimmerte die Lage in vielerlei Hinsicht. Wenigstens erhielt Pierre dadurch Gelegenheit, Saint-Just und Ransom gegeneinander auszuspielen, indem er ihre überlappenden ›Geschäftsbereiche‹ in empfindlicher und manchmal bedenklicher Balance hielt, soweit dies seine eigene Position stärkte und nicht unterminierte.

»Ich vermag Cordelias Bedenken durchaus nachzuvollziehen, Rob«, beantwortete Saint-Just nach längerem, gewichtigen Schweigen Pierres unausgesprochene Frage. Er lehnte sich vom Konferenztisch zurück und faltete die Hände in einer Weise, die ihn noch mehr als sonst wie einen harmlosen, unscheinbaren Onkel wirken ließ. »Mehr als fünf T-Jahre lang haben wir versucht, jedermann einzureden, die Flotte sei für das Harris-Attentat verantwortlich. Obwohl wir so gut wie alle befehlshabenden Offiziere aus der Zeit vor dem Staatsstreich ›entfernt‹ und damit zahlreiche Beförderungen ermöglicht haben, hat es uns bei ihren Nachfolgern nicht viele Freunde gemacht, daß an Bord jedes einzelnen Flottenschiffs einer meiner Kommissare tätig ist. Ob wir es uns nun eingestehen wollen oder nicht – wenn man politischen Agenten, die man, wenn wir ehrlich sind, ›Spione‹ nennen sollte, die Autorität verleiht, jeden Befehl von Berufsoffizieren zu widerrufen, dann darf man sich nicht wundern, daß unsere Flotte ein Fiasko nach dem anderen einfährt. Das Offizierskorps weiß das. Wenn Sie nun noch die vielen Offiziere hinzunehmen, die wir ›zur Ermunterung der anderen‹ hinrichten oder einsperren ließen, könnten Sie wohl anführen, daß wir der Flotte nicht ausgerechnet jetzt die sprichwörtliche Faust aus dem Nacken nehmen sollten; Sie könnten diese Entscheidung in Zweifel ziehen – obwohl die Flotte uns vor LaBœuf den Hals gerettet hat. Ich meine, geben wir uns keinen Illusionen hin: Im Vergleich mit den Levellers sieht praktisch jeder gut aus. Vergessen Sie auch nicht, daß das Programm der Levellers forderte, alle Offiziere mit höherem Rang als ein Lieutenant Commander beziehungsweise Major zu erschießen, weil der ›militärisch-industrielle Komplex den Krieg auf verräterische Weise fehlerhaft geführt hat‹. Wer garantiert uns denn, daß die Flotte uns gegen jemanden beistehen würde, der diesbezüglich – sagen wir: weniger entschieden auftritt?«

Saint-Justs Tenorstimme klang milde und farblos, trotzdem wurde Ransoms Blick hart, denn sie bemerkte das unausgesprochene ›Aber‹ hinter seinen Ausführungen. Auch Pierre registrierte, daß Saint-Just noch nicht zum Schluß gekommen war, und sah ihn nachdenklich an.

»Aber verglichen mit unseren Alternativen?« forderte er Saint-Just leise zum Weitersprechen auf.

Der Minister für Systemsicherheit zuckte mit den Schultern. »Angesichts unserer Alternativen fürchte ich, daß wir keine andere Wahl haben. Die Manties waschen unseren Flottenkommandeuren einem nach dem anderen den Kopf, und wir geben unseren Leuten die Schuld daran. Nach einer Weile ist das nicht nur schlechte Propaganda, sondern auch eine schlechte Strategie. Sehen wir doch den Tatsachen ins Auge, Cordelia« – Saint-Just richtete seinen unaufdringlichen Blick auf seine goldhaarige Amtskollegin –, »der Öffentlichen Information fällt es zunehmend schwerer, unseren ›kühnen Verteidigern‹ an der Heimatfront den Rücken zu stärken, wenn wir gleichzeitig genauso viele von ihnen über die Klinge springen lassen, wie uns von den Manties zusammengeschossen werden!«

»Das mag wohl sein«, entgegnete Ransom, »aber das ist nicht so schlimm und längst nicht so gefährlich wie zuzulassen, daß das Militär einen Fuß in die Tür zum Komitee bekommt.« Sie richtete die zwingende Macht ihrer Persönlichkeit ganz auf Pierre. »Wenn wir einen Militär ins Komitee aufnehmen, wie wollen wir dann verhindern, daß er oder sie etwas herausbekommt, was die Streitkräfte niemals erfahren dürfen? Zum Beispiel, wer die Regierung Harris wirklich beseitigt hat?«

»Die Chance dafür ist sehr gering«, erklärte Saint-Just nüchtern. »Zum einen hat es niemals einen greifbaren Beweis gegeben, daß wir dahinter stecken; abgesehen von sehr wenigen Leuten, die alle in das Unternehmen verwickelt gewesen sind, ist keiner mehr übrig, der unsere Version der Geschehnisse anzweifeln könnte.« Er lächelte sie frostig an. »Wer etwas weiß – und noch am Leben ist –, würde sich mit einer Aussage selbst belasten. Darüber hinaus habe ich dafür gesorgt, daß alle Dossiers der Systemsicherheit die offizielle Version wiedergeben. Jeder, der versucht, die Last dieser vielen ›objektiven Beweise‹ in Frage zu stellen, müßte wohl ein konterrevolutionärer Volksfeind sein.«

»Eine sehr geringe Chance ist nicht das gleiche wie gar keine Chance«, widersprach Ransom.

Ihr Einwand klang schärfer als gewöhnlich, denn trotz ihrer großen Talente als Manipulantin war sie allen Ernstes von der Stichhaltigkeit des Konzepts der Volksfeinde überzeugt, und ihr Argwohn gegenüber allem Militärischen grenzte an Besessenheit. Obwohl sie ständig Kriegspropaganda ersann, welche die Tugenden der Volksflotte als Beschützer der Volksrepublik rühmte, brannte in ihr ein geradezu krankhafter, persönlicher Haß auf die Streitkräfte. Voller Abscheu verachtete Ransom das Militär als überkommene und zudem dekadente Institution, dessen Traditionen es noch immer mit dem alten Regime verbanden und vermutlich dazu inspirierten, den Sturz des Komitees zu planen und die Herrschaft der Legislaturisten zu restaurieren. In Ransoms Augen ließen sich die wiederholten Fehlversuche, den Feind zurückzuschlagen und die Republik zu retten, auf einen grundlegenden Mangel an politischer Zuverlässigkeit zurückführen. Zu ihrer Ablehnung gesellte sich die starke Furcht, daß die Streitkräfte das Komitee ausgerechnet dann im Stich lassen könnten, wenn die Regierung das Militär am dringendsten benötigte. Diese Paranoia der Informationsministerin geriet nach Pierres Auffassung allmählich außer Kontrolle, und tatsächlich waren ihre antimilitärischen Vorurteile ein weiterer Grund für seinen Entschluß, als Gegengewicht zu ihr einen Vertreter der Streitkräfte in das Komitee für Öffentliche Sicherheit aufzunehmen.

Robert Stanton Pierre hatte schon oft darüber nachgedacht, wie seltsam es war, daß sich Ransoms Haß ausgerechnet gegen das Militär richtete. Anders als er hatte sie vor der Revolution im vollziehenden Arm der Bürgerrechtsunion gedient und fast vierzig T-Jahre lang im Kampf gestanden. Aber sie hatte nicht etwa gegen das Militär gekämpft, das sich so gut wie nie in innenpolitische Angelegenheiten einmischte, sondern gegen das Amt für Innere Abwehr. Deshalb hätte Pierre eigentlich erwartet, daß Ransoms leidenschaftlicher Haß sich gegen diesen Apparat und seine Folgeinstitution richtete. Gerade das war jedoch nicht der Fall. Mit Oscar Saint-Just, dem ehemaligen zweiten Mann der Inneren Abwehr, arbeitete sie Hand in Hand und schien weder ihm noch irgendeinem Angehörigen der Systemsicherheit eine frühere Verbindung zur InAb vorzuhalten. *Vielleicht tut sie das nicht,* dachte Pierre, *weil Ransom und die InAb damals das gleiche Spiel nach den gleichen Regeln gespielt haben.* Zwar waren sie Feinde gewesen, aber Feinde, die einander verstanden, während Ransom als Ex-Terroristin die Rituale, Traditionen und Wertvorstellungen der militärischen Gemeinschaft weder zu begreifen noch ihnen irgendwelche Sympathien entgegenzubringen vermochte.

Was auch immer die Ursachen für Ransoms Haltung waren – weder Pierre noch Saint-Just teilte ihre giftige Intensität. Daß es Feinde des *Komitees* gab, bestritt keiner von beiden; für deren Existenz existierten unumstößliche Beweise. Doch im Gegensatz zu Ransom verstanden sie klar zwischen dem Komitee für Öffentliche Sicherheit und der Volksrepublik von Haven zu unterscheiden und konnten militärische Fehlschläge hinnehmen, ohne sie als unwiderlegbaren Beweis für verräterische Umtriebe zu betrachten. Das vermochte Ransom nicht. *Vielleicht,* überlegte Pierre, *sind Oscar und ich wesentlich pragmatischere Naturen als Cordelia.* Oder entstand der Zwist dadurch, daß Saint-Just und er etwas aufzubauen versuchten, während sich Cordelia noch immer mit dem Niederreißen des Althergebrachten beschäftigte? Persönlich hegte Pierre den Verdacht, daß sich die zwei stärksten

Motive Cordelias gegenseitig verstärkten: nämlich Egoismus und Verfolgungswahn. Sie war von der Vorstellung besessen, das Volk, das Komitee für Öffentliche Sicherheit und Cordelia Ransom müßten am Ende eins werden. Wer sich irgendeinem Teil ihrer persönlichen Dreifaltigkeit widersetzte – oder ihn enttäuschte –, stand offenbar dem Ganzen feindlich gegenüber. Deshalb verlangte Cordelias Selbsterhaltungstrieb von ihr, unablässig wachsam zu sein und alle Volksfeinde aufzustöbern und zu vernichten, bevor diese sich gegen sie wenden konnten.

»Und selbst wenn Ihre ›Legende‹ bis in alle Ewigkeit standhält«, fuhr sie energischer fort, »wie können Sie auch nur in Betracht ziehen, jemandem aus dem Offizierskorps zu vertrauen? Sie haben es selbst gesagt: Wir haben zu viele von ihnen getötet und zu viele andere – mitsamt deren Familien – verschwinden lassen. Das werden sie uns niemals verzeihen!«

»Ich glaube, Sie unterschätzen die Macht des Eigeninteresses«, antwortete Pierre anstelle des SyS-Chefs. »Ganz gleich, wem wir ein Stück vom Kuchen anbieten: er hat fortan genug gute Gründe, uns im Sattel zu halten. Zum einen wird jeder wissen, daß er bereits größere Kompromisse eingehen mußte, um den Posten zu erhalten, und daß aller Einfluß, den er besitzt, unserer Billigung unterliegt. Und wenn wir den Offizieren etwas entgegenkommen, ...«

»... werden sie glauben, *er* habe das bewirkt, und dann haben sie noch mehr Grund, loyal zu ihm zu stehen und nicht zu uns!« Ransoms Tonfall kam mittlerweile einem Keifen gleich.

»Möglich«, gab Pierre zu, »vielleicht aber auch nicht. Wir werden streng darauf achten, daß *wir* es sind, die seinen Rat in die Tat umsetzen, und wir werden dies deutlich machen.« Ransom öffnete erneut den Mund, doch Pierre hob die Hand und brachte sie mit der Geste zum Schweigen – zumindest vorläufig. »Ich will nicht bestreiten, daß unserem Auserwählten auch ein Teil der Anerkennung zufallen wird. Anfangs könnte man ihm sogar beinah alle Veränderungen als alleiniges Verdienst anrechnen. Aber wenn wir diesen Krieg noch gewinnen wollen, dann müssen wir unser Militär motivieren – sonst erhalten wir nichts außer tumber Sklavenarbeit. Das Konzept der ›kollektiven Verantwortung‹ haben wir mit einigem Erfolg angewendet – schließlich«, er lächelte dünn, »ist es ein starker Ansporn, wenn man weiß, daß die eigene Familie für etwaiges Versagen gleich mitbestraft wird. Leider ist dieses Konzept jedoch auch kontraproduktiv, denn es ruft zwar Gehorsam hervor, aber keinerlei Bindung. Indem wir die Familien der Befehlshaber bedrohen, betrachten sie uns neben den Manties ebenfalls als Feind. Manche sehen in uns vielleicht sogar den schlimmeren Gegner, denn die Manties versuchen lediglich, unsere Befehlshaber im Gefecht zu töten, aber sie bedrohen nicht deren Kinder oder Ehepartner.

Unter den gegebenen Umständen wäre es also höchst unvernünftig zu erwarten, daß das Offizierskorps uns irgendwelches Vertrauen entgegenbringt. Meiner Ansicht nach zeigen die jüngsten Fehlschläge, daß wir uns in den Augen unserer Offiziere ›rehabilitieren‹ müssen, wenn wir von ihnen verlangen, daß sie eine effektive – eine *motivierte* – Streitmacht bilden. Wir hatten schon einmal unglaubliches Glück mit der Flotte: daß man nämlich nicht einfach dagestanden und zugesehen hat, wie die Levellers uns überrollten. Ich möchte Sie daran erinnern, daß nur ein einziges Großkampfschiff – nur eines, und das gehörte nicht einmal zur Zentralflotte – genügend Initiative und

Mut aufbrachte, um ohne Befehl einzugreifen. Wenn die *Rousseau* sich aus allem herausgehalten hätte, dann wären Sie und Oscar und ich bereits tot. Auf solche Hilfe können wir kein zweites Mal hoffen, wenn wir nicht eindeutig klarstellen, daß wir uns unserer Schuld gegenüber unseren Rettern bewußt sind. Und dazu sehe ich nur eine einzige Möglichkeit: Wir müssen dem Militär eine Stimme auf höchster Ebene zugestehen, dafür sorgen, daß Offiziere, Unteroffiziere und Mannschaften erfahren, was wir entschieden haben. Dieser Stimme müssen wir tatsächlich eine gewisse Aufmerksamkeit schenken – wenigstens nach außen hin.«

Ransom wölbte die Augenbrauen, ansonsten wirkte ihr Gesichtsausdruck wie eingefroren. »Nach außen hin?« wiederholte sie.

Pierre nickte. »Nach außen hin. Oscar und ich haben bereits über eine Rückversicherung gesprochen, nur falls unser zahmer Kampfhund außer Kontrolle gerät. Oscar?«

»Ich habe jeden der Offiziere überprüft, die Rob vorgeschlagen hat«, erklärte der SyS-Chef. »Ihre Dienstakten und die Berichte ihrer Volkskommissare zu bearbeiten ist nicht allzuschwer. Wir können jeden einzelnen von ihnen als weißen Ritter erscheinen lassen, wenn wir ihn oder sie der Öffentlichkeit präsentieren. Alle sind auf ihrem Gebiet sehr tüchtig und haben genügend Zeitbomben in der Führungsakte. Jede dieser Zeitbomben können wir auslösen, wann immer wir wollen, und jede einzelne zerreißt den Helden buchstäblich in der Luft. Natürlich«, er lächelte schwach, »zöge ich es vor, daß der fragliche Offizier schon tot wäre, wenn wir mit diesen Bomben an die Öffentlichkeit gehen. Einem Toten fällt es erfahrungsgemäß sehr schwer, Vorwürfe zu entkräften.«

»Ich verstehe.« Nun lehnte sich Ransom zurück, massierte sich eine Weile nachdenklich das Kinn und nickte langsam. »Schön, ein guter erster Schritt«, gab sie zu. Sie klang nach wie vor mürrisch, aber nicht mehr unnachgiebig. »Allerdings möchte ich mir diese ›Zeitbomben‹ vorher etwas näher ansehen. Wenn wir eine Marionette wollen, gegen die wir jederzeit Anklage erheben können, dann muß die Öffentliche Information ihre Vernichtung schon im Vorfeld behutsam präparieren. Schließlich wollen wir doch alle vermeidbaren Ungereimtheiten ausschließen, nicht wahr?«

»Das ist kein Problem«, versicherte ihr Saint-Just. Dennoch wirkte Ransom nach wie vor unzufrieden; plötzlich hörte sie auf, sich das Kinn zu reiben, straffte den Rücken und beugte sich über den Tisch zu Pierre vor.

»So weit, so gut, Rob«, sagte sie, »aber Ihr Vorschlag birgt ein gewaltiges Risiko, das möchte ich noch einmal betonen. Ganz egal, wie wir Ihren Plan durchführen, wir geben damit kein eindeutiges Signal. Ich meine, gerade erst haben wir Admiral Girardi hinrichten lassen, weil er Trevors Stern verloren hat, und trotz all unserer Erklärungen gegenüber den Proles wissen wir, daß er nicht die Alleinschuld trug.«

Dieses Zugeständnis einem Raumoffizier gegenüber, so unbedeutend es auch sein mochte, überraschte Pierre ein wenig, vielleicht mußte selbst eine Cordelia Ransom zugeben, daß tote Männer keinen Verrat mehr planen können.

»Die hohen Offiziere der Flotte sind da sowieso anderer Meinung«, fuhr Ransom fort. »Sie sind davon überzeugt, wir hätten Girardi nur erschießen lassen, um dem Pöbel zu ›beweisen‹, daß die Niederlage nicht unsere Schuld gewesen ist. Selbst *Mannschafts-*

dienstgrade mißbilligen, daß wir ihn zum ›Sündenbock‹ gemacht haben! Ich vermag nicht zu erkennen, wie Ihr Vorschlag binnen absehbarer Zeit solche Positionen verändern soll.«

»Nun, Sie wissen ja auch nicht, wen ich vorschlagen will!« rief Pierre aus und setzte sich ohne ein weiteres Wort; er grinste sie nur an. Ransom bedachte ihn mit einem wütenden Blick und versuchte vorzutäuschen, daß sein Spiel mit ihrer Ungeduld nicht funktioniere. Leider wußten sie beide, daß das Gegenteil der Fall war. Fast eine Minute verstrich, dann hob sie resigniert die Schultern.

»Also sagen Sie's schon!«

»Esther McQueen«, antwortete Pierre, und Ransom setzte sich blitzschnell aufrecht hin.

»Das kann doch nicht Ihr Ernst sein!« fauchte sie, und als Pierre daraufhin nur den Kopf schüttelte, verfinsterte sich ihr Gesicht. »Besser wäre das aber, verdammt noch mal! Verflucht, Oscar! *McQueen!*« Der Blick, den sie Saint-Just zuwarf, hätte den SyS-Chef eigentlich auf der Stelle in Brand setzen müssen. »Diese Frau ist ohnehin schon verdammt populär. Ihre eigenen Spione melden doch, wie ehrgeizig sie ist und daß sie eigene Pläne verfolgt. Wollen Sie allen Ernstes vorschlagen, jemandem einen geladenen Pulser in die Hand zu drücken, von dem wir wissen, daß er bereits kurz vor dem Amoklauf steht?«

»McQueens Ehrgeiz könnte sich letztendlich als unser treuester Verbündeter erweisen«, entgegnete Pierre, bevor Saint-Just antworten konnte. »Jawohl, Brigadier Fontein hat uns gewarnt, daß die Bürgerin Admiral eigene Ziele verfolgt. Genauer gesagt, hat sie mehrmals versucht, unter ihren Flaggoffizierskameraden ein geheimes Netz zu errichten. Diese Bemühungen sind allerdings von wenig Erfolg gekrönt gewesen, ihre Kameraden wissen nämlich so gut wie wir, was sie im Schilde führt. Die meisten von ihnen sind viel zu verschüchtert, um den Kopf zu heben, und der Rest betrachtet McQueen sowohl als eine Art Politikerin wie auch als Offizier. Angesichts der Endgültigkeit, mit der heutzutage auf dem politischen Parkett gespielt wird, trauen die Militärs keinem Neueinsteiger über den Weg, auch nicht, wenn er aus den eigenen Reihen kommt. Wenn wir andererseits McQueen einen Platz am Tisch zugestehen, dann wird ihr gerade dieser Ehrgeiz alle Gründe liefern, um den Fortbestand des Komitees – und damit ihrer eigenen Machtgrundlage – sicherzustellen.«

»Pah!« Ransom entspannte sich ein wenig, verschränkte die Arme vor der Brust und dachte nach. Wieder wiegte sie den Kopf, langsamer und nachdenklicher als zuvor. »Nun gut«, sagte sie, »nehmen wir an, Sie lägen in dieser Beziehung richtig. McQueen wäre trotzdem eine Gefahr für uns. Der Pöbel sieht sie als die Heldin, die das Komitee vor den Levellers gerettet hat – und das halbe Komitee glaubt mittlerweile, sie könne auf dem Wasser wandeln! Dabei wissen wir nicht einmal, ob sie überhaupt beabsichtigt hat, uns alle zu retten. Wenn die Pinasse nicht abgestürzt wäre ... vielleicht hätte McQueen weitergemacht und uns gleich mit in die Luft gejagt!«

»Könnte sein, aber das glaube ich keinen Augenblick lang«, entgegnete Pierre mit größerem Nachdruck als gerechtfertigt. »Das Komitee verfügt durch den Quorumsbeschluß immerhin über eine Legitimation und regiert seit sechs T-Jahren die Republik. Welche Machtgrundlage wäre McQueen geblieben, wenn sie uns ausradiert hätte? Bedenken Sie: Nur ihr eigenes Flaggschiff hat eingegriffen, alle anderen ließen sie im Stich, obwohl sie damit nur ihre Pflicht tat. Bei einem eventuellen Coup d'État hätte McQueen keinesfalls auf die Unterstützung der restlichen Flotte bauen können – eben weil sie im Ruch steht, politische Ziele zu verfolgen.«

»Es kommt mir vor, als versuchten Sie mehr sich selbst davon zu überzeugen als mich«, brummte Ransom finster. »Und selbst wenn Sie recht hätten – entkräften Sie mit Ihrer Logik nicht die eigenen Argumente, ihr einen Sitz am Tisch zu geben? Wenn der Rest des Offizierskorps sie als politisch ambitioniert betrachtet, warum sollten wir dann ausgerechnet diese Leute auf unsere Seite ziehen können, indem wir McQueen ins Komitee berufen?«

»Weil wir, ob McQueen nun politische Ambitionen hegt oder nicht, keinen besseren Kommandeur haben als sie, und das wissen die anderen Flaggoffiziere auch«, erklärte Saint-Just. »Man mißtraut nicht McQueens Tüchtigkeit, Cordelia – nur ihren Motiven. Eigentlich könnten wir es uns besser gar nicht wünschen: ein Offizier mit einer Befähigung, die alle Kameraden anerkennen, und dem Makel der politischen Ambition, der sie von den ›richtigen‹ Raumoffizieren abgrenzt.«

»Wenn McQueen so verdammt gut ist, warum haben wir dann Trevors Stern verloren?« erkundigte sich Ransom, und Pierre fuhr sich mit der Hand über den Mund, um sein Lächeln zu verbergen. Cordelias Ministerium hatte aus Trevors Stern eine Art metaphorisches Bollwerk für die gesamte Volksrepublik gemacht – ein ›Bis hierher und nicht weiter‹ zwischen den Sternen, einen Punkt, von dem aus ein Rückzug nicht einmal erwogen werden konnte. Auf Pierres Bitten, sie möge die Rhetorik ein wenig im Zaume halten, war sie nicht eingegangen. Gewiß hatte das Trevor-System eine außerordentliche strategische Bedeutung besessen, und die militärischen Folgen seines Verlustes hatten Pierre den ersten Anstoß versetzt, einen Repräsentanten der Volksflotte ins Komitee aufzunehmen. Doch im Verhältnis zur gewaltigen Ausdehnung der Volksrepublik war auch Trevors Stern letzten Endes entbehrlich. Worauf das Komitee hingegen nicht verzichten konnte, waren öffentliche Moral und der Kampfeswille der Volksflotte – und beides hatte einen heftigen Schlag auf die Nase bekommen, als die ›letzte Walstatt zwischen den Sternen‹ der königlich-manticoranischen 6. Flotte zum Opfer fiel.

»Wir haben Trevors Stern verloren«, sagte er zu Ransom, »weil die Manticoraner bessere Schiffe haben und ihre Technik der unsrigen überlegen ist. Zudem werden Manticores befehlshabende Offiziere immer beschlagener, während es unseren Kommandeuren oft an Erfahrung mangelt – dank unserer Gepflogenheit, besiegte Admirale hinzurichten.«

Ransom riß ob der sarkastischen Bemerkung die Augen auf, und Pierre lächelte sie bissig an.

»McQueen konnte das System zwar nicht halten, aber sie hat den Manties schwere Verluste zugefügt. Angesichts der relativen Größe unserer Flotte erleidet die Allianz proportional höhere Verluste als wir – zumindest gilt das bis zum letzten, entscheidenden Gefecht. Während der Auseinandersetzungen haben die Kommandanten unserer Schiffe und die jüngeren Geschwaderchefs ebenfalls sehr viel gelernt, und wir haben rund ein Drittel von ihnen im Rotationsverfahren in die Heimat versetzt, damit sie ihr Wissen weitergeben. Trotzdem war es schon vor einem Jahr offensichtlich, daß White Haven am Ende Trevors Stern kassieren würde. Deshalb habe ich McQueen abgelöst und Girardi dorthin geschickt – damit er die Konsequenzen trägt.« Ransom blickte ihn erstaunt an, und Pierre zuckte die Achseln. »McQueen wollte ich auf keinen Fall verlieren, und in Anbetracht unserer Vorgehensweise wäre mir keine andere Wahl geblieben, als sie erschießen zu lassen, wenn sie zum Zeitpunkt der unausweichlichen Eroberung immer noch Systemkommandeurin von Trevors Stern gewesen wäre.« Er grinste spöttisch. »Nach den Aufregungen im vergangenen Monat bin ich geneigt zu glauben, daß ich in diesem Krieg keinen brillanteren Zug gemacht habe.«

»Pah!« rief Ransom noch einmal, ließ sich wieder zurücksinken und blickte angespannt auf die Tischplatte, die aus edlem Kristallglas bestand. »Und Sie sind sich wirklich sicher, daß Sie McQueen für diese Aufgabe wollen? Ich muß Ihnen nämlich eins sagen: Je mehr Sie betonen, wie tüchtig sie ist, desto nervöser werde ich.«

»Tüchtigkeit auf dem eigenen Gebiet ist eine Sache; für unser Metier braucht man andere Talente«, entgegnete Pierre selbstsicher. »Was das Verständnis der Politik angeht, so übertreffen McQueens Ambitionen ihren Horizont bei weitem. Sie wird eine ganze Weile brauchen, bis sie begriffen hat, wie die Regeln auf unserer Seite der Straße lauten. Oscar und ich werden sie nicht aus den Augen lassen. Sobald wir den Eindruck erhalten, daß sie allmählich den Bogen raushat – nun, Unfälle lassen sich nie ganz vermeiden . . .«

»Und welche negativen Gedanken bei ihrer Wahl auch aufkommen mögen«, fügte Saint-Just hinzu, »sie ist eine bessere Kandidatin als der nächste in der Warteschlange.«

»Und wer wäre das?« fragte Ransom.

»Wenn unsere Raids auf den manticoranischen Handelsverkehr in Silesia nicht nach hinten losgegangen wären, dann wäre Javier Giscard eine noch bessere Wahl gewesen als McQueen. Aber wie es im Moment aussieht, bleibt er für absehbare Zeit untragbar. Seine politischen Ansichten sind weitaus akzeptabler als die McQueens – Kommissarin Pritchard lobt ihn nach wie vor in höchsten Tönen. Um fair zu bleiben: Was geschehen ist, war nicht seine Schuld. Aber wir haben ihn abgelöst, und er steht für sein ›Versagen‹ noch immer unter Bewährung.« Ransom legte den Kopf schräg, und Saint-Just zuckte mit den Schultern. »Eine reine Formsache – er ist viel zu gut, als daß wir ihn erschießen sollten, es sei denn, uns bleibt überhaupt keine andere Wahl. Doch selbst ihn können wir nicht über Nacht rehabilitieren.«

»Gut, das sehe ich ein«, nickte Ransom, »aber Sie haben mir nur verraten, wer *nicht* der nächste Kandidat sein wird.«

»Verzeihen Sie«, entschuldigte sich Saint-Just, »ich bin vom Thema abgekommen. Um Ihre Frage also zu beantworten, McQueens einziger ernstzunehmender Konkurrent heißt Thomas Theisman. Er ist zwar erheblich dienstjünger als sie, aber er ist auch der einzige Flaggoffizier, der aus dem Unternehmen Dolch mit dem Ruf eines Kämpfers hervorging. In den Schlachten um Trevors Stern hat er sich ausgezeichnet, bevor wir ihn abzogen. Seine Verteidigung von Seabring ist einer der wenigen Siege, derer wir uns bisher überhaupt rühmen können. Während die Flotte ihn als Strategen und Taktiker respektiert, war er stets sehr sorgfältig darauf bedacht, völlig unpolitisch zu bleiben.«

»Und das soll ein Nachteil sein?« Ransom klang erstaunt, und Pierre blickte sie kopfschüttelnd an.

»Begehen Sie keinen Denkfehler, Cordelia«, schalt er sie milde. »Wenn er unpolitisch bleibt, kann er dafür nur einen Grund haben: daß er nichts für uns übrig hat. Vielleicht scheut er das politische Parkett aufgrund der dort lauernden Gefahren, aber jemand mit seinem Werdegang kann kein Idiot sein. Nur ein Idiot würde nämlich übersehen, wie viele hübsche kleine Möglichkeiten es doch gibt, um uns zu signalisieren, er sei ein gehorsamer, lieber Junge. Diese Signale müßten nicht einmal aufrichtig gemeint sein, trotzdem würde es ihn rein gar nichts kosten, sie zu senden.«

»Mit dieser Einschätzung stimmt sein Volkskommissar überein«, stimmte Saint-Just zu. »Bürger Kommissar LePics Berichte stellen klar, daß er Theisman als Mensch und Offizier respektiert und daß für ihn kein Zweifel an Theismans Treue zur Republik besteht. Demgegenüber hat er uns jedoch gewarnt, daß Theisman mit etlichen Aspekten unserer Politik alles andere als zufrieden ist. Der Admiral sei sorgfältig darauf bedacht, nicht darüber zu sprechen, aber seine Haltung verrät sich eben doch.«

»So ist das also«, knurrte Ransom erheblich grimmiger als zuvor.

»Auf jeden Fall wäre Theisman vom professionellen Standpunkt aus akzeptabel«, sagte Pierre rasch, um nicht die Kontrolle über das Gespräch zu verlieren, bevor Ransom sich in eine ihrer Verdächtigungstiraden hineinsteigerte. »Aber er ist ein Brutus, und wir brauchen einen Cassius. McQueens Ehrgeiz macht sie zwar gefährlicher, aber Ehrgeiz ist erheblich berechenbarer als Prinzipienreiterei.«

»Dagegen läßt sich nichts einwenden«, brummte Ransom. Wieder starrte sie düster auf den Tisch, dann nickte sie knapp. »Also schön, Rob. Ich sehe, daß Sie und Oscar diese McQueen ins Komitee holen wollen, ganz gleich, was ich dagegen einwende, und ich muß zugeben, daß Ihre Argumente ansatzweise Sinn ergeben. Aber behalten Sie McQueen gut im Auge. Das letzte, was wir gebrauchen könnten, wäre eine ehrgeizige Admiralin, die einen echten Militärputsch zustande bringt und *uns* stürzt.«

»Dann wären wir uns allerdings selber auf den Leim gegangen«, meinte Pierre.

»Aber nach allem, was Sie gerade sagten, muß ich mir nicht nur um McQueen große Sorgen machen, sondern auch um Theisman«, fuhr Ransom fort. »Denn wenn ich richtig verstanden habe, übernimmt er McQueens Platz, sobald sie zu politischen Aufgaben abgestellt wird, weil er nach Einschätzung des Offizierskorps der beste Kommandeur der Volksflotte ist?« Als Saint-Just nickte, vertiefte sich ihr Stirnrunzeln. »In diesem Fall halte ich es für das Beste, wenn ich mir Admiral Theisman persönlich sehr genau ansehe.«

»Sie meinen mit ›persönlich‹, daß Sie die Sache selbst in die Hand nehmen?« erkundigte sich Pierre in gezielt beiläufigem Tonfall.

»Vielleicht.« Ransom zupfte sich an der Unterlippe. »Augenblicklich ist er im Barnett-System stationiert?«

»Er ist Systemkommandeur«, sagte Saint-Just. »Schließlich braucht die DuQuesne-Basis einen guten Befehlshaber.«

Ransom nickte zustimmend. Mit der Eroberung von Trevors Stern hatte die Manticoranische Allianz zwar einen nahezu unüberwindlichen Keil zwischen das Herz der Volksrepublik und das Barnett-System gestoßen, doch die gewaltige Infrastruktur der DuQuesne-Basis und der anderen Militäranlagen im System blieben in havenitischer Hand. Barnett war von Anfang an als Startpunkt für den unausweichlichen Krieg gegen Manticore ausersehen gewesen, und das legislaturistische Regime hatte zwanzig T-Jahre investiert, um dieses Konzept in die Tat umzusetzen. So gern die Manticoraner es wohl getan hätten, es war unmöglich, ein Sonnensystem abzuschneiden, und eine Bastion, die so stark war wie Barnett, konnten sie nicht in ihrem Rücken dulden. Im Gegensatz zu den Schiffen der Seeflotten vermochte ein Sternenschiff jedem Abfangversuch leicht auszuweichen, wenn es seine Route durch den Hyperraum sorgfältig plante. Haven konnte daher jederzeit Nachschub und auch Verstärkung zur DuQuesne-Basis bringen, und obwohl durch solche Umwege Zeit verlorenging, erreichten die Schiffe Barnett letztendlich unbeschadet.

Die Manticoraner hingegen konnten Barnett mit geringem Zeitverlust anlaufen. Während ihre 6. Flotte mit der Eroberung von Trevors Stern beschäftigt war, hatten sich andere alliierte Kampfverbände die Ablenkung der Volksflotte zunutze gemacht und die vorgeschobenen Basen Treadway, Solway und Mathias genommen. Am ärgerlichsten daran war, daß die Flottenwerften im Treadway-System praktisch unbeschadet in Feindeshand gefallen waren; von entscheidender Bedeutung jedoch war, daß die Manticoraner den Bogen von Basen durchbrachen, die Barnetts südöstliche Flanke geschützt hatten ... Hinzu kam der Verlust von Trevors Stern. Dank der Eroberung dieses Systems hatte die Royal Manticoran Navy auch den letzten Terminus des Manticoranischen Wurmlochknotens in ihre Gewalt gebracht, und nun konnten Geleitzüge und Kampfverbände direkt und ohne Zeitverzögerung vom Doppelstern Manticore bis zu Trevors Stern springen und sich von Norden auf das Barnett-System stürzen.

Im Grunde kämpfte Barnett also auf verlorenem Posten. Andererseits hatten die Manticoraner bei der Eroberung von Trevors Stern hohe Verluste in Kauf nehmen müssen. Die Royal Manticoran Navy brauchte Zeit, um sich zu reorganisieren und Atem zu schöpfen, aber sobald sie wieder marschbereit wäre, würde hoffentlich Barnett ihre Aufmerksamkeit wecken und sie vom Herzen der Republik ablenken; der Feind sollte sich wieder auf die Grenze konzentrieren. Dazu aber mußte Barnett so lange gehalten werden wie irgend möglich, auch wenn es sich dabei nur um ein Ablenkungsmanöver handelte. Ein Täuschungsmanöver, das allerdings die Hand eines kompetenten Systembefehlshabers erforderte.

»Ihren Worten entnehme ich, daß Sie nicht beabsichtigen, Theisman im Barnett-System zu lassen, bis die Basis in Flammen steht«, bemerkte Ransom nach einem Augenblick, woraufhin Pierre nickte. »In diesem Fall werde ich einen kurzen Abstecher nach Barnett machen, um mir einen persönlichen Eindruck von Theisman zu verschaffen«, sagte sie. »Letztendlich muß die Öffentliche Information verarbeiten, was dort geschieht, und wenn er mir politisch zu unzuverlässig erscheint, lassen wir ihn vielleicht doch dort zurück – und schreiben ein ergreifendes Epos über seinen heroischen und doch zum Scheitern verurteilten Opfergang, mit dem er die heranstürmenden manticoranischen Horden abzuwehren versucht hat. Von der Sorte: ›Theisman stellt sich zum letzten Gefecht‹.«

»Wenn Ihnen nicht gerade etwas auffällt, was LePic in all den Jahren entgangen wäre, ist Theisman zu wertvoll, um ihn zu opfern«, gab Saint-Just zu bedenken.

»Oscar, für ein kaltherziges Schreckgespenst sind Sie mir manchmal zu zimperlich«, widersprach Ransom ernst. »Nur beseitigte Risiken sind annehmbare Risiken, ganz gleich, wie ungefährlich sie erscheinen mögen. Für eine Flotte, die so oft die Fresse poliert bekommt wie unsere, kann ein Offizier als toter Held erheblich wertvoller sein denn lebend. Außerdem bereitet es mir besondere Freude, potentielle Bedrohungen in Propagandavehikel zu verwandeln.«

Sie verzog die Lippen zu jenem dünnen, kalten, gierigen Lächeln, das selbst Oscar Saint-Just einzuschüchtern vermochte, doch Pierre tat ihre Worte mit einem Achselzucken ab. Was Theismans Wert anging, hatte Oscar recht. Pierre war es völlig egal, wie gern und mit welcher Lust Cordelia den Admiral vernichtet hätte – er beabsichtigte nicht, ihr den Mann ohne weiteres vorzuwerfen. Andererseits war Cordelia der Liebling der Proles, das Sprachrohr und der Bezugspunkt ihrer Gewaltausbrüche. Wenn Ransom entschlossen war, Theismans Kopf neben die anderen Trophäen an ihrer Wand zu hängen, so würde Pierre ihn ihr überlassen – besonders, wenn ihm dieser Zug die Unterstützung Cordelias (und damit des Amts für Öffentliche Information) einbrachte, um McQueen ins Komitee für Öffentliche Sicherheit zu berufen. Nicht, daß er beabsichtigt hätte, diesen Handel offen vorzuschlagen.

»Drei Wochen hin, drei Wochen zurück«, erklärte er statt dessen. »Können Sie es sich leisten, Haven so lange zu verlassen?«

»Wieso nicht?« entgegnete Ransom. »Für die nächsten zwei, drei Monate wollen Sie doch keine weitere Plenarsitzung des Komitees anberaumen, oder?« Als er verneinte, breitete sie die Hände aus. »Also brauchen Sie und Oscar meine Stimme nicht, um die Maschine in Gang zu halten, und ich habe die *Tepes* so ausstatten lassen, daß das Schiff als mobile Kommandozentrale für die Öffentliche Information dienen kann. Nichts und niemand schreibt vor, daß unsere Propaganda hier auf Haven ihren Ausgang nehmen und sich nach draußen verbreiten muß. Mein Stellvertreter kann während meiner Abwesenheit die Routineentscheidungen treffen, und neues Material produzieren wir dann auf der *Tepes.* Sobald ich die Beiträge gesichtet und freigegeben habe, geben wir sie in die Provinznetze und verbreiten sie von der Grenze nach innen statt vom Zentrum nach außen.«

»Also gut«, stimmte Pierre nach kurzem Überlegen zu. »Wenn Sie sich selbst ein Bild von der Lage verschaffen möchten und zuversichtlich sind, die Aufgaben der Öffentlichen Information von dort wahrzunehmen, dann können wir Sie wohl für die Dauer der Reise entbehren. Achten Sie nur darauf, genügend starke Sicherheitskräfte mitzunehmen.«

»Das werde ich«, versprach Ransom. »Dazu eine komplette technische Kolonne des Ministeriums. Wir werden sehr viele Originalaufnahmen machen und Flottenangehörige interviewen – Material, das wir veröffentlichen können, sobald das System gefallen ist . . . dergleichen eben. Wenn wir Barnett schon nicht halten können, dann sollten wir aus seinem Verlust doch wenigstens so viele Vorteile ziehen wie irgend möglich!«

1

An diesem Tag hing besonders viel Staub in der Luft. Obwohl die Schwermetallkonzentrationen nicht ausreichten, um einen gebürtigen Grayson zu beunruhigen, waren sie doch hoch genug, um jedem Fremdweltler ernste Sorgen zu bereiten.

Der Admiral der Grünen Flagge Hamish Alexander, Dreizehnter Earl von White Haven und designierter Chef der 8. Flotte (falls diese sich am Ende doch noch zusammenfand), war auf dem Planeten Manticore geboren, und die Hauptwelt des Sternenkönigreichs barg in der Planetenkruste nicht solch hohe Anteile toxischer Elemente. Weil White Haven als einziges Mitglied der Entourage auf dem Landeplatz eine Atemmaske trug, kam er sich ein wenig exotisch vor. Andererseits hatte ihm der Dienst im Weltraum eines beigebracht: schädliche Umwelteinflüsse niemals auf die leichte Schulter zu nehmen – und er diente nun schon fast ein Jahrhundert lang dem Sternenkönigreich. Deshalb war er durchaus bereit, ein wenig exotisch zu wirken, wenn er dafür kein Cadmium und kein Blei einzuatmen brauchte.

Zudem trug außer ihm niemand auf dem ganzen Landeplatz die weltraumschwarz-goldene Uniform der Royal Manticoran Navy. Rund die Hälfte der übrigen Anwesenden waren Zivilisten, darunter auch die beiden einzigen Frauen; letztere steckten in traditioneller graysonitischer Damenmode: Kleider, die bis zu den Fußknöcheln reichten und lange Westen, die an Wappenröcke erinnerten. Die eine Hälfte der Uniformierten stellte die beiden Grüntöne der Harringtoner Gutsgarde zur Schau, die andere die beiden Blautöne der Grayson Space Navy. Selbst Lieutenant Robards,

White Havens Adjutant, war ein Grayson. Anfänglich hatte dies den Admiral ein wenig irritiert, denn er war gewöhnt, daß Angehörige verbündeter Raumflotten zu Gast ins Sternenkönigreich kamen. Sich ihnen auf ihrem eigenen Terrain zu präsentieren, stellte für ihn eine völlig neue Erfahrung dar. Jedoch hatte er sich mit dieser ungewohnten Konstellation erstaunlich rasch abgefunden, weil sie Sinn ergab: Die Achte sollte die erste alliierte Flotte werden, die aus überwiegend nicht-manticoranischen Einheiten bestand. Angesichts der ›Seniorität‹ der manticoranischen Navy hatte von vornherein festgestanden, daß der Flottenchef aus ihren Reihen kommen würde, doch gut zwei Drittel ihrer Sternenschiffe sollten aus der rasant expandierenden GSN und der erheblich kleineren Erewhon Navy stammen. Daher mußte White Haven als ›CO 8 FLT (DESIGNIERT)‹ seinen Stab zwangsläufig um einen graysonitischen Kern aufbauen, und genau damit hatte er die letzten anderthalb Monate zugebracht.

Alles in allem hatten ihn die Entdeckungen durchaus beeindruckt, die er dabei gemacht hatte. Durch die Expansion war das Offizierskorps der GSN sehr dünn verteilt – tatsächlich waren rund zwölf Prozent aller Offiziere in Diensten der graysonitischen Navy zeitweilig überstellte Manticoraner. Obwohl die institutionelle Unerfahrenheit der GSN häufig zutage trat, erschien sie White Haven im Ganzen auf geradezu aggressive Weise befähigt. Graysonitische Geschwader- und Kampfverbandchefs gaben sich mit dem Leistungsniveau ihrer Offiziere nicht so schnell zufrieden, weil sie ganz genau wußten, wie rasch diese auf den gegenwärtigen Rang befördert worden waren. Gnadenlos drillten sie ihre Untergebenen, und sowohl ihre taktischen als auch ihre Manöverbefehle wurden in einer Ausführlichkeit erteilt, die für manticoranische Gewohnheiten fremdartig wirkte. Solch starre Verhaltensregeln führten manchmal zu Resultaten, die für White Havens Geschmack zu mechanisch waren. Er war in der manticoranischen Tradition herangewachsen, nach der ab einem bestimmten Dienstalter von Offizieren erwartet wurde, daß sie nicht erst auf spezifische Anweisungen von Vorgesetzten warteten, sondern sich selbständig mit den Einzelheiten befaßten. White Haven gestand einer jungen Navy wie der von Grayson durchaus zu, ausführlichere Befehle zu benötigen. Wenn die graysonitischen Flottenmanöver manchmal auch einen mechanischen Eindruck erweckten, so hatte White Haven andererseits bei der GSN noch nicht jene Sorte von Desastern erlebt, die mitunter auftraten, wenn ein Flaggoffizier irrtümlich annahm, seine Untergebenen hätten verstanden, was er beabsichtigte.

Einerseits wünschte sich der Earl manchmal, die graysonitischen Admirale würden ihren Untergebenen ein wenig mehr Freiheit zur Eigeninitiative einräumen, andererseits hatte ihn gleich zu Anfang sowohl überrascht als auch entzückt, daß die Graysons Übungen an Bord der Schiffe jeder Computersimulation vorzogen und ohne weiteres bereit waren, die hohen Kosten von Beschießungsübungen mit scharfer Munition in Kauf zu nehmen. Die Tradition der RMN favorisierte den gleichen Ansatz, doch sah sich die Admiralität immer wieder gezwungen, dem Parlament die erforderliche Finanzierung mit Zähnen und Klauen abzuringen. Hochadmiral Matthews hingegen, der Oberkommandierende der GSN, war sich sowohl der enthusiastischen Rückendeckung durch Protector Benjamin gewiß als auch der Unterstützung einer soliden Mehrheit in beiden Planetaren Kammern. Auf Grayson war der Krieg gegen Haven viel gegenwärtiger als auf Manticore, denn im Zeitraum von weniger als acht T-Jahren hatten vier Raumschlachten im Jelzin-System stattgefunden; im Gegensatz dazu hatte seit fast drei Jahrhunderten niemand mehr gewagt, das Doppelsternsystem Manticore anzugreifen. White Haven mutmaßte allerdings, daß die Unterstützung der Graysons mindestens ebensosehr auf die Persönlichkeit derjenigen Frau zurückzuführen war, die willkommen zu heißen er und seine Begleiter sich auf diesem Landeplatz versammelt hatten.

Er verzog die Lippen, und seine blauen Augen, deren Blick die Kälte arktischen Eises annehmen konnte, funkelten munter. Soweit es die RMN betraf, war Lady Dame Honor Harrington, die Gräfin von Harrington, nur ein Captain of the List unter vielen, die sich bei ihren zahlreichen innenpolitischen Feinden jedoch den Ruf einer gefährlichen, jähzornigen und undisziplinierten Zeitbombe erworben hatte. Hier im Jelzin-System hingegen führte sie den Rang eines Volladmirals der GSN und war außerdem die Gutsherrin von Harrington. Sie war zweithöchster Offizier der Navy von Grayson, gehörte zu den achtzig Hochadeligen, die den Planeten regierten, war der reichste Mensch der graysonitischen Geschichte, einziger lebender Träger des Sterns von Grayson (was sie gleichzeitig zum offiziellen Champion Protector Benjamins machte) und dazu die Frau, die nicht nur einmal, sondern gleich zweimal das Jelzin-System vor der Eroberung durch eine fremde Macht bewahrt hatte. White Haven selbst wurde von der Navy und dem Volk von Grayson tief respektiert, denn er hatte die Eroberung ihrer brudermordenden Schwesterwelt Masada befehligt und die Dritte Schlacht von Jelzins

Stern gewonnen, die Eröffnung des Krieges gegen die Volksrepublik von Haven. Trotzdem war und blieb er ein Fremdweltler. Honor Harrington nicht. Sie war zu einer Grayson geworden und im Zuge dieser Entwicklung – ob sie es nun wußte oder nicht – zur Schutzpatronin der graysonitischen Flotte.

Das ist ihr wohl wirklich nicht bewußt, grübelte White Haven. *Es sähe ihr überhaupt nicht ähnlich, auch nur auf den Gedanken zu verfallen ...* Und vermutlich war es gerade deswegen so gekommen. White Haven war sich dessen ebenso bewußt wie jeder andere Manticoraner, der mit der GSN zusammenarbeitete. Wer hätte es übersehen können? Der letzte graysonitische Prüfstein für jedes Ausbildungskonzept und jede taktische Neuerung konnte in jeweils drei Wörtern ausgedrückt werden: ›Lady Harrington sagt‹ oder der Variante ›Lady Harrington würde‹. Die abgöttische Weise, mit der die GSN die Lehren und das Beispiel einer – gleichwie kompetenten – Einzelperson angenommen hatte, wäre erschreckend gewesen, wenn dieses Individuum nicht gerade das ständige In-Frage-Stellen der eigenen Konzepte und Anschauungen zur *Conditio sine qua non* erhoben hätte. White Haven wußte zwar nicht wie, aber Honor Harrington hatte auch diesen Aspekt ihrer Persönlichkeit auf die Navy übertragen, die sich so enthusiastisch nach ihrem Vorbild formte, und er war zutiefst dankbar, daß es so gekommen war.

Die GSN ließ Honor Harrington selbstverständlich erheblich freiere Hand als die manticoranische Admiralität einem Flaggoffizier jemals zugestanden hätte, doch schmälerte das keineswegs ihre Leistungen. Hochadmiral Matthews hatte gegenüber White Haven zugegeben, daß er sie fast ausschließlich zu dem Zweck in die GSN geholt habe, um ihren Verstand anzuzapfen, und das konnte der Earl sehr gut verstehen. Nur wenige Flotten besaßen so viel Erfahrung wie die Royal Manticoran Navy, bei der Honor Harrington ungeachtet ihrer politischen Probleme auf der Heimatwelt eine Reputation genoß, in der sie niemandem nachstand. Selbst wenn die GSN Honor Harrington nicht vorher im Gefecht erlebt hätte, wäre sie – wie jede Navy in ihrer Situation – zu allem bereit gewesen, um jemanden wie diese manticoranische Kommandantin in ihre Reihen zu bekommen. *Überlegt man, wie aufmerksam die Graysons ihr zugehört haben und wie begierig sie darauf waren, ihre Kampferfahrung für die Ausbildung nutzen zu können, wäre es sogar erstaunlich, wenn Harrington bemerkt* hätte, *wie sehr sie ihre Persönlichkeit und ihre Lebensanschauung auf die Graysons übertragen hat. Die haben ihre Konzepte so bereitwillig aufgenommen, daß es Harrington vorgekommen sein muß, als würde* sie *sich an die graysonitische Philosophie anpassen!* O ja, White Haven verstand sehr gut, wie es gekommen war. Trotz alledem war es höchst ironisch, daß die Grayson Space Navy in vielerlei Hinsicht dem Ideal der manticoranischen Navy näherkam als die RMN selbst!

White Haven hatte jedenfalls eine wertvolle, neue Facette von Captain Harringtons Persönlichkeit kennengelernt. Die Kriecher und Speichellecker, die sich nur zu oft an einen erfolgreichen Offizier zu hängen versuchten, waren ihm ebenso geläufig wie die extremeren Formen der Heldenverehrung; beides erkannte er, wenn er es sah. Beides hatte er hier auf Grayson in Harringtons Umgebung gefunden. Andererseits mußte es sich um eine bedeutende Frau handeln: allein und von einer fremden Welt stammend, spazierte sie in eine theokratische, männlich dominierte Gesellschaft und errang die persönliche Ergebenheit einer Gruppe, die so uneinheitlich war, daß sie nicht nur die örtliche Navy einschloß, sondern auch Parteigänger der männlichen Überlegenheit alten Schlages wie Howard Clinkscales, den Regenten des Guts von Harrington; Reformer wie Benjamin IX., den regierenden Monarchen des Planeten; religiöse Führer wie den Reverend Jeremiah Sullivan, das geistige Oberhaupt der Kirche der Entketteten Menschheit; weltgewandte, gebildete Politiker wie Lord Henry Prestwick, den Kanzler von Grayson – und sogar ehemals havenitische Offiziere wie Alfredo Yu, nunmehr Admiral in graysonitischen Diensten. White Haven hatte gleich bei seiner ersten Begegnung mit Harrington das Potential erkannt, das in ihr steckte – trotz der Verwundungen an Leib und Seele, der Trauer und des Schuldgefühls, das sie aus der Zweiten Schlacht von Jelzins Stern davongetragen hatte. Damals war er Harringtons vorgesetzter Offizier gewesen und hatte sie über einen militärisch wie sozial unüberwindbar tiefen Rangunterschied hinweg betrachtet. Nun aber kam sie ihm im Dienstgrad gleich (jedenfalls, wenn man ihren graysonitischen Rang zugrunde legte), und als Gutsherrin stand sie gesellschaftlich, so neu ihr Adelsbrief auch war, noch über einem der ältesten manticoranischen Earltitel.

Hamish Alexander neigte in keiner Weise zu Minderwertigkeitskomplexen. Er gehörte zu dem sehr engen Kreis von Menschen, die seine Königin im privaten Kreise mit dem Vornamen anreden durften und mit ihr auf Du und Du standen. Innerhalb der Manticoranischen Allianz genoß er ein Ansehen als Stratege, das von niemandem sonst erreicht wurde. Seine Reputation basierte allein auf Leistung, und dessen war er sich vollends bewußt; genausosehr wußte er, daß er jedem dienenden Offizier in jeder Navy im bekannten Weltraum gleichkam, wenn nicht sogar übertraf. Arrogant war White Haven nicht – zumindest bemühte er sich darum, niemals arrogant aufzutreten. Dennoch war er sich seiner selbst bewußt, und es wäre töricht gewesen, etwas anderes vorzugeben. Allerdings wußte er ebenso genau, daß Harrington ihre Karriere ohne den Vorteil eines aristokratischen Namens begonnen hatte, und auch ohne Beziehungen und der damit verbundenen Patronage. Wie ehrlich sich White Haven seinen Ruf auch erworben hatte und wie oft er die günstige Ausgangsposition, die ihm durch seine Geburt zugefallen war, auch zum Vorteil anderer benutzt haben mochte: niemals konnte er vergessen oder leugnen, durch seine Abstammung einen unwägbaren Vorsprung im Wettlauf auf der Karriereleiter erhalten zu haben – wie Harrington ihn niemals besessen hatte. Hier auf Grayson aber hatte man ihr die Chance gegeben, alles zu zeigen, was sie konnte, und ihre Leistungen flößten dem Earl von White Haven eine gewisse Ehrfurcht ein.

Honor Harrington war kaum halb so alt wie er, und dieser Teil der Milchstraße hatte das finstre Tal eines Krieges betreten, wie er sich seit Jahrhunderten nicht mehr ereignet hatte. Diesen Krieg gegen Haven würden weder begrenzte Eroberungen noch ein Verhandlungsfriede beenden; wer auch immer diesen Krieg verlor, mußte sich nicht auf eine Niederlage, sondern auf seine Vernichtung gefaßt machen. Sechs T-Jahre tobte der Krieg nun bereits, und trotz der jüngsten Erfolge der Allianz war kein Ende in Sicht. Wenn in einer Gesellschaft die Prolong-Behandlung zur Lebensverlängerung erst einmal gegriffen hatte, verlangsamte sich das Aufrücken in die oberen Ränge einer Navy oft so sehr, daß das System wie eingefroren wirkte; die dem Krieg vorhergehende Expansion der RMN hatte indes bewirkt, daß es ihren Offizieren – in beruflicher Hinsicht – nicht ganz so schlimm ergangen war. Verglichen mit der Flotte der Solaren Liga war die Beförderung sogar sehr rasch vonstatten gegangen, und mittlerweile hatte der Krieg die Tore zu den höchsten Rängen weit aufgestoßen. Selbst siegreiche Admirale starben manchmal, und seit Kriegsbeginn hatte sich der Flottenausbau verdreifacht. Wo würde jemand wie Honor Harrington am Ende des Krieges stehen ... vorausgesetzt, sie überlebte ihn? Würde sie dem Kriegsverlauf ihren Stempel aufdrücken, und wenn ja, wie sah er aus? Für jeden außer ihr vielleicht war es offensichtlich, daß sie in den Geschichtsbüchern landen würde – ganz gleich, wer die Chroniken schrieb. Aber würde sie in der Navy ihrer Geburtswelt je den hohen Rang erhalten, den sie aufgrund ihrer Fähigkeiten verdiente? Und wenn, wie würde sie ihn nutzen?

White Haven war von diesem Fragenkomplex fasziniert. Daß er sich so sehr damit beschäftigte, mochte daran liegen, daß Harrington ihn seit seiner Ankunft im Jelzin-System beherbergte. Großzügig wie sie war, hatte sie ihm angeboten, für die Dauer seines Aufenthalts in Harrington House zu wohnen, der offiziellen Residenz, auf der sie ihr Gut verwaltete, wenn sie auf Grayson weilte. Alvarez Field, die neue Hauptbasis der GSN mit dem angeschlossenen Taktischen Simulationscenter, das man nach Bernard Yanakov benannt hatte, lag nur dreißig Flugwagenminuten entfernt, und deshalb war dieses Angebot für White Haven sehr praktisch. Bevor die Schiffe der 8. Flotte eingetroffen waren, mußten die Übungen im Simulator durchgeführt werden, sosehr die Graysons – und White Haven – echte Manöver auch bevorzugt hätten. Aus diesem Grunde hatte der Admiral in annehmbarer Entfernung vom Simulationscenter untergebracht werden müssen; mit ihrer Einladung nach Harrington House hatte Honor Harrington, die seinerzeit im Sternenkönigreich Dienst tat, ihr Einverständnis zu White Havens Verbindung mit der GSN bekundet. Dieser Billigung hätte White Haven zwar nicht bedurft, doch war er sich recht sicher, daß Harrington diese Überlegung gar nicht angestellt hatte. Zudem lehnte der erfahrene Admiral keinen Vorteil ab, der sich ihm bot.

Doch in Harringtons Haus zu wohnen, von ihren Dienstboten bedient zu werden, mit ihren graysonitischen Offizierskameraden zu sprechen, ihrem Regenten, ihrem Sicherheitspersonal ... Manchmal kam es White Haven vor, als enthülle er Facetten von Honor Harringtons Persönlichkeit, die man nur während ihrer Abwesenheit entdecken konnte ... vielleicht war dieser Gedanke albern. Er war dreiundneunzig T-Jahre alt und dennoch fasziniert – fast gebannt – von den Leistungen einer Frau, mit der er vielleicht ein dutzendmal gesprochen hatte. In gewisser Hinsicht war sie ihm fast fremd, doch in anderer lernte er sie kennen, wie er nur wenige Menschen zuvor kennengelernt hatte, und hoffte auf eine Gelegenheit, die beiden Bilder, die er von ihr hatte, miteinander in Einklang zu bringen.

Honor Harrington lehnte sich im Passagiersitz der Pinasse zurück und versuchte, nicht darüber zu lächeln, daß Major Andrew LaFollet, zweithöchster Offizier der Harringtoner Gutsherrngarde und ihr persönlicher Waffenträger, sich größte Mühe gab, so weit unter den Sitz vor ihr zu kriechen, wie es ihm nur möglich war.

»Na komm schon, Jason«, lockte er. Der weiche graysonitische Akzent des Majors ergänzte seine Überredungskunst ganz hervorragend, und nun versuchte er, den größten Nutzen daraus zu ziehen. »Wir könnten doch jeden Moment in die Atmosphäre eintreten. Du mußt nun herauskommen ... bitte!«

LaFollet erhielt nur ein munteres Quieken zur Antwort, und Honor hörte ihn dicht über dem Boden seufzen. Er versuchte, noch weiter unter den Sitz zu robben, kapitulierte, kroch zurück und setzte sich mürrisch aufs Deck. Sein kastanienbraunes Haar stand zerzaust in alle Richtungen ab, und seine grauen Augen forderten seine Untergebenen grimmig heraus, sich doch nur mit einem Wort – einem einzigen – zu seinem nicht sonderlich würdevollen Unterfangen zu äußern; doch niemand hob den Fehdehandschuh auf. Vielmehr blickten Honors übrige Waffenträger geflissentlich in alle möglichen Richtungen, nur nicht auf den Major. Dabei stellten sie eine bewundernswerte, nahezu entschlossene Gleichmütigkeit zur Schau.

LaFollet beobachtete für eine Weile, wie sie ihn nicht beobachteten, dann seufzte er wieder. Er verzog den Mund zu einem schwachen Grinsen, dann blickte er die schlanke, braun-weiß gefleckte Baumkatze an, die zusammengerollt auf dem Sitz neben Honor lag.

»Ich möchte ja nicht mäkelig klingen«, sprach er die 'Katz an, »aber vielleicht solltest *du* ihn rausfischen.«

»Da hat er nicht ganz unrecht, Sam«, stellte Honor fest. Ihr Lächeln wurde breiter, und auf ihrer rechten Wange zeigte sich ein Grübchen. »Schließlich ist er dein Sohn. Und im Gegensatz zu Andrew paßt du unter den Sitz.«

Samantha hob den Kopf und blickte Honor mit funkelnden grünen Augen an. Sie gähnte träge und entblößte dabei schneeweiße, nadelspitze Zähne. Zwei weitere spitzohrige Köpfchen, beide wesentlich kleiner als Samanthas, erhoben sich schläfrig aus dem warmen Fell der Mutter, die sich liebevoll um ihre Jungen geringelt hatte, um sie wie in einem Nest zu behüten. Samantha streckte eine Echthand aus und drückte die Köpfchen sanft wieder hinunter. Dann blickte sie den größeren, grau-cremefarbenen Baumkater an, der es sich auf Honors Schoß bequem gemacht hatte. Honor spürte den schwachen Nachhall eines tiefen, komplizierten geistigen Austauschs, als Nimitz seinerseits den Kopf hob und Samantha anblickte. Keiner der anwesenden Menschen hätte sagen können, was Samantha mit ihrem Partner besprach – denn niemand außer Honor bemerkte den Austausch, aber jeder begriff, was Samantha verlangt hatte, als Nimitz seinerseits einen Seufzer ausstieß, zustimmend mit den Ohren schlug und sich aufs Deck gleiten ließ.

Auf allen sechs Gliedmaßen sauste er den Gang entlang und blieb neben dem Sitz stehen, unter den LaFollet vergebens zu kriechen versucht hatte. Er kreuzte die Echthände auf dem Deck, stützte das Kinn darauf und spähte unter den Sitz. Erneut spürte Honor das Echo fremder Gedanken. Zudem empfand sie Nimitz' gemischte Gefühle: Amüsiertheit, Stolz und Ärger, als er den Abenteuerlustigsten aus seinem Nachwuchs ansprach.

Soweit Honor wußte, war vor ihr noch kein Mensch in der Lage gewesen, die Gefühle einer Baumkatze zu spüren, und erst recht hatte es niemand vermocht, mit Hilfe einer adoptierten Baumkatze die Empfindungen anderer Menschen wahrzunehmen. Trotz der beispiellosen Stärke ihres telepathischen Links zu Nimitz blieb die Verbindung indes zu undeutlich, als daß sie seine Gedanken hätte empfangen können. Dennoch bemerkte sie, daß er sich diesmal Zeit nahm, seine Gedanken sehr klar und deutlich zu formulieren. Honor vermutete, daß er die telepathische Botschaft so einfach wie möglich hielt – was durchaus Sinn ergab, weil er sie an ein Baumkätzchen richtete, das kaum vier Monate alt war.

Mehrere Sekunden lang geschah nichts, dann spürte Honor das geistige Gegenstück eines resignierten Seufzers, und ein winziges Ebenbild Nimitz' streckte den Kopf unter dem Sitz hervor. James MacGuiness, Honors persönlicher Steward, hatte das Kätzchen Jason getauft, um die Furchtlosigkeit hervorzuheben, die es bei seinen Entdeckungsreisen immer wieder bewies. Honor räumte ein, nicht bedacht zu haben, daß die wunderbare neue Umgebung der Pinasse Jason durch ihre Rätselhaftigkeit zu einem Aufklärungsvorstoß verleiten würde. Ihr wäre ein nicht ganz so neugieriger Jason lieber gewesen, doch gerade Neugierde war ein Charaktermerkmal aller Baumkatzen – ganz besonders aber der Jungen. Tatsächlich war der Erkundungsdrang im gesamten Nachwuchs von Nimitz und Samantha entsetzlich ausgeprägt – Jason war nur der schlimmste Fall. Er neigte zu kühnen Einzelaktionen, die seinem Namen alle Ehre machten. Honor fragte sich oft, wie Baumkatzen bei dieser Neugierde überhaupt lange genug in der Wildnis überleben konnten, um das Erwachsenenalter zu erreichen. Dieser Wurf jedoch befand sich nicht in der Wildnis, und jeder Mensch an Bord der Pinasse wußte, daß er auf die Kätzchen achtzugeben hatte.

Das wußten die Baumkatzen ebenfalls. Noch während Honor zusah, wie Nimitz mit einer beweglichen, langfingrigen Echthand den kleinen Jason aufnahm, erblickte sie aus dem Augenwinkel eine weitere braun-weiße Baumkatze, die über die Sitze springend ein viertes Kätzchen zurückbrachte. Honor erkannte das Kleine als Achilles, Jasons kaum weniger verwegenes Brüderchen. Sie lächelte wieder, während das Kindermädchen ihn zu seiner Mutter zurückbrachte, auch wenn Jason sich auf dem ganzen Weg protestierend wand und krümmte.

Honor überlegte, ob MacGuiness überhaupt ahnte, wie selten sich solch ein Anblick dem menschlichen Auge bot. Baumkatzen, die einen Menschen adoptierten, gingen nur sehr selten eine Partnerschaft ein, aus der Nachwuchs entsprang, und wenn doch, dann kehrten die Mütter unausweichlich vor der Geburt zu ihrem eigenen Clan oder dem ihres Partners zurück und zogen die Kinder gemeinsam mit den anderen Weibchen auf. Nur eine Handvoll Menschen, die nicht zur Sphinxianischen Forstbehörde gehörten, hatten jemals neugeborene Kätzchen in natura gesehen; soweit Honor wußte, war es noch nie vorgekommen, daß Eltern ihre Kleinen von Geburt an mit der Gesellschaft von Menschen vertraut machten.

Genau diesen Weg aber hatten Nimitz und Samantha eingeschlagen, und ihre fundamentale Abweichung vom gewohnten Ablauf kam sowohl für Honor als auch für die Navy völlig unerwartet. Für den seltenen Fall, daß man es mit einer schwangeren Baumkatze zu tun bekam, die einen oder eine Angehörige der Navy adoptiert hatte, existierten Sonderregeln, welche die RMN schon vor langem formuliert hatte. Aus diesem Grund erhielt Honor acht Monate zuvor, gleich nach der Rückkehr von ihrem Einsatz in der Silesianischen Konföderation, eine Verwendung innerhalb des Doppelsternsystems von Manticore. Dadurch wurde Samantha wirksam vor dem Strahlenrisiko und anderen Gefahren bewahrt, die der Dienst im Weltall nun einmal mit sich brachte. Außerdem konnte sie gegebenenfalls mit minimalem Zeitverlust auf den Planeten Sphinx und zu ihrem oder Nimitz' Clan gebracht werden. Weil Honor nie von Samantha adoptiert worden war, lag der Fall eigentlich außerhalb der üblichen Rahmenbedingungen; doch durch den Tod des Offiziers, den Samantha ›regulär‹ adoptiert hatte, blieben ihr nur Nimitz und Honor als einzige Familie. Angesichts Samanthas schrecklichen Verlusts entschied die Admiralität, Honor die Befreiung vom Raumdienst zu gewähren, die dem Adoptionsgefährten der Baumkatzenmutter zugestanden hätte. Das Oberkommando ergriff die sich bietende Gelegenheit beim Schopfe und teilte Honor für die Zeit ihres Bodendienstes dem Weapons Development Board zu, dem Amt für Waffenentwicklung der Admiralität. Honor war die ideale Wahl für diese Verwendung, denn niemand vermochte dem Amt fundiertere Aussagen darüber zu geben, wie sich die jüngsten Kinder seiner Reißbretter im Gefecht bewährt hatten. Schließlich besaß außer Honor noch niemand Kommandoerfahrung mit einem Geschwader, das mit besagten Neuentwicklungen ausgerüstet gewesen war – auch wenn es sich in diesem Fall nur um vier bewaffnete Handelskreuzer gehandelt hatte. Zu ihrem eigenen Erstaunen empfand Honor die neue Verwendung als durchaus angenehm.

Trotz aller Mühe, die sich die Navy gab, um Samantha zufriedenzustellen, erwies sich die Baumkatze immer wieder als unkonventionell. Im Nachhinein ließ sich leicht sagen, damit sei schließlich zu rechnen gewesen, denn so gut wie alle weiblichen 'Katzen, die einen Menschen adoptierten, erwählten sich Wildhüter der Forstbehörde und verließen Sphinx niemals.

Honor hatte darüber Recherchen angestellt. Doch da kein Gesetz und keine Dienstvorschrift befahl, Baumkatzenadoptionen registrieren zu lassen, waren die Daten, die sie einsehen konnte, vermutlich unvollständig. Soweit sich feststellen ließ, hatten im Laufe von fünf T-Jahrhunderten nur acht weibliche Baumkatzen einen Menschen adoptiert, der kein Wildhüter war. Samantha gehörte zu diesen acht. Deshalb hätte Honor vielleicht darauf vorbereitet sein sollen, daß Samantha sich nicht an die allgemein üblichen Elterngepflogenheiten der 'Katzen gebunden fühlte. Dennoch war sie überrascht gewesen, als Nimitz ihr zu verstehen gab, daß ihn Samantha – mitsamt ihrer Jungen – nach Grayson begleiten wollte.

Damit war Honor nicht im mindesten einverstanden. Sie und Nimitz waren dazu eingeteilt, nach der Ankunft im Jelzin-System Borddienst zu leisten. Samantha wäre also mit vier kaum zu bändigenden Jungen auf einem fremden Planeten allein gewesen; einem Planeten zudem, dessen Umwelt unsichtbare, heimtückische Gefahren barg, die mit Leichtigkeit zum Tod einer erwachsenen 'Katz führen konnten, ganz zu schweigen von Kätzchen. Außerdem wären Samantha und ihre Jungen die *einzigen* Baumkatzen auf dieser fremden Welt gewesen, so daß die junge Mutter sich an keine älteren, erfahreneren Mütter ihrer Art um Rat oder Hilfe wenden konnte.

Honor versuchte, Nimitz und Samantha diese Problematik eindringlich klarzumachen, und war sich schließlich sicher, daß Nimitz ihre Gründe begriffen hatte. Ob auch Samantha ihr folgen konnte, blieb leider ungewiß, obwohl Nimitz sich sehr bemühte, seiner Partnerin die Lage zu erläutern. Telepathie hin, Telepathie her: Samantha zeigte sich so unbekümmert über Honors Argumente, daß sie sehr bezweifelte, zu der Baumkatze durchgedrungen zu sein. Jedenfalls bis zu der Woche vor ihrem Aufbruch nach Grayson.

Honor war zuvor nie in den Sinn gekommen, darüber nachzudenken, welche Stellung Samantha innerhalb ihrer Art wohl innehaben mochte. Sie war beträchtlich jünger als Nimitz, und Honor ging davon aus, daß die Wünsche einer relativ jungen 'Katz bei einem Clan, in den sie nur ›eingeheiratet‹ hatte, keinen großen Stellenwert besaßen. Doch diese Annahme mußte Honor recht weitgehend revidieren, als eines Tages nicht weniger als acht Angehörige von Nimitz' Clan vor der Tür standen – drei davon waren weiblich und älter als Samantha. Honor wohnte in dem weitläufigen, fünfhundert Jahre alten Haus ihrer Eltern an den Flanken der Copper Walls Mountains. Als die Baumkatzen auftauchten, glaubte sie, ihren Augen nicht trauen zu können.

MacGuiness ging an die Tür, weil es geklingelt hatte, und gelassen traten die Neuankömmlinge ein. Honor glaubte zunächst, es handele sich um irgendeinen Irrtum, doch Nimitz und Samantha begrüßten die anderen Baumkatzen mit erfreutem Schnurren und dem untrüglichen Verhalten von Gastgebern, die geladene Gäste willkommen hießen. Honor wäre nie auf den Gedanken gekommen, die 'Katzen wieder nach draußen zu scheuchen – so ging man einfach nicht mit ihnen um –, und die acht sprangen nacheinander auf den großen Tisch im elterlichen Eßzimmer und blickten Honor erwartungsvoll an. Vor lauter Verblüffung reagierte sie ein wenig langsam, und erst ein abrupter mentaler Rüffel von Nimitz erinnerte sie an ihre Manieren; dann stellte sie sich ihren Überraschungsgästen vor, während MacGuiness in die Küche verschwand und dort nach Sellerie suchte, den alle Baumkatzen liebten.

Jede 'Katz nahm Honors Selbstvorstellung mit gewichtiger Miene entgegen. Zwar erachtete man es als unpassend, wenn ein Mensch einer Baumkatze einen Namen gab, obwohl sie ihn nicht adoptiert hatte, doch bei so vielen Baumkatzen mußte Honor schon allein deswegen Namen verteilen, um sie auseinanderhalten zu können. Ihrem Interesse für Marinegeschichte verdankten die fünf Baumkater daher die Namen Nelson, Togo, Hood, Farragut und Hipper, aber die Benennung der Weibchen fiel Honor schwerer. Da so wenige Weibchen je einen Menschen adoptierten, war es gebräuchlich, ihnen einen Namen zu geben, der ihre Persönlichkeit widerspiegelte. Honor benötigte mehrere Tage, um passende Namen für sie zu finden.

Am Ende nahm ihr die Gruppendynamik der Baumkatzen die Arbeit ab. Deshalb erhielt die älteste 'Katz den Namen Hera, denn ganz offensichtlich unterwarf sich jedes einzelne Männchen – außer vielleicht Nimitz – ihrer Autorität völlig. Hera bildete das Oberhaupt dieses winzigen Teilclans, und Honor taufte die 'Katz, die als Heras Leutnant und allgemeine Ratgeberin fungierte, infolgedessen Athena. Artemis, das dritte Weibchen, war kaum älter als Samantha und die keckste der drei Damen; sie hatte sich zur Aufgabe gemacht, den Kätzchen die Grundzüge der Jagd und des Anschleichens beizubringen.

Daß Honor sie überhaupt benennen mußte, bereitete ihr noch immer ein gewisses Unbehagen, aber die acht 'Katzen nahmen die Anreden mit fröh-licher Billigung hin. Sie richteten sich in dem Landhaus ein, als seien sie schon immer Angehörige des Haushalts gewesen – und als beabsichtigten sie, das auch auf absehbare Zeit zu bleiben.

Während die Baumkatzen diese Angelegenheit mit

großer Gelassenheit angingen, reagierten die menschlichen Bewohner von Sphinx' völlig anders.

Obwohl Honor mehr über Baumkatzen wußte als neunundneunzig Prozent ihrer Mitsphinxinaner, konnte auch sie nicht sagen, wie es nun weitergehen sollte. Ganz offensichtlich hatten Nimitz und Samantha die anderen eingeladen, bei ihnen zu bleiben. Erst nach einer ganzen Weile wurde Honor klar, daß sie es nicht etwa mit einem ausgedehnten Besuch zu tun hatte und daß die acht Baumkatzen auch nicht den Nachwuchs vor dem Aufbruch der Eltern zu Nimitz' Clan mitnehmen sollten; als sie endlich begriff, daß die acht neuen Baumkatzen auf Samanthas Wunsch nach Grayson mitkommen sollten, war ihr, als breche die ganze Welt über ihr zusammen.

Die Spezies der Baumkatzen stand unter dem Schutz der Krone. Darüber hinaus garantierte der Neunte Zusatzartikel zur Verfassung des Sternenkönigreichs ihnen als einheimische Intelligenz von Sphinx einen Sonderstatus. Die Gesetze, die den Baumkatzen mehr als ein Drittel der Planetenoberfläche zusprachen und sie vor jeglicher Ausbeutung schützen sollten, waren sehr entschieden formuliert. Eine Situation wie diese hatten die Initiatoren des Gesetzeswerks niemals vorhersehen können. Für Adoptionsbindungen galt eine ähnliche Rechtspraxis wie für die Ehe, und deshalb schrieben die Bestimmungen der Admiralität vor, schwangere 'Katzen mitsamt Gefährten nach Hause zu schicken. Weil Samantha aber Honor eben nicht adoptiert hatte, befand sich ihre Beziehung juristisch schon an der Grenze dessen, was durch Präzedenzfälle festgelegt war. Noch nie hatte man gehört, daß ein einzelner Mensch mit zwei Baumkatzen lebte, obwohl niemand etwas dagegen vorbrachte, weil Nimitz und Samantha sich offensichtlich aneinander gebunden hatten. Aber acht weitere? Niemand hatte je erwartet, daß ein Mensch sich plötzlich im Zentrum der Aufmerksamkeit von zehn Baumkatzen wiederfinden könnte (die Jungen nicht mitgezählt); zehn Baumkatzen, die allesamt beabsichtigten, diesen Menschen auf eine fremde Welt zu begleiten!

Bei der Forstbehörde schrillten die Alarmglocken, und ein Dutzend Wildhüter stürzte sich aufs Gehöft Harrington, grimmig entschlossen, acht ›wilde‹ Baumkatzen vor jedweder Ausbeutung zu retten. Doch auf dem Anwesen mußten sie sich mit ›Bedrängten‹ auseinandersetzen, die partout nicht gerettet werden wollten. Zwei Wildhüter brachten ihre eigenen Baumkatzen mit, welche eindeutig klarstellten, daß Samanthas und Nimitz' Freunde jedes Recht hätten, zu tun und zu lassen, was ihnen paßte, und dorthin zu gehen, wohin auch immer sie wollten, und zwar in jeder Begleitung, die ihnen angenehm sei – ganz gleich, wie sehr sich manche Menschen darüber erregten.

Nach dem ungeordneten Rückzug der Forstbehörde rückten die Schergen der Admiralität vor. Sie verlangten von Honor, sich an die ursprüngliche Absprache zu halten und Samantha in der Obhut von Nimitz' Clan auf Sphinx zurückzulassen. Honor konnte es BuPers kaum verdenken, daß man dort über ihren Sinneswandel ein wenig aufgebracht war (obwohl genaugenommen nicht Honor ihre Meinung geändert hatte). Der Befehl, Samantha, die vier Jungen und – insbesondere! – die acht ›wilden‹ Baumkatzen zurückzulassen, betrachtete sie jedoch als Überreaktion. Aus Kompetenzgründen war dieser Befehl zwar nicht zwingend formuliert, doch ganz eindeutig verweigerte man ihr jedes Recht, bei der Reise nach Grayson eine andere Baumkatze als Nimitz an Bord des militärischen Transportschiffs zu nehmen, dessen

Benutzung ihr der Marschbefehl gestattete. Zum Pech Ihrer Lordschaften *verlangten* die Kriegsartikel von Navyangehörigen nicht, ihre angewiesenen Dienststationen an Bord von Navyschiffen zu erreichen. Nachdem Honor sich davon überzeugt hatte, daß der Entschluß ihrer sechsbeinigen Freunde feststand, kümmerte sie sich daher um eine andere Reisemöglichkeit. Zunächst beabsichtigte sie, eine Kabine an Bord eines Passagierliners zu buchen, dann erwog sie, ein kleines Privatraumschiff zu chartern. Schließlich brachte Willard Neufsteiler, ihr erster Finanzberater, sie auf den Gedanken, ein eigenes Schiff zu kaufen.

Da selbst ein kleines, unbewaffnetes ziviles Sternenschiff ohne alle Extras schon rund siebzig Millionen Dollar kostete, hielt Honor die Idee des Schiffskaufs zunächst für viel zu extravagant. Davon unbeirrt wies Neufsteiler darauf hin, daß sie mittlerweile mehr als dreieinhalb Milliarden besitze; erwarb sie das Raumfahrzeug als Firmenschiff ihrer Gesellschaft Grayson Sky Domes Ltd., so müsse sie als Gutsherrin für die Zulassung nichts zahlen, während sie den Kauf im Sternenkönigreich gleichzeitig von der Steuer abschreiben könne. Neufsteiler hatte bereits mit dem Hauptmann-Kartell einen äußerst attraktiven Preis für ein fast neues Schiff ausgehandelt, ein Schiff, das größer und erheblich leistungsfähiger war, als Honor sich vorgestellt hatte. Zudem, führte Neufsteiler an, verlange ihr anwachsendes Finanzimperium von ihren diversen Managern und Kommissionären immer häufiger Passagen zwischen Jelzins Stern und Manticore. Durch ein Privatraumschiff erlange sie eine Flexibilität und Unabhängigkeit von den Fahrplänen der Passagierlinien, welche sich im Laufe der Zeit immer mehr bezahlt machen würde.

So kam es, daß Honor zu ihrer beträchtlichen Belustigung nicht an Bord eines Kreuzers oder Zerstörers der RMN oder GSN im Jelzin-System eintraf; und sie hatte auch nicht nur eine Baumkatze, sondern vierzehn an Bord einer fünfzig Kilotonnen massenden, privat registrierten Jacht des Typs *Star Falcon* namens RMS *Paul Tankersley.* Erst auf der Reise hatte sie begriffen, was sie da eigentlich tat:

Sie half Nimitz und Samantha bei der Gründung der ersten außersphinxianischen Baumkatzenkolonie. Aus einem unbekannten Grund hatten ihre beiden Freunde und offenbar auch der Rest von Nimitz' Clan beschlossen, ihre Spezies auf einer anderen Welt auszusäen, und diese Entscheidung markierte einen Quantensprung in der Beziehung ihres Volkes zur Menschheit. Eventuell stellte der Beschluß sogar den Beweis dar, daß Baumkatzen noch intelligenter waren, als selbst Honor vermutete.

Zumindest Nimitz hatte begriffen, daß sich das Sternenkönigreich im Kriegszustand befand; welche Wirkung Menschenwaffen im Gefecht Schiff gegen Schiff hatten, mußte er manchmal aus größerer Nähe beobachten, als Honor lieb war. Auch andere 'Katzen hatten möglicherweise begriffen, welch zerstörerische Wirkung solche Waffen besaßen, wenn man damit auf planetare Ziele feuerte. Vielleicht hatte Nimitz die möglichen Konsequenzen auch selbständig aus seinen Beobachtungen gefolgert. Ganz gleich, was andere Menschen glaubten: Honor hatte immer gewußt, daß Nimitz klüger war als viele Zweibeiner. Deshalb hatte sie ihn geradeheraus gefragt, ob das Bewußtsein um die militärische Bedrohung hinter diesem außerordentlichen Verhalten seiner Spezies steckte. Wie immer haftete seiner Antwort die gewohnte, frustrierende Nebelhaftigkeit an; die Kernaussage jedoch kam deutlich genug durch:

Jawohl, Samantha und er seien sich in der Tat darüber im klaren, welche Wirkung nukleares oder kinetisches Bombardement aus der Umlaufbahn auf Bodenziele haben würde. Deshalb hätten sie – oder sie und der Clan, das verstand Honor nicht eindeutig – beschlossen, es sei allmählich Zeit, daß die Baumkatzen nicht mehr alle Eier in einen Korb legten. Honor war sich nicht ganz sicher, glaubte aber zu verstehen, daß schon bald andere Baumkatzen ihre adoptierten Menschen darum bitten würden, weitere Kolonistengruppen von Sphinx zu den beiden anderen bewohnbaren Planeten des Manticore-Systems zu schaffen, nach Manticore und Gryphon. Diese Andeutung weckte weitere Spekulationen. Anfänglich hatte Honor nur vermutet, 'Katzen seien weitaus intelligenter, als sie zugeben wollten. Im Laufe der Jahre hatte sich ihr Verdacht zur festen Überzeugung erhärtet: Die Baumkatzen verbargen ihre Intelligenz vor den Menschen.

Kein adoptierter Mensch konnte je an der Tiefe, Stärke und Existenz der Bindung zwischen ihm und ›seiner‹ 'Katz Zweifel hegen. Honor *wußte,* daß Nimitz sie ebenso ungestüm liebte wie sie ihn. Doch stets hatte immer nur ein winziger Bruchteil der gesamten Baumkatzenpopulation Menschen adoptiert, und manchmal fragte Honor sich, ob diese 'Katzen ihrer Spezies möglicherweise als Späher oder Beobachter dienten.

Berichtete Nimitz seinem Clan regelmäßig, was er während seiner Abwesenheit von der Heimatwelt sah und erlebte? Hatten die Baumkatzen schon vor langer Zeit beschlossen, man müsse diese Menschen, die sich auf Sphinx breitmachten, unbedingt im Auge behalten? Angesichts des Vernichtungspotentials der menschlichen Technik, die eben nicht nur zu friedlichen Zwecken eingesetzt wurde, hatten es die Baumkatzen gewiß für sehr sinnvoll gehalten, die Neuankömmlinge genau zu studieren. Zwar hatte Honor Nimitz nie gefragt, ob er seinem Clan Bericht erstattete, doch je länger sie darüber nachdachte, desto sicherer war sie sich dessen. Nicht, daß es ihr etwas ausgemacht hätte. Schließlich sprach sie ja auch mit anderen Menschen über ihre Erlebnisse – auch über die, an denen Nimitz teilhatte. Im Gegenzug mußte sie ihm und seiner Familie das gleiche Recht einräumen.

Die Entscheidung des Clans, außerplanetare Kolonien zu gründen, bewies, daß die Baumkatzen viel weiter dachten, als selbst der kühnste Baumkatzenexperte jemals postuliert hätte. Die Entscheidung setzte nicht nur eine recht ausgefeilte Bedrohungsanalyse voraus, sondern auch die Befähigung, eine generationsübergreifende Überlebensstrategie zu formulieren – vielleicht nicht nur für den Clan, sondern für die gesamte Spezies. Ein recht ernüchternder Gedanke, und wenn er sich erst durchgesetzt hätte, müßten jene Experten ihr Hypothesengebäude grundlegend renovieren. *Ganz besonders aber die Theorien darüber,* dachte Honor lächelnd, *daß sieben der letzten neun manticoranischen Monarchen bei Staatsbesuchen auf Sphinx adoptiert worden sind.* Wenn Honor mit ihren Schlußfolgerungen richtig lag, dann kannten sich die Baumkatzen mit den politischen Strukturen der Menschen weit besser aus, als irgend jemand in seinen wildesten Träumen angenommen hätte.

Doch zunächst, rief sie sich zur Ordnung, *muß ich mich um die unmittelbareren Folgen kümmern, die sich aus diesem Entschluß zur Immigration ergeben.* Nimitz und Samantha konnten dadurch auf eine großzügige Anzahl von Babysittern zurückgreifen, und das war angesichts der überschäumenden Energie und Neugierde ihres Nachwuchses ein beträchtlicher Vorteil. Zudem hatten die acht im Gegensatz zu den meisten ›wilden‹ 'Katzen eine weit größere Bereitwilligkeit erkennen lassen, sich mit Menschen abzugeben. Honor hatte es bislang noch nicht gewagt, sie mit einer großen Menschenansammlung zu konfrontieren, aber weder MacGuiness noch die zwölf Waffenträger schienen die 'Katzen in irgendeiner Weise zu beeinträchtigen. Tatsächlich waren die acht neuen von Nimitz und Samantha umhergeführt und jedem einzelnen Angehörigen von Honors Gutsherrngarde offiziell vorgestellt worden. Die meisten der acht 'Katzen hatten wie Nimitz den Gebrauch des Händeschüttelns übernommen, und bei dem Nicken, Ohrenschlagen und Schwanzzucken der übrigen hatte es sich eindeutig um höfliche Begrüßungsgesten gehandelt.

Mit gleichem Aplomb gingen die Baumkatzen an Bord der *Tankersley*. Sie befolgten Honors Bitte, nicht ohne menschliche Begleitung im Schiff umherzustreichen. Wie Nimitz und Samantha begriffen sie, daß menschliche Technik nicht nur mit Absicht, sondern auch durch Unfälle töten konnte, und sie willigten nicht nur deutlich ein, solche Gefahren zu meiden, sondern schützten die Kätzchen mit niemals nachlassender Aufmerksamkeit vor jedem derartigen Risiko.

Noch dreißig Minuten, und die GSN-Pinasse, die Honor und ihr Gefolge von Bord der *Tankersley* geholt hatte, würde sie alle auf dem Landeplatz des Harringtoner Raumflughafens absetzen. Als Hera, die über die Sitze springende Kinderfrau, nun den flüchtigen Achilles neben Samantha auf den Sitz legte, fragte Honor sich, wie die Graysons wohl auf die bevorstehende Baumkatzeninvasion reagieren würden.

Die Siedler des Planeten Grayson waren an herbe

Beeinträchtigungen durch ihre Umwelt gewöhnt. In vielerlei Hinsicht hätte man den Planeten als eine weltweite Giftmülldeponie bezeichnen können, auf der sich von Menschen bewohnbare Enklaven nur mit unermüdlicher Arbeit errichten und unterhalten ließen. Ein Jahrtausend lang war drakonische Geburtenkontrolle unerläßlich gewesen. Erst im Laufe der letzten drei T-Jahrhunderte und besonders des jüngsten Jahrzehnts hatten sich die Bedingungen immer mehr zum Guten gewandt. Als Grayson der Manticoranischen Allianz beitrat, hatte sich der Planet bereits durch gewaltige Orbitalfarmen und weltraumbasierte Industrien an den eigenen Haaren aus dem Sumpf gezogen. Der Fortschritt beschleunigte sich weiterhin durch die Ideen eines Ingenieurs namens Adam Gerrick. Der junge Mann war in das Büro seiner neu eingesetzten Gutsherrin gekommen und hatte vorgeschlagen, aus den modernen Materialien, die dank der Allianz nun auch Grayson zur Verfügung standen, gewaltige umweltkontrollierte Kuppeln zu errichten, um damit ganze Farmen zu schützen. Sein verwegener Plan erforderte Summen, die über die Mittel des Guts von Harrington hinausgingen – aber nicht über die Mittel der *Gräfin* von Harrington. Mittlerweile errichtete Honors Firma, Grayson Sky Domes Ltd., nicht nur Farmen, sondern überkuppelte bereits ganze Städte.

In erster Linie war es dieser Firma zu verdanken, daß sich Honors Vermögen in geradezu geometrischer Rate vervielfachte, wenngleich auch andere Faktoren eine Rolle spielten. Ganz wie Neufsteiler vorhergesagt hatte, geriet Honors Vermögensanstieg zu einer Art sich selbst unterhaltenden Reaktion, sobald das Kapital eine gewisse Grenze überschritten hatte. Honor eignete sich zwar gezwungenermaßen die Grundlagen der Finanzwirtschaft an, konnte einem erfahrenen, alten Finanzier wie Neufsteiler jedoch bei weitem nicht das Wasser reichen. Dem Planeten Grayson jedenfalls hatten ihre Anstrengungen eine rasch zunehmende Anzahl sicherer Habitate eingebracht, ganz zu schweigen von der Abschaffung vieler traditioneller Beschränkungen der Geburtenraten.

Und nun beabsichtigte sie – genauer gesagt, Nimitz' Clan –, eine zweite intelligente Spezies in diese Mischung einzuführen. Natürlich würde es eine Weile dauern, bis die meisten Graysons begriffen hatten, daß es sich bei den 'Katzen um eine *intelligente* Art handelte. Honor erwartete allerdings, daß die Graysons es mindestens ebenso schnell bemerkten wie die Manticoraner. Nimitz hatte wegen ihr viel zu sehr im Blickfeld der Öffentlichkeit gestanden, als daß ein Grayson seine Intelligenz bestreiten konnte. Im Sternenkönigreich hingegen kamen nur wenige Nichtsphinxianer mit Baumkatzen in Berührung. Daß die 'Katzen akzeptierter Bestandteil der ›Szene‹ waren, erleichterte offenbar den gebürtigen Manticoranern, die Intelligenz der sphinxianischen Ureinwohner zu übersehen. Während die Graysons Nimitz als faszinierendes, neues Wesen betrachteten, gaben sich die Manticoraner geradezu dünkelhaft und begnügten sich mit dem, was sie bereits ›wußten‹.

Für Honor und Nimitz war es recht erfrischend gewesen, einen ganzen Planeten voller Menschen kennenzulernen, die bereit waren, den 'Kater zu nehmen, wie er war. Andererseits würden die Graysons deswegen schnell begreifen, daß Nimitz' und Samanthas neue Freunde im Endeffekt das Vorauskommando eines Invasionskeils darstellten – einer freundlichen Invasion zwar, aber dennoch einer Invasion. Zu den traditionellen Rechten der Gutsherren gehörte die

Entscheidungsbefugnis, wie viele und welche Einwanderer sich auf dem Gut niederlassen durften. In früheren, grimmigeren Tagen hatte der Gutsherr die entsetzliche Pflicht gehabt, zu entscheiden, welche seiner Siedler sterben mußten, wenn die Bevölkerungsdichte die maximale Belastung überschritt, die das Gut ertragen konnte. Honor war unaussprechlich dankbar, daß die Gegenwart solche Entscheidungen nicht mehr erforderte. Dennoch hielt man auf Grayson nach wie vor die Tradition hoch, die Bevölkerungsdichte im Einklang mit den Ressourcen zu halten, und ausgerechnet in diese Umgebung sollte Honor nun Baumkatzen einführen.

Immerhin wuchsen Baumkatzenpopulationen weit langsamer als ihre Mehrfachgeburten zunächst befürchten ließen. Samanthas Wurf bestand aus vier Jungen und war somit durchschnittlich groß, doch gebaren die meisten Baumkatzen nicht öfter als einmal in acht bis zehn T-Jahren. Allerdings konnten Baumkatzen zweihundert Jahre alt werden und blieben drei Viertel dieser Zeit fruchtbar, so daß ein einzelnes Paar eine gewaltige Nachwuchsschar in die Welt zu setzen vermochte, wenn auch verteilt über eine große Periode. Auf Grayson, dem die schier unendlichen Wälder fehlten, der natürliche Lebensraum für Sphinx' eingeborene Intelligenzen, führte kein Weg daran vorbei, daß die menschliche Gesellschaft und die der Baumkatzen sich erheblich enger verflochten. Die 'Katzen würden an die lebenserhaltenden Enklaven der Menschen gebunden sein, und Honor fragte sich, welche Auswirkungen dies auf die Adoptionsrate hätte.

Ob nun mehr Baumkatzen einen Menschen adoptierten oder nicht, sie würden sich in dieser radikal neuen Umwelt ihre eigene Nische suchen müssen.

Honor machte sich keine Sorgen; die Baumkatzen waren dazu in der Lage und würden es tun. *Und zwar so, daß aus ihnen geschätzte Mitbürger werden,* dachte sie. Bis dahin war Honor legal dazu ermächtigt, die Baumkatzen ihre erste Kolonie auf dem Gut von Harrington errichten zu lassen. In Anbetracht des Stolzes und der Begeisterung, mit denen ihre Siedler ›ihren eigenen‹ Baumkater Nimitz bedachten, erwartete Honor, daß die ersten Stadien sehr glatt verlaufen würden.

Wahrscheinlich wird das größte Problem darin bestehen, daß es viel zuwenig 'Katzen gibt für alle! dachte sie mit verstecktem Grinsen.

Mit peinlicher Sorgfalt setzte die Pinasse auf.

Geduldig wartete das Empfangskomitee vor der gelben Warnlinie, bis der Pilot die Bauch-Traktorstrahler aktiviert, den Kontragrav ausgeschaltet und die anderen Bordsysteme abgestellt hatte. Die Luke öffnete sich. In diesem Moment hätte normalerweise die Kapelle begonnen, den Gutsherrenmarsch zu schmettern, doch hatte Lady Harrington strikte Anweisung gegeben, die Musiker diesmal zu Hause zu lassen – und diese Anweisung mit bemerkenswert finsteren Drohungen darüber geschmückt, was widrigenfalls geschähe. Also schritten Howard Clinkscales und Katherine Mayhew, die ranghöchsten Angehörigen der Abordnung, auf den Fuß der Rampe zu, nachdem das grüne Sicherheitslicht aufgeleuchtet war. Dichtauf folgten White Haven, als ranghöchster Vertreter Manticores, und Miranda LaFollet, die in der Hierarchie von Honors graysonitischem Haushalt gleich nach ihrer Gutsherrin kam.

Lady Harrington erschien in der Luke; der Baumkater saß auf ihrer Schulter, wie es nicht anders zu erwarten gewesen war. White Haven überraschte es, daß sie die Uniform der RMN und nicht die der Grayson Space Navy trug. Der Admiral zwinkerte erfreut. Als er sie zum letzten Mal in manticoranischem Schwarz und Gold gesehen hatte, befand sich an ihrem Kragen der einzelne goldene Planet, und ihre Ärmel zierten die vier schmalen Streifen eines Captain of the List. Heute aber prangte am Kragen ein Doppelplanet, und die untersten Ärmelstreifen waren doppelt so breit wie früher: Lady Dame Honor Harrington war zum Commodore befördert worden. Davon hatte ihn bislang niemand unterrichtet, doch empfand White Haven freudige Überraschung. Commodore lag noch weit unter dem Rang, den Harrington verdient hatte, bedeutete jedoch einen Schritt in die richtige Richtung ... und war ein weiteres Indiz, daß die politische Vendetta der Opposition gegen Lady Harrington an Impetus verlor.

Man hatte ihr, wie er feststellte, nun auch das Saganamikreuz verliehen, das an ihrer Brust hing, neben dem Stern von Grayson, dem Manticorekreuz, dem Tapferkeitsorden, dem Präsidialorden von Sidemore und dem CGM mit Sternhaufen. *Eine nette Sammlung,* dachte White Haven, und sein Blick verfinsterte sich. Mehr als die meisten Menschen wußte er, wie schwer man sich diese kleinen Stücke Blech am Seidenband verdienen mußte; auch ihn plagten in schlechten Nächten Alpträume, und er konnte sich ausmalen, welchen Tribut Harrington noch immer von Zeit zu Zeit dafür zollte.

Dann stürzte Katherine Mayhew vor, und White Havens Laune besserte sich schlagartig. Rasch verbarg er ein möglicherweise undiplomatisch wirkendes Lächeln. Nach manticoranischen Standards waren alle Graysons kleinwüchsig, doch Katherine war selbst für eine Grayson winzig. Lady Harrington überragte Protector Benjamins erste Ehefrau, die Königsgemahlin von Grayson, um fast einen halben Meter. Neben dem schlichten Schwarz und Gold der manticoranischen Uniform funkelte Katherine Mayhews Gewand, als bestünde es aus Juwelen. Doch obwohl sie nebeneinander beinahe komisch wirkten, fand sich zwischen ihnen keinerlei Befangenheit, und ihre offene Freundschaft ging weit über die förmliche Herzlichkeit hinaus, die man von der Frau eines Staatsoberhauptes und einer seiner mächtigsten Vasallinnen erwarten durfte. Schließlich wandte sich Harrington Howard Clinkscales zu. Als sie den alten Dinosaurier umarmte, hob White Haven unwillkürlich die Augenbrauen. Die öffentliche körperliche Berührung zwischen den Geschlechtern galt auf Grayson als unerhört, und Harrington war dem Earl nie wie eine Frau vorgekommen, die jemanden aus Sympathie oder Wiedersehensfreude beiläufig berührte. Erst als er Clinkscales' Miene sah, begriff er, daß von Beiläufigkeit keine Rede sein konnte.

Hamish Alexander war noch damit beschäftigt, dieses Informationsbruchstück einzuordnen, als sich eine weitere Baumkatze geschmeidig aus der Schleusentür schob. Einen Augenblick lang nahm er an, es handele sich dabei um die Partnerin von Harringtons … Nimitz, so hieß er. Diese Annahme schwand, als eine zweite, dann eine dritte, eine vierte und eine *fünfte* Baumkatze folgte: eine ganze Prozession von Baumkatzen stolzierte die Rampe herab, und eine davon trug die winzigen, unruhigen Gestalten von Baumkätzchen. Niemand hatte ihn in irgendeiner Weise darauf vorbereitet, und den Reaktionen der Umstehenden entnahm White Haven, daß es ihnen nicht anders ging. Der Admiral empfand einen plötzlichen, beinah unwiderstehlichen Drang, laut loszuprusten über Honor Harringtons Talent, immer wieder den Status quo auf den Kopf zu stellen.

Als Katherine Mayhew sich mitten im Satz unterbrach, lächelte Honor ironisch. Sie hatte durchaus erwogen, die näheren Begleitumstände ihrer Ankunft vorher anzukündigen, doch war die *Tankersley* ein schnelles Schiff. *Star Falcons* stellten die zivile Version der militärischen und diplomatischen Kurierboote dar, die man zum Transport von Depeschen oder Passagieren einsetzte, wo Zeitersparnis vonnöten war. Als Frachttransporter hätte sich die *Tankersley* niemals effektiv einsetzen lassen; wegen ihrer Geschwindigkeit hingegen wäre auch das schnellste Postschiff maximal zwei Tage vor ihr im Jelzin-System eingetroffen, um die Bewohner auf die Invasion der Baumkatzen vorzubereiten. Da Honor im voraus nicht sicher bestimmen konnte, wie man die Neuigkeiten aufnehmen würde, hatte sie beschlossen zu warten, bis sie ihre Siedler persönlich davon in Kenntnis zu setzen vermochte. Gewiß, sie schuf damit Tatsachen, aber das hielt sie vertretbar. Als auf den Anblick der 'Katzen, die den Planeten betraten, allerdings ringsum tiefes Schweigen folgte, stieg Honors Nervosität um etliche Grade an. Die Baumkatzen folgten ihr die Rampe hinunter, nahmen in einer ordentlichen Reihe hinter ihr Aufstellung und ließen sich auf die hinteren vier Gliedmaßen nieder. Einige waren damit beschäftigt, ein Kätzchen zu bändigen, das *herunter* wollte – *hier und jetzt!* –, die anderen strichen sich die Schnurrhaare, und alle zeigten sie sich völlig unberührt vom fassungslosen Starren der Graysons.

»Howard, Katherine«, wandte sich Honor an Clinkscales und Madam Mayhew, »erlauben Sie mir, Ihnen die neuesten Bürger des Guts von Harrington vorzustellen. Dies sind« – sie drehte sich zu den Baumkatzen um und deutete nacheinander auf sie – »Samantha, Nimitz' Partnerin, und ihre Freunde Hera, Nelson, Farragut, Artemis, Hipper, Togo, Hood und Athena. Die Kätzchen heißen Jason, Cassandra, Achilles und Andromeda. Und umgekehrt«, sagte sie an die 'Katzen gewandt, »sind dies Howard Clinkscales, Katherine Mayhew, Miranda LaFollet, Earl Whi –«

Erstaunt unterbrach sie sich mitten im Wort, als Farraguts Blick die Augen Mirandas suchte und fand. Der 'Kater bewegte nur den Kopf, und trotzdem spürte Honor den unvermittelten Impuls, der über Nimitz auf sie übersprang und wie ein Hammerschlag singend in ihr widerhallte. Dann schoß Farragut wie ein cremefarben-grauer Blitz vor. Zwei Meter vor Miranda hob er vom Boden ab, und im Sprung streckte er sich. Honor hörte, wie hinter ihr Andrew LaFollet scharf die Luft einsog. Ihr Waffenträger wußte aus eigener Anschauung, was die Krallen einer Baumkatze anzurichten vermochten, und wollte seiner Schwester eine Warnung zurufen. Nur, daß Miranda nicht gewarnt werden mußte. In ihren sanften, weit aufgerissenen Augen – die vom gleichen klaren Grau waren wie die ihres Bruders – stand überraschte Verwunderung, doch streckte sie instinktiv die Arme aus. Farraguts Sprung trug ihn mit so natürlich anmutender Präzision in ihre Arme, daß es den Anschein von Unausweichlichkeit erweckte. Auf der Stelle umschlang Miranda den 'Kater und drückte ihn fest an sich. Sein hohes Schnurren surrte durch die Nachmittagsluft. Farragut umarmte seinerseits Miranda und rieb wie verzückt seinen Kopf an ihre Wange.

»Also!« rief Honor nach einem Augenblick aus; sie stieß das Wort hervor wie angestaute Druckluft. »Wie ich sehe, brauche ich euch einander nicht mehr vorzustellen.« Miranda blickte nicht einmal auf, nur Katherine Mayhew räusperte sich.

»Äh ... war das das, was ich glaube?« fragte sie, und Honor nickte.

»Allerdings. Soeben sind Sie Zeugin der allerersten Adoption eines Grayson durch eine sphinxianische Baumkatze geworden ... und Gott allein weiß, wo der Blitz als nächstes einschlägt.«

»Hängt das so sehr vom Zufall ab, Mylady?« fragte Clinkscales, der seine Anspannung nur durch die für ihn typische, eiserne Disziplin bezwingen konnte.

Honor hob die Schultern. »Nein, es ist nicht zufällig, Howard. Leider hat niemals jemand herausgefunden, nach welchen Kriterien die Baumkatzen sich ihre Gefährten auswählen. Nach meinen Beobachtungen verfügt jede einzelne von ihnen über einen völlig individuellen Satz von Werturteilen, und die meisten von ihnen ahnen vermutlich nicht einmal, daß sie einen Menschen adoptieren werden, bevor sie der ›richtigen‹ Person begegnen.«

»Na gut.« Der Regent blickte noch einen Moment auf Miranda und Farragut, dann auf die übrigen Baumkatzen, und riß sich sichtlich zusammen. »Nun, dennoch, Mylady, willkommen daheim. Aus mehreren Gründen freue ich mich, Sie zu sehen; nicht zuletzt ...« – er lächelte diabolisch – »wegen des Riesenstapels Schriftverkehr, der sich in Ihrer Abwesenheit angesammelt hat.«

»Howard, Sie sind ein Sadist«, stellte Honor lächelnd fest. »Diesmal werden Sie sich allerdings noch eine ganze Weile in Geduld üben müssen, bevor ich mich wieder ins Büro zerren lasse.« Er zwinkerte ihr zu, und sie reichte Earl White Haven die Hand. »Hallo, Mylord. Wie schön, Sie wiederzusehen.«

»Ganz meinerseits, Mylady«, antwortete Hamish Alexander. Technisch gesehen, hätte Commodore Harrington den Admiral der Grünen Flagge White Haven in strenger militärischer Form grüßen sollen. Die Gutsherrin von Harrington andererseits, die gerade auf ihr Gut zurückgekehrt war, überragte außer Protector Benjamin gesellschaftlich jeden, und beeindruckte den Earl durch die spontane Anmut, mit der sie ihre beiden unterschiedlichen Rollen voneinander abgrenzte. Schon vor geraumer Zeit, vor ihrer Rückkehr in manticoranische Dienste, hatte er hier auf Grayson mit ihr gesprochen und erkannt, wie trefflich Harrington in ihre Rolle als große Feudalherrin hineingewachsen und zu welcher Reife sie im Zuge dessen gelangt war. Offenbar hatte sich diese positive Entwicklung seitdem fortgesetzt, und einmal mehr fragte er sich, ob sie sich der Änderungen ihrer Persönlichkeit überhaupt bewußt war.

»Tut mir leid, der ganze Rummel«, sagte sie zwanglos. »Ihre Lordschaften haben mir sowohl meine Order als auch Depeschen für Sie mit auf den Weg gegeben.« Sie blickte an ihm vorbei auf die anderen örtlichen Würdenträger, Militärangehörige und Gardisten, die darauf warteten, sie begrüßen zu dürfen, und setzte erneut das schiefe Lächeln auf, das ihr die künstlichen Nerven in ihrer linken Gesichtshälfte aufzwangen. »Für die nächste halbe Stunde werde ich wohl mit Begrüßungen beschäftigt sein, Mylord, und dann muß ich Sam, die Kätzchen und die übrigen 'Katzen im Haus unterbringen. Darf ich Ihre Gutmütigkeit ausnutzen und Sie bitten, auf Ihre Depeschen zu warten, bis ich den Kopf wieder frei habe?«

»Selbstverständlich dürfen Sie das, Mylady«, antwortete der Earl lachend und ließ ihre Hand los, nachdem er sie ein letztes Mal gedrückt hatte.

»Vielen Dank, Mylord. Ich danke Ihnen sehr«, sagte Honor mit spürbarer Aufrichtigkeit, dann drehte sie sich um und stellte sich der Welle von Menschen, die alle vordrängten, um sie daheim willkommen zu heißen.

2

Gewiß hätte ein unvoreingenommener Beobachter die Art und Weise, in der Hamish Alexander die Bibliothek von Harrington House betrat, als verstohlen bezeichnet. Der Earl schaute aufmerksam in die Runde und entspannte sich: Der große Raum war leer. White Haven lockerte mit einem tiefen Seufzer der Erleichterung den Kragen seiner Galauniform, während er den Harringtoner Wappenschild überschritt, der ins Fußbodenparkett eingearbeitet war. Zwar folgte ihm durch die offene Tür leise Musik, dank der Entfernung hörte er jedoch wenigstens nicht mehr das Hintergrundgemurmel, und auf dem polierten Holz waren seine Schritte klar zu vernehmen.

White Haven schnallte sich den archaischen Degen ab, der unumgänglich zur Galauniform gehörte, und lehnte ihn an eines der von Büchern umgebenen Terminals; dann ließ er sich in den bequemen Sessel vor der Datenstation sinken und reckte sich ausgiebig. Die Bibliothek war zu einem seiner Lieblingsplätze in Harrington House geworden. Wenn ihr Inhalt Honor Harringtons persönlichen Geschmack widerspiegelte, dann teilten sie beide mehr Interessen, als er geahnt hatte. Zu seinem Wohlempfinden trug die geschmackvolle, behagliche Einrichtung ebenso bei wie die Stille, die darin herrschte – *die Stille ganz besonders,* dachte er grinsend.

Ein letztes Mal reckte er sich, dann ließ er den Bürosessel genüßlich nach hinten klappen. Durch seine Geburt war White Haven schon in sehr zartem Alter mit den höchst förmlichen Bällen in Berührung gekommen, die von der sozialen Oberschicht des Sternenkönigreichs veranstaltet wurden, doch hatte er solche Feste nie geschätzt. Darum hatten seine Eltern dafür gesorgt, daß er sich wenigstens die Fertigkeit aneignete, Vergnügen vorzutäuschen. Nur sehr selten entsprach diese Fassade seinen wirklichen Gefühlen, und selbst dann nur zeitweise. Mindestens der Hälfte aller Feste, an denen er teilnehmen mußte, hätte White Haven eine altmodische Wurzelbehandlung vorgezogen, eine legendäre Foltermethode aus der Zeit vor Beginn der Raumfahrt. Der formelle Ball an diesem Abend hatte ihn ungeachtet aller Selbstbeherrschung regelrecht in die Flucht geschlagen.

Nicht, daß der Admiral etwas gegen seine Gastgeber hätte sagen wollen. In mancherlei Hinsicht fand White Haven die Graysons bewundernswert: angefangen bei ihrer Ablehnung des Gedankens, irgendeine Aufgabe sei unmöglich zu bewältigen, bis hin zu ihrer Courage, ihrem grundsätzlichen Anstand und ihrer Erfindungsgabe. Bei Besprechungen mit ihren Offizieren, Unteroffizieren und Mannschaften fühlte er sich akzeptiert, und nur selten stieß er auf Probleme, wenn er sich mit Zivilisten auf pragmatischer Ebene zu einigen hatte. Wenn jedoch an White Havens Ohren drang, was man auf Grayson unter klassischer Musik verstand, so stellten sich ihm die Nackenhaare auf; und auf diesem Planeten ließ man sich keinesfalls davon abhalten, diese Kakophonien auf offiziellen Anlässen zu spielen. Zudem befand sich die graysonitische Gesellschaft als Ganzes in einem Übergangszustand, was Alexanders grundlegende Abneigung gegenüber geselligen Zusammenkünften verstärkte. Dennoch war es ihm unmöglich, diese Anlässe zwanglos zu meiden.

Seine Mission im Jelzin-System war nicht rein militärischer Natur, sondern verfolgte zu wenigstens einem Drittel diplomatische Ziele. Als Earl und ältester Bruder des zweithöchsten Ministers der Regierung Cromarty mußte er sich auf dem diplomatischen Parkett zu bewegen wissen. In der vorhergehenden Amtsperiode des manticoranischen Premierministers, des Herzogs von Cromarty, hatte White Haven außerdem drei Jahre lang als Dritter Raumlord gedient, eine Verwendung, die fast ebenso viele politische wie militärische Aufgaben einschloß. Bei dieser Vorgeschichte erwartete man von ihm, daß er sich auf höchster Ebene mit den politischen Kreisen Graysons befaßte. Nur wurden auf diesem Planeten politische Absprachen oft unter dem Deckmantel gesellschaftlicher Anlässe getroffen, so daß White Haven zahlreiche seiner theoretisch ›freien‹ Abende auf der einen oder anderen Party verbringen mußte. Vom Musikgeschmack einmal abgesehen, wirkten die konstant wechselnden Sitten der graysonitischen Gesellschaft auf die Dauer überaus ermüdend auf jemanden, der aus dem Sternenkönigreich stammte. Dort wäre der Gedanke, daß die Frau dem Manne nicht gleichgestellt sei, ohnehin so bizarr erschienen wie die Idee, ein Fieber durch Aderlaß zu behandeln; hier auf Grayson mußte sich White Haven mit solchen Vorstellungen und den dazugehörigen Überlegungen auseinandersetzen. An diesem Abend hatte sich seine nie verklingende Anspannung durch beruflichen Streß verdoppelt, und das hatte er den Depeschen aus der Heimat zu verdanken.

Alles wäre einfacher, sann er, kippte den Sessel noch weiter zurück und legte die Füße neben dem Degen auf den Tisch, *wenn sich auf Grayson seit dem Allianzbeitritt nichts geändert hätte.* Dann hätte er die Graysons kurzerhand als einen Haufen hinterwäldlerischer Barbaren abtun können, die vielleicht in mancherlei Hinsicht bewundernswert, wenn auch ein wenig hinterwäldlerisch waren; im Umgang mit ihnen hätte er eine vorher ausgearbeitete Rolle spielen können, als sei er ein Schauspieler in einem historischen HoloDrama. Dann bräuchte er sich nun nicht mehr die Mühe machen, sie wirklich zu begreifen, sondern müßte lediglich die richtigen Signale geben, um ihnen vorzugaukeln, er verstünde, was sie bewegte.

Leider war sich Graysons Oberschicht über die Regeln angemessenen Verhaltens im Moment ebenso unschlüssig wie jeder Fremdweltler. Zwar bemühte man sich, das mußte White Haven einräumen, und er war beeindruckt, welch große Fortschritte den Graysons innerhalb kürzester Zeit gelangen; dennoch lastete auf allem eine Atmosphäre beinahe greifbarer Orientierungslosigkeit. Einigen großen Damen der Gesellschaft behagten die Abweichungen von althergebrachten Wertmaßstäben überhaupt nicht, und die halsstarrigsten der männlichen Konservativen beklagten den Verlust ihrer früheren Privilegien. Diese Gruppen fanden sich zu einem merkwürdigen Bund zusammen, und ihr Widerstand gärte gerade unterhalb der Wahrnehmungsschwelle. Fast greifbar war ihr Trotz, wenn sie sich zu öffentlichen Anlässen demonstrativ an die alten Formen und Regeln klammerten – was sie selbstverständlich auf direkten Kollisionskurs mit den meist jüngeren Pendants brachte, die den Gedanken der weiblichen Gleichberechtigung mit militantem Eifer in Szene setzten.

White Haven fand die enthusiastischeren Reformer noch ermüdender als die Reaktionäre. An ihren Motiven war nichts auszusetzen, doch blieb die Tatsache bestehen, daß Benjamin IX. seiner Heimatwelt eine Revolution von oben auferlegt hatte. Er stellte eine Sozialordnung um, die trotz ihrer Fehler immerhin den Vorzug der Stabilität aufgewiesen und sich in den letzten sechs- oder siebenhundert Jahren nur sehr graduell verändert hatte. Von wenigen Ausnahmen abgesehen hatten die Graysons eine allenfalls nebulöse Vorstellung der Richtung, in der die Entwicklung verlaufen sollte, und manche Reformer schienen zu glauben, daß Schrillheit ein annehmbarer Ersatz für Orientierung sei. Der Earl war zuversichtlich, daß dieser Zustand letztlich überwunden würde – die Reformen dauerten erst wenige Jahre an, und mit der Zeit würde sich vieles klären. Doch im Augenblick schienen die Reformer ihre Hauptaufgabe darin zu sehen, jedem ein unbehagliches Gefühl einzuflößen, der an einer gesellschaftlichen Zusammenkunft teilnahm, indem sie ihre Ablehnung der alten Ordnung aggressiv zur Schau stellten.

Durch den Konflikt zwischen der alten Garde und der neuen standen White Haven und die anderen Manticoraner direkt im Kreuzfeuer. Die Reaktionäre betrachteten die Fremdweltler als Quell der Seuche, die alles niederriß, was man kannte und liebgewonnen hatte, während die Reformer davon ausgingen, daß die Manticoraner die Reform unterstützen müßten ... obwohl sich ebendiese Reformer offensichtlich nicht einmal untereinander einig waren! Auf diesem

Drahtseil zu balancieren, ohne jemanden zu kränken – oder wenigstens nicht noch mehr zu kränken –, war beinahe ebenso ermüdend wie ärgerlich, und White Haven hing die Situation ganz einfach zum Halse heraus.

Auf dem Gut von Harrington war die Stimmung insgesamt etwas besser, weil es von Anfang an die aufgeschlossensten Bürger anderer Güter angezogen hatte. Nur zukunftsorientierte Menschen hatten den Entschluß treffen können umzuziehen, um unter der Feudalherrschaft des ersten weiblichen Gutsherrn der Weltgeschichte zu leben. Ob Lady Harrington es nun wußte oder nicht, ihr Status als Lehnsherrin machte sie zum Arbiter elegantiae auf ihrem Gut. Ihre Siedler beobachteten sie genau und stimmten die eigene Etikette auf Lady Harrington ab. Daher fühlte sich White Haven auf Harrington erheblich behaglicher als auf den anderen Gütern, und zumindest die frühe Phase des heutigen Balls, die der Begrüßung Lady Harringtons diente, hatte ihm gefallen. Sein Drang, dem Treiben zu entfliehen, war mehr auf kumulierte Erschöpfung zurückzuführen als auf einen konkreten Anlaß.

Nachdem er die von Lady Harrington mitgebrachten Befehle und Dokumente überflogen hatte, verließen ihn die Sorgen nicht mehr. Mit Freude hatte er erfahren, daß sie der 8. Flotte zugeteilt werden sollte, doch einige Berichte des Office of Naval Intelligence, des Nachrichtendienstes der Navy, waren sehr beunruhigend. White Haven wollte sie so rasch wie möglich mit Hochadmiral Matthews und Command Central besprechen. Einer der Hauptgründe für sein Verschwinden von der Feier hatte darin bestanden, daß er Zeit benötigte, um die Daten zu überdenken und die Einzelteile zu einem Gesamtbild zusammenzufügen. Zu anderen Inhalten des Depeschenpakets mußte er sich erst noch ein Urteil bilden, denn so bedrohlich die ONI-Analysen der havenitischen Aktivitäten auch erschienen, einige Empfehlungen des Weapons Development Boards der RMN lagen White Haven noch schwerer auf der Seele.

Er hielt es für fragwürdig, weitreichende und grundlegende Änderungen in der Flottenbewaffnung vorzunehmen, wenn man dazu ausgerechnet einen Zeitpunkt wählte, an dem das Sternenkönigreich ums Überleben kämpfte. Vor dem Krieg hatte er eine bittere, Jahrzehnte währende Schlacht gegen die Materialstrategen der *Jeune école* gefochten, die immerfort halb ausgereifte Waffensysteme einführen wollten. Zuzeiten hatten die Meinungsverschiedenheiten zu einem Austausch giftiger persönlicher Bemerkungen geführt, aus denen sich zu White Havens Bedauern heftige Fehden innerhalb der Navyführung entwickelten, doch davon hatte er sich in seinem Widerstand niemals beirren lassen. Das hatte er nicht *gewagt*. Die *Jeune école* war so sehr in den Gedanken verliebt, entscheidende taktische Vorteile aus technischen Neuentwicklungen zu ziehen, daß sie letztendlich dem Irrglauben folgte, alle neuen Ideen seien allein schon deswegen gut, weil sie neu waren. Eine sorgfältigere Begutachtung der taktischen Vorzüge und Nachteile hielt die *Jeune école* oft nicht durch. Was in letzter Zeit aufs Tapet gebracht worden war, erweckte bei White Haven den Eindruck, die *Jeune école* habe auch nicht die geringste Lehre aus dem Krieg gezogen, und deshalb ...

Als er auf dem Parkett der Bibliothek klackende Schritte hörte, löste White Haven sich aus seinen schweifenden Gedanken. Eiligst nahm er die Füße von der Konsole und rückte den Sessel gerade, drehte sich damit zur Tür um und hielt inne. Im Laufe der

Jahre hatte er viel zuviel Schliff erhalten, um sich nun Erstaunen anmerken zu lassen. Dennoch bereitete es ihm mehr Mühe als sonst, sein Gesicht unter Kontrolle zu halten, denn er sah sich von seiner Gastgeberin dabei ertappt, wie er sich vor ihrer Party versteckte.

Sie verharrte wenige Schritte hinter dem Eingang. Der täuschend einfache weiße Rock und die jadegrüne Weste, die man schon als ihre zivile ›Uniform‹ bezeichnete, betonten ihre Körpergröße und ihre Schlankheit. Schräg hinter ihr stand Andrew LaFollet. Ihr braunes Haar fiel ihr auf den Rücken, ein scharfer Kontrast zu dem Kurzhaarschnitt, den sie bevorzugt hatte, als White Haven sie erstmals zu Gesicht bekam. Auf ihrer Brust glänzten der Schlüssel von Harrington und der Stern von Grayson, beide aus schwerem Gold. *Ein bezaubernder Anblick,* dachte White Haven und erhob sich respektvoll, um sie zu begrüßen.

Honor sah den Earl vom Sessel aufstehen und lächelte wegen seiner ertappten Miene. Selbstverständlich konnte er nicht wissen, daß die Überwachungssysteme von Harrington House sie den ganzen Abend lang über seinen Aufenthaltsort auf dem laufenden gehalten hatten.

Er beugte sich über ihre Hand und küßte ihr nach graysonitischer Sitte den Handrücken, dann richtete er sich auf. Ihre Hand behielt er locker in den Fingern. White Haven war ein breitschultriger, hochgewachsener Mann, dennoch standen sich ihre Augen in gleicher Höhe gegenüber. Der 'Kater auf ihrer Schulter hob den Kopf ein wenig und streckte sich. Honor bemerkte, daß Nimitz den Earl interessiert musterte.

»Wie ich sehe, haben Sie mein Lieblingsversteck gefunden, Mylord«, sagte sie.

»Versteck?« erwiderte White Haven höflich.

»Aber ja.« Sie sah LaFollet an, und der Waffenträger las ihr den unausgesprochenen Befehl von den Augen ab. Der Gedanke, seine Gutsherrin ohne Rückendeckung alleinzulassen, hatte ihm noch nie behagt, doch selbst der Major mußte einräumen, daß ihr in der Bibliothek keine Gefahr drohte. Also verbeugte er sich knapp, verließ den Raum und schloß die Tür. Mit raschelndem Rock schritt Honor an White Haven vorbei zum Hauptdatenterminal. Dort hob sie Nimitz auf die Sitzstange, die eigens für ihn über der Konsole angebracht war. Der Baumkater gab einen leisen, halb scheltenden, halb lachenden Laut von sich und wollte spielerisch ihre Hand packen. Aber dieses Spiel war Honor nicht neu; sie wich seinem Griff mit Leichtigkeit aus, versetzte ihm einen sanften Klaps auf die Nase und wandte sich wieder dem Earl zu.

»Ich muß leider zugeben, daß ich Partys eigentlich nicht mag, Mylord«, sagte sie. »Wahrscheinlich, weil ich mich dort immer noch fehl am Platze fühle. Mike Henke und Admiral Courvosier haben mir immerhin beigebracht, so zu tun, als würde ich mich amüsieren.« Sie warf ihm ein weiteres ihrer typischen schiefen Lächeln zu, und White Haven nickte, als hätte er das nicht bereits gewußt. Raoul Courvosier, Honor Harringtons Mentor in Akademietagen und auch später, war einer seiner engsten Freunde gewesen, und im Laufe der Jahre hatte Raoul ihm mehr von seiner Lieblingsschülerin erzählt als er selbst wohl für möglich gehalten hätte.

»Als Gutsherrin steht mir ein Versteck zu. Deshalb hat das Personal Anweisung, mir an Ballabenden die Bibliothek freizuhalten, damit ich weiß, wo ich zwischen den Scharmützeln meine Gedanken ordnen kann.«

»Das habe ich nicht gewußt, Mylady«, antwortete

White Haven und griff nach seinem Galadegen, um ihn umzuschnallen und sich zurückzuziehen, doch Honor hielt ihn mit einem Kopfschütteln davon ab.

»Ich versuche keineswegs, Sie hinauszuwerfen, Mylord«, versicherte sie ihm. »Vielmehr hat der Überwachungsdienst Sie hier gesehen und Andrew Meldung erstattet. Deshalb bin ich Ihnen gefolgt ... und wenn Sie den Weg nicht von allein gefunden hätten, dann würde Mac Sie im Augenblick mit sanfter Gewalt hierherdrängen.«

»Ach so?« White Haven legte den Kopf schräg. Lady Harringtons Lächeln wirkte daraufhin etwas verkrampfter, und sie zuckte mit den Schultern.

»Ich habe gerade eine Verwendung beim WDB hinter mir, und Admiral Caparelli befürchtete, Sie könnten wegen einiger Empfehlungen gewisse ... hm, Bedenken haben. Deswegen hat er mich angewiesen, mit Ihnen zu besprechen, was das Amt im Sinn hat. Anscheinend ist keiner von uns beiden ein begeisterter Partylöwe, und Sie werden im Laufe der nächsten Tage mit Hochadmiral Matthews und seinem Stab über die Vorschläge konferieren. Deshalb hatte ich gehofft, Ihnen zu allen Fragen heute abend Rede und Antwort stehen zu können – soweit es mir möglich ist.«

»Ich verstehe.« White Haven rieb sich das Kinn. *Recht selbstsicher und selbstbewußt ist sie geworden*, dachte er dabei. Und erneut beeindruckte ihn, wie sie in ihre vielen verschiedenen Rollen hineingewachsen war. Eigentlich hätte ihn das nicht erstaunen sollen, und doch konnte er nicht umhin, sie mit der Honor Harrington zu vergleichen, die er hier im Jelzin-System kennengelernt hatte: ein weiblicher Offizier, der rein aufs Militärische bedacht war, von Politik nichts verstand und dafür (oder zumindest für Politiker) nur Verachtung übrig hatte.

An dieser selbstsicheren Staatsfrau war keine Spur von der damaligen politischen Ignoranz wiederzufinden, ein Wandel, der White Haven jedesmal aufs neue in Erstaunen versetzte. Zum Teil rührte dies wohl daher, daß er noch zur ersten Generation von Manticoranern gehörte, die die Prolong-Behandlung erhalten hatten. Wie hoch seine Lebenserwartung nun auch sein mochte: als er aufwuchs, mußten die Menschen nach einer Spanne von etwas über einhundert T-Jahren sterben, und vermutlich schleppte er auf unterschwelliger Ebene diese Voraussetzungen noch als mentalen Ballast mit. White Haven war nun zweiundneunzig, und eine Frau, die so jung aussah wie Honor Harrington, mußte ihm deshalb wohl noch immer wie ein Kind erscheinen. Ihre Prolong-Behandlung dritter Generation fror den Alterungsprozeß viel früher ein. *Er* hatte wenigstens weiße Strähnen im Haar und Fältchen um die Augen, die er gern als ›Charakterlinien‹ bezeichnete, während Honor Harrington aussah wie eine Neunzehn- oder Zwanzigjährige vor der Prolong-Epoche!

Aber sie ist kein Kind, rief er sich ins Gedächtnis. *Sie ist zweiundfünfzig, ein intelligenter, geistig und körperlich widerstandsfähiger Offizier, wie man ihn sich nur wünschen kann.* Zudem war es integraler Bestandteil ihrer Persönlichkeit, jede Aufgabe zu bewältigen, die man ihr stellte; ob sie nach dieser Pflicht verlangt hatte oder nicht, spielte für Harrington keine Rolle. Deshalb hatte sie gar nicht anders gekonnt als in ihre Rolle der Gutsherrin von Harrington ›hineinzuwachsen‹. Solange sie sich selbst treu blieb, mußte sie immer wieder so handeln, und nicht anders.

Diese Überlegungen stellte White Haven keineswegs an, um Harringtons Verdienste zu schmälern. Vielmehr wollte er sich dazu bringen, sie nicht länger als zwar brillanten, aber untergeordneten Offizier zu betrachten. Allmählich sollte er sich ihr gegenüber so verhalten, wie es Admiral Lady Harrington, GSN, seiner Gleichgestellten, zukam.

Diese Gedanken schossen ihm so schnell durch den Kopf, daß er sie kaum verarbeiten konnte.

»Ich verstehe«, sagte er noch einmal und ließ sich wieder auf seinen Sessel sinken. Honor drehte den Stuhl an ihrem Datenterminal herum, ließ sich ihm gegenüber nieder und bedeutete ihm mit einer knappen Handbewegung, er solle anfangen.

»Um ehrlich zu sein«, sagte White Haven nach kurzem Zögern, »bin ich über einige ONI-Berichte mindestens ebenso besorgt wie über das Amt für Waffenentwicklung. Die Admiralität informiert mich in der Regel über die Entwicklung, aber die Analysen, die Sie mir mitgebracht haben, sind gleichzeitig erheblich detaillierter und viel pessimistischer als alles, was ich bis dato zu Gesicht bekommen habe. Anscheinend sind sehr viele neue Erkenntnisse eingeflossen, und ich frage mich, wie zuverlässig diese neuen Erkenntnisse wohl sein mögen. Hatten Sie Gelegenheit, irgend etwas davon mit dem ONI zu erörtern, bevor Sie das Sternenkönigreich verließen?«

»Um genau zu sein, haben Admiral Givens und ich lange darüber diskutiert«, antwortete Honor. »Wir sind auf der operativen Seite nicht in Einzelheiten gegangen – das ONI teilt seine Methoden zur Informationssammlung nur dann mit, wenn man unbedingt etwas wissen muß, und das ist bei mir nicht der Fall –, doch das WDB benötigte einen detaillierten Hintergrund, bevor es seine Empfehlungen formulieren konnte. Admiral Givens hat mir mitgeteilt, daß sie von der Verläßlichkeit ihrer Quellen überzeugt ist. Angesichts der Zuverlässigkeit, mit der sie und das

ONI seit Kriegsausbruch Prognosen über die Havies anstellen …«

Sie zuckte mit den Schultern, denn White Haven wußte genau, was sie unausgesprochen ließ. Der Ausbruch der Feindseligkeiten hatte das Office of Naval Intelligence völlig überrascht, und ferner hatten Admiral Givens und ihre Fachleute nicht mehr Veranlassung gehabt als jeder andere, das Harris-Attentat und die Bildung des Komitees für Öffentliche Sicherheit zu erwarten – oder gar vorauszuahnen. Davon abgesehen hatten sich die Quellen des ONI jedoch als hervorragend erwiesen und die feindlichen Kapazitäten und möglichen Absichten zuverlässig vorhergesagt.

Honor wählte ihre Worte mit Bedacht. »Ich kann mich des Eindrucks nicht erwehren«, fuhr sie nach einem Augenblick fort, »daß ein Großteil der Rohdaten aus neuen menschlichen Informationsquellen stammt.«

Sie blickte White Haven in die Augen, bis dieser erneut nickte. ›Menschliche Informationsquellen‹ war eine höfliche Bezeichnung für Spione. Die vielfältigen technischen Methoden zur Erlangung von Informationen reichten nicht an ein aufmerksames, intelligentes Paar Augen und Ohren heran, das an der richtigen Stelle das Wichtige erhaschte und aufschnappte. Dennoch ergaben sich beim Einsatz von Spionen zwei Probleme: die Verläßlichkeit der Informanten abzuschätzen und das Material über interstellare Distanzen zu befördern. Schon seit das Warshawski-Segel die Hyperraumreise erstmals ermöglicht hatte, arbeiteten die Geheimdienste daran, die Methoden der Datenübermittlung zu verbessern.

»Insbesondere vermute ich, daß wir mindestens eine Quelle innerhalb der havenitischen Botschaft auf

Alterde besitzen, auch wenn Admiral Givens dies nie offen zugegeben hat.«

White Haven zog die Augenbrauen hoch, und als seine anfängliche Überraschung tiefer Nachdenklichkeit wich, spitzte er die Lippen. *Das erscheint durchaus plausibel,* dachte er. Ronald Bergren, der havenitische Außenminister unter der alten Legislaturisten-Regierung, war als einziges Kabinettsmitglied der Regierung Harris dem Massaker beim angeblichen Militärputsch entkommen. Überlebt hatte er nur deswegen, weil er sich zur Zeit des Anschlags im Transit nach Alterde befand, wo er vor der Solaren Liga hatte erläutern sollen, daß der Krieg gegen Manticore allem äußeren Anschein zum Trotz gar nicht von der Volksrepublik Haven begonnen worden sei. Kaum erfuhr er von dem Putsch, leistete er einen begeisterten Treueid auf das Komitee für Öffentliche Sicherheit – und erwies sich als erstaunlich einfallsreich, wenn es darum ging, Gründe zu ersinnen, weshalb weder er noch seine Frau noch ihre drei Kinder in die Volksrepublik zurückkehren konnten. Sein Verhalten erschien durchaus vernünftig, wenn man bedachte, daß mehr als neunzig Prozent aller Mitglieder der bedeutenden Legislaturistenfamilien von Volksgerichten zum Tode oder zur Verbannung auf Strafplaneten verurteilt worden waren. Daß Alterde über achtzehnhundert Lichtjahre vom Haven-System entfernt war, wirkte sich nur zu Bergrens Vorteil aus.

Aus offensichtlichen Gründen war der Manticoranische Wurmlochknoten für jeglichen havenitischen Schiffsverkehr geschlossen. Bereits vor sieben Jahren hatte die Regierung Cromarty einen großen diplomatischen Triumph errungen, indem sie die Republik Erewhon zum Beitritt in die Manticoranische Allianz bewegte. Die Republik erstreckte sich über nur ein

Sonnensystem, doch ähnlich dem Sternenkönigreich war sie weitaus reicher als ein durchschnittliches Einzelsystem, denn Erewhon befand sich im Besitz der einzigen anderen Wurmlochverbindung ins Raumgebiet der Solaren Liga, die im Umkreis von zwölfhundert Lichtjahren von der havenitischen Hauptwelt existierte. Zwischen Erewhon und Manticore hatte in der Vergangenheit eine gewisse wirtschaftliche Rivalität bestanden, doch beiden war die Gefahr durch Haven stets bewußt gewesen. Erewhons Beitritt zur Allianz verschloß den Haveniten auch den Erewhonischen Wurmlochknoten. Dadurch benötigten selbst havenitische Kurierboote, die auf den oberen Niveaus der Theta-Bänder durch den Hyperraum rasten, mehr als sechs Monate, um die Entfernung zwischen Haven und Alterde zu überwinden. Von Manticore aus war ein Kurierboot zur Stammwelt der Menschheit kaum eine Woche unterwegs.

Die diplomatischen Vorteile, die das Sternenkönigreich dadurch erlangte, lagen auf der Hand, doch die langen havenitischen Nachrichtenwege wirkten sich auch zu Ron Bergrens Gunsten aus. Er befand sich außerhalb der Reichweite des Komitees und doch bereits an Ort und Stelle innerhalb der diplomatischen Struktur von Alterde, wo er die Interessen seiner neuen Herren mit Eifer und Sorgfalt vertrat (schließlich und endlich hatte er zu Hause immer noch genügend Angehörige). Jeder Versuch, ihn gegen seinen Willen zurückzubeordern, konnte nur dazu führen, daß er entweder um politisches Asyl in der Solaren Liga bat – oder zu Manticore überlief.

Infolgedessen war Bergren technisch nach wie vor Außenminister der VRH, obwohl er in praktischer Hinsicht nur noch als havenitischer Botschafter für die Solare Liga fungierte. Ob Bergren nun wirklich loyal zum neuen Regime war oder seine Ergebenheit nur vortäuschte, entscheidend war, daß er einen eigenen Stab mit nach Alterde gebracht hatte. Die meisten Stabsangehörigen waren ebenfalls Legislaturisten, und es bestand eine außerordentlich hohe Chance, daß sich einer von ihnen vom manticoranischen Geheimdienst als Agent hatte anwerben lassen; ob dies nun aus Geldgier, Rache, patriotischer Treue zum alten Regime oder jeder Kombination dieser Motive geschehen war, spielte nicht die geringste Rolle. Angesichts der unterschiedlichen Transitzeiten erhielt Manticore jede Meldung über eine Änderung der Beziehungen zwischen der Solaren Liga und dem Sternenkönigreich wenigstens sechs Monate vor dem Komitee für Öffentliche Sicherheit.

»Jedenfalls«, sprach Honor weiter, nachdem der Earl Zeit gehabt hatte, über das Gesagte nachzusinnen, »zeigt die Natur dieser Informationen eindeutig, daß wenigstens eine wichtige Quelle auf Alterde sitzt. Sehen Sie sich nur die Berichte an über die Versuche der Havies, das Technologieembargo zu umgehen.«

»Das habe ich«, entgegnete White Haven säuerlich. Nun nickte Honor nüchtern. Schon vor dem Ausbruch des Krieges hatte die Solare Liga ein Technologietransfer-Embargo über die Kriegführenden verhängt – zum Vorteil des Sternenkönigreichs, das weitaus mehr Forschung betrieb und dessen Bildungssystem dem havenitischen bei weitem überlegen war. Nur der technische Vorsprung hatte es der Allianz ermöglicht, den Krieg gegen die übermächtige Volksrepublik überhaupt so lange durchzuhalten.

Einige Mitgliedssysteme der Liga hatten das Embargo jedoch stets abgelehnt, erinnerte sich White Haven, und das Sternenkönigreich hatte es nur durchsetzen können, weil es durch seine riesige Handelsflotte und den Wurmlochknoten über starken wirtschaftlichen Einfluß verfügte. Trotz ihrer unleugbaren Macht und Ausdehnung war die Liga in mancherlei Hinsicht ein sehr wackliges Gebilde. Auch wenn sie die *Solare* Liga genannt wurde, war Alterde doch nicht mehr als Erster unter Gleichen, denn jedes Mitgliedssystem erhielt einen Sitz im Ministerrat – und jeder Ratsabgeordnete besaß das Vetorecht. Aus alter Tradition wurde dieses Vetorecht in innenpolitischen Angelegenheiten nur sehr selten ausgeübt, und dafür gab es zwei Gründe: Zum einen wußte jeder Minister der Liga, daß seine oder ihre Politik von einem einzigen Opponenten endgültig abgelehnt werden konnte; daher steuerten sie seit Generationen einen innenpolitischen Kurs, bei dem sie sicher sein konnten, auf breiten Konsens zu treffen. Zweitens stellte jede Mitgliedswelt, die ihr Vetorecht zu häufig benutzte, sehr rasch fest, daß die anderen mit diesem Mittel einseitige Vergeltung üben konnten.

Doch während die Innenpolitik der Liga dadurch immerhin eine gewisse Kohärenz erlangte, war dies bei der Militär- und Außenpolitik längst nicht der Fall, denn an der diplomatischen Front ließ sich ein Konsens nur erheblich mühsamer erzielen. Zum größten Teil lag dies an der schier überwältigenden Macht und Größe der Liga. Selbst die gewaltige Kriegsmaschinerie der Volksrepublik Haven erreichte nicht einmal ein Viertel der solarischen Flottenstärke, und das Industrievolumen der Liga war so groß wie das aller übrigen Sternnationen der Menschen zusammengenommen. Infolgedessen ließ sich eine Ligawelt nur sehr schwer davon überzeugen, daß irgend jemand oder irgend etwas eine ernsthafte Bedrohung für die Liga darstellen könne. Dieses sublime Selbstvertrauen erwies sich immer wieder dann als katastrophal, wenn es galt, einen Konsens für eine gemeinsame Außenpolitik zu finden. Die Folgen der Innenpolitik wirkten sich direkt und spürbar auf den Lebensstandard der Ligabürger aus; das Fehlen einer vernunftbetonten Außenpolitik hingegen nicht, und daher fühlte sich jede Mitgliedswelt im Recht, wenn sie versuchte, ihr eigenwilliges Ideal der ›richtigen‹ Außenpolitik durchzusetzen – oder die ganze Sache insgesamt zu ignorieren. Ministerratsabgeordnete neigten viel eher dazu, von ihrem Vetorecht Gebrauch zu machen, um ›gefährliche auswärtige Abenteuer‹ zu verhindern, als ihren Kollegen in innenpolitischen Angelegenheiten Steine in den Weg zu legen.

Darum war die Regierung Cromarty gezwungen gewesen, das Technologieembargo mit rein ökonomischen Druckmitteln durchzusetzen. Dieser Druck war alles andere als subtil gewesen; der Rat hatte erst dann bereitwillig zugehört, als Cromarty drohte, den Manticoranischen Wurmlochknoten für alle registrierten Schiffe der Liga zu schließen und Strafzölle auf jegliches solarische Frachtgut zu erheben, das manticoranischen Raum durchquerte. Der Herzog von Cromarty war sich durchaus bewußt gewesen, daß er sich mit dieser Starker-Mann-Taktik Feinde machte, hatte jedoch am Ende keine andere Möglichkeit mehr gesehen.

Seine Taktik hatte Wirkung gezeigt – und im Endeffekt leider mehr Groll geweckt als vom Premierminister erwartet. Nicht nur, daß viele Regierungschefs innerhalb der Liga den harten Kurs Cromartys als diplomatische wie persönliche Beleidigung verstanden; die manticoranischen Analysten hatten falsch eingeschätzt, wieviel Geld die Volksrepublik für Ligatechnik zu bezahlen bereit wäre. Kaum war der Vorteil des Sternenkönigreichs im Gefecht offenkundig geworden, wartete die unter Finanzknappheit ächzende Volksrepublik mit kaum abzulehnenden Angeboten auf, wenn man ihr nur verkaufte, was sie brauchte. Für die Waffenhändler der Liga wog der Affront, derart lukrative Offerten ablehnen zu müssen, viel schwerer als die manticoranische Verhandlungstaktik. Dem Beweismaterial des ONI zufolge hatte irgend jemand innerhalb der Liga sich ganz offensichtlich dazu durchgerungen, die Beschränkungen des Embargos zu verletzen.

Das Embargoloch schien darüber hinaus in beide Richtungen durchlässig zu sein, denn eine Quelle innerhalb der Liga-Navy berichtete von Experimenten der Forschungs- und Entwicklungsabteilung, die ein eigenes überlichtschnelles Signalsystem für kurze Entfernungen erbringen sollten. Genau dieses streng geheime System verlieh der RMN jedoch einen ihrer größten taktischen Vorteile. Bisher hatten die Solarier diesbezüglich wenig Erfolg, aber sie waren auf dem richtigen Weg; die Methoden, die sie anwandten, und vor allem die grundlegenden Konzepte, auf denen ihre Arbeit fußte, wiesen deutlich darauf hin, daß ihnen geheime Daten zugetragen worden waren. Zwar konnte es durchaus möglich sein, daß ein Agent innerhalb des Militärs die Informationen an die Allianz weitergegeben hatte. Die Haveniten jedoch hatten das System in Aktion erlebt und zweifellos Ortungsmessungen aufgezeichnet. Es lag sogar im Rahmen des Möglichen, daß sie einen Sender erbeutet hatten, der noch soweit intakt war, daß man ihn analysieren konnte. Deshalb war Haven der Hauptverdächtige. Und wenn die Volksrepublik tatsächlich der Liga Informationen zur Verfügung stellte, mit deren Hilfe die Solarier den Gravimpulssender nachbauen konnten, wäre die Übersendung von Militärtechnologie an Haven nicht mehr als fair – sozusagen eine Art Quidproque.

»Technologietransfers sind uns außerdem auch von anderen Quellen bestätigt worden«, erklärte Honor ruhig. »Die Zielerfassungssysteme der havenitischen Raketen haben sich binnen kürzester Zeit enorm verbessert. Bei Kriegsbeginn hatten wir hier einen Vorteil von dreißig bis vierzig Prozent; BuWeaps schätzt, daß unsere gegenwärtige Überlegenheit auf bestenfalls zehn Prozent gesunken ist. Zum Glück haben wir bei der Verbesserung der Störmaßnahmen und der Elektronischen Kampfführung allgemein noch die Nase vorn, so daß die effektive *relative* Verbesserung der feindlichen Zielgenauigkeit ›nur‹ um die zwanzig Prozent liegt, aber das ist immer noch keine gute Neuigkeit. Und«, ihr Blick verdüsterte sich, »unbestätigten Meldungen zufolge haben die Havies nun ebenfalls Raketengondeln in Dienst gestellt.«

»Wirklich?« fragte White Haven scharf. »Davon habe ich in den Dokumenten des ONI nichts gelesen!«

»Wie ich schon sagte, ist es unbestätigt ... hauptsächlich deswegen, weil die Schiffe, die es vermutlich mit havenitischen Raketengondeln zu tun bekamen, nicht zurückgekommen sind, um es zu melden.« Honor machte eine Gebärde des Unbehagens. »Das Board war von der Richtigkeit dieser Meldungen überzeugt, weil sie sich mit anderen, geringfügigen Verbesserungen decken, die wir an der havenitischen Technik beobachtet haben. Die Position des ONI lautet jedoch, daß die Existenz havenitischer Raketengondeln als Mutmaßung gelten muß, bis definitive Erkenntnisse vorliegen.«

»›Mutmaßung‹!« schnaubte White Haven schroff. »Da haben wir ja viel von, wenn die Havies mit einer ihrer ›mutmaßlichen‹ Gondeln irgendeinem armen

Schwein von Kommandanten in den ...« Er verstummte plötzlich und räusperte sich. »Ich meine, wenn einer unserer Flottenkommandeure zum erstenmal mit ihnen konfrontiert wird. Ich kann kaum glauben, daß Pat Givens bei einer derartigen Bedrohung so zimperlich sein soll!«

»Ich weiß genau, was Sie meinen, Mylord«, antwortete Honor, während sie ein Lächeln über das Wort verbarg, das White Haven in letzter Sekunde *nicht* benutzt hatte. *Sollten etwa die hier stationierten Manticoraner von graysonitischen Gebräuchen angesteckt werden?* dachte sie. *Und wenn, was wäre daran schlimm?* Dann wurde sie wieder ernst und beugte sich leicht zu White Haven vor.

»Was Admiral Givens betrifft, so weiß ich nicht, weshalb sie keine offizielle Warnung ausgesprochen hat. Möglicherweise, weil sie weniger Technikerin als vielmehr Strategin ist – und diesmal bin ich es, die eine Mutmaßung anstellt, basierend auf meinen Beobachtungen beim Amt. Mir kam es vor, als zögere sie eher, sich zu Gerätefragen zu äußern als zu operativen oder diplomatischen Belangen.« Entschuldigend hob sie die Schultern. »Vielleicht sage ich damit mehr, als mir zukommt, aber das war mein Eindruck.« Sie sah keinen Grund hinzuzufügen, daß ihre ›Mutmaßung‹ auf dem basierte, was sie und Nimitz aus Admiral Givens Gefühlen gelesen hatten.

»Da könnten Sie recht haben«, entgegnete White Haven. Insgeheim stand für ihn sogar fest, daß Harrington richtig beobachtet hatte. Daß sie trotz ihrer relativ untergeordneten Position in der RMN solche Schlüsse ziehen konnte, unterstrich nur ein weiteres Mal ihre Intelligenz.

»Ob die Havies nun Raketengondeln entwickeln oder nicht«, fuhr Honor fort, »in allen Kategorien zeigt sich, daß ihr Gerät besser wird. Zum Glück zeigen unsere neuesten Analysen, daß wir selbst gegenüber der neuesten Technik der Liga noch den einen oder anderen Vorteil besitzen, der jedoch schon wesentlich schmaler ist als der gegenüber Haven. Wenn wir den Vorsprung aggressiv ausnutzen, mag er ausreichen – wenigstens angesichts des langwierigen Daten- oder Ausrüstungsaustauschs zwischen der Liga und der Volksrepublik. BuWeaps und das Amt für Waffenentwicklung beabsichtigen genau das. Vor allem wurde mit BuShips diskutiert, wie wir vielleicht noch ein wenig mehr Eloka-Kapazität in unsere Schiffe zwängen, ohne die Waffenmasse zu vermindern, aber es scheint, als würden wir in dieser Hinsicht allmählich an die Grenzen des Möglichen stoßen. Auch aus diesem Grund hat BuWeaps während des vergangenen T-Jahres das Projekt Geisterreiter so stark vorangetrieben.«

Sie blickte den Earl an, der verstehend nickte. ›Geisterreiter‹ war der Codename eines Projekts, das sich hoffentlich als die nächste Generation der Elektronischen Kampfführung erweisen würde. Die erforderlichen Geräte sollten komplett in einen Drohnenrumpf passen und einen Eloka-Sender bilden, der mobil und unabhängig ausgesetzt werden konnte. Im Idealfall sollte sich ein Schiff mit einer Schale aus Drohnen umgeben, die im Vergleich mit den Bordsystemen eines Schiffes relativ einfach und in ihrer Leistungsfähigkeit begrenzt wären. Da jedoch jede dieser Drohnen in einem anderen Modus arbeitete, würde sich insgesamt eine weitaus höhere Kapazität ergeben, als es mit Bordsystemen je erreichbar wäre; trotz seiner größeren Wirkung vermochte ein Bordsystem immer nur einen Modus gleichzeitig einzustellen.

»Während meiner Zeit beim WDB bekam ich einige

recht vielversprechende Langzeitberichte über ›Geisterreiter‹ zu Gesicht«, fuhr Honor fort. »Die einzigen Geräte, die schon zur Fertigung anstehen, sind die neuen Täusch-Raketen und die Stealth-Raketenbehälter. Es wird noch einige Zeit vergehen, bis irgend etwas davon an die Front kommt. Meiner Meinung nach trifft Vizeadmiral Adcocks Prognose zu, daß das Projekt unseren Kampfwert vergrößern wird, aber im Augenblick hat die Volksflotte definitiv aufgeholt.«

»Und die havenitischen Bauzeiten sinken«, brummte White Haven.

Honor nickte erneut sehr ernst. »Das ist wahr. Die Gesamtzahl neuer Rümpfe pro Monat schrumpft zwar weiterhin, aber nur, weil wir ihnen so viele Werften genommen haben. Die Werften, die Haven geblieben sind, zeigen eine deutliche Erhöhung des Produktionsausstoßes. Einzelne Schiffe werden schneller fertig, obwohl die geringere Anzahl der Fertigungsplätze bedeutet, daß weniger gleichzeitig gebaut werden können. Auch dieser Anstieg könnte auf Technologietransfer zurückzuführen sein, aber vermutlich entspringt er besserer Personalführung. Als Haven die Dolisten zur Arbeit in den Werften einzog, gingen die Fertigungsraten in den Keller, aber dieser Trend hat sich im Laufe des letzten Jahres umgekehrt. Ich glaube, das ONI hat recht genau erkannt, worauf dies zurückzuführen ist: die ursprünglich unausgebildeten Arbeitskräfte haben ihren Job mittlerweile gelernt, und die öffentliche Unterstützung für den Krieg ist weiterhin hoch, denn nur auf diese Weise hält man Arbeiter motiviert. Solange Haven keinen technischen Aufschwung durch Importe aus der Liga erhält, sollte die geringere Qualität der havenitischen Werften bewirken, daß ihre Fertigungsrate hinter unserer zurückbleibt. Tatsächlich holen die Havies aber schneller auf, als sie dürften, wenn alles mit rechten Dingen zuginge.«

»Also bleibt Admiral Givens dabei, daß Pierre und seine Meute ›öffentliche Unterstützung‹ genössen, ja?« White Haven hob das Kinn. »Dieser ... Zwischenfall in Nouveau Paris hat ihre Meinung nicht geändert?«

»Nein, Mylord. Die Berichte über den Vorfall sind widersprüchlich, aber das ONI und der Special Intelligence Service sind sich einig, daß der Aufstand die Position des Komitees für Öffentliche Sicherheit sogar noch gestärkt hat. Ich glaube nicht, daß wir dem widersprechen sollten.« Sie grinste, obwohl das Thema sehr ernst war, und White Haven lächelte zurück, denn er verstand Harringtons Anspielung.

Das Office of Naval Intelligence und der Special Intelligence Service, die Dachorganisation, die alle zivilen Nachrichtendienste koordinierte, pflegten eine Tradition lebhaften Konkurrenzkampfes ... und der gegenseitigen Abneigung. Wie nicht anders zu erwarten, lag das ONI in militärischen Zusammenhängen häufiger richtig, während der SIS in diplomatischen und wirtschaftlichen Angelegenheiten öfter bessere Arbeit leistete. Wo ihre Fachgebiete sich überschnitten, kam es regelmäßig zu leidenschaftlichem Disput. Daß beide Dienste einander irgendwo einig waren, geschah im übrigen so gut wie nie.

White Haven erinnerte sich wieder an das eigentliche Thema und wurde schlagartig ernst.

»Nicht, daß ich dieser Folgerung widersprechen wollte«, sagte er schließlich, »aber ich wüßte gern, ob ihre Argumentation mit meiner eigenen übereinstimmt. Hat man Sie informiert, wie man darauf kommt?«

»Nur sehr allgemein«, antwortete Honor. »Ich

glaube, man führte an, daß nur in Nouveau Paris gekämpft wurde, nirgendwo sonst im ganzen Haven-System, auch nicht sonstwo in der Volksrepublik. Nach dem Zwischenfall in Malagasy und der Meuterei im Lannes-System haben wir aus keinem anderen Sonnensystem Meldungen über offenen Widerstand gegen die Zentralregierung erhalten. Das heißt nicht, daß es gar keine Meldungen gegeben hätte, aber wenn, dann in so kleinem Maßstab, daß das Amt für Öffentliche Information sie vertuschen konnte. Folglich hat, daß wer immer die Hauptwelt kontrolliert, auch die Provinzen in der Hand.«

Sie hielt inne und zog eine Augenbraue hoch. Mit einem Nicken bedeutete White Haven ihr fortzufahren.

»Zwotens hat der Drahtzieher des Putschversuches spektakulär versagt. Ob wir nun die Fassung der Öffentlichen Information zugrunde legen oder die weniger stringenten, aber vermutlich akkurateren Versionen aus anderen Quellen, eins scheint eindeutig geschehen zu sein: den Großteil der Anhänger des Aufstandes hat es ungedeckt unter freiem Himmel erwischt. Nach unseren Informationen sind Clusterbomben gegen Straßenpöbel eingesetzt worden, Mylord.« Für einen kurzen Moment trat ein Schatten in ihre Augen, denn sie erinnerte sich daran, wie Pinassen unter *ihrem* Kommando ähnliche Waffen gegen ungeschützte Ziele eingesetzt hatten. »Vermutlich sind dadurch noch Millionen Unbeteiligte getötet worden, aber nach diesem Angriff konnten diese sogenannten ›Levellers‹ nicht mehr viele Helfer übrig gehabt haben. Sie sind nicht nur zermalmt worden, sondern das Exempel, das an ihnen statuiert wurde, wird jeden zukünftigen Putschisten dreimal über sein Vorhaben nachdenken lassen.

Letztendlich deuten alle verfügbaren Informationen darauf hin, daß die Volksflotte die Putschisten gestoppt hat. Die Öffentliche Information verbreitet zwar, es sei das Verdienst der Systemsicherheit, der Komiteesicherheit, der Ordnungspolizei und der Garde des Vorsitzenden mit *Unterstützung* durch die Volksflotte, aber alle anderen Quellen behaupten das Gegenteil. Die Sicherheitskräfte haben sich zwar nicht versteckt und toter Mann gespielt, aber sie haben unkoordiniert reagiert. Das ONI vermutet, daß jemand ihre Kommando- und Überwachungsnetze sabotiert hat, aber das ließ sich nicht bestätigen. Auf jeden Fall haben kinetische Bombardements aus der Umlaufbahn, Luftangriffe und Marines in Panzeranzügen unter dem Kommando von Admiral McQueen dem Aufstand das Rückgrat gebrochen. McQueen hat dann gestoppt – sie hätte durchaus versuchen können, dem Komitee den Garaus zu machen. Man kann daraus schließen, daß das Militär treuer hinter dem Pierre-Regime steht als wir bisher angenommen haben. Diese Rückendeckung sollte dadurch noch gestärkt werden, daß man McQueen nun einen Sitz im Komitee angeboten hat.«

»Sie sagen also«, faßte White Haven zusammen, »daß die Provinzen auf Regierungslinie gebracht sind, der zivile Widerstand auf der Hauptwelt niedergerungen ist und das Militär sich dem Komitee verschrieben hat?«

»Mehr oder minder«, sagte Honor nickend, »obwohl ich es nicht gerade so ausdrücken würde. Ich würde sagen, auf der Hauptwelt ist ein gewisser Teil der Zivilbevölkerung vernichtet worden. Angesichts des Blutzolls und der hohen Zahl an Verletzten vermute ich, daß die Dolisten sich zum größten Teil entschlossen haben, das Komitee als einen Garant für

Stabilität zu unterstützen, welcher dafür sorgen wird, daß dergleichen nicht mehr geschieht. Das geht ein wenig über den Gedanken hinaus, daß die Zivilisten lediglich mit eiserner Faust zum Gehorsam gezwungen werden, Mylord. Terror wäre das bessere Wort dafür.«

»Hm.« White Haven kippte seinen Sessel zurück, stützte die Ellbogen auf die Armlehnen und zog ein finsteres Gesicht. Erneut konnte er Lady Harringtons Analyse nicht widersprechen ... oder genauer: den Folgerungen von ONI und BuShips darüber, was die Stabilität innerhalb der Volksrepublik für den Fertigungswettlauf bedeutete. Haven hatte zweifellos seinen Fertigungsprogrammen Dampf gemacht. Während die Volksrepublik bis vor kurzem noch die doppelte Zeit gebraucht hatte, um einen Superdreadnought fertigzustellen, war es ihr nun gelungen, den Vorsprung Manticores um fast die Hälfte zu reduzieren. Wenn kein innerer Unfriede die Rüstungsanstrengungen störte ...

»Wie immer man es auch betrachtet«, sagte er bedächtig, »wir büßen an Überlegenheit ein. Es geht nicht nur um die Zahlen – die Beschleunigung der havenitischen Fertigung habe ich nämlich schon vor Monaten prophezeit.Vielmehr geht es auch um die Qualität.« Er schüttelte den Kopf. »Und genau das können wir uns nicht leisten, Mylady.«

»Das weiß ich«, antwortete Honor leise.

White Haven verengte die Augen zu Schlitzen und schenkte ihr seine volle Aufmerksamkeit. »Und das«, sagte er, »ist nur ein weiteres Argument für meine Besorgnis über die Empfehlungen des WDB.«

»Besorgnis, Mylord?« fragte Honor ruhig.

»Ehrlich gesagt, recht tiefe Besorgnis«, erwiderte er. »Denn da wir bereits Verbesserungen in der Feindtechnik entgegensehen und die numerischen Verhältnisse ebenfalls immer ungünstiger ausfallen, ist es der denkbar falscheste Zeitpunkt, mit unserer Schiffsbewaffnung herumzuwursteln und irgendwelche Traumtänzereien zu beginnen.« Er schnaubte höhnisch über jene lächerlichen Vorhaben – und Behauptungen – die das Diskussionspapier des WDB enthielt, das Harrington ihm übergeben hatte. Bereits beim Überfliegen des Dokuments hatte er erkannt, daß er es einmal mehr mit unsinnigen Kopfgeburten der *Jeune école* zu tun bekommen sollte. »Wenn wir uns im Augenblick eins nicht leisten können, dann ein Verzetteln unserer Energie auf zu viele Projekte gleichzeitig – von denen sich die meisten ohnehin als nutzlos erweisen werden. Wir müssen unbedingt unsere Fertigungspläne weiter rationalisieren, um unseren Ausstoß an erprobten Waffensystemen zu maximieren, anstatt unsere Mittel auf irrwitzige, angebliche ›Durchbrüche‹ zu vergeuden! Das WDB müßte doch mittlerweile begriffen haben, daß man sich auf realisierbare Vorhaben konzentrieren sollte, anstatt hirnverbrannten Allheilmitteln und eierlegenden Wollmilchsäuen hinterherzulaufen. Diese Lektion müßte man doch wirklich gelernt haben, wenn man sich nur ein wenig mit der Geschichte von Alterde befaßt hat!«

»Das Board verlangt aber nicht gerade nach ›Wollmilchsäuen‹, Mylord«, erwiderte Honor in andeutungsweise frostigem Ton, doch der Earl schüttelte nur den Kopf.

»Sie sind sich gewiß meiner ... hmpf, Meinungsverschiedenheiten mit Lady Hemphill und der *Jeune école* bewußt«, sagte White Haven. »Ich habe niemals abgestritten, daß neue technische Entwicklungen ihren Sinn haben – Geisterreiter ist ein hervorragendes Beispiel für ein neues System von echtem Wert, das sich unverzüglich nutzen läßt. Aber es muß doch eine Balance geben. Wir können doch nicht einfach ein neues Waffensystem in Dienst stellen, nur weil es neu ist! Es muß sich auch mit Vorteil einsetzen lassen, und die Flotte benötigt eine schonungslose Analyse aller Vorzüge *und* Nachteile, bevor das System in Einsatz gebracht werden darf. Allein die Existenz eines noch so mächtigen Waffensystems bedeutet doch noch nicht, daß man überhaupt eine passende Einsatzdoktrin dafür formulieren kann. Ein System, bei dem wir nicht genau wissen, wie man es sinnvoll einsetzt, kann uns unter Umständen gefährlicher werden als dem Gegner, ganz besonders, wenn wir uns so sehr darauf versteifen, daß wir andere, kampferprobte Waffen auf den Müll werfen.«

Über ihre Verbindung zu Nimitz spürte Honor seine Abscheu und war überrascht. Natürlich wußte sie, daß White Haven der anerkannte Wortführer der sogenannten ›historischen Schule‹ war, die von der Unabänderlichkeit der grundlegenden strategischen Prinzipien ausging. Neue Waffensysteme und Technologie boten demnach lediglich neue, bessere Möglichkeiten, diese Grundprinzipien anzuwenden, schufen jedoch keine neuen. Die Gefechte, die sich White Haven mit der *Jeune école* geliefert hatte, galten bereits als legendär. Doch hätte Honor niemals damit gerechnet, daß eine solch tiefe, erschöpfte Verbitterung seine Gefühle färbte. *Fast, als wäre er kampfesmüde,* dachte sie; *als hätte er so viele Schlachten gegen die* Jeune école *geführt, daß er nicht mehr den nötigen Abstand zu den Empfehlungen des WDB einnehmen und sie leidenschaftslos beurteilen kann.*

Honor setzte zu einer Entgegnung an, doch White Haven hob die Hand und sprach weiter, bevor sie das Wort ergreifen konnte.

»Ich bin mir bewußt, daß Ihre Verwendung beim Amt für Waffenentwicklung nur kurz gewesen ist, Mylady, aber sehen Sie sich einige dieser Vorschläge doch einmal näher an.« Er zählte die Punkte an den Fingern seiner erhobenen Hand ab. »Erstens will man, daß wir die Konstruktion unserer Wallschiffe radikal ändern sowie eine völlig unerprobte Klasse fertigen und in Dienst stellen. Zwotens sollen wir die Produktion von Leichten Angriffsbooten forcieren, obwohl wir gerade erst schlüssig bewiesen haben, daß selbst modernste LACs im Tonnagenvergleich keinem sinnvoll konstruierten Sternenschiff gewachsen sind, auch nicht in einer Defensivrolle. Drittens sollen wir gut zehn Prozent unserer Fertigungskapazität für Dreadnoughts und Superdreadnoughts abzweigen – ausgerechnet zu einem Zeitpunkt, da die havenitischen Fertigungsraten für genau diese Klassen *steigen*. Und das nur, um diese sogenannten LAC-Träger zu bauen, die LACs als *Offensiveinheiten* über interstellare Entfernungen transportieren sollen. Und damit nicht genug, wir sollen die bewährten Raketenwerfer aus unseren existierenden Wallschiffen herausreißen und sie durch Rohre ersetzen, die zwölf Prozent mehr Waffenraum benötigen und Raketen abfeuern, deren Größe allein die Magazinkapazität um *achtzehn* Prozent reduziert?« Er schüttelte den Kopf.

»Nein, Mylady. Das wäre nicht nur ein fliegender Wechsel des Reitpferdes mitten im Rennen, das würde bedeuten, vom Pferd zu springen, ohne zu wissen, ob es ein anderes gibt, auf dem man weiterreiten kann. Und mitten im Krieg kann man sich so etwas einfach nicht leisten. Jedenfalls nicht, wenn man den Krieg gewinnen will. Für mich klingt das zu sehr nach Sonja Hemphills Wunschzettel, als daß ich guten Gewissens zustimmen könnte.«

»Damit haben Sie unrecht, Mylord«, erwiderte Honor, »und vielleicht hätten Sie das Diskussionspapier lesen sollen, anstatt es lediglich zum Anlaß zu nehmen, Ihrer schlechten Laune Luft zu machen.«

Bei dem scharfen, schneidenden Klang ihrer unbewegten Stimme fuhr White Haven kerzengerade in seinem Sessel auf, und Honor spürte durch Nimitz das Erstaunen des Admirals. Honor begriff: White Haven war es nicht gewöhnt, daß *irgend* jemand ihm gegenüber einen solchen Ton anschlug. Dennoch weigerte sie sich, einen Rückzieher zu machen, und begegnete unerschütterlich seinem Blick.

White Haven starrte seine Gastgeberin an, und ihm war, als erblicke er sie zum allerersten Mal. Nur wenige Offiziere, deren Dienstgrad nicht durch wenigstens drei Sterne symbolisiert wurden, wagten es, mit *ihm* die Klingen zu kreuzen. Selbst die, die sich auf ein Wortgefecht mit ihm einließen, besaßen nur selten den Mut, ihn derart kühl und unverhohlen anzufahren. Honor Harrington hatte den nötigen Mumm, und ihre schokoladenbraunen Augen waren völlig ruhig – und hart wie Stein. White Haven blinzelte und bemühte sich, Harringtons Verhaltensänderung zu verdauen; ihm wurde geradezu schmerzhaft bewußt, daß sie sich weder durch seine unleugbare Erfahrung, seiner Leistungen oder seinen Rang einschüchtern ließ. Sie zeigte nicht einmal eine Andeutung von Bedauern oder Unsicherheit. Der Baumkater auf der Sitzstange über ihr hob den Kopf und schaute interessiert zu White Haven hinab.

»Ich bitte um Verzeihung?« brachte der Admiral schließlich hervor, in barscherem Tone als beabsichtigt, denn Harrington hatte ihn doch an einer empfindlichen Stelle getroffen: Fast dreißig T-Jahre kämpfte er gegen die Manie der ›Horriblen Hemphill‹, immer mehr und immer neue Spielzeuge in Dienst zu stellen. Ohne ihn hätte die Navy heute vielleicht eine Waffenzusammenstellung am Hals wie die, die Harrington selbst vor zehn Jahren auf Basilisk Station beinahe Kopf, Kragen und Schiff gekostet hätte!

»Ich sagte, damit haben Sie unrecht«, wiederholte Honor. Keinen Millimeter gab sie vor dem kalten Zorn White Havens nach. »Auch ich habe genügend Differenzen mit Lady Hemphill gehabt, doch die Empfehlungen des WDB entsprechen keineswegs ihrem ›Wunschzettel‹. Gewiß ist sie federführend, wenn es darum geht, Neuentwicklungen in Einsatz zu bringen. Seien Sie doch einmal ehrlich, Mylord – hat es in den letzten dreißig Jahren auch nur eine technische Neuentwicklung gegeben, an der Lady Hemphill nicht beteiligt war? Was immer man gegen sie anführen kann, ihre technische Brillanz und ihre Erfindungsgabe lassen sich nicht abstreiten. Sicherlich haben sich viele ihrer Ideen als operativ ungeeignet erwiesen. Aber deswegen davon auszugehen, daß all ihre Projekte grundsätzlich scheitern müssen, wäre ebenso absurd wie eine Idee kurzerhand von vornherein abzulehnen, nur weil sie von ihr stammt. Niemand, dessen Phantasie so fruchtbar ist wie die ihre, kann sich unentwegt irren, Mylord!«

»Ich lehne die Empfehlungen nicht deswegen ab, weil sie von Hemphill stammen«, erwiderte White Haven scharf. »Ich weise sie zurück, weil dieses Paket, das sie beim Amt für Waffenentwicklungen durchgetrotzt hat, unsere Fertigungsplanung durcheinanderbringen und uns zwingen wird, völlig neue taktische Doktrinen zu entwickeln – für Waffensysteme, die vermutlich nicht so gut funktionieren werden, wie Hemphill und ihre Anhänger glauben. Und all das ausgerechnet mitten in einem verdammten Krieg!«

»Bevor wir diese Diskussion fortsetzen, Mylord«, entgegnete Honor sehr ruhig, »sollten Sie wohl wissen, daß ich selbst letztendlich die Empfehlungen des Boards formuliert habe.«

White Haven klappte den Mund so heftig zu, daß seine Zähne vernehmlich aufeinanderschlugen. Er starrte Honor an. Sie bedurfte nicht Nimitz' Hilfe, um sein Erstaunen und seinen Unglauben wahrzunehmen, und mußte an sich halten, um nicht verärgert zu schnauben. Sie hatte White Haven immer respektiert, sowohl als Offizier wie auch als Mensch, und wußte, daß er seit Admiral Courvosiers Tod ihre Karriere mit persönlichem Interesse verfolgte. Sein Rat und seine leitende Hand hatten sich schon oft als unbezahlbar wertvoll für sie erwiesen, doch diesmal war sie von ihm grenzenlos enttäuscht. Sie wußte, wie erschöpft er war – ein Blick auf die tiefen Falten, die sich rings um seine eisblauen Augen eingegraben hatten, genügten durchaus als Beweis, und die weißen Strähnen in seinem schwarzen Haar, die sichtlich breiter geworden waren, sprachen ebenfalls Bände. Aber über dergleichen sollte er doch erhaben sein! Sollte er besser! Die Navy – und die Allianz – waren darauf angewiesen, daß er seinen Einfluß geltend machte, um die richtigen Entscheidungen durchzusetzen, keinesfalls durfte er sich statt dessen auf einen dogmatischen Grabenkampf einlassen – gegen alles, was irgendwie mit Sonja Hemphill zusammenhing.

Er wollte etwas einwenden, doch Honor kam ihm zuvor.

»Admiral, ich bin die erste, die Ihre Verdienste anerkennt, sowohl die vor Ausbruch des Krieges als auch die seitdem. Um genau zu sein, habe ich mich immer mehr zu der historischen Schule als zur *Jeune école* hingezogen gefühlt. Doch das Sternenkönigreich kann sich nicht den Luxus leisten, daß seine höchsten Offiziere einander über dieses Thema so lange befehden, bis eine Partei kapituliert. Ich versichere Ihnen, ich war nicht der einzige Offizier, den man bat, die Empfehlungen des WDB aufgrund persönlicher Erfahrung zu kommentieren. Und wenn Sie die technischen Anlagen genauer studiert hätten, anstatt nur die vorgeschlagenen Änderungen der Fertigungsprioritäten zu überfliegen, dann hätten Sie bemerkt, daß jede einzelne unserer Empfehlungen auf der Grundlage von Einsatzerfahrungen modifiziert worden ist.

Zum Beispiel handelt es sich bei den Leichten Angriffsbooten, gegen die Sie sich so heftig wehren, um völlig neue Typen mit Verbesserungen, die selbst meine LACs in Silesia noch nicht besaßen. Durch die neuen Kompensatoren sind sie schneller als alles andere im Weltraum; BuShips hat eine Möglichkeit gefunden, ihre Beta-Emitter so sehr auszubauen, daß sie beinahe so stark sind wie Alpha-Emitter. Dadurch haben die neuen LACs viel stärkere Seitenschilde als jedes Vorgängermodell. Die neuen Typen verfügen darüber hinaus über außerordentlich wirksame Energiewaffen – und zwar Graser, keine Laser, auf Lafetten parallel zur Mittschiffslinie. Diese LACs sind überhaupt nicht mehr für das Breitseitengefecht ausgelegt; sie sollen sich feindlichen Kampfschiffen im spitzen Winkel nähern, um dem Feind einen Schuß in den Rachen zu verweigern, bis sie auf Angriffsentfernung herangekommen sind, um dann in Formation zu wenden und sich *en masse* auf einzelne Ziele zu stürzen. Man könnte sagen, daß wir die alten Flugzeugträger der Wasser-Navy wiederaufleben lassen, denn der LAC-Träger bietet ähnliche Vorteile. Er kann seine Angriffsmittel außerhalb der Raketenreichweite aussetzen, angreifen und sich wieder zurückziehen, ohne jemals von einem konventionell bewaffneten Verteidiger bedroht zu sein. Und ob Sie und ich es nun mögen oder nicht, Lady Hemphill hat recht, was die Entbehrlichkeit von LACs angeht. Sie sind so winzig und haben eine so kleine Besatzung, daß wir ein Dutzend davon opfern könnten, um einen Schweren Kreuzer auszuschalten. Selbst dann ständen wir nämlich noch mit geringeren Verlusten da als bei einem Kreuzerkampf – nicht nur in puncto Tonnage, sondern auch in bezug auf Menschenverluste.

Die neuen Wallschiffe, die Sie kritisieren, stellen eine logische Fortführung der Bewaffnung dar, die mir in Silesia zur Verfügung stand. Und dort zerstörte oder kaperte mein Geschwader, wenn ich daran erinnern darf, Sir, ein komplettes Geschwader Piraten, einen havenitischen Leichten und zwo Schwere Kreuzer sowie zwo *Schlachtkreuzer*! Das gelang nur, weil die Schiffe meines Geschwaders einzeln und ohne die Möglichkeit gegenseitiger Unterstützung operierten. Wir verloren damals nur einen einzigen bewaffneten Handelskreuzer. Einen Superdreadnought mit hohlem Kern zu bauen, ist nun sicherlich eine radikale Neuerung, und BuShips räumt ein, daß dabei die Struktur konstruktionsbedingt leicht geschwächt wird. Dafür wird jeder dieser neuen Superdreadnoughts mehr als fünfhundert Behälter à zehn Raketen tragen und alle zwölf Sekunden sechs davon als Salve abfeuern können. Ein einziges Schiff ist auf diese Weise imstande, mehr als *fünftausend* Raketen mit einer Feuerrate von dreihundert pro Minute zu starten. Dafür büßt dieses Schiff knapp dreißig Prozent seiner konventionellen Bewaffnung ein. Ich darf allerdings hinzufügen, daß die ferngesteuerten Eloka-Drohnen aus dem Projekt Geisterreiter die Raketengondeln noch effektiver machen werden, weil sie den

Neuentwicklungen gestatten, in einer einzigen Salve eine komplette, mehrschichtige Hülle abzusetzen. Wenn die vom WDB empfohlene Flottenzusammensetzung genehmigt wird, erfordern die neuen Raketenschiffe und die LAC-Träger nur fünfundzwanzig Prozent der Werftkapazität, die gegenwärtig von konventionellen Wallschiffen in Anspruch genommen wird.

Und was die neuen Raketen angeht, Mylord, so muß ich Sie fragen, ob Sie sich überhaupt mit den Leistungsparametern auseinandergesetzt haben, bevor Sie beschlossen, sie als ›Wunschzettel der Horriblen Hemphill‹ abzutun?« erkundigte sich Honor, und nun konnte sie ihre Verärgerung nicht mehr verhehlen.

»Sicher, Lady Hemphill hat das Konzept angeregt, aber die Forschungs- und Entwicklungsabteilung hat die Idee freudig aufgegriffen und ausgebaut. Wir sprechen hier von einer ›mehrstufigen‹ Rakete – einer Rakete mit drei voneinander unabhängigen Antrieben, die uns eine taktische Flexibilität verleiht, von der andere Raumflotten nur träumen können! Die Antriebe können vorprogrammiert werden, sich zu jedem gewünschten Zeitpunkt mit jeder gewünschten Schubeinstellung selbsttätig einzuschalten! Wenn man einfach programmiert, daß sie sich nacheinander mit Maximalschub aktivieren, beschleunigen diese Vögelchen einhundertachtzig Sekunden lang – und bleiben auf einer Reichweite von vierzehneinhalb Millionen Kilometern manövrierfähig. Ihre Endgeschwindigkeit beträgt 0,54 *c*. Wenn man die Schubleistung auf 46.000 *g* senkt, erhält man die fünffache Antriebslebensdauer – und eine Manöverreichweite von über *fünfundsechzig* Millionen Kilometern bei einer Endgeschwindigkeit von *einundachtzig* Prozent der Lichtgeschwindigkeit. Das ist eine Reichweite von

3,6 Lichtminuten, und die könnten wir noch übertreffen, wenn wir die Raketen nur mit einer oder zwo Stufen beschleunigen, sie ballistisch auf eine vorprogrammierte Angriffsentfernung kommen lassen und dann die letzte Stufe zünden, um die letzten Angriffsmanöver mit vollen zwoundneunzigtausend Gravos zu fliegen. Ich weiß nicht, wie Sie es sehen, Mylord, aber für Raketen mit diesen Leistungsparametern würde ich ohne weiteres achtzehn Prozent meiner Gesamtlenkwaffenladung opfern wollen!«

White Haven hätte gern etwas entgegnet, doch Honor ließ ihm keine Zeit; sie überrannte ihn, und nun blitzten ihre Augen – der kalte Blick war verschwunden.

»Abschließend möchte ich folgendes ergebenst anmerken, Sir: Das denkbar stichhaltigste Argument *für* diese neuen Systeme besteht *gerade* darin, daß Haven allmählich unseren technischen Vorsprung aufholt. Wir können es uns selbstverständlich nicht leisten, unsere Mittel auf unbrauchbare Konzepte zu vergeuden, nur weil sie exotisch oder faszinierend sind! Aber unsere Oberhand haben wir bisher doch nur deswegen behalten – und knapp, möchte ich anfügen –, weil sowohl unsere Technik als auch unsere Taktik besser gewesen sind als die des Gegners. Wenn Sie unbedingt die Geschichte von Alterde heranziehen möchten, dann lassen Sie mich einen Satz von Admiral St. Vincent zitieren: ›Geschehe was wolle, das Königreich muß führen.‹ Mylord, unser Überleben hängt noch wesentlich gravierender von der technischen Überlegenheit unserer Flotte ab als damals im Falle Großbritanniens!«

Abrupt verstummte sie, und bemühte sich um Fassung. White Haven spürte, daß ihm auf beiden Wangen rote Flecken stumpf brannten, doch rührten sie nicht von Verärgerung her. Sie brannten, weil er sich selbst in diese Bedrängnis manövriert hatte, denn ganz gleich, was er anführen wollte, er konnte nicht abstreiten, daß er die Anlagen nicht gelesen hatte. Und er konnte auch vor sich selbst nicht verbergen, daß er seinen Vorurteilen gestattet hatte, ihn von dieser Lektüre abzuhalten. Er hatte überhaupt nicht an der Richtigkeit seiner reflexartigen Bekämpfung von Hemphills Versuchen gezweifelt, solchen Humbug wie die Gravolanze oder eine reine Energietorpedobewaffnung allgemein durchzusetzen. Gott allein wußte, wo sie alle geendet wären, wenn man Hemphill gestattet hätte, ihr Konzept von Bewaffnung parallel der Mittschiffslinie für Wallschiffe einzuführen! Sich ein Großkampfschiff nur vorstellen, das keine andere Wahl hatte, als dem Gegner seine verwundbaren Stellen zu entblößen, sozusagen das eigene T zu kreuzen, um überhaupt angreifen zu können, jagte White Haven noch immer einen Schauder über den Rücken. Ganz gewiß mußte dieses Ansinnen auf seine Gastgeberin eine ähnliche Wirkung entfaltet haben.

Trotzdem waren ihre Vorwürfe stichhaltig. Was in einem Wallschiff absoluter Irrsinn gewesen wäre, ergab durchaus Sinn in einem Schiff, das so klein, so wendig und – ganz gleich, wie wenig Freude er an dem Gedanken hatte – so entbehrlich war wie ein LAC. Und er, der taktische Übervater der RMN, hatte nicht einmal daran gedacht. Als er das Konzept der Raketenbehälter ablehnte, die aus einem zentralen Mittschiffsschacht abgeworfen werden konnten, hatte er nicht bedacht, daß Harringtons Erfolg in Silesia nur auf diese neuartige Anordnung zurückzuführen gewesen war. Am schwersten wog jedoch, daß er sich nicht einmal die Mühe gemacht hatte, die Werte der neuen Raketenantriebe nachzulesen oder gar darüber nachzudenken, was man damit wohl beabsichtige. Und er mußte mit noch tieferem Verdruß erkennen, daß all das nur von seiner instinktiven, emotionsbeladenen Ablehnung jedes Projekts herrührte, bei dem Sonja Hemphill die Finger im Spiel hatte. Folglich hatte er das genaue Gegenstück einer Reflexreaktion zur Schau gestellt, für die er die *Jeune école* so gern herunterputzte, wenn es um technische Neuerungen ging.

Und Honor Harrington hatte ihn damit bloßgestellt.

White Haven blinzelte und lehnte sich zurück. Er bemerkte, daß auch ihre Wangen rot angelaufen waren; in ihren Augen stand die Kampfeslust, denn sie weigerte sich, den Mund zu halten, nur weil sie anderer Meinung war als der erfolgreichste Flottenkommandeur, den die RMN in den letzten beiden Jahrhunderten hervorgebracht hatte. Und noch etwas anderes fiel ihm bei dieser Betrachtung auf.

Hamish Alexander war sich Honor Harringtons körperlicher Attraktivität immer bewußt gewesen. Niemand hätte wohl ihr dreieckiges, scharfgeschnittenes Gesicht als klassisch schön bezeichnet – ein Gesicht, das von einer starken Nase dominiert wurde und von großen, mandelförmigen Augen, einem Erbe ihrer Mutter. Dazu waren ihre Züge zu stark ausgeprägt und wirkten viel zu herb. Doch die Persönlichkeit dahinter – die Intelligenz, der Charakter, die Willenskraft – verlieh dem Gesicht genug Leben und Energie, um seine Schroffheit vergessen zu machen. *Oder vielleicht ist sie doch schön,* dachte White Haven plötzlich, *so wie ein Adler oder Falke schön ist.* Harrington war von einer bedrohlichen Vitalität erfüllt, und jeder, der dieser Frau gegenüberstand, spürte, wie gefährlich es war, sie zu unterschätzen. Die geschmeidige Anmut ihrer Bewegungen verstärkte diesen Eindruck; samt und sonders Aspekte, die White Haven schon bei ihrer ersten Begegnung bemerkt hatte.

Tatsächlich aber war Attraktivität nur eine Facette dieses herausragenden weiblichen Offiziers, der unversehens sein Protegé geworden war. Obwohl White Haven immer gewußt hatte, daß sich Harringtons Befähigung in ein faszinierendes Äußeres hüllte, beruhte dieses Wissen lediglich auf rationaler Beobachtung. Er hatte in ihr nie etwas anderes als einen Raumoffizier gesehen. Außerdem fühlte er sich normalerweise zu eher gleichaltrigen Frauen hingezogen, die kleiner waren als er – und die im unbewaffneten Kampf nicht so versiert waren, um bei Bedarf eine Brezel aus ihm flechten zu können. Möglicherweise hatte er sogar unbewußt geahnt, daß es für beide Teile erheblich besser wäre, wenn er niemals ›bemerkte‹, wie attraktiv Honor Harrington eventuell auf ihn wirken konnte.

Was auch immer der Grund oder die Gründe waren: mit einemmal waren sie irrelevant geworden. Von nun an könnte White Haven sie nie wieder nur als Offizierskameradin oder gar Oberhaupt einer Regierung betrachten. Merkwürdig ... es wollte ihm vorkommen, als hätte gerade die Art, in der sie ihm den Kopf zurechtgerückt hatte, in dazu bewegt, sein Gegenüber einer Neubewertung zu unterziehen – und zwar nicht nur in intellektueller, sondern auch in emotionaler Hinsicht. Und dabei hatte er entdeckt, welch erstaunliche Frau sie war – und daß er sie plötzlich fürchtete ... – *nein,* dachte er sogleich, *Furcht ist nicht das rechte Wort.* Bei aller Verwirrung war White Haven eines klar: daß er Honor Harrington nie wieder nur als seinen Protegé betrachten könnte.

Honor riß die Augen auf, als sich White Havens Emotionen veränderten, die sie via Nimitz überwachte. Wie weggeblasen verschwand ihre Verärgerung über den Earl. Er hatte seine volle Aufmerksamkeit auf sie gerichtet, nicht auf ihre Worte, sondern auf sie persönlich.

Honor rückte mit dem Stuhl ein wenig von White Haven ab und hörte, wie hinter ihr Nimitz auf die Konsole herabsprang. Dann floß der 'Kater über ihre Schulter und auf ihren Schoß. Honor lenkte sich ab, indem sie ihn in die Arme schloß, als könnte sie dadurch die Zeit anhalten und Ordnung in ihre rasenden Gedanken bringen.

Das durfte – das konnte nicht geschehen! Als Nimitz den Empfindungen White Havens die eigene Zufriedenheit mit dessen Reaktion hinzufügte, hätte sie den Baumkater am liebsten zornig geschüttelt. Nimitz wußte, wie sehr sie Paul Tankersley geliebt hatte, und auf seine eigene unbändige Art hatte der 'Kater Paul ebenso lieb gehabt. Trotzdem sah Nimitz keinen Grund, weshalb Honor nicht eines Tages neue Liebe finden sollte. Sein sonores Schnurren offenbarte große Zufriedenheit darüber, daß der Earl plötzlich Honors Schönheit entdeckt hatte.

Doch selbst wenn Nimitz die Gefahr nicht begriff, die nun am Horizont drohte, erkannte Honor die heraufziehenden Schwierigkeiten sehr wohl. White Haven war kein beliebiger Vorgesetzter, sondern ausgerechnet der designierte Kommandeur der 8. Flotte, in welcher Honor ein Geschwader befehligen sollte. Folglich befanden sie sich in der gleichen Befehlskette, was bedeutete, daß eine persönliche Beziehung zwischen ihnen eine Verletzung von Artikel 119 darstellte – für Offiziere ein Vergehen, das ein Kriegsgericht erforderte. Noch schlimmer, White Haven war verheiratet – und zwar nicht mit irgendeiner Frau, sondern mit *der* Lady Emily Alexander. Vor dem schrecklichen

Flugwagenunfall, der sie unheilbar gelähmt hatte, war sie die beliebteste HD-Schauspielerin im ganzen Sternenkönigreich gewesen. Noch heute, an den Lebenserhaltungsstuhl gekettet und auf den Gebrauch eines Armes und einer Hand beschränkt, zählte sie zu den besten Drehbuchautoren und Produzenten Manticores – und galt zudem als herausragende Dichterin.

Honor bezwang ihre ausufernden Gedanken und atmete tief durch. *Ich mache mich lächerlich.* Eine Gefühlsaufwallung hatte sie gespürt, nicht mehr. Sie benahm sich, als hätte sie nie bei einem anderen Mann Bewunderung und auch Verlangen wahrgenommen, seitdem ihre telempathische Verbindung zu Nimitz sich so verstärkt hatte! *Das kommt eben vor,* beruhigte sie sich. Über dergleichen hatte sie sich doch sonst nie Gedanken gemacht. Da mußte jemand schon versuchen, Gemütsregungen in die Tat umzusetzen. Tatsächlich machte sie es zumeist, wenn sie spürte, daß sie jemandem gefiel. Nicht, daß sie je erwogen hätte, die bewußten Herren zu ermuntern – die Beziehung zu Paul hatte ihr schon genügend Probleme mit den konservativen Graysons beschert. Dennoch schmeichelten ihr solche Gefühle. Besonders ihr, das mußte sie eingestehen, die sich dreißig Jahre lang gefühlt hatte wie ein häßliches Entlein, das niemandes Interesse weckte.

Nur ein weiterer Fall von rasch verfliegender Zuneigung, sagte sie sich noch energischer. Am besten verhielt sie sich, als hätte sie nichts gespürt, und bot dem Earl keinerlei Ermutigung. Wenn sie White Haven jemals ahnen ließ, daß sie seinen Gefühlsansturm bemerkt hatte, brächte sie ihn nur unnötig in Verlegenheit. Seine unerschütterliche Liebe zu seiner invaliden Frau – und ihre Treue zueinander – war schließlich legendär. Die Ehe der White Havens gehörte zu den großen tragischen Liebesgeschichten des Sternenkönigreichs, und Honor vermochte sich nicht einmal vorzustellen, White Haven könnte sich von Lady Emily abwenden, ganz gleich, wie sehr er sich von einer anderen Frau angezogen fühlte.

Trotzdem, flüsterte es in einem Winkel ihres Bewußtseins, *hat es da nicht diese Gerüchte über ihn und Admiral Kuzak gegeben? Es wäre doch durchaus möglich, daß ...*

Eiligst unterdrückte sie diesen Gedanken und räusperte sich.

»Ich möchte Sie um Verzeihung bitten, Mylord«, sagte sie, »denn an sich wollte ich Ihnen keinen Vortrag halten. Vermutlich ist meine Reaktion zum Teil darauf zurückzuführen, daß ich persönliche Zweifel hege, wo Lady Hemphill ins Spiel kommt. Vielleicht hat die Notwendigkeit, zumindest einige ihrer Projekte zu unterstützen, in mir eine missionarische Ader geweckt, die ich bisher nicht kannte. Aber eine Entschuldigung für meine Kritik an Ihnen ist das nicht.«

»Hm.« White Haven erlangte seine Fassung zurück und tat ihre Entschuldigung mit einem Lächeln ab. »Sie brauchen sich nicht zu entschuldigen, Mylady. Ich hatte jedes Wort Ihrer Zurechtweisung verdient ... und wenn ich die Anlagen gelesen hätte, dann wäre mir die Zigarre erspart geblieben.«

Honor spürte, wie sich hinter der Oberfläche seiner Gedanken noch das Erstaunen über seine Empfindung regte, doch seiner Stimme aber war davon nichts anzumerken. Darüber war sie sehr erleichtert. Der Admiral blickte auf sein Chrono und zuckte so kunstvoll überrascht zusammen, daß er damit Honor ohne ihren Link zu Nimitz vermutlich getäuscht hätte.

»Ich habe gar nicht bemerkt, wie spät es geworden ist«, verkündete White Haven, erhob sich und griff nach seinem Degen. »Zeit, daß ich zu Bett gehe. Vermutlich wollen Ihre Gäste bald aufbrechen.« Er schnallte sich den Degen ans Koppel und lächelte. Jeder uneingeweihte Beobachter hätte dieses Lächeln für vollkommen natürlich gehalten. »Gestatten Sie mir, Ihnen Geleitschutz in den Ballsaal zu geben«, sagte er und bot ihr seinen Arm. Honor erhob sich, erwiderte sein Lächeln und setzte sich Nimitz auf die Schulter.

»Vielen Dank, Mylord.« Sie legte ihm in geziemender graysonitischer Manier die Hand auf den Ellbogen, und er führte sie stilvollendet aus der Bibliothek.

Andrew LaFollet schloß sich ihnen an, und seine gelassene Aufmerksamkeit, die völlige Normalität seiner Empfindungen bildeten einen beruhigenden Kontrast zu dem, was Honor noch immer an White Haven wahrnahm – und was sie selbst fühlte –, während sie am Arm des Earls den Korridor durchquerte und beiläufig mit ihm konversierte, als wäre nichts geschehen.

Und es ist schließlich auch gar nichts geschehen, redete sie sich mit fast wildem Nachdruck ein. Als sie wieder in den Ballsaal gelangten, glaubte sie es beinahe selbst.

3

»Guten Morgen, Mylady.«

Honor blickte auf und wandte den Kopf, als müsse sie den Neuankömmling sehen, um ihn zu identifizieren. In Wirklichkeit hatte sie dank Nimitz das Näherkommen White Havens schon bemerkt, bevor der

Admiral das sonnenlichtdurchflutete Eßzimmer betrat. Sie zwang sich, ihn zur Begrüßung anzulächeln.

»Guten Morgen, Mylord. Wollen Sie mit uns frühstücken?« fragte sie und wies auf den reichgedeckten Tisch. White Haven erwiderte ihr Lächeln.

»Aber gern«, antwortete er. »Die Pfannkuchen duften köstlich.« Er sprach mit völlig normaler Stimme, in der sich keinerlei Widerhall der Gefühle vom Vorabend fand, und Honor war darüber grenzenlos erleichtert – wofür sie sich umgehend schalt.

»Was Sie da riechen, sind keine Pfannkuchen«, entgegnete sie, und White Haven warf ihr einen fragenden Blick zu. »Es sind Waffeln, und ich fürchte, sie sind fürchterlich schwer – genauso, wie ich sie mag.«

»Waffeln?« White Haven wiederholte das unvertraute Wort, als wolle er es analysieren.

»Stellen Sie sich ... nun, knusprige Pfannkuchen vor«, sagte Honor. »Eine traditionelle Speise hier auf Grayson – eine, von der ich wünschte, sie wäre im Sternenkönigreich nicht in Vergessenheit geraten. Auch wenn sie jeden Diätetiker zur Verzweiflung treiben muß. Im Grunde besaß Manticore eine größere Chance als Grayson, das Geheimnis des Waffelbackens nicht zu verlieren, wenn man unsere ersten Besiedlungswellen miteinander vergleicht. Andrerseits haben Sie vielleicht schon bemerkt, daß Graysons ein wenig dickköpfig sein können?« Sie drehte den Kopf, grinste den hinter ihr stehenden Andrew LaFollet an und zwinkerte seiner Schwester schurkisch zu. White Haven nickte ironisch, und die beiden Graysons lachten daraufhin leise. »Nun, im Falle der Waffeln waren die Graysons offenbar fest entschlossen, das Rezept über die Jahrhunderte zu retten. Vielleicht hat es sich dabei ein bißchen geändert – aber wetten würde ich nicht darauf.«

Diesmal fiel White Haven in das Gelächter der LaFollets mit ein. Wenn man den Graysons eine Eigenschaft nicht absprechen konnte, dann Entschlossenheit. Unter anderem hatten sie als einziges Volk der erforschten Galaxis den alten Gregorianischen Kalender bewahrt, obwohl er sich weder auf den planetarischen Tag noch das Jahr anwenden ließ. Wenn also von einem Menschenschlag zu erwarten war, sich die Erinnerung an eine traditionelle Frühstücksspeise zu bewahren, während er mit Hilfe einer erbärmlich limitierten Technik einen katastrophal menschenfeindlichen Planeten kolonisierte, dann von den Graysons.

White Haven schnupperte, nahm gegenüber von Harrington Platz und ließ den Blick über die Frühstücksgesellschaft schweifen. In einem Hochstuhl zu ihrer Rechten saß ihr Baumkater, der gerade mit den Schnurrhaaren zuckte; unmißverständlich begrüßte er den Earl. White Haven nickte ihm höflich zu, dann Samantha, die in einem identischen Stuhl rechts von Nimitz ruhte. Links neben Harrington hatte Miranda LaFollet Platz genommen, und links neben ihr stand ein dritter Hochstuhl für Farragut. Durch die Bindung der Familie Alexander an das Haus von Winton besaß White Haven mehr Erfahrung im Umgang mit 'Katzen als die meisten Manticoraner. Während der letzten acht oder neun Generationen waren genügend Monarchen, Kronprinzen und -prinzessinnen adoptiert worden, daß ein Frühstück im Mount Royal Palace schon befremdlich erschien, wenn keine Baumkatzen daran teilnahmen. Trotzdem wirkte es in höchstem Maße ungewöhnlich, daß ebenso viele 'Katzen am Tisch saßen wie Menschen.

Natürlich treiben sich noch elf weitere irgendwo in Harrington House herum, erinnerte er sich. *Wer sich wohl um Samanthas Junge kümmert?* White Haven wünschte ihm oder ihr jedenfalls viel Glück dabei. Nach allem, was er am Vortag von dem Nachwuchs gesehen hatte, mußten die Aufpasser für jede Atempause, die sich ihnen bot, tiefste Dankbarkeit empfinden, und der Admiral war von Herzen erleichtert, daß dieser Kelch an ihm vorübergegangen war.

Belustigt wandte er sich wieder den Düften zu, die durch die offene Tür am anderen Ende ins Eßzimmer gelangten. Es roch so köstlich – und das üppige Butteraroma verriet ihm, daß diese ›Waffeln‹ wirklich so schwer waren, wie Lady Harrington gesagt hatte. Er warf ihr einen Blick zu, wobei er die große, gefüllte Kakaotasse neben ihrem Teller bemerkte. White Haven legte den Kopf schräg und fragte sich, wie sie so schlank bleiben konnte, obwohl sie doch offenbar Süßigkeiten sehr gern hatte. Das Training konnte nicht der einzige Grund sein; so viele Kalorien verbrannte niemand in der Turnhalle.

Honor spürte seine Aufmerksamkeit – und daß er Spekulationen anstellte. Worüber White Haven spekulierte, konnte sie nicht mit Bestimmtheit sagen; jedenfalls erschien es ihr anders als der plötzliche Ausbruch körperlichen Interesses am Abend zuvor. Sie überlegte, ob sie sich über diesen Wechsel freuen sollte, und hätte sich im nächsten Augenblick am liebsten wütend geschüttelt. Selbstverständlich war sie froh! Sie hatte dem Frühstück mit gewissem Bangen entgegengesehen, denn hinter ihr lag nicht gerade eine ruhige Nacht. Immer wieder hatte sie sich jene letzten Minuten in der Bibliothek ins Gedächtnis gerufen und von allen Seiten überdacht, als hätte sie es mit einem körperlichen Jucken zu tun, bei dem sie das Kratzen nicht lassen konnte. Sie müsse sich keine Sorgen machen, hatte sie sich schließlich versichert, um ihre im Kreis verlaufenden Überlegungen abzuschließen. Es handele sich um eine vorübergehende Erscheinung, ein Aufblitzen, bei dem White Haven nicht wissen könne, daß sie es mit ihm geteilt hatte. Etwas, das White Haven tief in einen Winkel verbannen werde, wo es ihre berufliche Zusammenarbeit nicht beeinträchtige.

Leider hatte sie sich in ihrem Innersten geweigert, auf diese beruhigende, tröstliche Logik einzugehen.

Wie lächerlich! Sie war über fünfzig T-Jahre alt und schon lange kein Schulmädchen mehr! Sie hatte es nicht nötig, die ganze Nacht wach zu liegen und zu überlegen, was wohl ein Mann von ihr dachte, der sie zuvor noch nie als Frau beachtet hatte. Erst recht bei diesem Mann hatte sie das nicht nötig! Trotzdem hatte sie kaum schlafen können, und es nutzte ihr gar nichts, wenn sie sich nun selbst deswegen ins Gebet nahm. Honor senkte den Blick auf ihren Teller und musterte die mit Butter und Sirup getränkten Reste ihrer zweiten Waffelportion. Sie mußte sich zusammenreißen!

Was stimmte denn eigentlich nicht? Erleichtert sollte sie sein, daß White Haven nicht mehr in diesen Bahnen über sie dachte. Und erleichtert war sie auch. Nur regte sich in ihr Widerstand gegen diese Erleichterung. Bei eingehenderer Betrachtung war sie geradezu gereizt und ärgerlich auf White Haven, weil er die Wahrnehmung ihrer Weiblichkeit irgendwo tief in sich verschloß – obwohl sie sich genau das gewünscht hatte. Gleichzeitig verspürte sie jedoch ein irrationales Schuldgefühl, als wäre ihre Gereiztheit ein Betrug an Paul Tankersley. Honors Gesicht verriet ihren inneren Gefühlsorkan mit keiner Regung. Nur Nimitz stellte fragend die Ohren auf, als er ihre alberne Fixierung auf die Gedanken und Empfindungen eines anderen Menschen spürte. Honor knirschte geistig mit den

Zähnen, denn sie begriff, daß sie gerade die Neugierde des Baumkaters geweckt hatte. Aus seinen Impulsen sprach unleugbar eine gewisse hämische Schadenfreude, und selbst wenn Honor nicht mit ihm verbunden gewesen wäre, hätte sie die Belustigung in seinen grasgrünen Augen lesen können. Nicht allzu oft fand er ihr Verhalten so lächerlich, daß er seine Einschätzung vor ihr nicht mehr verbergen konnte, diesmal aber verliehen ihm seine empathischen Fähigkeiten offenbar eine ganz andere Perspektive. *Nun, für ihn mag das ja toll sein,* dachte Honor übellaunig. Vielleicht war seine Spezies so sehr daran gewöhnt, die Gefühle anderer wahrzunehmen, daß alle Baumkatzen damit spielend zurechtkamen. Trotzdem bestand noch lange nicht der geringste Grund, sich angesichts ihrer Schwierigkeiten derart unanständig zu amüsieren!

Sie konzentrierte sich darauf, Nimitz deutliche Mißbilligung zu vermitteln, doch der Baumkater entblößte nur die Zähne zu einem trägen, aber unverkennbaren Grinsen. Und nur um alles noch schlimmer zu machen, sandte er ihr einen weiteren Impuls, mit dem er seine vorbehaltlose Zustimmung für White Haven bekundete. Hinter sich hörte Honor ein leises Geräusch und blickte sich erleichtert über die Unterbrechung um. MacGuiness kam aus der Küche – *seiner* Küche, wie jedem Angehörigen von Harrington House peinlichst eingeschärft worden war. Das Personal unterstand MacGuiness, und er war durchaus bereit, die meisten Aufgaben zu delegieren, doch *nur* er servierte seiner Kommandantin die Mahlzeiten. Vor White Haven verbeugte er sich knapp.

»Guten Morgen, Mylord. Darf ich Ihnen Kaffee bringen?«

»Das dürfen Sie«, antwortete White Haven lächelnd, »aber ich glaube, ich möchte vorher ein Glas Saft und trinke den Kaffee nach den Waffeln. Wenn ich richtig vermute, brauche ich etwas, um den Sirup aus meinem Kreislauf zu spülen.«

»Wie Sie wünschen, Mylord«, sagte MacGuiness und blickte Honor an. »Noch eine Portion, Mylady?« fragte er.

»Äh, ja. Ja, vielen Dank, Mac«, antwortete sie. Zufrieden kehrte der Steward in die Küche zurück.

So kurz die Unterbrechung auch gewesen war, sie hatte Honor genügt, um ihre wirren Gedanken zu ordnen. Sie sah White Haven an, den nun andere Fragen beschäftigten als die Verlockung, die am vergangenen Abend seine Gefühle gefärbt hatte. Der Earl war kaum der erste, der sich über ihren unbändigen Appetit wunderte, und während sie normalerweise kommentarlos darüber hinwegging, fand sie die Frage ihrer Nahrungsaufnahme im Moment erfrischend normal – im Vergleich zu gewissen anderen Problemen. Deshalb faßte sie den Entschluß gern, sich ihm zu erklären.

»Sie fragen sich, weshalb ich nicht aussehe wie einer dieser Zeppeline aus der Prä-Raumfahrt-Epoche, stimmt's, Mylord?« erkundigte sie sich mit verschmitztem Lächeln.

»Ich ... auf keinen Fall ...« White Haven errötete. Harringtons direkte Frage hatte ihn überrascht, und er hatte deshalb keine Zeit gehabt, sich eine charmante Antwort zu überlegen. Als sie glucksend auflachte, errötete er noch mehr.

»Denken Sie sich nichts dabei, Mylord. Mike Henke zieht mich unablässig damit auf, dabei gibt es eine ganz simple Erklärung: Ich bin ein Dschinn.«

Der Earl stutzte, und jeder Ausdruck wich aus seinem Gesicht. Dann nickte er verstehend. Jemanden mit dem Begriff ›Dschinn‹ zu bezeichnen, galt als außerordentlich unhöflich. Das Wort war eine Verballhornung des englischen *gene* für ›Gen‹ und hatte ursprünglich ›Flaschenteufel‹ bedeutet. Im letzten Krieg von Alterde hatte sich gentechnisch manipuliertes Erbgut als unbändiger Dämon erwiesen, und die unguten Erinnerungen hingen den Menschen, die solche Gene in sich trugen, noch immer nach. Lady Harringtons Vater war Neurochirurg und ihre Mutter Genetikerin, so daß ihr dieses Etikett vermutlich weniger ausmachte als anderen, weniger erleuchteten. Erst mit dem allmählichen Verschwinden des Letzten Krieges aus dem allgemeinen Bewußtsein starben auch die Vorurteile gegenüber gentechnisch veränderten Menschen. In den frühen Tagen der Diaspora hatte es demgegenüber keinerlei Vorbehalte gegenüber gentechnisch Veränderten gegeben. Zahlreiche Kolonien waren von ›Genes‹ gegründet worden, die man zuvor eigens an ihre neue Umgebung angepaßt hatte.

»Das konnte ich nicht wissen, Mylady«, sagte White Haven schließlich.

»Wir reden nicht viel darüber, aber ich schätze, die Mehrheit aller Sphinxianer dürfte mittlerweile Dschinni sein«, erklärte Honor. Der Admiral blickte sie fragend an, woraufhin sie mit den Schultern zuckte. »Überlegen Sie doch«, begann sie. »Hochschwerkraftplaneten gehören zu den verbreitetsten ›feindlichen Umwelten‹. Sie wissen sicherlich, daß sogar heute noch die Lebenserwartung der meisten Schwerweltler unterdurchschnittlich kurz ist?« Der Admiral nickte. »Selbst mit Unterstützung der modernen Medizin kann man keinen Körper, der für ein Ge ausgelegt ist, auf einen 1,3- oder 1,5-Ge-Planeten setzen und erwarten, daß er funktioniert, als ob nichts Ungewöhnliches geschehen wäre. Ich hingegen ...« Sie vollführte eine elegante Geste.

White Haven nickte langsam. »Ich weiß über die Modifikationen der Siedler von Quelhollow Bescheid, aber bei den Quellhollowern fallen die Unterschiede stärker ins Auge als bei Ihnen.«

»Nun, Quelhollow weist noch andere, sehr spezifische Umweltbedingungen auf, während meine Vorfahren etwas ... beliebiger modifiziert worden sind. So würde ich es jedenfalls bezeichnen. Mein Muskelgewebe ist um fünfundzwanzig Prozent effizienter als das eines ›reinen‹ Menschen, mein Skelett ist verstärkt, und meine Atemwege und mein Kreislauf unterscheiden sich ebenfalls in einigen Punkten vom ›Standard‹. Der Grundgedanke war, uns nicht an einen bestimmten, sondern allgemein an Planeten mit höherer Schwerkraft anzupassen. Die Genetiker haben die Veränderungen dominant gemacht, so daß jedes Elternteil sie an ihre Kinder weitergibt.«

»Und Ihre Ernährung?«

»Effizientere Muskeln und ein stärkeres Herz haben ihren Preis, Mylord«, antwortete Honor mit Ironie. »Mein Stoffwechsel läuft um über zwanzig Prozent schneller als Ihrer, damit ich die nötige Energie erhalte. Darum kann ich es mir leisten, das hier zu essen«, endete sie grinsend, als MacGuiness ihr einen dritten Teller mit Waffeln servierte.

»Und deshalb«, fuhr sie fort, während sie den Stapel anschnitt, »stopfe ich mich beim Frühstück voll und nehme ein relativ leichtes Mittagessen zu mir – leicht für meine Verhältnisse. Der ›Nahrungsnotstand‹ während der Nacht führt dazu, daß ich am Morgen um so mehr Brennstoff brauche.«

»Faszinierend«, murmelte White Haven. »Und Sie sagen, mehr als die Hälfte aller Sphinxianer besitzt die gleichen Modifikationen?«

»Das ist nur eine Schätzung, und es gibt nicht nur

eine Sorte von Modifikationen. Meine Familie stammt aus der Ersten Welle von Meyerdahl, die zu den frühesten Hochschwerkraftmodifizierten gehörten – wenn sie nicht sogar die allerersten waren. Auf Sphinx machen Leute wie wir zwanzig bis fünfundzwanzig Prozent der Bevölkerung aus. Es gibt aber etliche Variationen, und natürlich werden von einer bestimmten Welt jeweils die Kolonisten angezogen, die darauf bequem leben können. Denken Sie daran, daß die Regierung nach der Seuche von Zwoundzwanzig n. d. L. freie Passagen ins Manticore-System angeboten hat, um neue Kolonisten anzuziehen. Damals sind mehr von uns auf Sphinx gelandet als auf den anderen Planeten, sogar viele von den Kernwelten kamen nach Sphinx, die andernfalls kaum die Emigration erwogen hätten. In vielerlei Hinsicht sind die Meyerdahl-Dschinni die erfolgreichsten, aber das ist selbstverständlich nur meine eigene bescheidene Meinung. Die Verstärkung unserer Muskulatur ist auf jeden Fall die effizienteste von allen. Dafür haben wir jedoch ein Problem, das andere nicht kennen.«

»Und das wäre?«

»Die meisten von uns regenerieren nicht«, erklärte sie und berührte sich an der linken Wange. »Unter Fünfen von uns besitzen vier einen eingebauten genetischen Konflikt, der regenerative Therapien unmöglich macht. Nicht einmal auf Beowulf versteht man diese Unverträglichkeit zu umgehen. Irgendwann wird man es schon bewerkstelligen, aber bis dahin ...«

Sie hob die Schultern. Daß sie dem Admiral überhaupt eine Erklärung anbot, erstaunte sie gelinde; daß sie gar in Einzelheiten ging, um so mehr. Sie selbst dachte nicht allzu oft über ihr Erbgut nach, und viele Menschen zeigten nach wie vor sehr merkwürdige

Reaktionen, wenn man ›Dschinni‹ nur erwähnte. Das Gespräch hatte sie allerdings auf einen ganz anderen Gedanken gebracht, und sie wandte sich Miranda zu.

»Alles bereit für den Beginn der Erdarbeiten?« fragte sie, und Miranda nickte.

»Jawohl, Mylady. Ich habe die Details gestern abend mit Colonel Hill besprochen. Alles ist an Ort und Stelle, und die Garde zeigt sich mit den Ordnungsmaßnahmen zufrieden. Lord Prestwick wird anwesend sein, um Ihnen für Ihre Stiftung den persönlichen Dank des Protectors auszusprechen.«

Honor winkte ab, um die Bedeutung des letzten Punktes herunterzuspielen, doch wie ihr Bruder hatte auch Miranda herausgefunden, daß Honor über die Verbindung zu Nimitz die Gefühle anderer spüren konnte. In den drei Tagen, seitdem sie selbst adoptiert worden war, schien sie sich dessen um so deutlicher bewußt geworden zu sein. Honor blinzelte verblüfft, als sie begriff: Ihre Zofe benutzte Nimitz *absichtlich,* um ihr zu verstehen zu geben, sie widerspreche nachdrücklich Honors Versuch, die Bedeutung der Stiftung für Grayson zu bagatellisieren.

Einen Moment lang blickte Miranda ihr in die Augen, und Honor blinzelte. Daß andere Baumkatzen bewußt Nimitz benutzten, um ihr etwas mitzuteilen, war sie mittlerweile gewöhnt. Miranda aber war der erste Mensch, der das gleiche probiert hatte. Unvermittelt fragte sich Honor, ob dies damit zusammenhing, daß Miranda keine Sphinxianerin war. Sollte es möglich sein, daß sie die Fähigkeiten der Baumkatzen leichter erkennen – und nutzen – konnte, weil ihr die üblichen vorgefaßten Meinungen über Baumkatzen nie aufgedrängt worden waren?

Vielleicht. Im Moment jedenfalls konzentrierte sich Miranda auf einen milden Tadel, und Honor seufzte, weil sie zugeben mußte, daß ihre Zofe vermutlich richtig lag. Honor hatte die Stiftung schließlich nicht ins Leben gerufen, um sich bei Protector Benjamin oder sonstwem lieb Kind zu machen, sondern weil sie diesen Schritt für wichtig und notwendig hielt. Darüber hinaus verfügte sie im Gegensatz zu den meisten Graysons ohnehin über mehr Geld als sie je ausgeben konnte; warum nicht etwas Sinnvolles damit anstellen? Der springende Punkt jedoch bestand darin, *daß* sie die Stiftung gegründet hatte; wenn also der Kanzler des Planeten Grayson herkam, um ihr Dank auszusprechen, so durfte er erwarten, daß sie ihn mit Würde entgegennahm.

»Schon gut, Miranda«, seufzte sie. »Ich will artig sein.«

»Daran habe ich nie gezweifelt, Mylady«, entgegnete Miranda mit bewundernswertem Ernst und lächelte plötzlich. »Aber ich fürchte, eine eigene Rede erwartet man schon von Ihnen«, fügte sie hinzu, und ihre grauen Augen funkelten. Als auch Farragut bliekend seine Belustigung mitteilte, mußte Honor ein leises Lachen unterdrücken. Ihre ›Zofe‹ gehörte nicht zu den radikalen Frauenrechtlerinnen, die sich anschickten, die Bastionen der männlichen Vorherrschaft zu stürmen, aber sie war durchaus entschlossen und selbstbewußt genug, um eben alle Bollwerke zu unterminieren, die sie nicht frontal angreifen wollte. In letzter Zeit trat dieser Aspekt ihrer Persönlichkeit immer deutlicher hervor, und darüber freute sich Honor. In jeder Hinsicht war Miranda in die Rolle von Honors Stabschefin für alle sozialen Belange und öffentlichen Fragen hineingewachsen. Sie diente ihrer Gutsherrin nach Howard Clinkscales als zweite politische Beraterin; sie verfügte über wenigstens ebenso viel Einsicht wie er, besaß aber einen anderen Blickwinkel. Im Sternenkönigreich wäre darüber kein weiteres Wort verloren worden, hier auf Grayson jedoch vermochte Mirandas Position durchaus größere Bestürzung hervorzurufen. Hier auf Grayson hatte man es nämlich bis zum Beginn der Mayhewschen Reformen als ›unpassend‹ betrachtet, wenn sich Frauen, gleichwie indirekt, in die Politik einmischten. Miranda hatte sich allmählich weiterentwickelt, bis sie zu einer Verwalterin geworden war, und nun erteilte sie dem überwiegend männlichen Personal routiniert Anweisungen, und zwar mit einem Selbstvertrauen, das das sichere Auftreten ihrer Gutsherrin widerspiegelte.

Möglich, daß dieses Selbstvertrauen zum Teil dem Wissen entsprang, an Honors Prestige und Autorität teilzuhaben; Honor billigte diesem Aspekt jedoch nur sehr geringen Einfluß zu. Mirandas Selbstvertrauen fußte auf ihren eigenen Fähigkeiten und den Entfaltungsmöglichkeiten, die sich ihren angeborenen Talenten boten. Außerdem schien Miranda außerstande zu sein, sich einer Herausforderung zu entziehen.

Und ich frage mich, wieweit Farraguts Entscheidung, sie zu adoptieren, davon beeinflußt worden ist, dachte Honor.

»Hat der Colonel irgend etwas zu der oberen Zuschauertribüne gesagt?« fragte Andrew LaFollet seine Schwester, und Miranda zuckte mit den Schultern.

»Ich glaube, er hält dich für paranoid, aber er wollte die Sache von den Ingenieuren überprüfen lassen. Und er wird zwei oder drei Waffenträger dort postieren, damit sie die Sache im Auge behalten. Im übrigen haben wir die Reihenfolge abgeglichen, so daß Sie und Lord Clinkscales wie gewünscht privat mit dem Kanzler sprechen können, Mylady.«

Bei dem Wort ›paranoid‹ verzog LaFollet seine

dienstliche Miene zu einem fast unmerklichen Grinsen, doch Honor spürte seine Zufriedenheit. Die obere Zuschauertribüne überragte den Bereich, in dem sie mit einer silbernen Schaufel den ersten offiziellen Spatenstich führen würde, und Andrew hatte die Tribüne von Anfang an nicht gemocht. *Damit kann ich gut leben,* überlegte sie. *Selbst wenn Andrew ein wenig übervorsichtig erscheinen mag; wenn man daran denkt, was Burdette und seine Wahnsinnigen getan haben ...*

Sie schob den Gedanken beiseite und nickte.

»Gut«, sagte sie ihren Gefolgsleuten, runzelte die Stirn und rieb sich die Nasenspitze. »Wo wir gerade von Lord Clinkscales und Beratungen sprechen, Miranda, ich muß mit Stuart Matthews sprechen. Ich benötige eine knappe Übersicht über die technische Seite von Sky Domes, damit ich auf dem aktuellen Stand bin, bevor wir uns mit Lord Prestwick treffen.«

»Jawohl, Mylady. Bitte vergessen Sie nicht die Audienz bei Diakon Sanderson. Die habe ich auf morgen fünfzehn Uhr gelegt.«

Trotz Mirandas respektvollem Ton hätte sich Honor am liebsten mit der flachen Hand auf die Stirn geklatscht, denn das wichtige Treffen mit Sanderson *hatte* sie völlig vergessen. Sanderson war der Berater und direkte Repräsentant von Reverend Sullivan. Honor hoffte, daß ihr Sanderson in dieser Audienz Sullivans Unterstützung für ihr neustes Projekt mitteilen würde. Zwar hatte sie keinen Anlaß, etwas anderes zu vermuten, andererseits kannte sie Sullivan noch nicht sehr gut. Der neue Reverend unterschied sich beträchtlich von dem sanften Julius Hanks, dessen Nachfolge er angetreten hatte. Niemand hätte die Glaubensstärke des ermordeten Reverends in Frage stellen können, denn trotz seiner gewinnenden Art hatte er einen stählernen Willen und ein Rückgrat aus

Titan besessen, ohne jemals die Konfrontation zu suchen. Seine Ziele hatte er durch eine Art spirituellen *Aikidos* erreicht, indem er seine lautstärksten Gegner durch den Zauber seines Humors und seiner durchdringenden Güte zu Verbündeten machte. Honor hegte keinen Zweifel, daß die Kirche ihn zum frühestmöglichen Zeitpunkt zur Heiligsprechung vorsehen würde, und jeder, der ihn gekannt hatte, würde seine Erhebung in den Stand der Heiligkeit mit Begeisterung befürworten.

Jeremiah Sullivan hingegen war aus ganz anderem Holz geschnitzt. Dank Nimitz wußte Honor, daß er ebenso fromm war wie Hanks; während der alte Reverend für die Welt, in der er lebte, oft ein wenig zu weich erschienen war, marschierte Sullivan wie ein Wirbelsturm durchs Leben. Jahrelang war er Hanks' rechte Hand gewesen (und wenn es sein mußte, sein ›Vollstrecker‹). Nachdem er zum Nachfolger Hanks' als Haupt der Sakristei ernannt wurde, hatte er so gut wie alle bestehenden Verfahrensweisen übernommen. Durch sein belebendes, aggressives und zuzeiten überwältigend energisches Temperament unterschied er sich sehr von Hanks, und so ganz hatte sich die Kirche noch nicht an den neuen Führungsstil gewöhnt.

Auf lange Sicht würde sich Sullivan als positiv für Grayson erweisen, hoffte Honor. Was immer er beabsichtigte, erreichte er mit Methoden, die Hanks niemals in den Sinn gekommen wären. Seine Ergebenheit zu Gott, seiner Gemeinde, seiner Kirche und seinem Protector – in genau dieser Reihenfolge – stand jedenfalls völlig außer Frage.

Leider war Sullivan, gesellschaftlich gesehen, noch konservativer als Hanks es gewesen war; genauer gesagt, als Hanks nach dem Bündnis Graysons mit Manticore *geworden* war. Der neue Reverend betonte immer wieder, daß die Kirche den Reformkurs des Protectors weiterhin unterstütze, und auch seine Position zur Gutsherrin von Harrington hätte kaum noch günstiger ausfallen können. Trotzdem wußte Honor genau, daß dem neuen Reverend eine Frau als Gutsherr unnatürlich vorkam. Gefühlsmäßig lehnte er die jüngsten gesellschaftlichen Veränderungen seiner Welt ab, aber trotzdem zwang sich Sullivan zu tun, was sein Verstand und sein Glaubensverständnis von ihm verlangten.

Obwohl er damit Honors Respekt gewonnen hatte, befürchtete sie dennoch schon seit langem, seine Gefühle könnten irgendwann die Oberhand über seinen Verstand gewinnen. Dann käme es wahrscheinlich zu einer heftigen Kollision zwischen Honor und dem Reverend – oder zwischen dem Reverend und Protector Benjamin, was noch schlimmer wäre. Und wenn man bedachte, wen Honor mit der Leitung der Klinik betrauen wollte ...

»Verzeihen Sie, Mylady«, unterbrach White Haven ihr Nachsinnen.

Honor schüttelte ungeduldig den Kopf und blickte den Earl an. »Ich kam nicht umhin zuzuhören«, erklärte er. »Darf ich fragen, zu welchem Anlaß genau man von Ihnen eine Rede erwartet?« Er lächelte ironisch. »Wenn mir die Bemerkung gestattet ist, die Warteschlange Ihrer Projekte kommt mir unendlich lang vor.«

»Dieses Gut ist ein neues Gut, Mylord«, antwortete Honor. »Und wenn ich ehrlich bin, kommt mir Harrington manchmal wie das Testgelände für ganz Grayson vor. Meine Leute sind daran gewöhnt, mit Neuem konfrontiert zu werden, und deshalb probieren wir alles Neue zunächst hier aus, bevor wir es auf die Konservativen loslassen. Stimmt's, Miranda?«

»Ich bin nicht sicher, ob ich ›wir‹ sagen würde, Mylady«, entgegnete die Zofe, »aber *jemand* tut's gewiß.« Sie warf ihrer Gutsherrin einen unschuldigen Blick zu, und alle drei Baumkatzen lachten bliekend.

»Ich merke mir alles«, sagte Honor, »und der Tag wird kommen, Miranda LaFollet.«

»Welcher Tag denn, Mylady?« fragte Miranda unterwürfig, aber vergnügt.

»Denken Sie nicht daran«, erwiderte Honor unheilverkündend. »Wenn es soweit ist, werden Sie es wissen.« Miranda lachte glucksend, und Honor wandte sich wieder an White Haven.

»Wie ich vor der Unterbrechung erklärt habe, Mylord«, begann sie und ignorierte ihre Zofe und ihren Waffenträger, die in das Gelächter der Baumkatzen einfielen, »probieren wir hier vieles aus. Diesmal geht es um die erste moderne Genklinik des Planeten Grayson.«

»Aha?« White Haven hob aufmerksam die Brauen, und Honor spürte, wie in ihm Interesse erwachte. Zum größten Teil handelte es sich um bloßes Interesse an dem Projekt, das sie beschrieb –, doch sie bemerkte noch eine andere Empfindung. Wie ein Flämmchen tanzte diese Emotion auf den Umrissen seiner Gefühle. Es war – Bewunderung. Als Honor dies begriff, röteten sich sogleich ihre Wangen. *Verflixt!* Was immer White Haven – oder Miranda, Lord Prestwick oder Protector Benjamin – auch dachte, an ihrer Entscheidung, die Klinik zu finanzieren, war nichts Besonderes! Die Grundstiftung überstieg keine vierzig Millionen, und auf Grayson litt man, nachdem die Bevölkerung ein Jahrtausend lang dem erhöhten Schwermetallanteil ausgesetzt gewesen war, unter zahlreichen genetischen Defekten, von denen die meisten durch die moderne Medizin kuriert werden konnten. Da sie die Möglichkeit hatte, Leute aus dem Sternenkönigreich einzufliegen, die sich solche Behandlungen leisten konnten, wäre es doch ein Verbrechen gewesen, wenn sie von dieser Möglichkeit nicht Gebrauch gemacht hätte! Weshalb also *bewunderte* White Haven sie dafür? Welches Recht hatte er, dort zu sitzen und ...

Ein Schock überfiel sie, und fassungslos dämmte sie die Gedankenlawine ein. *Gütiger Himmel, mit mir stimmt wirklich etwas nicht!* Diese irrationale Wut – denn genau das empfand sie – war ihr völlig fremd. Vor allem aber war sie *irrational!* Weder Miranda noch White Haven hatte irgend etwas gesagt oder getan, was einen rationalen Menschen hätte verärgern können. Mirandas Bewunderung versetzte Honor nicht in Zorn, White Havens schon; als Honor den Grund begriff, durchfuhr sie die Ungläubigkeit wie eine Dolchklinge.

Sie hatte sich geirrt: daß White Haven sich ihrer am Abend zuvor gewahr wurde, war alles andere als einseitig gewesen. Mühsam schluckte sie, griff nach ihrer Serviette und tupfte sich sorgfältig die Lippen, um noch einige Sekunden Aufschub herauszuschinden. Möglich, daß es beim Earl begonnen hatte, aber auch sie hatte etwas gespürt. Deshalb hatte sie in der Nacht so lange darüber grübeln müssen! Denn im gleichen Augenblick, als White Haven sie zum ersten Mal wirklich erblickte, hatte umgekehrt auch Honor ihn zum ersten Mal ganz wahrgenommen. Und nun geschah etwas noch Schlimmeres: als sie es begriff, trafen sie Nimitz' Übermittlungen wie der Blitz. Der 'Kater zog pfeifend Luft ein und krümmte sich innerlich wie elektrisiert zusammen. Honor fehlte indes die Zeit, sich mit seiner Reaktion auseinanderzusetzen. Sie war viel zu sehr damit beschäftigt zu begreifen, was in ihr selbst vorging, denn in diesem kurzen Moment hatte ihr die Verbindung zu Nimitz nicht nur erlaubt, White Haven zu sehen, sondern auch, ihn zu *erkennen*.

Zwischen ihnen herrschte eine ... Resonanz, wie sie Honor noch nie gespürt hatte, nicht einmal zwischen ihr und Paul. Sie hatte Paul Tankersley von ganzem Herzen geliebt und liebte ihn noch immer. Was sie beide geteilt hatten, war einzigartig, makellos und wundervoll gewesen. Honor gestattete sich nicht häufig, intensiv darüber nachzudenken, doch verging kein Tag, an dem sie nicht Pauls sanfte Kraft, seine Zärtlichkeit und seine Leidenschaft vermißte – und das Wissen, daß er sie ebenso sehr liebte wie sie ihn. Dennoch hatte sie noch nie dieses ... dieses Gefühl der *Symmetrie* erlebt.

Auch diese Umschreibung paßte an sich nicht richtig, doch Honor fiel keine bessere ein, vielleicht gab es auch keine. In einem Anflug von Panik fragte sie sich, wie weit ihre Gefühlslage auf sie selbst zurückzuführen sei, wie weit auf White Haven und wie weit auf eine bizarre Fehlfunktion ihres Links zu Nimitz. Niemand war jemals so eng an eine 'Katz gebunden gewesen wie sie. Das war die Erklärung! Ganz sicher! Nur eine Laune im Gefühlsstrom, eine Art wildes emotionales Artefakt, das sie getäuscht hatte und glauben machen wollte, es stecke mehr dahinter.

Und kaum hatte sie diesen Gedanken zu Ende formuliert, erkannte sie auch schon, wie unsinnig er war. Es war, als hätte sich in ihr eine Tür geöffnet, von deren Existenz Honor nichts geahnt hatte und die ihr einen tiefen Einblick in Admiral White Haven verschaffte. Und was sie dort fand, das war sie selbst.

Selbstverständlich bestanden Unterschiede. Es mußte welche geben. Sie stimmten nicht in allem überein. Sie brauchten auch gar nicht die gleichen Meinungen zu teilen. Im Gegenteil existierte ein gewaltiges Potential für Widerspruch, Auseinandersetzung und sogar Streit. Doch wo es zählte – wo der Urquell ihrer Persönlichkeit entsprang und ihrem Leben Bedeutung verlieh –, dort waren sie *gleich.* Die gleiche Natur motivierte sie, formte sie, trieb sie an. Unvermittelt empfand Honor den fast unwiderstehlichen Drang, die Hand auszustrecken und White Haven zu berühren. Diese Anwandlung bestürzte und verwirrte sie, aber sie hätte dieses Bedürfnis ebensowenig verleugnen können wie das Bedürfnis zu atmen. Sie empfand die gewaltige, knisternde Spannung zwischen ihr und White Haven – ungesehen und doch unentrinnbar. Diese Spannung war nicht sexueller Natur. Nein, falsch, sie war durchaus sexueller Natur, aber nur zum Teil – als Teil eines Verlangens, das weit über die körperliche Anziehung hinausging; ein Verlangen, das so tief reichte und so viel von Honor einschloß, daß Sexualität einen Teil davon ausmachen *mußte.* Kein Mann hatte je in ihr das Gefühl hervorgerufen, gemeinsam mit ihm zu allem in der Lage zu sein. Sie spürte, wie White Haven und sie einander komplettierten – und welches unschlagbare Team sie werden konnten.

Und doch war das unmöglich, konnte niemals wahr werden und *durfte* einfach niemals geschehen, denn was sie in jenem Moment gespürt und erkannt hatte, ging weit über jede berufliche Zusammenarbeit hinaus: es handelte sich um ein Komplettpaket – fast um eine Verschmelzung, und die Bedeutung all dessen wagte sie gar nicht zu erwägen.

Honor hatte noch nie an ›Liebe auf den ersten Blick‹ geglaubt ... was, wie sie sich schelten mußte, sehr töricht war, wenn man genau das bereits einmal erlebt hatte: als Nimitz sie adoptierte. *Aber das war doch etwas ganz anderes!* heulte sie innerlich auf. Nimitz war schließlich kein Mensch. Er war ihre andere Hälfte, der Gefährte, den sie lieb hatte, Streiter und Beschützer für sie wie sie für ihn ... aber jetzt ...

Sie schloß die Augen und atmete tief ein. *Genug! Das ist doch mehr als albern!* Hamish Alexander war sowohl ihr Vorgesetzter als auch ein verheirateter Mann, der seine Frau liebte. Welche vorübergehende Aufmerksamkeit er ihr am vergangenen Abend auch geschenkt haben mochte, er hatte nie auch nur ein einziges Wort gesagt, das man im entferntesten als ›romantisch‹ auslegen konnte. White Haven indes hatte sich wie stets in der Gewalt, und wenn er auch nur die leiseste Andeutung ihrer tobenden Gefühlsstürme erhascht hätte, so hätten sie ihn gewiß abgestoßen. In diesem Punkt war sich Honor absolut sicher. Ohne zu wissen wie, vertrieb sie das Feuer aus ihren Wangen und vermochte von ihren Waffeln aufzublicken, ohne daß sich ihre innere Aufruhr in ihren schokoladenbraunen Augen widerspiegelte.

»Jawohl, Mylord«, hörte sie sich bedächtig sagen. »Die Fortschritte, die Grayson in industrieller Hinsicht gemacht hat, sind bemerkenswert. Auch die problematische Ernährungssituation hat sich deutlich verbessert. Auf lange Sicht aber wird meiner Ansicht nach die moderne Medizin die deutlichsten Auswirkungen zeigen. Sicherlich lenkt der Umstand, daß meine Eltern Ärzte sind, mein Denken in diese Richtung. Ich habe meine Mutter sogar gebeten, ihre Praxis auf Sphinx für eine Weile zu verlassen, um hier die Klinik aufzubauen. Trotzdem glaube ich nicht, daß jemand, der alles durchdacht hat, diesen Punkt wirklich in Frage stellen könnte. Schließlich und endlich wird das Prolong-Verfahren gewaltige Veränderungen mit sich bringen, und wenn Sie Genreparatur und Forschung mit in Ihre Überlegungen einbeziehen, oder ...«

Sie lauschte auf ihre Stimme, ließ sie auf sich wirken, als gehöre sie jemand anderem; unter der gelassenen Fassade der Normalität fragte sie sich verzweifelt, was eigentlich über sie gekommen sei – und wie sie damit zurechtkommen solle.

4

Bürger Admiral Thomas Theisman ließ sich tiefer in den sündhaft bequemen Sessel sinken und rieb sich mit beiden Händen die Augen, als könne er dadurch den brennenden Schmerz seiner Erschöpfung abstreifen. Es war vergebens; er ließ die Hände sinken und blickte sich nicht zum ersten Mal mit verzerrtem Grinsen in seinem opulent ausgestatteten Büro um. *Wenigstens bekommt der Verurteilte eine bequeme Zelle,* dachte er bitter. *Und wie schade, daß man mir als Dreingabe nicht noch ein paar Wallschiffe mehr gegeben hat.*

Er schnitt eine Grimasse; der Gedanke war so vertraut und bewegte sich in ausgetretenen mentalen Bahnen. Nicht, daß er der einzige Systemkommandeur gewesen wäre, der dringend mehr Tonnage benötigte; seine Lage war nur einfach verzweifelter als die der meisten ... und außerdem wußte er, daß die Planer im Heimatsystem seinen Kommandobereich bereits als Verlust abgeschrieben hatten.

Natürlich würde man ihm dies niemals offiziell bekunden. Dieser Tage verfuhr man nicht auf diese Weise. Statt dessen betraute man einen Kommandeur mit dem hoffnungslosen Auftrag, das Unhaltbare zu halten; zugleich setzte man ihn unter Druck, daß man nach der Niederlage (und nicht etwa ›im Falle der Niederlage‹) seine Angehörigen für sein ›Versagen‹ büßen ließ, wenn das Amt für Systemsicherheit zu dem Schluß kam, der fragliche Flaggoffizier habe nicht sein Äußerstes gegeben. Theisman konnte nicht abstreiten, daß solche Methoden den Kampfeswillen eines Kommandeurs erhöhten, doch seiner Meinung nach übertrafen allein vom militärischen Standpunkt her die Nachteile bei weitem jeden Nutzen, und hinzu kamen noch die Auswirkungen auf die Moral. Offiziere neigten zu Verzweiflungstaten, wenn sie wußten, daß sie nicht siegen konnten und daß man ihre Familien als Geiseln hielt, damit der betroffene Offizier trotzdem das Letzte gab. Immer wieder hatte Theisman das beobachten müssen. Viel zu oft stellte sich ein Admiral einem aussichtslosen Gefecht und kämpfte bis zum Tod, anstatt auszuweichen, sich zurückzuziehen oder auch nur eine flexiblere Strategie anzuwenden. Denn letzteres konnte schließlich ein militärisch unerfahrener Volkskommissar als feigen Rückzug beurteilen. Dadurch erhöhten sich die Verlustzahlen an Kampfschiffen und ausgebildeten Besatzungen auf immer katastrophalere Niveaus. Niemand schien in der Lage zu sein, die Aufmerksamkeit des Amts für Systemsicherheit auf diesen unübersehbaren Umstand zu lenken. Tatsächlich vermutete Theisman schon seit langem, daß die gegenwärtige Kommandostruktur der Volksflotte ihn schon allein deswegen mit permanentem, unterschwelligen Mißtrauen betrachtete, weil er keine Familie hatte, mit der man ihn unter Druck setzen konnte. Ein Offizier ohne Familie ließ sich schwerer terrorisieren, und so war es wohl unausweichlich, daß ein Regime, das sich zur

Erhaltung seiner Macht auf den Schrecken stützte, ihm mißtraute und wachsam nach dem ersten Anzeichen von ›Verrat‹ Ausschau hielt.

Theisman schnaubte verächtlich und erhob sich. Ruhelos schritt er in seinem weitläufigen Büro auf und ab. Zeugte dieser letzte Gedanke von Verfolgungswahn? Er wußte es nicht. Thomas Theisman war fünfzehn Tage nach dem sechzehnten Geburtstag seiner unverheirateten Mutter zur Welt gekommen. Oft fragte er sich, was er wohl von ihr gehalten hätte, wenn er ihr jemals begegnet wäre. Er besaß von ihr nur einen Holokubus. Das Bild zeigte eine magere Teenagerin mit billiger, protziger Kleidung und dem aufdringlichen Make-up, beides für Dolistinnen noch immer typisch. Fast hätte man sie schön nennen können, dachte er häufig, wenngleich sie unter der Schminke farblos und fade wirkte. Trotzdem sah er in ihrem weitgehend formlosen Gesicht einen Funken Intelligenz und eine Spur Charakter. Mit mehr Lebenserfahrung, ein wenig echter Bildung und dem nötigen Anstoß, wenigstens zu versuchen, die eigenen Lebensumstände zu verbessern, hätte sie sich sogar zu einer Frau entwickeln können, die Theisman geschätzt hätte. Eine Gelegenheit, sie näher kennenzulernen, war ihm jedoch verwehrt geblieben, denn seine Mutter hatte ihn in ein staatliches Kinderheim gegeben, bevor er sechs Monate alt war. Theisman hatte sie niemals wiedergesehen, durfte ihren Namen nicht erfahren und besaß den Holokubus nur deswegen noch, weil die Hausmutter des Heims die Vorschriften verletzte, indem sie ihm das Hologramm nicht wegnahm.

Alles in allem, überlegte er und massierte sich die tiefe Narbe auf seiner linken Wange, *ist es gut, daß es so gekommen ist. Ich habe sie nie kennengelernt – ich weiß nicht einmal, ob sie noch lebt –, und deshalb wird nicht einmal die SyS sie erschießen, um mich zu ›motivieren‹. Jedenfalls* glaube *ich das nicht ...*

Er verzog erneut das Gesicht und blieb neben der Bürotür stehen, um den großen Raum zu betrachten, aus dem heraus er sein zum Untergang verurteiltes Reich regierte. Ohne jeden Zweifel handelte es sich um den geräumigsten, luxuriösesten Arbeitsplatz, den er je gehabt hatte, denn das Büro war das Nervenzentrum des Barnett-Systems. Tief im Herzen der DuQuesne-Basis vergraben, der ausgedehntesten aller militärischen Einrichtungen auf dem Planeten Enki, lag es nur wenige Schritte vom Kommandoraum entfernt. Einst hatte Barnett im Prestige unter den Kommandostellen der Volksflotte nach dem Haven-System an zweiter Stelle rangiert und besaß deshalb allen Luxus, mit dem sich das alte legislaturistische Offizierskorps umgab. Wenn das Dekor nun auch Spuren der Abnutzung und Vernachlässigung zeigte, so hatte wenigstens noch niemand Zeit gefunden, das Büro seiner ›dekadenten Symbole des Elitedenkens‹ zu berauben. Theisman empfand dafür gewisse Dankbarkeit, so glaubte er wenigstens. Das Problem bestand darin, daß kein noch so großer persönlicher Komfort den Umstand zu verhehlen vermochte, daß Theisman sich in einer jener hoffnungslosen Situationen befand, in die sich die Volksrepublik und die Volksflotte in letzter Zeit so häufig manövrierten. Er konnte sich einfach nicht des Eindrucks erwehren, daß er sich hier befand, *weil* die Lage aussichtslos war.

Er verschränkte die Hände hinter dem Rücken und wiegte sich bedächtig auf den Fersen, während er seine unangenehme und vermutlich kurze Zukunft überdachte. Längst nicht zum erstenmal verfluchte er sich für seine Unfähigkeit, das Spiel der Politik wie ein Profi zu spielen. Wenn er es nur hätte über sich bringen können, beim Komitee für Öffentliche Sicherheit hier und dort ein wenig Bauchpinseln und Stiefellecken zu betreiben, stünde er nun vielleicht nicht in diesem Büro und blickte keinem geladenen Pulser in die Mündung. Trotzdem, es kam ihm vor, als hätte er immer gewußt, daß es eines Tages so mit ihm enden würde. Nicht weil er etwa dem alten Regime treu gewesen wäre, denn das alte Regime hatte ihm nur sehr wenig Grund dazu gegeben. Gleichzeitig aber war er der VRH nicht untreu, denn trotz ihrer Fehler war die Volksrepublik seine Heimat, die Sternennation, deren Uniform zu tragen er sich entschieden und die zu verteidigen er geschworen hatte.

Wie er nur zu gut wußte, bestand das Problem darin, daß er die Dummheit einfach nicht mehr ertragen konnte, die Verschwendung und die gedankenlose Gewalt, die Halbgescheite im Namen der Disziplin ausübten. Abhängig zu sein von geistig Minderbemittelten, denen es an der nötigen Intelligenz fehlte, um zu erkennen, wohin ihre Version von ›Disziplin‹ letztendlich führen mußte! Neben vielen anderen Offizieren hatten die Säuberungen auch Thomas Theisman einen Rang verschafft, den unter dem alten Regime nur ein Legislaturist erhalten hätte. Seine Einstellung und seine militärischen Fähigkeiten hatte Theisman von jemand anderem erhalten, von seinem früheren Mentor Alfredo Yu. Wie Yu war auch Theisman fest von gewissen Methoden überzeugt, die die Stärke des zur Verfügung stehenden Rohmaterials maximierten, ob es sich dabei nun um Gerät oder Personal handelte. Diese Methoden liefen jedoch sämtlich darauf hinaus, daß ein Offizier *führen* mußte und nicht von hinten antreiben durfte.

Jedoch stand diese Tradition in direktem Kontrast

zu den unausgegorenen Taktiken, die von der SyS bevorzugt wurden. Im Grunde wollte die Systemsicherheit in den Reihen des Militärs keine Führungspersönlichkeiten sehen, denn jemand, der es verstand, Männer und Frauen so mitzureißen, daß sie ihm oder ihr in den Glutofen einer Raumschlacht folgten, bedeutete eine potentielle Gefahr für das neue Regime. *Deswegen – und aus keinem anderen Grund –,* dachte Theisman düster, *sitze ich in diesem Büro.* Er hatte einen Fehler begangen, indem er seine Leute zum Gehorsam motivierte, ohne zugleich für das Komitee für Öffentliche Sicherheit deutlich Partei zu ergreifen und immer wieder seine Treue zur offiziellen Linie zu bekunden. Und obwohl er einer der besten Feldkommandeure des Komitees war, machte ihn sein Verhalten in den Augen der Systemsicherheit zu einem gefährlichen, ehrgeizigen Linienuntreuen.

Er rieb sich wieder über die Narbe und erinnerte sich an den Tag, an dem er sie erhalten hatte: das blutige Chaos, mit dem er einen manticoranischen Vorstoß ins Seabring-System aufhielt. Am Ende war dieser Sieg dennoch vergebens gewesen, aber er hatte Trevors Stern vermutlich drei, vier Monate erkauft, wenn nicht mehr. Der Preis des Sieges war Theismans Kampfverband gewesen, denn er hatte keine andere Wahl gehabt, als Dreadnoughts mit Schlachtschiffen und Schlachtkreuzern anzugreifen. Daß er gut gekämpft hatte, wußte er genau – brillant war es gewesen, doch alle erdenkliche Brillanz wog den Nachteil leichterer, unterlegener Schiffe nicht auf. Obwohl Theisman damals über doppelt so viele Schiffe verfügte wie sein Gegner, machten sie weniger als zwei Drittel der feindlichen Tonnage aus. Selbst bei einer Übermacht von zwei zu eins hatten Schlachtschiffe und Schlachtkreuzer keine Chance gegen

Dreadnoughts; selbst dann nicht, wenn beide Parteien sich technisch auf dem gleichen Stand befunden hätten. Einen einzigen manticoranischen Dreadnought konnte Theisman vernichten und mußte dafür mit dem Totalverlust von sieben Schlachtschiffen und elf Schlachtkreuzern bezahlen. Die verbleibenden Einheiten trugen derart schwere Schäden davon, daß drei weitere Schlachtschiffe, darunter sein Flaggschiff VFS *Conquèrant*, später abgewrackt wurden. Der feindliche Admiral hatte immerhin solch gewaltige Treffer einstecken müssen, daß er den Angriff abbrach und seine beschädigten Schiffe in Sicherheit brachte.

Elf Schlachtkreuzer und zehn veraltete, viel zu kleine und viel zu schwach bewaffnete ›Großkampfschiffe‹, die in keinem Schlachtwall etwas zu suchen hatten, waren kein allzu hoher Preis für das Behaupten eines Sonnensystems ... vorausgesetzt, es hatte überhaupt Sinn, das System zu halten. Theisman versuchte sich immer wieder einzureden, sein Sieg bei Seabring hätte etwas bewirkt. Nur hatte die Erste Schlacht von Seabring die Pläne der Manties weder durchkreuzt noch verhindert, daß Theismans Nachfolger als Systemkommandeur die Zweite Schlacht von Seabring verlor. Und Theismans Sieg hatte Trevors Stern auch nicht gerettet. Immerhin hielt er den Vormarsch des Feindes für eine befristete Zeit auf, schwächte ihn ein wenig, kostete ihn einige Geleitschiffe und verfrachtete ein halbes Dutzend Dreadnoughts zur ausgiebigen Instandsetzung in die Werft. In einem Krieg, in dem die Volksflotte ihre Siege an den Fingern einer Hand abzählen konnte, frischte der Sieg von Seabring die Kampfmoral auf – und diesen Punkt hielt sich Theisman immer vor Augen, wenn er an die neunzehntausend Menschen dachte, die für seinen Sieg ihr Leben lassen mußten.

Hier also stand er, Diener einer Regierung, die ihn für einen zeitweiligen Triumph mit einer Brustvoll Orden belohnt hatte, nur um ihn dann nach Barnett zu versetzen; auf einen einst hochangesehenen Kommandoposten, der nun Schauplatz von Theismans bevorstehendem Untergang sein würde, ganz gleich, was er tat. Da die Systemsicherheit besiegte Admirale noch immer zu exekutieren pflegte, lag der Schluß sehr nahe, daß das Komitee für Öffentliche Sicherheit letztlich entschieden hatte, auf die Dienste eines gewissen Thomas Edward Theisman in Zukunft verzichten zu können.

Er schnaubte vor bitterer Belustigung, ging an seinen überdimensionierten Schreibtisch zurück und setzte sich wieder in den viel zu bequemen Sessel. *Vielleicht sehe ich zu schwarz,* überlegte er. Doch augenblicklich war es in der Volksrepublik erheblich klüger, übermäßig pessimistisch zu sein denn allzu optimistisch. Möglich, daß Esther McQueens Erhebung in das Komitee für Öffentliche Sicherheit ein Zeichen der Hoffnung darstellte. Sie war die einzige Militärangehörige im Komitee. Bei all ihrer Brillanz im Gefecht war sie schon unter den Legislaturisten gefährlich ehrgeizig gewesen. Isoliert unter Zivilisten, ohne jedes Verständnis für die Schwierigkeiten der Streitkräfte, würde sie sich bei ihrer Ambition eher in den Machtspielen verstricken als die Probleme der Volksflotte zu lösen. Selbst wenn sie von vornherein für die Belange der Flotte eintrat, traute ihr Theisman einfach nicht genügend Einfluß zu. Vermutlich würde sie zu spät kommen, um ihm noch die Haut zu retten. Trotzdem vermochte er die zarte Hoffnung, sie könne doch einen Unterschied bewirken, einfach nicht zu unterdrücken. Welche Fehler sie sonst auch besaß, sie war seit mehr als vierzig T-Jahren Raumoffizier und hatte immer verstanden, bei ihren direkten Untergebenen Loyalität zu wecken. Hoffentlich vergaß sie nie, daß Loyalität in zwei Richtungen wirkt – oder hoffentlich erkannte sie wenigstens die Notwendigkeit, die Flotte zu stärken, um ihre eigene Machtgrundlage zu erhalten.

Wieder schnaubte er – diesmal vor Verärgerung über sein masochistisches Bedürfnis zu glauben, die Volksrepublik könne trotz der irrsinnigen Regierungsoberhäupter überleben. Dann rief er eine neue zu bearbeitende Datei ab. Man hatte ihm zwar ein manövrierunfähiges Schiff gegeben, das immer tiefer in einen Schwerkrafttrichter trieb, aber trotzdem war es seine Pflicht, sein Bestes zu geben, bis …

Das leise Summen des Coms drang in seine Gedanken. Er drückte den Annahmeknopf, und die sauberen Blocks aus alphanumerischen Zeichen verschwanden vom Bildschirm des Terminals, der unmittelbar auf geteilte Darstellung schaltete. Seine Stabschefin, die braunäugige, schwarzhaarige Bürgerin Captain Megan Hathaway, und Bürger Commander Warner Caslet, sein Operationsoffizier, blickten Theisman aus dem Bildschirm an. Theisman beherrschte sich und verzog das Gesicht nicht, obwohl Caslet nur ein Beweis mehr war, daß das Komitee fortan ohne Thomas Theisman zurechtkommen wollte.

Caslets Fehler war es nicht; der Mann war vielmehr ein überragender Offizier, über dessen Zuweisung sich Theisman unter normalen Umständen gefreut hätte. Doch über dem Bürger Commander schwebte eine schwarze Wolke. Bis vor etwas mehr als einem T-Jahr hatte er zu den aufsteigenden jungen Sternen am Himmel der Volksflotte gezählt. Dann aber gelangten Berichte über Bürger Admiral Giscard auf die Heimatwelt, denen zufolge er versuchte, innerhalb der Silesianischen Konföderation Handelskrieg zu betreiben. Zu diesem Zeitpunkt hatte Caslet bereits sein eigenes Schiff verloren – bei dem Versuch, einen manticoranischen Frachter vor einheimischen silesianischen Piraten zu retten.

Theisman hatte die Berichte über die fraglichen Piraten gelesen, und obwohl sie offensichtlich zensiert gewesen waren, ging eindeutig aus den Texten hervor, weshalb ein Offizier, der seine Uniform zu recht trug, nicht anders konnte, als *jede* Frachtercrew vor solchen Unmenschen zu retten. Zu Caslets Unglück erwies sich der Frachter, den er retten wollte, als Q-Schiff: als getarnter, bewaffneter Handelskreuzer der Royal Manticoran Navy. Das Q-Schiff brachte seine *Vaubon* auf und vernichtete nebenbei die Piraten, die Caslet angegriffen hatte, um den Manticoraner zu retten.

Einmal in manticoranischem Gewahrsam hatte Caslet – mit Einwilligung seines Volkskommissars – dem Feind seine Erkenntnisse über die Piraten mitgeteilt. Da er den Frachter eigentlich hatte ›retten‹ wollen, sahen sich die Manticoraner dadurch bemüßigt, Caslet und seine Ressortoffiziere zu repatriieren, anstatt sie in ein Kriegsgefangenenlager zu überführen. Alles in allem betrachtet, hatten die Manticoraner Caslet nicht unbedingt einen Gefallen getan, indem sie ihn zurückschickten; nur ein Befehl des Admiralstabs hatte die SyS davon abgehalten, ihn für den Verlust seines Schiffes unter solchen Begleitumständen hinzurichten. Jedes einzelne Schiff von Giscards Kampfverband hatte unter dem Befehl gestanden, allen *andermanischen* Handelsschiffen zu Hilfe zu eilen, die von Piraten bedroht wurden.

Soweit Theisman herausgefunden hatte, steckte hinter dieser Order der Gedanke, daß sich Giscards Handelsstörer durch solche Hilfsmaßnahmen die

Dankbarkeit des Andermanischen Reiches erwarben und daß die kaiserliche Flotte dafür die havenitischen Operationen in seiner Nachbarschaft übersehen und die Ausbreitung des Krieges in nominell neutrales Raumgebiet dulden würde. Diese Idee hatte sich jedenfalls als wenig wirkungsvoll erwiesen, wie die vehementen diplomatischen Proteste des Andermanischen Reiches eindeutig belegten. Immerhin hatten diese Befehle Caslet den Hals gerettet, denn das manticoranische Q-Schiff, dem er zu Hilfe geeilt war, hatte sich als andermanischen Frachter getarnt. Das nämlich hieß, daß Caslet lediglich Befehle befolgt hatte.

Die Zahl der Fehler, die der gegenwärtige Admiralstab beging, war Legion; trotzdem war es ihm wenigstens gelungen, die Systemsicherheit davon zu überzeugen, daß es sehr nachteilige Folgen für die Flottenoperationen hätte, wenn Offiziere auch für das Befolgen von Befehlen hingerichtet würden. Es war schon schlimm genug, daß man damit rechnen mußte, erschossen zu werden, wenn man gleich wie unrealistische Befehle allem Bemühen zum Trotz nicht ausführen konnte; aber falls man selbst dann erschossen wurde, wenn man sie befolgte und etwas schiefging ... Offiziere, die wußten, daß sie nichts zu verlieren hatten, ganz gleich wie sie sich entschieden, würden sich wahrscheinlich gegen ihre politischen Herren wenden, und Gott sei Dank hatte sich wenigstens das der SyS begreiflich machen lassen!

Daß man darauf verzichtet hatte, Caslet hinzurichten, bedeutete jedoch noch lange kein Vergeben und Vergessen, und so war ihm ein neues Schiff versagt worden. Statt dessen hatte man ihn trotz seiner ansonsten herausragenden Führung als Kommandant zum Stabsdienst abgeschoben und nach Barnett versetzt, eine Verwendung ohne Ausweg und ohne Zukunft –

vermutlich im wahrsten Sinn des Wortes, wenn man diese Verwendung mit den meisten Posten bei unwichtigen Stäben verglich.

Andererseits könnte er je nachdem, wie er sich hier führt, seine ›Sünden abbüßen‹, dachte Theisman. *Wenn er seine Pflicht tut und wir tatsächlich lang genug durchhalten, um unsere Herren und Meister zufriedenzustellen, ›rehabilitieren‹ sie ihn vielleicht. Zum Teufel, vielleicht holen sie sogar mich rechtzeitig hier heraus. Na klar. Ganz sicher, Tommy.*

Als er seine Aufmerksamkeit wieder auf den Monitor richtete, bemerkte er, daß ein Gesicht fehlte: das von Dennis LePic, des obersten Volkskommissars im Barnett-System und Theismans persönlichem Wachhund. Der Mann war zwar relativ anständig, aber gleichzeitig neugierig und anmaßend; außerdem nahm er seine Pflichten im allgemeinen so ernst, daß er Theisman oft genug auf die Nerven fiel. LePic war schlau genug, um die operativen Angelegenheiten den Leuten zu überlassen, die etwas davon verstanden (und die er bespitzelte). Trotzdem wollte er ›auf dem laufenden gehalten‹ werden und nahm regelmäßig an den Besprechungen Theismans und seiner Stabsoffiziere teil. Daß LePic diesmal nicht zugeschaltet war, wunderte den Bürger Admiral, doch ließ er sich das nicht anmerken. Jeder kluge Offizier ging insgeheim davon aus, daß eine Signalleitung, sei sie auch noch so abgeschirmt, abgehört wurde, und als er nun die Anrufer begrüßte, zeigte er sich in keiner Weise überrascht.

»Hallo, Megan – Warner. Was gibt's?«

»Soeben erreichen uns die neuesten Meldungen über Schiffsbewegungen vom Admiralstab, Bürger Admiral«, meldete Hathaway ebenso gleichmütig. »Wir erhalten einige Schiffe mehr als erwartet, und Warner und ich möchten Sie rasch darüber informieren.«

»Ja, bitte«, sagte Theisman. So vernünftig Hathaways Antwort auch klang, ganz offensichtlich hatte sie nicht deswegen angerufen. In weniger als zwei Stunden war eine Routinebesprechung anberaumt, und selbst wenn der Admiralstab ihm die gesamte Zentralflotte zur Verfügung stellen wollte, hätte die Nachricht ohne weiteres bis zu der Besprechung warten können. »Wie gut also sind die guten Neuigkeiten?« fragte er.

»Zunächst schickt man uns das Zwoundsiebzigste und das Einundachtzigste Schlachtgeschwader«, antwortete Caslet, und gegen den eigenen Willen zog Theisman die Brauen hoch. »Das Zwoundsiebzigste liegt fünfundzwanzig Prozent unter der Sollstärke, dem Einundachtzigsten fehlt ein Schiff, aber das sind immerhin dreizehn Wallschiffe mehr, S... Bürger Admiral.«

Theisman nickte. Diese Verstärkung fiel erheblich üppiger aus, als er zu hoffen gewagt hatte. Den Kampfwert seines Schlachtwalls erhöhte sie um fast dreißig Prozent, ein Zeichen, daß die Machthaber der Republik doch ernsthaft um Barnett kämpfen wollten. Sie hatten keine Chance, aber mit der nun zur Verfügung stehenden Schlagkraft konnte er der Volksflotte vielleicht so viel Zeitgewinn erkaufen, daß sich damit an anderer Stelle etwas bewirken ließ. Trotz seiner Überraschung bedachte er seinen Operationsoffizier mit einem vernichtenden Blick. Caslet hatte selbst lange genug ein Schiff kommandiert, um zu wissen, daß er sich einen Lapsus wie eben nicht erlauben konnte. Vielleicht lag es gerade daran; jedenfalls bereitete es ihm offenbar Schwierigkeiten zu beachten, daß in der Volksflotte seit längerem nur noch die Volkskommissare mit ›Sir‹ und ›Ma'am‹ angesprochen werden durften.

VFS *Vaubon* war ein Leichter Kreuzer gewesen, und wie für Leichte Kreuzer typisch war sie die meiste Zeit unabhängig gekreuzt. Sosehr er das revolutionäre Vokabular bei seinen Untergebenen auch durchgesetzt hatte, Caslet mußte lange Zeiträume ohne direkten Vorgesetzten dagestanden haben, dem er Meldung zu erstatten hatte – außer seinem Volkskommissar. Was auch immer der Grund sein mochte, ein Offizier in seiner Lage konnte es sich einfach nicht leisten, auch nur entfernt anzudeuten, ihm mangele es an Begeisterung für das neue Regime.

»Gewiß nicht schlecht für den Anfang«, sagte Theisman schließlich. »Noch etwas?«

»Jawohl, Bürger Admiral«, antwortete Hathaway. »Das waren die Dickschiffe – doch anscheinend bekommen wir noch eine Zerstörerflottille, den Großteil des Einhunderteinundzwanzigsten Leichten Kreuzergeschwaders und ein halbes Dutzend Schwere Kreuzer. Vielleicht bekommen wir sogar einen Schlachtkreuzer – das heißt, wenn wir ihn halten können.« Für jeden, der Hathaway nicht ausgesprochen gut kannte, hätte dieser letzte Satz völlig unverfänglich geklungen, doch Theisman wurde sofort aufmerksam.

»Schlachtkreuzer kann man immer brauchen«, sagte er leichthin. »Um welchen geht es?«

»Die *Tepes,* Bürger Admiral.« Caslets Ton glich dem Hathaways. Theisman spürte genau, wie sein Gesichtsausdruck gefror, als er den Grund begriff, warum Megan und Warner den Volkskommissar von diesem Anruf ausgeschlossen hatten – vermutlich, indem sie dafür sorgten, daß LePic woanders mit einer höchst legitimen Ablenkung beschäftigt war.

Die Tepes, dachte er. Ein Schiff der *Warlord*-Klasse, die neuesten und kampfstärksten Schlachtkreuzer im

Bestand der Volksflotte, die den *Sultans* den Rang abgelaufen hatten. Doch die *Tepes* gehörte nicht zur Volksflotte – und ihre Besatzung bestand nicht aus Flottenangehörigen, sondern Offizieren und Mannschaften aus dem Amt für Systemsicherheit.

Theisman verbarg seine tiefgehende Abscheu – und seine Furcht –, während er über das Gehörte nachdachte. Die Manier, verzweifelt benötigte Sternenschiffe von Frontkampfverbänden abzuziehen, fand er, gelinde gesagt, sehr zweifelhaft. So dachten beinahe alle regulären Offiziere, so hingebungsvoll sie das neue Regime auch unterstützen mochten. Furcht hingegen flößte ihm die Kehrseite dieser Denkweise ein, ohne daß er es jemals zuzugeben gewagt hätte: Die Systemsicherheit raffte sich eine Flotte von Kampfschiffen zusammen, in denen entweder SyS-Offiziere den Befehl führten oder die – wie im Falle der *Tepes* – gänzlich von SyS-Angehörigen bemannt wurden.

Theisman mußte zugeben, daß sehr viel Personal der SyS aus unzufriedenen Angehörigen der Vorkriegsstreitkräfte bestand. Aber trotz aller Unterstützung dieser Freiwilligen mangelte es Oscar Saint-Justs Schlägern an Ausbildung und Erfahrung, um in einem Gefecht das Potential ihrer Schiffe auszuschöpfen. Dennoch bildeten diese Schiffe im Grunde eine zweite Flotte, und unweigerlich ergab sich die Frage, weshalb sie aufgestellt worden war. Zum Teil gewiß aus dummem, bürokratischem Streben nach Hausmacht. Wie jeder andere Parasit besaß auch die Systemsicherheit einen unersättlichen Appetit, der befriedigt werden mußte; in diesem Fall handelte es sich um Machthunger, und wenn zu seiner Stillung Kampfkraft aus den Verbänden abgezogen werden mußte, die gegen den Feind kämpften, dann mußten diese Einheiten eben damit leben. Und dennoch, hinter der Gründung der SyS-Privatflotte steckte mehr als Egoismus und Großmannssucht. Gegen die Allianz war eine Flotte wie diese unbrauchbar, und das Schlachtfeld war auch gar nicht ihr designiertes Einsatzgebiet. Wie man in der Volksflotte nur zu gut wußte, benötigte die Systemsicherheit eine zweite Flotte, auf die sie sich bei der ›Erledigung‹ innenpolitischer Aufgaben verlassen konnte, denn Saint-Just wollte nicht darauf angewiesen sein, reguläre Einheiten gegen die Bürger der Republik einsetzen zu müssen. *Oder gegen Flottenpersonal und ihre Angehörigen,* dachte Theisman grimmig. *Wie diese Idiotie in Malagasy.*

Was ihn jedoch eigentlich frösteln machte – und LePics Abwesenheit erklärte –, war der besondere Ruf von VFS *Tepes*. Obwohl die Besatzung dem Amt für Systemsicherheit angehörte, war das Schiff permanent dem Amt für *Öffentliche Information* überstellt. Im Grunde nutzte Committeewoman Cordelia Ransom dieses Schiff als privates Transportmittel. Wenn der Gedanke jemandem obszön erschien, daß die Herrin der republikanischen Propagandamaschine und ihr persönlicher Technikerstab einen der kampfstärksten Schlachtkreuzer der Volksflotte als Jacht zur Verfügung gestellt bekamen, so blieb dergleichen unausgesprochen; und niemand würde es je zu erwähnen wagen, daß Ransoms Besuch im Barnett-System für den Systemkommandeur weitaus gefährlicher werden konnte als jeder manticoranische Kampfverband.

»Nun«, hörte Theisman sich in knappem, präzisem Ton sagen, »ob wir die *Tepes* nun behalten oder nicht, die anderen Schiffe können wir gut brauchen. Warner, machen Sie sich Gedanken über eine Neuordnung unserer Vorposten. Wenn wir mehr Wallschiffe erhalten, dann überlegen Sie doch einmal, ob Sie Bürger Admiral Tourvilles Schlachtkreuzer vom Patrouillendienst hier im Barnett-System erlösen können.«

»Jawohl, Bürger Admiral. Das ließe sich machen«, antwortete Caslet. Er hielt den Blick auf seine Konsole gesenkt und tippte Notizen ein. »Die neuen Zerstörer reichen aus, um die Schlachtkreuzer als Sensorplattformen zu ersetzen. Wie wünschen Sie die Schlachtkreuzer statt dessen einzusetzen, Bürger Admiral?«

»Ich würde Tourvilles zwote und dritte Division gern zum Vorposten nach Corrigan schicken. Auch damit können wir das System nicht halten, wenn die Manties ernstlich versuchen einzumarschieren, aber so müssen sie wenigstens vorsichtiger beim Ausspähen sein. Wir wollen so viel Feuerkraft dorthin verlegen, daß sie sich's zwomal überlegen, bevor sie wieder Aufklärungsvorstöße mit Leichten Kreuzern unternehmen.«

»Jawohl, Bürger Admiral. Und der Rest des Geschwaders?«

»Damit wollen wir ein paar eigene aggressive Vorstöße unternehmen.« Theisman lehnte sich zurück. Er dachte nun nicht mehr an die bevorstehende Ankunft der *Tepes*, sondern befaßte sich ernstlich mit den anderen Neuigkeiten. »Und Sie sagten, wir hätten ein halbes Dutzend Schwere Kreuzer zu erwarten, Warner?«

»Jawohl, Bürger Admiral.«

»Gut. Dann schicken wir Tourville CruRon Fünfzig und eine Halbflottille Zerstörer im Austausch für die Schlachtkreuzer nach Corrigan. Dann hat er einen netten kleinen Raiderverband, der vor jedem fliehen kann, der zu stark für ihn ist – es sei denn, er stößt auf ein paar Divisionen dieser manticoranischen Schlachtkreuzer mit ihren neuen Kompensatoren.«

Theisman verzog das Gesicht, als er diese Einschränkung hinzufügte. Der überdeutlich defensive Ton, den er trotz seiner besten Bemühungen nicht unterdrücken konnte, erzürnte ihn über alle Maßen. Andererseits gehörten alle vier Schlachtkreuzer, die er für die Raideroperation einsetzen wollte, zur *Warlord*-Klasse, die ersten Früchte des Technologieaustauschs mit der Solaren Liga. Die neuesten manticoranischen Schlachtkreuzer, die *Reliant*-Klasse, konnte sich zwar noch eines schmalen Vorsprungs in der Wirksamkeit ihrer Bestückung rühmen, und ihre Eloka-Fähigkeiten waren nach wie vor überlegen, aber beide Vorteile fielen gegenüber einem *Warlord* weitaus geringer aus, als selbst der größte Pessimist auf manticoranischer Seite ahnen konnte. Und sollte Tourville auf Schiffe stoßen, die älter waren als *Reliants*, so wäre das sehr schlecht für die Manticoraner ...

»Jawohl, Bürger Admiral«, sagte Caslet wieder. »Haben Sie ein Zielsystem im Sinn, oder sollen Bürger Commander Ito und ich eine Liste ausarbeiten, aus der Sie wählen können?«

»Ich denke an Adler oder Madras«, sagte Theisman. »In Adler haben die Manties noch nicht allzu fest Fuß gefaßt, deshalb könnten ein paar Schläge sie dazu bringen, Kräfte zur Bewachung abzustellen, und die würden ihnen vor Barnett fehlen. Aber wir sollten uns nicht auf das beschränken, was mir spontan in den Sinn kommt. Setzen Sie sich mit Ito zusammen und legen Sie mir eine Auswahl der besten Ziele vor.« Nachdenklich fuhr er sich über die Augenbrauen und nickte. »Und denken Sie über Mehrfachziele nach. Wir sollten uns nicht in kleinen Offensivschlägen verzetteln, aber wenn wir irgendwie genügend Tonnage zusammenkratzen können, dann wäre es wohl eine gute Idee, den Gegner an mehreren Stellen gleichzeitig zu treffen. Trotz unserer Verstärkung könnten wir

Barnett kaum halten, wenn die Manties sich ganz auf uns konzentrieren, deshalb sollten wir sie ermutigen, sich ein paar Gedanken über ihre eigene Verteidigung zu machen.«

»Jawohl, Bürger Admiral. Zur Nachmittagsbesprechung haben wir die Auswahl fertig.«

»Gut, Warner.« Theisman nickte dem Operationsoffizier zu und wandte sich erneut an Hathaway. »Bis dahin suchen Sie bitte Bürger Kommissar LePic und informieren ihn ebenfalls. Nun habe ich erheblich mehr Feuerkraft als erwartet, und deshalb muß ich unsere Ausweichpläne erheblich ändern. Sagen Sie dem Bürger Kommissar, daß ich mit ihm die neuen Möglichkeiten besprechen wolle und Sie gebeten hätte, ihm die neue Schiffsverteilung zuvor zu unterbreiten.«

»Wird gemacht, Bürger Admiral«, antwortete Hathaway, als hegte sie nicht im mindesten den Verdacht, Theisman könnte allein für die Aufzeichnungsgeräte sprechen, die, wie sie alle drei sicher waren, das Gespräch mitgeschnitten hatten. Doch alle drei wußten sie genau, daß jedes Wort der Stabschefin, das dem Schiffsnamen *Tepes* vorausgegangen war, nur der Verschleierung des eigentlichen Themas gedient hatte.

»Vielen Dank, Megan. Ihnen auch, Warner«, sagte Theisman sehr aufrichtig. »Ich bin Ihnen sehr dankbar.«

5

Schon fünf Tage nach ihrer Rückkehr zu Grayson verließ Honor den Planeten wieder. Ihre hastigen Bemühungen, sich innerhalb dieser kurzen Zeit aller Pflichten zu entledigen, hatten das Führungspersonal ihres Guts vollkommen erschöpft, und sie empfand deswegen ein leichtes Schuldgefühl. Immerhin hatten die Harringtoner erwartet, daß sie wenigstens vier Wochen lang auf dem Planeten bleiben würde – allen voran Howard Clinkscales. Selbst dann wäre es noch knapp geworden, wenn sie ihre persönliche Aufmerksamkeit allen Schwierigkeiten – und Problemlösungen – hätte widmen wollen, die sich während ihrer langen Abwesenheit angesammelt hatten. Sie hatte viel unerledigt lassen müssen, und das stimmte sie unglücklich.

Andererseits konnte sie sich auf Clinkscales verlassen. In vielerlei Hinsicht leitete er das Gut von Harrington besser als sie selbst. Als das Konklave der Gutsherren Honor in die Würde einer Gutsherrin einsetzte, hatte es ihre Verpflichtungen gegenüber der Royal Manticoran Navy anerkannt und billigend hingenommen, daß ihr Dienst als Raumoffizier sie zum regelmäßigen Verlassen ihres Guts zwang. *Anders ausgedrückt,* dachte sie mit Selbstspott, *habe ich einen herausragenden I.O. und genügend Spielraum, um mich im Namen der ›Dienstpflicht‹ davonzumachen und ihm die ganze Last aufzubürden.*

Sie rief sich innerlich zur Ordnung und blickte aus dem Fenster. Als der Himmel hinter dem Armoplast sich erst indigoblau und dann schwarz färbte, streichelte sie Nimitz langsam und sanft durchs Fell. Der 'Kater lag auf ihrem Schoß und rollte sich noch enger zusammen. Er schnurrte leise, und doch wußte sie, daß Nimitz erheblich weniger entspannt war als jeder andere bei seinem Anblick vermutet hätte. Honor spürte ihn ihm Hinterkopf, wie er an ihren Gefühlen teilnahm und darüber wachte – ohne sie zu begreifen.

Sie schloß die Augen und ließ sich tiefer in den Sitz sinken, ergab sich dem schwachen, aber unerbittlichen Eindruck von Nimitz' Besorgnis. Beschwerde oder gar Schelte hafteten dem Gefühl keineswegs an, nur ein vages Unbehagen, weil er sich zum allerersten Mal außerstande sah, Honors Empfindungen zu verstehen. Schon oft war es vorgekommen, daß er menschliche philosophische Konzepte als sonderbar oder sogar abartig ablehnte, wie ihm auch der Reiz gewisser menschlicher Vergnügen – wie etwa des Schwimmens – völlig unfaßbar vorkamen. Doch während er bisher gelegentlich auf Schwierigkeiten gestoßen war, wenn er verstehen wollte, *wieso* Honor etwas empfand, stand er nun vor dem Problem, nicht einmal zu wissen, *was* sie ergriffen hatte.

Und das ist überhaupt nicht überraschend, wenn man bedenkt, wie wenig ich selbst begreife, was in mir vorgeht, sann Honor. Nur eins konnte sie mit Sicherheit sagen: daß sie in Gegenwart von Hamish Alexander ein zusehends stärker werdendes Unbehagen überfiel.

Diese Regung ließ sich auf nichts zurückführen, was der Admiral gesagt oder getan hatte, und sie konnte dem Mann kaum vorwerfen, was er innerlich empfand. Doch obwohl er sich in Taten und Benehmen genauso verhielt, wie man es von ihm erwarten konnte, spürte Honor, daß der Funke der Bewunderung hinter beidem nicht erlosch. Die Bewunderung war auch niemals mehr als nur ein Funke – und doch war er stets vorhanden, als würde White Haven ihn automatisch unterdrücken, ohne ihn völlig zum Verglimmen bringen zu können. *Wenigstens hat er sich unter Kontrolle,* dachte sie bitter. Und ob White Haven nun wußte oder nicht, daß dieser Funke existierte, Honor war sich dessen sicher, und die Verräterin in ihr, die die innere Resonanz zwischen dem Earl und ihr bemerkt hatte, streckte nun die Fühler aus nach dem, was der Admiral so gekonnt vor sich selbst verbarg.

Zum allerersten Mal erwies sich die Verbindung zu Nimitz ebensosehr als Fluch wie als Segen, denn so sehr Honor sich auch bemühte: Sie versagte darin, sich einzureden, White Havens eingedämmten inneren Funken nicht bemerkt zu haben. Dieses Eingeständnis brachte ihre mühevoll aufrechterhaltene Selbstbeherrschung in Bedrängnis. Ihr kamen die ersten Monate in den Sinn, die sie in dem Wissen gelebt hatte, daß Nimitz ihr die Emotionen der Personen in ihrem Umfeld vermittelte. Anfangs hatte sie versucht, ihn davon abzubringen, denn sein Tun war ihr falsch vorgekommen; unschicklich. Sie hatte sich wie eine Art emotionaler Voyeurin gefühlt, die intimste Geheimnisse von Menschen ausspähte, obwohl diese Menschen sich nicht einmal darüber im klaren gewesen waren, daß sie überhaupt ausspioniert werden konnten. Nimitz hatte nie begriffen, warum sie so dachte, und nach und nach war Honor zu dem Schluß gelangt, daß Baumkatzen nicht in der Lage waren, ihre Umgebung anders wahrzunehmen: Für eine 'Katz waren die Emotionen Fremder stets präsent, und sie konnte nicht anders, als diese Empfindungen zu empfangen; wenn eine Baumkatze versuchte, sich dagegen zu wehren, konnte sie auch gleich versuchen, nicht mehr zu atmen.

So hatte Honor den Kampf um ihre empathische Blindheit verloren. Mittlerweile war ihr fast entfallen, daß sie ihn je geführt hatte, denn sie war nun beinahe ebensosehr wie Nimitz gewöhnt, die Empfindungen anderer zu spüren. Sie orientierte sich sogar bereits an den empfangenen Gefühlen. Wie Bespitzelung kam es ihr längst nicht mehr vor, denn jeder Mensch, der ihr begegnete, bedeutete für sie ein anbrandendes Gefühlsgewirr – als wäre sie eine Baumkatze. Honor konnte diese Flut auswerten oder unbeachtet lassen, aber sie konnte sie nicht zum Verschwinden bringen. Bei einem der Völker von Alterde, das auf engem Raum zusammenleben mußte – Honor wußte nicht mehr genau welches, glaubte aber, es müßten die Japaner gewesen sein –, gab es ein Sprichwort über die Nacktheit: Nacktheit, so lautete es, sehe man oft, aber man sehe sie sich nur selten an. Dieses Sprichwort war Honor eine große Hilfe gewesen, als sie lernen mußte, mit dem Andrang fremder Empfindungen zurechtzukommen. Diesmal jedoch versagte dieser Halt. Diesmal hatte der Widerhall zwischen ihr und White Haven die Fähigkeit gelähmt, seine Gefühle zu ›sehen‹, ohne sie sich anzuschauen. Nach außen hin vermochte sie sich so korrekt zu benehmen wie er; innerlich glaubte sie unentwegt auf einem emotionalen Drahtseil zu balancieren, und ihre Unfähigkeit, eine rationale Ursache für ihre Gefühle zu finden, machte all das vollends unerträglich.

Also ergriff sie die Flucht. Sie war sich darüber durchaus im klaren, und sie wußte auch, daß diese Flucht Nimitz vollends verwirrt hatte. Gut möglich, daß die Fassungslosigkeit des Baumkaters aus der Klarheit herrührte, mit der er selbst fremde Emotionen empfing. Baumkatzen wußten stets genau, was in ihren Menschen vorging, aber nicht, was ihre Menschen *dachten*. Aus Honors eigenen Erfahrungen mit Nimitz' Empathie wußte sie, daß Baumkatzen Emotionen als helle, lebhafte Eindrücke empfingen, die zwar kompliziert oder schwer verständlich, aber selten mehrdeutig waren – ähnlich einem Porträt, das nur in Primärfarben gemalt ist. Möglich, daß die Baumkatzen deshalb so direkt und unkompliziert wirkten. Schließlich hätte es keinen Sinn, wenn eine 'Katz versuchte, ihre Empfindungen vor einem Angehörigen ihrer Spezies zu verbergen oder zu verschleiern. Honor fand, Baumkatzen erhielten voneinander einen so klaren und tiefen Einblick, daß sie vielfältige zusätzliche Muster wahrnahmen, die für Menschen unsichtbar blieben – als löschte diese Vielfalt alle subtileren Töne und indirekten Interpretationen aus, auf die sich die meisten Menschen verließen. Vielleicht hatten die Baumkatzen, weil sie fremde Empfindungen nicht zu analysieren brauchten, auch niemals die Fähigkeit dazu entwickelt, und deshalb konnte Nimitz keine Gefühle deuten, über die Honor sich selbst nicht im klaren war.

Diese interessante Spekulation beantwortete indessen keine einzige Frage, und in ihrem Lichte wirkte Honors Rückzug für sie noch immer wie eine Flucht; sie half ihr auch nicht, Nimitz ihre Beweggründe zu erklären. Honor fühlte sich … unzulänglich – als käme sie durch ihre Unfähigkeit ihren Pflichten nicht nach. Doch neben der Zerknirschung, ihren Untergebenen ein Übermaß an Verantwortung aufgebürdet zu haben, empfand sie noch etwas viel Stärkeres: innere Befreiung. Daran erkannte sie, wie dringend sie den Abstand von White Haven brauchte. Nur aus der Distanz, so fürchtete sie, konnte sie mit ihrer Verunsicherung fertig werden und eine etwas rationalere Perspektive zurückerlangen. Vielleicht bot die Trennung auch ihm Gelegenheit, über Gefühle hinwegzukommen, die er ihr eventuell entgegenbrachte. Einerseits betete Honor, daß genau das geschehen möge, und hoffte gleichzeitig ebenso inbrünstig, daß es sich anders entwickelte – und genau deswegen mußte sie unbedingt Abstand gewinnen. Am schwersten aber wog ihr Bedürfnis, sich wieder in die Gewalt zu bekommen, und solange der Admiral weiterhin mit ihr unter einem Dach wohnte, bestand keine Aussicht auf Besserung.

Leider konnte sie ihm nicht die Gastfreundschaft von Harrington House aufkündigen. Gewiß hätte sich ein Vorwand ersinnen lassen, der nicht vor Unhöflichkeit zum Himmel stank und die neugierige Öffentlichkeit zufriedenstellte. Allerdings hätte sie White Haven mit einem solchen Vorwand, der nach außen hin den Anschein wahrte, niemals täuschen können. Auf keinen Fall wollte sie den Admiral persönlich kränken. Außerdem kannte sie eine einfache Lösung, die in der Vergangenheit immer funktioniert hatte. Honor sollte das Kommando über das 18. Kreuzergeschwader übernehmen, und fünf der acht Schiffe waren bereits im Jelzin-System. Bis CruRon 18 offiziell unter den Befehl der 8. Flotte gestellt wurde, blieb es Teil der graysonitischen Homefleet. Obwohl Honor ihre wahren Beweggründe, weshalb sie vorzeitig ihren Dienst antreten wollte, vor Hochadmiral Matthews verschwieg, schien er die Dringlichkeit gespürt zu haben, die sie nicht in Worte fassen durfte. Jedenfalls erhob Matthews keine Einwände, und Honors Order zur Rückkehr in den aktiven Dienst war schneller ausgesprochen worden, als sie zu hoffen gewagt hätte. Deshalb war sie nun mit Nimitz zu ihrem neuen Flaggschiff unterwegs, der *Jason Alvarez*.

Honor atmete tief durch. Ihre Nasenflügel bebten dabei. Als sie die Augen wieder öffnete, blickte sie völlig ruhig drein. Geistig und emotional ließ sie sich auf ihr neues Kommando ein, und sie seufzte innerlich erleichtert auf, als sie spürte, wie sich die vertraute Last der Verantwortung auf ihre Schultern senkte … und das unerträgliche Grübeln über alles andere aus ihren vordergründigen Gedanken verbannte. Ihre Probleme und ihre Gefühlsverwirrung verschwanden zwar nicht wie durch eine Zauberformel, aber wenigstens erhielt Honor einen Aufschub, der mit etwas Glück lange genug andauerte, bis sie diese widerstreitenden Elemente auf einen angemessenen Platz verwiesen hatte.

Ein leiser, melodischer Glockenton machte sie darauf aufmerksam, daß die Pinasse mit dem Endanflug zur *Alvarez* begann. Durch das Fenster erkannte Honor, daß der Pilot sein Beiboot auf einen Spiralkurs brachte, um ihr einen direkten Blick auf das Schiff zu gewähren.

Die *Alvarez* lag untätig im Parkorbit. An den Flanken ihres schlanken, an beiden Enden mit ›Hammerköpfen‹ versehenen Rumpfes strahlten die grünen und weißen Lichter eines ›geankerten‹ Sternenschiffes. Mit knapp über 340.000 Tonnen erreichte die *Alvarez* nur fünf Prozent der Masse von Honors letztem Kommando, aber HMS *Wayfarer* war ein umgebautes Handelsschiff gewesen – ein riesiger, behäbiger, ungepanzerter Frachterrumpf mit Waffen an allen möglichen Stellen. Die *Alvarez* war ein echtes Kriegsschiff, ein Schwerer Kreuzer, der allein zu dem Zweck gebaut war, rasche Schläge auszuteilen und sich sofort wieder zurückzuziehen. Er verfügte über die Systemredundanz, an der es der *Wayfarer* gemangelt hatte. Trotz ihrer kleineren Masse überstand die *Alvarez* schwerere Schäden und blieb dennoch gefechtstüchtig; außerdem war sie sehr viel schneller und weitaus manövrierfähiger.

Die *Jason Alvarez* markierte einen Wendepunkt im Kriegsschiffbau. Wie die Kreuzer der RMN trug dieser graysonitische Typ seine Breitseitenbewaffnung auf einem einzigen Deck, doch zeigte der Schwere Kreuzer erheblich weniger Stückpforten als ihre manticoranischen Zeitgenossen. Dafür gab es einen guten Grund.

Die *Jason Alvarez* war das Typschiff der ersten graysonitischen Schweren Kreuzerklasse, und während ihre Systeme zur Elektronischen Kampfführung und zur Raketenabwehr mehr oder weniger denen der manticoranischen *Star-Knight*-Klasse entsprachen, hatten die Graysons von Offensivsystemen ganz eigene Vorstellungen. Dazu hatten sie eine große Dosis ... ›Selbstvertrauen‹ benötigt, überlegte Honor, denn keine Navy wich beim Formulieren der Spezifikationen ihres ersten modernen Kampfschiffs leichten Herzens von der gesammelten überlieferten Weisheit der übrigen Galaxis ab, schon gar nicht, wenn diese Navy keinerlei Erfahrungen mit Kriegführung im offenen Weltraum besaß. Genau dazu hatte sich die GSN entschieden. Die *Alvarez* trug nur halb so viele Energiewaffen wie eine *Star Knight,* was die Anzahl der Ziele drastisch reduzierte, die sie gleichzeitig angreifen konnte. Darüber hinaus erfuhr sie deswegen eine kleine, aber vielleicht eines Tages entscheidende Einbuße in ihrer Raketenabwehrkapazität, denn Sternenschiffe benutzten häufig die Strahlbatterien der Breitseiten, um in Raketenduellen auf große Entfernung ihre eigens dazu vorgesehenen Nahbereichs-Abwehrlaser zu unterstützen. Durch den Verzicht auf eine große Anzahl von Energiewaffen hatte das graysonitisch-manticoranische Entwicklungsteam jedoch zwanzig Prozent mehr Raketenwerfer unterbringen und zudem Graserprojektoren lafettieren können, die schwerer waren als die der meisten Schlachtkreuzer. Nach den überlieferten Weisheiten blieb ein Schlachtkreuzer gegen die eigene Tonnage an Schweren Kreuzern immer siegreich – aber wo die *Alvarez* ins Spiel kam, sollte man nach Honors Meinung mit der Anwendung konventioneller Weisheiten sehr vorsichtig sein.

Honor beabsichtigte indes nicht, mit ihren Schiffen

gegen havenitische Schlachtkreuzer vorzugehen. Öfter als ihr lieb war hatte sie ungleiche Gefechte gegen überlegene Gegner geführt, und in Zukunft wollte sie dergleichen lieber anderen überlassen.

Bei dem Gedanken verzog sie die Lippen. Während die Pinasse auf den Mittschiffshangar des Schweren Kreuzers zuhielt, musterte Honor den Weltraum rings um die *Alvarez*. Obwohl die anderen Schiffe von CruRon 18 nahebei auf weiteren Parkumlaufbahnen den Planeten Grayson umkreisten, befanden sie sich so weit entfernt, daß sie lediglich als winzige Fünkchen reflektierten Sonnenlichts zu sehen waren – bis auf eine Ausnahme: HMS *Prince Adrian*, die weniger als dreißig Kilometer backbords achteraus der *Alvarez* lag. Das war nur angemessen, denn sie gehörte dem rangdienstältesten Kommandanten des Geschwaders, der Honors stellvertretender Kommandeur sein würde, und Honors Lächeln erhielt durch zahlreiche Erinnerungen tiefe Wärme.

Die *Prince Adrian* war kleiner, viel älter und schwächer bewaffnet als das Geschwaderflaggschiff, doch Captain Alistair McKeon kommandierte sie nun schon fast sechs T-Jahre. Wenn es in der ganzen Flotte ein effektiveres Schiff gab, so hatte Honor noch nicht davon gehört ... und eins wußte sie: daß es in keiner Flotte einen verläßlicheren Kommandanten gab – oder Freund.

Als die Pinasse den Impeller abstellte und mit Hilfe der Schubdüsen zu manövrieren begann, verschwand die *Prince Adrian* aus Honors Blickfeld. Honor zog das Barett unter der linken Schulterklappe hervor. Sie strich es glatt, und dabei verschwand das Lächeln aus ihren Zügen, denn es war schwarz. Zum ersten Mal seit einundzwanzig T-Jahren trat sie Weltraumdienst als RMN-Offizier an, ohne das weiße Barett zu tragen, das die Kommandanten der Sternenschiffe aus der Masse hervorhob. Tatsächlich würde sie das weiße Barett niemals wieder tragen, und dieser Gedanke versetzte ihr einen Stich. Intellektuell war ihr klar, wieviel Glück sie damit gehabt hatte, bereits so viele Schiffe kommandiert zu haben, aber sie wußte genau, daß es sie immer nur nach einem weiteren verlangen würde ... und daß sie dieses eine weitere Schiff niemals erhalten würde.

Das ist der Preis der Beförderung, ermahnte sie sich und setzte das Barett auf. Kaum hatte sie es zurechtgerückt, als die Traktorstrahler des Beiboothangars die Pinasse ergriffen und es leicht erbeben ließen. Dann verkündete ein weiterer leiser Glockenton, daß die mechanischen Dockklammern das Beiboot ergriffen hatten. Honor hob sich Nimitz auf die Schulter und strich mit den Fingern über ihr geflochtenes Haar und das Barett – und dann, ohne es zu merken, über die sechs goldenen Sterne auf ihrer Uniformbrust, von denen jeder ein hyperraumtüchtiges Kommando bedeutete. Danach drehte sie sich zur Luke um.

Captain Thomas Greentree, Grayson Space Navy, der Kommandant von GNS *Jason Alvarez,* gab sein Bestes, um völlig ungerührt zu wirken, als Lady Harrington durch die Personenröhre herbeischwamm. Auf sein Schiff und seine Besatzung war er stolz, und er hegte keinen Zweifel, daß beide alles leisten würden, was man ihnen vernünftigerweise abverlangen konnte, aber leider war er sich auch völlig darüber im klaren, *wer* die *Alvarez* als Flaggschiff erhalten hatte. Greentree hegte starke Vorbehalte gegenüber der manticoranischen Presse, die ihm insgesamt sehr zudringlich und unverschämt vorkam (außerdem sensationslüstern), und die Honor Harrington mit dem Spitznamen ›Salamander‹ belegt hatte, weil sie anscheinend immer dort steckte, wo das Feuer am heißesten war. *Kein auch nur halbwegs erzogener Grayson würde jemals einer Dame solch einen Namen anhängen,* dachte er mürrisch, doch gleichzeitig mußte er zugeben, daß der Beiname durchaus paßte. Graysons dachten sich zwar keine Spitznamen für Damen aus, aber wenn es erst einen gab, dann wurde er auch benutzt. Greentree hatte sich selbst schon dabei erwischt, wie er ihn – in Gedanken – verwenden wollte, aber bisher hatte er sich noch immer im letzten Moment ertappt und davon zurückgehalten.

Eigentlich benutzten seine Leute den Beinamen nicht, weil sie sagen wollten, daß Lady Harrington vom Feuer angezogen wurde, sondern weil sie irgendwie das Feuer auf sich lenkte. *Wie der Vogel in den Geschichten von Alterde,* dachte Greentree. *Wie der Albatros, der Sturmbote.* Lady Harrington hatte wiederholt bewiesen, daß sie mit Stürmen fertig zu werden wußte, und dadurch wirkte diese Frau nur um so beeindruckender. Besser als woanders wußte man in der Grayson Space Navy, daß Lady Harrington sich ihren Ruf hart erkämpft hatte. Greentree erfüllte es mit Stolz, daß sein Schiff erwählt worden war, um ihre Flagge zu tragen. Leider brachte diese Ehre auch die Möglichkeit mit sich, ihre Maßstäbe nicht zu erfüllen. Greentree war davon ausgegangen, daß ihm vor der Ankunft der Geschwaderchefin noch wenigstens drei Wochen zur Verfügung stünden. Die *Alvarez* hatte gerade eine größere, planmäßige Generalüberholung hinter sich, und dabei waren die alten Eloka-Systeme durch völlig neues Gerät ersetzt worden. Obwohl den Kommandanten die Möglichkeiten der neuen Systeme zu Begeisterungsstürmen hinrissen, hatte er mit seinen Ingenieuren alle Hände voll zu tun, um die unausweichlichen Kinderkrankheiten festzustellen und zu beseitigen. Seine Taktischen Offiziere begannen gerade erst mit den erforderlichen Simulatorübungen.

In den anderen Schiffsabteilungen gab es ähnliche, wenngleich weniger einschneidende Verbesserungen. Wenigstens die Flaggbrücke der *Alvarez* hatte man zu Greentrees großer Erleichterung unangetastet gelassen. Und wo er sich schon gerade für glückliche Umstände bedankte; Lady Harringtons Stab befand sich bereits vollzählig an Bord und erwartete sie. Wenn ihr Ruf zutraf, wäre sie so taktvoll, ihm vom Hals zu bleiben, bis er die Komplikationen bewältigt hätte. Die Anwesenheit ihres Stabes würde ihr gestatten, sich mit den Angelegenheiten des Geschwaders so sehr zu beschäftigen, daß sie das interne Chaos an Bord des eigenen Flaggschiffs getrost übersehen konnte, bis der Kommandant es beseitigte.

Hoffentlich stimmt das alles auch, dachte er noch, dann nahm die Seite zackig Haltung an, und Greentree konnte ein letztes Mal tief durchatmen. Aus einem altmodischen Signalhorn ertönten die ersten Noten des Gutsherrenmarsches. Lady Harrington packte die grüne Haltestange und schwang sich anmutig, mit dem Baumkater auf der Schulter, aus der Schwerelosigkeit der Zugangsröhre in das interne Schwerefeld der *Alvarez*. Sie landete unmittelbar hinter der Linie, die auf das Deck gemalt war und hob die Hand zur Ehrenbezeugung ans Barett, während hinter ihr drei Waffenträger die Röhre verließen.

»Bitte um Erlaubnis, an Bord zu kommen, Captain.«

Thomas Greentree war ein Grayson. Trotz seiner Entschlossenheit, sich den neuen Verhältnissen anzupassen, entstammte er doch einer männlich dominierten Kultur, die hellen Sopranstimmen auf dem Deck eines Kriegsschiffs keinerlei Stellenwert einräumte. Zum Glück lag es in der Natur dieser Stimme, daß keinem graysonitischen Offizier jemals auch nur im Traum eingefallen wäre, ihr Recht in Frage zu stellen, an jedem Ort zu erklingen, an dem es ihr gutdünkte. Greentree salutierte wie auf dem Paradeplatz.

»Erlaubnis erteilt, Mylady!« entgegnete er und streckte die Hand aus, als sie über die aufgemalte Linie trat. »Willkommen an Bord, Mylady«, fuhr er in normalerem Ton fort und verbarg gelinde Überraschung, als er die Kraft ihres Händedrucks spürte.

»Ich danke Ihnen, Captain.« Honor musterte die makellose Hangargalerie, inspizierte die Seite und die wartende Ehrenwache, dann lächelte sie. »Wie ich sehe, ist die *Alvarez* immer noch der beste Kreuzer der Flotte«, stellte sie fest und empfand, wie sich alle Umstehenden in Hörweite über das Kompliment freuten.

»Darin stimme ich Ihnen vorbehaltlos zu, Mylady«, sagte Greentree. Honor spürte Vorbehalte, die sich hinter dieser Bemerkung verbargen, aber auch seine Entschlossenheit, die Gründe für diese Vorbehalte so schnell wie möglich zu beseitigen. Und das genügte ihr. In der Navy von Grayson genoß dieses Schiff einen gewissen Ruf, dessen sich Thomas Greentree vermutlich noch deutlicher bewußt war als sie. Im Gegensatz zum letztenmal, als Honor das Kommando über ein Geschwader der GSN übernommen hatte, war es ihr diesmal gelungen, ihre Hausaufgaben zu machen und sich mit dem Werdegang der dienstälteren Offiziere ihres neuen Flaggschiffs zu befassen.

Schon ein oberflächlicher Blick auf die Personalakten offenbarte, daß das Amt für Personalwesen ihren Flaggkommandanten mit Bedacht ausgewählt hatte. Als Lieutenant war Greentree stellvertretender Taktischer Offizier an Bord von GNS *Covington* gewesen, Hochadmiral Matthews' altem Schiff. Die *Covington* war der einzige graysonitische Kreuzer gewesen, der den ersten havenitischen Versuch überstanden hatte, das Jelzin-System durch die Masadaner zu erobern, die als Mittelsmänner gedient hatten. Nach dem offiziellen Beitritt Graysons zur Allianz war Greentree ins Sternenkönigreich versetzt worden und hatte dort an einer verkürzten Intensivkursvariante des RMN-Taktiklehrgangs für Fortgeschrittene teilgenommen. Danach kehrte er nach Grayson zurück, um einen der ersten Zerstörer-Neubauten zu kommandieren. In der Zeit vor Kriegsausbruch hatte er sich bei der Bekämpfung der Raumpiraten, die das Gebiet um Jelzins Stern unsicher machten, verdient gemacht und sich als Kommandant eines Leichten Kreuzers während der Vierten Schlacht von Jelzins Stern ausgezeichnet. Seiner Akte zufolge übertraf er regelmäßig die Erwartungen, die an ihn als Offizier gestellt wurden, und als Honor ihn nun eingehend musterte, spürte sie, wie auch Nimitz den Captain prüfend anblickte.

Der Kommandant war untersetzt und, wie die meisten Graysons, kleiner als sie – in diesem Fall wenigstens fünfzehn Zentimeter. Obwohl er zehn Jahre jünger war als Honor, sah er wesentlich älter aus. Unter der hohen Schirmmütze der GSN sah sie weiße Strähnen in seinem dichten braunen Haar, das er für einen Grayson lang trug, und Krähenfüße umrankten seine ruhigen braunen Augen, der Beweis, daß er schon zu alt gewesen war, um nach dem Beitritt zur Allianz in den Genuß der Prolong-Behandlung zu kommen. Dennoch bemerkte sie bei ihm keinen Groll über ihre körperliche Jugend, und er bewegte sich mit einer

Kraft, die sowohl Selbstvertrauen verriet als auch die Tatsache, daß er die Zeit, die er von seinen Pflichten abknapsen konnte, in der Turnhalle verbrachte. In mancherlei Hinsicht erinnerte er sie an einen (zumindest körperlich) gealterten Paul Tankersley; Greentree strahlte die gleiche Zuverlässigkeit aus wie er.

Alles in allem begrüßte Honor, daß man ihn zu ihrem Flaggkommandanten gemacht hatte, und das war gut, denn in dieser Eigenschaft fungierte er als ihr taktischer Stellvertreter. Noch mehr als Alistair McKeon würde er sich darum kümmern müssen, ihre Pläne und Vorstellungen erfolgreich in die Tat umzusetzen. Greentrees Dossier legte nahe, daß er für diese Verwendung der geeignete Mann sei, aber es bestand immer die Möglichkeit, daß die Akte den falschen Anschein erweckte oder daß unvereinbare Naturelle zu unvorhersehbaren Querelen führten, welche ein Kommandoteam, das auf dem Papier hervorragend ausgesehen hatte, zum Untergang verurteilen. Dafür wäre ihr letzter Flaggkommandant, Alfredo Yu, fast zum Fallbeispiel geworden. Die Schuld hatte nicht bei dem Mann gelegen; Honor hatte nur schwer vergessen können, daß ihr Flaggkommandant ein Ex-Havenit war, bei dessen Angriff auf Grayson einst ihr väterlicher Freund Raoul Courvosier ums Leben gekommen war. Zum Glück handelte es sich bei Alfredo Yu um einen grundsätzlich guten Menschen, und deshalb hatte Honor mit Nimitz' Hilfe ihre Voreingenommenheit überwinden können. Yus Leistungen hatten entscheidend zum siegreichen Ausgang der Vierten Schlacht von Jelzins Stern beigetragen.

Abgesehen von der verständlichen Anspannung bei der ersten Begegnung mit seiner neuen Geschwaderchefin, schien Greentree sich und sein Schiff in der Gewalt zu haben. Nun deutete er auf den drahtigen, schwarzhaarigen, jugendlich wirkenden Mann neben sich.

»Commander Marchant, Mylady, mein Erster Offizier«, sagte Greentree. Für seinen Rang war Marchant selbst in der Navy von Grayson sehr jung, im Gegensatz zu seinem Kommandanten jung genug, um die Prolong-Behandlung für die erste Generation zu erhalten. Auch seine Dienstakte war exemplarisch, doch seine huschenden Emotionen, die Honor beim Händeschütteln empfing, unterschieden sich deutlich von denen Greentrees. Hinter der unerschütterlichen Sicherheit, die seine erstaunlich grünen Augen vermittelten, waren seine Gefühle defensiv zu einem engen Knoten geschlungen, und Honor mußte an sich halten, um nicht vor Mitgefühl zusammenzuzucken.

»Commander«, begrüßte sie ihn in ungezwungenem Ton.

»Mylady.« Marchant sprach angespannt, abgehackt – auf keinen Fall respektlos, aber mit einer Gezwungenheit, die seinen inneren Aufruhr widerspiegelte.

Seine Anspannung überraschte Honor keineswegs, denn ebenso wie Greentrees hatte sie auch seine Akte durchgesehen, und deshalb wußte sie, daß Solomon Marchant ein entfernter Vetter des unbetrauert verstorbenen Edmond Marchant war. Aufgrund der ausgedehnten, unentwirrbaren Clanstrukturen, die durch Graysons schroffe Umwelt entstanden waren, gab es viele Menschen, die mit Edmond Marchant verwandt waren, und die meisten Angehörigen des Marchant-Clans waren so anständig und gesetzestreu wie andere auch. Nur war gerade Edmond Marchant der bigotte, reaktionäre Priester gewesen, der Honor zuerst zu diskreditieren versucht hatte und sie später sogar ermorden lassen wollte; alles zu dem einen Zweck, die

Reformen, die sie und Protector Benjamin nach Grayson gebracht hatten, aus dem Gleis zu werfen.

Solomon Marchant traf daran keinerlei Schuld; Honor bezweifelte sogar, daß er seinen Vetter Edmond überhaupt gekannt hatte, doch ganz offensichtlich fühlte der Commander sich schuldig. Das war furchtbar unfair sich selbst gegenüber, und in gewisser Weise auch gegenüber Honor, denn er unterstellte ihr damit, ihn für den Fanatismus eines anderen verantwortlich zu machen. Sein Leiden nahm sie nur allzu deutlich wahr. Doch das wußte er nicht, und sie konnte darauf keinen Bezug nehmen, ohne für ihn alles noch viel schlimmer zu machen.

»Es freut mich, Sie kennenzulernen, Commander«, sagte sie. »Die Argumentation in Ihrem Essay über neue Geleitzugtaktiken in den *Proceedings* haben mich beeindruckt. Darüber würde ich gern im einzelnen mit Ihnen diskutieren.«

»Aber gewiß, Mylady.« Marchants Lider zuckten – in diesem Moment wirkte er weniger unerschütterlich, aber dafür um so menschlicher. Honor drückte ihm fest die Hand. Der enge Knoten in seinem Innersten verschwand dadurch nicht, aber vielleicht hatte er sich doch ein wenig gelockert. Ihn völlig zu lösen, würde zweifellos viel Zeit in Anspruch nehmen, doch wenigstens schien Honor den richtigen Ton getroffen und einen Anfang gemacht zu haben.

»Und diesen Gentleman brauche ich Ihnen wohl nicht vorzustellen, Mylady«, fuhr Greentree fort und wies mit einer Kopfbewegung auf den adretten Commander der RMN neben Marchant. Andreas Venizelos war so klein wie die meisten Graysons, aber er wirkte in seiner maßgeschneiderten Uniform überaus schwungvoll. Er war dunkelhaarig, schlank und drahtig, hatte eine Adlernase und verfügte über einen Sinn für perfekte Haltung und Balance, um den ihn jede Baumkatze beneidet hätte.

»Nein, wirklich nicht, Captain!« rief Honor aus und reichte Venizelos mit breitem Lächeln die Hand. »Wunderbar, Sie wiederzusehen, Andy. Allmählich wird es zur Gewohnheit, alte Fearlesses im Stab zu haben, wann immer ich einen bekomme!«

»Jawohl, Ma'am. Das habe ich auch schon gehört«, entgegnete Venizelos mit ebenso breitem Lächeln, das Honor sehr erleichterte; nicht jeder Offizier wäre von dem Gedanken begeistert gewesen, das Kommando über einen Leichten Kreuzer abzugeben und beim Stabe verwendet zu werden. Natürlich war Venizelos für diese Verwendung schon lange vorgesehen gewesen, bevor Honor mit dem Befehl über das 18. Kreuzergeschwader betraut wurde; sie hatte nichts weiter getan, als ihn sich für *ihren* Stab zu greifen.

Nur Admirale und Vizeadmirale sollten einen Captain als Stabschef haben, auch wenn gelegentlich ein Konteradmiral, der bei der Admiralität in hohem Ansehen stand, einen Offizier dieses Dienstgrades erhielt. Als Commodore mußte sich Honor nach der Tradition mit einem Commander oder Lieutenant Commander begnügen. Kaum bemerkte sie, daß Venizelos zur Verfügung stand, forderte sie ihn unverzüglich an. Die Entscheidung, ihm Erfahrung als leitendem Offizier beim Stabe zu verschaffen, war hingegen auf weitaus höherer Ebene getroffen worden. Für Honor bestand kein Zweifel, daß Venizelos davon wußte – und fragte sich, ob er wohl schon die Bedeutung dieser Entscheidung begriffen hatte. Erfahrung als Stabschef in einem alliierten Geschwader mit Besatzungen und Schiffen aus drei unterschiedlichen Sternnationen würde sich im späteren Verlauf seiner Karriere als unschätzbar wertvoll erweisen. Wenn

Honor mit ihrer Vermutung nicht gänzlich falsch lag, dann hatte BuPers ihn bereits als zukünftigen Flaggoffizier vorgemerkt. Andreas Venizelos würde wahrscheinlich schneller breite Ärmelstreifen tragen, als er für möglich hielt. »Nun!« Sie drängte ihre Nachdenklichkeit beiseite, verschränkte die Arme hinter dem Rücken und wippte auf den Füßen auf und ab, während sie ihre Untergebenen einige Sekunden lang musterte. Schließlich nickte sie. »Ich freue mich darauf, Ihre übrigen Ressortoffiziere kennenzulernen, Captain – und den Rest des Stabes, Andy. Vorher allerdings möchte ich mich ein wenig einleben.«

»Aber natürlich, Mylady«, antwortete Greentree. »Darf ich Sie zu Ihrer Kajüte führen?«

»Vielen Dank, Captain. Das dürfen Sie«, sagte Honor. Die Marineinfanteristen der Ehrenwache nahmen Haltung an. Behandschuhte Finger knallten auf Pulserknäufe. Greentree und Marchant begleiteten Honor, jeder militärisch korrekt einen halben Schritt hinter ihr. Sie warf einen Blick zurück und unterdrückte ein Auflachen, als der Rest des Gefolges hinter ihnen in die Formation einscherte. Andrew LaFollet führte die Prozession an, neben ihm ging Andreas Venizelos. Dahinter kam MacGuiness, der die beiden Stewards 3. Klasse, die das Gepäck trugen, mit Adleraugen beaufsichtigte. Den Schluß bildeten James Candless und Robert Whitman, die anderen beiden Angehörigen von Honors ständigem Personenschutzteam. Zwar gewöhnte sie sich allmählich daran, als mittelgroßer Zirkus durch die Weltgeschichte zu ziehen, aber trotzdem kam es ihr überaus lächerlich vor, daß so viele Menschen hinter ihr her marschieren mußten. Leider hatte man ihr in dieser Angelegenheit nicht viel Wahl gelassen. Sie hoffte nur, daß auch alle im Lift Platz finden würden.

6

Esther McQueen hatte schon vor langem gelernt, ihr Gesicht unter Kontrolle zu halten, und so verzog sie keine Miene, als Rob Pierre und Oscar Saint-Just sich bei ihrem Eintreten von den Sesseln erhoben. Bislang hatten sich die beiden bei jedem Zusammentreffen so verhalten, und jedesmal empfand sie gelinde Überraschung. Seltsamerweise hielt sie diese höfliche Geste für aufrichtig und glaubte nicht, daß sich die beiden zum Zwecke der Manipulation verstellten. Einen Fehler würde sie niemals begehen: zu vergessen, daß diese beiden Männer vollendete Manipulanten waren; doch die altmodische Höflichkeit, die sie an den Tag legten, mutete vor dem Hintergrund der Todeszuckungen, in denen die Volksrepublik sich erging, geradezu grotesk an.

Todeszuckungen, jawohl. Agonie, dachte sie grimmig beim Überqueren des dicken Teppichs, der den Boden des kleinen Konferenzraums bedeckte. Sie schüttelte Pierre und Saint-Just die Hand. *Agonie* ... Ihr Gefecht gegen die Levellers war Beweis genug dafür ... wie auch die riesigen Massengräber, die man zur Beseitigung der Folgen dieses Gefechts hatte anlegen müssen.

Niemand hatte bisher auch nur annähernd genau angeben können, wie viele Menschen von welcher Seite getötet worden waren, und im Grunde war McQueen froh darüber. Nach Darstellung der Öffentlichen Information gingen beinahe sämtliche Opfer auf das Konto der Aufständischen, und McQueen wußte nicht, ob sie darauf dankbar oder zornig reagieren sollte. Einerseits empfand sie wenig Verlangen, daß man sich an sie als Massenmörderin erinnerte, gleichgültig, wie erforderlich die Schritte gewesen waren, die sie durchgeführt hatte. Andererseits mußte doch jeder denkende Mensch diese Verlautbarungen als Lügen erkennen – in einer Stadt der Größe von Nouveau Paris konnte man keine modernen Waffen einsetzen, ohne sehr viele Menschen zu töten. Wie erhaben die Handlungsgründe waren, spielte keine Rolle. Trotzdem hatte sie die Version der Öffentlichen Information unterschrieben.

In Wahrheit steckte sie in einer Zwickmühle, was die Verluste an Menschenleben betraf – nicht nur im Hinblick auf die Öffentlichkeit. Schließlich hatte nicht sie die leichten Nuklearbomben gezündet, die von den Levellers in beide Hauptquartiere der Systemsicherheit geschmuggelt worden waren. Diese Bomben hatten ihre Aufgabe verrichtet, nämlich in der Hauptstadt die einzigen SyS-Kräfte auszuschalten, die stark genug waren, um wirksam in den Kampf einzugreifen. Die Führungsriege der Levellers hatte offensichtlich den Tod der ringsum wohnenden Zivilisten ›billigend in Kauf genommen‹. McQueen hätte gern von sich geglaubt, sie sei anders, aber die brutale Ehrlichkeit gegenüber sich selbst, die sie zu einer effektiven Kommandeurin gemacht hatte, ließ gerade das nicht zu.

Es gibt nur einen echten Unterschied, sagte sie sich. *Ich hab's nicht als erste getan. Aber nachdem es losgegangen war, gab es auch bei mir kein Halten mehr, oder? Meine kinetischen Schläge waren zwar ›sauberer‹ als die Kernbomben, aber einem sechsjährigen Mädchen ist es doch egal, ob die thermische Druckwelle, in der sie verbrennt, nun von einer Kernexplosion stammt oder dem Einschlag eines Felsbrockens aus der Umlaufbahn.*

Andererseits, war das denn nicht der springende Punkt? Die Levellers *hatten* ›angefangen‹. Allein daß sie von vornherein Kampfmittel besaßen, die man noch immer schmucklos als ›Massenvernichtungswaffen‹ bezeichnete, zeigte doch, wes Geistes Kind die Aufständischen gewesen waren. McQueen hatte gewußt, was sie vorhatten, und gesehen, daß sie zu allem bereit waren. So furchtbar die Folgen ihrer, McQueens, Entscheidung auch sein mochten – wäre sie untätig geblieben, wären die Folgen noch schlimmer gewesen. Sie mußte sich unter hohem Nervendruck zum Handeln entschließen, der ihr fast noch schlimmer erschienen war als der Druck, unter dem sie zuvor bei der Verteidigung von Trevors Stern gestanden hatte. Seither hatte McQueen genügend Zeit gehabt, ihre Schritte im nachhinein gründlich zu hinterfragen, und war zu dem Schluß gekommen, die richtigen Entscheidungen getroffen zu haben. Das Schreckliche daran war, daß sie sich zwar überzeugt hatte, das einzig Richtige getan und keine andere Wahl gehabt zu haben, aber noch immer mit dem Wissen leben mußte, mindestens genauso viele Menschen auf dem Gewissen zu haben wie die Levellers.

Wirklich? Nun, wahrscheinlich schon ... aber anders als sie habe ich wenigstens ein paar von den Schuldigen erwischt.

Ja, das habe ich, versicherte sie sich noch einmal, dann setzte sie sich in den Sessel, den ihr Saint-Just vom Tisch abgerückt hatte. Wenn ihre Belohnung darin bestand, daß man sie in das Komitee für Öffentliche Sicherheit aufnahm, nun, dann mußte die Magd sich des Lohns als wert erweisen. Es bedurfte nichts weniger als ungeschmälerter Macht, um einen Karren wieder flott zu machen, der so tief im Dreck steckte wie die Volksrepublik Haven. Eines Tages würde sie die Macht haben, noch mehr Schuldige zu erwischen – und mit den beiden, die gerade mit ihr im Konferenzraum saßen, würde sie anfangen.

»Freut mich zu sehen, daß Sie sich wieder besser bewegen können, Bürgerin Admiral«, eröffnete Pierre das Gespräch, und McQueen grinste ihn an. Die gebrochenen – oder besser: zerschmetterten – Rippen und schweren inneren Verletzungen hatte sie sich zugezogen, als ihre Pinasse gegen Ende der Kämpfe abstürzte. Chirurgie und Schnellheilung hatten das meiste davon rasch wieder instand gesetzt, aber Schnellheilung war an Knochen wenig effektiv. Knochen beharrten darauf, mit der Geschwindigkeit zu heilen, die ihnen die Evolution vorgab, und McQueen hatte gründliche Arbeit geleistet; praktisch ihr gesamter Brustkorb war zersplittert gewesen. Mehr als zwei T-Monate hatten die Rippen gebraucht, um sich wieder zusammenzufügen, und selbst jetzt war sie in ihrer Bewegungsfreiheit noch ein wenig eingeschränkt.

»Vielen Dank«, sagte sie. »Ich fühle mich tatsächlich besser, Bürger Vorsitzender, und ...«

»Ich bitte Sie, Bürgerin Admiral – Esther«, warf Pierre ein und hob beschwichtigend die Hand. »Wir wollen nicht ganz so förmlich sein – wenigstens, solange wir unter uns sind.«

»Ich verstehe ... Rob.« Pierres Vorname fühlte sich fremd an auf ihrer Zunge – noch einer dieser unwirklich anmutenden Züge wie die Höflichkeit, sich vor ihr zu erheben. McQueen wäre niemals so naiv gewesen zu glauben, für diesen Mann etwas anderes zu sein als ein vorübergehend erforderliches, doch ansonsten entbehrliches Werkzeug. Sie plante nicht, ihn wiederum am Leben zu lassen, wenn es soweit war – und doch, alle saßen sie hier und spielten brav ihre Rollen, während die Republik draußen im Flammen stand.

»Vielen Dank«, sagte sie noch einmal. »Wie gesagt,

fühle ich mich viel besser. Deshalb habe ich darum gebeten, Sie und Bü... – Oscar heute morgen sprechen zu können. Ich kann mich nun an die Arbeit machen, aber unsere früheren Gespräche sind ein wenig vage ausgefallen. Ich hoffte, Sie würden mir nun erklären, worin Ihrer Meinung nach meine Aufgaben bestehen sollen.«

Pierre, der in seinem riesigen Sessel am Kopf des Tisches saß, lehnte sich zurück und überdachte ihre Bitte. Alle Sessel im Konferenzraum waren groß und sündhaft bequem, seiner aber war der imposanteste von allen. Er stützte die Ellbogen auf die Lehnen und legte die Finger unter dem Kinn gegeneinander wie ein thronender Monarch. McQueen drängte sich plötzlich das Bild einer Spinne im Zentrum ihres Netzes auf. Ein abgedroschenes Klischee, sagte sie sich, aber es paßt genau.

Pierre schwieg lange und betrachtete die dunkelhaarige, schlanke Frau, die am unteren Ende des Tisches Platz genommen hatte. Ihre grünen Augen wirkten sanft, respektvoll und höflich, und trotz der goldenen Litzen und der Vielzahl von Auszeichnungen an ihrer makellos korrekten Uniform wirkte sie kaum wie eine kaltblütige, tödliche Militärkommandeurin. Andererseits sah auch Oscar Saint-Just kaum so aus, als wäre er der Kopf der Systemsicherheit. *Diesen Punkt sollte man im Auge behalten,* dachte Pierre, denn während der Planung und Durchführung seines Coup d'État hatte er sich Saint-Justs harmlos erscheinendem Äußeren mit tödlicher Wirkung bedient.

Bislang schien McQueen gewillt zu sein, nicht aus der Reihe zu tanzen. Offiziell gehörte sie seit drei Monaten dem Komitee für Öffentliche Sicherheit an, und sie hatte die ebenso offizielle Verlautbarung hingenommen, ihre Verletzungen würden sie an der sofortigen Übernahme ihrer Pflichten hindern. Sie wußte es besser, denn so sehr ihre Wunden auch schmerzten, handlungsunfähig war sie dadurch nicht geworden. Dennoch hatte sie den Zwangsurlaub akzeptiert, anstatt auf rasche Teilnahme an den Sitzungen zu drängen. Den Hauptgrund für die Verzögerung kannte sie vermutlich nicht: Cordelia Ransom mitsamt ihren verstockten militärfeindlichen Vorurteilen von Haven zu entfernen. Ransom hatte zwar eingewilligt, McQueens Ernennung zu befürworten – zumindest nach außen hin. Pierre glaubte jedoch keinen Augenblick, daß die Ministerin für Öffentliche Information sich schon damit abgefunden hatte, und er war nicht bereit gewesen, sich dem möglichen Breitseitengefecht zwischen ihr und der Bürgerin Admiral zu stellen – wenigstens nicht, bevor McQueen einigermaßen Fuß gefaßt hatte.

Das allerdings beabsichtigte er ihr nicht zu offenbaren. Er hatte die Gelegenheit beim Schopf ergriffen, ihre Reaktion zu beobachten und wollte daran ihre Bereitschaft messen, Grenzen zu akzeptieren. Tatsächlich hatte McQueen geduldig gewartet und die offizielle Darstellung hingenommen, die Verzögerung sei erforderlich, um sich von den erlittenen Verletzungen zu erholen. Pierre wußte von Saint-Just, daß sie bei ihren Ärzten formell um Genehmigung ersucht hatte, bevor sie schließlich um dieses Treffen bat.

Und all dies war entweder ein gutes oder aber ein sehr schlechtes Zeichen. Kaum hatte sich verbreitet, von wem die Levellers aufgehalten worden waren, war McQueens Beliebtheit beim Pöbel von Nouveau Paris wie eine Rakete in die Höhe gestiegen. Die Öffentliche Information gab ihr Bestes, um die Rolle der übrigen Schutzkräfte herauszustellen – von denen viele, wie Pierre zugeben mußte, weitaus mutiger gekämpft hatten, als er persönlich erwartet hätte –, doch zu viele kannten die Wahrheit. McQueens bereits existierender Ruf als die Admiralin, die Trevors Stern mehr als anderthalb T-Jahre lang gehalten hatte, wuchs durch ihre Entschiedenheit bei der Rettung der ›Volksrevolution‹ in ganz neue Dimensionen. Den Angehörigen des Mobs war es dabei egal, daß sie vermutlich wenigstens ebenso viele ihrer Freunde und Nachbarn getötet hatte wie die Levellers. Letztendlich war die Gunst des Pöbels sehr launisch, wie kaum jemand besser wußte als Rob S. Pierre, doch im Augenblick war McQueen der Liebling der Massen. Aus dieser Position heraus hätte sie durchaus eine einflußreiche Rolle im Komitee für Öffentliche Sicherheit verlangen können, und zwar auf der Stelle. Pierre hatte sogar befürchtet, daß sie genau das tun könnte, weshalb er mit Saint-Just bereits Vorkehrungen für plötzliche und völlig unerwartete medizinische Komplikationen getroffen hatte.

Doch eine Situation, in der McQueen einen ›Rückfall‹ erleiden mußte, war nicht eingetreten. Sie hatte vielmehr den Dank des Komitees und das Angebot des Sitzes angenommen, und wenngleich sie dabei keine Bescheidenheit an den Tag legte, so doch auch keine Arroganz. Pierre hatte ihr Verhalten argwöhnisch registriert, denn McQueen zeigte damit die genau richtige Haltung; jede Bescheidenheit ihrerseits hätte geheuchelt sein müssen. Sie wußte genauso gut wie er, wer dem Komitee die Haut gerettet hatte – und sie wußte, daß ihr dennoch kein Sitz angeboten worden wäre, wenn Pierre nicht das Gefühl gehabt hätte, sie zu brauchen. Dennoch war sie anscheinend bereit, die Dinge zu nehmen, wie sie kamen, ohne zu drängen oder nach Gelegenheiten zu stochern; im Grunde verhielt sie sich nicht anders als zuvor, als sie – zumindest nach außen hin – stets die Befehle des Admiralstabs akzeptiert hatte. Wenn ihr Handeln tatsächlich widerspiegelte, was hinter ihrer Stirn vorging, war alles in bester Ordnung, und Pierre gestattete sich die Hoffnung, es sei in der Tat so.

Dennoch beabsichtigte er nicht, voreilige Schlüsse zu ziehen. Da war noch die Sache mit den Ausweichplänen für Notfälle, die McQueen direkt vor Bürger Kommissar Fonteins Nase vorbereitet hatte. Diese Pläne hatten bei der Rettung des Komitees eine wichtige, wenn nicht sogar entscheidende Rolle gespielt – doch hätte McQueen niemals in der Lage sein dürfen, sie zu entwerfen. Freilich war McQueen als Offizier sehr wertvoll, weil sie die Fähigkeit besaß, Untergebene derart für sich zu begeistern, daß sie ihr freudig ins Gefecht folgten. Doch durch diese Gabe hatte die Bürgerin Admiral offenbar auch Untergebene dazu gebracht, an ungenehmigten Planspielen mitzuarbeiten – oder, um eine häßlichere Formulierung zu gebrauchen, sich mit McQueen zur Umgehung der zivilen Autorität zu verschwören. Gerade um das zu vermeiden, hatte Oscar Saint-Just ihr niemand anderen als Erasmus Fontein als Kommissar zugeteilt.

Fontein gehörte zu den Besten unter den Leuten der SyS, obwohl er aussah wie ein kompletter Schwachkopf. Pierre hatte Saint-Justs Ansicht unterstützt, daß McQueen sich relativ unbedroht fühlen müßte, wenn ihr persönlicher Wächter allem Anschein nach ein Vollidiot wäre. Sie hatten darauf spekuliert, daß McQueen aufgrund dessen bei ihren Sicherheitsmaßnahmen nachlässig werden würde. Daher hatte Fontein alles Menschenmögliche getan, um McQueen davon zu überzeugen, er sei wirklich so dumm und ahnungslos wie sein Äußeres vermuten ließ. Nach allem Anschein hatte er damit Erfolg gehabt – wenigstens bis die Niederschlagung der Levellers erforderte, daß er die Maske fallen ließ und effektiv mit McQueen zusammenarbeitete. Obwohl sie Fontein bis dahin längst für einen Schwachkopf halten mußte, hatte sie *hinreichende* Sicherheitsvorkehrungen getroffen, um die Ausweichpläne vor ihm zu verbergen, als wäre er ein Meisterspion. Und das war ihr gelungen – nicht nur teilweise, sondern vollständig. Fonteins Bericht zeichnete sich durch größte Selbstkritik aus; er gab darin uneingeschränkt zu, daß McQueen ihn völlig überrascht hatte. Diese Offenheit hatte Pierre befriedigt; zu viele andere hätten sich größte Mühe gegeben, ihr eigenes Hinterteil in Sicherheit zu bringen, anstatt die richtigen Schlüsse zu ziehen, doch Fontein war ein Profi. Er hatte dafür gesorgt, daß seine Vorgesetzten sich der Bedeutung seiner Erkenntnisse bewußt wurden, und Pierre gab seinen Warnungen recht. Wenn McQueen sich gegenüber einem Mann, den sie als Idioten ansah, um solche Sicherheitsmaßnahmen bemühte, wäre sie noch viel wachsamer gegenüber Menschen, von denen sie mit Bestimmtheit wußte, daß sie keine Narren waren. Deshalb flößte ihr untadeliges Benehmen Pierre noch größeres Unbehagen ein, als es ihre Versuche, die eigene Machtgrundlage unmittelbar zu vergrößern, je vermocht hätten. Auch ohne Cordelia Ransom hätte er gewußt, daß Esther McQueen sich ohne weiteres als zweischneidiges Schwert erweisen konnte, und er beabsichtigte gewiß nicht, sich mit dieser Klinge die Finger abzuschneiden.

Andererseits wußte Pierre nur zu gut, wie leicht jemand in seiner Position handlungsunfähig werden konnte, wenn er aus Furcht vor Gefahren, die vielleicht niemals real wurden, alles doppelt und dreifach hinterfragte, und deshalb nickte er McQueen lächelnd zu.

»Ja, wir hätten Ihnen schon vor Wochen erläutern sollen, was wir im Sinn haben, Esther, und ich möchte mich entschuldigen, falls wir den Anschein erweckt haben, wir hätten es nicht eilig damit, Sie einzuweisen. Wir hatten sehr viel mit der Schadensbegrenzung nach dem Umsturzversuch zu tun, und das hat die ganze Zeitplanung zunichte gemacht. Aber wenn ich ganz ehrlich bin, haben auch gewisse politische Bedenken eine Rolle dabei gespielt. Sie werden gewiß verstehen, daß nicht alle Mitglieder des Komitees besonders begeistert sind von der Idee, daß das Militär fortan eine direkte Repräsentantin in diesem Kreise besitzt.«

»Ich kann diesen Mangel an Begeisterung hinnehmen, ohne ihn für gerechtfertigt zu halten«, entgegnete McQueen gleichmütig.

»Kein vernünftiger Mensch hätte das von Ihnen erwartet.« Pierre klang ebenso gelassen wie sie, und ihre Blicke trafen sich wie die Klingen zweier Fechter, die gegenseitig ihre Deckung abtasten. Im Grunde fand kein Duell der Willensstärke statt, doch glich diese Auseinandersetzung einem solchen Konflikt mehr als alles, was ihm irgend jemand außer Cordelia seit über einem T-Jahr zu bieten gewagt hatte. Als ihre Florette sich berührten, empfand Pierre ein gelindes Vergnügen. »Das Vorurteil existiert jedoch«, sagte er, »und ich wollte den Gemütern ein wenig Zeit geben, sich zu beruhigen, bevor ich Sie endgültig an Bord hole.«

»Dann darf ich davon ausgehen, daß die Lage sich tatsächlich entspannt hat?«

»Das dürfen Sie«, nickte Pierre. Er sah keinen Grund hinzuzufügen, daß ihre Berufung ins Komitee die Situation sehr entspannt hatte, weil McQueen beim Pöbel so beliebt war, obwohl ihre Berufung bislang reine Makulatur gewesen war. Nur eine Närrin hätte das nicht bemerkt, und McQueen war ganz offensichtlich keine Närrin. Allerdings konnte es nicht schaden, wenn er ihr weismachte, daß er es ihr nicht zutraue, die Situation begriffen zu haben. »Tatsächlich hätte ich Sie gebeten, sich morgen oder übermorgen mit mir und Oscar zu treffen, wenn Sie nicht von selbst um eine Unterredung ersucht hätten.«

Sie hob leicht den Kopf und zog wortlos die Augenbrauen hoch; Pierre lächelte. Dann ließ er sein Lächeln langsam verschwinden, beugte sich vor und sagte in erheblich ernsterem Ton:

»Der Umsturzversuch der Levellers hat ein bislang unbekanntes Problem enthüllt und zudem mehrere weitere, von denen wir bereits wußten, deutlich unterstrichen. Neu war uns die Tatsache, daß die Levellers das Komitee infiltriert haben. Rein militärisch gesehen hätten sie die Bomben ohne Hilfe von innen niemals an Ort und Stelle bringen und auch nicht unser Informationsnetz sabotieren können; politisch *mußten* sie darauf zählen können, wenigstens einige der gegenwärtigen Komiteeangehörigen ins HD zu bringen, um nach Ende der Kämpfe ihren Umsturz zu legitimieren. Natürlich hätten sie ein paar von uns zu Marionetten machen können, indem sie uns den Pulser an den Kopf setzen, aber so durchgedreht das Fußvolk der Levellers auch gewesen ist, LaBœuf und sein innerer Kreis waren schlau und gefährlich. Meiner Meinung nach – die Oscar übrigens teilt – hätten die Levellers niemals losgeschlagen, wenn sie sich nicht der langfristigen, freiwilligen Unterstützung zumindest eines Teils des Komitees sicher gewesen wären. Leider ist es uns bisher nicht möglich gewesen, die Verbündeten zu identifizieren, und deshalb haben wir unvermittelt ein ernstes internes Sicherheitsproblem entdeckt.

Oscars Leute ...« – Pierre nickte Saint-Just zu – »arbeiten daran. Viel ist bisher nicht ans Licht gekommen, aber sie graben weiter, bis sie die Maulwürfe finden. Im übrigen haben wir intensiv über eine drastische Verkleinerung des Komitees nachgedacht. Im Augenblick spielen wir mit dem Gedanken, es um fünfzig Prozent zu reduzieren. Wir können einen derart drastischen Zug selbstverständlich nicht auf der Stelle tun, und momentan könnten wir nicht einmal sicher sein, durch eine Säuberung wirklich alle unzuverlässigen Elemente zu beseitigen. Wir können allerdings Pläne formulieren, denen zufolge unsere vertrauenswürdigsten Leute im Amt bleiben.«

Er schwieg und betrachtete McQueens Gesicht. Seine Worte bedeuteten das Versprechen, daß sie dem neuen, kleineren Komitee angehören sollte, doch gab sie mit keinem Zeichen zu erkennen, ob sie dies begriffen habe. Zwar schürzte sie die Lippen und bekundete mit knappem Nicken ihr Einverständnis, ansonsten jedoch veränderte sie ihren gelassenen, aufmerksamen Gesichtsausdruck kein bißchen.

»Das muß, wie ich schon sagte, noch ein Weilchen warten«, ergriff Pierre wieder das Wort, »aber wir können nun die Probleme in Angriff nehmen, von denen wir konkrete Kenntnis haben.

Unter uns, den Manties und den Legislaturisten gesagt: Unser Militär ist monumental beschissen worden. Von den Manties erwartet man ja schließlich, daß sie versuchen, uns zu schlagen, aber wir – und darin schließe ich das Komitee für Öffentliche Sicherheit und die Systemsicherheit ein – haben ihnen die Arbeit abgenommen und unsere Streitkräfte säuberlich kastriert. Nun, es wird Zeit aufzuhören, die Volksflotte für alle Fehler verantwortlich zu machen, und zuzugeben, daß einige ihrer Probleme durch uns verursacht worden sind – Probleme, die Sie aus der Welt schaffen sollen.«

Ihrer großen Selbstbeherrschung zum Trotz stutzte McQueen erstaunt. So viel Offenheit hatte sie an der politischen Front nicht erwartet; erst recht kein freimütiges Bekenntnis, für den Schlamassel verantwortlich zu sein, in dem die Flotte steckte. Die Kürze, mit der Pierre sich zu dieser Schuld bekannte, verlieh dem Geständnis nur um so mehr Gewicht. McQueen überdachte ihre Antwort gut, bevor sie das Wort ergriff.

»Ich kann Ihrer Feststellung nicht widersprechen, Bürger Vorsitzender«, erklärte sie betont förmlich. »Von allein hätte ich dergleichen nicht gesagt – zumindest nicht so deutlich –, weil es einem Offizier im aktiven Dienst nicht ansteht, derart offen zu sprechen. Aber es freut mich außerordentlich, diese Worte aus Ihrem Mund zu hören. Wenn Sie und Committeeman Saint-Just es wirklich ernst meinen und mir den Rücken decken, dann kann ich mit der Beseitigung der schlimmsten Schäden beginnen. Ich will aber offen zu Ihnen sein: Ohne nennenswerte Handlungsfreiheit kann ich nur in sehr begrenztem Umfang Verbesserungen erreichen.«

Sie zögerte und spürte, daß an ihrem Haaransatz der Schweiß prickelte, denn nun konnte sie nicht mehr zurück. Soeben war sie einen Schritt weiter gegangen als Pierre, soviel war klar – was sie natürlich mit keiner Regung zu erkennen gab.

»Ich verstehe«, sagte Pierre, nickte, warf Saint-Just einen Seitenblick zu und wandte sich wieder an McQueen. »Bevor wir in die Sphären der Autorität und Handlung eindringen, wäre es wohl besser, wenn wir uns versichern, daß wir an das gleiche denken, wenn wir von Reparaturbedürftigem sprechen. Wenn

Sie uns mitteilen wollen, wo Ihrer Meinung nach unsere gravierendste militärische Schwäche liegt?«

McQueen fühlte sich, als würde das Eis unter ihren Füßen immer dünner, doch gleichzeitig überkam sie etwas, das sie sehr an den Adrenalinstoß vor Beginn eines Gefechts erinnerte; kein Eifer, doch etwas sehr Ähnliches. Und trotz allen politischen Ehrgeizes war sie immer noch Admiral. Jahrzehntelang hatte sie ihr Handwerk gelernt, und die Volksflotte war ihr Leben. Was auch immer geschah, soeben hatte sie die Chance erhalten, die Interessen der Flotte an entscheidender Stelle vorzutragen, und sie blickte dem mächtigsten Mann der Volksrepublik direkt ins Gesicht und ergriff die Gelegenheit beim Schopfe.

»Unser größtes Problem ist«, sagte sie knapp, »daß unsere Offiziere ungefähr soviel Initiative besitzen wie eine drei Tage alte Leiche. Mir ist klar, daß das Militär den zivilen Behörden verantwortlich sein muß. Das gehörte selbst bei den Legislaturisten zum Credo, und heutzutage ist es wichtiger als früher. Doch es besteht ein beträchtlicher Unterschied zwischen Befehlsgehorsam und der Angst, irgendwelche Aktionen durchzuführen, ohne Befehl dazu zu haben. Offen gesagt, die Systemsicherheit ist zu weit gegangen.« Ihre grünen Augen schwenkten auf Saint-Just, und sie erwiderte seinen Blick gleichmütig und ohne mit der Wimper zu zucken.

»Der Druck, der auf alle Flottenangehörigen ausgeübt wird, besonders aber auf die Raumoffiziere, ist einfach zu groß. Selbstverständlich können Sie Männer und Frauen zu unterwürfigen Duckmäusern machen, aber eine Flotte braucht Führungspersönlichkeiten und intelligente Initiative, keinen blinden Gehorsam. Ich spreche nicht von irgendeinem Recht, den Anweisungen vorgesetzter Stellen zuwiderzuhandeln; ich spreche davon, daß erfahrene Offiziere auch nach eigenem Ermessen handeln müssen, und zwar immer dann, wenn sie in eine Situation geraten, die von ihren Befehlen nicht abgedeckt wird. Der jüngste Umsturzversuch hat doch deutlich gezeigt, zu welchen Schwächen der Verlust von Initiativdenken führt. Ich darf Sie an die jüngste Vergangenheit erinnern: Selbst als die Levellers nukleare Sprengsätze mitten in Nouveau Paris zur Explosion brachten, wagte es kein einziger Kommandant der Zentralflotte, mich zu unterstützen. Sie hatten Angst – Angst, jemand könnte denken, sie wollten die Aufständischen unterstützen, und Angst davor, daß nach den Kämpfen die Systemsicherheit auf sie wartete, um sie an die Wand zu stellen.«

Sie holte tief Luft.

In Pierre regte sich der Ärger, doch er bezähmte sich und überlegte, weshalb er diese Verstimmung empfand. Sarkastisch verzog er das Gesicht. *Es liegt ebensosehr an ihrem Ton wie an ihren Worten,* stellte er fest. Sie führte keinen Rundumschlag gegen das neue Regime; dazu war ihre Stimme zu gleichmäßig und ruhig. Sie dozierte auch nicht. Aber sie klang in keiner Weise zurückhaltend, und aus ihren Augen leuchtete die Leidenschaft.

Na, du hast sie schließlich gefragt, was schiefläuft, oder? Wenn dir nun nicht gefällt, was du hörst, wessen Schuld ist das? McQueens Schuld? Oder die Schuld der Leute, die dieses Chaos angerichtet haben?

Die Antworten, die sich anboten, gefielen ihm nicht sonderlich. Er hatte McQueen für diesen Posten haben wollen, weil er glaubte, daß sie tatsächlich etwas ausrichten konnte. Aber wie sollte sie etwas bewirken, wenn sie nicht zuallererst die Probleme formulierte, die sich ihrer Meinung nach stellten? Er war es nur nicht gewöhnt, daß man ihm die Anliegen des Militärs so unverblümt vorlegte, und war überhaupt nicht darauf vorbereitet gewesen, wie sehr ihn das bloße Zuhören treffen würde.

»Mangel an Initiative ist sicherlich eines der Probleme, die ich bereits bemerkt habe«, entgegnete er betont unbeteiligt. »Aus Ihrem Ton schließe ich jedoch, daß Sie noch mehr auf dem Herzen haben?«

»Bürger Vorsitzender, ich könnte stundenlang über die Schwierigkeiten referieren, die wir haben«, erwiderte sie geradeheraus. »Die meisten davon könnten jedoch von Offizieren aus der Welt geschafft werden, denen die Vorgesetzten den Rücken stärken und die wissen, daß sie für redliche Fehler nicht vor dem Erschießungskommando landen oder um ihre Angehörigen fürchten müssen. Ich spreche hier wohlgemerkt von Fehlern, nicht von Verrat. Der Mangel an Initiative ist nur ein Symptom des eigentlichen Problems, Sir. Unsere Offiziere sind zu sehr damit beschäftigt, ständig nach hinten zu blicken, als daß sie sich auf den Feind konzentrieren könnten. Sie fürchten sich nicht nur davor, aus eigenem Antrieb zu handeln, sie fürchten sich auch davor, Befehle nicht zu befolgen, die zum Zeitpunkt ihres Eintreffens von der aktuellen Situation bereits überholt sind. Davon abgesehen ist es nicht sehr sinnvoll, einen Offizier zu erschießen, der sein Bestes getan hat, aber gescheitert ist, denn wie soll er dann je aus seinen Fehlern lernen? Eine erfolgreiche Kriegführung setzt ein erfahrenes Militär voraus, das auf sich selbst und auf die Unterstützung der übergeordneten Stellen vertrauen kann. Im Augenblick versuchen wir noch immer, die Erfahrungsstufe zurückzuerlangen, die wir vor dem Putsch hatten, und wir besitzen *keinerlei* Vertrauen in uns, unsere Waffensysteme oder – es tut mir leid, ich muß es sagen – die Unterstützung unserer zivilen Führerschaft.«

Sie lehnte sich zurück und begriff nachträglich, daß sie erheblich weiter gegangen und sehr viel offener gewesen war, als sie sich vor dem Betreten des Konferenzraums vorgenommen hatte. Und zu ihrer Überraschung stellte sie fest, daß sie dabei in keiner Weise bedacht hatte, wie sich ihre Offenheit auf die eigene Position auswirken könnte. Die Ereignisse der letzten sechs Jahre hatten sich offenbar tiefer in sie hineingefressen, als sie geglaubt hatte, denn ihre Worte waren von Herzen gekommen. Und Ehrgeiz hin oder her, jedes einzelne davon war aufrichtig gemeint gewesen.

Das Schweigen der beiden anderen am Tisch brachte McQueen indes schnell wieder in die Gegenwart zurück, und im Schutze der Tischplatte ballte sie im Schoß eine Faust, während sie sich verfluchte, ihre Zunge nicht im Zaum gehalten zu haben. Sollte sie so weit gekommen sein, nur um alles im letzten Augenblick zu vermasseln?

Pierre blickte Saint-Just forschend an, und der Oberbefehlshaber der Systemsicherheit runzelte die Stirn. Dann zuckte er fast unmerklich mit den Schultern; nur jemand, der ihn sehr gut kannte, konnte die Bedeutung dieser Gebärde verstehen. Ganz leicht nickte er, und Pierre wandte sich wieder McQueen zu.

»Ob Sie mir nun glauben oder nicht, ich stimme Ihnen zu«, sagte er ruhig und lächelte schmal, als sie vor Erleichterung gegen ihren Willen die Schultern entspannte. »Gleichzeitig möchte ich Sie jedoch warnen, daß nicht jedes Mitglied des Komitees – nicht einmal der geschrumpften Version, die uns vorschwebt – sich meiner Zustimmung anschließen wird. Um ganz ehrlich zu sein, hege ich einige ernsthafte Bedenken darüber, wie weit wir in nächster Zeit gehen sollten, um die von Ihnen beschriebenen Probleme zu beseitigen. Ganz offensichtlich würden Sie die Rückkehr zu einer eher klassisch organisierten Kommandohierarchie bevorzugen, doch existieren innerhalb des Militärs unzuverlässige Elemente. Manche davon vielleicht nur deswegen, weil unsere gegenwärtige Politik sie erzeugt hat, aber Sorgen machen müssen wir uns darüber trotzdem. Ich fürchte, wir haben uns in eine Ecke manövriert, aus der wir nicht ohne weiteres wieder herauskommen.«

Regungslos machte er dieses Zugeständnis, und bei seiner Wortwahl verzogen sich McQueens Lippen kurz zu einem bitteren Lächeln. Eine ›klassisch organisierte Kommandohierarchie‹, allerdings! Nun, sie hatte damit unterschwellig gesagt, daß sie die Volkskommissare gern aus der erstbesten Luftschleuse gestoßen hätte. Vielleicht sollte man sie lieber in Raketenwerfer stopfen und auf den Feind abfeuern, dann würden sie endlich einmal etwas für die Kriegsanstrengungen leisten! Einen köstlichen Augenblick lang gestattete sie sich die Vorstellung einer ganzen Breitseite aus Erasmus Fonteins, dann rief sie sich innerlich zur Ordnung. Tagträume verschob sie besser auf später; sie mußte sich auf das konzentrieren, was vor ihr lag.

»Mir ist bewußt, daß wir nicht alles unverzüglich verändern können«, sagte sie; »andererseits können wir es uns nicht leisten, allzu lange zu warten, bevor wir Veränderungen wenigstens einleiten. Die technischen Neuerungen, die wir von der Solaren Liga erhalten haben, sollten uns einigermaßen das Vertrauen in unsere Waffen wiedergeben, aber die Manties drängen uns nicht nur aufgrund ihrer technischen Überlegenheit zurück. Manticoranische Offiziere dürfen selbständig denken. Innerhalb des Gerüsts ihrer

Order passen sie ihre Planung an die Gegebenheiten an, anstatt wörtlich an Befehlen zu kleben, die angesichts veränderter Umstände oft überhaupt keinen Sinn mehr ergeben. Und wenn einer ihrer Admirale einen Befehl gibt, so geschieht dies *selbständig*. Manticoranische Admirale müssen sich nicht mit jemand anderem absprechen, sondern wissen, daß ihre Befehle befolgt werden und können sich darauf verlassen, nicht von ihren Vorgesetzten hingerichtet zu werden, nur weil sie einen Fehler begangen haben.«

Sie betrachtete die beiden Männer und fragte sich, ob sie wirklich mit ihrer Argumentation fortfahren sollte, dann zuckte sie innerlich die Schultern. Wenn Offenheit ihrem Anliegen abträglich war, dann hatte sie bereits alles ruiniert; *wenn schon, denn schon!* sagte sie sich.

»Was dem Feind aber den entscheidenden Vorteil verleiht, Gentlemen«, fuhr sie tonlos fort, »ist folgendes: Manticoranische Offiziere kämpfen gegen nur einen Gegner.«

Pierre wiegte sich einige Sekunden lang vor und zurück, dann legte er den Kopf schräg.

»Ich glaube, wir stimmen grundsätzlich überein, was die ... Natur des Problems betrifft«, stellte er in einem Ton fest, der deutlich verkündete, er sei nicht bereit, noch weiter auf die Fehler der Vergangenheit einzugehen. »Von Ihnen hätte ich gern Vorschläge, wie Sie das gegenwärtige System korrigieren wollen.«

»Mir wäre es lieber, wenn ich etwas ausführlicher darüber nachdenken könnte, bevor ich Ihnen detaillierte Vorschläge unterbreite; günstig wäre eine kleine Arbeitsgruppe von Leuten sowohl aus dem Militär als auch aus der Politik«, entgegnete McQueen bedächtig.

»Verstanden. Aber verraten Sie uns Ihren Ausgangspunkt.«

»Also gut.« Sie holte tief Luft und stürzte sich ins Getümmel. »Zuallererst würde ich die Politik der ›kollektiven Verantwortung‹ offiziell abschaffen. Menschen für ihre Fehler zu erschießen ist eine Sache; erschießt man Menschen, die zufällig mit jemandem verwandt sind, der einen Fehler begangen hat, so erstickt dies meiner Meinung nach nicht nur die Initiative, sondern untergräbt aktiv die Staatstreue.

Zwotens würde ich jeden Offizier über dem Rang eines Commodore beziehungsweise Brigadier genau unter die Lupe nehmen und auf der Basis von vier Kriterien beurteilen: Kompetenz, Aggressivität, Loyalität zum Komitee und Führungsqualitäten. Wie genau diese Kriterien gewichtet werden sollen, gehört zu den Dingen, die ich lieber mit dem bereits erwähnten Stab besprechen würde. Weil sich die Kriterien eigentlich nicht gegeneinander abgrenzen lassen, müßte diese Bewertung der Offiziere auf individueller Basis erfolgen, aber auf jeden Fall könnten wir die tauben Nüsse aussondern. Und es gibt taube Nüsse im Admirals- und Generalsrang, Gentlemen. Wir sind knapp an Offizieren, aber es ist besser, mit zuwenig guten Offizieren zu operieren als uns mit unfähigen zu behindern.

Drittens würde ich die Volkskommissare aus der Befehlskette entfernen.« Saint-Just versteifte sich bei diesen Worten, doch McQueen sprach weiter, bevor er einen Einwand erheben konnte. »Ich verlange keineswegs, daß wir sie aus den Schiffen entfernen ...« *Schließlich sagten Sie ja, daß wir langsam beginnen wollen, nicht wahr, Bürger Vorsitzender,* dachte sie und fuhr laut fort: »... und ich verlange auch nicht, daß sie nicht mehr die direkten Repräsentanten des Komitees sein sollen. Doch so ideologisch gefestigt sie auch sein mögen, sind nicht alle in der Lage, die militärischen

Vorzüge von Schlachtplänen und Befehlsformulierungen zu beurteilen. Und um ganz ehrlich zu sein, gibt es darunter etliche, die einen persönlichen Groll befriedigen wollen, der überhaupt nichts mit operativen Tatsachen zu tun hat. Ich schlage lediglich vor, daß die Volkskommissare sich von nun an darauf beschränken, die Weisungen des Komitees weiterzugeben und die allgemeine politische Anschauung der Einheiten zu überwachen, denen sie zugeteilt sind, ohne daß sie Operationspläne oder Befehle gegenzeichnen müssen. Kommt es zwischen einem Volkskommissar und einem Flaggoffizier zu Meinungsverschiedenheiten, so sollten diese unter allen Umständen einer vorgesetzten Stelle gemeldet werden, aber bis dort eine Entscheidung getroffen wird, sollten sich die ausgebildeten Berufssoldaten um die operativen Angelegenheiten kümmern. Ein Admiral nämlich, der weiß, daß sich sein Volkskommissar beim Admiralstab, der Systemsicherheit und dem Komitee beschwert ...« – sie lächelte schmal –, »wird es sich sehr genau überlegen, bevor er ein zu großes Risiko eingeht.«

»Ich weiß nicht recht ...« Pierre massierte sich das Kinn und sah Saint-Just an. »Oscar?«

»Ich kann nicht behaupten, daß mir die Idee gefällt«, gestand Saint-Just offen. »Aber wir haben die Bürgerin Admiral – Esther – schließlich ins Komitee berufen, weil wir meinten, daß uns der Rat eines Berufsoffiziers fehlte. Unter den gegebenen Umständen bin ich jedoch auch nicht bereit, einen Vorschlag, der mir nicht gefällt, kurzerhand abzulehnen, ohne ihn vorher sorgfältig überdacht zu haben.«

»Das klingt fair genug«, meinte Pierre. »Und was ist mit den anderen Empfehlungen?«

»Die klingen durchaus vernünftig«, sagte Saint-Just.

»Sehen Sie, ich bin mir selbst noch nicht schlüssig, wie wir in der Frage der kollektiven Verantwortung verfahren sollen. Zwar muß ich zugeben, daß der Nutzen dieser Maßnahme immer geringer ausfällt, in anderen Fällen ist sie meines Erachtens jedoch nach wie vor sinnvoll. Sorge bereitet mir etwas anderes: Wenn wir offiziell zugäben, diese Politik jemals verfolgt zu haben – was könnte die manticoranische Propaganda daraus machen? Wie aber könnten wir die momentane Politik abschaffen, ohne dies eigens bekanntzugeben? Wenn wir darauf eine Antwort finden, könnten wir den möglichen propagandistischen Schaden abwenden. Die Neuigkeit, daß wir einfach damit aufgehört haben, würde sich beim Militär gewiß rasch herumsprechen.«

»Das ist ganz offensichtlich eine politische Entscheidung«, entgegnete McQueen, die eine Gelegenheit erkannte, ein wenig zurückzuweichen und zugänglich zu erscheinen. »Vom militärischen Standpunkt aus betrachtet wäre eine offizielle Verlautbarung gewiß sehr von Vorteil, denn das wäre ein Signal, daß diese Angelegenheit ein für allemal vom Tisch ist. Eine offizielle Erklärung würde jede verbleibende Verunsicherung über unsere weiteren Absichten sehr viel früher aufheben. Andererseits könnten feindliche Propagandisten sehr wohl Kapital aus einer Verlautbarung schlagen, das sehe ich ein. Vielleicht sollte Committeewoman Ransom dazu befragt werden.«

»Das wird die nächsten ein, zwei Monate nicht möglich sein«, antwortete Pierre. »Cordelia befindet sich auf dem Weg nach Barnett.«

»Ach wirklich?« McQueen war plötzlich ganz Ohr. Sie war Thomas Theisman bereits begegnet und respektierte seine militärischen Leistungen, wenngleich sie ihn nicht besonders gut kannte. In politischer Hinsicht war er ihr stets allzu puritanisch vorgekommen. Ihrer Meinung nach verfügte kein Offizier über genügend Autorität, um die entscheidenden Punkte eines Krieges zu beeinflussen, wenn er oder sie nicht genügend politischen Einfluß besaß. Unter den Legislaturisten waren Familienbeziehungen vonnöten gewesen oder Gefallen, die man einfordern konnte; unter dem neuen Regime existierten ... direktere Wege. Theisman hatte unter beiden Regimes nie versucht, sich solche Mittel anzueignen. Dennoch hoffte McQueen, Ransoms Besuch im Barnett-System bedeutete nicht, daß demnächst auch Theisman ›verschwinden würde‹. Die Flotte hatte jeden Offizier, der seine Leute motivieren konnte, bitter nötig, und brauchte Theisman auf seinem derzeitigen Posten, wenn das Barnett-System so lange gehalten werden sollte, daß der Einsatz sich lohnte.

»Ja, wirklich«, bestätigte Pierre und grinste angespannt. »Und ich darf hinzufügen, daß es nicht schlecht ist, sie für ein paar Wochen aus dem Weg zu haben. Sie haben gewiß schon bemerkt, daß die Volksflotte nicht gerade Cordelias Lieblingsinstitution ist?«

»Ich fürchte, ja«, antwortete McQueen bedächtig und unbestimmt.

»Nun, ich rechne damit, daß sie einen Wutanfall bekommt, wenn sie von Ihren Vorschlägen erfährt«, entgegnete Pierre nachdenklich, »aber wir benötigen dazu die Unterstützung der Öffentlichen Information, nicht nur ihre Duldung. Das heißt, wir müssen Cordelia irgendwie auf unsere Seite ziehen.«

»Sie wollen also meine Empfehlungen unterstützen?« erkundigte McQueen sich vorsichtig, und Pierre grinste erneut.

»Ich bin mir nicht sicher, ob ich allem vorbehaltlos zustimme«, gestand er, »aber ich halte diese Stabsgruppe, die Sie vorgeschlagen haben, für eine ausgezeichnete Idee. Sie und Oscar sollten jeweils eine Hälfte der Angehörigen ernennen. Doch selbst wenn diese Arbeitsgruppe jeden einzelnen Ihrer Vorschläge unterschreibt, werde nicht ich derjenige sein, der sie unterstützt, sondern *Sie* – Bürgerin Kriegsminister.«

»Kri. . .?« McQueen gelang es, sich zu unterbrechen, bevor sie den Amtstitel wiederholte wie eine Idiotin, und Pierre nickte bestätigend.

»Bürger Minister Kline ist eins der Komiteemitglieder, dessen Loyalität Oscar und mir zweifelhaft erscheint«, gab er zu. »In Anbetracht der Lage können wir fortan wohl auf seine Dienste verzichten, und wenn Sie es mit Cordelia aufnehmen wollen, dann müssen Sie eine entsprechende Stellung bekleiden.« Als McQueen verstehend nickte und ihre grünen Augen aller Selbstbeherrschung zum Trotze aufleuchteten, verdüsterte sich Pierres Gesicht. »Gleichzeitig sollten Sie bedenken, Bürgerin Minister, daß Ihre Ernennung einstweiligen Charakter besitzt«, fügte er in kühlerem Ton hinzu. Wieder bekundete McQueen ihr Einverständnis.

Natürlich war die Ernennung einstweilig, anders konnte es nicht sein. Keinesfalls würde man McQueen vorbehaltlos trauen, bevor man sich überzeugt hätte, daß sie hinreichend zahm war. Sollten sie doch ruhig. Selbst mit einstweiliger Ernennung konnte sie der Flotte einige Schwierigkeiten aus dem Weg räumen, und wenn Rob Pierre gern mit ihr Löwenbändiger spielen wollte, dann war ihr das nur recht.

Sollen er und Saint-Just doch zu dem Schluß kommen, daß ich ein nettes, zahmes Mädchen bin, dachte sie, während sie den Vorsitzenden des Komitees für Öffentliche Sicherheit breit, aber nüchtern anlächelte.

Wie viele Löwenbändiger sind denn schon einem wilden *Löwen so nahe gekommen, daß er sie schlagen und fressen konnte?*

7

»Guten Morgen, Mylady.«

Als Honor in Begleitung von Andrew LaFollet aus dem Flaggbrückenlift stieg, wandte sich Andreas Venizelos ihr zu und begrüßte sie lächelnd. Obwohl der Stabschef sie noch aus den Tagen kannte, da sie einfach Commander Harrington gewesen war und weder Ritterwürde noch Adelstitel besessen hatte, akzeptierte er die Anwesenheit ihrer Waffenträger ohne Wenn und Aber. Zu Honors Freude waren er und LaFollet sogar auf dem besten Wege, sich anzufreunden.

Auf ihrer Schulter saß Nimitz in seiner gewohnten, halb stehenden Ruhehaltung. Wie Honors graysonitische Westen bestanden auch ihre Uniformjacken aus hochgradig widerstandsfähigem Gewebe, von dem selbst das Geschoß eines leichten Pulsers abprallte. Sie trug dieses Material nicht, weil sie befürchtete, auf ihrer Flaggbrücke könnten Attentäter lauern, sondern weil Nimitz' Krallen die besondere Festigkeit des Gewebes erforderten. Mit den Echtpfoten pflegte er sich auf der Höhe ihres Schulterblatts und mit den Handpfoten auf der Schulter festzuklammern, während er wachen und neugierigen Blickes in die Runde schaute. Seine Krallen waren wie Krummsäbel gebogen, aber noch schärfer und hätten jedes weichere Material in Fetzen geschnitten. Auf der Jacke hinterließen sie nicht einmal Stichmale. *Was auch gut so ist,* dachte Honor und grinste, als sie sich ausmalte, wie MacGuiness wohl auf eine solche Verunstaltung ihrer Uniform reagiert hätte.

Nimitz fing ihre Belustigung auf und lachte bliekend; als er das Bild aus ihren Gedanken las, schlug er fröhlich mit der Spitze seines beweglichen Schweifs. Wie Honor war auch der 'Kater in den letzten Tagen aufgelebt. In ihrem Fall lag es an dem Abstand, den sie zu dem beunruhigenden Mysterium gewonnen hatte, das der Earl von White Haven für sie darstellte, und dies war wohl auch der Grund für Nimitz' bessere Stimmung. Zwar geisterte noch ein schwaches Echo durch ihre Empfindungen – das Gefühl, etwas sei nicht ganz in Ordnung –, aber im großen und ganzen hatte die Rückkehr in eine vertraute Umgebung ihr das innere Gleichgewicht zurückgegeben und ihre unbegreiflichen Gefühlsaufwallungen gemildert. Nun warteten endlich wieder neue und handhabbare Aufgaben auf sie. Weder Nimitz noch Honor war so töricht anzunehmen, damit sei das Problem ein für allemal gelöst, doch im Gegensatz zu ihr hatte es der Baumkater nie eilig, sich um Probleme zu kümmern, die ihn nicht unmittelbar bedrängten.

»Guten Morgen, Andy.« Honor nickte ihrem Stabschef zu und ging zu ihrem bequemen Kommandosessel. Sie nahm darauf Platz und strich mit den Fingern sachte über die Tasten. Die Flachschirme und Holodisplays ringsum erwachten flackernd zum Leben. Verschiedene Darstellungen präsentierten ihr umfassend den Status ihres Geschwaders – oder wenigstens den der Kreuzer, die zur Zeit vorhanden waren. Sie war zufrieden. Viel zu sehen gab es nicht, denn all ihre Schiffe befanden sich momentan in der Parkumlaufbahn um Grayson. Trotzdem lehnte sie sich zurück und betrachtete für eine Weile den Verkehr der kleinen Raumfahrzeuge, die auf den Planeten zusteuerten oder von einem Schiff zum anderen pendelten. Ihr Kommando leben und atmen zu sehen hatte beinahe etwas sinnlich Befriedigendes an sich. Auf sonderbare Weise war es diesmal sogar befriedigender als damals, als man ihr das 1. Schlachtgeschwader der GSN gegeben hatte – den Befehl über ganze sechs Superdreadnoughts. Ein einziges dieser gewaltigen Schiffe maßte mehr als dreimal so viel wie ihr gesamtes jetziges Geschwader, und hier lag wohl auch der Unterschied: Die Superdreadnoughts waren gewaltig gewesen und hatten eine gravitätische Macht und Majestät besessen, die einem leichtfüßigen Kreuzergeschwader völlig abging, das nämlich dazu ausersehen war, flexibel reagieren zu können.

Vermutlich bekomme ich nie wieder ein besseres Geschwader, begriff Honor plötzlich; *außer, ich habe das unverschämte Glück, auch noch ein Schlachtkreuzergeschwader zu kommandieren.* Schwere Kreuzer waren kampfstarke Schiffe, zu wertvoll, um sie auf zweitrangige Aufgaben zu vergeuden; zugleich waren sie jedoch klein genug und standen einem Kommandeur zumeist in ausreichender Zahl zur Verfügung, daß er den Verlust eines Schlachtkreuzers durchaus riskieren und das Geschwader hart rannehmen konnte. Für Geschwader wie das ihre gab es immer etwas zu tun, und wer es kommandierte, genoß ein Maß an Freiheit und Unabhängigkeit von übergeordneten Befehlsstellen, wie kein Wallschiff sie jemals kennenlernte. Großkampfschiffe blieben an strategisch lebenswichtigen Punkten massiert, aber Kreuzer waren nicht nur die Augen und Ohren einer Flotte, sondern auch ihre Fingerspitzen. Man stellte eher Kreuzer für unabhängige Operationen ab als alles andere, und Honor freute sich schon darauf, *ihre* Schiffe zu einer zusammenhängenden Streitmacht zusammenzuschmieden, die sie mit gleicher Selbstverständlichkeit und Eleganz führen konnte wie ihr Schwert von Harrington.

Sie mußte über sich selbst lächeln. Mit dem Sessel fuhr sie herum und wandte den Displays den Rücken zu, um ihren Stab zu betrachten. Für die regelmäßige Morgenbesprechung war sie eine halbe Stunde zu früh dran, und die meisten ihrer Offiziere waren mit Routineaufgaben beschäftigt oder stellten die letzten Daten zusammen, die sie auf anberaumten Besprechungen präsentieren würden.

Wie die Schiffe des Geschwaders spiegelte auch ihr Stab die gemischte Natur der 8. Flotte wider, zu der sie gehören würden. Anders als im Falle des 1. Schlachtgeschwaders hatte Honor diesmal jeden einzelnen Angehörigen des Teams ausgewählt, entweder auf Grundlage der persönlichen Bekanntschaft oder auf Anraten von Commodore Justin Ackroyd, dem gegenwärtigen Leiter des Amts für Personalfragen der GSN.

Venizelos kannte sie natürlich sehr gut, und ihr Blick haftete mit sorgsam verhohlener Zuneigung auf ihm, als er sich über Lieutenant Commander McGinleys Schulter beugte, um mit dem weiblichen Operationsoffizier über die Daten auf dem Display zu diskutieren. Honor hörte ihn leise, aber präzise murmeln und mußte wieder lächeln, als sie sich an den verschlossenen, beinahe verzweifelt distanzierten Lieutenant dachte, den sie vor so vielen Jahren mit nach Basilisk Station genommen hatte. Seitdem hatte er sich sehr verändert, war jedoch so graziös und gutaussehend geblieben wie damals. Unter der generell kleinwüchsigen Bevölkerung Graysons bedeutete seine geringe Körpergröße kein Problem. Wahrscheinlich wünschte er sich manchmal, größer zu sein. Angesichts der Tatsache, daß auf Grayson dreimal so viele Frauen zur Welt kamen wie Männer, waren die Frauen – auf ihre ganz eigene, sehr unauffällige Weise – erheblich aggressiver als im Sternenkönigreich, und nach allem, was Honor von MacGuiness erfahren hatte, mußte sich Venizelos manchmal die schönen Töchter Graysons mit einem Knüppel von Leib halten.

Honor unterdrückte ein unangemessenes Auflachen und wandte ihre Aufmerksamkeit dem Operationsoffizier zu. Wie Venizelos stammte auch Marcia McGinley von Manticore, doch anders als er oder Honor trug sie graysonitische Uniform. Der braunhaarige, grauäugige weibliche Lieutenant Commander mit dem gepflegten Äußeren war noch keine siebenunddreißig, aber wie viele andere manticoranische ›Ausgeliehene‹ im Dienst der GSN (einschließlich einer gewissen Honor Harrington) war sie in ihrer neuen Navy rasch die Rangleiter hinaufgeklettert. Außerdem war sie laut Commodore Ackroyd sehr gut in ihrem Job. Aus diesem Grunde hatte der Commodore McGinley persönlich aus drei möglichen Kandidaten ausgesucht, um mit ihr den Posten von Honors Operationsoffizier zu besetzen. Nach allem, was Honor bisher wußte, hatte er mit seiner Einschätzung richtig gelegen, und es sah ganz so aus, als würden bei diesem Operationsoffizier auch nach Dienstschluß noch die Funken fliegen.

Commander Howard Latham, Honors Signaloffizier, war der älteste graysonitische Stabsangehörige, und er war (für einen Grayson) zu alt für seinen Rang – ebenso wie McGinley (für eine Manticoranerin) zu jung war für den ihren. Nicht etwa, daß seine Dienstakte schwarze Flecke aufgewiesen hätte; sein relativ niedriger Dienstgrad war vielmehr die Folge schwerer Verletzungen, die er sich bei einem Shuttleunfall sechs Jahre vor Graysons Beitritt zur Allianz zugezogen hatte. Vor dem Allianzbeitritt hatte der medizinische Kenntnisstand auf Grayson nicht ausgereicht, um zu verhindern, daß der Unfall eine vielversprechende Karriere vorzeitig beendete. Nachdem Grayson jedoch den Beitrittsvertrag unterzeichnet hatte, konnte man mit moderner Medizin eine nachträgliche Behandlung beginnen und Lathams ›unheilbar gelähmten‹ Beine weitgehend wiederherstellen.

Selbst manticoranischen Ärzten war eine komplette Heilung nicht möglich gewesen – vor allem deswegen, weil der Unfall schon so weit zurücklag. Um tatsächlich alles in Ordnung zu bringen, hätten die Ärzte ihm die Beine ein zweites Mal völlig zerstören und die Regeneration von Grund auf neu beginnen müssen; Latham war jedoch ein zu wertvoller Offizier, um ihn zwei weitere Jahre im Krankenhaus verbringen zu lassen. Tiefe Linien umrahmten seinen Mund und kündeten von den Schmerzen, die er zu erdulden gehabt hatte, und er bewegte sich sehr steif; doch selbst nachdem er als Invalide die GSN verlassen mußte, hatte er weiterhin für die Navy gearbeitet: als Zivilberater im Rollstuhl. Nach seiner Rückkehr in den aktiven Dienst war er zwei Jahre lang an einem Gemeinschaftsprojekt mit der RMN beteiligt gewesen, um die überlichtschnelle Signalanlage der Alliierten auf Geschwaderebene taktisch und operativ in die vorhandenen Kapazitäten systematisch einzubinden und die bestehenden improvisierten Lösungen zu ersetzen. Die gegenwärtige Verwendung war mit Sicherheit Lathams letzte Station vor seinem ersten Kommando über ein Sternenschiff. Ob er sich dessen bewußt war, konnte Honor nicht sagen, sie war jedenfalls froh, daß dieser fähige Mann zu ihrem Stab gehörte.

Mit fünfundfünfzig Jahren war der Lieutenant (Senior-Grade) George LeMoyne, Honors Logistik- und Versorgungsoffizier, der älteste Stabsangehörige, doch jeder, der vielleicht glaubte, sein untergeordneter Rang sei das Zeichen mangelnder Kompetenz oder Leistungsbereitschaft, hätte sich schwer geirrt. Gleich nach Abschluß der High-School war LeMoyne in die Royal Manticoran Navy eingetreten (nach seiner Aussage aufgrund einer verlorenen Wette). Obwohl er zunächst zum Steuermann für Beiboote ausgebildet wurde, versetzte man ihn bald zum Bureau für Schiffe und teilte ihn dem Logistikamt von BuShips zu. Dort war er trotz seines Mangels an formeller Bildung allein aufgrund seiner Fähigkeiten rasch aufgestiegen. Zwei Jahre vor Kriegsausbruch hatte LeMoyne den Rang eines Master Chiefs erreicht und das Gegenstück zu drei Universitätsdiplomen erworben. Folglich war ihm von BuPers das Offizierspatent angeboten worden. Nach seiner Beförderung zum Ensign diente er im Verbindungsstab des Logistikamts zu Grayson, und seine Leistungen dort hatten das Vertrauen, das BuPers in ihn gesetzt hatte, mehr als gerechtfertigt. Honor wußte, daß sie ihn nur etwa ein Jahr lang zur Verfügung hätte, dann würde man LeMoyne zum Lieutenant Commander befördern und auf eine der drei großen Flottenwerften im manticoranischen Heimatsystem versetzen.

Lieutenant Commander Anson Lethridge, Honors Astrogator, war als einziger Angehöriger ihres Stabes weder Manticoraner noch Grayson. Lethridge stammte aus der Republik Erewhon und war Offizier der Erewhonischen Navy, ein Mann mit dunklen Haaren und Augen. Lethridge war stämmig, kräftig gebaut und einer der häßlichsten Menschen, die Honor jemals zu Gesicht bekommen hatte. Schroffe Züge, eine schwere, breite Stirn, breite Schultern und lange Arme verliehen ihm ein grobschlächtiges, fast viehisches Erscheinungsbild, das im krassen Widerspruch zu seinem wachen Verstand und seiner schier unerschöpflichen Energie stand. Honor wunderte sich, daß er niemals Bioskulptur in Anspruch genommen hatte, denn ganz offensichtlich war er empfindlich, was sein Aussehen anging. Man merkte dies daran, daß er ständig Witze über sein Äußeres riß. Viele davon waren tatsächlich komisch, doch alle wiesen sie einen bitteren, beißenden Unterton auf. Honor bezweifelte allerdings, daß die anderen Stabsoffiziere dies genauso eindeutig bemerkten wie sie. Schließlich hatte sie zwanzig oder dreißig T-Jahre unter der Überzeugung gelitten, sie sei ebenfalls häßlich, und deshalb empfand sie für den Erewhoner ein geradezu leidenschaftliches Mitgefühl. Welche Probleme Lethridge auch hatte, als Astrogator zählte er zu den besten seines Faches und erfaßte Kurse und Reisezeiten mit einer eleganten Leichtigkeit, um die Honor ihn nur beneiden konnte.

Sie betrachtete ihn, wie er vor seinem Display die Vektoränderungen verfolgte, während er mit den Eingabewerten und Variablen spielte. Merkwürdig, dachte sie, wie oft die äußere Erscheinung täuschen kann. Unter allen Offizieren ihres Stabes war der grobschlächtige Astrogator mit an Sicherheit grenzender Wahrscheinlichkeit der sanftmütigste – obwohl er sich sehr anstrengte, diese Tatsache zu verbergen.

Das Zischen, mit dem sich die Lifttüren öffneten, lenkte Honor von Lethridge ab. Als der leitende Sanitätsoffizier des Geschwaders auf die Flaggbrücke trat, lächelte sie voller Zuneigung. Surgeon Commander Fritz Montaya war der Schiffsarzt der *Alvarez* und gehörte strenggenommen nicht ihrem Stab an, doch hatte sie ihn eigens für die Verwendung auf der *Alvarez* angefordert und ließ ihn an den Stabsbesprechungen teilnehmen.

Eigentlich hätte ein Arzt mit seiner Erfahrung und seinem Können im Sternenkönigreich zum leitenden Personal eines der großen Flottenhospitäler gehören oder auf einem der fürstlich ausgestatteten Lazarettschiffe dienen sollen, die zu den Beischiffen der Flotte zählten. Einige Flaggoffiziere hatten sich vielleicht gewundert, wieso Montaya nicht auf einem dieser sicheren Druckposten saß, und gezögert, ihn in ihr Geschwader zu holen, um nicht im Nachhinein feststellen zu müssen, daß es einen triftigen Grund gab, warum niemand anders ihn hatte haben wollen. Honor kannte Montaya nun schon seit über zwölf T-Jahren ... und wußte, daß er sich, seitdem sie das letzte Mal zusammen gedient hatten, eifrig und systematisch bemühte, die Beförderung zum Captain zu vermeiden, denn dieser Rang hätte für ihn jede Verwendung als Schiffsarzt endgültig unmöglich gemacht und ihm einen Posten an einem Basishospital oder auf einem Lazarettschiff eingehandelt. Honor bezweifelte, daß seine Abwehr des vierten Ärmelstreifens noch lange erfolgreich bleiben konnte. Aber jetzt hatte sie ihn sich erst einmal gegriffen und beabsichtigte nicht, ihn so schnell wieder gehen zu lassen – ganz egal, was BuPers davon hielt. Fritz Montaya war einer der besten Ärzte der Flotte (was Honor aus schmerzhafter persönlicher Erfahrung bestätigen konnte), und zwischen ihm und ihr bestand ein Band der Freundschaft. Sein Offizierspatent war auf den Sanitätsdienst beschränkt, und gerade weil er außerhalb der normalen Hierarchie stand, besaß er eine gewisse distanzierte Perspektive, die zu berücksichtigen sich schon in der Vergangenheit als sehr nützlich erwiesen hatte.

Der extrem junge Lieutenant Commander, der Montaya auf die Brücke begleitete, war der letzte manticoranische Angehörige von Honors Stab. Der schmale dritte Ärmelstreifen an seiner Uniform war so neu, daß er vermutlich noch knisterte. Honor kannte Scotty Tremaine, seit er ein Ensign gewesen war. Trotz ihrer tiefverwurzelten Abneigung gegenüber allem, was Protektion auch nur im entferntesten ähnelte, hatte sie stets mit einem aufmerksamen Auge über seine Laufbahn gewacht. Das betrachtete sie als Schuldbegleichung gegenüber der Navy – für Offiziere wie ihren ersten Kommandanten oder Admiral Courvosier, die über ihre Karriere eine schützende Hand gehalten hatten. Hinter Tremaines unbekümmerter Fassade verbarg sich ein überaus befähigter Geistesarbeiter, und deshalb war Honor sehr froh, ihn als Elektronikoffizier beim Stabe bekommen zu haben. Ihm persönlich widerstrebte die neue Aufgabe ein wenig – nicht der Dienst in ihrem Stab, sondern die Position. Tremaine war zuallererst ein Beibootspezialist, der sich zum Hangar- oder Flugleitungsoffizier eines LAC-Geschwaders berufen fühlte. Dort war ihm am behaglichsten, und er hätte es vorgezogen, dabei zu bleiben – und genau deswegen hatte Honor ihn für die neue Verwendung angefordert. Tremaine würde es guttun, sich ein wenig auf Neues einzustellen und sich mit Dingen zu beschäftigen, die jenseits seiner geliebten Beiboote lagen. Die Erfahrung würde ihm auf der Leiter nach oben weiterhelfen, und seine rasche Auffassungsgabe würde entscheidend dazu beitragen, daß er – und Honor – die Rahmenbedingungen seiner Position eindeutig formulieren konnten.

Sie waren nicht die einzigen RMN-Offiziere, die sich mit diesem besonderen Problem auseinanderzusetzen hatten. Und Honor wußte genau, daß einige dem Konzept mit einer ablehnenden Grundhaltung gegenüberstanden. Dafür hatte sie zwar Verständnis, die Bedenken aber wies sie zurück – und das nicht nur, weil sie sich ebensosehr als eine Grayson fühlte wie als Manticoranerin. Von allein hätte die RMN nie erwogen, eine Position auf Stabsebene für einen Offizier einzurichten, der allein für die Systeme zur Elektronischen Kampfführung eines Geschwaders oder Kampfverbands verantwortlich war. Diese Aufgabe hatte bei der RMN wie bei den meisten anderen Flotten immer zum Ressort des Operationsoffiziers gehört.

Nur die Graysons hatten sich wie üblich wenig ums Überlieferte geschert und die Funktion vor weniger als einem T-Jahr aufgeteilt. Dadurch war sie Honor so neu wie jedem anderen RMN-Offizier, doch sowohl das Amt für Personalwesen als auch Commodore Restons Doktrin- und Taktikstab hatten sehr viel Gedankenarbeit investiert, bevor sie handelten. Nachdem Honor das Jelzin-System verlassen hatte und wieder in manticoranischen Dienst zurückkehrte, ersuchte man sie, über die Einrichtung einer Stabsstelle für Elektronikoffiziere nachzudenken. Deshalb hatte sie gegenüber ihren manticoranischen Kameraden einen gewissen Gedankenvorsprung besessen; letztere lästerten noch über diese neumodischen Spinnereien unerfahrener Amateure, die von funktionierenden Arrangements besser die Finger gelassen hätten. Nach Honors Erfahrung war diese Reaktion typisch für Leute, die sich an die Tradition um ihrer selbst klammerten. Für sie war das bereits Grund genug, dem neuen Konzept eine Chance zu geben, und wie erstaunlich viele häretische Ideen der GSN schien es sich in der Praxis zu bewähren – ein Urteil, das sich auch Scotty Tremaine noch erschließen würde, wenn er sich erst in seine neue Aufgabe eingearbeitet hatte.

Sie beobachtete Tremaine, der auf den zweitjüngsten Angehörigen des Stabes zutrat. Lieutenant (Senior-Grade) Jasper Mayhew, der Nachrichtenoffizier, war erst achtundzwanzig T-Jahre alt und ein entfernter Verwandter von Protector Benjamin. Er hatte das gleiche dichte kastanienbraune Haar wie Andrew LaFollet und himmelblaue Augen. Trotz seiner außerordentlichen Jugend wußte Honor, daß sie sich auf ihn verlassen konnte, denn er war von Captain Gregory Paxton ausgebildet worden, der beim 1. Schlachtgeschwader ihr Nachrichtenoffizier gewesen war. Außerdem arbeiteten er und Scotty bereits jetzt so reibungslos zusammen, als wären sie alte Kameraden, und so wenig Honor geneigt gewesen wäre, es zuzugeben (zumindest solange Tremaine in Hörweite stand), gab sie sehr viel auf das Urteil des Elektronikoffiziers.

Bei der heutigen Besprechung fehlte nur Lieutenant Commander Michael Vorland, der Stabskaplan. Vorland zeichnete sich durch eine persönliche Marotte aus: Der kleinwüchsige, adrette Mann mit den sanften braunen Augen und dem schütteren sandfarbenen Haar trug tatsächlich eine antiquierte, drahtgefaßte Brille und weigerte sich schon seit dem Beitritt Graysons zur Manticoranischen Allianz standhaft, an seinen Augen eine Korrekturoperation vornehmen zu lassen. Die Gläser waren allerdings nicht sehr dick, und Honor vermutete, daß seine Weigerung, sie aufzugeben, weniger auf altmodischen Vorurteilen beruhte als vielmehr auf dem Wunsch, etwas zu bewahren, was im Laufe der Jahre zu einem Teil seiner ›Berufskleidung‹ geworden war. Niemand hätte einen sanfteren Eindruck erwecken können, doch seine unscheinbare Gestalt täuschte über seine beträchtliche Körperkraft hinweg, und wenn es sein mußte, verstand sich Vorland darauf, erstaunlich starken moralischen Druck auszustrahlen.

Ganz offensichtlich wußte der Stabskaplan, daß die Manticoraner sich in seiner Gegenwart ein wenig unbehaglich fühlten. Die RMN beschäftigte keine offiziellen Seelsorger, und so war es nicht verwunderlich, gewesen, daß die Manticoraner sich erst an diesen Gedanken gewöhnen mußten. Die Grayson Space Navy war niemals ohne Kapläne gewesen, und auch der skeptischste Manticoraner mußte einräumen, daß ein gemischtes Geschwader geistigen Beistand benötigte. Honor hätte es aus tiefstem Herzen vorgezogen, Abraham Jackson dabeizuhaben, den Kaplan des 1. Schlachtgeschwaders, doch Jackson war vom aktiven Dienst befreit und Reverend Sullivans engstem Kreis zugeteilt worden. Obwohl sich Vorland sehr von Jackson unterschied, nahm Honor an ihm die gleiche aufgeschlossene, flexible geistige Kraft wahr, die sie auch bei ihrem alten Stabskaplan schätzen gelernt hatte. Im Augenblick befand sich Vorland irgendwo auf dem Gut von Mackenzie anstatt an Bord der *Alvarez*, doch Honor konnte ihm seine Abwesenheit kaum verübeln. Sein einziger Sohn heiratete heute seine dritte Frau, und Vorland traute die beiden persönlich.

Langsam massierte sich Honor die Nasenspitze, während sie die Stärken – und gelegentlichen Schwächen – überdachte, die sich bei ihren neuen

Stabsoffizieren bereits bemerkbar machten. Selbst diejenigen, mit denen sie bereits gedient hatte, übten hier neue Funktionen aus, und aus ihren neuen Pflichten erwuchs auch ein anderes Verhältnis zu Honor. Bislang waren die Überraschungen zumeist erfreulicher Natur gewesen, und ...

Hinter ihr ertönte ein Geräusch – ein leises Gleiten, gefolgt von einem lauten Platschen, als etwas Flexibles aufs Deck klatschte. Sie wandte gerade noch rechtzeitig den Kopf, um einen breitschultrigen jungen Mann hektisch nach dem Armvoll Ausdruckhefter greifen zu sehen, die ihm soeben heruntergefallen waren. Einen hatte er noch schnappen können, aber die anderen waren seinen Fangbewegungen entgangen wie aufs Ausweichen programmierte Raketen. Mit bemerkenswertem Lärm landeten die restlichen Hefter auf dem Deck, und Honor mußte die Lippen fest zusammenpressen, um nicht breit zu grinsen, als das Gesicht des jungen Mannes die Farbe von roter Beete annahm.

Die Röte zeigte sich in seinem Gesicht überdeutlich, denn Ensign Carson Clinkscales, Honors Flaggleutnant, stand unter dem Fluch des hellen, sommersprossigen Teints, der mit dunkelrotem Haar und grünen Augen einhergeht. Für einen Grayson war er außerordentlich groß – mit hundertneunzig Zentimetern überragte er sogar Honor, was nur sehr wenige Graysons von sich behaupten durften –, doch er war erst einundzwanzig T-Jahre alt. Niemals schien er zu wissen, wohin mit seinen Händen und Füßen, dafür war er sich Honors Ruf und Rang nur allzu bewußt – und das verschlimmerte seine ausgeprägte, welpenhafte Unbeholfenheit noch. In mancherlei Hinsicht erinnerte er Honor an den jungen Aubrey Wanderman, einen Gravtechniker auf ihrem letzten Schiff, der unter Unerfahrenheit und einer Überdosis Heldenverehrung gelitten hatte. Nur hatte Wanderman sich in professioneller Hinsicht keinen einzigen Fehler geleistet, während Clinkscales …

Honor hatte kaum einen Jungoffizier kennengelernt, der sich mehr Mühe gab oder sich gewissenhafter seinen Pflichten widmete; aber Clinkscales nutzte jede – *jede* – Möglichkeit, eine Tolpatschigkeit zu begehen, mit einer Unausweichlichkeit, die Honor geradezu erstaunlich anmutete. Sie hoffte inständig, daß er seinen Hang zu Katastrophen bald überwinden würde, denn sie mochte ihn sehr – mehr, als sie ihm zu verstehen geben wollte. Indem sie ihn als Flaggleutnant akzeptierte, hatte sie eine ihrer eigenen eisernen Regeln gebeugt. Sie war fest entschlossen, nicht einmal die Andeutung eines Verdachts aufkommen zu lassen, daß Howard Clinkscales' Neffe bei ihr in irgendeiner Weise eine bevorzugte Stellung genieße. Wenn sie dem Jungen gegenüber gerecht sein wollte, so mußte sie zugeben, daß er das Zeug zu einem guten Offizier hatte; nur sein persönliches Pech würde er noch in den Griff bekommen müssen. Auch wenn er körperlich das absolute Gegenteil von Jared Sutton war, ihrem letzten Flaggleutnant, so erinnerte sie seine anhaltende Schüchternheit und seine Entschlossenheit, alles richtig zu machen, doch sehr an Jared. Honor konnte einfach nicht vergessen, wie der junge Sutton gestorben war, und jedesmal, wenn sie Clinkscales gedankenverloren betrachtete, schien sich Suttons Gesicht vor das des jungen Mannes schieben zu wollen.

Doch heute schwebten keine Geister auf der Flaggbrücke, und Honor hörte Venizelos neben sich glucksend lachen – weder verstohlen noch unfreundlich –, als sich der Ensign hinhockte, um ungeschickt die Hefter aufzuraffen. Der Stabschef ging näher, kniete nieder, um einen verirrten Hefter unter einer Konsole hervorzuziehen, und reichte ihn dem Subalternoffizier.

»Nur keine Hast, mein Junge«, hörte Honor Venizelos sagen, obwohl der Commander seine Stimme gesenkt hatte, damit möglichst nur Clinkscales ihn verstehen konnte. »Sie hätten erst mal mein erstes Desaster auf der Brücke eines Sternenschiffs sehen sollen. Sie lassen nur Hefter fallen; mir ist eine Tasse Kaffee aus der Hand gerutscht – mit Milch und zwo Stücken Zucker –, und zwar genau in den Schoß des Eins-O!«

Clinkscales starrte ihn ungläubig an und grinste schließlich. Dankbar nickte er, und Honor sah zur Seite. Der Ensign hatte offenbar erwartet, daß man ihn für seinen Fehler skalpierte, und zweifellos gab es Vorgesetzte, denen dergleichen zuzutrauen gewesen wäre. Aber nicht in meinem Stab, dachte sie und atmete zufrieden tief durch, denn die kleinen Dinge waren es meist, an denen sich der Zusammenhalt und die Qualität eines Teams zeigte.

»Jawohl, Sir. Entschuldigen Sie, Sir«, sagte Clinkscales ruhig zu Venizelos. »Ich habe die Unterlagen für Lieutenant Mayhew aus der Operationszentrale geholt, weil er sie vor der Morgenbesprechung verteilen wollte, und nun ... na, ja ...« Er verstummte und blickte auf den Hefterstapel. Einige Hefter hatten sich gelöst, und Seiten rutschten heraus, um sich zu einem immer größer werdenden Haufen zu sammeln. Venizelos drückte dem Jungen mit der rechten Hand die Schulter. Mit der Linken winkte er Mayhew herbei, und dabei grinste er beruhigend.

»Wir haben immer noch zwanzig Minuten, Carson. Das reicht, um alles wieder zu ordnen – aber Sie sollten gleich damit anfangen.«

»Jawohl, Sir. Sofort, Sir.«

Der Nachrichtenoffizier trat herbei und half dem Ensign, die durcheinandergeratenen Hefter zu seiner Konsole zu schleppen.

Venizelos blickte ihnen nach und nickte drei Schreibersmaaten zu, welche daraufhin den beiden Offizieren folgten und ihnen zur Hand gingen. Schließlich drehte er sich zu Honor um und blinzelte ihr zu, dann ging er langsam wieder an seine Konsole.

Jawohl, die Chemie stimmt, dachte Honor und belauschte, wie Clinkscales von Mayhew zurechtgestutzt wurde. Durch seinen verhältnismäßig niedrigen Dienstgrad war der Nachrichtenoffizier der ideale Mentor für den Ensign – ranghoch genug, um eine Respektsperson zu sein, aber nicht so ranghoch, um einschüchternd zu wirken. Mayhew schien sich dieser Aufgabe mit völliger Selbstverständlichkeit angenommen zu haben. *Trotzdem hoffe ich, daß Carson seine beiden linken Hände bald ablegt. Andy ist auf dem richtigen Weg, und die anderen folgen ihm auf dem Fuße, aber der Junge muß sich zusammenreißen. Schließlich und endlich* ist *er ein Offizier – aber im Larvenzustand …*

Von der Rückenlehne erklang Nimitz' leises Schelten, und lachend hob Honor den Arm und kraulte ihm die Ohren. Er hatte recht. So viele Generationen Subalternoffiziere hatten Ungeschicklichkeit und Verlegenheit überlebt, und auch Carson würde bald Fortschritte machen. Wie auch immer, darüber hatte sich ihr Stabschef den Kopf zu zerbrechen, nicht sie. Kopfzerbrechen gehörte zu den Privilegien der erlauchten Dienstgrade.

Wieder lachte sie und zog Nimitz auf ihren Schoß, damit sie sich eingehender seinen Ohren widmen konnte.

»… und das wäre alles, Mylady«, beendete Marcia McGinley ihren Vortrag. »Command Central hat bekanntgegeben, daß es noch wenigstens einen Monat dauert, bis der Rest des Geschwaders eintrifft, und uns informiert, daß man uns bis dahin eventuell zu Hilfsaufgaben heranziehen wird. Sobald Admiral White Haven die Flotte übernimmt, unterstehen wir seinem Befehl.«

»Verstanden, Marcia. Vielen Dank.« Honor schob ihren Stuhl etwas zurück und blickte die Anwesenden am Tisch des Flaggbesprechungsraums nacheinander an. »Haben Sie das mit Captain Greentree diskutiert, Andy?«

»Jawohl, Mylady«, antwortete der Stabschef. »Er weiß auch nicht mehr als wir, und offiziell ist noch nichts verlautbart worden. Aber Sie wissen ja, wie sich die Dinge rumsprechen.«

»Soso?« Honor zog eine Augenbraue hoch.

»Sein Astrogator hat gerade aktualisierte Daten über den Clairmont-Mathias-Sektor erhalten, Mylady«, sagte er achselzuckend. »Das hat mich neugierig gemacht, und so habe ich herausgefunden, daß man bei System Control in Kürze die Ankunft eines JNMT-Geleitzugs erwartet. Er soll weiter nach Quest, Clairmont, Adler und Treadway, und ein kleines Vögelchen unten in Command Central hat mir gezwitschert, daß die eskortierende Dreadnoughtdivision hierbleibt, um zur Achten Flotte zu stoßen. Mir scheint es also, als müßte man sich neue Geleitschiffe suchen, Mylady.«

»Ich habe verstanden.« Honor dachte nach. Als Lieutenant Mayhew die Hand hob, nickte sie ihm zu. »Ja, Jasper?«

»Ich glaube, Commander Venizelos ist da etwas auf der Spur. Nach der letzten Meldung, die ich von Hochadmiral Matthews' Stab erhalten habe« – er deutete auf den Hefter, der vor ihm lag; einer derjenigen, die Clinkscales über die Flaggbrücke verteilt hatte –, »ist die Ladung des Geleitzugs zum größten Teil für Treadway bestimmt, dem Endpunkt der Reise. Ich habe keine detaillierte Aufstellung, aber es handelt sich vermutlich hauptsächlich um Technik und Personal, mit denen man die Werftanlagen aufpäppeln will, die wir von den Havies erbeutet haben. Die Frachtliste für Adler liegt mir vor. Offensichtlich hat der Protector zugestimmt, Marines abzustellen, um Samovar zu besetzen, den einzigen bewohnbaren Planeten des Adler-Systems, bis die Royal Army sie ablöst. Ein Großteil dieses Konvois hat Munition geladen, Waffen und Gerät für Bodenkämpfe sowie Ausrüstung für die Marineinfanteristen. Dazu kommt eine Menge humanitärer Hilfsgüter. Offenbar war das System in ziemlich schlechtem Zustand, bevor die Allianz die Havies rausgeworfen hat, und die Einheimischen scheinen uns der alten Regierung vorzuziehen.«

»Und Sie sagen, all das stand in dieser Meldung?«

»Jawohl, Mylady.«

»Dann haben Sie und Commander Venizelos wohl recht mit Ihrer Vermutung, wohin es uns demnächst verschlagen wird. Um ehrlich zu sein, erfreut mich diese Neuigkeit. Wir haben sechzig Prozent des Geschwaders beisammen, und ich würde es lieber sinnvoll nutzen, als es hier im Orbit sitzen zu haben – außerdem würden wir dadurch ein wenig operative Erfahrung erwerben. Sprechen Sie doch noch einmal mit Ihrem ›Vögelchen‹ bei Command Central. Merken Sie ihm gegenüber an, daß wir glauben, für gerade diese Aufgabe wie geschaffen zu sein. Schließlich sollen die Lamettahengste erfahren, daß wir sehnsüchtig und eifrig unsere Pflicht tun wollen, habe ich recht?« fragte sie mit schiefem Lächeln.

»Jawohl, Mylady.« Venizelos' Ton enthielt genau die angemessene Mischung aus Respekt und Resignation, und ringsum erhob sich leises Lachen.

»Und während der Commander damit beschäftigt ist, Carson«, fuhr Honor an ihren Flaggleutnant gewandt fort, »rufen Sie bitte Captain Greentree und Captain McKeon an. Richten Sie ihnen aus, daß ich sie heute abend zum Essen erwarte. Sie sind ebenfalls eingeladen, Andy, und Sie auch, Marcia. Wenn wir uns freiwillig für den Geleitdienst melden, dann würde ich vorher gern noch ein paar Geschwaderübungen abhalten, und die sollten wir so früh wie möglich planen.«

»Jawohl, Mylady!« Clinkscales blieb auf seinem Stuhl sitzen, erweckte aber dennoch den Anschein, er sei aufgesprungen, habe salutiert, die Hacken zusammengeknallt und sich außerdem noch verbeugt. Honor verbarg ein Lächeln.

»Also gut. Ich glaube, damit hätten wir alles abgedeckt. Es sei denn, jemand möchte noch etwas zur Sprache bringen?« Als sich niemand meldete, nickte Honor zufrieden. »Gut. Falls mich in der nächsten Stunde jemand braucht, findet er mich in der Turnhalle. Danach würde ich gern von Ihnen und Marcia die ersten Vorschläge hören, Andy.«

»Jawohl, Mylady.«

»Gut.« Honor erhob sich, nahm Nimitz von der Stuhllehne und setzte ihn sich auf die Schulter, während ihre Untergebenen sich ebenfalls erhoben. »Eine gute Besprechung, Herrschaften. Vielen Dank.«

Sie erhielt ein zufriedenes Gemurmel zur Antwort, und sie verabschiedete sich lächelnd mit einem weiteren Nicken, dann hielt sie auf die Luke zu, um die Verabredung mit ihrem Sparringspartner einzuhalten, für die sie bereits zu spät dran war.

»Earl White Haven ist da, Sir«, meldete der Schreibersmaat.

Er trat beiseite, um Hamish Alexander in das genügsame, aber behagliche Büro einzulassen, dann zog er sich zurück und schloß geräuschlos die altmodische Tür hinter sich.

»Aha, Admiral White Haven!« Hochadmiral Wesley Matthews erhob sich und trat vor seinen Schreibtisch, um dem Earl die Hand zu reichen. »Bitte entschuldigen Sie, wenn ich Ihren Terminplan durcheinandergebracht habe. Ich danke Ihnen, daß Sie so kurzfristig kommen konnten.«

»Eigentlich haben Sie gar nichts durcheinandergebracht, Hochadmiral Matthews«, versicherte ihm White Haven. »Mein Stab hält im Moment eine Gefechtssimulation zwischen Admiral Greenslade und Konteradmiral Ukovski ab, und wir sind diesmal nur Schiedsrichter. Was kann ich für Sie tun, Sir?«

»Bitte, setzen Sie sich doch«, sagte Matthews und winkte seinen Besucher in einen der bequemen Sessel vor seinem Schreibtisch, dann setzte er sich in einen anderen und überlegte dabei noch immer, wie er sein Ansinnen nun genau vortragen sollte. Hamish Alexander war ihm zwar technisch untergeben, aber doppelt so alt und einer der respektiertesten Strategen und Flottenchefs der erforschten Galaxis, und das machte es Matthews nicht gerade leichter. Tatsächlich hatte White Havens letztes Kommando, die 6. Flotte, die gesamte Grayson Space Navy um das Achtfache an Masse übertroffen. Deswegen fühlte sich Matthews stets ein wenig beklommen, wenn er mit dem manticoranischen Admiral auf formeller Ebene sprechen mußte. Andererseits gehörte es nicht zu den Gepflogenheiten des Hochadmirals, sich vor der Erfüllung seiner Pflichten zu drücken, und so schlug er die

Beine übereinander, legte die gefalteten Hände aufs Knie und kam unverzüglich zur Sache.

»Wie Sie wissen, Mylord, hat Lady Harrington das Kommando über ihr Geschwader einige Wochen früher als erwartet übernommen.« White Haven lehnte sich mit einem knappen, bestätigenden Nicken zurück. Hatte Matthews da ganz kurz ... etwas in den eisblauen Augen des Earls aufblitzen sehen? »Unnötig zu sagen, daß ich erfreut bin, sie wiederzuhaben, wenngleich nur vorübergehend«, fuhr der Hochadmiral fort, »und sie macht sich gewohnt tüchtig mit ihren neuen Aufgaben vertraut. Tatsächlich wollte ich Sie gerade deswegen sprechen.«

White Haven stutzte. »Ich verstehe nicht ganz.«

Matthews lächelte verschmitzt. »Sie wissen wahrscheinlich besser als ich, daß jede Flotte grundsätzlich zuwenig Kreuzer hat, und die Homefleet bildet da keine Ausnahme. In Anbetracht des Umfangs, in dem wir Vorposten und Aufklärer benötigen, sind unsere leichten Verbände sehr dünn verteilt.« White Haven nickte erneut. Wie Matthews richtig sagte, waren Kreuzer immer knapp, weshalb Kreuzerkommandanten nur selten eine Ruhepause vergönnt war – und aus diesem Grunde wollte auch jeder ehrgeizige junge Offizier Kreuzerkommandant werden.

»Leider scheint dieser Engpaß im Moment gravierender zu sein als gewöhnlich«, fuhr Matthews fort, »und überall in der Allianz sieht sich jeder nach Kreuzern um, die er sich irgendwie unter den Nagel reißen kann – ich bilde da keine Ausnahme. Konkret gesagt, würde ich mir gern Lady Harringtons Geschwader für ein paar Wochen von Ihnen ›ausborgen‹.«

»Aha?« White Haven lehnte sich noch weiter zurück und kreuzte ebenfalls die Beine. Tief in seinem Innern bemerkte er ein höchst ungewöhnliches

Gefühl der Bestürzung, aber davon ließ er sich nach außen hin nicht das geringste anmerken.

»Ja. Mir ist bewußt, daß das Achtzehnte noch immer eine Einheit der GSN ist, aber auch, daß sich sein Status sehr rasch ändern wird, sobald der Rest der Achten Flotte hier eintrifft. Meiner Meinung nach hätten Sie jedes Recht, ihren Flottenstab einzurichten und den Befehl über alle bisher versammelten Einheiten zu übernehmen. Deshalb wollte ich Sie sprechen, bevor ich irgendwelche Entscheidungen fälle.«

»Welche Mission haben Sie denn genau im Sinn, Sir?« fragte White Haven nach kurzem Warten.

»Eigentlich eine Routinesache. Ein größerer Konvoi – sechzehn oder siebzehn Frachter und Transportschiffe – geht über Jelzins Stern nach Clairmont-Mathias. Mehrere Systeme werden angelaufen, um dort Fracht abzuliefern, aber es sind ausnahmslos JNMTC-Schiffe, deshalb wird es schneller gehen, als man denkt.«

Er schwieg, bis White Haven verstehend nickte. Das Joint Navy Military Transport Command, das Militärische Transportkommando der Vereinigten Flotten, war das geistige Kind des Logistikamts der RMN und des Amts für Versorgung der GSN. Das Logistikamt hatte darauf aufmerksam gemacht, daß die sehr großen Frachter und Transporter, auf die man für viele Zwecke nicht verzichten konnte, in puncto Flexibilität keineswegs die Ideallösung darstellten. Kleinere Schiffe im Bereich von vier bis fünf Millionen Tonnen Masse vermochten einzeln oder in kleinen Verbänden nicht so viel Fracht oder Personal zu befördern wie die Weltraumgiganten. Aber wenn man dennoch mehr kleinere Schiffe baute, erreichte man ab einer bestimmten Anzahl die gleiche Frachtkapazität und konnte zudem mehrere Bestimmungsorte gleichzeitig bedienen. In Friedenszeiten wäre dieser Vorschlag durch die Betriebskosten auf der Stelle zum Scheitern verurteilt gewesen; schließlich und endlich benötigte ein Schiff von vier Millionen Tonnen die gleiche Besatzung wie ein doppelt so schweres und verschlang nahezu genausoviel Treibstoff und Instandhaltungskosten. Im Krieg gegen Haven wog die militärische Nützlichkeit indessen schwerer als die Wirtschaftlichkeit.

Ergebnis der Anstrengungen war das Joint Navy Military Transport Command, das aus mittelgroßen Schiffen bestand und dazu diente, eilige Frachten auszuliefern, bei denen es darauf ankam Zeit zu sparen, oder mögliche Kampfzonen zu versorgen. Im Zuge der Bemühungen, den Frachttransport zu beschleunigen, hatte man die Schiffe für das JNMTC auf Flottenwerften überholt, wann immer auf graysonitischen oder manticoranischen Einrichtungen eine Aufschleppe frei wurde. Es hatte zuwenig Zeit zur Verfügung gestanden, um die zivilen Impeller und Trägheitskompensatoren zu ändern, doch waren alle Rümpfe mit leichten Seitenschilden und Raketenabwehrsystemen ausgestattet worden. Die Ortungsanlagen wurden verbessert und durch Eloka-Systeme ergänzt. Außerdem installierte man militärtaugliche Hypergeneratoren auf den Schiffen, so daß sie immerhin bis hoch in die Eta-Bänder transistieren konnten. Die meisten Frachter waren auf Marschfahrt in den Delta-Bändern ausgelegt, so daß die neuen Generatoren die Scheingeschwindigkeit der JNMTC-Schiffe schlagartig verdoppelten.

»Trotzdem dauert die Rundreise etwa zwo T-Monate«, erklärte Matthews, »oder länger, wenn es in den Haltesystemen zu längeren Wartezeiten kommen sollte. Deshalb wollte ich mit Ihnen sprechen, bevor ich Lady Harrington für diesen Auftrag einteile. In vielerlei Hinsicht eignet sich ihr Geschwader für diese Aufgabe hervorragend. Es liegt ein Viertel unter Sollstärke, aber es wird noch wenigstens einen Monat dauern, bis die fehlenden Schiffe eintreffen. Sechs Schwere Kreuzer sollten dem Konvoi hinreichenden Schutz bieten. Gerade weil ich nicht damit gerechnet hatte, daß sie ihr Kommando so früh übernimmt, hatte ich ihre Schiffe für keinerlei andere Aufgaben eingeteilt, so daß ich sie nun abziehen könnte, ohne damit irgendwo ein neues Loch zu reißen. Und ein Routineauftrag wie dieser Geleitdienst böte Lady Harrington eine gute Gelegenheit, ihren Besatzungen und ihrem Stab den letzten Schliff zu geben. Aber weil der Termin, an dem Sie Ihren Flottenstab einberufen, noch unsicher ist, wollte ich mich mit Ihnen abstimmen, bevor ich eine Ihrer zukünftigen Einheiten für so lange abkommandiere.«

»Ich verstehe. Und ich bedanke mich für Ihre Rücksichtnahme, Sir«, antwortete White Haven und massierte sich nachdenklich das Kinn. *Dabei gibt's doch gar nicht viel nachzudenken,* sagte er sich. *Bevor ich die Achte Flotte offiziell ins Leben rufe, gehören die Schiffe Matthews. Und er hat recht – er findet für diese Aufgabe niemand geeigneteren. Warum also stört mich seine Bitte so?*

Innerlich runzelte er die Stirn und versuchte dieser Frage auf den Grund zu gehen. Die offensichtliche Erklärung lag natürlich in Matthews' Bemerkung über die Knappheit von Kreuzern; wie jedem anderen Flottenchef mißfiel auch White Haven der Gedanke, eins seiner Kreuzergeschwader zu detachieren. Doch so sehr er sich versucht fühlte, diese Erklärung als Grund für sein Zögern vorzuschieben, wußte er doch, daß er sich damit selbst belogen hätte. *Dabei wäre Harringtons Geschwader überhaupt nicht lange fort,* dachte er. Hochadmiral Matthews hatte zwar recht: Das Zusammenziehen der 8. Flotte ging verhältnismäßig schnell vonstatten, aber trotzdem dauerte es noch wenigstens drei oder vier Monate, bevor die Achte sich gegen Barnett in Marsch setzen konnte. Für einen Offizier von Harringtons Kaliber mehr als genug Zeit, die Geleitmission zu erfüllen, die übrigen Schiffe in Empfang zu nehmen und sich in aller Ruhe auf ihrem Platz im Organisationsplan der Achten einzufinden.

Warum also machte er sich darüber solche Gedanken? Er brütete noch über dieser Frage, obwohl sich ihm die Antwort bereits aufgedrängt hatte; gegen diese Antwort sträubte er sich allerdings, denn er fühlte sich bereits schuldig.

Als er sich das eingestand, seufzte er innerlich. Er wußte nicht genau, *was* er getan hatte; doch er wurde den Gedanken nicht los, daß er irgendwie an Honor Harringtons überstürzter Flucht aus Harrington House schuld sei. Sie hatte ihm weder durch Worte noch durch Taten einen Grund für die Gewißheit gegeben, die er in dieser Hinsicht empfand; aber er hatte an ihr eine Anspannung bemerkt, die anfangs noch nicht vorhanden gewesen war, ein ... Unbehagen in seiner Gegenwart. Was immer genau es war, begonnen hatte es jedenfalls an jenem Abend in der Bibliothek. Der Earl rieb sich das Kinn noch härter, um vor Matthews zu verbergen, wie sich seine Kiefermuskeln unwillkürlich verkrampften, während er in Gedanken noch einmal ihre Konfrontation – wenn dies das richtige Wort war – und die Minuten danach Revue passieren ließ.

Konnte er ihr irgendwie offenbart haben, daß er sie so plötzlich so grundlegend anders sah? Er war entschlossen gewesen, sich nichts anmerken zu lassen, und nach so vielen Jahren im Dienst der Navy und den viel zu häufigen Zusammenstößen mit den Wirren der manticoranischen Politik hätte er schwören können, sein Gesicht sei darin geübt, alles zu verbergen, was er andere nicht wissen lassen wollte. Und doch – war seine neue Haltung nicht die einzig denkbare Ursache für Harringtons verändertes Verhalten? Mit einem Mal war sie so wachsam gewesen, so vorsichtig in seiner Nähe. *Hatte* sie es also irgendwie bemerkt? Eins stand fest: Sie besaß ein geradezu unheimliches Talent, die Gefühlslage ihrer Umgebung zu erfassen. White Haven war nicht der einzige, dem diese Gabe aufgefallen war; er erinnerte sich an Unterhaltungen mit Mark Sarnow, Yancey Parks und anderen Flaggoffizieren, unter denen sie gedient hatte. Hatte ihre Intuition, oder was es sonst war, seinen Gefühlsansturm registriert? Hatte sie seine Reaktion mißverstanden, fürchtete sie am Ende etwa, daß er seine Position als ihr zukünftiger kommandierender Offizier ausnutzen könnte, um ihr gleich welche Form von ... Vertraulichkeit abzuzwingen?

Selbstverständlich nicht! Sie kannte ihn zu gut, um ihm so etwas zuzutrauen! Doch zugleich fragte er sich, ob sie denn wirklich so falsch gelegen hätte, ihm diese Absicht zu unterstellen, wie er gern glauben wollte? In seinem ganzen Leben hatte White Haven noch nie seine Stellung ausgenutzt und war stets der festen Überzeugung gewesen, auch niemals in Versuchung zu geraten, denn er verachtete jeden Offizier, der seine oder ihre Position auf diese Weise mißbrauchte. Doch er mußte zugeben, daß er noch nie etwas empfunden hatte wie das ... das an jedem Abend, was auch immer es bedeuten mochte. *Und du bist schließlich auch nicht ganz der Säulenheilige, als den du dich beim staunenden Publikum immer ausgibst, nicht wahr, Hamish?*

Er schloß die Augen und atmete tief ein. Hamish Alexander liebte seine Frau. Er liebte sie seit dem Tag, an dem er sie kennenlernte, und würde sie bis zu dem Tag lieben, an dem sie starb. Und das wußte sie. Aber sie wußte auch, daß er mehrere Affären gehabt hatte, seit sie durch ihren Unfall an den Lebenserhaltungsstuhl gefesselt war. Es bestand keine Möglichkeit – keine Aussicht, keine Hoffnung –, daß sie beide jemals wieder eine körperliche Beziehung führen würden. Das war ihnen beiden klar, und deshalb schaute Emily in die andere Richtung, wenn er sich auf eine seiner seltenen Affären einließ. Emily wußte, daß jede Affäre nur vorübergehend sein würde, daß seine gelegentlichen Geliebten stets Frauen waren, die er mochte und denen er vertraute, die er jedoch nicht liebte – nicht so, wie er sie liebte und immer lieben würde. Emily war es, zu der er stets wieder zurückkehrte, denn sie teilten alles außer jener einen Art von Intimität, die ihnen auf immer verloren gegangen war. Alexander wußte, daß er ihr damit weh tat – nicht, weil er ›untreu‹ war, sondern weil er sie damit an das Verlorene erinnerte. Wenn seine ›Untreue‹ jemals an die Öffentlichkeit geriet, würde Emily noch größere Qualen erdulden müssen, und deshalb war er stets sehr vorsichtig – und vermied sorgfältig jede Beziehung, die sich zu mehr als nur einer Freundschaft entwickeln mochte.

All dessen war er sich nun nicht mehr sicher, und das schmerzte ihn tief in seinem Innersten, wo sein Glaube an sich selbst, sein Selbstvertrauen wohnte. Niemals hatte er etwas Ähnliches empfunden wie in diesem plötzlichen, schlagartig hochkochenden Augenblick, in dem er Honor Harrington anblickte und in ihr nicht nur einen Offizier sah, sondern eine Frau, die er vorher niemals wirklich angeschaut hatte.

Es lag nicht nur an der Attraktivität, von der sie auf ihre eigene Weise sehr viel besaß. Längst achtete er nicht mehr auf die atemberaubend schönen Frauen – und Männer –, die man in einer Gesellschaft ständig zu Gesicht bekam, in der Bioskulptur so verbreitet war wie Zahnklammern. Obwohl körperliche Schönheit noch immer White Havens Aufmerksamkeit auf sich zog, beschäftigte sie seine Gedanken doch niemals in diesem Maße.

Nein, er reagierte auf etwas Verborgeneres, etwas Elementares an ihr, das ihn irgendwie ansprach. Zwar hatte er gelegentlich die Hände geschüttelt oder sie an der Schulter oder am Ellbogen berührt, ansonsten jedoch hatte er sie niemals angefaßt, und doch regte sich tief in ihm dieses merkwürdige Gefühl für sie, wie es sich für keine seiner Geliebten je geregt hatte. Das beängstigte White Haven. Sich an eine andere Frau zu wenden, um von ihr die körperliche Intimität zu erhalten und ihr zu geben, die er mit Emily nicht mehr teilen konnte, war eine Sache; sich zu einer anderen Frau mit solcher Macht hingezogen zu fühlen, etwas anderes – etwas Dunkles, Beängstigendes. Besonders, wenn diese Frau nicht nur gerade mal halb so alt war wie er, sondern auch noch ein untergebener Offizier. Aus jeder erdenklichen Perspektive konnte Honor Harrington niemals etwas anderes für ihn sein als ein Offizierskamerad, und das wußte White Haven genau.

Aber im Grunde willst du es nicht glauben, Hamish, habe ich recht? fragte ihn sein erbarmungsloses Gewissen. *Wenn das stimmt und sie es gemerkt hat, dann hat sie recht daran getan, zwischen euch beiden Abstand zu schaffen. Und wo wir schon dabei sind, Mylord, was zum Teufel gedenkst du nun eigentlich deswegen zu unternehmen? Wirst du zulassen, daß du dich wie ein vom Testosteron beherrschter Jüngling benimmst, oder willst du dich daran erinnern, daß du Offizier der Königin bist – so wie sie auch?*

White Haven bemerkte plötzlich, daß Matthews ihn sehr durchdringend anblickte, und schüttelte den Kopf, als wollte er eine lästige Fliege verscheuchen. Ohne Zweifel fragte sich Matthews, was mit ihm los war. Der Hochadmiral hatte eine klare Bitte geäußert, die Geleitmission war unproblematisch, und da das 18. Kreuzergeschwader im Moment noch Matthews unterstand, bedeutete diese Besprechung nicht viel mehr als eine kleine höfliche Aufmerksamkeit unter Offizierskameraden.

»Verzeihen Sie, Sir«, entschuldigte sich der Earl. »Ich fürchte, ich begann schon damit, Schiffe hin und her zu schieben, und habe den Faden verloren. Soweit es mich betrifft, sind Lady Harrington und ihr Geschwader eine ausgezeichnete Wahl für die Aufgabe, die Sie mir beschrieben haben. Selbstverständlich hätte ich sie gern wieder hier, wenn wir die Flotte endlich ins Leben rufen. Trotz Lady Harringtons verhältnismäßig untergeordneten manticoranischen Ranges beabsichtige ich, sie bei der Koordination und der Einsatzplanung unserer Flankensicherung eine entscheidende Rolle spielen zu lassen; auf diese Weise ziehe ich auch besten Nutzen aus ihrem Rang bei der GSN. Aber dazu ist nach ihrer Rückkehr noch immer genügend Zeit. Ich bin Ihnen natürlich dankbar, daß Sie mich über Ihre Absichten informiert haben und habe keine Einwände gegen Ihre Pläne.«

»Vielen Dank, Mylord.« Matthews erhob sich, streckte den Arm aus und führte den Earl zur Tür, wo sie einander wieder die Hände schüttelten. »Ich nehme an«, fügte der Grayson mit sarkastischem Lächeln hinzu, »daß ich mich ein wenig schuldig fühle, Ihnen Lady Harrington kurzerhand abspenstig zu machen. Das ist wahrscheinlich der eigentliche Grund, weshalb ich Sie sprechen wollte. In keiner Navy hat man je genügend gute Offiziere, aber wenn man jemanden wie sie bekommen kann, dann ...« Er zuckte mit den Schultern. »Jeder Admiral, den ich kenne, würde sich zerreißen, um sie in die Hände zu bekommen.«

»Das meine ich auch, Sir«, stimmte White Haven ihm zu. *Und wenn sie wieder da ist,* dachte er, *hat ein gewisser Admiral vielleicht wieder seine Sinne beisammen und begriffen, daß er die Hände in den Taschen lassen muß, soweit es Lady Harrington betrifft!*

8

»Also schön, Freunde – zeigt mal ein wenig *Begeisterung!* Wir haben ein paar Manties in den Arsch zu treten!«

Bürger Konteradmiral Lester Tourville grinste wild, und sein dichter Schnurrbart sträubte sich aggressiv. Für die meisten hohen Offiziere der Volksflotte war ›Überleben durch Anpassung‹ zur Devise geworden, doch Tourville hatte stets eine eigenwillige Natur besessen, und das würde auch immer so bleiben – beinah war er schon eine Karikatur seiner selbst. Sein Aufstieg vom Captain zum Konteradmiral konnte nicht anders denn als kometenhaft bezeichnet werden; gleichzeitig wußte er jedoch, daß für ihn die Wahrscheinlichkeit, jemals auf einen höheren Rang befördert zu werden, im Grunde gleich Null war. Das belastete ihn indes nicht sonderlich. Die meisten seiner farbenfrohen Manierismen mochten absichtliche Verstellung sein, doch hinter der schillernden Fassade war er tatsächlich jener voranstürmende Krieger, den er so gekonnt parodierte. Ein höherer Dienstgrad hätte ihn nur gezwungen, die Geschwaderebene zu verlassen, die für die Ausübung seiner Talente und seinen unmittelbaren Stil den idealen Boden darstellte. Außerdem hätte er dann im politischen Spiel mitmischen müssen, und Tourville kannte seine Grenzen sehr gut. Selbst die Idioten von der Systemsicherheit würden kaum einen Konteradmiral hinrichten, der von seinem Wesen her einfach nicht dazu geschaffen war, sich in den Rahmen der Parteilinie einzufügen – und der zugleich ein Troubleshooter war, welcher immer sein Ziel erreichte. Ein Vize- oder gar Volladmiral mit den gleichen Tendenzen würde jedoch ein rasches Ende vor einem Erschießungskommando finden. Und eben deshalb hatte Tourville seine Manierismen perfektioniert: um allen Zuschauern weiszumachen, er sei eine lebende Zeitbombe.

Selbstverständlich brachte sein verhältnismäßig untergeordneter Dienstgrad auch Nachteile mit sich, allen voran die ärgerliche Tatsache, daß man ihn stets mit der Ausführung fremder Befehle betraute, denn jedes Geschwader, das er kommandierte, gehörte zum Kampfverband oder zur Flotte eines Vorgesetzten. Andererseits mußte jeder Verband und jede Flotte einzelne Geschwader zu unabhängigen Aufgaben detachieren. In diesem Fall konnten Befehle einen allgemeinen Rahmen nur grob umreißen, und vom Geschwaderchef erwartete man, daß er seinen gesunden Menschenverstand benutzte, um seine Order in die Tat umzusetzen. Mehr Eigeninitiative besaß man als VFH-Offizier dieser Tage nicht. Manchmal wußte die Person, die diese Rahmenbefehle erteilte, sogar, was sie tat.

Aus diesem Grund diente Tourville sehr gern unter Bürger Admiral Theisman. Der scharfsinnige Analytiker, der sich hinter Tourvilles angriffslustigem Äußeren verbarg, bezweifelte allerdings, daß Theisman noch lange durchhalten würde, denn der Bürger Admiral hatte jenen Fehler begangen, den Tourville so beharrlich vermied: Er hatte sich befördern lassen. Tourville glaubte jedoch, daß für Theismans Rangstufe ein ›Hochschulabschluß im Arschkriechen‹ unabdingbare Voraussetzung war, und der Systemkommandeur von Barnett besaß einfach nicht das Talent, im Hintern eines anderen Blindekuh zu spielen. Diese Feststellung war zwar ein Lob für Theismans Charakterstärke, für einen Admiral der modernen VFH bedeutete mangelnder Anpassungswille jedoch auch einen potentiell tödlichen Makel. Bislang hatte Theisman stets die geforderte Leistung erbracht, deshalb war er für seine Herren wertvoll. Darin glich Tourville ihm. Doch anders als Tourville war Theisman zu hoch aufgestiegen, als daß man ihm erlauben konnte, ein unpolitischer Mensch zu bleiben. Wenn er weiterhin versuchte, niemandes Jünger zu sein, würde seine politische Anfälligkeit schon bald seinen rein militärischen Wert überwiegen. Bis dahin blieb Theisman jedoch einer der wenigen hohen Offiziere, die sowohl erkannten, was getan werden mußte, als auch den Mut besaßen, es auszusprechen. Theisman hatte sogar genügend Mumm, daß er kalkulierbare Risiken einging, obwohl die SyS dazu neigte, jeden, der so etwas versuchte und scheiterte, an die Wand zu stellen. Außerdem war Theisman stets sorgfältig darauf bedacht, Befehle so zu formulieren, daß die Untergebenen, die jene kalkuliert riskanten Unternehmungen ausführten, vor dem Zorn der Systemsicherheit geschützt waren. Dies traf auch auf Tourvilles gegenwärtige Order zu.

»Ich nehme Ihre eigene Begeisterung lobend zur Kenntnis, Bürger Konteradmiral«, entgegnete Volkskommissar Everard Honeker trocken, »aber wir wollen doch nichts überstürzen. Unsere Order lautet, einen Aufklärungsvorstoß auszuführen, nicht, die Allianz im Alleingang zu besiegen!«

»Stimmt schon, stimmt schon.« Tourville winkte unbekümmert ab und zog eine Zigarre aus der Brusttasche seiner Uniformjacke. Er steckte sie sich in einem Winkel in den Mund, durch den er einen möglichst schnodderigen Eindruck erweckte, entzündete sie und blies einen beißenden Rauchschwall gegen das Lüftungsgitter über seiner Konsole. Eigentlich mochte er Zigarren nicht besonders, doch in den vergangenen Jahren war das Rauchen wieder in Mode gekommen, und Tourville hatte entschieden, daß Zigarren noch am besten zu seinem Image paßten. Nun, da er einmal damit angefangen hatte, konnte er die elenden Dinger nicht wieder aufgeben, ohne einzuräumen, einen Fehler begangen zu haben, und er wollte verdammt sein, bevor er dergleichen eingestand.

»Ein Aufklärungsvorstoß, Bürger Kommissar«, sagte er, als die Zigarre richtig zog, »ist jedoch genau das: ein *Vorstoß* zu Aufklärungszwecken. Vorstoß bedeutet, daß wir jedem in den Arsch treten sollen, der uns nicht selbst in den Arsch treten kann. Und in dieser Gegend sind die Manticoraner im Augenblick recht dünn gesät. Will mir ganz so vorkommen, als wären die Bastarde ein wenig unvorsichtig geworden. Sie haben uns aus Trevors Stern rausgeschmissen, und nun kreisen sie Barnett ein, aber sie glauben, wir hätten ihnen einen Scheiß entgegenzusetzen. Na, allzu falsch liegen sie da ja gar nicht«, gab er zu, »aber anzunehmen, daß der Feind sich einfach niederlegt und stirbt, ist noch nie eine sehr gute Idee gewesen! Genau das machen sie aber hier in unserem Sektor. Also – jawohl, Sir. Unsere Order lautet zu erkunden, aber wenn ich etwas finde, worauf ich schießen kann, dann knall' ich es verdammt noch mal auch ab!«

Honeker seufzte, doch er war Tourvilles Überschwenglichkeit gewöhnt. Im Grunde hatte es keinen Sinn, sich ihr in den Weg zu stellen; der Bürger Konteradmiral schien nicht zu wissen oder nicht zur Kenntnis zu nehmen, daß Honeker die Leine in der Hand hielt. Tatsächlich kam sich der Volkskommissar sehr häufig wie ein Mann vor, der von seinem fröhlichen, ungeschickten, aber sehr eifrigen großen Hund, einem Bernhardiner oder einer Dogge, einfach mitgerissen wird, obwohl er ihn eigentlich ausführen will. Ja, es lief anders, als es laufen sollte, doch – bisher – funktionierte es, und Honekers Vorgesetzte rechneten auch ihm die Erfolge Tourvilles zum Teil an. Außerdem mochte Honeker den Bürger Konteradmiral gut leiden ... auch wenn dieser absichtlich die Rolle des rauhbeinigen Seehelden spielte, der mit dem Säbel in der Faust und einem Paar Steinschloßpistolen im Gürtel auf dem gescheuerten Achterdeck eines Orlogschiffs steht und Befehle brüllt mit einer Stimme, die noch den Donner der Kanonen und Karronaden übertönt!

»Ich habe nichts dagegen, wenn wir den Feind angreifen, Bürger Konteradmiral.« Der Kommissar bemerkte einen vertrauten, beruhigenden Unterton in der eigenen Stimme und zwang sich, das Gesicht nicht entnervt zu verziehen. »Ich will nur darauf hinweisen, daß Ihre Kampfgruppe für die Volksflotte sehr wertvoll ist. Sie sollte nur dann in Gefahr gebracht werden, wenn der mögliche Nutzen das Risiko eindeutig rechtfertigt.«

»Selbstverständlich!« stimmte Tourville durch eine

weitere Rauchwolke hindurch jovial zu. Honeker hätte es gefallen, wenn das Grinsen des Bürger Konteradmirals ein bißchen weniger grimmig ausgefallen wäre, beschloß jedoch, Tourvilles Beifall für bare Münze zu nehmen. Gelegenheiten zu Diskussionen würden sich noch bald genug ergeben – und es hatte wirklich nur sehr wenig Sinn zu versuchen, diesem überschäumenden, blutrünstigen Jüngling im voraus Vernunft einzuflößen.

Mit tiefer Befriedigung registrierte Tourville, daß der Volkskommissar die Diskussion aufgab. Schon früh hatte er gelernt, lieber übermäßig aggressiv zu erscheinen als zögerlich oder zaghaft. Die Spione des Komitees für Öffentliche Sicherheit mußten sich gezwungen sehen, ihm Zügel anzulegen, und nicht, ihn anzutreiben. Bürger Admiral Theismans Vorstellung während der Vierten Schlacht von Jelzins Stern war ein Paradebeispiel für die Eleganz dieser Methode, und Tourville benutzte sie schon seit dem Harris-Attentat mit großem Erfolg.

Als Tourville sicher war, daß Honeker keine weiteren Einwände erheben würde, richtete er seine scharfen, dunklen Augen auf seinen Stabschef und zielte mit der Zigarre auf ihn, als hielte er einen Pulser in der Hand.

»Also, Yuri. Lassen Sie hören«, befahl er.

»Jawohl, Bürger Konteradmiral«, antwortete Bürger Captain Yuri Bogdanovich, der lange genug unter Tourville diente, um genau zu wissen, wie man den Wachhund des Komitees für Öffentliche Sicherheit zu zweit in die Mangel nahm. Seine kühle, knappe Redeweise stand in absichtlich krassem Kontrast zum freundlichen Ingrimm seines Admirals. Er richtete sich zu einer militärisch korrekten Sitzhaltung auf und aktivierte den Holo-Projektor, der über dem Konferenztisch im Flaggbesprechungsraum von VFS *Count Tilly,* an dem sie alle saßen, eine schwebende Sternenkarte zum Leben erweckte.

»Hier sehen Sie unser Operationsgebiet, Bürger Konteradmiral, Bürger Kommissar. Wie Sie wissen, haben Bürger Admiral Theisman und Bürger Kommissar LePic unsere zwote und dritte Division detachiert, um die Vorposten um das Corrigan-System zu verstärken.« Er drückte eine Taste, und die G6-Sonne des Corrigan-Systems blinkte auf. »Obwohl damit die Hälfte unserer Schiffe abgezogen ist, handelt es sich bei ihnen ausnahmslos um *Sultans* oder *Tiger,* während alle unter unserem Kommando verbleibenden Schiffe der *Warlord*-Klasse angehören. Darüber hinaus hat der Flottenstab uns acht Schwere Kreuzer, davon fünf *Scimitars* und drei *Mars,* zugeteilt, außerdem sechs Leichte Kreuzer der *Conqueror*-Klasse. Unser Verlust an Kampfkraft entspricht dadurch nur einem Schlachtkreuzer der *Sultan*-Klasse, aber wir verfügen nun über dreieinhalbmal soviel Aufklärungseinheiten und erhalten außerdem eine etwas höhere Verbandsbeschleunigung. Mit anderen Worten haben wir nun mehr Augen und Ohren, größere Geschwindigkeit und fast ebensoviel Schlagkraft wie zuvor. Außerdem haben wir zwo schnelle Minenleger bekommen – die *Yarnowski* und die *Simmons* –, die man zu Frachtern umgerüstet hat und die unseren Nachschub transportieren sollen.«

Bogdanovich sah die Offiziere am Tisch nacheinander an und versicherte sich, daß jeder seine Rekapitulation verstanden hatte. Dann räusperte er sich und drückte weitere Tasten. Drei andere Sterne in der Karte blinkten auf, und er vergrößerte die dazugehörigen Systemnamen, die in kleinen Buchstaben darunterstanden.

»Uns interessieren diese drei Sonnensysteme«, erklärte er. »Sallah, Adler, Micah. Den letzten Meldungen zufolge haben die Manties Adler und Micah erobert, nur Sallah halten wir noch immer. Leider sind die Daten schon zwo Wochen alt, deshalb schlagen Bürgerin Commander Lowe und ich vor, daß wir dort unseren Vorstoß beginnen und uns dann nach Süden Richtung Adler und Micah begeben, bevor wir ins Barnett-System zurückkehren.«

»Welche Reisezeiten stehen uns bevor?« wollte Tourville wissen.

»Nicht ganz neuneinhalb Tage bis Sallah, Bürger Konteradmiral«, antwortete Bürgerin Commander Karen Lowe, die Stabsastrogatorin. »Von Sallah nach Adler dauert es weitere drei Tage, von Adler nach Micah einunddreißig Stunden. Die Rückfahrt von Micah nach Barnett nimmt wieder etwas mehr als neun Tage in Anspruch.«

»Also brauchen wir für den ganzen Vorstoß, wenn wir die Zeit außer acht lassen, in der wir Manties abschießen, wieviel?« Tourville blinzelte beim Rechnen durch den dichten Zigarrenrauch. »Etwa drei T-Wochen?«

»Jawohl, Bürger Konteradmiral. Sagen wir fünfhundertvierundzwanzig Stunden oder nicht ganz zwoundzwanzig Tage.«

»Läßt sich das mit dem Zeitlimit des Flottenstabs in Einklang bringen, Yuri?«

»Bürger Admiral Theisman und Bürger Kommissar LePic haben uns bis zu vier T-Wochen genehmigt«, antwortete Bogdanovich knapp und präzise. »Außerdem würde man billigen, wenn Bürger Kommissar Honeker und Sie die Operationszeit um bis zu einer Woche verlängern wollten.«

»Hm.« Tourville zog tief an seiner Zigarre und

nahm sie aus dem Mund, um nachdenklich die Glut an der Spitze zu betrachten. Dann schaute er Honeker an. »Persönlich würde ich ja lieber direkt bei Adler beginnen und dann nach Micah vorstoßen, Bürger Kommissar. Wir wissen nämlich, daß wir dort den Feind treffen. Sallah hingegen ist wahrscheinlich immer noch in unserer Hand.« Er lachte bellend. »Weiß Gott gibt's dort nichts, was so wichtig wäre, um einen Mantie-Angriff zu rechtfertigen! Aber trotzdem ...« – mit unwilligem Grunzen steckte er sich die Zigarre wieder zwischen die Zähne – »müssen wir dort wohl anfangen. Der Flottenstab will offensichtlich wissen, was dort vor sich geht, und die Reise nach Sallah ist der längste Reiseabschnitt. Stimmen Sie mir zu?«

»Ja, ich glaube schon.« Honekers Antwort enthielt einen vorsichtigen Unterton. Ein- oder zweimal hatte er Tourville unbedacht zugestimmt und jedesmal feststellen müssen, daß der Bürger Konteradmiral ihn verschaukelt hatte, nur um ein paar Gefechte mehr führen zu können. Diese Erfahrung hatte den Volkskommissar gelehrt, Tourvilles Vorschlägen niemals überstürzt zuzustimmen, und so blickte er nun Bürgerin Commander Shannon Foraker an, Tourvilles Operationsoffizier und neueste Stabsangehörige. »Wieviel wissen wir über mögliche Feindkräfte in dieser Region, Bürgerin Commander?«

»Nicht soviel, wie ich gern wüßte, Sir«, entgegnete Foraker unverzüglich. Die goldhaarige Bürgerin Commander genoß einen hervorragenden Ruf als Taktischer Offizier – einige behaupteten, ihre Talente in diesem Metier grenzten an Hexenkunst. Auch ihr früherer Volkskommissar hatte sie wärmstens empfohlen. Zum Glück für Foraker hatte Bürger Kommissar Jourdain in seinem begeisterten Bericht Honeker darauf aufmerksam gemacht, daß sie, sobald sie sich in eine Aufgabe vertieft hatte, unwillkürlich in sehr prärevolutionäre Redeweisen zurückverfiel. In Anbetracht ihrer Leistungen war Honeker – wie auch Jourdain – durchaus bereit, ihr einiges durchgehen zu lassen, und am meisten gefiel ihm an ihr, daß sie niemals auch nur im Traum daran dachte, ihren Rücken durch ausweichende Erwiderungen zu decken. Wenn jemand ihr eine Frage stellte, so antwortete sie darauf unumwunden, besten Wissens und Gewissens; und das wurde in der Volksflotte leider immer seltener. In seinen ehrlichen Momenten wußte Honeker sogar, worauf diese Entwicklung zurückzuführen war, doch zog er es vor, nicht allzu gründlich darüber nachzudenken.

»Besonders unsere Daten über Micah sind sehr lückenhaft«, sagte Foraker. »Wir *glauben,* daß sich dort ein leichter manticoranischer Kampfverband befindet – ein paar Divisionen Wallschiffe, dazu Flankensicherung durch graysonitische und cascesische Einheiten. Zumindest ist dieser Verband einmarschiert und hat uns das System abgejagt, und ich halte es für vernünftig anzunehmen, daß er immer noch da ist, jedenfalls so lange, bis wir das Gegenteil beweisen können.«

»Dem kann ich nur zustimmen«, meinte Honeker fest. Er wußte nicht, ob Tourville diese vorsichtige Einschränkung in Frage gestellt hätte, und legte es auch gar nicht darauf an, dies herausfinden. »Und Adler?«

»Ich glaube, dort sind wir besser im Bilde, Sir«, antwortete Foraker. Sie rief Daten aus ihrem Terminal ab, um ihr Gedächtnis aufzufrischen, bevor sie fortfuhr: »Bei unserer letzten Zählung bestand der Vorposten im Adler-System aus einem einzigen Kreuzergeschwader und zwo oder drei Divisionen Blechbüchsen. Möglicherweise ist noch etwas hinzugekommen, aber wenn man bedenkt, daß wir seit über sechs Monaten in diesem Sektor weder Gegenangriffe noch Raids unternommen haben, bezweifle ich sehr, daß diese Verstärkung sehr groß ausgefallen ist. Die Allianz hat zuwenig Schiffe, Bürger Kommissar. Man zieht alle verfügbaren Einheiten aus den ruhigen Regionen ab, um die nächste Offensive starten zu können.«

»Und genau deshalb ist unsere Operation wichtiger, als ihr Umfang zunächst erscheinen läßt«, betonte Tourville und fuchtelte mit seiner Zigarre, als wäre sie ein qualmender Taktstock. »Wie ich schon sagte, Bürger Kommissar – die Mistkerle werden einfach zu selbstsicher. Sie setzen voraus, daß wir keinen Gegenangriff mehr starten, weil wir es bisher schließlich auch nicht getan haben. Aber wenn wir sie ein paarmal gut treffen und dadurch desillusionieren, dann werden sie die örtlichen Vorposten schon verstärken. Dazu müssen sie aber leichte Kräfte von ihrer Offensivstreitmacht abziehen, die sie gegen Barnett schicken – oder sonstwohin, was das betrifft.«

»Ich habe die Absicht hinter unserer Order durchaus begriffen, Bürger Admiral.« Honeker klang spürbar autoritärer als zuvor, doch Tourville grinste nur, und der Volkskommissar unterdrückte ein innerliches Aufseufzen. Jeder in diesem Besprechungsraum wußte, daß er als Volkskommissar des Geschwaders dessen eigentlicher Kommandeur war. Ein Wort von ihm, und jeder beliebige dieser Offiziere ›verschwand‹. Auch Tourville war nicht dagegen gefeit. Warum also kam er sich vor wie ein geplagter Pfadfinderleiter, den eine Bande von Zehnjährigen schikanierte? So sollte es nicht sein …

»Na schön«, sagte er schließlich. »Ich gehe davon aus, daß Sie Bürgerin Commander Forakers Empfehlungen folgen werden?«

»Natürlich folge ich ihnen«, rief Tourville heiter. »Shannon hat genau die richtige Idee, Sir. Rein ins Adler-System, bevor man dort ahnt, daß wir kommen, und genügend Mantieschiffe abknallen, damit sie uns beachten und mehr Vorpostenschiffe in diese Region verlegen.«

»Wann können wir auslaufen?« fragte Honeker.

»In sechs Stunden, Sir«, antwortete Bogdanovich anstelle seines Geschwaderchefs. »Wir sind voll aufmunitioniert, und unsere Ersatzteillager quellen über. Innerhalb der nächsten sechs Stunden werden wir mit Reaktorbrennstoff betankt. Nach dem Alarmbefehl des Flottenstabs bezweifle ich allerdings, daß wir in den nächsten Tagen auslaufen werden. Innerhalb der nächsten sechsundneunzig Stunden wird die Ankunft von Schlachtgeschwader Zwoundsechzig erwartet. Wenn ich recht verstanden habe, erhalten wir vor seinem Eintreffen keine Freigabe.«

»Also bleibt uns Zeit, Alternativpläne zu entwerfen«, stellte Honeker fest.

»Jawohl, Sir«, sagte Tourville, »und Ihre Erlaubnis vorausgesetzt, würde ich damit gern heute nachmittag beginnen.«

»Gut«, antwortete Honeker, und das meinte er ernst. So kriegerisch Tourville oft erschien, plante er sorgfältig für alle vorstellbaren – und die meisten unvorstellbaren – Eventualitäten voraus. Trotz seiner zur Schau gestellten Aggressivität kalkulierte er genau, bevor er sich ins Gefecht stürzte, und das war einer der Gründe, weshalb Honeker ihm seinen unsteten Kommandostil durchgehen ließ. Der Volkskommissar lehnte sich zurück; in diesem Augenblick zuckte Bogdanovich zusammen, und Honeker zog die Brauen hoch. Wenn er es nicht besser gewußt hätte (was nicht der Fall war), so hätte er geschworen, daß Foraker soeben dem Stabschef unter dem Tisch einen Tritt versetzt hatte.

»Ach, da war noch etwas, was ich ansprechen wollte, Bürger Konteradmiral«, meldete sich Bogdanovich und warf Foraker einen raschen Seitenblick zu.

»Ja?«

»Nun, es ist so ... ich – Bürgerin Foraker und ich haben uns gefragt, ob der Flottenstab uns vielleicht ein paar von den neuen Raketenbehältern zuteilen könnte?« Einen Augenblick lang herrschte Schweigen, und rasch, bevor jemand etwas einwenden konnte, sprach Bogdanovich weiter. »Die Sache ist doch die, Bürger Konteradmiral: Die Manties müssen mittlerweile wissen, daß wir welche haben; die Raketengondeln sind schon in näherem Umkreis von Trevors Stern eingesetzt worden. Der Flottenstab plant, sie bei der Verteidigung von Barnett einzusetzen. Wir wissen aber nicht, ob die Alliierten in diesem Sektor überhaupt schon darüber informiert worden sind, daß wir Raketengondeln haben. Wenn nicht, dann könnte die Überraschung doch zum entscheidenden Faktor werden. Wir haben die *Yarnowski* und die *Simmons* zur Verfügung, Bürger Konteradmiral. Beide Schiffe könnten jeweils siebzig Gondeln fassen und genügend Raketen, um einmal nachzuladen. Trotzdem bliebe auf beiden noch genügend Platz, um all unsere Erfordernisse zu erfüllen.«

»Hm.« Tourville kaute auf seiner Zigarre, dann blickte er Honeker an. »Bürger Kommissar?«

»Ich weiß nicht recht«, brummte Honeker und zupfte sich an der Unterlippe, während er nachdenklich die Stirn runzelte. Bogdanovich und Foraker hatten gewiß recht, was die Nützlichkeit der Gondeln anging, aber er würde sich sehr exponieren, wenn er den Flottenstab bat, diese Waffen freizugeben. Andererseits konnten LePic und Theisman jederzeit ihr Veto gegen den Antrag einlegen. Wenn sie das unterließen, gingen alle Folgen auf ihre Kappe, nicht auf seine.

»Also gut«, entschied er. »Ich werde Sie unterstützen, wenn Sie um diese Gondeln ersuchen wollen. Schreiben Sie nur einen überzeugenden Antrag.«

»Oh, das bekommen wir schon hin, Sir«, versicherte Tourville ihm grinsend und nickte Foraker noch einmal zu. »Also gut, Shannon. Tun Sie einfach so, als hätten Sie die Gondeln bereits. Nun skizzieren Sie mir einen operativen Plan, wie wir die Dinger am besten einsetzen.«

»Jawohl, Sir.« Foraker rief neue Daten ab; ihr langes, schmales Gesicht war eine Studie in Konzentration, und Honeker biß sich auf die Lippe, um den automatischen Drang zu unterdrücken, sie zu korrigieren. Er hatte sie mittlerweile oft genug bei der Arbeit erlebt, um zu begreifen, wie recht Jourdain gehabt hatte: Ihre Rückfälle in die alten, verbotenen militärischen Umgangsformen bedeuteten lediglich, daß ihr Verstand sich zu sehr auf das vorliegende Problem konzentrierte, als daß noch Platz für weitere Erwägungen geblieben wäre.

»Zuallererst«, begann der Operationsoffizier, »müssen wir uns damit abfinden, daß das manticoranische Gerät durch die Bank immer noch besser ist als unseres. Andererseits sitzen die Manties noch nicht lange genug in Adler und Micah, um dort ihr gewohntes Sensorennetz aufgebaut zu haben. Selbst wenn es anders wäre – ihr operatives Verhalten rings um Trevors Stern deutet darauf hin, daß ihre Sechste Flotte im Augenblick schlichtweg zuwenig Sensorplattformen besitzt. Das behauptet wenigstens der Flottennachrichtendienst. Die Analyse beruht darauf, daß die Manties verstärkt Zerstörer und Leichte Kreuzer als Ortungsstationen einsetzen. Diese Folgerung kann ich jedenfalls nachvollziehen: Wenn sie zuwenig Sensorplattformen haben, dann müssen sie die Lücken wohl oder übel mit Schiffen ausfüllen. Außerdem liegt es wohl auf der Hand, daß die Manties die unwichtigeren Systeme schlechter ausstatten, wenn sie schon einen so kritischen Punkt wie Trevors Stern knapp halten müssen. Wenn sie also einen Engpaß an Sensorplattformen haben, dann nur zeitweilig, aber bis sie den Bedarf erfüllt haben, bieten sich uns gute Gelegenheiten.«

Die anderen Stabsoffiziere hatten interessiert zugehört. Nun beugten sie sich vor und gaben Notizen und Fragen für die anschließende Diskussion in ihre Memopads. Und trotz Honekers Eindruck, daß ihm die Kontrolle über die Angelegenheiten des Geschwaders immer mehr entglitt, beugte auch er sich vor, denn hier zeigte sich der Grund, weshalb er sich Tourvilles Posen gefallen ließ und ihn gegen die gelegentlichen Vorwürfe verteidigte, er habe einen ›Personenkult‹ kreiert. Welche Fehler der Bürger Konteradmiral auch haben mochte, er war ein Kämpfer. In einer Volksflotte, die zu viele verzweifelte Abwehrkämpfe gefochten – und verloren – hatte, suchte Tourville beständig nach Möglichkeiten zum Angriff. Kein Wunder, daß er unbedingt Foraker in seinen Stab berufen wollte! Die beiden glichen sich in wenigstens einer Hinsicht wie ein Ei dem anderen: Wo viele ihrer Kameraden den technischen Vorsprung der Manticoraner als Hemmnis empfanden, betrachteten Foraker und Tourville diesen Mangel als Herausforderung. Einig machten sie sich mehr Gedanken darum, wie man jeden Fehler der Manties gegen diese richten konnte, anstatt Möglichkeiten zu suchen, sich vor den Manticoranern zu schützen. Und Honeker war fest entschlossen, alles außer vorsätzlichem Hochverrat zu tolerieren, um Leute zu schützen, die kämpfen wollten, anstatt zu jammern.

»Angenommen«, fuhr Foraker fort und ersetzte die Sternenkarte durch den detaillierten Plan eines hypothetischen Sonnensystems, »hier wäre unser Einsatzziel, und die Manties hätten nur halb so viele Sensorplattformen wie sie wirklich bräuchten, um es lückenlos abzudecken. An ihrer Stelle würde ich meine Plattformen dann hier, hier und hier plazieren.« Innerhalb des Sonnensystems füllten sich Raumgebiete, die von den theoretischen Sensoren abgedeckt wurden, mit flackernden roten Pünktchen. »In dieser Verteilung erhielten die Manties den optimalen taktischen Nutzen ihrer Plattformen, die Peripherie des Systems wäre aber noch immer verwundbar, und darum würde ich ...«

Sie redete weiter und legte ihren Angriffsplan dar, indem sie dicke rote Pfeile in der Darstellung erscheinen ließ. Everard Honeker lauschte gespannt und schenkte ihr ein anerkennendes Lächeln.

9

Wer die Räumlichkeiten in einem Schlachtkreuzer oder gar einem Wallschiff gewöhnt war, dem mußte der Flaggbesprechungsraum an Bord von GNS *Jason Alvarez* sehr beengt erscheinen. Doch verfügte der

Raum über eine gute Ausstattung und genügte Honors Ansprüchen völlig. Ein wenig mehr Abstand zwischen ihrer Stuhllehne und der vorderen Schottwand der Abteilung wäre ihr zwar willkommen gewesen, und sobald außer dem Stab auch nur ein einziger Gast in den Raum kam, wirkte die Kammer überfüllt; aber Honor jedenfalls hatte schon unter weit ungünstigeren Bedingungen arbeiten müssen, und wenigstens saß sie bequem.

»Also gut, Herrschaften!« rief sie und klopfte mit den Knöcheln sachte auf den schmalen Tisch, der fast so lang war wie die Abteilung, »fangen wir an.«

Die anderen gingen an ihre Stühle und setzten sich geschickt. Außer – wie sollte es auch anders sein – Carson Clinkscales, der es fertigbrachte zu stolpern, und zwar über die eigenen Füße. Der Ensign schwankte nach rechts und schlug mit dem linken Arm wie mit einem Windmühlenflügel aus, um das Gleichgewicht zu halten. Dabei fegte er Lieutenant Commander McGinley die GSN-Mütze vom Kopf. Die schwere Mütze wurde auf den Konferenztisch katapultiert und wirbelte über die polierte Tischplatte, schlitterte mit dämonischer Präzision an Venizelos' zupackender Hand vorbei und klatschte kraftvoll gegen eine Karaffe voll Eiswasser. Die unbeabsichtigt zum Projektil gewordene Kopfbedeckung besaß gerade genügend kinetische Energie, um die Karaffe umzuwerfen, und Wasser schoß daraus hervor, weil sich der Deckel löste, den ordnungsgemäß zu befestigen ein auf ewig unbekannt bleibender Steward versäumt hatte. Drei Offiziere zugleich griffen hektisch nach der Karaffe, keiner fing sie. Dann keuchte Captain Greentree vernehmlich, als das Gefäß vom Tisch rollte und sich das restliche eiskalte Wasser in seinen Schoß ergoß.

Das Schweigen, das sich daraufhin über den Besprechungsraum senkte, war absolut; Clinkscales starrte entsetzt den Flaggkommandanten an und erwartete einen Wutausbruch, der von ihm nichts weiter übrig lassen würde als einen Fettfleck auf dem Deck oder am Schott. Doch dieser Ausbruch unterblieb. Greentree senkte den Blick in den Schoß, dann nahm er die leere Karaffe nur mit Daumen und Zeigefinger auf und überreichte sie behutsam Lieutenant Mayhew. Der Nachrichtenoffizier nahm sie kommentarlos entgegen und stellte sie neben der Luke ab. Venizelos und Howard Latham bargen derweil ihre elektronischen Memopads aus dem kleinen Winterteich auf dem Tisch. Der Flaggkommandant entnahm seiner Uniformjacke ein Taschentuch und begann, methodisch seine durchtränkte Hose abzutupfen.

»Ich ...« Clinkscales lief feuerrot an und blickte drein, als wäre er vor Scham am liebsten auf der Stelle gestorben. »Es ... es tut mir leid, Captain«, stammelte er. »Ich habe nicht gewußt ... ich meine ...« Er schluckte und wollte sich um den Tisch dem Flaggkommandanten nähern. »... wenn Sie mir gestatten würden, Ihnen zu helfen ...«

»Machen Sie sich keine Gedanken, Mr. Clinkscales«, entgegnete Greentree. »Ich weiß, daß es sich um ein Mißgeschick handelte, und ich kann damit allein fertig werden, vielen Dank.«

Clinkscales' Röte vertiefte sich, und Honor spürte seine Erniedrigung. Die Weigerung Greentrees, sich vom Flaggleutnant helfen zu lassen, war gerade schnell genug gekommen, um abwehrend zu klingen – als wollte er den jungen Mann nicht in seiner Nähe haben –, auch wenn er keineswegs diese Absicht verfolgt hatte. Honor erwog, selbst etwas zu sagen, aber selbst wenn ihr Leben davon abgehangen hätte, wäre ihr nichts eingefallen, das nicht alles noch verschlimmert hätte. Sie suchte und fand die Augen des einzigen anderen anwesenden Offiziers, der nicht ihrem Stab angehörte. Alistair McKeon stand im Rahmen der Luke und betrachtete die Bescherung mit vergnügt funkelnden grauen Augen. Über Nimitz spürte Honor seine Belustigung, und das wiederum sprach ihren eigenen Sinn für das Groteske an. So peinlich der Zwischenfall auch sein mochte, bleibender Schaden war nicht angerichtet worden, und vielleicht tat es Clinkscales ganz gut, wenn er mit den Konsequenzen seiner Tolpatschigkeit allein zurechtkommen mußte. Schließlich konnten nicht überall in der Galaxis alle scharfen Kanten eigens für ihn gepolstert werden. Früher oder später durften ihm entweder keine Unfälle mehr widerfahren, oder er mußte lernen, die Folgen mit Würde zu meistern – und ohne Feuerschutz von seinen Vorgesetzten. Daher lehnte sie sich nur auf dem Stuhl zur Seite und hob McGinleys Mütze vom Boden auf.

»Ich glaube, die gehört Ihnen, Marcia«, meinte sie, und der Operationsoffizier dankte ihr mit einem Lächeln, klemmte sich die Mütze unter den Arm und drückte sich nach hinten gegen das Schott, damit sich Clinkscales an ihr vorbeiquetschen konnte. Der Ensign ließ entmutigt die breiten Schultern sinken, weil McGinley ganz offensichtlich bedacht war, ihm nur nicht im Weg zu sein. Honor registrierte, daß Marcia ihm trotzdem einen sanften, ermutigenden Klaps versetzte, als er vorbeiging.

Jasper Mayhew kehrte mit einer neuen Karaffe und einem Handtuch an den Tisch zurück. Erstere stellte er auf den Tisch, das Handtuch reichte er Greentree, dann ließ er sich mit katzenhafter Geschmeidigkeit auf seinen Stuhl sinken. Honor klopfte erneut auf den Tisch.

»Wie ich bereits sagte, wollen wir anfangen«, wiederholte sie ruhig, während McKeon als ihr Stellvertreter am anderen Ende des Tisches Platz nahm. Clinkscales setzte sich mit unverkennbarer Erleichterung, keine weitere Katastrophe angerichtet zu haben, und Honor unterdrückte den Wunsch, resigniert den Kopf zu schütteln.

»Vielen Dank für Ihr Kommen, Alistair«, sagte sie statt dessen und nickte McKeon zu. Er erwiderte die Begrüßung knapp, als stünde es einem Captain tatsächlich frei, die Einladung seines Commodore nach Belieben anzunehmen oder abzulehnen, und bedachte den Flaggkommandanten mit einem kurzen Blick. »Ich hatte einen bestimmten Grund, Sie und Captain Greentree herbeizubitten«, fuhr sie fort. »Wir haben Order erhalten, den Geleitzug JNMTC-76 von Grayson nach Treadway zu eskortieren. Ich weiß, daß wir neulich abends schon darüber gesprochen haben, doch nun stehen uns reale Zahlen und Bestimmungsorte zur Verfügung, mit denen wir arbeiten können, nicht nur Spekulationen. Einige Entscheidungen stehen an. Marcia?« erteilte sie dem Operationsoffizier das Wort.

McGinley beugte sich ein wenig vor. »Laut Command Central, Mylady, haben wir insgesamt zwanzig Schiffe von Jelzins Stern nach Casca, dann nach Quest, Clairmont, Adler und via Candor wieder nach Hause zu bringen. Alle Frachter sind JNMTC-Schiffe, so daß wir relativ hohe Marschfahrt anlegen können, aber im Casca-System werden wir wenigstens sechsunddreißig Stunden Aufenthalt zum Umschlagen von Fracht haben. Außerdem werden wir dort ein Schiff detachieren, weitere drei auf Clairmont Station. Die größte Lieferung ist für Adler bestimmt: zwo Truppentransporter mit Marines und fünf Nachschubschiffe, aber diese Schiffe werden sich lediglich im Vorbeiflug von uns lösen, während es für uns weiter geht nach Treadway. Dort geben wir weitere drei Schiffe ab und nehmen vier leere mit, die nach Jelzins Stern sollen, und verbringen vier Tage im Candor-System, wo die letzten sieben Schiffe des ursprünglichen Konvois ihre Ladung löschen. Dann geht es wieder zurück nach Jelzins Stern. Geschätzte Reisedauer insgesamt etwa zwo Monate.«

Sie hielt inne, um Gelegenheit für Fragen zu bieten. Es gab keine, und Honor forderte sie mit einem Nicken auf, weiterzusprechen.

»Ich brauche eigentlich nicht zu erwähnen, daß wir immer damit rechnen müssen, havenitischen Raidern zu begegnen«, fuhr McGinley fort. »Nach den letzten Meldungen des Nachrichtendienstes hat die Volksflotte an der Südflanke größere Schwierigkeiten. Leider sind die Aufklärungsergebnisse weniger eindeutig als mir lieb wäre, und deshalb bestehen mehrere Interpretationsmöglichkeiten. Mit Ihrer Erlaubnis, Mylady, möchte ich Jasper bitten, näher auf diesen Punkt einzugehen.«

»Aber gern. Jasper?«

Der graysonitische Nachrichtenoffizier wirkte plötzlich noch jünger als sonst, nichtsdestotrotz stellte er sich mit ernster Miene den Blicken der Vorgesetzten im Stabe.

»Zuerst muß ich noch einmal betonen«, sagte er, »daß unsere Aufklärung, wie von Commander McGinley angedeutet, weniger fundiert ist, als uns lieb sein kann. An und für sich können die Havies noch nicht genügend Kampfstärke zusammengekratzt haben, um Barnett gegen einen entschlossenen Angriff zu halten. Dennoch verfügen sie dort über genügend Feuerkraft, um uns an jedem bemannten

Aufklärungsvorstoß oder dem Einschleusen von RDs ins innere Sonnensystem zu hindern. Deshalb können wir mit Bestimmtheit nur eins sagen: daß unsere Patrouillen die etwaige Ankunft nennenswerter Zahlen von Wallschiffen nicht bemerkt haben.

Unser größtes Problem besteht darin, daß wir in diesem Sektor momentan längst nicht so stark sind, wie wir gerne wären. Trevors Stern hat die verfügbare Tonnage der Haveniten zum größten Teil gebunden, aber leider gilt das gleiche auch für unsere Schiffe. Weil nach der letzten Schlacht dort zahlreiche Großkampfschiffe in die Reparatur mußten, sind ruhigere Sektoren einschließlich des unseren kräftig geplündert worden, um Admiral Kuzak angemessene Kampfstärke zu geben. Hinzu kommt die Formierung der Achten Flotte; sie hat überall zwischen Jelzins Stern und Barnett sämtliche Reserven erschöpft. Dadurch sind unsere Vorposten geschwächt und nicht in der Lage, aggressive Aufklärungsvorstöße in havenitische Systeme vorzunehmen. Ohne diese Aufklärung können wir nur raten, was auf der anderen Seite des Hügels so vorgeht.«

Er schwieg kurz, um seine Worte wirken zu lassen.

»Aufgrund der vorliegenden Informationen und der Schätzungen unserer Spezialisten«, fuhr er fort, »hält Command Central die meisten havenitischen Vorposten für schwach. Vermutlich gibt es jeweils nicht mehr als einen Schirm aus Leichten Kreuzern, die im Falle eines Falles primär Barnett warnen sollen, daß sich ein Angreifer auf dem Vormarsch befindet, und nur in zwoter Linie ihre Station verteidigen. Command Central vermutet außerdem, daß die havenitischen Systemkommandeure sich vorsichtig verhalten werden, weil sie damit rechnen müssen, daß wir früher oder später mit Macht in ihre Kommandobereiche einfallen. Während Command Central sich nicht zu der Prognose durchringen kann, daß der Feind eine rein defensive Position beziehen wird, erwartet man dort dennoch eher Zaudern als Entschlossenheit.«

»Ich verstehe.« Honor lehnte sich zurück und schürzte die Lippen, dann hob sie den Arm und streichelte Nimitz die Ohren, der sich auf der Rückenlehne ihres Stuhles räkelte. Sie blickte Mayhew ins Gesicht. »Soll ich Ihrer Formulierung entnehmen, daß Sie diese Erwartung nicht ganz teilen, Lieutenant?«

»Jawohl, Mylady. Ich teile sie nicht.« Manch ein Lieutenant hätte nun gestockt und gestottert, Mayhew schüttelte indes nur unerschüttert den Kopf. »Nach dem letzten Bericht des manticoranischen ONI heißt der neue Kommandeur des Barnett-Systems Admiral Thomas Theisman.« Honor wölbte unwillkürlich die Augenbrauen. Das hörte sie nun zum ersten Mal, und plötzlich besaß ihr Feind ein menschliches Antlitz. Sie kannte Theisman und empfand großen Respekt vor seinen Leistungen und seiner Initiative. »Ich habe mich mit dem Dossier Theisman befaßt«, fuhr Mayhew fort, der die Gedanken seiner Geschwaderchefin nicht kannte, »und er paßt nicht in das üble Bild eines havenitischen Flaggoffiziers. Er geht Risiken ein. Ich würde ihn nicht unbesonnen nennen wollen, doch er hat mehrfach gezeigt, daß er auch dann handelt, wenn die Chancen zwar schlecht für ihn stehen, aber sein Urteilsvermögen ihm sagt, er könne es schaffen. Früher oder später wird er deswegen vor dem Erschießungskommando landen. Schließlich kann er nicht immer recht haben. Er braucht nur eine Operation in den Sand zu setzen, und er ist erledigt. Bislang hat er aber immer seine Zielvorgaben erfüllt, und ich glaube nicht, daß er seine Vorgehensweise in nächster Zeit ändert.«

»Verstanden«, erwiderte Honor. Sie rieb sich die Nasenspitze und wandte sich an Venizelos und McGinley. »Stimmen Sie und Marcia mit Jasper überein, Andy?«

»Im Grunde schon«, antwortete Venizelos. »Wir sind uns über die Bedingungen der Geleitmission ein wenig uneins, meiner Meinung nach stimmt Jaspers Einschätzung von Admiral Theisman jedoch. Außerdem habe ich mit Konteradmiral Yu über ihn gesprochen.« Venizelos hatte wie sie selbst gegen Theisman gekämpft und ihn kennengelernt, als der havenitische Admiral noch Commander gewesen war. Alfredo Yu jedoch hatte Theisman bei der letzten Operation, die er als Captain der Volksflotte von Haven durchführte, zu seinem Stellvertreter gemacht. Wenn jemand im Dienste der Allianz Einblicke in Thomas Theismans Denkweise besaß, dann Yu.

»Admiral Yu zufolge«, führte Venizelos weiter aus, »ist Theisman ein sehr gefährlicher Mann. Der Admiral charakterisiert ihn als entschlossen, intelligent und berechnend. Theisman befaßt sich ausführlich mit der jeweiligen Situation und nimmt eine unabhängige Lagebeurteilung vor; wann immer es möglich ist, handelt er aufgrund seiner Einschätzung, auch wenn er dazu in mehr oder weniger kreativer Weise seine Befehle beugen muß – was meiner eigenen Bewertung dieses Mannes entspricht. Offen gesagt staune ich, wie lange er unter dem neuen Regime überlebt hat. Ich stimme Jasper zu, daß Command Central einen ernsten Fehler begehen könnte, wenn man von Theisman Passivität und defensives Verhalten erwartet.«

»Wo sind Sie und Jasper sich ›ein wenig uneins‹?«

»Wenn Sie gestatten, Mylady, möchte ich diese Frage beantworten«, sagte McGinley, und Honor nickte ihr auffordernd zu.

»Wir differieren nicht darüber, ob Theisman sich nun so offensiv verhalten wird, wie es ihm seine Mittel erlauben, sondern vielmehr über die Frage, welche Mittel ihm denn eigentlich zur Verfügung stehen. Angesichts unserer relativen Schwäche in diesem Sektor befürchtet Jasper, daß Theisman unsere Systemvorposten mit einer Serie von gezielten Schlägen angreifen könnte. Wenn er tatsächlich die dazu nötige Kampfstärke besitzt, wäre diese Strategie für ihn am günstigsten. Eingedenk der weitaus größeren Gefahr, die Trevors Stern für das Herz der Volksrepublik darstellt, bezweifle ich jedoch, daß die Volksflotte größere Zahlen Wallschiffe ins Barnett-System abstellt. An sich kann Haven nämlich gar nicht genügend Kampfkraft in dieses System verlegen, um eine ernstgemeinte Offensive abzuweisen. Deshalb erwarte ich, daß alle Verstärkungen für das Barnett-System aus relativ leichten Einheiten bestehen, Schiffen, die entbehrlich sind und sich besser zur Flankensicherung eignen – und ganz besonders als Handelsstörer. Theisman müßte mindestens Schlachtkreuzer einsetzen, um eine realistische Chance zu haben, uns eines der eroberten Systeme wieder abzunehmen. Aber mit Leichten und Schweren Kreuzern, sogar mit Zerstörern könnte er unsere Frachtschiffe attackieren. Wenn ich an seiner Stelle wäre, würde ich genau das tun, denn dadurch rentierte sich jede Investition am meisten.«

»Hm.« Honor rieb sich wieder die Nase und blickte Mayhew fragend an. »Jasper?«

»Commander McGinley hat da natürlich nicht unrecht, Mylady«, gab der Lieutenant zu, »aber ihre Schlußfolgerung beruht auf zwo Voraussetzungen. Zum einen, daß die Havies keine Schlachtkreuzer loseisen würden, um einen unserer Vorposten auszuschalten, und zum anderen, daß sie mit ihren leichten Einheiten willentlich unseren Handelsverkehr stören. Gegen die erste Voraussetzung läßt sich einwenden, daß wir nur Vermutungen anstellen können, welche Schiffe Admiral Theisman von den höheren Kommandostellen erhalten wird. Natürlich ist es sehr gut möglich, daß man Barnett bereits abgeschrieben hat. Ich weiß, daß das ONI auf Grundlage der zur Verfügung stehenden Schiffe den Schluß gezogen hat, Haven bliebe gar nichts anderes übrig, als das System aufzugeben. Diese Argumentation ist schlüssig, und trotzdem wäre es möglich, daß man Barnett zwar als entbehrlich ansieht, das System aber trotzdem nicht kampflos aufgeben will. Damit könnte man uns immerhin zwingen, mit möglichst starken Verbänden gegen Barnett vorzugehen – Kampfstärke, die uns dann bei Operationen rings um Trevors Stern fehlt.«

Er machte eine Pause, und Honor nickte zurückhaltend. Mayhew nahm sich sehr viel heraus, indem er den Schlüssen besser bezahlter, höherrangiger Köpfe widersprach. Für einen einfachen Lieutenant erforderte es schon ein gerüttelt Maß an Mut – oder Ego –, um die Ansichten des ONI in Frage zu stellen, doch gerade sein mangelndes Dienstalter mochte Mayhew den Widerspruch in zumindest einer Hinsicht erleichtern: Er konnte Einwände erheben und alternative Deutungen anbieten, soviel er wollte; ihm fehlte der Rang, um seine Schlußfolgerungen gegen die Meinung anderer durchzusetzen. Selbst wenn einer seiner Vorgesetzten nun beschloß, Mayhews Ratschlag zu befolgen, so lag die Verantwortung (und die Schuld) letztlich bei diesem Vorgesetzten und nicht bei dem Lieutenant.

Allerdings hatte Mayhew soeben genau jene Strategie umrissen, die Honor an Theismans Stelle verfolgt haben würde.

»In bezug auf den zwoten Punkt, daß die leichteren havenitischen Einheiten systematisch unseren Handelsverkehr stören könnten«, fuhr der Nachrichtenoffizier fort, »möchte ich nur darauf hinweisen, daß unsere Frachtverschiffung in den letzten Monaten grundlegend geändert wurde und nun an die Verfügbarkeit von Geleitschiffen gekoppelt ist. Zwar senden wir größere Konvois aus, aber die Gesamtzahl der Geleitzüge – und damit auch der potentiellen Ziele – ist hingegen um die Hälfte reduziert worden. Wenigstens auf dem Papier steht uns dadurch die doppelte Anzahl von Geleitschiffen pro Konvoi zur Verfügung. Vielleicht haben die Havies davon noch nicht Wind bekommen, aber jeder, der versucht, unseren Nachschub zu stören, wird die Lage sehr, sehr schnell begreifen. Was aber, wenn der Feind die Änderung unserer Einsatzschemata bereits registriert hat? Command Central betraut uns mit einem einzigen Geleitzug. Sechs Schwere Kreuzer warten also auf eventuelle Raider. Mehr als einem Drittel unserer Systemvorposten stehen genausoviel oder sogar weniger Kampfkraft zur Verfügung. Wenn man sich dieser Kampfstärke also ohnehin stellen muß, warum dann beweglichen Zielen hinterherhetzen? Um im Hyperraum einen Konvoi aufzuspüren, müßte der Feind seine Stärke sehr weit verteilen, selbst wenn er den Marschplan des Geleitzugs genau kennt. Diese Verteilung bedingt wiederum, daß er wahrscheinlich nicht rechtzeitig genügend Kampfkraft zusammenziehen kann, um den Geleitschutz anzugreifen, falls er den Konvoi überhaupt findet. Sonnensysteme weichen andererseits nicht aus; man weiß immer ganz genau, wo sie sind. Wenn der Feind Schlachtkreuzer aggressiv einsetzt, besitzt er alle Vorteile einer Spinne im Netz. Erobert er ein System, ist es unmöglich, die

Schiffe, die sich bereits auf dem Weg dorthin befinden, vor ihrem Eintreffen zu warnen – der Feind aber könnte auf seine gesamte Kampfstärke zurückgreifen, um den Geleitschutz auszuschalten, und sich anschließend den Frachtern zuwenden. In diesem Fall wird der Gegner darauf bedacht sein, den Geleitzug zunächst in die Hypergrenze zu locken, damit seine Beute nicht einfach wieder transistiert.«

Honor runzelte die Stirn und massierte sich das Kinn. Nachdem sie Mayhews Argumente überdacht hatte, senkte sie die Hand und deutete mit ihrem langen Zeigefinger auf McGinley.

»Wenn ich recht verstanden habe, widersprechen Sie Jasper nicht etwa in bezug auf die optimale havenitische Strategie, sondern in der Frage, welche Mittel Theisman zur Verfügung stehen. Ist das richtig?«

»Im Grunde ja«, antwortete McGinley. »Bislang sind uns in diesem Sektor noch keine Angriffe auf Geleitzüge gemeldet worden. Deshalb neige ich zu der Ansicht, daß die Havies unsere neuen Verschiffungsschemata noch nicht erkannt haben. Das ist allerdings auch gar nicht so wichtig, denn wenn sie über die nötige Kampfkraft verfügen würden, um einen unserer Vorposten auch nur vorübergehend auszuschalten, wäre dieses Vorgehen vom gegnerischen Standpunkt aus am vernünftigsten. Der Feind bekäme nicht nur den ankommenden Schiffsverkehr vor die Rohre, wie Jasper gerade beschrieben hat; vor allem hätte er eine fabelhafte Gelegenheit, dem attackierten Vorposten größtmöglichen Schaden zuzufügen. Ich finde es nur schwierig zu glauben, daß Haven willens ist, noch mehr Großkampfschiffe in ein Rattenloch von Sonnensystem zu verlegen, das ohnehin nicht gehalten werden kann. Und selbst wenn Theisman dennoch nennenswerte Verstärkungen erhalten hat, bezweifle ich sehr, daß er sie bei einer Art ungenehmigter Vorstoßoperation riskieren würde.«

»Da kennen Sie Thomas Theisman schlecht, Marcia«, sagte Honor leise. Sie senkte nachdenklich den Blick und schaukelte eine Weile mit dem Stuhl, dann blickte sie McGinley direkt ins Gesicht.

»Mit Ihrer Mutmaßung über die Kampfkraft im Barnett-System könnten Sie recht haben, doch hat meiner Ansicht nach Jasper die größte Gefahr aufgezeigt, die uns droht. Was auch immer tatsächlich geschieht, wir dürfen keinesfalls außer acht lassen, daß der Feind unsere Vorposten angreift, anstatt zwischen den Sonnensystemen Geleitzügen aufzulauern. Wie also können wir uns gegen beide Eventualitäten schützen?«

»Wenn wir mehr Geleitschiffe hätten, würde ich für die Sarnow-Formation plädieren«, antwortete McGinley unverwandt, und Honor stimmte ihr mit einem Nicken zu.

Wie jeder Handelsstörer wußte, gelang der Angriff auf einen Frachter (oder einen Frachterkonvoi) am ehesten unmittelbar nach der Transition der Beute aus dem Hyper- in den Normalraum. Die Geschwindigkeit der Frachter war dann noch niedrig, und ihre Sensoren hatten mögliche Gefahren noch nicht erfaßt. Die Zone, in der die Transition erfolgen mußte, ließ sich relativ genau vorherberechnen. Ohne größere Schwierigkeiten konnte ein Raider auf einer Position lauern, aus der er den Frachter angreifen konnte, solange dieser am verwundbarsten war. Wollte man die möglichen Ankunftszonen komplett absichern, so benötigte man eine größere Anzahl von Schiffen, doch die eigentliche Plazierung dieser Schiffe stellte keine allzu schwierige Rechenaufgabe dar.

Ob nun im Normal- oder im Hyperraum – man griff

einen Konvoi am besten frontal an, denn dann trug die Eigengeschwindigkeit des Ziels zur Gesamt-Annäherungsgeschwindigkeit bei. Näherten sich die Angreifer einem auf Kollisionskurs, so mußte das Handelsschiff die relativ hohe Aufschlußgeschwindigkeit abbauen, bevor es ein Ausweichmanöver einleiten konnte; kein großer, träger Frachter mit zivilen Impellern und Trägheitskompensatoren erreichte jedoch auch nur ansatzweise die Beschleunigungswerte und Manövrierfähigkeit eines Kriegsschiffs. Raider vermochten daher jede Gegenmaßnahme des erwählten Opfers zu kompensieren. Infolgedessen versperrten sie ihren Opfern den Weg und ließen sie auf sich zukommen.

In der klassischen Formation verteidigte der Geleitschutz den Konvoi, indem er sich zwischen seinen Schützlingen und derjenigen Richtung konzentrierte, aus der die Bedrohung am wahrscheinlichsten zu erwarten war. Nur ein oder zwei Schiffe schützen das Heck des Geleitzugs gegen die geringere Gefahr, daß ein Raider achterlich zum Konvoi aufschloß und angriff. Gegen gewöhnliche Piraten, die Schiffe kapern und deren Ladung plündern wollten, blieb diese Geleitzugdoktrin der RMN unverändert, doch gegen havenitische Handelsstörer wandte die Navy eine neue Taktik an, die Vizeadmiral Mark Sarnow ersonnen hatte: Statt die Geleitschiffe vor den Frachtern zu massieren, konzentrierte man sie an den Flanken und achteraus des Konvois; nur eine relativ schwache Vorhut bewegte sich zur Aufklärung wenigstens dreißig bis vierzig Marschfahrtminuten vor der Hauptformation.

Da Haven im Gegensatz zu den Piraten nicht primär an Beute interessiert war, sondern nur verhindern wollte, daß die Ladung der Frachter der Allianz zugute kam, ergab diese Taktik Sinn. Sicherlich hätten auch die Haveniten bevorzugt, die Ladungen zu kapern; ihre Mission erfüllten sie indes allein durch die Vernichtung eines Konvois. Aus ihrer Sicht sprach folglich nichts dagegen, das Feuer zu eröffnen, sobald sie sich den Handelsschiffen auf Angriffsentfernung genähert hatten. Daher mußten die Geleitschiffe jeden Angreifer außer Schußreichweite halten. In der Sarnow-Formation befand sich die Hauptkampfkraft an einer Position, aus der sie ihr überlegenes Beschleunigungsvermögen ausnutzen konnte, um jeden Gegner auf jedem Annäherungsvektor abzufangen. Die vorgeschobenen Aufklärer hatten nur sicherzustellen, daß sich auf dem Kurs des Konvois keine unangenehmen Überraschungen verbargen. Von allen Schiffen des Geleitschutzes waren die Aufklärer dem größten Risiko ausgesetzt, doch normalerweise erhielten sie genügend Zeit, um sich zurückfallen und vom übrigen Geleitschutz einholen zu lassen, bevor der Feind sie isoliert überwältigen konnte.

Soweit jedenfalls die Theorie. Aufgrund ihrer Erfahrungen rechnete Honor fest damit, daß die neue Doktrin sich in der Praxis bewähren würde. Unangenehmerweise mangelte es ihrem unvollständigen Geschwader an Schiffen, mit denen sie die Vorhut hinreichend stärken könnte, ohne die eigentliche Reaktionsstreitmacht auf inakzeptable Weise zu schwächen. Wen auch immer sie als Aufklärer einteilte, mußte ohne Rückendeckung operieren und wäre daher gefährlich exponiert.

Sie dachte kurz nach und blickte McKeon an.

»Was meinen Sie dazu, Alistair?« fragte sie, und der stämmige Captain stützte sich mit verschränkten Armen auf den Tisch.

»Ich bin ebenfalls der Ansicht, daß die Havies uns

nicht schlimmer treffen könnten als durch die Ausschaltung eines Systemvorpostens. Commander McGinley könnte recht haben, daß ihnen dazu die nötige Kampfstärke fehlt. Aber ich glaube, daß Lieutenant Mayhews Einschätzung von Theisman zutrifft. Wie Sie sich erinnern«, und er lächelte sarkastisch, »hatten wir beide bereits das Vergnügen, seine Bekanntschaft zu machen. Falls Theisman genügend Feuerkraft zur Verfügung steht, daß ein Überfall auf ein besetztes System eine realistische Chance besitzt, dann wird er's probieren; es sei denn, es ist ihm von vorgesetzter Stelle ausdrücklich untersagt worden.

Ich glaube gar nicht, daß es für uns von großer Bedeutung ist, wie Theisman sich konkret verhält. Ich muß Commander McGinley recht geben: Mit der Sarnow-Formation sind wir gegen jede Eventualität am besten gewappnet.«

»Und wen setzen wir an die Spitze?« fragte Captain Greentree. Man hätte die Frage des Flaggkommandanten leicht als herausfordernd auffassen können, doch er sprach sie ohne jeden Sarkasmus aus und traf den Kern der Bedenken, die Honor plagten. »Wir haben nicht genug Schiffe, um die Vorhut so stark zu machen, wie die *Regeln* es verlangen – es sei denn, wir reduzieren die Flankensicherung und führen den Nutzen der Formation damit ad absurdum«, fuhr er fort. »Wenn wir wenigstens ein paar Zerstörer hätten, sähe alles gleich ganz anders aus; wir könnten zwo oder drei davon nach vorn setzen, um einem Schweren Kreuzer den Rücken zu decken. Wie sich die Lage uns präsentiert, müssen wir ein einziges Schiff abstellen. Wer immer die Vorhut übernimmt, wird folglich völlig exponiert sein, denn er befindet sich so weit voraus, daß wir ihn im Falle eines Angriffs nicht schützen könnten.«

»Das ist leider wahr«, stimmte McKeon zu. »Trotzdem ist unser erstes Gebot die Sicherheit der Frachter. Wenn es hart auf hart kommt, ist jedes Geleitschiff entbehrlich, und die Sarnow-Formation erhöht die Ortungsreichweite des Geleitzugs um gute neun Lichtminuten. Wer von uns noch kein überlichtschnelles Signalsystem besitzt, kann auf Aufklärungsdrohnen zurückgreifen, die damit ausgestattet sind. Deshalb kann die Vorhut jeden Gegner, den sie ortet, ans Flaggschiff melden, lange bevor der Gegner das Flaggschiff erfaßt. Selbst im allerschlimmsten Fall könnten wir dann noch immer dafür sorgen, daß die Frachter dem Feind entkommen; bestenfalls erhalten wir eine sehr gute Chance, schwache Handelsstörer in den Hinterhalt zu locken.«

»Dem widerspreche ich ja gar nicht«, entgegnete Greentree. »Ich frage nur: Wen schicken wir vor?«

»Die Frage läßt sich leicht beantworten.« McKeon grinste. »Meiner Meinung nach ist die *Prince Adrian* die logische Wahl.«

Greentree öffnete den Mund zu einer Erwiderung und schloß ihn wieder; Honor spürte seine Verärgerung – nicht über McKeon, sondern über die Stichhaltigkeit von McKeons Vorschlag; und sie spürte seine Gefühle nicht nur, sie verstand ihn auch sehr gut. Genau wie Greentree hätte sie die Spitze lieber selbst übernommen. Ob es nun die gefährlichste Position war oder nicht, an der Spitze würde das Geschwader mit höchster Wahrscheinlichkeit den ersten Blick auf die näherkommende Gefahr erhalten. Jeder gute Taktiker legte größten Wert darauf, die Lage aus eigener Anschauung zu beurteilen und sich nach Möglichkeit nicht auf fremde Berichte verlassen zu müssen. Außerdem scheute sich Honor, ihre Leute in eine Gefahr zu schicken, aus der sie sich selbst heraushielt.

Eine irrationale Anwandlung, die sie als Flaggoffizier überwinden mußte, sagte sie sich; doch mit Vernunftgründen ließ sich ihren Bedenken nicht im geringsten beikommen.

Wie Greentree war sie sich im klaren, daß McKeon völlig recht hatte: Allem voran mußte man die Ortungsreichweite des Geschwaders erhöhen, denn sämtliche Fallen auf dem Weg des Konvois müßten ausgeschaltet werden; und McKeon war dafür nach Honor die nächste Wahl, denn sie selbst durfte nicht: Das verbot ihr die Verantwortung als Geschwaderchefin. Sie durfte ihr Flaggschiff keinesfalls unnötig in Gefahr bringen. Ja, McKeon war der Beste; er war nicht nur ihr Stellvertreter, auf sein Urteil konnte sie sich bedingungslos verlassen. Vielleicht ebenso wichtig: McKeon würde in einer zeitkritischen Lage eigenständig handeln und nicht zaudern, um vorher ihre Genehmigung einzuholen.

»Also gut«, sagte Honor, ohne daß sich ihre Vorbehalte in ihrer gelassenen Stimme verrieten. »Alistair hat recht, Thomas. Die *Prince Adrian* übernimmt die Spitze.« Greentree nickte zustimmend, und Honor wandte sich an Venizelos. »Wenn ich Marcia richtig verstanden habe, besitzen wir konkrete Zahlen über den Geleitzug. Haben wir auch schon eine Liste der Schiffsnamen?«

»Da gibt es noch ein paar weiße Flecken, Ma'am«, antwortete der Stabschef. »Bis fünfzehn Uhr dreißig sollten wir allerdings vollständig im Bilde sein. Alle Schiffe befinden sich bereits im Jelzin-System, aber der Logistikstab muß noch im einzelnen entscheiden, welche Schiffe mit dem Rest der Garnisonsausrüstung für Samovar beladen werden.«

»Gut. Howard«, wandte sie sich an den Signaloffizier, »sobald wir eine vollständige Liste haben, setzen

Sie sich mit allen Kapitänen in Verbindung. Laden Sie die Kapitäne und ihre Ersten Offiziere zu einer Besprechung an Bord der *Alvarez* ein, um ... sagen wir, neunzehn Uhr.«

»Jawohl, Mylady.«

»Marcia, bis dahin arbeiten Sie mit Commander Venizelos eine Sarnow-Formation für unser Geschwader aus. Die *Prince Adrian* übernimmt die Spitze, die *Magician* deckt uns den Rücken.«

»Jawohl, Ma'am.«

Honor überlegte eine Weile, ob sie alles gesagt hatte, was gesagt werden mußte, dann blickte sie Mayhew an.

»Ihre alternative Interpretation der ONI-Analysen war gute Arbeit, Jasper. Manchmal vergessen wir einfach, die Person zu berücksichtigen, die sich auf der anderen Seite hinter dem Rang verbirgt.« Greentree und McKeon nickten anerkennend, und Honor empfand die Freude des Lieutenants. Gleichzeitig bemerkte sie an Marcia McGinley keinerlei Groll, und das erschien ihr fast noch wichtiger als Mayhews Hochgefühl. Viele Offiziere beim Stabe hätten einem Untergebenen vielleicht übelgenommen, nicht nur anderer Ansicht zu sein, sondern darüber hinaus auch noch den Commodore zu überzeugen. Gut zu wissen, daß McGinley nicht zu dieser Sorte gehörte. Honor wollte schon aufstehen und damit die Besprechung offiziell beenden, dann hielt sie inne. Ihr war ein weiterer Punkt eingefallen, der erledigt werden mußte, und sie holte tief Luft und wappnete sich innerlich.

»Carson?«

»Jawohl, Mylady?« Der Flaggleutnant schien auf seinem Stuhl zu erbeben, als bedürfe es körperlicher Anstrengung, nicht aufzuspringen und Haltung anzunehmen.

»Ich werde die Skipper, die heute abend an Bord kommen, zum Essen einladen«, sagte Honor. »Besprechen Sie sich mit meinem Steward und kümmern Sie sich um das Nötige.«

»Jawohl, Mylady!« sagte der Ensign zackig, und die begeisterte Entschlossenheit, die sie dank Nimitz bei ihm spürte, machte ihr fast angst.

Aber nicht soviel Furcht wie das Katastrophenpotential, das sich automatisch einstellt, sobald Carson in die Nähe eines gedeckten Tisches kommt, überlegte sie still. *Wenn er schon mit einer einzigen Wasserkaraffe solch ein Desaster anrichten kann, was passiert dann erst bei einem formellen Dinner? Wenigstens ist Mac dabei, um ihm die Flügel zu stutzen,* versuchte sie sich zu beruhigen. *Wie schlimm also kann es werden?*

Diese letzte Frage beantwortete sich ihr wie von selbst, und allein der Gedanke ließ sie schaudern.

10

»Na, seht euch das an!« murmelte Yuri Bogdanovich beinahe ehrfürchtig, »es funktioniert wirklich.«

»Ihr Erstaunen ist alles andere als angebracht, Yuri«, schalt ihn Bürger Konteradmiral Tourville, der fast hinter einem Schleier aus Zigarrenrauch verschwunden war. »Und wo ich schon darüber nachdenke, offenbart es ein beleidigendes Mißtrauen gegenüber unserem Operationsoffizier.«

»Da haben Sie recht, Bürger Konteradmiral.« Bogdanovich wandte sich von der Haupt-Holosphäre ab, die er betrachtet hatte, und verbeugte sich in Richtung Shannon Forakers. »Ich bin trotzdem erstaunt, müssen Sie wissen«, sagte er, »aber das liegt nur daran, daß sich normalerweise die Manties an uns heranschleichen und nicht umgekehrt. Wenn ich so sagen darf, Shannon, ist es ein besonderes Vergnügen, zur Abwechslung einmal auf der Seite zu sein, die das Anschleichen übernimmt!«

»Hört, hört!« rief Karen Lowe leise, und Gelächter erhob sich ringsum auf der Flaggbrücke – leise und ein wenig nervöser als es den Lachenden recht war.

Volkskommissar Honeker vernahm es dennoch mit Erleichterung. Zwar bemerkte er durchaus die Anspannung, gleichzeitig war er sich jedoch bewußt, wie selten ein Angehöriger der Volksflotte solche Unbekümmertheit an den Tag legte. Honeker war ehrgeizig und plante eine zivile politische Karriere, sobald sich die häusliche Situation in der Volksrepublik genügend stabilisiert hatte. Dabei würde es sich gewiß als nützlich erweisen, Volkskommissar eines erfolgreichen Admirals wie Tourville gewesen zu sein. Man mußte Honeker allerdings zugute halten, daß ihn die Fähigkeit des Bürger Konteradmirals, seine Leute zum Kämpfen zu motivieren, weitaus mehr faszinierte als die eigenen Aufstiegschancen, die ihm vielleicht aus seinem jetzigen Posten entstanden.

»Wie lange noch, Bürgerin Commander Foraker?« fragte er leise. Foraker hämmerte Zahlen in ein Tastenfeld und betrachtete die Ergebnisse eine Weile.

»Wenn ich die feindliche Ausstattung mit Sensorplattformen korrekt geschätzt habe *und* man die verfügbaren Einheiten tatsächlich dort eingesetzt hat, wo ich glaube, Sir – und wenn die FND-Einschätzung der passiven manticoranischen Systeme korrekt ist –, sollte man uns innerhalb der nächsten siebeneinhalb Stunden aufspüren können«, antwortete sie. »Wir strahlen natürlich überhaupt nichts ab, und das erschwert den Manties die Arbeit erheblich. Was aktive Ortung angeht, so fange ich im Augenblick nur Quellen auf, die sich weit außerhalb der Detektionsreichweite befinden, und die sehen sehr nach gewöhnlichem Navigationsradar aus – zivilen Radargeräten, wie man sie gemeinhin innerhalb eines Planetensystems benutzt.«

»Und gar keine aktive militärische Ortung?« Es gelang Honeker nicht, einen skeptischen Tonfall zu unterdrücken, und Foraker zuckte mit den Schultern.

»Sir, jedes Sonnensystem ist ein mächtig großer Fischteich, und unser Kurs vermeidet absichtlich die Ekliptik, damit wir nicht zufällig in die Erfassung von lokalem Verkehr geraten. Solange ein Sternenschiff keinen stichhaltigen Hinweis darauf besitzt, wo sich ein anderes Schiff verbergen könnte, hat seine aktive Ortung schlicht und einfach zuwenig Reichweite, um realistische, systematische Abtastungen vorzunehmen. Gerade deshalb sind die ferngesteuerten Sensorplattformen der Manties ja solch eine Pest. Die Ortungsantennen, die Signalverstärkung und die Auswertungsprogramme sind besser als die Systeme an Bord unserer Schiffe. Trotzdem streuen sie die Dinger so dicht aus, nur um auf Nummer sicher zu gehen daß ihre Erfassungsbereiche sich überlappen und sie jeden aktiv orten können, der sich durchzuschleichen versucht. Mit einem intakten Sensorennetz können die Manties ihre Schiffe komplett herunterschalten und die gesendeten Daten verwenden, ohne ihre Position zu verraten. Alles, was wir bisher gesehen haben, unterstützt die Theorie, daß ihnen die Plattformen ausgegangen sind. Also sind sie auf ihre aktive Ortung angewiesen, und deren Impulse haben wir lange aufgefangen, bevor sie von uns ein brauchbares Echo erhalten.«

Honeker grunzte; das Geräusch bedeutete sowohl

eine Entschuldigung, an Foraker gezweifelt zu haben, als auch eine Bestätigung, daß er ihre Erklärung hinnahm. Immerhin hatte sie wohlbedacht vermieden, eine Bemerkung hinzuzufügen wie: ›Das hab' ich dir doch alles schon mal erklärt, du Schwachkopf!‹. Und in der Tat hatte sie den gesamten Plan bereits erläutert, nachdem sie sich mit Bogdanovich und Lowe über die letzten Einzelheiten geeignet hatte.

Tourvilles Kampfgruppe führte im Augenblick ein recht unerhörtes Manöver durch: Es sickerte in ein vom Feind besetztes Sonnensystem ein, ohne auch nur einen einzigen Aufklärer vorzuschicken. Statt dessen hatten sich die vier Schlachtkreuzer und alle dazugehörigen kleineren Schiffe zu einer möglichst dichten Formation zusammengeballt und bewegten sich im freien Fall auf einen Rendezvouspunkt mit dem Planeten Samovar zu. Bislang schienen sie unbemerkt geblieben zu sein.

Kann durchaus sein, daß sich Bogdanovich und Foraker da irren, dachte Honeker. Manticoranische Stealth-Systeme waren besser als die der Volksflotte, und deshalb bestand die Möglichkeit, daß sämtliche alliierte Vorpostenschiffe im Moment direkt auf die *Count Tilly* und ihre Begleiter zuhielten. Nur schien gerade das sehr unwahrscheinlich zu sein, denn wie Foraker gerade dargelegt hatte, war die Kampfgruppe noch kein einziges Mal von aktiver Ortung getroffen worden, und nur aktive Ortung besaß überhaupt eine realistische Chance, die Formation zu entdecken.

»Was zum ...?« Lieutenant Holden Singer musterte stirnrunzelnd sein Display und regulierte es behutsam. Das Stirnrunzeln vertiefte sich, und perplex kratzte er sich an der Nase.

»Was ist denn los?« Commander Dillinger, der Erste Offizier von HMS *Enchanter*, durchquerte die Brücke und blickte Singer über die Schulter.

»Bin mir nicht sicher, Sir.« Er hörte mit dem Kratzen auf, streckte den Arm nach den Sensorfeldern aus, die das Display steuerten, und ließ die Finger mit der Präzision eines blinden Konzertpianisten darüber laufen. Die dargestellten Werte änderten sich, als die Signallaser des Schweren Kreuzers von den anderen Schiffen, die in das taktische Netz eingebunden waren, zusätzliche Sensordaten abfragten. Singer kommentierte die Daten mit einem abfälligen Grunzen. Die Holodarstellung des Displays zeigte nur einen einzigen Datensatz, und zwar nicht das präzise, aussagekräftige Icon eines identifizierten Sternenschiffs, sondern das schwache bernsteingelbe Flackern eines möglichen, nicht näher bestimmbaren Kontakts.

»Also?« fragte Dillinger, und Singer schüttelte den Kopf.

»Wahrscheinlich nur ein Sensorengeist, Sir«, entgegnete der Taktische Offizier, als sei er sich seiner eigenen Schlußfolgerung nicht sicher.

»Was für ein Geist?« wollte Dillinger wissen.

»Sir, wenn ich wüßte, was es ist, dann wäre es kein Geist«, stellte Singer klar. Dillinger atmete tief durch und erinnerte sich, daß alle Taktischen Offiziere besserwisserische Angeber waren. Er sollte es wissen; schließlich hatte er selber eine Laufbahn als Taktischer Offizier hinter sich.

»Dann sagen Sie mir eben, *was* Sie wissen«, knurrte er mit so viel betonter Geduld, daß Singer immerhin leicht errötete.

»Sicher weiß ich nur eins, Sir: daß nämlich irgend etwas die Sensoren auf einer meiner Plattformen vor knapp . . .« – er las die Zeit ab – »elf Minuten zum Klingeln gebracht hat. Ich weiß weder, worum es sich handelt, noch habe ich es mit Bordsystemen erfassen können, und im ganzen Netz hat sonst keiner was bemerkt. Der Gefechtscomputer nennt es einen ›anomalen elektromagnetischen Impuls‹, und damit will er uns sagen, daß er auch nicht weiß, was es gewesen sein soll. Wonach es aussah? Nach dem Fragment eines verschlüsselten Raffersignals, aber dort draußen gibt es nichts, was dergleichen produzieren könnte.«

»Wenn der Geist einen realen Hintergrund besitzt – würde er sich innerhalb unserer aktiven Ortungsreichweite befinden?« fragte Dillinger.

»Das kann ich Ihnen nicht sagen, Sir. Ich habe nur eine Peilung, in welcher Richtung vielleicht etwas gewesen sein *könnte*, aber keinerlei Anhaltspunkte, um auf eine Entfernung zu schließen. Wenn dort etwas ist, dann außerhalb unseres Annäherungswarnradars, also wenigstens eine Viertelmillion Kilometer weit entfernt. Nach der Peilung des ›anomalen Impulses‹ befindet es sich systemeinwärts unserer Drohnensphäre. Mehr läßt sich nicht mit Sicherheit sagen.«

»Verstehe.« Dillinger rieb sich den Kiefer. Wenn keine der gewaltigen passiven Antennen der *Enchanter* etwas aufgefangen hatte, dann war Singers Geist mit höchster Wahrscheinlichkeit wirklich genau das: eine elektronische Fluktuation ohne Gegenstück im Weltall. Denn wenn es doch real war, dann hätte es von einem Sternenschiff stammen müssen, das unter völliger Emissionsstille systemeinwärts trieb; zu diesem Manöver benötigte man jedoch erheblichen Mumm ... Woher sollte ein Havie-Kommandant so viel Mut nehmen? Die manticoranischen Sensorplattformen hatten wiederholt Feindschiffe bei Einsickerungsversuchen aufgespürt – stets weitab des inneren Systems. Trotzdem ...

»Wir werden aktiv«, entschied Dillinger.

Singer drehte den Kopf, blickte ihn über die Schulter an und zog die Augenbrauen hoch. Commodore Yeargin hatte ihre Schiffe in der Umlaufbahn um Samovar ausdrücklich angewiesen, passive Ortungswache zu halten. Die aktiven Ortungsgeräte besaßen zuwenig Reichweite, um wirklich von Nutzen zu sein, und hätten nur eins bewirkt: aus den emittierenden Schiffen strahlendhelle Funkbaken zu machen, deutlich sichtbar für jeden Gegner, dem es gelang, an den spärlich verteilten Plattformen vorbeizukommen, die der viel zu schwachen ›Kampfgruppe‹ zur Verfügung standen. Dem wachhabenden Offizier war jedoch das Recht eingeräumt worden, gezielte, kurzzeitige Ortungsmessungen vorzunehmen, wenn er es für unumgänglich hielt. Dillinger nickte Singer zu, er möge fortfahren.

»Aye, aye, Sir«, bestätigte der Taktische Offizier die Anweisung und beugte sich wieder über seine Konsole.

»Radarimpuls!«

Shannon Forakers rauhe Meldung durchschnitt die Stille auf der Flaggbrücke von *Count Tilly* wie eine Säge. Trotz des allgemeinen Vertrauens in ihre ›Taktikhexe‹ hatten Tourville und sein Stab (einschließlich Volkskommissar Honeker) deutlich gespürt, daß die Anspannung um so unerträglicher wurde, je näher sie Samovar kamen. Niemand hätte es für möglich gehalten, sich einem manticoranischen Verband so dicht nähern zu können, ohne entdeckt zu werden – es sei denn, dem Feind standen noch weniger Sensorplattformen zur Verfügung, als Foraker angenommen hatte.

»Stärke?« fragte Tourville scharf.

»Weit über Detektionswerten«, antwortete Foraker, ohne den Blick vom Display abzuwenden oder die Abstimmung ihrer passiven Sensoren zu unterbrechen. »Sie haben uns – aber ich habe sie auch!« Endlich schaute sie hoch und sah ihren Kommandeur zähnefletschend an. »Entfernung zwo Komma vier Millionen Kilometer, Sir – und ich habe eine gute Aufschaltung auf den, der uns gerade angestrahlt hat.«

»Bereitmachen!« Tourville wandte sich an Bürger Lieutenant Fraiser. »An alle«, befahl er dem Signaloffizier. »Wir feuern in dreißig Sekunden!«

»Mein Gott!«

Holden Singer saß plötzlich aufrecht im Sessel. Die Augen hatte er weit aufgerissen. Sein Radarimpuls hatte acht Sekunden gebraucht, um die *Count Tilly* und ihre Begleiter zu erreichen, und weitere acht Sekunden waren verstrichen, bevor das Echo bei ihm eintraf. Währenddessen war der Abstand zwischen den beiden Verbänden durch die Aufschließgeschwindigkeit der Haveniten um eine Million Kilometer gesunken – nun befanden sich die Haveniten in Raketenreichweite. Der manticoranische Lieutenant benötigte weitere zwei Sekunden, um überhaupt zu begreifen, was er vor sich sah, und weitere anderthalb Sekunden dauerte es, bis Commander Dillinger ›Klar Schiff zum Gefecht‹ befahl. Alles in allem verstrichen zwischen Tourvilles Feuerbefehl und dem Augenblick, in dem das unmelodische Zweiklang-Heulen des manticoranischen Gefechtsalarms endlich erklang, zwanzig Sekunden.

Die Besatzung von HMS *Enchanter* hatte gerade erst begonnen, auf ihre Gefechtsstationen zu hetzen, als der Feind das Feuer eröffnete: vier Schlachtkreuzer, acht Schwere und sechs Leichte Kreuzer, die insgesamt 56 Raketenbehälter in Schlepp hatten, schlugen zugleich zu. Havenitische Raketen waren den manticoranischen Modellen unterlegen, doch dafür besaßen die volksrepublikanischen Kriegsschiffe mehr Werferrohre – und ihre Raketengondeln ebenfalls.

Als sich Singers 2. Taktischer Offizier in den Sessel neben ihm warf, befanden sich bereits mehr als neunhundert Raketen im Weltraum und schossen auf das Schiff zu.

»*Ssss-uper!*«

Bürger Captain Bogdanovichs gezischtes Triumphflüstern sagte alles. Gebannt beobachteten Tourville und sein Stab, wie ihre überschwere Salve auf den Feind zuhielt. Noch während des Raketenstarts fuhren die Ingenieure der Kampfgruppe Impeller und Seitenschilde hoch, denn für Tourville bestand kein Grund mehr, sich zu verstecken. Im Gegensatz zu den Manties hatten seine Offiziere gewußt, daß sie ihre Antriebe und Abwehrsysteme bald benötigen würden, und waren schon seit über fünfzehn Stunden in Bereitschaft gewesen. Trotz vorgeheizter Impelleremitter dauerte es noch wenigstens dreizehn Minuten, bis sich die Impellerkeile aktivierten.

Dennoch befanden sich Tourvilles Schiffe den Manticoranern gegenüber im Vorteil, denn der Gegner hatte nicht im entferntesten geahnt, was ihm blühte. Wie an den Lichtsignalen auf Shannon Forakers Konsole zu erkennen, aktivierte sich gerade erst die Feuerleitung der manticoranischen Raketenabwehrsysteme; die passive Verteidigung würden die Manticoraner niemals rechtzeitig aufbauen können. Und angesichts des Feuersturms, der auf sie zuraste, bewirkte ihr Radar und Lidar nur eins: Er bot den Suchköpfen der havenitischen Raketen zusätzliche Zielangaben.

Commodore Frances Yeargin stürmte in die Flaggbrücke ihres Schiffes, kaum daß die Lifttüren sich geöffnet hatten. Sie hatte keine Zeit gehabt, ihren Raumanzug anzulegen; in Hemdsärmeln, ohne Uniformjacke, stürzte sie aus dem Lift – gerade rechtzeitig, um die ersten Laser-Gefechtsköpfe in den Tiefen des visuellen Displays detonieren zu sehen.

Lester Tourville starrte in den Hauptplot. Selbst nun, da es geschah, konnte er kaum glauben, was vorging. Er hatte eine *manticoranische* Kampfgruppe überrascht, während sie sich in Sicherheit wähnte – so weit hätte der Feind es niemals kommen lassen dürfen. Daß es dennoch geglückt war, hatte er ausschließlich Shannons Plan zu verdanken, der aus der übermäßigen Selbstsicherheit der Manties gnadenlos jeden erzielbaren Vorteil zog. Tourville beobachtete, wie Zielansprachecodes aufflammten und sich aktualisierten, wann immer die Raketen telemetrisch Bericht erstatteten. Die Vögelchen waren auf sich gestellt, auf ›Suchen und vernichten‹ programmiert, doch hatte Foraker ihnen genauestens eingeschärft, worauf sie achten sollten. Die manticoranischen Feuerleitgeräte, die sich nacheinander einschalteten wirkten auf die Zielsucher der Raketen wie Leuchtreklame. Die massive Salve teilte die Opfer unter sich auf und fächerte aus.

Perfekt ist die Verteilung nicht gerade, dachte Tourville

beiläufig. *Ein oder zwo Feindschiffe werden von nur einem Dutzend Raketen angegriffen, andere fast damit totgeschlagen, aber das spielt gar keine Rolle.* Shannon programmierte währenddessen schon die Raketen, die startbereit in den Werferrohren der Breitseiten ruhten. Noch während Tourville zusah, schoß eine zweite Salve aus den Flanken seiner Schiffe – viel kleiner als die erste, aber sorgfältig auf die Handvoll Manticoraner gezielt, die eine Chance besaß, die erste zu überleben.

Die Überraschung war total – jede differenzierte Beschreibung wäre Untertreibung gewesen.

Commodore Yeargins Besatzungen waren noch nicht vollständig auf Gefechtsstation, als die erste Salve zuschlug. Von den sechs Schweren Kreuzern bekamen zwei die Nahbereichsabwehr nicht mehr in Gang. Drei brachten – wie auch immer – ihre Lasercluster unter Computersteuerung zum Laufen, doch nur die *Enchanter* vermochte eine einzige Salve Antiraketen abzusetzen. Nicht, daß die Salve einen großen Unterschied bedeutet hätte: 106 herbeirasende Raketen wurden im Flug vernichtet, bevor sie auf Angriffsentfernung kamen; die übrigen 862 unterschritten den Abstand von 22.000 Kilometern zu den Zielschiffen und detonierten in rascher Folge.

Kernexplosionen befleckten die Schwärze des Weltraums, und jede einzelne davon erzeugte ein Dickicht kurzlebiger, hochintensiver, bombengepumpter Röntgenlaserstrahlen. Den Angriff, ein ›Massaker‹ zu nennen, hätte das Geschehen verharmlost, denn nichts – gar nichts – befand sich zwischen diesen Laserstrahlen und ihren Zielen. Binnen vier Sekunden hatten alle 862 Gefechtsköpfe angegriffen; sechzehn Sekunden später brach Shannon Forakers zweite Salve über die bereits schwer beschädigten und noch immer nicht gefechtsklaren Überlebenden herein. Als auch sie explodiert waren, hatte die Manticoranische Allianz sechs manticoranische Schwere Kreuzer, drei manticoranische und sieben graysonitische Leichte Kreuzer sowie neun Zerstörer verloren – ohne auch nur einen einzigen Schuß auf ihre Angreifer abgefeuert zu haben.

Wie gelähmt saß Commander Jessica Dorcett in ihrem Kommandosessel und blickte mit fassungslosem Unglauben auf die taktische Darstellung. Die Kommandantin des Zerstörers HMS *Windsong* hatte Befehl über eine Zerstörerdivision, die zum Schutz der Erzraffinerien im Asteroidengürtel des Adler-Systems abgestellt war. Nach manticoranischen Standards stellten die aus havenitischer Produktion stammenden Raffineriesatelliten nichts Besonderes dar, für das Adler-System waren die Einrichtungen indes sehr wertvoll. Im Augenblick stand Dorcetts Division über fünfundfünfzig Lichtminuten von Samovar entfernt, weitab des Kurses, auf dem der Feind ins System eingedrungen sein mußte. Nur deshalb hatten ihre drei Schiffe den Überfall überlebt. Nun war sie befehlshabender Offizier des Systems und mußte entscheiden, was geschehen sollte. Aber was in Gottes Namen konnte sie denn noch unternehmen?

Die Kampfgruppe existierte nicht mehr. Einzig ihre Zerstörerdivision war noch übrig; gegen die Feindkräfte, die sich abbremsend den Wracks im Orbit von Samovar näherten, wären drei Zerstörer weniger als nutzlos. Dorcett hatte soeben die vernichtendste, einseitigste Niederlage in der Geschichte der Royal Manticoran Navy beobachtet und vermochte nichts mehr daran zu ändern. Ein dumpfer Schmerz teilte ihr mit, daß sie die Zähne überaus fest zusammengebissen hatte. Dorcett atmete tief durch und brachte ihre Kiefermuskulatur durch schiere Willensanstrengung dazu, sich wieder zu entspannen. Dann schüttelte sie sich wie ein Hund, der sich das Wasser aus dem Fell schleudert, und wandte sich ihrem Ersten Offizier zu. Lieutenant Commander Dreyfus starrte nach wie vor in den Plot. Sein normalerweise dunkles Gesicht war blaß geworden. Dorcett räusperte sich laut.

Der I.O. zuckte zusammen, als hätte sie ihn mit einer Nadel gestochen, und schloß einen Moment lang die Augen. Als er sie wieder öffnete, war sein Entsetzen hinter einer beherrschten Maske verschwunden, und er erwiderte den forschenden Blick seiner Kommandantin offen.

»Geben Sie folgendes weiter. Wir gehen mit Kurs auf Clairmont in den Hyperraum. Die *Rondeau* und die *Balladeer* steuern Quest beziehungsweise Treadway an.«

»Aber ...« Dreyfus zögerte und wagte den Hinweis: »Aber dann ist kein einziges Schiff übrig, um die Havies im Auge zu behalten, Ma'am. Dann haben wir keinen Vorposten in diesem System.«

»Den Luxus können wir uns nicht mehr leisten.« Dorcetts finstere Stimme paßte hervorragend zu ihrem Gesichtsausdruck. »Ich kenne den Verschiffungsplan nicht, aber ich weiß, daß Verstärkungen für dieses Sonnensystem unterwegs sind. Die Kriegsschiffe kommen vermutlich einzeln oder zu zweit. Als ob das nicht schlimm genug wäre, hat der Logistikstab außerdem Versorgungsschiffe und Truppentransporter auf den Weg geschickt. Einzelne Kriegsschiffe können nichts gegen einen Verband dieser Größe ausrichten, aber mit etwas Glück sind sie schnell genug, um zu fliehen. Frachter und Transporter haben da keine Chance. Der Logistikstab wird den Geleitzug über Clairmont, Quest oder Treadway leiten. Das heißt, wir müssen ihn in einem dieser Systeme abfangen und rechtzeitig warnen. Außerdem« – und sie rang sich ein Totenkopfgrinsen ab – »sind wir die einzigen Überlebenden. Jemand muß die benachbarten Vorposten alarmieren. Sie müssen erfahren, was hier vorgefallen ist. Und außer uns ist dazu niemand mehr in der Lage.«

»Jawohl, Ma'am.« Dreyfus winkte dem Signaloffizier. Leise und nachdrücklich gab der I.O. die Anweisungen weiter. Eigentlich hätte sich Dorcett vergewissern müssen, daß er bei der Übermittlung keinen Fehler beging, aber sie kannte Dreyfus; sie dienten nun schon länger als ein T-Jahr zusammen. Ein Fehler hätte ihm gar nicht ähnlich gesehen; selbst wenn es anders gewesen wäre, hätte sie einfach nicht den Blick von dem Display und den Icons der havenitischen Kampfschiffe abwenden können, die gerade in die Umlaufbahn um Samovar eintraten.

Im Vergleich zu den Tonnagen, die beim Aufeinanderprallen von Schlachtwällen vernichtet wurden, fiel der Verlust von Commodore Yeargins Kampfgruppe nicht sonderlich ins Gewicht. Dennoch – hier war etwas Entscheidenderes als Tonnage verloren gegangen. Selbst das schreckliche menschliche Leid erschien daneben zweitrangig. Maßgeblich war vielmehr die Geschwindigkeit, mit der die Kampfgruppe vernichtet wurde – die brutale, effektiv eingesetzte Gewalt, die bei der Allianz und besonders der manticoranischen Navy so leicht nicht in Vergessenheit geraten würde.

Mitnichten war dies der erste Sieg, den die Haveniten errungen hatten, doch gehörte dieser Sieg in eine eigene Kategorie – die Kategorie, von der die RMN bislang geglaubt hatte, sie sei für die ruhmreiche königlich-manticoranische Flotte reserviert und für die unbeholfenen, unterlegenen Stümper der Volksflotte unerreichbar.

Na, dachte Dorcett, *da haben wir uns aber gewaltig getäuscht. Der Salvendichte nach zu urteilen, haben die Havies sogar Raketengondeln eingesetzt. Sie haben weiter gedacht als wir, sie haben besser geplant, und sie haben besser geschossen. Wenn ihnen das hier gelungen ist, wo dann noch?*

Das wußte die Zerstörerkommandantin nicht. Nur in zweierlei Hinsicht hatte sie im Augenblick keine Zweifel: zum einen, daß sie eine Warnung verbreiten mußte, bevor weitere Schiffe in die Falle fuhren, zu der dieses Sonnensystem geworden war – und zum anderen, daß sie in Zukunft leisten konnte, was immer sie wollte; sie und jeder einzelne Offizier an Bord ihrer drei Schiffe wären von nun an als die Offiziere ohne Fortüne bekannt, die dem schlimmsten Desaster in der Geschichte der Royal Manticoran Navy tatenlos zugesehen hatten. Sie waren nicht schuld daran, sie hatten nichts unternehmen können. Trotzdem stand eines fest: Dieser Makel würde haften bleiben.

»Die *Rondeau* und die *Balladeer* sind bereit zum Aufbruch, Ma'am«, meldete Lieutenant Commander Dreyfus leise, und Dorcett nickte.

»Gut, Arnie. Senden Sie den Selbstzerstörungsbefehl an alle Sensorplattformen, und dann nichts wie raus hier«, sagte sie.

11

Howard Clinkscales war viel zu alt, um sich im Blickpunkt der Öffentlichkeit noch unbehaglich zu fühlen. Seine Karriere hatte er vor 67 T-Jahren im Dienste des Schwertes begonnen – als gewöhnlicher Rekrut und nicht etwa als Offizierskadett; Clinkscales hatte sich aus dem Mannschaftsrang emporgedient. Im Alter von sechsunddreißig Jahren stand er im Rang eines Brigadiers und leitete den Palastschutz. Zu Beginn der Mayhewschen Restauration war Clinkscales Kommandierender General des Planetenschutzes – eine Stellung, die er schon unter dem Vater Benjamins IX. erhalten hatte – und galt als inoffizielles Mitglied der Herrscherfamilie. Während seiner Laufbahn war er mit Straßenräubern fertig geworden, mit Serienmördern und anderen Psychotikern, mit Attentatsversuchen und Hochverrat – und hatte seine Aufgaben stets spielend gemeistert.

Danach gelang es ihm sogar, auch mit den gewaltigen gesellschaftlichen Veränderungen auf seiner Heimatwelt mühelos zu Rande zu kommen, und niemand, der ihn aus der Zeit vor Graysons Beitritt zur Allianz kannte, hätte ihm dies wohl zugetraut. Bei der Unterzeichnung des Vertrages war Clinkscales fast achtzig Jahre alt, und man hätte Schwierigkeiten gehabt, einen bornierteren Reaktionär zu finden als ihn. Obwohl er gewiß kein Narr war und sich zugute hielt, in seinen acht Jahrzehnten doch das ein oder andere dazugelernt zu haben, hätten auch seine engsten Freunde den General des Planetenschutzes nie als geistig beweglich bezeichnet, und deshalb erwarteten die meisten Menschen von Clinkscales eine gewisse Halsstarrigkeit. Man glaubt von ihm, daß er Reformen eigentlich weit von sich weisen müsse, die die Gesellschaft, wie er sie seit seiner Kindheit kannte, auf den Kopf stellten. Diese Menschen übersahen jedoch die drei Charaktermerkmale, die ihn aus bescheidenen Verhältnissen auf seine exaltierte Position gehoben hatten: unermüdliche Energie, ein unnachgiebiges Pflichtgefühl und eine eiserne Rechtschaffenheit.

Gerade Howard Clinkscales' Rechtschaffenheit gab den Ausschlag für seine Veränderung. Viele Menschen sind in der Lage, öffentliche Angelegenheiten oder andere Personen mit großer Ehrlichkeit zu betrachten; Clinkscales hingegen gehörte zu den selten anzutreffenden Persönlichkeiten, die diese Rechtschaffenheit auch auf sich selbst auszudehnen verstehen. Das hatte jedoch zur Folge, daß er die Augen ebensowenig vor der unangenehmen Wahrheit verschließen konnte, wie er ohne Kontragravgürtel zu fliegen vermochte.

Deshalb hatte Benjamin IX. ihn zum Regenten Honor Harringtons ernannt. Clinkscales' Pflichtgefühl diente als des Protectors Versicherungspolice: völlig undenkbar, daß Howard Clinkscales für Gut und Gutsherrin weniger als sein Bestes leistete. Weil alle anderen Konservativen auf dem Planeten wußten, daß Clinkscales ihre Ansichten teilte, war er als Regent des Guts von Harrington so gut wie unersetzlich. Denn wenn sogar er seine Pflicht tun und mit Veränderungen leben konnte, die er persönlich ablehnte, dann mußten auch die anderen Konservativen damit zurecht kommen – soweit zumindest die Theorie Benjamins IX.

Ganz nach der Vorstellung des Protectors hatte es sich freilich nicht entwickelt. Gewiß wirkte Clinkscales' Vorbild auf die Vernünftigen unter den Konservativen; die echten Fanatiker ließen sich jedoch nicht abhalten, Pläne gegen Honor und die Mayhewschen Reformen zu schmieden. Menschen, die zu Hochverrat bereit sind, lassen sich durch die Ernennung einer politischen Galionsfigur grundsätzlich nicht im Zaum halten. Immerhin zeigte die Ernennung einen Nebeneffekt, den Benjamin niemals erwartet hatte und den er, wäre er ihm in den Sinn gekommen, als unmöglich abgewiesen hätte. Aus Clinkscales war zwar nicht gerade ein eifriger Reformer geworden – welch absonderliche Vorstellung –, aber er hatte die Veränderung seiner Welt letztendlich als vorteilhaft erkannt. Zu diesem Meinungsumschwung hatte ihn seine regelmäßige Zusammenarbeit mit Honor Harrington veranlaßt; die Oberaufsicht über die vielen Details, die mit dem Aufbau des ersten neuen graysonitischen Guts seit über zweiundsiebzig T-Jahren verbunden waren, eröffnete ihnen eine neue Perspektive. Clinkscales war gezwungen, sich einer Frau zu stellen, die ihm in puncto Fähigkeiten, Mut und – vielleicht dem wichtigsten von allem – an Pflichtgefühl gleichkam, wenn nicht sogar übertraf; er war es, der das Gut von Harrington aufbaute, und dazu mußte ausgerechnet Howard Clinkscales die Mayhewschen Reformen in die Tat umsetzen.

Daß er so spät im Leben noch so anpassungsfähig war, sprach sehr für ihn, obwohl er persönlich diese Eigenschaft mit anderen Augen sah: Soweit es ihn betraf, war er nach wie vor ein Konservativer, der versuchte, die Reformer in ihren radikaleren Ansinnen zu dämpfen. Doch so weit, so gut. Tatsächlich war er der Masse etliche Schritte voraus, und bei mehr als einer Gelegenheit hatte Honor sanfte Belustigung über seine zornigen Reaktionen auf ›Unruhestifter‹ empfunden, die sich dem Wandel in den Weg stellten und versuchten, die Entwicklung aufzuhalten.

Hätte jemand den Mut aufgebracht, Howard Clinkscales zu fragen, weshalb er die Veränderungen unterstütze, so wäre die Antwort recht einfach ausgefallen: weil er es seiner Gutsherrin schuldig sei. Bei weiterem Nachfragen hätte er eingeräumt (nach einem cholerischen Ausbruch und etlichen einschüchternden Blicken), nicht nur aus einem Pflichtgefühl heraus zu handeln, sondern auch aus *Ergebenheit* gegenüber einer Frau, der er mittlerweile tiefen Respekt entgegenbringe. Niemals zugegeben hätte er indes, daß er seine Gutsherrin mittlerweile in eigenartig zahlreichen Facetten sah: als Soldat, als Anführerin, als seine Feudalherrin – und außerdem mit den Augen eines Vaters, als ob sie eine seiner Töchter wäre. Der alte Mann war stolz auf Honor Harrington, als wäre sie tatsächlich sein eigen Fleisch und Blut; doch hätte sich jemand erdreistet, dergleichen anzudeuten, so hätte Howard Clinkscales ihn umgebracht. Denn wie so viele Menschen, die anderen wahrhaft tiefes Gefühl entgegenbringen, war Howard Clinkscales sehr darauf bedacht, seine Empfindungen vor der Welt verborgen zu halten. Gefühle sind für einen Polizisten eine gefährliche Schwäche, und wer zum Oberkommandierenden aller Sicherheitskräfte des Planeten Grayson wurde, der lernte, sie zu tarnen, damit man sie nicht gegen ihn verwendete. Diese Verhaltensweise hatte Clinkscales nie ablegen können – was jedoch nicht hieß, daß er sich seiner Gefühlslage nicht bewußt gewesen wäre.

Bei dem bevorstehenden öffentlichen Auftritt war ihm wohl gerade deswegen so unbehaglich zumute. Eigentlich hätte seine Gutsherrin zu diesem Anlaß persönlich erscheinen sollen. Clinkscales' Menschenkenntnis hatte ihm verraten, daß die Sachzwänge, mit denen sie ihren raschen Aufbruch begründete, nur vorgeschoben waren. Oh, in gewisser Weise entsprachen sie schon der Wahrheit – noch nie hatte Clinkscales erlebt, daß Honor Harrington gelogen hätte; er fragte sich manchmal, ob sie überhaupt wußte, wie man die Unwahrheit sagte. Dennoch, den eigentlichen Grund für ihre Entscheidung hatte sie ihm nicht anvertraut, und das wiederum bereitete dem Regenten Sorge: Lady Harrington war seine Gutsherrin, und zu seinen Aufgaben gehörte es zu wissen, was ihr wann Kummer bereitete. Wie sonst sollte er etwas dagegen unternehmen? Sie hatte sich bislang durch nichts vom Planeten vertreiben lassen, auch nicht durch die Ränke und Mordanschläge der Fanatiker, die unter der Ägide der unbetrauert verstorbenen Intriganten Lord Burdette und Bruder Marchant gestanden hatten; alles, was sie dazu trieb, überstürzt von Grayson aufzubrechen, mußte folglich unbedingt einer näheren Betrachtung unterzogen werden.

Doch auch diese Überlegung konnte sein Unbehagen nur teilweise erklären. Clinkscales bekannte sich selbst gegenüber auch noch die restlichen Gründe für seine Unzufriedenheit ein, während er zusah, wie sich der Shuttle langsam aus dem Himmel herabsenkte.

Obwohl Clinkscales sich mit den Reformen mehr und mehr abfand, die seine Welt weitgehend veränderten, war er im Herzen doch ein altmodischer graysonitischer Patriarch geblieben. Zwar räumte er die Möglichkeit ein, daß es irgendwo in der Galaxis durchaus Frauen geben mochte, die mindestens ebenso befähigt waren wie er, und daß einige von ihnen sogar Töchter des Planeten Grayson sein konnten. Letztendlich aber handelte es sich hierbei um ein *intellektuelles* Zugeständnis; sein emotionales Empfinden blieb davon unberührt. Denn Howard Clinkscales' Gefühle zogen in dieser Hinsicht nur in einem konkreten Fall nach: Er mußte die fragliche Frau kennenlernen und miterleben, wie sie ihre Kompetenz demonstrierte. Ihm stand klar vor Augen, wie töricht und gönnerhaft er sich verhielt, aber so und nicht anders war er. Clinkscales bemühte sich nach Kräften, diese Grundhaltung zu überwinden, und sosehr sie auch seine Ansichten beeinflußte, sowenig gestattete er ihr, auf sein Handeln abzufärben. Längst war er zu dem Schluß gekommen, seine Vorurteile seien zu sehr Bestandteil seiner gesellschaftlichen Prägung, als daß er hoffen dürfe, sich jemals völlig von ihnen zu befreien. Genau das aber war hier und heute das Problem: Der Shuttle, der gerade zur Landung ansetzte, beförderte eine Person, von der Clinkscales genau wußte, daß es sich um einen der klügsten, fähigsten Menschen handelte, die er jemals kennenlernen würde – und um eine Frau. Außerdem war sie die Mutter der Gutsherrin und daher, ob sie es nun ahnte oder nicht, eine der zwei- oder dreihundert wichtigsten Personen auf ganz Grayson. Clinkscales' Anspannung verringerte sich angesichts dieses Umstands nicht gerade; der Ruf des Planeten, auf dem Lady Harringtons Mutter geboren und aufgewachsen war, wirkte sich in dieser Hinsicht sogar kontraproduktiv aus.

Dr. Allison Chou Harrington stammte von dem Planeten Beowulf im Sigma-Draconis-System, und von Beowulf hieß es, bei den dortigen ... liberalen Moralvorstellungen rollten sich sogar einem *Manticoraner* die Fußnägel auf; und welche Reaktion allein der Gedanke bei einem Grayson auslöste, daß dort alle denkbaren Partnerschaftsarrangements nebeneinander existierten ... Clinkscales vermutete jedoch stark, daß Beowulfs Ruf durch ständige Wiedergabe überlebensgroß geworden war. Doch ließ sich kaum abstreiten, daß der Planet für seine mannigfaltigen und überaus einfallsreichen sexuellen Konstellationen bekannt war, die alle den legalen Status der Ehe besitzen konnten. Ebenso bekannt war er jedoch auch dafür, die besten medizinischen Forscher der Menschheit hervorzubringen. Zudem ...

Der Shuttle war gelandet. Die Luke öffnete sich, und Clinkscales wandte sich der Gegenwart zu. Er beobachtete, wie die Rampe ausfuhr, drehte den Kopf und grinste Miranda LaFollet gezwungen zu. Sie erwiderte das Lächeln mit einer Mischung aus Belustigung und Mitgefühl; der Baumkater, der neben ihr saß, blickte fröhlich. An Farragut lernte Clinkscales immer wieder neue Seiten kennen, hatte aber bereits bemerkt, daß er in Sachen Humor Nimitz sehr ähnelte. Nimitz hatte wenigstens vierzig Jahre lang mit Menschen zu tun gehabt und dadurch einen gewissen Schliff erlangt, den Farragut sich noch aneignen mußte. Der jüngere Baumkater besaß einen Hang zu Späßen – Streiche der niederträchtigeren Sorte. Miranda hatte mehr als einmal ernst mit ihm erörtert, wie er sich in der Öffentlichkeit zu benehmen habe, und Clinkscales gönnte sich die leise Hoffnung, daß ihre Ermahnungen fruchteten.

Erst als die Kapelle die Hymne von Harrington anstimmte, begriff Clinkscales, wie sehr er sich durch Farragut hatte ablenken lassen. Nur ein Gutsherr wurde mit dem Gutsherrenmarsch begrüßt, jedes Familienmitglied hingegen mit der Hymne des betreffenden Guts. Ein Befehl ertönte, und die Ehrengarde nahm Haltung an. Die makellos angetretenen Harringtoner Gutsgardisten bildeten zwei wie mit dem Lineal gezogene Reihen längs des Wegs, der vom Rand des Landeplatzes bis zur Rolltreppe des Terminals führte. Eine sehr zierliche Person stieg aus dem Shuttle und blieb, von der Musik überrascht, stehen.

Clinkscales stutzte beim Anblick von Allison Harrington. Daß sie kleiner war als ihre Tochter, hatte er zwar gewußt, aber trotzdem nicht mit einer derart *winzigen* Person gerechnet. Allison Harrington erreichte nicht einmal die Durchschnittsgröße der Töchter Graysons, und Clinkscales fiel es nicht leicht, sich vorzustellen, daß sie die Gutsherrin zur Welt gebracht haben sollte, die nahezu alle ihre Siedler einschließlich Clinkscales selbst überragte.

Offensichtlich hatte sie nicht mit einer offiziellen Begrüßung gerechnet, und Clinkscales empfand Zerknirschung, denn er hatte versäumt, persönlich dafür Sorge zu tragen, daß man Dr. Harrington auf den Empfang vorbereitete. Wäre Lady Harrington zugegen gewesen, so hätte sie vermutlich für weniger Aufwand gesorgt. Nach wie vor hatte sie sich nicht damit abgefunden, daß sie als Gutsherrin mit einem gewissen Ausmaß an Zeremoniell leben mußte. Wahrscheinlich hätte sie sich in einen Wagen gesetzt, wäre rasch zum Terminal geflogen und hätte Dr. Harrington ohne ›irgendwelches lächerliche Theater‹, wie sie es stets zu nennen beliebte, abgeholt. Clinkscales konnte zu seinem Leidwesen nicht mit der gleichen Freiheit auf das angemessene Zeremoniell verzichten, ohne Gefahr zu laufen, daß man ihm eine vorsätzliche Beleidigung der Mutter seiner Gutsherrin unterstellte, aber er hätte durchaus dafür sorgen können, daß Dr. Harrington vorher erfuhr, was sie erwartete.

Nun war es zu spät, und ihr kurzes Zögern ging vorüber, bevor es für jeden offensichtlich wurde. Dr. Harrington straffte die Schultern und schritt gemessen die Stufen des Landeplatzes herab. Clinkscales und Miranda gingen ihr entgegen, um sie zu begrüßen. Miranda fehlte die Körperkraft, die ihr erlaubt hätte, Farragut auf der Schulter zu tragen, doch der Baumkater schien zufrieden neben ihr und Clinkscales zu schreiten, als gälten Musik und Ehrengarde allein ihm und wären nicht mehr als seiner Person angemessen.

Das Begrüßungskomitee legte ein beinahe perfektes Timing an den Tag und erreichte die Treppe nur wenige Augenblicke, bevor Dr. Harrington von der untersten Stufe trat. Nacheinander blickte sie die vor ihr Stehenden an, und ihre mandelförmigen Augen, die auf geradezu unheimliche Weise denen ihrer Tochter glichen, funkelten dabei vor verschmitztem Vergnügen.

»Sie müssen Lord Clinkscales sein«, sagte sie und reichte ihm die Hand. Als er sich vorbeugte, um die Hand zu küssen, anstatt sie zu schütteln, erschienen Grübchen auf ihren Wangen.

»Zu Ihren Diensten, Mylady«, sagte er, und die Grübchen wurden tiefer.

»Mylady?« fragte sie. »Meine Güte, Honor hatte recht: Hier wird es mir gefallen!« Clinkscales zog die Brauen hoch, doch bevor er etwas erwidern konnte, wandte sie sich Miranda zu. »Sie sind sicher Miranda«, sagte Dr. Harrington und schüttelte der jüngeren Frau die Hand. »Und wenn ich mich nicht sehr irre«, fuhr sie fort, beugte sich vor und streckte dem Baumkater die Hand hin, »dann ist das Farragut.« Der 'Kater schüttelte ihr auf forsche Nimitz-Manier die Hand, und sie mußte lachen. »Das *ist* Farragut. Darf ich annehmen, daß einer von Ihnen beiden das manchmal fragwürdige Glück hatte, adoptiert zu werden?«

»Mich hat er auserwählt, Mylady«, antwortete Miranda lächelnd, und Dr. Harrington bemerkte die Weichheit in ihrer Stimme – den Nachklang der Bezauberung – und richtete sich auf. Sie legte

Miranda die Hand auf die Schulter und drückte sanft zu.

»Dann freue ich mich für Sie«, sagte sie.

»Vielen Dank, Mylady.«

Clinkscales hörte dem kurzen Gespräch schweigend zu. Gemäß der alten Regeln, die er als junger Mann gelernt hatte, wäre es vollkommen unmöglich gewesen, daß Miranda, eine Frau, zur Begrüßung eines wichtigen Besuchers vortrat. Doch in alter Zeit wäre der betreffende Besucher mit Sicherheit ein Mann und keine Frau gewesen. Die alten Regeln galten ohnedies nicht mehr. Gerade in diesem Augenblick war Clinkscales darüber fast dankbar, denn auf diese Weise erhielt er Gelegenheit, sich zurückzuhalten und den Gast des Guts von Harrington unauffällig zu mustern.

Ein einziger Blick genügte ihm, um sie als Mutter der Gutsherrin zu identifizieren. Das liegt an den Augen, dachte er, an diesen großen, dunklen, mandelförmigen Augen. Trotzdem gab es noch weitere Gemeinsamkeiten. Dr. Harringtons Gesicht wies eine zierliche Lieblichkeit auf, wunderbar aufeinander abgestimmte Züge und Proportionen mit einem gerade ausreichenden Maß an Unvollkommenheit, um zu beweisen, daß alles natürlich war und kein Produkt der Bioskulptur. Lady Harringtons Gesicht besaß genau die gleichen Züge, doch was an Dr. Harrington zierlich erschien, war an der Gutsherrin zu kühn und zu schroff, um Lady Harrington als klassische Schönheit bezeichnen zu können. Es war, als hätte jemand dem Gesicht ihrer Mutter die unleugbare Kraft entnommen – die Zierlichkeit, ja die ›Weichheit‹ entfernt und den Falken enthüllt, der sich dahinter verbarg; dennoch war die Verwandtschaft auch dem beiläufigsten Betrachter offenkundig.

Trotzdem bestanden Unterschiede. Zum einen war Dr. Harrington noch zwei Jahre älter als Clinkscales, und dies hinzunehmen fiel ihm überaus schwer. Er hatte sich bereits daran gewöhnt, daß seine Gutsherrin für ihr Alter ausgesprochen jung aussah, aber wenigstens war sie noch jünger als er. Ihre Mutter hingegen lebte schon länger als er selbst, und trotzdem war ihr langes Haar noch dunkel und zeigte keine einzige weiße Strähne; ihr Gesicht war jugendlich und wies keinerlei Falten auf. Clinkscales würde es gewiß ungeheuer schwer fallen, sich geistig daran zu gewöhnen. Wenigstens wirkte Dr. Harrington älter als ihre Tochter. Der Prolong-Prozeß stammte von Beowulf, und Allison Harrington war eine der ersten Empfängerinnen der zweiten Generation gewesen. Deshalb sah sie aus, als wäre sie einige Jahre jünger als Miranda. Ihre Augen funkelten so schelmisch, daß in Clinkscales ganz enorme Nervosität aufstieg.

Das ist albern, ermahnte er sich; *wie auch immer sie aussieht, diese Frau ist fast neunzig T-Jahre alt! Außerdem ist sie eine weithin respektierte Ärztin, zählt zu den bedeutendsten Genetikern des Sternenkönigreichs von Manticore und ist die Mutter einer Gutsherrin. Das letzte, was ihr in den Sinn käme, wäre irgend etwas zu tun, das auch nur das leiseste Gemunkel über einen möglichen Skandal wecken könnte.* Doch so sehr er versuchte, sich zu beruhigen, er vermochte diese spitzbübisch funkelnden Augen nicht zu ignorieren – oder den Stil ihrer Kleidung.

Noch nie hatte Howard Clinkscales seine Gutsherrin in manticoranischer Zivilkleidung erblickt. Auf Grayson trug sie, wenn sie nicht in Uniform war, ein Gewand im graysonitischen Stil. Ihre Mutter nicht: Dr. Harrington steckte in einem königsblauen taillierten Bolerojäckchen. Darunter trug sie eine maßgeschneiderte Bluse aus cremefarbener Alterdenseide, die mehrere hundert manticoranische Dollar gekostet haben mußte – und die trotz aller Blickdichtigkeit bestürzend dünn war. Ihr Schmuck war einfach, aber erlesen; das Silber stand im Kontrast zu ihrem sandelholzfarbenen Teint, und ihre elegant geschnittenen weiten Hosen paßten zur Jacke.

Vor dem Beitritt zur Allianz hätte sich auf Grayson keine Frau in einem Gewand blicken lassen, das ihre Figur mit solch entschiedener Freimütigkeit der Öffentlichkeit offenbarte. Diesmal blieb Clinkscales nicht einmal der tröstende Gedanke, es handele sich um eine vorschriftsgemäße Uniform, da könne man nichts machen. Niemand konnte sich ernsthaft über Lady Harringtons RMN-Uniform beschweren (einige der verknöcherteren Reaktionäre hatten sich auch davon nicht abhalten lassen), denn Lady Harrington war für den Schnitt nicht verantwortlich. Diese Entschuldigung vermochte ihre Mutter indes nicht anzuführen, und ...

Jetzt halt aber mal für eine Minute die Luft an, Howard! rief er sich ernst zur Ordnung. *Diese Frau benötigt für nichts eine ›Entschuldigung‹ – und die würde sie auch dann nicht brauchen, wenn sie nicht Lady Harringtons Mutter wäre! An ihrem Äußeren ist absolut nichts ›Unanständiges‹ – außer vielleicht in deiner verdorbenen Phantasie –, und selbst wenn's anders wäre, hätte sie immer noch jedes Recht, sich nach manticoranischen Vorstellungen zu kleiden. Wenn unser Planet so engstirnig und rückständig ist, daß wir das nicht hinnehmen können, dann ist das unsere Schuld und nicht ihre!*

Clinkscales atmete tief durch und empfand eine merkwürdige Erleichterung. Fast war er froh, daß seine reflexhafte gesellschaftliche Programmierung derart über die Stränge geschlagen war, denn als er sich nun zur Ordnung rufen mußte, kam er wieder zu Verstand und konnte sich ganz auf seine Pflicht konzentrieren. Trotzdem waren die letzten, glimmenden Funken des Unbehagens noch nicht verlöscht.

Das liegt an ihren Augen, dachte er; *das Funkeln in diesen Augen, die denen der Gutsherrin so sehr gleichen und doch so anders sind.* Auf Grayson kamen dreimal so viele Mädchen zur Welt wie Jungen, und eintausend Jahre lang hatte es für weibliche Wesen nur eine einzige respektable Laufbahn gegeben: die der Ehefrau und Mutter. Die Konkurrenz um Partner, die daraus erwuchs, war trotz der auf Grayson üblichen Polygamie stets recht hart gewesen. Nach außen hin stellten die Töchter Graysons eine Fassade der Unterwürfigkeit zur Schau, hinter den Kulissen führten sie den Kampf der Geschlechter (und den Krieg gegen ihre Konkurrentinnen) mit harten Bandagen. Deshalb machte sich Howard Clinkscales solche Sorgen, denn den gleichen Funken, der in Dr. Harringtons Augen tanzte, hatte er im Laufe der Jahre in den Blicken unzähliger Frauen bemerkt. Gewöhnlich waren es sehr junge Augen gewesen, die mit aller Energie und Leidenschaft der Jugend den Verlockungen der Eroberung entgegensahen. Doch obwohl Allison Harringtons Augen sehr jung aussahen, strahlten sie erfahrene Selbstsicherheit aus und verrieten ein gefährliches, durchtriebenes Gefühl für Amüsement.

Howard Clinkscales bezweifelte nicht, daß sich Dr. Harrington schon sehr bald als ebenso tüchtig erweisen würde wie ihre Tochter, doch ganz offensichtlich unterschied sie sich in mehrerlei Hinsicht von Lady Harrington. Zu seinem eigenen Erstaunen erwartete er die Reaktionen der Konservativen auf Dr. Harrington mit großer Vorfreude. Auch ein wenig Furcht war dabei, aber im Grunde mochte er das Funkeln ihrer

Augen, ihre nach außen getragene Lebensfreude und die sichtliche Weigerung, sich zu fügen, sich einengen und in die Schablone fremder Wertvorstellungen pressen zu lassen.

Selbst wenn der Pfad der Annäherung manchmal holprig verlief, am Ende würden sie sich schon zusammenraufen, da hegte Clinkscales plötzlich überhaupt keine Zweifel mehr. Schließlich waren sie zu zweit, und seiner Ansicht nach waren Dr. Harrington und die Gutsherrin gegenüber dem Planeten Grayson in der Überzahl.

»... und hier ist Ihr Büro, Mylady«, sagte Miranda, wobei sie in den großen, luxuriös ausgestatteten Raum voranging.

Allison Harrington folgte ihr und blieb stehen. Sie sah sich um und hob die Brauen, als ihr die schiere Pracht der Einrichtung zu Bewußtsein kam. *Nicht nur in puncto Komfort,* dachte sie. Die in den Schreibtisch integrierten Computersysteme und Kommunikationsanlagen waren noch besser als alle, die sie daheim auf Sphinx besaß. Doch darüber wunderte sie sich nicht. Honor hatte ihr das beste Material versprochen, das es für Geld zu kaufen gab, und Wort gehalten. Die ›Doctor Jennifer Chou Genetic Clinic‹ – Honor ehrte mit diesem Namen das Andenken ihrer Großmutter mütterlicherseits – verfügte über die großartigste Ausstattung, die Allison je zu Gesicht bekommen hatte. Ihre Tochter hatte keine Kosten gescheut, und Allison empfand ein warmes Gefühl des Stolzes. Sie wußte, daß Honors Vermögen mittlerweile sehr angewachsen war und sie sich derartige Ausgaben leisten konnte, ohne darüber nachdenken zu müssen, aber ihrer Einschätzung zufolge wären nur wenige Menschen auf den Gedanken gekommen, solche Summen in eine Genklinik zu investieren. Schließlich würde Honor von dem Geld nichts mehr wiedersehen – außer natürlich Tausende von Kindern, die als direktes Resultat dieser Investition gesünder und kräftiger aufwachsen würden.

»Ich hoffe, es gefällt Ihnen, Mylady«, sagte Miranda. Allison blinzelte, als sie aus ihren Gedanken gerissen wurde und feststellte, daß sie nachdenklich auf der Stelle verharrt war. Sie schüttelte leicht den Kopf. Miranda wirkte ein wenig nervös, und Allison lächelte sie an.

»Oh, es gefällt mir sogar sehr gut!« versicherte sie ihrer Führerin. »Honor hat versprochen, daß es mir gefallen würde, und sie ist schon immer ein wahrheitsliebendes Mädel gewesen.« Sie verdrehte spielerisch die Augen über die Grimasse, die Miranda zog, als sie hörte, wie ihre Gutsherrin als ›Mädel‹ bezeichnet wurde. *Na, den Leuten hier kann's nicht schaden, wenn jemand ein bißchen an Honors Heiligenschein kratzt*, sagte sie sich fröhlich. Allison kannte ihre Tochter gut genug und wußte, daß Honor sich durch allzuviel Unterwürfigkeit eingeengt fühlte.

Außerdem nimmt die Kleine das Leben sowieso viel zu ernst, sagte sie sich fröhlich. *Wenn sie wiederkommt und feststellt, wie oft ich unangenehm aufgefallen bin, kann ihr das nur gut tun!*

Sie mußte ein Kichern unterdrücken. Wie Honor haßte sie den Klang ihres Kicherns. Beide waren sie fest davon überzeugt, sich wie kleine Schulmädchen anzuhören, wenn sie kicherten, und Allisons Zierlichkeit verstärkte diesen Eindruck noch. Allerdings würde niemand, dem je einen näherer Blick auf sie vergönnt gewesen war, sie mit einem Kind verwechseln, da bestand kein Zweifel. Der Kicherdrang meldete sich erneut und stärker; Allison unterdrückte ihn beharrlich und winkte ab, um Miranda zu beruhigen, denn die Grayson beäugte sie mit wachsender Unruhe.

Das arme Kind glaubt wahrscheinlich, ich hätte eine Art Anfall. Was sie wohl von mir denken würde, wenn sie wüßte, daß ich geplant *hatte, einen Anfall zu erleiden?*

Allison nahm sich mehrere Minuten, um das Büro genau zu inspizieren. Ihre Aufmerksamkeit indessen galt nur zum Teil den Schreibtischen, Couchtischen und Aktenschränken. Vielmehr sann sie dabei über die sechzig Jahre nach, die sie im Sternenkönigreich verlebt hatte, und rieb sich innerlich die Hände, denn nun boten sich ihr im wahrsten Sinne des Wortes noch mehr Welten, die sie erobern konnte.

Allison Harrington wußte sehr gut, was der Rest der Galaxis über die Wüstlinge von Beowulf dachte. Manchmal verwunderte es sie, daß ausgerechnet ihre Heimatwelt den unangefochtenen Titel des Dekadentesten Planeten der Ganzen Galaxis hielt, obwohl doch Alterde in jeder Hinsicht ebenso kultiviert und ›libertinistisch‹ war wie Beowulf. Die Wege des Universums waren wohl unergründlich. Möglich, daß sich der Ruf des Sigma-Draconis-Systems auf seine gleichwohl unangefochtene Führungsposition in allen Lebenswissenschaften zurückführen ließ. Auf Beowulf war das lebensverlängernde Prolong-Verfahren erfunden worden, das jedoch nur den augenfälligsten Beitrag zur Gesundheit und Langlebigkeit der Menschheit darstellte. Dennoch – durch das Prolong übte Beowulf direkte Wirkung auf das Schicksal jedes einzelnen Menschen aus, ganz gleich, wo er lebte; in dieser Hinsicht überragte allenfalls noch Alterde Beowulf, denn Alterde war der Stammplanet der Menschheit. Vielleicht mußten die Bewohner eines solchen

Himmelskörpers wie Beowulf in den Augen von Außerweltlern zwangsläufig überlebensgroßes Format annehmen. Allerdings erklärte auch diese Theorie noch längst nicht zufriedenstellend, weshalb jedermann die sexuellen Gebräuche dieses Planeten ins Zentrum der Aufmerksamkeit rückte, und nicht zum Beispiel die im gesamten Sigma-Draconis-System verbreitete Vorliebe für Polo auf Gravo-Skis!

Was auch immer die Gründe waren, Allison hatte gewußt, worauf sie sich mit ihrer Heirat einließ – daß sie sowohl im wörtlichen als auch im übertragenen Sinne auf eine neue Welt gelangen würde, als sie sich auf der Semmelweiß-Universität in einen Stipendiaten namens Alfred Harrington verliebte. Alfred war selbstverständlich alles andere als ein gaffender, ungebildeter Bauerntölpel gewesen. Das Sternenkönigreich gehörte seit Jahrhunderten zu den reichsten und technisch fortgeschrittensten interstellaren Mächten außerhalb der Solaren Liga, und sein Hauptplanet besaß eine mindestens ebenso hochstehende Kultur wie Beowulf. Dummerweise kam Alfred nicht vom Planeten Manticore, sondern von Sphinx – und unter den drei bewohnbaren Planeten des manticoranischen Doppelsternsystems war Sphinx zweifellos der puritanischste. Als Alfred ihr diesen Sachverhalt erklärte, war er sehr ernst gewesen – nicht, weil er etwa von ihr verlangt hätte, daß sie sich änderte, um den manchmal rückständigen Maßstäben seiner Welt zu genügen, sondern weil sein Stipendium vom Militär stammte und ihn zu mindestens fünfzehn Jahren Dienst in der Navy verpflichtete. Um diese Verpflichtung zu erfüllen, blieb Alfred keine andere Wahl, als ins Sternenkönigreich zurückzukehren, und wenn Allison seinen Heiratsantrag annahm, dann mußte sie sich der Gesellschaft stellen, die ihn hervorgebracht hatte.

Wäre er damals nur ein bißchen weniger ernst gewesen, hätte sie gelächelt, ihm den Kopf getätschelt und versichert, sie sei alt genug, um auf sich selbst achtzugeben. Doch so groß war sein Ernst, daß sie es nicht übers Herz brachte, sich ihre Belustigung anmerken zu lassen. Deshalb antwortete sie ihm mit bewundernswerter Würde, sie wisse seine Warnung zu schätzen und glaube, notfalls auch in der Provinz überleben zu können, wenn es denn unbedingt sein müsse.

Wie nicht anders zu erwarten, war Sphinx nicht annähernd so bedrückend, wie man nach Alfreds Beschreibungen hätte fürchten können. Tatsächlich verhielt es sich nämlich so, daß Beowulfianer auch nicht ›libertinistischer‹ waren als andere Menschen; sie lehnten es lediglich ab, ein Urteil über fremde Lebensgewohnheiten zu fällen oder zu erklären, daß eine bestimmte Lebensweise die einzig Wahre sei – ganz gleich, wer sie begünstigte. Allison hätte Alfreds Heiratsantrag niemals angenommen, wenn sie Angst davor gehabt hätte, mit ihm ein neues Leben anzufangen, oder Angst davor, eventuell ihre alte Lebensweise aufgeben zu müssen. Hätte sie geglaubt, Alfred erwarte von ihr, daß sie sich in einen Lebensstil fügte, den sie als bedrückend empfand, so hätte sie den Antrag ebenfalls abgewiesen. Trotz alledem wurde sie das Gefühl nicht los, Sphinxianer seien sexuell unterdrückt. Was auch immer der Rest der Galaxis von den Bewohnern Beowulfs denken mochte. Allison hatte in ihrem Leben nie den Drang empfunden, anders als monogam zu sein.

Demgegenüber sah sie es überhaupt nicht ein, ihre Lebenseinstellung in irgendeiner Weise publik zu machen. Allein die Tatsache, daß sie von – *mein Gott!* – Beowulf kam, handelte ihr die schiefen Blicke der prüderen Sphinxianer ein, und dank ihres Hangs zum

Unfug konnte sie einfach nicht der Versuchung widerstehen, alle sich bietenden Gelegenheiten zu nutzen, jemanden hereinzulegen. Nachdem sie ihre diesbezüglichen Fähigkeiten beinahe siebzig Jahre lang an den Sphinxianern geschult hatte, konnte sie auf einem Puritaner spielen wie auf einer Stradivari und empfand dabei teuflisches Entzücken. Es bereitete ihr solchen Spaß, den Vorurteilen und Klischees dieser Menschen zu genügen und dabei so dicht an die Grenze zu gehen wie nur irgend möglich, ohne sie jemals wirklich zu überschreiten. Als Ärztin war sie dergleichen ihren Kritikern ohnehin schuldig. Gelegentliches Herzrasen erhöht den Puls und tut insgesamt dem Kreislauf gut.

Freilich dachte Allison Harrington nicht einmal im Traum daran, Honor mit irgendeiner ihrer Eskapaden in Verlegenheit zu bringen – jedenfalls nicht ernsthaft. Ein wenig Verlegenheit konnte Honor andererseits nicht schaden. Erst nach Paul Tankersleys Tod und Honors Duell mit Pavel Young erfuhr Allison von der Episode in der Akademie, die Honors Selbstbild solch nachhaltigen Schaden zugefügt hatte. Nun begriff sie einiges, was ihr damals durch ihre eigene Prägung – und wegen Honors Verschlossenheit – nicht aufgefallen war. Dennoch hielt sie ihre Tochter nach wie vor für zu ernst und für emotional distanziert. Paul war nun schon über fünf T-Jahre tot, und so sehr sich Honor und er auch geliebt hatten, es war Zeit, daß Honor weiterschritt. Wenn sie es also nötig hatte, gelegentlich ein wenig erschüttert zu werden, so war dies eine Mutterpflicht, der Allison sehr gerne nachkam.

Wenn man sie schon auf Sphinx schräg angesehen hatte, weil sie von Beowulf stammte, dann konnte sie sich gut vorstellen, wie Honors Graysons ihr begegnen würden! Zum Glück schien wenigstens Miranda sich in ihrer Nähe einigermaßen wohl zu fühlen; Allison hatte bereits erkannt, wie entscheidend Miranda, obwohl sie offiziell den Titel einer ›Zofe‹ führte, zum reibungslosen Ablauf der Vorgänge in Harrington House und wahrscheinlich auf dem ganzen Gut beitrug. Wenn jemand, der für Honor so wichtig war, sich in Allisons Nähe unbehaglich gefühlt hätte, dann hätte sie soviel Energie wie nötig investiert, um die betreffende Person zu beruhigen und auf ihre Seite zu ziehen. Sie rechnete fest damit, Miranda zu ihrer Verbündeten machen zu können, wenn sie ihren Sturmangriff auf den übrigen Planeten begann.

Und wieviel Zeit ich dazu habe, dachte sie, *jetzt, wo Honor bis auf weiteres im Weltraum ist.*

Das rief ihr einen anderen Aspekt in Erinnerung. Sie setzte sich auf den bequemen Sessel hinter dem Schreibtisch und bedeutete Miranda, auf einem der Stühle davor Platz zu nehmen. Kaum saß Miranda, glitt Farragut auf ihren Schoß, und Allison lächelte schief.

»Ich weiß noch, wie Honor das erstemal mit Nimitz nach Hause gekommen ist«, sagte sie. »Wenn man sie heute sieht, will man es kaum glauben, aber sie bekam ihren Wachstumsschub ziemlich spät, und die Prolong-Behandlung der dritten Generation zögert alles noch länger hinaus. Sie war ... sechzehn, als sie endlich zu wachsen begann; als Nimitz sie adoptierte, war er fast so lang wie sie groß. Trotzdem ließ sie sich nicht abhalten, ihn überallhin zu *tragen*. Eine Weile habe ich gedacht, seine Beine müßten verkümmern und absterben!«

»Farragut ist nicht *ganz* so schlimm, Mylady«, entgegnete Miranda lächelnd und streichelte ihm die Ohren, was dem Baumkater ein lautes Schnurren entlockte.

»Nein, das ist er wohl nicht«, stimmte Allison zu. »Oder wenigstens noch nicht. Baumkatzen sind ein schamlos hedonistischer Haufen, also nehmen Sie sich bloß in acht.«

»Das werde ich, Mylady«, versprach Miranda.

Allison schaukelte mit dem Sessel nach hinten. »Ich möchte Sie um einen Gefallen bitten, Miranda«, sagte sie; »genauer gesagt, sogar um zwei.«

»Selbstverständlich, Mylady. Was wünschen Sie?«

»Zum einen, daß Sie mit den ›Myladys‹ ein wenig sparsamer umgehen«, sagte Allison und grinste schelmisch, als sie Mirandas Gesicht sah. »Oh, ich fühle mich nicht angegriffen oder so etwas. Aber ich habe mein ganzes Leben als Bürgerliche verbracht. Mir ist zwar klar, daß Honor hingegangen ist und dieser Sache ein Ende gemacht hat – zumindest, soweit es die Bewohner dieses Planeten betrifft, aber ich ertappe mich andauernd dabei, daß ich mich frage, mit wem Sie da eigentlich sprechen!«

Miranda blickte sie einen Moment lang an, lehnte sich zurück, schlug die Beine übereinander und drückte sich Farragut an die Brust.

»Das ist vielleicht schwieriger als Sie glauben, M... – Doctor«, sagte sie schließlich. »Ihre Tochter ist eine Gutsherrin – die allererste Frau mit diesem Titel –, und die Anredeformen für Gutsherren und ihre Familienangehörigen bilden einen wichtigen Teil der graysonitischen Etikette. Natürlich mußten wir einige Anpassungen vornehmen. Vor Lady Harrington gab es nur eine korrekte Anrede für einen Gutsherrn: *Mylord;* das durften wir natürlich nicht beibehalten, aber bis man die Leute so weit hat, daß auch der Rest sich ändert ...« Sie schüttelte den Kopf. »Sagen wir einfach, wir Graysons können ein wenig halsstarrig sein, Doctor.«

»Wenn Sie sich dabei nicht die Zunge verstauchen, können Sie es mit Allison versuchen oder sogar mit ›Alley‹ – wenigstens, wenn wir allein und außer Dienst sind.« Sie sprach in solch ironischem Ton, daß Miranda errötete, dann aber lächelte sie Allison an, und Allison erwiderte das Lächeln. »Ich glaube mich zu erinnern, daß Honor die graysonitische Halsstarrigkeit beiläufig erwähnt hat. Und da fällt mir ein«, fügte sie streng hinzu, »daß man als Bewohnerin eines Glashauses wirklich die allerletzte sein sollte, die mit Steinen zu werfen beginnt! Aber ich nehme an, daß Ihr Volk nicht halsstarriger ist als Honor, und wenn wir langsam anfangen und beharrlich fortfahren, dann sollten wir sogar die Graysons vernünftig umprogrammieren können – binnen eines Jahrhunderts oder so.«

Miranda war überrascht, daß sie über diese Prognose lachen konnte, und Allison grinste sie an. Dann wurde Honors Mutter wieder ernst, klappte den Sessel aufrecht, lehnte sich mit den Ellbogen auf ihren neuen Schreibtisch und begann, Miranda eingehend zu mustern.

»Nun zum zweiten Gefallen«, sagte sie nüchtern. »Ich habe mich gefragt, ob Sie mir wohl sagen können, weshalb Honor soviel früher als geplant in den Weltraum gegangen ist.«

»Ich bitte um Verzeihung, M… – Allison?«

»Das haben Sie gut gemacht«, beglückwünschte Allison sie.

»Wie bitte?«

»Von meiner Frage völlig überrascht zu klingen«, erklärte Allison, und diesmal errötete Miranda sehr intensiv. »Aha! Es ist also tatsächlich etwas geschehen?«

»Eigentlich nicht«, antwortete Miranda. »Zumindest nichts, was sie mit mir diskutiert hätte.«

»Diskutiert?« wiederholte Allison und klang in diesem Augenblick sehr wie ihre Tochter. Beide stürzten sie sich gern auf den wichtigsten Teil eines Satzes wie ein Raubvogel auf die Beute. Miranda fragte sich, was sie sagen konnte – oder sagen *sollte* –, ohne das Vertrauen ihrer Gutsherrin zu hintergehen. Daß Lady Harrington in dieser Angelegenheit nie auch nur ein Wort verloren hatte, machte die Entscheidung nur noch schwerer, und während sie darüber nachdachte, beugte sie sich vor und drückte die Wange an Farraguts Kopf.

»Mylady«, sagte sie schließlich in distanziertem Ton, »ich bin die persönliche Zofe Ihrer Tochter. Ebensosehr wie Lord Clinkscales oder mein Bruder Andrew unterliege ich der Verpflichtung, das in mich gesetzte Vertrauen zu rechtfertigen und die Belange meiner Gutsherrin zu wahren – selbst gegenüber ihrer Mutter.«

Angesichts des Ernstes, mit dem diese Antwort erteilt wurde, riß Allison die Augen auf. Damit war ihre von vornherein hohe Meinung über Mirandas Integrität bestätigt, aber auch ihre Vermutung, daß Honor in der Tat einen Grund für ihren übereilten Aufbruch gehabt haben mußte. Der Verdacht war Allison in dem Augenblick gekommen, als sie erfuhr, daß Honor sie nicht auf Grayson empfangen würde, denn Honor hatte sich sehr darauf gefreut, ihre Mutter willkommen zu heißen und persönlich durch die Klinik zu führen. Honor hatte ihr nichts von ihrem vorzeitigen Aufbruch mitgeteilt; folglich mußte, was immer vorgefallen war, überraschend geschehen sein. Ein Blick in Mirandas Gesicht genügte ihr jedoch, und sie wußte, daß sie von der Zofe ihrer Tochter nichts über die Natur dieses Zwischenfalls erfahren würde.

»Na schön, Miranda«, lenkte sie nach einer Weile

ein, »ich will Sie nicht bedrängen – und ich danke Ihnen für Ihre Loyalität gegenüber Honor.«

Miranda nickte knapp, eine Geste, aus der mehr die Erleichterung sprach denn die Freude über das implizierte Kompliment Allisons.

Allison erwiderte das Nicken und erhob sich lächelnd. »Wenn ich recht verstanden habe, werden wir heute abend von Lord Clinkscales und seinen Frauen zum Essen erwartet?«

»Jawohl, M... Allison. Und ich hoffe, daß Sie nicht beleidigt sind, wenn ich Sie vor Lord Clinkscales nicht mit Vornamen anrede.« Miranda täuschte furchtsames Erschauern vor, und Allison mußte lachen.

»Ach, machen Sie sich darüber nur keine Sorgen, meine Liebe! Ich habe übrigens noch etwas auf dem Herzen.«

»Aha?« Miranda legte den Kopf schräg, denn der Ton ihres Gastes ließ in ihr alle Alarmglocken klingeln, und Allison verzog verschmitzt das Gesicht.

»Ja. Sie müssen wissen, daß ich nicht einmal genügend Zeit hatte, ein graysonitisches Kleid anzuprobieren. Deswegen muß ich etwas aus meiner manticoranischen Garderobe auswählen, und dazu benötige ich Ihren Rat.« Eine Mischung aus Bestürzung und Wachsamkeit machte sich in Mirandas Miene bemerkbar, und Allison lächelte noch schelmischer. »Ich fürchte, die Mode daheim ist ein wenig – anders«, fuhr sie gekünstelt sorgenvoll fort, »aber zum Glück habe ich vor meiner Abreise noch daran gedacht, ein paar Abendkleider mitzunehmen. Was finden Sie, soll ich tragen: das rückenfreie mit dem V-Ausschnitt oder das mit der geschlitzten Hüfte?«

12

»Ach, jetzt hören Sie schon mit dem Schmollen auf, Mac! Ich schicke Sie doch nicht fort in die Wüste oder so etwas.«

»Selbstverständlich nicht, Mylady.« Senior Master Chief Steward's Mate James MacGuiness sprach mit völlig ausdrucksloser Stimme, was für ihn höchst ungewöhnlich war, und die Förmlichkeit, mit der er seinen Commodore anredete, blieb nicht ohne Wirkung.

Honor seufzte innerlich, begutachtete ihr Äußeres im Spiegel an der Schottwand und rückte das schwarze Barett zurecht. Auf ihrem Schreibtisch saß Nimitz und beobachtete ihre Vorbereitungen; sie spürte, wie er still lachte. Er und MacGuiness waren alte und enge Freunde, doch der freigesinnte Baumkater fand es immer wieder urkomisch, mit welcher Besessenheit der Steward auf die Einhaltung des Protokolls pochte. Weder Nimitz noch sein Adoptivmensch hätten je in Zweifel gezogen, wie sehr MacGuiness sich Honor verbunden fühlte, doch im Augenblick war den Emotionen des Stewards ein Unterton entrüsteter beruflicher Eifersucht zu entnehmen. Der wahre Grund für seine Förmlichkeit – jeder andere wäre in seiner Gemütslage in einen Schreikrampf verfallen – bestand in seiner Entrüstung über den Umstand, daß ein anderer Steward die Oberaufsicht über eine Dinnerparty führen sollte, die *sein* Commodore zu geben beabsichtigte. Und die Verbindung mit dem Baumkater sorgte dafür, daß Honor sich dessen ebenso deutlich bewußt war wie Nimitz.

Es wäre ja ganz schön, überlegte sie, *wenn Mac endlich einsehen würde, daß ich kein Kind mehr bin und er nicht die ganze Zeit auf mich achtgeben muß. Schließlich bin ich vierzig Jahre ohne ihn ausgekommen! Ich kann auf mich selber aufpassen!* Bei diesem Gedanken empfand sie ein leises, aber hartnäckiges Schuldgefühl und grinste ihr Spiegelbild an. *Also gut, ich hätte gar keine Lust, mich um alles selbst zu kümmern, aber trotzdem! Manchmal möchte ich dem guten alten Mac einfach den Hals umdrehen!*

»Hören Sie«, sagte Honor, indem sie sich zu MacGuiness umwandte, »es gibt zwo Gründe, weshalb Sie nicht mitkommen können. Erstens gibt es auf dem Flug zuwenig Sitze, und wir können Sie nicht mehr unterbringen. Zweitens, und das ist der springende Punkt, gehen wir als Captain McKeons Gäste an Bord der *Prince Adrian*, und wenn ich Sie mitbrächte, um die Oberaufsicht zu führen, wäre Captain McKeons Steward mit Recht genauso empört wie Sie an seiner Stelle. Und ich darf vielleicht hinzufügen, daß ich für nur rund achtzehn Stunden fort sein werde. Ob Sie es glauben oder nicht, Mac, für so lange komme ich zur Abwechslung wirklich ohne Kindermädchen aus!«

Sie sah ihm ernst, aber mit einem leicht ironischen Funkeln in die Augen, bis er den Blick senkte. Einen Augenblick lang betrachtete er seine Schuhspitzen, dann räusperte er sich.

»Jawohl, Ma'am, ich – ich wollte nicht andeuten, es wäre anders.«

»O doch, das wollten Sie!« erwiderte Honor. Ihre Augen funkelten nun viel lebhafter, so daß Mac schließlich verlegen grinste. »Das ist schon besser!« rief sie und schlug ihm sachte auf die Schulter. Dann hob sie Nimitz auf. »Nun, Mac, nachdem ich Sie gerade davon in Kenntnis gesetzt habe, daß ich selbst auf mich achtgeben kann – sehe ich präsentabel genug aus, um Sie nicht vor aller Augen zu blamieren?«

»Sie sehen ganz hervorragend aus, Ma'am«, versicherte MacGuiness ihr. Gleichzeitig rückte er ihren Uniformkragen um noch eine Winzigkeit in die perfekte Position und zupfte ihr eine unsichtbare Fluse von der 'katzenlosen Schulter. Nun war es an Honor zu grinsen; als MacGuiness zufrieden von ihr zurücktrat, schüttelte sie den Kopf. Dann ging sie voran in ihr Arbeitszimmer und beäugte mit kritischem Blick die drei Waffenträger, die sie an Bord der *Prince Adrian* begleiten sollten.

Wie nicht anders zu erwarten, befand sich das Trio in makellosem Zustand. Andrew LaFollet und James Candless waren schon seit Honors offizieller Investitur als Gutsherrin bei ihr; Robert Whitman war erst nach Eddy Howards Tod beim letzten Gefecht von HMS *Wayfarer* vor kaum anderthalb Jahren zum dritten Mann ihrer ständigen Begleitung geworden, und LaFollet hatte ihn persönlich für diese Verwendung ausgesucht. Whitman war sich dessen sehr wohl bewußt und mühte sich nach Kräften, noch blanker geputzte Schuhe und schärfere Bügelfalten vorweisen zu können als seine Vorgesetzten. Alle drei hätten sich lieber von graysonitischen Neoratten zernagen lassen, als durch ihr Äußeres ihre Gutsherrin in eine peinliche Situation zu bringen.

»Sehr gut, Gentlemen«, lobte Honor sie. »Sogar Sie, Jamie. Ich glaube nicht, daß ich mich mit einem von Ihnen in der Öffentlichkeit schämen müßte.«

»Vielen Dank, Mylady. Wir haben uns alle Mühe gegeben«, antwortete LaFollet ausgesucht höflich, ohne die Miene zu verziehen.

Honor lachte glucksend. »Nichts Geringeres hätte ich erwartet«, sagte sie. »Haben Sie das Päckchen, Bob?«

»Jawohl, Mylady.« Whitman hielt die kleine Schachtel hoch, die in buntes Papier eingeschlagen war, und Honor nickte.

»Wenn das so ist, Gentlemen, dann wollen wir mal«, sagte sie.

Die anderen Passagiere der Pinasse warteten in Beiboothangar Zwo auf Honor. Sie hatte darum gebeten, diesmal auf das Zeremoniell zu verzichten, so daß nicht zur Seite angetreten worden war. Captain Greentree hatte es sich jedoch nicht nehmen lassen, herbeizukommen und sie zu verabschieden.

»Allzu lange werden wir nicht fort sein, Thomas«, versicherte Honor dem Flaggkommandanten und schüttelte ihm die Hand.

»Nein, natürlich nicht«, antwortete er. »Und selbst wenn, ich glaube, für ein paar Stunden kann ich den Laden auch ohne Ihre Hilfe schmeißen, Mylady.«

»Der Meinung bin ich auch«, grinste Honor. »Und das, obwohl ich Ihnen den Eins-O stehle.«

»Das ist ein Handicap«, entgegnete Greentree trocken, »aber ich glaube, ich werde es überleben.«

Commander Marchant lächelte. Im Laufe der letzten fünf T-Wochen hatte er einiges von der Befangenheit verloren, die er anfangs in Honors Gegenwart zeigte, denn wie Greentree mußte er eng mit ihr und ihrem Stab zusammenarbeiten. Weil Greentree als Honors taktischer Stellvertreter fungierte, trug Marchant einen größeren Anteil an der Verantwortung für das Schiff als andere Erste Offiziere. Der Flaggkommandant hatte den I.O. außerdem an so vielen Besprechungen des Geschwaderstabes teilnehmen lassen wie möglich, was Honor nur begrüßen konnte. Sollte Greentree etwas zustoßen, gingen zusammen mit dem Kommando über das Geschwaderflaggschiff auch die

Pflichten des Flaggkommandanten auf Marchant über, und in diesem Fall wäre es eher unwahrscheinlich, daß Honor genügend Zeit zur Verfügung stände, um dem neuen Flaggkommandanten ihr operatives Vorgehen und ihre Verhaltensmaßregeln lang und breit zu erläutern. Greentrees Vorsatz, Marchant immer informiert zu halten, um ein mögliches Durcheinander im Falle einer solchen Katastrophe zu verhindern, erfüllte sie mit großer Zufriedenheit. Marchants erzwungene Zusammenarbeit hatte ihr außerdem die Gelegenheit verschafft, sich ein Urteil über die Fähigkeiten des I.O. zu bilden. Sie war sehr zufrieden mit ihm. Außerdem hatten sich Möglichkeiten geboten, um Marchant deutlich zu machen, daß sie ihm keinesfalls die Verschwörung seines entfernten Cousins vorwarf. Aufgrund all dessen hatte Marchant nicht nur solide Kenntnis der Operationsmuster des Geschwaders erhalten, sondern außerdem ein starkes Gefühl der Loyalität ihr gegenüber entwickelt.

»Ich versuche, ihn nach Hause zu bringen, bevor er sich in einen Kürbis verwandelt«, versprach sie Greentree und ließ seine Hand los. Dann drehte sie sich der Personenröhre zu und umfaßte die Haltestange. LaFollet und die beiden anderen Waffenträger folgten ihr unmittelbar, dann schlossen sich Andreas Venizelos und die übrigen Angehörigen der Gruppe in der Reihenfolge absteigender Seniorität an.

Honor durchschwamm die Röhre, schwang sich unter der internen Schwerkraft der Pinasse graziös herum und nickte dem stämmigen, irgendwie ramponiert aussehenden Bordmechaniker zu.

»Guten Morgen, Senior Chief«, begrüßte sie ihn.

»Morgen, Ma'am«, knurrte Senior Chief Gunner's Mate Harkness zur Antwort. »Willkommen an Bord.«

»Danke«, sagte sie und zog sich die Uniformjacke

am Saum gerade, während sie zu ihrem Sitz ging. Eigentlich besaß Harkness für seine gegenwärtige Aufgabe einen zu hohen Rang, aber Honor hatte niemand anderen erwartet als ihn. Schließlich wußte sie, wer die Pinasse steuerte.

Sie setzte Nimitz auf den Nebensitz und schnallte sich an, dann blickte sie über die Schulter zurück und beobachtete, wie ihre Begleitung in den Passagierraum kam. Es waren nur wenige Personen, und Honor gestattete sich ein träges Lächeln, das Nimitz alle Ehre gemacht hätte und das man bei ihr nur sehr selten sah. *Armer Alistair,* dachte sie mit diebischer Freude. *Wenn es nur halb so gut geklappt hat wie ich glaube, dann hat er nicht die leiseste Ahnung, was ihm da blüht!* Dann wurde ihr Gesicht etwas ernster. Das Ganze hatte auch seine Schattenseite; die Neuigkeit, die sie für McKeon hatte, bedeutete letztendlich, daß sie es in Zukunft schwerer haben würde. Trotz dieser Unannehmlichkeit freute sie sich schon sehr darauf, sein verblüfftes Gesicht zu sehen. *Außerdem wird es allmählich auch Zeit.*

Der Gedanke erheiterte sie, und sie sah zu, wie die anderen sich in der gestutzten Passagierkabine auf ihre Plätze begaben. Wie Honor schon gegenüber MacGuiness bemerkt hatte, gab es nur eine begrenzte Anzahl von Sitzplätzen, denn die Pinasse trug eine schwere, voluminöse Fracht, die für den Leitenden Ingenieur der *Adrian* bestimmt war. Einer der Luftwäscher des Kreuzers war ausgefallen, was die Lebenserhaltungskapazität der *Prince Adrian* um zehn Prozent verringerte. Zwar hatte McKeons Schiff alle Ersatzteile an Bord, die erforderlich waren, um den Wäscher notfalls von Grund auf neu zu bauen, doch ohne die Hilfe einer Werft dauerte das mindestens eine Woche und bedeutete körperliche Schwerstarbeit; angesichts der verlorenen Lebenserhaltungskapazität, die der fehlende Wäscher bedingte, verblaßte dies jedoch zur Bedeutungslosigkeit: Nach Abschaltung des Wäschers war der Sicherheitsspielraum in den Umweltsystemen der *Prince Adrian* um ein Drittel gesunken. Kein Sternenschiffkommandant war darauf erpicht, mit dieser verringerten Reserve eine ganze Woche lang auszukommen, wenn es sich irgendwie vermeiden ließ.

Und wie der Zufall wollte, ließ es sich diesmal tatsächlich vermeiden. Die *Prince Adrian* besaß genügend Ersatzteile, um den Wäscher zu reparieren; die neuere, größere *Jason Alvarez* hingegen hatte, wie sich herausstellte, drei komplett montierte *Ersatzaggregate* in den weitläufigen Lagerhallen ihrer Maschinensektion. Wo genau der LI der *Alvarez* den dritten Ersatzwäscher herbekommen hatte, der eindeutig den Sollbestand überschritt, sollte ein Geheimnis bleiben; wann immer man auf dieses Thema zu sprechen kam, war Lieutenant Commander Sinkowitz stets in eine gewisse Vagheit verfallen. Die voluminöseren Wäscher der *Alvarez* paßten nicht genau in die *Prince Adrian*, waren aber ähnlich genug, um einen davon einbauen und an Stelle des beschädigten Aggregats betreiben zu können. Mit dem Austausch sparte die *Prince Adrian* acht Tage und sehr viel Schweiß; Greentree hatte McKeon angeboten, den kompletten Wäscher gegen die Ersatzteile einzutauschen, die das manticoranische Schiff für den Neubau verbraucht hätte.

McKeon war dankbar auf Greentrees Angebot eingegangen, und die örtlichen Hyperraumbedingungen gestatteten sogar den Tausch, obschon der Zeitrahmen sehr eng blieb. Der Geleitzug befand sich gerade etwas mehr als fünf Tage von Clairmont entfernt und überwand den Abstand zwischen zwei Hyperwellen. Daher bewegten sich die Schiffe unter Impellern, was Beibootsverkehr gestattete. Allerdings war der Eintritt in die Gravwelle, die den Geleitzug zu seinem nächsten Bestimmungsort tragen sollte, bereits in zwei Stunden fällig. Dann mußten die Schiffe ihre Antriebe von Impellern auf Warshawski-Segel rekonfigurieren, und da nur Sternenschiffe Warshawski-Segel besaßen, konnte sich kein Beiboot mehr zwischen den Schiffen bewegen, bevor der Geleitzug zurück in den Normalraum transistiert war.

Sowohl die manticoranische als auch die graysonitische Navy befolgten den Satz Edward Saganamis, man dürfe Zeit – in jeder Flotte der einzige unersetzliche Besitz – niemals verschwenden. Deshalb hatten sich Greentree und McKeon in aller Eile daran gemacht, den Tausch innerhalb des kleinen Zeitfensters durchzuführen. Als Honor davon erfuhr, ergriff sie die Gelegenheit, um sich und einige Angehörige des Geschwaderstabes ebenfalls von einem Schiff zum anderen transferieren zu lassen. Zurückliegende Diskussionen mit ihren Offizieren hatten sie zu einigen kleinen, aber bedeutsamen Änderungen in der taktischen Planung des Geschwaders bewegt, und sie wollte sie gern mit ihrem stellvertretenden Geschwaderchef McKeon persönlich besprechen. Selbst wenn sie kein überzeugter Anhänger des Gesprächs von Angesicht zu Angesicht gewesen wäre, hätte die Signalverzögerung durch die vorgeschobene Position der *Prince Adrian* jede Art von elektronischer Konferenz völlig unmöglich gemacht. Und obwohl sie mit dieser Besprechung durchaus bis nach der Ankunft im Adler-System hätte warten können, gab es noch einen tieferen Beweggrund, der *Prince Adrian* ausgerechnet an diesem Tag einen Besuch abzustatten. Und noch etwas anderes kam hinzu: Obwohl sie sich mit ihrem Flaggkommandanten mittlerweile angefreundet hatte, wurde sie das Gefühl nicht los, daß Greentree nicht ganz unglücklich wäre, sie einmal für ein paar Stunden loszuwerden.

Die Schnelligkeit und Reibungslosigkeit, mit der der Hangaroffizier der *Alvarez* den Austausch koordiniert hatte, weckte Honors Bewunderung, doch hatte ihn die Größe (und die ungünstige Formgebung) des Wäschers keine andere Wahl gelassen, als die hinteren zwei Drittel des modular aufgebauten Nutzraums der Pinasse umzufunktionieren, um den nötigen Laderaum für das Aggregat zu gewinnen. Dadurch fielen entsprechend viele Sitze weg und führten zu der beengten Passagierkabine, Honors Vorwand, MacGuiness an Bord der *Alvarez* zurückzulassen.

Selbst ohne den Steward waren die Sitze knapp. Zusätzlich zum wertvollen Luftwäscher schickte Sinkowitz noch sechs seiner Leute, die sich mit dem Aggregat auskannten und Lieutenant Commander Palliser, dem LI der *Prince Adrian*, bei der Installation helfen sollten. Sie beanspruchten ein Drittel der verfügbaren Plätze, und der Rest war rasch vergeben. Außer ihren Waffenträgern, Commander Marchant und Venizelos brachte Honor noch Fritz Montaya, Marcia MacGuiness, Jasper Mayhew, Anson Lethridge und Scotty Tremaine an Bord; zuletzt entschloß sie sich, auch Carson Clinkscales mitzunehmen. Die Führung ihres Flaggleutnants hatte sich in den letzten drei Wochen bemerkenswert verbessert. Zwar blieb er ein wandelnder Unfall, der nur nach einem geeigneten Ort suchte, um zu geschehen, doch lernte er allmählich, mit Katastrophen zu rechnen und den Schaden zu begrenzen – sowie mit der Verlegenheit umzugehen, die ein Mißgeschick nach sich zog, wenn es trotz aller Vorkehrungen passierte. Diese vorteilhafte Entwicklung hatte sich jedoch unter den Augen von Vorgesetzten vollzogen, die er bereits kannte und bei denen er sich sicher fühlen konnte. Deshalb war Honor der Meinung, daß ihm ein paar Stunden in Gesellschaft fremder Offiziere nur guttun konnten. An Bord der *Alvarez* war sein Selbstvertrauen gewachsen, und wenn seine verbesserte Leistungsfähigkeit auch in unvertrauter Umgebung überlebte, konnte das seinem Selbstbild nur von Nutzen sein.

Honors vorgeblicher Grund für ihren Besuch rechtfertigte natürlich die Anwesenheit Clinkscales genausowenig wie die Monayas: Schließlich gab es keinen praktischen Anlaß, weshalb der rangälteste Sanitätsoffizier des Geschwaders an einer taktischen Erörterung teilnehmen sollte – auch wenn er zufällig ein alter Freund des Kommandanten der *Prince Adrian* war ...

Als der letzte Passagier einen Platz gefunden hatte, schloß Harkness die Luke, las sorgfältig die Anzeigen ab und klopfte an das Mikrofon seines Kopfhörers.

»Achtern alles klar«, meldete er dem Cockpit.

»Danke, Chief«, antwortete Scotty Tremaines Stimme. »Löse Röhre und Nabelschnur.«

Schläge und Rumpeln dröhnten durch den Rumpf der Pinasse, als der Pilot das Beiboot von den Systemen der *Alvarez* abkoppelte. Harkness behielt die Anzeigen an der Luke im Auge.

»Grünes Licht«, informierte er Tremaine dann. »Klar zum Ablegen.«

»Lege ab«, gab Tremaine knapp zurück, und die mechanischen Greifarme fuhren ein. Mit Hilfe der Schubdüsen steuerte Honors Elektronikoffizier die Pinasse aus dem Hangar.

Honor beobachtete den Ablegevorgang durch das

Fenster und lächelte ihr Spiegelbild auf dem Armoplast an. Rasch glitt der hell erleuchtete Hangar vorbei. Wenigstens war es kein Problem gewesen, Tremaine an Bord der Pinasse unterzubringen. Respektvoll, aber unnachgiebig hatte er schon im sehr frühen Planungsstadium betont, daß er, ob nun Offizier im Stabe oder nicht, keinesfalls billigen würde, wenn jemand anderer als er Honors Beiboot steuerte. Da das Protokoll festlegte, daß Honor aufgrund ihres hohen Dienstgrads nicht selbst als Pilotin fungieren durfte, war sie sehr gern bereit, Tremaine diese Aufgabe zu übertragen, denn er gehörte zu den besten fünf oder sechs Piloten, die sie je erlebt hatte. Wo Tremaine hinging, da durfte auch Harkness nicht fehlen; das ›Desaster-Duo‹, wie Honor die beiden einmal genannt hatte, gab es nur im Paket. Saß Tremaine im Cockpit, so war unausweichlich niemand anders als Senior Chief Harkness der Bordmechaniker. Wie Harkness es immer wieder zuwege brachte, daß BuPers ihn dorthin schickte, wohin Scotty Tremaine bereits abkommandiert war, gehörte zu den ungelösten Rätseln der Royal Manticoran Navy, und Honor beabsichtigte nicht, der Sache auf den Grund zu gehen. Die beiden waren im Team viel zu nützlich, als daß sie riskiert hätte, den Glücksbann zu brechen.

Die Pinasse verließ den Hangar, und die *Alvarez* schaltete ihren Impellerkeil gerade lange genug aus, damit ein stärkerer Impuls aus den Schubdüsen das Beiboot auf sichere Entfernung bringen und es den eigenen Impeller aktivieren konnte. Tremaine fuhr den Antrieb hoch und ging unmerklich von Schubdüsen auf Impeller über, dann entfernte sich die Pinasse mit über vierhundert Gravos Beschleunigung vom Geschwaderflaggschiff. Hinter ihr fuhr der Impellerkeil der *Alvarez* wieder hoch, und Honor lehnte sich in den Sitz zurück, während das Beiboot begann, zur *Prince Adrian* aufzuschließen.

Der Flug würde den größten Teil der beiden verfügbaren Stunden verschlingen. Der Geleitzug bewegte sich mit der Höchstgeschwindigkeit, die die Partikelschilde der Frachter zuließen, und die Abschirmung einer Pinasse gestattete ihr ein um nur 22.500 Kps höheres Maximaltempo. McKeons Schiff marschierte fast neun Lichtminuten vor der *Alvarez*. In ihrem Innersten mißfiel Honor noch immer die Notwendigkeit, diese exponierte Position jemand anderem aufbürden zu müssen; erst allmählich fand sie sich damit ab. Dabei war dieses Mißfallen unsinnig. Ihre Aufgabe bestand in der Leitung des Geschwaders, und Alistair mußte die vorgeschobene Position an der Spitze übernehmen. Damit hatte es sich.

Sie machte es sich im Sitz gemütlich, strich Nimitz mit einer Hand über die Ohren, was der Baumkater mit zufriedenem Schnurren quittierte, und beobachtete das geisterhafte, wunderschöne Farbflackern der Hyperraumtiefen hinter dem dicken Armoplast des Fensters.

»Also, was hältst du von den Ideen meiner Jungs und Mädels?« fragte Honor, als der Lift sie zum Kommandantensalon ins Oberschiff fuhr. Sie hatte spöttisch die Augenbrauen hochgezogen. Der Schiffstyp der *Prince Adrian* war über sechzig Jahre alt, und deshalb war es in ihren Liftkabinen enger als in denen modernerer Schiffe; Honors Stabsangehörige und McKeons I.O. hatten mit stillem Taktgefühl beschlossen, die Vorgesetzten in der ersten Kabine allein zu lassen; allein, wenn man von Honors Waffenträgern absah – ›alleiner‹ würde sie vermutlich nie wieder sein.

»Eindrucksvoll. Doch, sehr eindrucksvoll«, antwortete McKeon. »Mit seinen Eloka-Vorschlägen hat Scotty besonders gute Arbeit geleistet, und deine McGinley hat sich mit ihrer Integration seiner Täuschungen und der größeren Reichweite unserer neuen passiven Systeme selbst übertroffen. Natürlich«, fügte er betont beiläufig hinzu, »können wir das neue Konzept erst dann mit voller Wirkung einsetzen, wenn uns ein paar von den neuen Raketengondeln in die Hände fallen.«

»Neue Gondeln?« Honor bemühte sich, ein ausdrucksloses Gesicht zu machen. Ihre Stimme klang kühl. »Was für neue Gondeln meinst du?«

»Die schwer zu ortenden, streng geheimen Gondeln, deren Pläne mit ›Vor dem Lesen vernichten‹ bestempelt sind – die Gondeln für die neuen Raketen mit dem mehrstufigen Antrieb und der großen Reichweite«, erklärte McKeon geduldig. »Du weißt schon – die, für die du die endgültige Spezifikation geschrieben hast, als du beim WDB warst. *Die* Gondeln meine ich.«

»Ach so«, antwortete Honor ausdruckslos. »*Die* Gondeln meinst du. Und woher, Captain McKeon, weißt du denn, daß *diese* Gondeln überhaupt existieren, geschweige denn, wer die Spezifikation geschrieben hat?«

»Ich bin Captain of the List«, erwiderte McKeon. »Als ich noch ein kleiner Commander war, noch vor dem Krieg, wurde ich zufällig eingeteilt, die Tauglichkeit der damals brandneuen Überlicht-Drohnen für leichte Einheiten im Feld zu testen. Erprobungsmissionen, das waren meine ersten großen Einsätze zusammen mit der *Madrigal*, weißt du noch? Deshalb habe ich immer noch einen guten Draht zu BuWeaps und BuShips. Wenn Admiral Adcock Resonanz von den Anwendern möchte, stehe ich auf der Liste der Auserwählten.«

»Liste der Auserwählten?« fragte Honor. »Ich habe nicht gewußt, daß er eine hat.«

»Offiziell natürlich nicht. Aber der Admiral hat sich schon immer gesträubt, den Schreibtischhusaren allzu freie Hand zu lassen. Er läßt ihre Ideen gerne von Praktikern durchsehen, mit denen er zusammengearbeitet hat und deren Urteil er vertraut. Niemand bekommt auch nur ein Fitzelchen eines Projekts zu sehen, ohne die nötige Sicherheitseinstufung zu besitzen, aber wir stehen außerhalb des Dienstwegs. Und weil niemand beim WDB jemals unsere Berichte zu Augen bekommt, können wir unumwunden unsere Meinung sagen, ohne irgendwelche Repressalien fürchten zu müssen.«

»Ich verstehe.«

Honor blickte McKeon nachdenklich an. Vizeadmiral der Grünen Flagge Jonas Adcock, Chef des Bureaus für Waffensysteme, zählte zu den Originalen unter den RMN-Offizieren. Außerdem gehörte er zu den wenigen ranghohen Offizieren, die keine Prolong-Behandlung erhalten hatten, denn er und seine Familie waren von Maslow ins Sternenkönigreich Manticore eingewandert, einer technisch ähnlich rückständigen Welt wie Grayson vor dem Beitritt zur Allianz. Bei seiner Ankunft war Adcock schon zu alt für die Lebensverlängerung gewesen, aber an Verstand mangelte es ihm nicht. Er schloß die Saganami-Akademie als achter seiner Klasse ab, obwohl er erst im Alter von neunzehn T-Jahren mit einem modernen Bildungssystem in Berührung gekommen war. Seine Laufbahn konnte man nur als herausragend bezeichnen. Nun, im Alter von 114 Jahren, war er körperlich zu gebrechlich, um jemals wieder ein Raumkommando zu führen, aber an Verstand hatte er noch immer nicht eingebüßt. Elf Jahre zuvor, gerade rechtzeitig zum Kriegsausbruch, hatte er BuWeaps übernommen und war seitdem das Energiebündel, das Neuentwicklungen aggressiv vorantrieb. Vermutlich war es vor allem ihm zu verdanken, daß man die Vorschläge der *Jeune école* immer häufiger gründlich überdachte und gegebenenfalls änderte, bevor die Konstruktionspläne die Zeichenbretter verließen und man mit der Produktion begann.

Während Honor beim Amt für Waffenentwicklung diente, hatte sie mehrere weitreichende Diskussionen mit dem alten Mann geführt und genossen. Seine Fähigkeit, sein Denken nicht von bekannten Schablonen einengen zu lassen, hatte sie sehr beeindruckt. Sie mochte und respektierte den Admiral; angesichts dessen, was McKeon ihr gerade verraten hatte, begriff sie nun, daß Adcock sie damals weitaus gründlicher nach aktuellen operativen Problemen ausgefragt hatte, als ihr damals bewußt geworden war. Niemals aber hatte er auch nur angedeutet, daß er ein inoffizielles Bewertungsgremium unterhielt.

Andererseits war sie während dieser Gespräche Angehörige des Boards gewesen, und nach McKeons Worten hielt der Admiral vor dem WDB streng geheim, daß er dessen Empfehlungen von Schiffsoffizieren begutachten ließ, bevor er sie unterzeichnete. Was vermutlich sehr weise von ihm war, räumte Honor ein, denn sie kannte die Egos einiger Angehöriger des Boards besser, als ihr lieb war. Sonja Hemphill kam Honor wieder in den Sinn: sollte die ›Horrible‹ Hemphill je erfahren, daß ihre Empfehlungen von unabhängigen Untergebenen begutachtet wurden (›hinterfragt‹, so hätte sie sich zweifellos ausgedrückt), würde sie vor Wut platzen. Praktische

Gefechtserfahrung besaß für Hemphill keinerlei Stellenwert. Wahrscheinlich hätte Admiral Hemphill keine offene Rache an einem Untergebenen geübt, der die Dreistigkeit besaß, eins ihrer gehätschelten Projekte zu kritisieren; nur vergeben hätte sie dem fraglichen Offizier niemals. Andere, deren Bekanntschaft Honor beim WDB gemacht hatte, würden einem inoffiziellen Gutachter, seine Verwegenheit ganz gewiß heimgezahlt haben, wenn er mit ihnen nicht übereinstimmte.

»Hast du denn Erlaubnis, mir davon zu erzählen?« fragte sie schließlich, woraufhin McKeon die Schultern hob.

»Er hat es mir jedenfalls nicht verboten, und es sollte mich sehr überraschen, wenn du nicht auf kurz oder lang von ihm hörst, wo du nun dem Board nicht mehr angehörst. Nach allem, was der Admiral gesagt hat, bevor die *Adrian* nach Jelzins Stern ausgelaufen ist, war er von dir wirklich beeindruckt. Ja ...« – McKeon grinste plötzlich –, »er war sogar ein wenig überrascht, wie du je im WDB landen konntest. Er hat da einen alten Ausspruch, den er gern variiert: ›Wer kann, der kämpft; wer's nicht kann, läßt sich zum WDB versetzen, um die zu behindern, die's können.‹«

»Soll ich diesen Worten etwa entnehmen«, fragte Honor, kaum daß sie sicher war, ihre Stimme unter Kontrolle zu haben, »daß er das WDB nicht gerade für äußerst effektiv hält?«

»Aber nein! Nicht das *Board*«, versicherte McKeon ihr. »Nur den Typ Offiziere, der gewöhnlich dorthin versetzt wird. Du warst selbstverständlich die rühmliche Ausnahme, die die traurige Regel bestätigt hat.«

»Natürlich.« Honor blickte ihm eine Weile ernst ins Gesicht, dann schüttelte sie den Kopf. »Adcock hätte dich niemals ermutigen dürfen«, stellte sie fest. »Du warst schon schlimm genug, bevor du Freunde an höchster Stelle hattest.«

»So wie Euer Ladyschaft?« McKeons serviler Tonfall hätte jeden täuschen können, der ihn nicht kannte. Andrew LaFollet und James Candless waren schon lange genug bei Honor, um zu wissen, daß McKeon zu ihren wenigen wirklich engen Freunden zählte, und sie hatten sich längst an seinen besonderen Sinn für Humor gewöhnt. Whitman hingegen, der dem Captain heute zum ersten Mal begegnete, empfand unverzüglich Wut über McKeons Vertraulichkeit, wie Honor deutlich spürte. Allerdings merkte sie auch, daß er seine Gefühle beinahe sofort wieder zügelte und sich nach seinen Kameraden und Honor richtete. Sie bedachte ihn mit einem knappen Lächeln, dann wandte sie sich wieder McKeon zu und schnitt eine Grimasse.

»Im Jelzin-System vielleicht«, sagte sie mit ernstem Unterton, »aber vielleicht ist es gar nicht so klug, gewisse Leute im Sternenkönigreich erfahren zu lassen, daß wir befreundet sind. So richtig bin ich nämlich immer noch nicht rehabilitiert, weißt du.«

»Na ja, aber weitgehend«, antwortete McKeon, und er war plötzlich völlig ernst. »Es gibt immer Idioten, die lieber auf Arschlöcher wie die Housemans oder die Youngs hören, aber jeder mit einem funktionierenden Gehirn müßte so langsam doch kapieren, daß deine Intimfeinde nichts weiter sind als ein Haufen ...«

Er verkniff sich auszusprechen, was immer er hatte sagen wollen, doch seine Miene zeigte so viel Abscheu – und Wut –, daß Honor die Hand ausstreckte und sie ihm auf die Schulter legte.

»Du bist nicht gerade der objektivste Richter«, entgegnete sie in einem Tonfall, dessen Beiläufigkeit keinen von ihnen täuschte, »aber mir gefällt dein Urteil. Nimitz stimmt dir jedenfalls zu.«

»Nimitz ist ein ausgezeichneter Menschenkenner«, stellte McKeon fest. »Das habe ich schon immer gesagt.«

»Er mag dich nur, weil du ihm dauernd Sellerie zusteckst.«

»Warum sollte er mich deswegen nicht mögen? Wie könnte sich jemand überhaupt ein angemessenes Charakterurteil bilden, wenn er nicht einen aufrichtig gemeinten Bestechungsversuch als solchen erkennt?« McKeon grinste sie an, und Honor wiegte betrübt den Kopf.

»Allein der Gedanke«, seufzte sie, »daß die Lords der Admiralität es für recht befanden, jemandem mit deinen dubiosen Moralvorstellungen das Patent eines Offiziers der Königin zu verleihen.«

»Natürlich haben sie das getan, Mylady!« rief McKeon und grinste noch breiter. Der Lift kam zum Halt. »Du glaubst doch wohl nicht im Ernst, daß Nimitz der erste war, den ich in meinem Leben bestochen habe?« Die Lifttüren fuhren beiseite, und lachend schritten Honor und McKeon nebeneinander den Korridor entlang. Die Waffenträger folgten ihnen mit einem Schritt Abstand.

13

Bürger Admiral Thomas Theisman betrat schweigend den Kommandoraum und musterte den kleinen grünen Punkt im Holodisplay, der sich abbremsend Enki näherte. Das Schiff hatte sich verspätet; System Control hatte schon vor einer Woche mit der Ankunft gerechnet. Verspätungen kamen zwar vor, eine ganze Woche erschien freilich ein wenig übertrieben. Ein regulärer Volksflottenkommandant, der so spät auftauchte, konnte damit rechnen, daß seine Vorgesetzten ihm einige außerordentlich unangenehme Minuten widmeten, indem sie mit ihm besprachen, weshalb er seine Verlegungsorder derart auf die leichte Schulter nahm. Dem Captain dieses Schiffes hingegen würde niemand Fragen stellen.

Warner Caslet verfügte über die wachen Sinne jedes Stabsoffiziers und drehte den Kopf, als er Theismans Anwesenheit spürte. Rasch erhob er sich und ging dem Bürger Admiral entgegen.

Theisman nickte ihm zu. »Warner.«

»Bürger Admiral.« Caslet fragte nicht, was Theisman hierher führe. Er wandte sich still wieder dem riesigen Display zu, stand mit hinter dem Rücken verschränkten Händen neben seinem Admiral und betrachtete die grüne Perle. Auf der fünfundzwanzig Meter durchmessenden Sphäre schien sie kaum voranzukommen, doch in Wirklichkeit legte sie in jeder Sekunde fast 12.000 Kilometer zurück und näherte sich beständig dem größeren blauen Icon, das für den Planeten stand.

»ETA?« wollte Theisman dann in normalem Gesprächston wissen.

»Annähernd fünfzig Minuten, Bürger Admiral. In etwa vierzig Minuten erreicht sie Enki, aber es dauert ein wenig, sie auf die vorgesehene Umlaufbahn zu lotsen.«

Theisman nickte, ohne zu antworten. In einem dichtbefahrenen Sonnensystem wie Barnett wies man Schiffen üblicherweise Parkumlaufbahnen zu, sobald diese frei wurden. Obwohl Barnett nicht mehr die gleiche ruhmreiche Stellung als Startplattform der volksrepublikanischen Eroberungszüge einnahm wie früher, herrschte genügend Schiffsverkehr, um die Koordination zu einer Arbeit ohne Atempausen zu machen. Die Lotsen haßten VIP-Schiffe, die besondere Behandlung verlangten. Doch niemand würde sich beschweren, obwohl man alle anderen Schiffe von der Umlaufbahn des Neuankömmlings fernhalten und außerdem eine Sicherheitszone von fünftausend Kilometern Durchmesser reservieren mußte.

Dabei kann nur ein Idiot fünftausend Kilometer Abstand für vorteilhaft halten, dachte Theisman beißend. *Gut, gegen eine Enteraktion mag das helfen, vielleicht auch gegen eine durchgedrehte Kamikazebesatzung, die jemanden rammen will, aber fünftausend Kilometer helfen nichts gegen einen Graser oder eine impellergetriebene Rakete. Meine Güte, bei fünftausend Kilometern würde ein Laser-Gefechtskopf noch innerhalb seiner Angriffsentfernung starten!*

Nicht, daß ich irgendwelche Pläne dieser Art hegen würde.

Bei diesen letzten Gedanken, setzte er ein schiefes, bitteres Lächeln auf. Offenbar war er nervöser als er geglaubt hatte. Selbst die Systemsicherheit kannte bislang keine Möglichkeit, die Gedanken eines Menschen zu belauschen.

Hinter ihm waren Schritte zu hören, und als er sich umdrehte, sah er sich Dennis LePic gegenüber. Der Volkskommissar erwiderte schweigend sein Nicken und blickte ins Display. LePic war Theisman schon so lange zugeteilt, daß er mittlerweile eine gewisse Vertrautheit mit Flottengerät entwickelt hatte. Zwar verstand er nach wie vor nichts davon und benötigte Erklärungen zu den Bedeutungen der Datencodes an den diversen Icons, aber er wußte genug, um den

Lichtpunkt des Neuankömmlings zu erkennen und den Schiffsnamen abzulesen.

»Wie ich sehe, ist Bürgerin Committeewoman Ransom eingetroffen«, bemerkte er.

»Oder wird, um präzise zu sein, in – sechsunddreißig Minuten eintreffen«, entgegnete Theisman mit einem Blick auf das Chronometer. »Ohne zu berücksichtigen, wie lange die *Tepes* brauchen wird, um ihre Zielumlaufbahn zu erreichen.«

»Natürlich«, stimmte LePic zu und blickte Theisman mit einer Miene an, die aufrichtige Wärme signalisierte. Die Bemerkung des Bürger Admirals hätte ein Fremder für kaschierten Hohn halten und entsprechend interpretieren können: LePics Unwissen sei so groß, daß man ihm alles besonders ausführlich erläutern müsse. Doch wußte LePic mit Gewißheit, daß die Präzision, mit der Theisman ihn verbessert hatte, eher einen privaten Scherz zwischen ihnen beiden darstellte. Den Beweis, wie gut sie miteinander zurechtkamen – so gut, daß der Bürger Admiral etwas sagen durfte, was manch anderer Volkskommissar als Beleidigung aufgefaßt hätte.

LePic wußte nicht nur, daß sich die meisten Volksflottenoffiziere über die Spitzel des Komitees für Öffentliche Sicherheit ärgerten, sondern begriff auch die Gründe für deren Groll. In diesem Punkt waren sich Theisman und er einig. Wäre LePic ein regulärer Offizier gewesen, so hätte die Einmischung der Volkskommissare auch ihn verärgert; besonders aber hätte ihn erzürnt, daß ein Diener der Regierung mit geringer oder gar keiner militärischen Ausbildung die Autorität besaß, ihn zu überstimmen. Deshalb legte LePic sehr großen Wert darauf, Theisman bei militärischen Entscheidungen nicht stärker zu beeinträchtigen als unbedingt nötig.

Im Gegenzug behandelte der Bürger Admiral ihn wie einen vernunftbegabten Menschen und bemühte sich um ein so freundschaftliches Verhältnis, wie es zwischen einem Raumoffizier und einem Volkskommissar möglich war. LePic ahnte seit langem, daß Theisman und Bürgerin Captain Hathaway ihn im letzten Stadium der Vierten Schlacht von Jelzins Stern übers Ohr gehauen hatten. Doch keine vorgesetzte Stelle hatte etwas dazu angemerkt, und Theisman und Hathaway hatten durch ihr Verhalten nicht nur sich selbst, sondern auch ihm das Leben gerettet. Bei Seabring hatte Theisman hartnäckig, tapfer und gut gefochten. Deshalb hatte LePic beschlossen, dem Bürger Admiral die erfolgreiche Täuschung im Jelzin-System zu vergeben.

Seitdem hielt er Theisman jedoch genauer im Auge, und im Zuge dessen hatte sich der gegenseitige Respekt zu einer Art Freundschaft entwickelt, was LePics Vorgesetzte allerdings nie erfahren durften. Oder Theisman. Daß er den Bürger Admiral sympathisch fand, durfte keine Rolle spielen: LePics Aufgabe war es, die zivile Kontrolle über Theisman auszuüben und auf Anzeichen eventueller politischer Unzuverlässigkeit Ausschau zu halten. Der Volkskommissar glaubte sowohl an die Wichtigkeit seiner Aufgabe als auch an die Endziele des Komitees für Öffentliche Sicherheit. Doch mußte er nicht mit allem einverstanden sein, was die Systemsicherheit unter den drückenden, aber kurzfristigen Sachzwängen des revolutionären Überlebens tat. Viele Übergriffe der SyS erfüllten ihn sogar mit tiefer Bestürzung, vermochten jedoch seinen Glauben nicht zu erschüttern. Diesen Glauben zu erhalten fiel ihm zwar schwerer als früher, aber was hätte er noch übrig, wenn er ihn einbüßte?

Dennis LePic wich dieser Frage grundsätzlich aus,

und doch frustrierte ihn deswegen Theismans Abneigung – nein, seine *Verachtung* – gegenüber der Politik so oft. Die Republik benötigte Männer und Frauen wie Theisman dringend. Sie benötigte ihre Fähigkeiten im Gefecht und brauchte sie vielleicht noch mehr als Gegengewichte – sowohl gegen die reaktionären Elemente, die das alte Regime wiederherstellen wollten, als auch gegen die revolutionären Extremisten, die sich von ihrem Eifer zu Exzessen hinreißen ließen. LePic war verpflichtet, Theismans Mangel an revolutionärer Hingabe zu melden; zu seinem Unbehagen hatte er das wahre Ausmaß dieses Defizits bislang verschwiegen. Dieses Versäumnis mochte sich als Fehler erweisen, andererseits vertraute LePic fest darauf, daß Theismans Treue zur Republik und zu seinem Eid auch weiterhin stärker sein würde als sein unzulängliches politisches Bewußtsein. Bisher war dies jedenfalls immer der Fall gewesen.

Theisman erwiderte LePics Sympathie. Die Gedanken des Volkskommissars konnte er zwar nicht lesen, aber er kannte ihn mittlerweile gut genug, um zu wissen, daß LePic ein wesentlich besserer Mensch war als die meisten seiner Kollegen. Niemals hätte Theisman auf das unbesiegelte Band der Partnerschaft vertraut, um LePic zu Taten zu treiben, die gegen dessen Prinzipien verstießen. Von dieser Einschränkung abgesehen, schätzte Theisman sich glücklich, wenigstens keinen jener Volkskommissare im Nacken zu haben, in denen sich das Mißtrauen eines Paranoikers mit der Überzeugung paarte, daß sein revolutionärer Eifer ihn strategische und operative Fragen mit größerer Kompetenz beurteilen ließen als dreißig Jahre Flottenerfahrung. Außerdem gestattete Theisman die Quasi-Freundschaft mit LePic, seinen Volkskommissar von Zeit zu Zeit ein wenig auf den Arm zu nehmen.

Wenigstens, solange ich nicht den Fehler begehe, ihm etwas unter die Nase zu reiben, was mein Stab und ich gar nicht tun oder wissen sollten – zum Beispiel Megans Warnung vor Ransoms Kommen. Er kann nur bis zu einem gewissen Limit in die andere Richtung schauen.

»Haben wir schon etwas von Bürgerin Committeewoman Ransom gehört?« fragte LePic schließlich. Persönlich fand er den Titel ein wenig sperrig, brachte ihn indessen ohne Stocken über die Lippen.

»Soweit ich weiß, nein, Sir«, antwortete Theisman und blickte den Operationsoffizier an. »Schon ein Signal von der *Tepes*, Warner?«

»Nur die Routinemeldung an System Control, Bürger Admiral«, sagte Caslet.

»Vielen Dank, Bürger Commander.« LePic nickte Caslet ernst zu. Anfänglich hatte er Vorbehalte gegenüber dem ehemaligen Kreuzerkommandanten gehegt, doch seit seiner Ankunft in Theismans Stab hatte Caslet stets zur vollen Zufriedenheit des Volkskommissars gearbeitet. Wie schade, daß auf ihm ein Schatten der Ungnade übergeordneter Dienststellen lastete. LePic tat jedenfalls sein Bestes, um Caslet in den vertraulichen Berichten zu rehabilitieren. Dergleichen mußte man natürlich langsam und vorsichtig angehen.

Der Volkskommissar wandte sich wieder dem Plot zu. Der Schlachtkreuzer näherte sich langsam. LePic unterdrückte den Drang zu seufzen, während er die Stimmung der Anwesenden auf sich wirken ließ. Es war nicht einfach, die verborgenen Gefühle der erfahrenen Offiziere zu erahnen und zu verstehen, doch im Laufe der letzten sechs Jahre hatte LePic genügend Übung erlangt. Was er zu spüren glaubte, enttäuschte ihn. Er war sich selbst gegenüber zu ehrlich, um seinen gewonnenen Eindruck zu verleugnen. Trotzdem erfüllte ihn mit Traurigkeit, daß die Offiziere der Volksrepublik Haven für eine Angehörige des Komitees für Öffentliche Sicherheit nichts als Ablehnung – wenn nicht sogar offenkundige Furcht und blanken Haß – empfinden sollten.

Sie ist kleiner als ich dachte.

Theisman war selbst erstaunt über die prosaische Natur seiner Beobachtung, die er anstellte, als Cordelia Ransom in den Raum trat. Ein trivialer Gedanke wie dieser erschien ihm ... in solch einem Moment unpassend. Dennoch entsprach es der Wahrheit. Als er sich erhob, um die Bürger Committeewoman zu begrüßen, kam ihm der Gedanke, daß sein Erstaunen durchaus etwas Signifikantes über sie aussagen könnte. Wegen ihrer Auftritte im HD hatte er nämlich erwartet, daß sie zumindest zehn Zentimeter größer wäre, und um diesen Eindruck zu erwecken, bedurfte es sorgfältiger Kameraführung und eines gewissenhaften Schnitts. Nichts Kompliziertes, aber auch kein Zufall. Theisman fragte sich, weshalb ihre Körpergröße für sie solche Bedeutung besaß.

Ransoms Augen waren von einem ähnlichen Blau wie die seinen, aber dunkler und viel lebloser, als sie im HD erschienen. Zumindest das überraschte Theisman nicht. Leider. Verschiedene Persönlichkeiten streben aus unterschiedlichen Gründen nach Macht, und Theisman empfand nur geringe Befriedigung, daß er mit seiner Vermutung über Ransoms Gründe richtig gelegen hatte. Nur überraschen konnte es ihn nicht mehr.

Zwei ungeschlachte Leibwächter in Zivilkleidung, nicht in SyS-Uniformen, folgten ihr in sein Büro. Theisman wäre jede Wette eingegangen, daß sie eher wegen ihrer Muskelmasse denn ihrer geistigen Leistungsfähigkeit ausgesucht worden waren, und sie strahlten die Konzentration und die Wildheit gut abgerichteter Rottweiler aus. Wie Ziellaser durchmusterten ihre Augen das Büro. Einer ging wortlos zu der Tür, hinter der sich der Privatwaschraum verbarg, öffnete sie, durchmusterte die makellos saubere Naßzelle, schloß die Tür und kehrte zu seinem Kollegen zurück. Dann postierten sie sich beiderseits vom Eingang, die rechten Arme leicht angewinkelt, als wären sie allzeit bereit, binnen Sekundenbruchteilen in die offene Jacke zu fahren; beide zeigten sie völlig desinteressierte Gesichter.

Noch während die Wächter sich aufstellten, reichte Theisman seiner Besucherin die Hand. »Willkommen im Barnett-System, Bürgerin Committeewoman«, sagte er. »Ich hoffe, Sie haben einen angenehmen Aufenthalt.«

»Vielen Dank, Bürger Admiral.« Ihre kleine Hand fühlte sich überraschend warm und zierlich an, was nicht so recht zu der Frau passen wollte, die den Terror des Komitees für Öffentliche Sicherheit schönfärbte. Unbewußt hatte Theisman damit gerechnet, daß die Hand sich kalt und klauenhaft anfühlte. Ransom lächelte ihn an. Wenn sie damit versuchen wollte, ihn zu bezaubern, so beging sie einen Fehler. In vielerlei Hinsicht war sie eine attraktive Frau, doch ihre leblosen Augen und die kleinen, weißen Zähne, die Ransoms Lächeln entblößte, erinnerten Theisman unwillkürlich an einen thalassischen Neohai.

»Bitte nennen Sie mich doch Bürgerin Minister«, fügte sie hinzu, »denn schließlich bin ich in meiner Funktion als Ministerin für Öffentliche Information hier, und nicht in offizieller Untersuchungsmission. Außerdem ist diese Anrede weniger umständlich als ›Bürgerin Committeewoman‹, finden Sie nicht auch?«

Sei ein braver Junge, mein lieber Tommy, und glaub du nur schön den Quatsch von wegen ›nicht in offizieller Untersuchungsmission‹, dachte Theisman zynisch.

»Wie Sie wünschen, Bürgerin Minister«, mehr sagte er nicht, und in den kalten Augen glitzerte etwas auf, das Theisman an Belustigung erinnerte. Sie drückte seine Hand ein letztes Mal und gab sie frei.

»Danke«, sagte Ransom und blickte sich im Büro um. Während sie die leicht abgenutzte Pracht der Einrichtung beäugte, hob sie lediglich abschätzig die linke Augenbraue. Als Theisman ihr einen Sessel anbot, setzte sie sich und verbreitete dabei das Fluidum der Nachsichtigkeit. Sie lehnte sich zurück und schlug die Beine übereinander, während Theisman sich auf dem gegenüberstehenden Sessel niederließ, anstatt wieder hinter seinem Schreibtisch Platz zu nehmen. Auf keinen Fall durfte er den Eindruck erwecken, als wolle er sich vor Ransom der eigenen Autorität versichern, das wäre ein gravierender Fehler gewesen.

»Darf ich Ihnen eine Erfrischung anbieten, Bürgerin Minister? Zwar hoffe ich, daß Sie Bürger Kommissar LePic, den höchsten Offizieren meines Stabs und mir das Vergnügen bereiten, mit uns in Kürze zu Abend zu speisen, aber wenn ich Ihnen bis dahin etwas bringen lassen kann ...«

»Nein, vielen Dank, Bürger Admiral. Danke für das Angebot, aber mir fehlt es an nichts.«

»Ganz wie Sie wünschen«, sagte er wieder und lehnte sich mit höflich-aufmerksamer Miene zurück. In Ransoms Augen flackerte noch mehr Belustigung auf. Theismans erwartungsvolles Schweigen kam für Ransom einer Art defensiven sozialen Judos gleich: Obwohl es höflich war, vor einem Menschen höheren Ranges den Mund zu halten, tat man damit kund, daß man nicht beabsichtige, den ersten Schritt zu tun oder gar als erster ins Fettnäpfchen zu treten – und in einem Gespräch wie diesem konnte selbst ein winziger Fauxpas gravierende Folgen haben. Ransom genoß seine Vorsicht offenbar und ließ das Schweigen ein wenig lasten, bevor sie wieder das Wort ergriff.

»Ich nehme an, Sie fragen sich, weshalb ich gekommen bin, Bürger Admiral«, begann sie, und Theisman antwortete mit einem knappen Achselzucken.

»Ich rechne damit, daß Sie mir alles sagen werden, was ich wissen muß, um Ihren Belangen in vollem Umfang dienen zu können, Bürgerin Minister«, entgegnete er.

»Das werde ich allerdings.« Sie legte den Kopf auf die Seite. »Sagen Sie mir eins, Bürger Admiral: Hat es Sie überrascht, als ich um ein Gespräch unter vier Augen bat?«

Theisman überlegte, ob er sich den Hinweis erlauben sollte, daß ihr Gespräch keineswegs unter vier Augen stattfinde, doch eindeutig betrachtete Ransom ihre Leibwächter als wandelnde Möbelstücke, nicht aber als Menschen. Kurz erwog er, fett, dumm und glücklich zu spielen, verwarf den Gedanken jedoch sogleich wieder, denn ein Mann ohne Verstand brachte es selbst in der VRH nicht zum Volladmiral. Ein Versuch, etwas anderes vorzugeben, wäre besonders vor dieser Frau nicht nur dumm, sondern höchst gefährlich gewesen.

»Ja, das stimmt«, gab er daher zu; »ich war in der Tat ein wenig überrascht. Ich bin nur der militärische Systemkommandeur unter Leitung von Bürger Kommissar LePic. Ich hatte wohl angenommen, daß Sie eher ihn ohne Zuhörer sprechen wollten.«

»Das will ich auch«, versicherte sie ihm, »und werde es tun. Doch vor ihm werde ich eher als Mitglied des Komitees auftreten; Sie hingegen wollte ich in meiner Eigenschaft als Chefin des Informationsministeriums sprechen. Hauptsächlich aus diesem Grund bin ich persönlich gekommen, denn ich benötige sowohl Ihren Rat als auch Ihre Hilfe.«

Ein erstaunter Unterton schlich sich unversehens in Theismans Stimme. »Meinen Rat, Ma'am?«

Ransoms Augen blitzten auf. »Wie Sie sicher wissen, Bürger Admiral, sind wir seit Kriegsbeginn praktisch immer in der Defensive gewesen. – Nicht, daß es die Schuld unserer tapferen Flotte und unseres heldenmütigen Marinecorps wäre«, fügte sie hinzu und lächelte dünnlippig. Theisman entgegnete nichts; er verweigerte den Köder, falls es ein Köder war, und nach einigen Sekunden sprach Ransom weiter:

»Gemeinschaftlich haben der verkommene imperialistische Ehrgeiz und die Inkompetenz der legislaturistischen Unterdrücker die Republik sowohl innenpolitisch als auch militärisch verraten«, sagte sie. »Innenpolitisch stürzte man das Volk systematisch in die Verarmung, um gierig den eigenen Reichtum zu vergrößern und die Unterdrückungsmaschinerie zu finanzieren, mit der man den Widerstand gegen die rücksichtslose Ausbeutung des Volkes im Keim ersticken wollte. Militärisch führte die verbrecherische Überschätzung der eigenen Fähigkeiten zu den anfänglichen katastrophalen Fehlschlägen an der Front, minderte unsere zahlenmäßige Überlegenheit und gestattete dem Feind, unsere tapfer kämpfenden Flotten und Verbände ungeordnet zurückzuwerfen. Stimmen Sie mit dieser Analyse überein, Bürger Admiral?«

»Ich bin wohl kaum die beste Adresse, um nach einer Beurteilung der innenpolitischen Entwicklung zu fragen, Ma'am«, antwortete Theisman nach kurzem Nachdenken. »Wie Sie vielleicht wissen, bin ich in einem Heim aufgewachsen und ging nach Abschluß der High-School direkt zur Flotte. Ich hatte niemals eine zivile Anstellung und habe keine nahen Verwandten. Mit einigem Recht könnte man wohl sagen, ich hätte im Grunde immer dem Staat gedient und würde nicht über die nötigen persönlichen Maßstäbe verfügen, um den zivilen Teil unserer Gesellschaft zu bewerten. Und außer in Flottenangelegenheiten bin ich seit fünfzehn T-Jahren nicht mehr auf Haven gewesen. Deshalb erhielt ich nie Gelegenheit zu erkennen, wie sich die Bedingungen seit dem Umsturz verändert haben.«

»Ach so.« Ransom zog die Augenbrauen hoch und legte die Hände unter dem Kinn zusammen. Offenbar hatte sie entschieden, sich an seinen sorgfältig formulierten Ausweichmanövern zu ergötzen, wofür er sogar noch dankbar sein mußte; ganz so leicht wollte sie ihn aber wohl doch nicht davonkommen lassen. »Ich glaube, ich habe mir nie bewußt gemacht, wie ... abgeschirmt man sein kann, wenn man in der Flotte Karriere macht – in sozialer Hinsicht, meine ich«, sagte sie langsam. »Vielleicht ist das sogar gut so. Schließlich sollten Sie mir dadurch um so interessantere Einsichten zur militärischen Seite meiner Analyse anbieten können, nicht wahr?«

»Das will ich doch sehr hoffen, Bürgerin Minister!« rief Theisman erleichtert. Er würde sich glücklicherweise doch nicht selbst verleugnen zu müssen, wenn Ransom ihm offen die Frage stellte, wer seiner Meinung nach der größere Unterdrücker sei: die Legislaturisten oder das Komitee für Öffentliche Sicherheit?

»Gut! Dann verraten Sie mir doch, aus welchem Grund wir Ihrer Ansicht nach so tief im Schlamassel stecken«, bat sie ihn und klang dabei so aufrichtig interessiert, daß Theisman ihr beinahe unverhohlen geantwortet hätte. Doch als er schon den Mund öffnen wollte, traf ihn wieder die kalte Leblosigkeit ihrer Augen wie ein Guß Eiswasser. *Diese Frau ist noch viel gefährlicher als ich geglaubt habe!* Obwohl er genau wußte, wie riskant es wäre, freimütig vor ihr zu sprechen, hätte sie ihn fast dazu bewegt, kein Blatt vor den Mund zu nehmen. Und sie erweckte den Eindruck, als hätte es ihr nicht die geringste Anstrengung bereitet.

»Nun, Ma'am, im Umgang mit Worten bin ich längst nicht so geschickt wie Sie und muß Sie bitten, daß Sie mir vergeben, wenn ich unverblümt spreche«, begann er nach unmerklichem Zögern und verstummte, bis sie genickt hatte. »In diesem Fall, Bürgerin Minister, muß ich – unverblümt – sagen: Wir stecken *so* tief im Schlamassel, daß es außerordentlich schwierig wäre, nur einen einzigen Grund für unsere Lage herauszugreifen – oder auch nur die wichtigsten Gründe.

Mit Sicherheit hat die Planung unseres Vorkriegsadmiralstabes und die mangelhafte operative Durchführung zu Kriegsbeginn in entscheidendem Maße zu unserer derzeitigen Misere beigetragen. Wie Sie selbst schon erwähnten, haben wir den Krieg mit einem erheblichen zahlenmäßigen Übergewicht begonnen, das in den ersten Schlachten aufgerieben wurde. Die überlegenen Waffensysteme der Manticoraner taten ihr übriges. Die Vorkriegsregierung und der Vorkriegsadmiralstab trifft die volle Schuld an dem Versäumnis, unsere technische Unterlegenheit zu erkennen und alle Operationen so lange zu verschieben, bis wir wenigstens Gleichstand erreicht hätten. Unsere Nachrichtendienste haben offensichtlich ebenfalls versagt – bedenken Sie nur, wie fehlerhaft die anfängliche Stationierung der Manties aufgeklärt worden ist …

und ebenso hat kein einziger Geheimdienst etwas von dem Harris-Attentat erfahren und Schritte ergriffen, es zu verhindern.«

Er schürzte die Lippen und verstummte, um in Gedanken kurz zu resümieren, was er gesagt hatte, dann zuckte er mit den Schultern.

»Ich möchte damit feststellen, Bürgerin Minister, daß unsere augenblicklichen militärischen Schwierigkeiten die direkte Folge der vorausgegangenen Fehlentscheidungen und Irrtümer sind, und daß der katastrophale Kriegsbeginn und das Durcheinander nach dem Harris-Attentat den Weg für die weitere Entwicklung zum Schlechten geebnet haben. Auf dieser Basis muß ich also zustimmen: Unfähigkeit und Dummheit auf seiten des alten Offizierskorps und der politischen Führung sind die Ursache für unser Dilemma.«

»Ich verstehe«, sagte Ransom wieder, und Theisman hielt den Atem an, denn sein letzter Satz war weitaus unverblümter gewesen als je von ihm beabsichtigt. Das alte Offizierskorps und besonders der Admiralstab hatten in der Anfangsphase des Krieges gewiß unverzeihliche Fehler begangen; die schwersten Verluste aber hatte die Volksflotte hinnehmen müssen, nachdem die legislaturistischen Admirale massakriert oder ins Exil getrieben worden waren. Erst die Unsicherheit und die Furcht während der ›Säuberungen‹ hatte den Manticoranern erlaubt, die Volksflotte zu tranchieren, und daran konnte man den Legislaturisten kaum die Schuld geben, denn zu diesem Zeitpunkt waren nur noch die wenigsten von ihnen am Leben. Andererseits hatte Theisman auch nicht ausdrücklich der *alten* politischen Führung die Schuld zugeschoben, und er hoffte inständig, daß Ransom seine Formulierung nicht aufgefallen war.

Offenbar hatte sie das Fehlen des Attributs nicht bemerkt. Sie betrachtete ihn, während sie seine Worte erwog, dann nickte sie und beugte sich ein wenig vor.

»Ich freue mich zu sehen, daß Sie realistisch beurteilen, wie wir in unsere Lage gekommen sind, Bürger Admiral. Denn das ermutigt mich zu glauben, daß Sie vielleicht auch wissen, was wir zu tun haben, um uns aus unseren Schwierigkeiten zu befreien.«

»Aus militärischer Sicht kommen mir mehrere Maßnahmen in den Sinn, die ergriffen werden sollten«, sagte Theisman zögernd. »Nicht alle davon sind ohne weiteres ausführbar, was besonders an unseren schweren Verlusten in jüngster Zeit liegt. Ich bin wohl kaum qualifiziert, Sie in sozial- oder wirtschaftspolitischer Hinsicht zu beraten, Ma'am, und käme mir anmaßend vor, wenn ich es versuchen würde.«

»Wie gut, ausnahmsweise jemanden zu treffen, der die Grenzen der eigenen Kenntnisse bemerkt«, erwiderte Ransom so sanft, daß der aalglatte Ton beinahe – *beinahe* – die scharfe Spitze im Kern der Aussage übertüncht hätte. Einen Moment lang empfand Theisman Furcht, doch dann lächelte Ransom und lehnte sich wieder zurück, und er entspannte sich erleichtert. »Trotzdem glaube ich, Ihnen zeigen zu können, wie Ihr Kommando hier im Barnett-System sich direkt auf soziale und wirtschaftliche Kriegsanstrengungen auswirkt, Bürger Admiral. Und natürlich unmittelbar auf die Kriegführung.«

»Ich bin ohne jede Einschränkung bereit mein möglichstes zu tun, um der Republik zu dienen, Ma'am.«

»Dessen bin ich mir ganz sicher, Bürger Admiral, glauben Sie mir.« Ransom fuhr sich mit der Hand durch das goldene Haar, und als sie weitersprach, hatte ihr Ton eine Ernsthaftigkeit angenommen, die Theisman bei ihr nie für möglich gehalten hätte.

»Im Grunde läuft es auf die Kampfmoral hinaus«, sagte sie. »Ich will nicht etwa behaupten, daß man mit Moral einen gravierenden Materialnachteil überwinden könnte. Aller Mut und alle Entschlossenheit im ganzen Universum würde einem mit Steinen bewaffneten Pöbelhaufen nicht helfen, wenn er ausgebildeter Infanterie in Panzeranzügen gegenüberstünde, und Sie würden mir auch nicht glauben, wenn ich das Gegenteil behauptete, nicht wahr?«

»Vermutlich nicht, Ma'am«, gab Theisman zu. Die Verschiebung des Schwerpunkts und die Intensität ihrer Worte hatte ihn verblüfft.

»Selbstverständlich würden Sie mir nicht glauben. Aber wenn Sie die Leute mit etwas Besserem als Steinen bewaffnen wollen, dann müssen Sie ihnen die Waffen entweder kaufen oder herstellen. Und wenn Sie wollen, daß der Pöbel die Waffen sinnvoll verwendet, dann müssen Sie ihn motivieren. Sie müssen die Zivilisten davon überzeugen, daß das Militär seine Waffen wirksam einsetzt, wenn Sie wollen, daß die Zivilisten sich ins Zeug legen und überhaupt erst dafür sorgen, daß es die Waffen gibt. Und ihren Soldaten müssen Sie glaubwürdig machen, daß sie gewinnen *können*, wann immer Sie von ihnen verlangen, ihr Leben aufs Spiel zu setzen. Richtig?«

»Ich kann keinem Ihrer Punkte widersprechen, Bürgerin Minister.«

»Gut! Denn Sie, Bürger Admiral, sind einer der leider sehr seltenen Flaggoffiziere, die genau das getan haben, worum es uns geht: Schlachten zu gewinnen. Deshalb bin ich hier. Für die Öffentliche Information ist es von überragender Wichtigkeit, den Zivilisten folgende Botschaft zu vermitteln: Wir haben Admirale, die gewinnen *können*. An zweitwichtigster Stelle steht, sowohl den Zivilisten als auch dem Militär deutlich zu machen, daß wir Systeme wie Barnett halten müssen, um zu überleben. Darum werden meine Techniker in den nächsten Wochen hier sehr viel Bildmaterial aufnehmen. Gemeinsam mit Bürger Kommissar LePic übernehme ich die Verantwortung für die Zensur des Materials, die aus Gründen der operativen Sicherheit eventuell erforderlich sein wird. Bitte instruieren Sie Ihre Offiziere, mit uns zusammenzuarbeiten, indem man insbesondere alle Fragen so eingehend wie möglich und in Begriffen beantwortet, die für Laien verständlich sind.«

»Ich werde mit Vergnügen Anweisung geben, mit Ihnen in jeder Hinsicht zu kooperieren«, sagte Theisman. »Doch wenn das Bildmaterial für die öffentliche Wiedergabe bestimmt ist, so würde ich die Sicherheitsbedenken, die Sie bereits erwähnten, gern ausführlicher diskutieren. Ich bin sicher, daß die Manties unsere Medien genauso aufmerksam verfolgen wie wir die ihren, und ich möchte dem Feind einfach keine Hinweise auf unsere Schiffsverteilungen geben.«

»In dieser Hinsicht werden wir uns selbstverständlich mit Ihnen absprechen«, versicherte Ransom ihm. »Unser Hauptaugenmerk muß jedoch auf einer angemessenen Handhabung des Unternehmens liegen. Information ist soviel wert wie ein Waffensystem, Bürger Admiral, wenn sie richtig und dosiert eingesetzt wird, so daß sie maximale Wirkung erzielt. Nur darum hatte ich beschlossen, persönlich nach Barnett zu kommen. Sie können sich vorstellen, daß ich gegenüber dem Komitee und der Republik übergeordnete Verpflichtungen habe, die schwerer wiegen als das Ministerium für Öffentliche Information. Doch wenn ich ganz ehrlich bin, betrachte ich die Öffentliche Information als meine vorrangigste Aufgabe.

Deshalb bin ich hier, und ich hoffe, bei der Erfüllung meiner Pflichten auf Ihre Unterstützung und die Ihrer Leute zählen zu können.«

»Selbstverständlich können Sie das, Bürgerin Minister. Ich will Ihnen helfen, wo ich nur kann, und ich bin sicher, damit für jeden Offizier im Barnett-System zu sprechen.« *Schließlich will keiner von uns vor dem Erschießungskommando landen,* fügte er in Gedanken hinzu und lächelte Ransom an.

Die Ministerin erstattete ihm sein Lächeln mit Zinsen zurück. »Vielen Dank, Bürger Admiral. Ich weiß Ihre Mithilfe zu schätzen. Und ich versichere Ihnen, daß die Öffentliche Information die Zeit, die Sie ihr opfern, zum größten Nutzen der Republik verwenden wird.«

14

»Also, Commander. Was ist denn so verdammt dringend?«

Nur sehr selten verschwendete Vizeadmiral der Roten Flagge Dame Madeleine Sorbanne ihre Zeit mit Höflichkeitsfloskeln. Ihr Gesichtsausdruck, der ebenso ungnädig war wie ihr Tonfall, machte unmißverständlich klar, daß sie Besseres zu tun hatte, als ihre Zeit an neu eingetroffene Sternenschiffkommandantinnen zu vergeuden, die sich vom Schreibersmaat im Vorzimmer nicht abwimmeln ließen. Die zierliche Admiralin hatte sich nur halb erhoben, um ihrer Besucherin widerwillig und knapp die Hand zu schütteln, und noch während sie sprach, ließ sie sich in den Sessel hinter dem Schreibtisch zurückfallen, der von Datenchips und Heftern übersät war und die spartanische Ordentlichkeit sehr vermissen ließ, welche die RMN zum Ideal erhoben hatte. Weiße Strähnen durchzogen Sorbannes kurzes, mahagonirotes Haar, das aussah, als hätte sie die Angewohnheit, beim Grübeln mit den Fingern darin herumzuwühlen.

Dame Madeleine hat zahlreiche Entschuldigungen für das Chaos auf ihrem Schreibtisch ... und allen Grund zum Grübeln, rief sich Jessica Dorcett in Erinnerung. Als Befehlshaberin von Clairmont Station hatte Sorbanne tatenlos zusehen müssen, wie man die Hälfte ihrer Großkampfschiffe abzog, um den Grundstock der 8. Flotte zu bilden; gleichzeitig hatte sich niemand die Mühe gemacht, Sorbannes Kommandobereich zu verkleinern oder ihre Pflichten einzuschränken, um damit der halbierten Kampfstärke Rechnung zu tragen. Die internen Schiffsbewegungen und der Durchgangsverkehr im Clairmont-System dienten letztendlich alle einem einzigen Zweck, nämlich White Havens Vormarsch gegen Barnett zu unterstützen. Der Schiffsverkehr führte zu einem Kommen und Gehen, einem beständigen Durcheinander, das selbst die Geduld eines Heiligen auf die Probe gestellt hätte – und für die Heiligsprechung hätte niemand ausgerechnet Dame Madeleine vorgeschlagen. Nun war sie ganz eindeutig recht verärgert über Dorcetts Forderung, unverzüglich zu einem persönlichen Gespräch vorgelassen zu werden.

»Tut mir leid, wenn ich Ihnen den Terminkalender durcheinanderbringe, Ma'am«, sagte Dorcett. Die Admiralin wies mit der Hand auf einen Stuhl, doch die Kommandantin zog es vor, in Habt-acht-Stellung zu verharren. Sorbanne hob deswegen erstaunt die Augenbrauen. »Unter den gegebenen Umständen hielt ich es für unumgänglich, Ihnen persönlich Rapport zu erstatten, Admiral.«

»Rapport?« Nun klang Sorbanne schon weniger gereizt. Zwar sagte man ihr nach, kein allzu geduldiger Mensch zu sein, doch ihr Ruf außerordentlicher Tüchtigkeit übertraf diese Reputation bei weitem. Als ihr nun Commander Dorcetts angespanntes Gesicht zum erstenmal richtig bewußt wurde, verwässerte kühle Geschäftsmäßigkeit ihren Unwillen.

Die Zerstörerkommandantin zögerte kurz, atmete tief durch und sprach das Unaussprechliche aus: »Wir haben Adler verloren, Ma'am.«

Sorbanne beugte sich schlagartig vor, und durch den Federmechanismus schnellte ihr die Rückenlehne hinterher. Jeder Ausdruck war vom Gesicht der Admiralin verschwunden, als hätte Dorcett ihn mit einem Zauber gebannt; Sorbannes hohe Wangenknochen traten deutlich hervor. »Wie?« fragte sie heiser.

Commander Dorcett schüttelte den Kopf. »Die *Windsong* war zu weit entfernt, um eine hinlängliche taktische Erfassung zu erhalten, deshalb vermag ich nicht mit sämtlichen Einzelheiten aufzuwarten, Ma'am. Das Wesentliche kann ich Ihnen trotzdem melden: Wir haben's vermasselt, und wer immer den Angriff der Havies geführt hat, hatte den Mumm und den Verstand, sich unsere Fehler zunutze zu machen.« Gern machte Dorcett dieses Eingeständnis nicht, und dennoch mußte es ausgesprochen werden. Wut – und Scham – belegten ihre Stimme.

»Erklären Sie das.« Sorbanne klang, als habe sie das mentale Gleichgewicht bereits zurückerlangt; Dorcett hätte gern gewußt, wieviel davon ehrlich und wieviel auf Schauspielkunst zurückzuführen war.

»Commodore Yeargin standen viel zuwenig Sensorplattformen zur Verfügung, um das System komplett abzusichern, Ma'am. Deshalb hat sie mit den vorhandenen die offensichtlichsten Anmarschvektoren abgedeckt und ihre Streitmacht im Orbit um Samovar konzentriert. Außer meiner Zerstörerdivision, mit der ich die Hauptraffinerie im Asteroidengürtel schützen sollte, waren keine weiteren Vorposten abgestellt.« Trotz ihrer eisernen Selbstbeherrschung zuckte Vizeadmiral Sorbanne zusammen, und Dorcett sprach unbarmherzig weiter: »Die Havies drangen oberhalb der Ekliptik ins System ein und umgingen dadurch die Plattformen des Commodore und den Ortungsbereich meiner Division komplett. Und sie kamen im freien Fall.«

»*Havies* kamen im freien Fall?« wiederholte Sorbanne ungläubig.

Dorcett nickte. »Jawohl, Ma'am. Etwas anderes ist nicht denkbar, es sei denn, ihr Fortschritt in puncto Stealth-Systeme übertrifft sämtliche Prognosen des ONI bei weitem. Selbst auf dem Kurs, den der Feind genommen hat, hätte er mindestens eine Sensorplattform dicht genug passieren müssen, daß wir jeden aktiven Impeller entdeckt hätten.«

»Die Havies sollen sich auf ballistischem Kurs bis auf Angriffsentfernung herangeschlichen haben?« Offenbar bereitete diese Vorstellung der Admiralin nach wie vor Mühe, doch Dorcett nickte noch einmal bekräftigend.

»Jawohl, Ma'am. Und ich fürchte, das ist noch nicht alles.« Sorbanne blickte sie forschend an und bedeutete ihr mit einer Handbewegung, es ›auszuspucken‹. Dorcett seufzte. »Sie haben Raketengondeln benutzt, Admiral«, sagte sie leise.

»Scheiße.« Fast wie ein Stoßgebet klang der leise geflüsterte Fluch; Sorbanne schlug die Augen nieder. Eine Weile saß sie reglos da, dann hob sie den Blick und schaute Dorcett ins Gesicht. »Wie stark sind die Havies im Adler-System nun?«

»Ich bin mir nicht sicher, Ma'am. Wie gesagt, standen wir zu weit entfernt, um gute Erfassungen zu erhalten. Ich schätze ihre Stärke auf vier Schlachtkreuzer, sechs bis acht Schwere und ein gutes halbes Dutzend Leichte Kreuzer. Mein Taktischer Offizier und ich haben keine Zerstörer gesehen, aber ich kann nicht die Hand dafür ins Feuer legen, daß es wirklich keine gibt.«

Sorbanne schauderte bei der Ungleichheit der Breitseiten, die Dorcetts Schätzung nahelegte; um so schlimmer, wenn die Havies auch noch Raketengondeln eingesetzt hatten.

»Wie schwer sind Commodore Yeargins Verluste?« fragte sie dann.

»Ma'am, ich ...« Dorcett verstummte und schluckte heftig. »Es tut mir leid, Admiral. Ich muß mich ... unklar ausgedrückt haben.« Sie atmete tief durch und sagte völlig tonlos: »Von meiner Division abgesehen waren die Verluste der Kampfgruppe total, Dame Madeleine. Ich bin ... ich bin die ranghöchste Überlebende.«

Sorbanne sprach kein einziges Wort. Endlose, peinerfüllte Sekunden saß sie einfach da und starrte Dorcett an, während ihre Gedanken sich überschlugen. Daß die Haveniten schließlich auch Raketenbehälter einsetzten, war zwar eine unwillkommene und beängstigende Neuigkeit, kam jedoch kaum überraschend. Jeder Offizier mit nur ein wenig Grips konnte sich ausrechnen, daß der Feind mit aller Energie daran arbeiten mußte, den gewaltigen Vorteil zunichte zu machen, den das Monopol auf die Gondeln der Allianz verschafft hatte. Doch daß die verachteten Havies diese lang erwartete Waffe gleich beim erstenmal mit solcher Effiziens führten – das kam unerwartet. Und die moralische Wirkung mochte unabsehbar sein.

Madeleine Sorbanne lehnte sich langsam in ihren Sessel zurück. Noch immer starrte sie Dorcett an, nahm den Commander allerdings kaum wahr. Sie sah das Gesicht einer anderen Frau und dachte an Frances Yeargin und ihre Untergebenen. *Yeargin war immer eine arrogante, überhebliche Ziege,* dachte sie, als sie sich an den gefallenen Commodore und ihre regelmäßig bekundete Verachtung für die Volksflotte erinnerte. *Verdammt noch mal, ihr mußte doch klar sein, daß sie zu wenig Plattformen hatte! Um Gottes willen, die Frau hätte doch zumindest ein paar Vorposten abkommandieren müssen! Was hat sie denn geglaubt, wofür sie da stationiert war?*

Doch was auch immer Yeargin sich gedacht hatte, war nun völlig unerheblich. Ob sie richtig oder falsch gehandelt hatte, die Zukunft würde sie jedenfalls viel harscher verurteilen als Sorbanne es vermochte, denn in ihrer ganzen Geschichte hatte die RMN noch kein so vollständiges Desaster erlitten ... bis zu diesem Tag. Ganze Generationen von Fachleuten würden jede Einzelheit, jede Facette der Schlacht von Adler analysieren und mit der Sicherheit des im nachhinein Klügeren und der gezierten Rücksichtslosigkeit des Unbeteiligten Fehler aufdecken und Schuld zuweisen. Doch war dieser Aspekt im Moment ebenso irrelevant wie die Frage, was wohl in Yeargin vorgegangen sein mochte. Im Augenblick besaß nur die Tatsache Gewicht, daß ihr Kommando verlorengegangen war – ausgelöscht. Zermalmt. Wenn die Haveniten bei einem Überraschungsangriff Raketengondeln auf kurze Distanz eingesetzt hatten, mußten die Verluste an Menschenleben gewaltig gewesen sein, denn gewiß hatte niemand einen Raumanzug getragen, und nur sehr wenige Überlebende konnten in Rettungskapseln entkommen sein, bevor die Schiffe explodierten.

Beim Gedanken an die vielen Toten erfüllte sie Trauer, dann aber kam ihr etwas anderes in den Sinn, und sie konzentrierte sich wieder auf das Hier und Jetzt.

»Wer bewacht das System, wenn Sie der höchste überlebende Offizier sind, Commander?«

»Niemand, Ma'am. Ich hatte nur drei Schiffe: *Windsong, Rondeau* und *Balladeer.* Unter den gegebenen Umständen hielt ich es für meine oberste Pflicht, alle drei einzusetzen, um die Neuigkeit so schnell wie nur möglich zu verbreiten. Daher bin ich mit der *Windsong* hierhergekommen und habe die beiden anderen nach Quest und Treadway geschickt.«

»Verstehe.«

Dorcett fühlte sich von der fast mechanisch klingenden Antwort des Vizeadmirals bei der Kehle gepackt und verkrampfte die Hände hinter dem Rücken. Sie bemühte sich um ein ausdrucksloses Gesicht, doch als Sorbanne den Kopf schüttelte, ahnte sie, daß es ihr nicht gelungen war.

»Es ist nicht Ihre Schuld, Commander«, sagte Sorbanne schließlich, seufzte und kniff sich fest in den Nasenrücken. »Sie haben die Lage nach bestem Wissen beurteilt und sind zu dem Schluß gekommen, Ihre Schiffe seien am sinnvollsten eingesetzt, wenn Sie die Befehlshaber der benachbarten Stationen alarmierten, bevor man mehr Schiffe nach Adler schickt, richtig?« Sie senkte den Arm und sah Dorcett fordernd an. Der Commander nickte. »Das war ein angemessenes und logisches Urteil, und ich werde mich Ihrer Entscheidung in meinem Bericht an die Admiralität anschließen. Aber leider sind Sie zu spät gekommen, Commander.«

»Zu spät, Ma'am?« Kaum hatte sie die Worte der Admiralin wiederholt, brandete in Dorcetts Magen die kalte Verzweiflung auf.

»Siebzehn Frachter sind samt Geleitschutz vor etwas mehr als fünf Tagen von Clairmont ausgelaufen, Commander Dorcett. Sie müßten Adler innerhalb der nächsten zwölf Stunden erreichen, und ohne Vorposten, um sie zu warnen ...«

Die Admiralin zuckte mit den Schultern, und Jessica Dorcett, Zerstörerkommandantin ohne Fortüne, schloß die Augen, als sie die entsetzlichen Folgen ihrer Entscheidung begriff – und das Schuldgefühl sich einstellte.

Alistair McKeon saß am Kopf der Tafel und betrachtete seine Gäste. Das behagliche, schmackhafte Dinner in seinem Salon ging dem Ende entgegen; gerade wurden bei einem Dutzend Einzelgesprächen die letzten Bissen vertilgt und der Wein gekostet. McKeon gestattete sich das warme Gefühl der Selbstbeglückwünschung, die er als erfolgreicher Gastgeber verdient hatte. Rechts von ihm saß Honor als sein Ehrengast, ihr gegenüber Commander Taylor Gillespie, der I.O. der *Prince Adrian*. Lieutenant Commander Geraldine Metcalf, McKeons Taktischer Offizier, saß rechts von Gillespie und Nimitz gegenüber; Honors Offiziere und Surgeon Lieutenant Enrico Walker, der Schiffsarzt der *Prince Adrian,* besetzten die übrigen Stühle am Tisch. Draußen vor der Luke zu McKeons Kajüte teilte sich James Candless die Wache mit einem Marineinfanterieposten, während Andrew LaFollet und Robert Whitman drinnen vor den Schotts standen. Die beiden Waffenträger gaben sich wachsam wie immer und zudem ebenso höflich wie unaufdringlich, erinnerten durch ihre Anwesenheit jedoch jeden Gast daran, daß die Geschwaderchefin von CruRon 18 zugleich eine erlauchte Feudalherrin war.

Wie McKeon sehr gut wußte, fanden manche RMN-Offiziere Honors Titel und Stellung entweder lächerlich oder aufreizend. Ein gewisser Prozentsatz Manticoraner – meist Zivilisten, doch auch eine nicht unerhebliche Anzahl von Offizieren der Königin, die es eigentlich hätten besser wissen sollen –, hatten es der Mühe für wert erachtet, ihre Vorstellungen vom Jelzin-System zu revidieren. Noch immer betrachteten sie Grayson als eine Art Operettenplanet (mit entsprechender Navy): ein technisch zurückgebliebenes Westentaschen-Fürstentum, bewohnt von religiösen Fanatikern mit Anflügen von Größenwahn. Ihre Verachtung erstreckte sich auch auf die Adelstitel dieser Welt und deren Inhaber. Sosehr die meisten Offiziere der RMN Honors Leistungen auch respektieren, es gab immer wieder Kleingeister, die Honors Ruf zu schmälern trachteten, sei es aus Eifersucht, aus Groll oder aus der ehrlichen Überzeugung, daß sie ihren beispiellosen Erfolg nur glücklichen Zufällen zu verdanken hätte.

Es gibt weiß Gott genug Idioten wie Jurgens und Lemaitre, überlegte er. *Die kaufen der Opposition tatsächlich ab, Honor sei eine Art lebende Zeitbombe – die nur deswegen so viele Leute und so viele Schiffe verloren hat, weil sie zu leichtsinnig und verwegen ist, um erst nachzudenken, bevor sie sich ins Gefecht stürzt! Daß wahrscheinlich kein anderer Skipper bei diesen Chancen auch nur einen Überlebenden nach Hause gebracht hätte, bedeutet diesen Deppen gar nichts. Und natürlich wird es immer die Housemans und die Youngs geben. Soweit es die betrifft, kann Honor leisten, was sie will; deren Denken ändert sich nie.* Er hob sein Weinglas, sah zu, wie Honor über Nimitz hinweg Walker ansprach, und verbarg ein anerkennendes Lächeln. *Ach, sollen die doch alle zur Hölle fahren. Wir hier, wir wissen, was wir an ihr haben, und die Admiralität weiß es auch.*

Honor unterbrach ihr Gespräch mit Walker, als sie McKeons Blick spürte. Sie drehte den Kopf und lächelte ihn an, woraufhin er ihr knapp mit seinem Glas zuprostete. Sie öffnete den Mund, als wolle sie etwas sagen, dann zögerte sie, und blickte an ihm vorbei. McKeon schaute sie fragend an, doch sie gab keine Antwort; deshalb drehte er sich auf dem Stuhl halb in die Richtung, in die sie sah. Erstaunt zog er die Augenbrauen hoch. Alex Maybach, McKeons persönlicher Steward, überragte zwei jüngere Stewards, die gerade auf einem Servierwagen eine Monstrosität aus Zuckerbäckerwerk durch die Luke rollten. Der Kuchen war wenigstens einen Meter lang und stellte ein Sternenschiff dar, ganz offensichtlich die *Prince Adrian,* die vom Bug bis zum Heck mit brennenden Kerzen geschmückt war. Perplex überlegte McKeon, wie zum Donnerwetter es Maybach gelungen sei, dieses Ding vor ihm zu verstecken.

Er hatte seine Überraschung noch nicht überwunden, als jemand das Zeichen gab und die gesamte Belegschaft des Kommandantensalons etwas anstimmte, das ein sehr wohlwollender unbeteiligter Zuhörer möglicherweise als Gesang bezeichnet haben würde. McKeon fuhr zu seinen Gästen herum und versuchte sie finster anzufunkeln, während alle Offiziere hinreichender Seniorität ihn dumm angrinsten, diejenigen, die dafür noch zu niederrangig waren, bemühten sich bewußt, eine unbeteiligte Miene zu bewahren. Dann durchschnitt Nimitz' lautes, entzücktes »Bliek!« den Chor:

»*... birrrthday to yoouuu!*«

Gnädigerweise endete der Gesang hier, alles applaudierte, und McKeon wandte sich mit einem strafenden Blick an Honor.

»Wie hast du das fertiggebracht?« fragte er sie,

während sich die übrigen Gäste lautstark und heiter unterhielten. Für ihn bestand nicht der leiseste Zweifel, wer hinter dem Ganzen steckte. Seine Offiziere hätten vielleicht riskiert, ihm in der Messe aufzulauern, aber keiner von ihnen hätte den Versuch gewagt, ihn in seiner Kajüte zu überrumpeln. Selbst Honor konnte diese groß angelegte Aktion nicht ohne Signalverkehr zwischen den Schiffen arrangiert haben, denn vor dem Versagen des Wäscheraggregats hatte sie nicht damit rechnen können, zur passenden Zeit an Bord der *Prince Adrian* zu sein. Wie also hatte sie es geschafft, hinter seinem Rücken mit seinen Leuten Geburtstagskomplotte zu schmieden?

»Du erinnerst dich vielleicht noch an die langen Ersatzteillisten und technischen Daten, die Commander Sinkowitz deiner Schiffstechnischen Abteilung geschickt hat?« fragte sie mit lauerndem Lächeln, und er nickte. »Nun, ich habe ihn eine Geheimnachricht an Commander Palliser einbauen lassen, und Palliser hat sie an Chief Maybach weitergeleitet. Du hast doch wohl nicht im Ernst geglaubt, daß wir dich davonkommen ließen, ohne dir eine Party aufzunötigen!«

»Ich hatte es wenigstens gehofft«, gab er in gespieltem Groll zurück. Honor lachte und reichte ihm die Hand. Der Hintergrundlärm erstarb, als er sie ergriff, und Honor warf einen Blick auf die anderen, dann sah sie McKeon ins Gesicht.

»Herzlichen Glückwunsch zum Geburtstag, Captain, und von uns allen nur das Beste«, sagte sie. Jemand begann wieder zu applaudieren, doch sie bat mit einer Handbewegung um Ruhe und fuhr fort: »Gewiß wird deine Besatzung mit einem eigenen Geschenk aufwarten – wenn sie weiß, was gut für sie ist, hat sie eins! –, aber ich habe persönlich eine Kleinigkeit für dich.«

Sie ließ McKeons Hand los und winkte nach Robert Whitman. Der Armsman trat zackig drei Schritte vor und zog ein kleines, bunt eingewickeltes Päckchen aus der Uniformtasche, das er seiner Gutsherrin mit militärischer Präzision übergab. Dann nahm er neben ihr Haltung an. Vor dem Schott ging Andrew LaFollet in Habt-acht-Stellung, und als Honor das Päckchen McKeon übergab, schlug die ausgelassene Stimmung zu etwas Feierlicherem um.

Er nahm es bedächtig entgegen. Seine Miene war eine einzige stille Frage; Honor schüttelte unmerklich den Kopf und bedeutete ihm, das Päckchen zu öffnen. Die plötzliche Förmlichkeit der Waffenträger und der Wechsel in Honors Verhalten brachten McKeons Nerven zum Prickeln, deshalb löste er rasch das Band und riß das Papier ab, bis er schließlich ein einfaches schwarzes Kästchen in Händen hielt. Er blickte Honor an, dann öffnete er das Kästchen und sog hörbar Luft ein. Auf dem Samtpolster im Inneren lag ein Paar Kragenspangen der Royal Manticoran Navy, doch statt des einzelnen goldenen Planeten eines Captain of the List, wie er sie trug, zeigten beide ein Planetenpaar – wie die Abzeichen an Honors Kragen. Ein gutes Dutzend Herzschläge lang starrte McKeon auf die Spangen, dann erst hatte er sich so weit im Griff, daß er Honor in die vergnügt und doch ernst funkelnden Augen blicken konnte.

»Herzlichen Glückwunsch, Alistair«, sagte sie. »Vor unserer Rückkehr ins Jelzin-System ist die Beförderung noch nicht offiziell, und an sich bedeutet es ja Pech, die Katze zu früh aus dem Sack zu lassen. Aber die Admiralität hat sie noch kurz vor unserem Auslaufen bestätigt, und Hochadmiral Matthews wußte, daß von allen Menschen ich es dir am liebsten sagen wollte, deshalb hat er mich informiert. Als dann der

Schaden am Umweltsystem auftrat, beschloß ich, daß dein Geburtstag der ideale Zeitpunkt sei, dir Bescheid zu sagen.«

Niemand sonst sprach auch nur ein Wort, und McKeon spürte, daß die Neugier als zusätzlicher Gast im Salon stand. Da erst begriff er, daß Honor sonst niemanden eingeweiht hatte, nur ihre Waffenträger und – ein Blick in Andreas Venizelos' Gesicht genügte ihm – ihren Stabschef. Mühsam schluckte McKeon, dann drehte er das Handgelenk, so daß auch die anderen Gäste in das Kästchen blicken konnten. Noch einen Augenblick herrschte tiefes Schweigen, dann erklang tosender Beifall.

»Meinen Glückwunsch, Skipper!« rief Commander Gillespie, nahm das Glas vom Tisch und prostete seinem Kommandanten zu. Andere Gläser wurden ebenfalls erhoben. »Sagen Sie mal, Sir, wenn Sie jetzt die Treppe rauffallen, heißt das etwa, daß ich das Kommando über die *Adrian* kriege?« wollte Gillespie wissen.

»Nur wenn BuPers wirklich keinen anderen findet!« erwiderte McKeon knurrend, und Gillespie lachte auf. McKeon fuhr mit der Fingerspitze über das Kragenabzeichen. »Ich, ein Commodore?« Verwundert schüttelte er den Kopf, und Honor legte ihm sanft eine Hand auf den Arm.

»Das hast du verdient«, sagte sie leise, aber bestimmt, »und ich freue mich für dich. Natürlich bist du nach unserer Rückkehr zu ranghoch, um eine popelige Schwere Kreuzerdivision zu führen, und deshalb werde ich dich wohl verlieren, aber ich freue mich trotzdem. Gewiß findet Admiral White Haven ein Kommando bei der Achten Flotte für dich, so daß du nicht eigens nach Manticore zurückkehren mußt.«

»Ich ...« McKeon verstummte unschlüssig; er

wußte gar nicht mehr, was er hatte sagen wollen, und bedeckte Honors Finger auf seinem Unterarm mit einer Hand. »Danke«, sagte er ebenso leise. »Aus deinem Mund bedeutet das eine Menge.«

Sie antwortete nicht und drückte ihm nur noch einmal den Arm, dann nahm sie lächelnd wieder am Tisch Platz, und McKeon räusperte sich.

»Also gut, ihr Gauner! Schluß mit dem Tumult!« Mit gespieltem Ernst schüttelte er über seine unbußfertigen Untergebenen den Kopf. »Das ist kein Benehmen für die leitenden Offiziere eines Schiffes der Königin – oder ihrer Verbündeten! Nicht nur haben Sie sich der Widersetzlichkeit und Majestätsbeleidigung schuldig gemacht, sondern darüber hinaus auch noch bewiesen, völlig unwissend über das vorgeschriebenen Geburtstagsprotokoll zu sein!« Mit gespielter Entrüstung funkelte er einen nach dem anderem an und deutete auf den kerzenübersäten Geburtstagskuchen. »Der Ehrengast hat seine Kerzen bei *Beginn* der Feierlichkeit auszublasen, und wenn Sie sich nicht bald über die Prioritäten klarwerden, dann esse ich den Kuchen alleine!«

Nach den Uhren der *Prince Adrian* war es früh am darauffolgenden Morgen, als Geleitzug JNMTC-76 den nächsten Zwischenstopp erreichte. Honor hatte den Besuch auf McKeons Schiff sehr genossen, und den Erfolg der Überraschungsparty besonders. Dergleichen so kurzfristig zu organisieren, ohne daß ein wachsamer Skipper wie McKeon Wind davon bekam, war erheblich komplizierter gewesen, als sie ihn mit ihrer lapidaren Erklärung glauben machen wollte. Der reibungslose Ablauf erfüllte Honor mit großer Zufriedenheit. Trotzdem fehlte ihr an Bord der *Prince Adrian* etwas: Obwohl Chief Steward's Mate Alex Maybach sein Bestes gegeben hatte, vermißte Honor dennoch MacGuiness' unaufdringliche Dienstbarkeit, als sie nach der Party schlafen ging; besonders aber die große Tasse köstlichen Kakaos, die wie durch Magie immer auftauchte, wenn sie sich bettfertig machte, ganz gleich, wie spät es wieder geworden war. Nun freute sie sich schon darauf, wieder ›nach Hause‹ zu kommen, sobald der Geleitzug in den Normalraum transistiert war und Scotty sie alle zurück zur *Alvarez* kutschieren konnte.

Im Augenblick jedoch stand sie mit Venizelos noch auf der Brücke der *Prince Adrian*. Nimitz hockte auf ihrer Schulter und beobachtete McKeons Crew, die sich auf die Transition aus dem Hyperraum vorbereitete. Andrew LaFollet hatte einen Winkel gefunden, in den er sich hocken konnte, obwohl er ganz so aussah, als litte er unter akuter Klaustrophobie. Was Honor ihm kaum verübeln konnte. Sie hätte es vorgezogen, wenn wenigstens McGinley noch anwesend gewesen wäre, aber es mangelte einfach am nötigen Platz, um ihren Operationsoffizier auch noch in den überfüllten Brückenraum zu stopfen, ohne die Kommandocrew der *Prince Adrian* bei der Arbeit zu behindern. Honor hätte zwar darauf bestehen können, daß Platz für Marcia geschaffen werde, und manch anderer Flaggoffizier hätte sich tatsächlich so verhalten. Doch Honor lehnte es ab, ohne einen triftigen Grund die Brückencrew eines Schiffes einzuengen, auch wenn sie dadurch Unbequemlichkeiten hinnehmen mußte.

Die Schiffe der *Prince-Consort*-Klasse, zu der die *Prince Adrian* gehörte, spiegelten eine Konstruktionsphilosophie wider, die erst bei der Einführung der neueren *Star-Knight*-Kreuzer aufgegeben wurde. Der

Typ der *Prince Consorts,* der *Prinzgemahle,* war über sechzig T-Jahre alt und stammte noch aus den Anfängen der Flottenerweiterung, mit der Roger III. dem aufkommenden Expansionismus der Volksrepublik Haven entgegentreten wollte. Die *Prince Consorts* waren nie als Geschwaderflaggschiffe ausgelegt gewesen. Um möglichst viel Feuerkraft so schnell und so billig wie möglich in den Weltraum zu bekommen, hatten die Schiffbauingenieure entschieden, das Flaggdeck wegzulassen und die eingesparte Masse darauf zu verwenden, jeder Breitseite einen Graser und zwei Raketenwerfer zusätzlich zu spendieren. Selbst das eigentliche Kommandodeck fiel durch den Massenbedarf dieser Zusatzwaffen und ihrer Magazine recht spartanisch aus. Gewöhnlich sahen die Konstrukteure eines neuen Schiffstyps zusätzlichen Platz auf der Brücke vor, um Reserven für den späteren Einbau neuerer Instrumentensysteme zu haben, doch die *Prince Consorts* verfügten schon bei Indienststellung gerade über soviel Raum wie unbedingt erforderlich. Infolgedessen war es im Laufe der Zeit auf den Brücken dieser Schiffe immer enger geworden, weil die unvermeidlichen Umrüstungen zusätzliche Konsolen, Displays und Instrumententafeln erforderten, die man nun überall dort hineinzwängen mußte, wo sich noch ein paar Kubikzentimeter auftreiben ließen.

Mit der Zeit hatte man das Problem zwar erkannt, aber als unausweichliche Folge der Produktion von Schiffen hingenommen, die bei möglichst geringen Kosten und wenig Tonnage möglichst viel Feuerkraft besitzen sollten. BuShips rief schließlich ein Bauprogramm ins Leben, demzufolge man sieben *Prince Consorts* fertigstellte und mit einem Schiff der *Crusader*-Klasse kombinierte, das ein Flaggdeck besaß, so daß man ein volles Geschwader aus acht Schiffen erhielt. Was damals als gute Idee erschienen war, erwies sich seit Ausbruch des ersten offenen Krieges, den die Navy seit 120 T-Jahren führen mußte, immer deutlicher als Fehlplanung.

Das Bauprogramm der *Crusaders* hatte nämlich den Zyklus von Überholung und Umrüstung außer acht gelassen, der für jedes Kriegsschiff zwingend notwendig war, und dadurch wurden von Beginn an wenigstens fünfundzwanzig Prozent weniger Kreuzer-Flaggschiffe in Dienst gestellt als erforderlich. Während seiner ersten Amtszeit als Erster Lord der Admiralität hatte dann Sir Edward Janacek beschlossen, die Finanzierung der *Crusaders* um über siebzig Prozent zu verringern. Doch dieser Beschluß verschlimmerte die Lage noch mehr. Janacek indes betrachtete Anti-Piraterie-Patrouillen und die Verteidigung des manticoranischen Doppelsternsystems als Hauptaufgaben der Navy. Alles ›Aggressive‹ stand im Widerspruch zu seinen Vorurteilen gegen ›imperialistisches Abenteurertum‹, das nur die Volksrepublik ›provozieren‹ könnte. Die Entsendung von Kreuzergeschwadern an entlegene Stationen erachtete der Erste Lord als Vorstufe einer Kanonenbootpolitik, welche er ablehnte.

Um solche Einsätze zu verhindern, mußte man die Anzahl verfügbarer Flaggschiffe verringern, und genau diesem Weg war Janacek gefolgt. Als Grund für seine Entscheidung hatte er die höheren Baukosten eines *Crusaders* angegeben. Unter seiner Ägide wurde mehr als die Hälfte aller manticoranischen Kreuzer fernab des Heimatsystems zu Einzelpatrouillen gegen das Piratenunwesen eingeteilt – wozu man keine Befehlsschiffe benötigte. Der Rest wurde zum größten Teil an einer Stelle konzentriert und der Homefleet angeschlossen, wo nur eine begrenzte Anzahl Flaggschiffe erforderlich war. Infolgedessen hatte man lange Zeit nicht bemerkt, welche Folgen es hätte, wenn bei einer Änderung der Operationsmuster schließlich Kreuzer der Crusader-Klasse fehlten.

Mittlerweile hatte man das Problem erkannt – leider zu spät. Obwohl Janacek nun schon elf T-Jahre nicht mehr im Amt war, spürte man allerorten die Spätfolgen seiner Haushaltsentscheidungen. Die *Prince Consorts* wiesen die höchste Stückzahl im Bestand der RMN auf, doch ihre mangelnde Eignung zu Geschwaderflaggschiffen begrenzte ihren Wert dramatisch. Die Admiralität war dadurch gezwungen, öfter auf die größeren und weniger zahlreichen *Star Knights* zurückzugreifen; dieser Schiffstyp verfügte über Kommandoeinrichtungen und wurde immer häufiger bei detachierten Befehlsaufgaben eingesetzt, zu denen die *Prince Consorts* nicht zu gebrauchen waren. Durch diese Einsätze traten jedoch bei den neueren Schiffen proportional höhere Verluste auf als zuvor. Die *Prince Adrian* und ihre Schwesterschiffe blieben eng in die Formationen auf Kampfverbands- und Flottenebene eingebunden, wo sich immer ein Schiff fand, um den Commodore oder Admiral samt Stab aufzunehmen. *Prince Consorts* fuhren meist im Schutz von Großkampfschiffen, während die *Star Knights* bei Fronteinsätzen und im Geleitdienst ohne Großkampfschiffunterstützung eingesetzt wurden, wo Gefechte gegen schnelle Raiderverbände aus Schlachtkreuzern und Kreuzern erheblich wahrscheinlicher waren. Und mit jedem *Star Knight,* der durch Feindeinwirkung verloren ging oder zur Instandsetzung in die Werft mußte, schmolz die Anzahl der verfügbaren Flaggschiffe um ein weiteres Schiff zusammen.

Verglich man hingegen die Offensivstärke beider Klassen, so fiel rasch auf, daß sie sich in diesem Punkt nicht sonderlich voneinander unterschieden. Angesichts der viel größeren Tonnage der *Star Knights* unterstrich diese Ähnlichkeit einmal mehr, daß die neueren Schweren Kreuzer alles andere als perfekte Baumuster darstellten. So kampfkräftig sie auch sein mochten, nach Honors Ansicht verwandte man dennoch zuwenig Volumen auf Offensivwaffen und zuviel auf Defensivsysteme, wahrscheinlich aufgrund der deutlich hervorgetretenen Mängel ihrer Vorgängerklasse.

Einem *Star Knight* verliehen die stärkeren Seitenschild-Generatoren, die massivere Panzerung, die aufgestockte Eloka-Kapazität und die zahlreicheren Nahbereichs-Abwehrwaffen einen rund dreißig Prozent höheren Kampfwert gegenüber einem *Prince Consort*, und BuShips hatte die Notwendigkeit durchaus erkannt, Offensiv- und Defensivstärke besser auszubalancieren. Da man auch weiterhin Schwere Kreuzer benötigte, die sich als Geschwaderflaggschiff eigneten, stießen die Werften nach wie vor *Star Knights* aus, so schnell sie nur konnten, doch die begrenzte Produktion *aller* Kreuzer mußte von den Fertigungskapazitäten der ebenfalls verzweifelt benötigten Großkampfschiffe abgezweigt werden. Deshalb verzögerte sich die Einführung der neuen Schweren Kreuzer der *Edward-Saganami*-Klasse. Die *Saganamis* waren um zehn Prozent größer als die *Star Knights*. In ihren Entwurf waren die jüngsten Gefechtserfahrungen der Navy eingeflossen, und sie vereinigten graysonitische und manticoranische Konzepte in der optimalen Balance. Schon vor drei Jahren hätten sie in Fertigung gehen sollen, doch dann hatte BuShips festgestellt, man könne unmöglich Fertigungskapazitäten auf eine neue Klasse verwenden, bei der zweifelsohne vor den ersten Einsätzen noch alle Kinderkrankheiten ausgemerzt werden müßten, die ein neu eingeführtes Baumuster immer mit sich bringt. Dazu sei die Notwendigkeit der Massenfertigung einfach zu bedrückend. Deshalb wurden weiterhin *Star Knights* gebaut, deren zugrundeliegendes Konzept bereits achtzehn Jahre alt war. Der Entwurf war gewiß das Neuste vom Neuen gewesen, als das Typschiff von Stapel lief, und wie die *Prince Consorts* waren sie seither immer wieder modernisiert worden, doch selbst wenn man die *Star Knights* so schnell nachrüstete, wie die Einsatzpläne es gestatteten, büßte die Klasse gegenüber den havenitischen Schweren Kreuzern immer mehr an Überlegenheit ein.

Man könnte sagen, dachte Honor, während sie McKeons Brückencrew beobachtete, *hier steht uns ein Paradebeispiel für die Frage vor Augen, über die Earl White Haven und ich uns ... uneins waren.* (Sie empfand leichte – und angenehme – Überraschung, daß der Gedanke an den Earl ihr nicht mehr als nur einen winzigen Stich versetzte.) *Rechnet man Schiff gegen Schiff und Tonne gegen Tonne auf, besitzen wir immer noch die technische Überlegenheit, aber sie schrumpft zusammen. Das können wir uns aber nicht leisten. Solange wir uns keine Methode einfallen lassen, die traditionellen Fertigungsmuster zu brechen, wird unser Vorteil immer weiter dahinschmelzen. Auf kurze Sicht mag das nicht dramatisch sein, aber langfristig ...*

Reiß dich zusammen! Sie verbot sich die Abschweifungen und richtete ihre Aufmerksamkeit auf Lieutenant Commander Sarah DuChene, McKeons Astrogatorin, die soeben die letzten Kurskorrekturen berechnet hatte und nun ihren Kommandanten anblickte.

»Klar zur Transition in acht Minuten, Sir.«

»Sehr schön. Signalstation, informieren Sie das Flaggschiff«, sagte McKeon.

»Aye, aye, Sir. Gehe auf Sendung.« Lieutenant Russell Sanko, Signaloffizier der *Prince Adrian*, drückte eine Taste, um den vorbereiteten Rafferspruch abzuschicken. »Übertragung beendet, Sir.«

»Vielen Dank. Also gut, Sarah, das Ruder gehört Ihnen.«

»Aye, aye, Sir. Ich habe das Ruder. Ruder, machen Sie sich klar, auf meinen Befehl zu transistieren.«

»Aye, aye, Ma'am. Klar zur Transition«, antwortete die Rudergängerin des Kreuzers. Schweigend trat Honor neben McKeons Kommandosessel, wo sie niemandem ins Gehege kam, aber trotzdem bequem auf seine Wiederholdisplays blicken konnte. Er sah mit einem knappen Lächeln zu ihr auf, dann wandte er sich an Lieutenant Commander Metcalf.

Honor sann vor sich hin, während McKeon eine leise Diskussion mit dem Taktischen Offizier begann. Anders als ihr Flaggschiff besaß die *Prince Adrian* keinen eingebauten Überlichtsender. Zum Zeitpunkt ihres Baus war diese Technologie noch unbekannt gewesen, und ein nachträglicher Einbau machte weitgehende Modifikationen an den Impelleremittern erforderlich. Die alten Modelle waren außerstande, Gravitationsimpulse zu erzeugen, auf denen die Signalmethode basierte. Die nötigen Modifikationen vorzunehmen hätte jedoch keine einfache Umrüstung bedeutet, sondern einen kompletten Umbau. Demgegenüber konnte jedes Schiff mit seinen regulären Gravitationssensoren überlichtschnelle Signale auffangen – vorausgesetzt, man wußte, wonach man zu suchen hatte. Die *Prince Adrian* führte moderne Aufklärungsdrohnen mit, die weitaus kleinere Impelleremitter besaßen und deshalb eine geringere Reichweite bei überlichtschnellen Sendungen hatten als ein modernes Kriegsschiff. Allerdings eigneten sich die Drohnen durchaus für Langstrecken-Erkundungen. Nur die bordeigenen Sendeanlagen des Kreuzers unterlagen der Lichtgeschwindigkeit. Weil die *Alvarez* der *Prince Adrian* im Hyperraum mit neun Lichtminuten Abstand folgte (in den Normalraum versetzt, eine Entfernung von fast neun Licht*tagen*), benötigte ein gesendetes Signal sechs Minuten, um das Flaggschiff zu erreichen – sechs Minuten, innerhalb deren die *Alvarez* und ihre Schützlinge weiterhin mit sechzig Prozent der Lichtgeschwindigkeit den Hyperraum durcheilten (was, in den Normalraum transformiert, einer scheinbaren Geschwindigkeit von 2.500 *c* entsprach). Geleitzug JNMTC-76 würde sieben Minuten nach Erhalt des Signals den Punkt erreichen, an dem McKeons Kreuzer in den Normalraum transistiert wäre, doch statt ihm unverzüglich zu folgen, würden die Schiffe vollständig abbremsen und weitere zwei Stunden warten, bevor sie selber in Transition gingen. Die Verzögerung sollte der *Prince Adrian* Zeit geben, ihre Ortungserfassung auszuwerten und weit genug systemeinwärts vorzustoßen, um ausschließen zu können, daß dem Geleitzug unangenehme Überraschungen bevorstanden.

Solche Vorsichtsmaßnahmen mochten zu diesem Zeitpunkt noch recht überflüssig erscheinen, und mancher Geleitzugkommandeur hätte sie sich vielleicht erspart. Für die Sicherheit der Schiffe und ihrer Besatzungen, Passagiere und Frachten war indes Honor allein verantwortlich. Die Zeit drängte längst nicht so sehr, als daß sie die beiden Stunden nicht hätte erübrigen können, um jedes Risiko auszuschließen – sei es noch so unwahrscheinlich. McKeons

Rücksprache mit seinem Taktischen Offizier zeigte deutlich, daß er Honors Tendenz zur Gründlichkeit uneingeschränkt teilte.

»Transition in einer Minute«, verkündete DuChene. Honor spürte, wie sich ringsum allgemeine, unausgesprochene Anspannung breitmachte. Obwohl kein erfahrener Raumfahrer es je zugegeben hätte, war der Transit in den Normalraum bei den Geschwindigkeiten, die Kriegsschiffe üblicherweise vorlegten, alles andere als ein Vergnügen. Der *Prince Adrian* stand zum Glück keine echte Gewalttransition bevor, doch der Gradient war steil genug, um jedem an Bord den Magen umzudrehen. Soviel war jedem einzelnen Besatzungsmitglied klar.

»Transition – jetzt!« verkündete DuChene. Honor schnitt eine Grimasse. Ihr Magen machte einen Satz, und sie verkrampfte hinter dem Rücken die Hände.

»Hmm ...«

Als an der Taktischen Station der verhaltene und faszinierte Laut erklang, blickte Bürger Commander Luchner, Erster Offizier von VFS *Katana*, stirnrunzelnd auf. In seiner Leistung reichte der Taktische Offizier, Bürger Lieutenant Allworth, zwar kaum an Bürger Konteradmiral Tourvilles neue Taktikhexe heran – noch nicht jedenfalls –, aber er nahm sich an ihr ein Beispiel. Und Luchner im Endeffekt auch. Die *Katana* gehörte seit fast einem Jahr zur Kampfgruppe des Bürger Konteradmirals, und während dieser Zeit hatte das Geschwader sich nach den Maßstäben der Volksflotte sehr gut geschlagen. Doch mit Foraker ... Sie hatte der Kampfgruppe etwas Neues mitgebracht: eine beinahe unschuldig-hochnäsige Selbstsicherheit – die offenbar ansteckend war.

Das wollte Luchner jedenfalls hoffen. Nun beobachtete er den Bürger Lieutenant, der sehr langsam und bedächtig Feineinstellungen an seinen Instrumenten vornahm. Allworth' Augen wirkten versunken; mit außerordentlicher Konzentration war er in seine Displays vertieft, doch eigentlich handelte es sich dabei um nichts Bemerkenswertes. Auf jeder Wache konnte man fest damit rechnen, daß der Taktische Offizier *irgend etwas* fand, das ihn fesselte; diesmal aber schien er sehr lange zu brauchen, um die Natur des Phänomens zu bestimmen, und deshalb ging Luchner zu Allworth und stellte sich neben ihn.

»Was gibt es?« fragte er leise.

»Bin mir nicht sicher, Bürger Eins-O.« Allworth eiferte zwar Bürgerin Commander Forakers Tüchtigkeit nach, aber er beabsichtigte keineswegs, ihre gelegentlichen, sehr gefährlichen Rückfälle in prärevolutionäre Anredeformen nachzuahmen. *Jedenfalls nicht, bevor mein Ruf genauso gut ist wie ihrer!* dachte er geistesabwesend. »Möglich, daß es nichts war ... aber es könnte auch ein Hyperabdruck gewesen sein.«

»Wo?« fragte Luchner schärfer.

»Etwa hier, Bürger Eins-O«, antwortete Allworth, und auf dem Plot erschien ein kleines Icon, gute neunzehn Lichtminuten jenseits der zweiundzwanzig Lichtminuten weiten Hypergrenze des G0-Sterns Adler. Luchner runzelte die Stirn. Die Entfernung war viel zu groß, als daß die bordeigenen Ortungsgeräte der *Katana* die Entdeckung gemacht haben konnten, doch Allworth sprach weiter, bevor der I.O. etwas einwenden konnte. »RD Elf hat es erfaßt«, erklärte er.

»Und würden Sie mir bitte sagen, was eine unserer Aufklärungsdrohnen dort draußen verloren hat?« fragte Luchner.

»Bürger Captain Turner hat uns gebeten, diese Seite

des Überwachungsgebiets der *Nuada* zu übernehmen, Bürger Eins-O«, antwortete Allworth respektvoll. »Die Hauptantennen der Gravitationssensoren seines Schiffes sind bereits komplett ausgefallen, und nun zeigt auch die Ersatzantennenanlage ständig Aussetzer. Die Ingenieure dort versuchen herauszufinden, woran das liegt, aber dazu mußten sie die passiven Sensoren praktisch komplett herunterfahren. Die *Nuada* ist momentan auf Drohnen angewiesen, bis man den Fehler gefunden und behoben hat. Wenn sie aber ihre gesamte Überwachungszone durch Drohnen abdeckt, ist ihre Telemetrie überlastet. Bevor die Gravitationssensoren wieder verfügbar sind, kann sie nur ungefähr zwo Drittel ihres Gebiets überwachen, deshalb habe ich Bürger Captain Turner zusagt, daß wir uns um den Rest kümmern.«

Luchner zog ein derart finsteres Gesicht, daß Allworth sich sehr beherrschen mußte, um nicht unwillkürlich vor ihm zurückzuzucken. Dabei zweifelte der Bürger Erster Offizier die Erklärung Allworth' nicht im mindesten an. Nach der Eroberung des Adler-Systems hatten die *Katana* und die *Nuada* gemeinsam operiert, um ein Paar manticoranische Zerstörer und einen einzelnen schnellen Frachter aufzubringen, der ohne einen Geleitzug unterwegs gewesen war. Bei der Verfolgung des zweiten Zerstörers waren an Turners Schiff zwei Drittel aller Hauptsensorantennen ausgefallen. Zu solchen Geräteausfällen kam es in der Volksflotte viel zu häufig, besonders aber dann, wenn unzulänglich geschultes Wartungspersonal sich mit neuen Systemen befassen mußte, obwohl es noch nicht einmal die Handhabung der älteren bewältigt hatte. Turners Ingenieure hatten zugesagt, den Schaden so rasch wie möglich zu beheben, doch anscheinend hatte die *Nuada* noch mehr Pech gehabt und ihre

Ersatzsysteme ebenfalls verloren. Zwar stand es für Luchner außer Frage, daß Turners Ingenieure das Problem am Ende meistern würden, aber es war sehr wahrscheinlich, daß sie dazu länger bräuchten als eigentlich erforderlich.

Dabei traf nicht die Ingenieure die Schuld an den Unzulänglichkeiten. Ersatzleute, die hauptsächlich aus den Reihen der bereits schlecht ausgebildeten Dolisten stammten, wurden heutzutage in der Hälfte der Zeit durch Lehrgänge geschleust, die man vor dem Krieg als absolutes Minimum angesehen hatte. Jeder Raumoffizier wußte, daß die eigentliche Ausbildung der Neuen darum erst an Bord ihrer Schiffe erfolgte – was sich in mangelhafter Effizienz niederschlug.

Leider wollte das politische Establishment solche ›Unkenrufe‹ nicht hören. Die Volksflotte hatte solch schwere Verluste hinnehmen müssen, daß den Volkskommissaren, denen die Oberaufsicht über die Personalprogramme des Admiralstabs oblag, keine andere Wahl blieb, als alle Rekruten zu nehmen, die sie nur bekommen konnten, und sie so rasch wie möglich durch die Ausbildung zu peitschen. Gleichzeitig mußte sich jeder von ihnen natürlich Gedanken um den eigenen Kopf machen. Hätte jemand zugegeben, unzureichend ausgebildetes Personal an die Flotte weiterzugeben, hätte er nur die Aufmerksamkeit der Systemsicherheit auf sich gelenkt. Deshalb wäre jeder Versuch, bei vorgesetzter Stelle die fehlenden Fortschritte an Bord der *Nuada* mit der mangelhaften Ausbildung ihrer Besatzung zu erklären, von vornherein zum Scheitern verurteilt gewesen. Und so hatte sich Turner an Allworth gewandt und ihn – gewiß sehr indirekt und diskret – gebeten, den Zusammenbruch der passiven Ortung niemandem weiterzusagen. Es lag auf der Hand, weshalb die *Nuada* um Unterstützung gebeten hatte, anstatt ihr Problem durch den Einsatz ihrer Aufklärungsdrohnen zu kaschieren: Die Kreuzer der *Mars*-Klasse bezahlten ihre überlegene Eloka-Kapazität mit einer Telemetriesektion, die im Vergleich mit den älteren *Swords* um fast ein Drittel reduziert war. Die *Nuada* konnte einfach nicht genügend Drohnen gleichzeitig steuern, um ihren Überwachungsbereich ausreichend abzudecken, sondern hätte dazu ihre – nicht verfügbaren – Bordsysteme benötigt.

Luchner besaß vollstes Verständnis für die schwierige Lage der *Nuada* und hätte nicht gezögert, seinen Kameraden zu helfen. Beim nächsten Mal konnte er es schließlich sein, der Hilfe benötigte. Sein finsteres Gesicht zog er aus einem anderen Grund, und er bedachte den Bürger Lieutenant mit einem zugleich anklagenden und einschüchternden Blick.

»Ich verstehe. Und haben Sie eventuell erwogen, mich oder Bürgerin Captain Zachary zu informieren, daß die *Katana* diese Zusatzaufgabe übernommen hat?«

»Äh ... n-nein, Bürger Eins-O.« Allworth lief knallrot an. »Das habe ich wohl vergessen.«

»Sie haben es ›vergessen‹«, wiederholte Luchner, und Allworth' errötete noch stärker. »Ihnen ist nicht zufällig in den Sinn gekommen, daß wir gern darüber in Kenntnis gesetzt würden? Wegen dieser Lappalie, daß die Bürgerin Captain und ich rechtlich für Ihr Tun verantwortlich sind, zum Beispiel?«

»Nein, Bürger Eins-O«, gestand Allworth elendig. Ganz offenkundig hätte er am liebsten den Blick auf das Display gesenkt, um der ernsten Miene seines Vorgesetzten auszuweichen, aber er zwang sich, Luchner in die Augen zu sehen. Der Bürger Commander starrte ihn noch eine Weile kalt an, doch hinter seinem erzürnten Äußeren freute es den I.O., daß der junge Taktische Offizier nicht um Verzeihung bat und bereit war, die Konsequenzen seines Fehlers zu tragen. Dann endlich streckte er den Arm aus und legte Allworth die Hand auf die Schulter.

»Bürgerin Commander Foraker ist ein herausragender Taktischer Offizier«, sagte er und gestattete sich ein mildes Lächeln. »Sie hätten sich ein schlechteres Vorbild aussuchen können. Aber versuchen Sie in Zukunft, mit dem Rest des Universums ein wenig engeren Kontakt zu wahren als sie, Bürger Lieutenant. Haben Sie mich verstanden?«

»Jawohl, Bürger Eins-O!«

»Gut.« Luchner drückte Allworth' Schulter und zog die Hand zurück. »Nun erzählen Sie mir etwas über diesen möglichen Kontakt.«

»Er ist vor acht Minuten gleich außerhalb der Hypergrenze in den N-Raum transistiert, Bürger Eins-O – vorausgesetzt, es ist wirklich ein Kontakt. Für eine eindeutige Erfassung war der Punkt zu weit von der Drohne entfernt.«

Der Bürger Lieutenant verstummte, und Luchner wiegte das Haupt. Die havenitischen Drohnen waren den manticoranischen eindeutig unterlegen, denn ihre maximale passive Erfassungsreichweite betrug je nachdem, wie stark das Ziel emittierte, höchstens zwölf bis vierzehn Lichtminuten; die Telemetrie reichte sogar nur zehn Lichtminuten. Deshalb setzte man sie in Entfernungen von sieben bis acht Lichtminuten ein, wodurch die Sensorreichweite des Mutterschiffs auf einen Umkreis von zwanzig Lichtminuten limitiert wurde. Dafür erreichten sämtliche Ortungen überlichtschnell emittierender Quellen (wie etwa Impellerkeile oder Hypertransitionen) relativ rasch die Operationszentrale. Allworth hatte die Drohne in äußerster Telemetrie-Reichweite positioniert, um die *Nuada* zu entlasten, und der Kontakt lag wiederum an der äußersten Erfassungsgrenze der Drohne – eine unsichere Angelegenheit also.

»Wenn der Kontakt sich Richtung Samovar bewegt«, fuhr Allworth fort, »dann trägt sein Vektor ihn aus der Erfassung der Drohne, ohne daß er sich ihr jemals so dicht genähert hätte, um aus der Impellersignatur Rückschlüsse auf die Masse ziehen zu können.«

»Tja.« Luchner rieb sich nachdenklich das Kinn. »Angenommen, es ist ein echter Kontakt und er bewegt sich systemeinwärts. Wer wäre in der besten Abfangposition?«

»Normalerweise die *Nuada*, Bürger Eins-O, aber ihr Sensorenschlamassel macht's ihr ganz schön schwer. Sie ist nur sechsundsechzig Millionen Kilometer vom Kontakt entfernt, aber der Kontakt befindet sich ausgerechnet mitten in der Zone, die *wir* für sie überwachen sollen. Weil die *Nuada* keine Gravitationssensoren in Betrieb hat, hat sie den Kontakt wahrscheinlich noch gar nicht bemerkt, und wenn er auf Samovar zuhält, dann entfernt er sich genau von ihr. Einen Frachter könnte sie vielleicht noch einholen, aber jedes Kriegsschiff beschleunigt hoch genug, um sie bei diesem Vorsprung auf Abstand zu halten – selbst dann noch, wenn sie ihre Raketengondeln zurückläßt.«

»Das heißt, wir können ihn in der äußeren Zone wahrscheinlich nicht abfangen«, stellte Luchner fest. »Damit bleibt uns nur die *Dirk*.«

»Jawohl, Bürger Eins-O«, stimmte Allworth zu, und mit wiederum finsterem Gesicht brütete Luchner über den Neuigkeiten.

Technisch gesehen war die *Nuada* für alles zuständig, was in ihrem Überwachungsbereich auftauchte. Die *Katana* mußte sich um einen eigenen Sektor kümmern, und wenn sie sich in die Abfangmission eines anderen Schiffes einschaltete und irgend etwas schiefging, dann gab Luchner – oder noch eher Bürgerin Captain Zachary – einen willkommenen Sündenbock ab. Andererseits verfügte Luchner nun über Informationen, die Bürger Captain Turner nicht besaß, und dadurch fiel ihm eine Verantwortung zu, die alle technischen Zuständigkeitsgrenzen einebnete. So wenigstens war es unter Bürger Admiral Tourvilles Kommando, und Luchner bemühte sich, die Lage mit den Augen seines Geschwaderchefs zu sehen.

Die Kampfgruppe verfügte über zuwenig Schiffe, um das Adler-System vollständig abzuschotten, und Shannon Foraker hatte deshalb einen mehrstufigen Hinterhalt ersonnen, um die wahrscheinlichsten Ankunftsvektoren zu schützen. Alles, was an anderen Stellen auftauchte, würde vermutlich entkommen können, jedes Schiff aber, das an einer logisch vorhersehbaren Position in den N-Raum transistierte, besaß kaum noch eine Chance auszuweichen. Bisher jedenfalls hatte die Kampfgruppe alle Schiffe erwischt, die im Adler-System eingetroffen waren. Erst die Sensorstörungen der *Nuada* drohten Sand ins Getriebe zu streuen. Luchner hoffte, daß dieses Problem nicht über Turners Haupt und das seiner Crew kommen würde. Für solche Überlegungen hatte er nun jedoch keine Zeit; er mußte abschätzen, wie sich das Abfangmanöver voraussichtlich entwickeln würde.

Wie auch die *Katana* gehörte VFS *Dirk*, das Schiff, das für die mittlere Abfangzone in Turners Sektor zuständig war, zu den älteren Kreuzern der *Sword*-Klasse. Deshalb hatte der Operationsplan ihr die innere, weniger exponierte Station zugewiesen, während die größere *Nuada* die Rolle des Treibers übernahm und sich aus dreieinhalb Lichtminuten außerhalb der Hypergrenze dem Ziel nähern sollte, um ihm den Fluchtweg abzuschneiden. Die *Mars*-Klasse war als böse Überraschung für die Manticoraner gedacht: Die Schiffe waren fast so groß wie ein havenitischer Vorkriegs-Schlachtkreuzer und führten die verbesserten Eloka-Systeme, die die Volksrepublik über ihre Verbindungen zur Solaren Liga erhalten hatte. Durch eine Beschneidung der Magazine war es gelungen, eine fast doppelt so schwere Breitseite unterzubringen als in den *Swords* und dennoch keine zwanzig Gravos an Beschleunigungsvermögen einzubüßen.

Doch so kampfstark die *Nuada* auch war, wegen der Systemausfälle wußte ihr Kommandant nicht, was die *Katana* soeben entdeckt hatte. Daher würde sie auch nicht von selbst ihre Station aufgeben, um den möglichen Kontakt zu verfolgen, weshalb die *Dirk* mit dem Gegner allein fertig werden mußte, und das konnte übel enden. Wenn es sich bei dem Kontakt wirklich um ein manticoranisches Kriegsschiff handelte, lag es im Rahmen des Möglichen, daß die *Dirk* sich in der Rolle der Unterlegenen wiederfand. Zudem verließen sich die Schiffe der Innenzone darauf, daß die weiter systemauswärts stehenden Schiffe allen hereinkommenden Verkehr erfaßten. Deshalb hatte die *Dirk* sicherlich weder RDs ausgesetzt noch Raketenbehälter.

»Wie groß ist die augenblickliche Signalverzögerung zur *Nuada?*« fragte Luchner schließlich.

»Zwoundzwanzig Minuten, Bürger Eins-O.«

»Und die Entfernung des Kontakts zur *Dirk?*«

»Annähernd achtzehn Komma drei Lichtminuten.«

Luchner nickte und ging zum Kommandosessel im Mittelpunkt der Brücke zurück. Ohne Platz zu nehmen beugte er sich darüber, drückte eine Comtaste und wartete, bis das Gesicht von Bürgerin Captain Helen Zachary auf dem kleinen Bildschirm erschien. Einen Augenblick später teilte sich das Bild säuberlich in zwei Hälften; Bürger Kommissar Kuttner hatte sich in die Verbindung eingeschaltet.

»Was gibt's, Fred?« fragte Zachary.

»Wir haben einen möglichen Kontakt im Sektor der *Nuada*, Bürgerin Captain«, erklärte der I.O. Nachdem er Allworth' Bericht zusammengefaßt hatte, sagte er: »Mit Ihrer Erlaubnis würde ich gern die *Nuada* und die *Dirk* alarmieren und ein Alfa-Abfangmanöver beginnen. Wir sind nur fünfzehn Lichtminuten von der *Dirk* entfernt, deshalb sollte unser Signal sie lange vor jedem potentiellen Feindschiff erreichen, das nach einer Transition zu beschleunigen beginnt. Wenn die *Nuada* ihre Gondeln zurückläßt und mit Maximalwert beschleunigt, sobald sie alarmiert ist, erhält sie eine gute Chance, den Bogey abzufangen, falls er versucht, sich hinter die Hypergrenze zurückzuziehen. Aber weil sie ihre Gondeln zurücklassen muß, um überhaupt zum Schuß zu kommen, würde ich gern zusätzlich die *Raiden* und die *Claymore* alarmieren, damit sie der *Nuada* und der *Dirk* beistehen, falls wir es mit einem Schlachtkreuzer oder etwas noch Größerem zu tun haben.«

»Hm ...« Zachary kratzte sich an der Nasenspitze. »Wieviel Zeit würden wir denn verlieren, wenn wir lediglich Turner informieren, damit er sich um alles selbst kümmert?« erkundigte sie sich, obschon sie die Antwort bereits kannte. Sie fragte nur, um sicherzustellen, daß die Antwort offiziell protokolliert wurde. Erst dann konnte die *Katana* sich vorwagen.

»Die *Nuada* steht etwa zwoundzwanzig Lichtminuten von uns und achtzehn von der *Dirk* entfernt«, erklärte Luchner. »Turner würde wenigstens vierzig Minuten ab dem Augenblick brauchen, in dem wir das Signal auf die Reise schicken, um die *Dirk* zu informieren, und zwo weitere, bis die *Raiden* und die *Claymore* Bescheid wüßten. Wenn wir die anderen Schiffe gleichzeitig mit der *Nuada* informieren, gewinnen wir wenigstens dreizehn Minuten für alle Schiffe, dank unserer räumlichen Anordnung sogar neunzehn für die *Dirk.*«

»Das klingt mir ganz nach hinreichender Rechtfertigung, uns einzumischen«, befand Zachary und blickte auf ihrem eigenen Combildschirm Kuttner an. »Bürger Kommissar?«

»Ich stimme zu. Und wir sollten wohl auch die *Count Tilly* informieren.«

»Jawohl, Sir«, bestätigte Zachary respektvoll und verkniff sich die Bemerkung, daß sie ohnehin Befehl habe, dem Flaggschiff unverzüglich *jeden* Kontakt zu melden. Das hätte Kuttner klar sein müssen – schließlich war er bei genügend Besprechungen anwesend gewesen –, aber es mochte sich als unklug erweisen, Volkskommissare an Dinge zu erinnern, die sie von sich aus wissen sollten.

»Also gut, Fred. Kümmern Sie sich darum. Und halten Sie uns über alle weiteren Entwicklungen auf dem laufenden«, ordnete Zachary an.

»Jawohl, Bürgerin Captain.« Luchner beendete das Gespräch und wandte sich dem wachhabenden Signaloffizier zu. »Wärmen Sie mal Ihren Sender vor, Hannah«, sagte er.

15

»Noch immer kein Signal von Commodore Yeargin?« wollte Alistair McKeon wissen. Vierzig Minuten waren seit der Rücktransition der *Prince Adrian* in den Normalraum verstrichen. Nun hatte sie sich fast zweieinviertel Lichtminuten weit systemeinwärts bewegt und auf 21.400 Kps beschleunigt. Seit einer halben Stunde empfand man das tiefe Schweigen in den Empfängern der Signalstation als befremdlich.

»Nein, Sir«, gab Lieutenant Sanko zurück. Trotz der militärischen Kürze der Antwort war ihm seine Anspannung deutlich anzumerken. McKeon drehte den Kopf und schaute Honor an. In seinen grauen Augen stand innere Unruhe; die Emotionen der Umstehenden, die auf Nimitz einströmten, ließen den Baumkater unheilahnend mit dem Schwanz zucken.

Die Nervosität auf der Brücke des Kreuzers hatte als vages Unbehagen begonnen, weil der erwartete Anruf von den Außenposten des Systems ausblieb – nicht bedrohlicher als ein Jucken an einer Stelle, wo man sich nicht kratzen kann. Während die *Prince Adrian* mit konstanten 400 *g* Beschleunigung systemeinwärts vordrang, hatte sich diese vage Vorahnung in echte Beklommenheit verwandelt. Auch wenn der Kreuzer nicht in der Lage war, überlichtschnelle Signale abzusetzen, besaßen die Schiffe der Kampfgruppe Adler sehr wohl die Kapazität dazu. Sarah DuChene hatte den Kurs eigens so geplant, daß die *Prince Adrian* im Erfassungsbereich einer der Sensorplattformen Commodore Yeargins in den Normalraum eintrat. Daher hätte die Plattform den Kreuzer normalerweise orten, identifizieren und über den Gravimpulssender der Plattform an Yeargins Flaggschiff melden müssen – und innerhalb von zehn Minuten nach seiner Ankunft hätte Alistair McKeon ein überlichtschnelles Signal von der *Enchanter* empfangen müssen.

Doch dieses Signal war nun lange überfällig. Während eine Minute nach der anderen verstrich, ohne daß die *Prince Adrian* eine Nachricht erhielt, hatte Honor ihr Bestes getan, um unbesorgt zu wirken. Sie sagte sich, daß es für die Merkwürdigkeit eine einfache Erklärung geben müsse. *Yeargin stehen nicht besonders viele Sensoren zur Verfügung, und vielleicht hat sie beschlossen, sie anders zu verteilen, und unsere Informationen sind obsolet. Aber warum plaziert sie dann nicht wenigstens ein Vorpostenschiff, um das Loch zu sichern? Wir sind auf dem direkten Anmarschkurs von Clairmont, und Yeargin muß doch darauf bedacht sein, diese Zone zu schützen, oder nicht?*

Zwar war es denkbar, daß Yeargin über die *Prince Adrian* informiert war und keinen Grund sah, ein Schiff anzurufen, das sie bereits über Sensoren identifiziert hatte. Dann allerdings hätte sie die Sicherheit ihres Verantwortungsbereichs sehr auf die leichte Schulter genommen. Honor jedenfalls hätte jeden Kontakt grundsätzlich überprüft, bis seine Identität eindeutig bestätigt wurde. Der Gedanke, daß eine Systemkommandeurin sich derart lax verhielt, war Honor zutiefst zuwider. Trotzdem gab es nur eine Möglichkeit herauszufinden, was Yeargin da zu tun glaubte: Sie mußten nachschauen.

Aber vorsichtig, ermahnte Honor sich. *Sehr vorsichtig sogar. Lieber paranoid sein und falsch liegen als allzu optimistisch und in der Grube.*

Ganz offensichtlich dachte McKeon in den gleichen Bahnen, denn er hatte Geraldine Metcalf leise angewiesen, zwei Aufklärungsdrohnen zu starten, die den

Weltraum erkunden sollten, den die *Prince Adrian* durchqueren mußte. Die kleinen Überlichtsender würden nahezu in Echtzeit alles melden, was die Sonden, die mit guten Stealth-Systemen ausgestattet waren, auf ihrem Weg fanden. Billig waren Drohnen nicht gerade. Selbst wenn man sie, wie es bei diesen beiden wahrscheinlich war, wieder aufnehmen konnte, kostete allein die Instandsetzung mehrere tausend Dollar. Trotzdem hatte McKeon darauf verzichtet, Honors Einwilligung einzuholen, und das sagte eine Menge über seine Gemütsverfassung aus.

Natürlich hätte Honor keinen Augenblick gezögert, sein Ansinnen offiziell zu billigen. Wenn es eins gab, wovon ein Kommandant nicht genug haben konnte, dann Informationen, und McKeon besaß überhaupt keine. Ohne die Position von wenigstens einem der Schiffe Yeargins zu kennen, konnte Russ Sanko auch keinen seiner Signallaser darauf ausrichten; deshalb hatte es keinen Sinn zu versuchen, mit etwas Näherem als dem Planeten Samovar Kontakt aufzunehmen. Als das überlichtschnelle Signal ausblieb, hatte McKeon zehn Minuten nach der Ankunft im System befohlen, ein lichtschnelles Signal an den Planeten zu senden. Zur Zeit befand sich Samovar leider auf einem Punkt seiner Umlaufbahn, der über eine halbe Lichtstunde von der *Prince Adrian* entfernt war. Selbst wenn der Planet unverzüglich geantwortet hätte, würde man an Bord des Schiffes erst in zehn Minuten ein Signal erhalten. Hielt man sich die offenkundige Schlampigkeit vor Augen, die in diesem System anscheinend herrschte, so mußte man mit einer weiteren Verzögerung rechnen, bevor ...

Ein durchdringender Ton erklang, und Honor blickte rasch auf. Sie wandte sich der Taktischen Station zu und zwang sich, mit weitaus größerer Ruhe dorthin zu schreiten, als sie in ihrem Innersten empfand. Lieutenant Commander Metcalf beugte sich gerade über die Schultern eines ihrer Ortungsgasten. Der zierliche Taktische Offizier wickelte sich eine Locke ihres sandblonden Haares um den Finger und schürzte nachdenklich die Lippen. Mit dunklen Augen studierte sie eingehend den Plot, dann wandte sie sich McKeon zu.

»Wir haben einen Kontakt, Skipper. Sieht ganz nach ...«

Ein weiterer Ton unterbrach sie, und Metcalf drehte sich wieder zum Plot um. Ihre nachdenkliche Miene schlug in einen Ausdruck der Besorgnis um, und sie gab einen Befehl ein. Als sie das Ergebnis der Computerverfeinerung erblickte, runzelte sie die Stirn und wandte sich wieder dem Kommandanten zu. Sie sprach ihn in einem bewußt nüchternen Ton an.

»Korrektur, Skipper. Wir haben wenigstens zwo Kontakte – und beide operieren sie unter Stealth.«

»Zwo?« McKeon legte den Kopf schräg, und Metcalf nickte bestätigend.

»Jawohl, Sir. Der dichtere von beiden schließt von achteraus zu uns auf; er nähert sich aus Eins Sieben Acht zu Null Null Vier. Die Operationszentrale kennzeichnet ihn als Alfa-Eins, und er ist zirka fünf Komma neun Lichtminuten weit entfernt. Er liegt auf direktem Verfolgungskurs und beschleunigt mit fünfhundertzehn Gravos, aber seine augenblickliche Geschwindigkeit beträgt nur zwölfhundert Kps. Der andere, als Alfa-Zwo gekennzeichnet, befindet sich beinah direkt voraus – Peilung Null Null Drei zu Null Eins Vier, Entfernung rund fünfzehn Komma acht Lichtminuten. Alfa-Zwo liegt mit Sieben Sechs Fünf Null Kps auf Abfangkurs und beschleunigt mit fünfhundertzwanzig Gravos.«

»Wie zum Teufel konnte uns Alfa-Eins so nahe kommen, ohne daß wir ihn bemerkt haben?« verlangte McKeon zu erfahren.

»Angesichts seiner gegenwärtigen Geschwindigkeit und Beschleunigung kann er nicht mehr als sechs Minuten unter Antrieb sein, Sir, deshalb gab es vorher passiv nichts zu entdecken. Laut Analyse der Operationszentrale scheint seine Eloka recht wirksam zu sein, und zudem haben wir uns auf das Gebiet voraus konzentriert. Daß die Operationszentrale ihn trotz seiner Eloka-Aktivität so früh entdeckt hat, ist tüchtig. Und Alfa-Zwo haben wir nur deswegen überhaupt bemerkt, weil unsere Drohne Beta praktisch gleich über ihm steht.« Metcalf klang wie ein Profi, der weder gekränkt noch verärgert erscheinen will, und McKeon hob zustimmend die Hand.

»Was können Sie mir über Alfa-Eins sagen, jetzt, wo wir ihn sehen?«

»Bisher fassen wir nur eine mehr oder minder undeutliche Impellersignatur auf. Eine Eloka wie bei diesem Vogel habe ich noch nie gesehen, und wir bemühen uns noch, eine gute Erfassung seiner Tricks zu bekommen, damit wir sie durchdringen können. Ich schätze, daß es sich entweder um einen Schlachtkreuzer oder einen richtig großen Brocken von Schwerem Kreuzer handelt, aber wie gesagt ist das nur eine Schätzung, Skipper.«

»Verstanden«, sagte McKeon und blickte Honor an. »Voraus und achteraus? Unter Stealth?« sagte er halblaut, schüttelte den Kopf und drehte sich zur Signalstation. »Noch immer nichts von Commodore Yeargin?«

»Nichts, Sir«, antwortete Lieutenant Sanko.

McKeon runzelte noch tiefer die Stirn, rieb sich die Schläfen, stand vom Kommandosessel auf und stellte sich neben Honor. »Hier ist was faul, Ma'am«, sagte er leise. »Und zwar gewaltig.«

»Meine ich auch«, stimmte Honor ebenso leise und strich Nimitz über die Ohren, als der Baumkater sich unruhig auf ihrer Schulter wand. Sie ließ ihren Blick über die Brücke schweifen, über die Offiziere, die sorgfältig darauf bedacht waren, ›nicht‹ zu bemerken, daß sie und der Kommandant sich besprachen. Die Beklommenheit hatte sich mittlerweile zu etwas erheblich Bedrückenderem entwickelt – noch keiner Furcht, aber stärker als Besorgnis –, und wie Rauch drangen die Empfindungen über den Baumkater auf Honor ein.

»Sie bringen sich in Abfangpositionen«, sagte sie. McKeon nickte, und Honors Verstand arbeitete fieberhaft. Für Commodore Yeargins Schiffe bestand nicht der geringste Anlaß, die *Prince Adrian* abzufangen statt sie per Com anzurufen, wenn sie nicht aus irgendeinem Grunde zu der Auffassung gelangt waren, der Kreuzer habe feindliche Absichten, doch diese Annahme war lächerlich. Ein kluger Systemkommandeur ging zwar grundsätzlich davon aus, daß jedes unidentifizierte Schiff feindselig sein *konnte*, aber Vorpostenschiffe abzuziehen, um einen Eindringling abzufangen, riß gewaltige Schlupflöcher für andere Feindschiffe. Deshalb bestand der erste Schritt grundsätzlich in einem Anruf. Außerdem bereitete es Honor Sorge, was Metcalf über das Elektronische Kampfsystem von Alfa-Eins gesagt hatte. Wenn der Kontakt alliierte Eloka verwendet hätte, wäre er in der Datenbank der Operationszentrale verzeichnet gewesen. Zwar handelte es sich in diesem Fall um keine alliierte Technik, doch war die Eloka erheblich besser als alles, was Haven besitzen sollte, und ...

»Zusätzliche unidentifizierte Kontakte!« meldete

Metcalfs älteste Ortungstechnikerin. »Zwo unidentifizierte Kontakte dichtauf!«

»Als Alfa-Drei und Vier kennzeichnen. Geben Sie mir die Position!« rief Metcalf.

»Drohne Alpha hat sie erfaßt, Ma'am. Peilung Null Eins Eins zu Null Null Vier, Entfernung rund achtzehn Lichtminuten. Gegenwärtige Geschwindigkeit Zwo Fünf Null Null Kps, Beschleunigung fünf Kps Quadrat. Worum auch immer es sich handelt, sie laufen ebenfalls unter Stealth, Commander, und ich halte das für kein alliiertes Gerät. Wir erhalten eine bessere Erfassung ihrer Impeller als unsere Eloka den Sensoren einer Drohne preisgeben würde.« Der weibliche Petty Officer blickte den Taktischen Offizier an. »Die Operationszentrale bezeichnet Alfa-Drei als Schweren Kreuzer, Alfa-Vier als möglichen Schlachtkreuzer, Ma'am. Die Eloka von Alfa-Vier erinnert stark an die von Alfa-Eins. Die Identifizierung ist rein vorläufig. Was immer Alfa-Drei und Vier sind, sie befinden sich auf Abfangkurs.«

»Captain, ich ...« setzte Metcalf an und verstummte. Mit der Hand drückte sie sich den Ohrhörer fester ins Ohr und lauschte aufmerksam. Sie wurde bleich und räusperte sich. »Captain, die Operationszentrale hat soeben unsere Kontakte als eindeutig feindlich identifiziert. Ich kennzeichne sie neu als Bandit-Eins bis Vier. Bandit-Eins und Bandit-Vier sind noch immer unbestimmt, aber die beiden anderen benutzen eindeutig havenitische Eloka.«

McKeon fuhr zu ihr herum, Honor hingegen empfand nicht einmal Überraschung. Erstaunt war sie nur darüber, welche Gelassenheit sie verspürte – als hätte sie mit dergleichen gerechnet und sich innerlich gewappnet, seit Commodore Yeargins Signal an die *Prince Adrian* ausblieb. Honor verschränkte die Hände auf dem Rücken und blickte noch etwa vier Sekunden lang auf den Plot, bevor sie sich an den Taktischen Offizier wandte und einfach sagte: »Vielen Dank, Commander Metcalf.« Ihre Ruhe mußte jeden täuschen, der sie nicht sehr genau kannte. Sie verharrte einen Augenblick und wiegte sich leicht auf den Fußballen, dann wandte sie sich dem Kommandanten zu. »Captain McKeon«, sagte sie förmlich, »wir müssen davon ausgehen, daß das Adler-System vom Feind eingenommen wurde.«

Ringsum griff die Bestürzung wie eine Schockwelle um sich. Alistair McKeons Brückenoffiziere waren gefechtserfahren. Schon bevor die Operationszentrale die Unbekannten als feindselig klassifizierte, war jedem von ihnen die gleiche Erklärung für das Ausbleiben des Anrufs durch den Kopf gegeistert, ganz gleich, wie unwahrscheinlich die Möglichkeit ihnen erschien. Doch als nun die Geschwaderchefin die Folgerung in dürren Worten aussprach, traf es trotzdem jeden wie ein Schlag.

»Aber warum schleichen sie uns dann nach?« fragte Venizelos. »Den Stealth verstehe ich gut, wenigstens bei denen vor uns, aber wir müssen unmittelbar bei Bandit-Eins unsere Alpha-Transition gemacht haben. Er muß unseren Hyperabdruck empfangen und unserer Impellersignatur eine solide Massenabschätzung entnommen haben. Warum hat er so lange gewartet – über fünfunddreißig Minuten? –, bevor er uns zu jagen begann? Besonders, wenn es ein Schlachtkreuzer ist?«

»Das weiß ich nicht, Andy«, sagte McKeon, ohne den Blick von Honor abzuwenden. »Irgend jemand hat jedenfalls unseren Abdruck aufgenommen und die Bastarde vor uns gewarnt – denn die hatten keinesfalls die nötige Sensorreichweite. Vielleicht wollte

Bandit-Eins nur so lange ruhig abwarten, bis seine Schwesterschiffe den Alarm empfangen hatten.«

»Sehr gut möglich«, stimmte Honor zu. »Nicht, daß uns eine Erklärung an diesem Punkt noch großartig weiterhelfen würde.« Sie ging an Sarah DuChenes Konsole und berührte die Astrogatorin an der Schulter. »Entschuldigen Sie bitte, Commander. Ich muß mir Ihre Instrumente ausleihen«, sagte sie beinahe geistesabwesend. DuChene blickte sie erschrocken an, räumte jedoch das Feld, und Honor ließ sich in den leeren Sessel sinken.

Ihre Augen waren so konzentriert wie ihre schwirrenden Gedanken, und ihre Finger huschten mit selbstsicherer Eleganz über den Ziffernblock. Normalerweise arbeitete sie bedächtig und achtsam und überprüfte alle Berechnungen ein- oder gar zweimal, doch diesmal übersteuerte die Konzentration Honors übliche Zweifel an ihren mathematischen Fertigkeiten; ihre Finger bewegten sich immer flinker, bis sie schließlich förmlich über die Tasten flogen. Einige komplizierte Vektoren – einige rot, andere grün eingefärbt – zuckten in rascher Abfolge über DuChenes Display. Niemand sprach, während Honor arbeitete, obwohl eine wertvolle Sekunde nach der anderen verstrich.

Das wird knapp, vermutlich zu knapp. Aber eine andere Möglichkeit besteht nicht, oder? überlegte sie, noch immer von unerklärlicher innerer Ruhe erfüllt, während sie die Ergebnisse ihrer Bemühungen betrachtete. Hinter ihrer Gelassenheit spürte Honor noch etwas anderes, etwas Grelles, Häßliches, das aus ihrem Unterbewußtsein auf sie einschnatterte, doch Honor sperrte sich vor diesem Einfluß und begutachtete den letzten der Ausweichkurse, die sie getestet hatte.

Wäre die *Prince Adrian* allein gewesen, dann hätte

Honor bereits den Befehl gegeben, senkrecht zur Ebene der Ekliptik, nach ›oben‹ zu beschleunigen. Dieses Manöver hätte der *Adrian* eine ausgezeichnete Chance gegeben, unbeschadet allen Feindschiffen zu entkommen – keine absolute Gewißheit, aber eine Chance, auf die sich jeder Buchmacher eingelassen hätte. Nur operierte die *Prince Adrian* eben nicht allein, und deshalb stellte eine simple Flucht, so verführerisch diese Alternative auch erschien, lediglich eine inakzeptable Möglichkeit dar.

»Commander Metcalf«, sagte sie und brach das Schweigen ringsum.

»Jawohl, Mylady?«

»Wann wird Bandit-Eins bei seiner gegenwärtigen Beschleunigung die Hypergrenze überschreiten?«

»In annähernd – siebzig Minuten, Mylady«, antwortete Metcalf. McKeon holte zischend Luft, als sein Taktischer Offizier ihm bestätigte, was Honor bereits ihren Berechnungen entnommen hatte. Honor blieb noch einen Augenblick still sitzen, dann erhob sie sich und nickte DuChene zu.

»Vielen Dank, Commander. Ich wäre dann fertig«, sagte sie ruhig und bedeutete McKeon mit einem weiteren knappen Nicken, ihr zum Kommandantensessel zu folgen. Dort verharrte sie, blickte dem langjährigen Freund in die Augen und seufzte.

»Ich weiß nicht, weshalb Bandit-Eins seine Verfolgung erst so spät aufgenommen hat«, sagte sie, »aber das kommt ihm jetzt wirklich zupaß. Was meinen Sie, ob er hellseherisch begabt ist?«

»Das wäre immerhin eine Erklärung«, erwiderte McKeon, um sich ihrem matten Humor anzuschließen. Aus seinen Augen jedoch sprach die Sorge. »Wenn der Geleitzug in den N-Raum kommt, sitzt der Kerl Greentree im Nacken.«

»Genau.« Honor nickte und kniff sich in den Nasenrücken. Bei seinem gegenwärtigen Kurs würde Bandit-Eins knapp eine Minute vor der Alpha-Transition des Geleitzugs die Hypergrenze überqueren – der Geleitzug würde in Kernschußweite der havenitischen Raketenwerfer materialisieren.

Greentree würde die Situation wahrscheinlich gar nicht begreifen, bis die ersten Breitseiten herannahten. Für die Geleitschiffe standen die Chancen zwar noch immer fünf zu eins, doch konnten die Allianzschiffe den überwältigenden Überraschungsvorteil des Feindes vielleicht sogar während eines fortgesetzten Gefechts ausgleichen, da sie ihm zahlenmäßig überlegen waren. Der Havie mochte sogar beschließen, die Geleitschiffe gar nicht erst anzugreifen – übersah sie womöglich zwischen den vielen fetten, wehrlosen Frachtern und Truppentransportern, die da plötzlich auf seinem Zielerfassungsdisplay erschienen. An Bord der Transporter in JMNTC-76 befanden sich insgesamt fast einhunderttausend Soldaten und Techniker für die Garnison, und jeder einzelne von ihnen würde innerhalb weniger Sekunden sterben, falls Bandit-Eins nicht die Geleitschiffe, sondern die beschützten Schiffe angriff.

Das durfte Honor nicht zulassen. Sie wagte nicht anzunehmen, daß die Haveniten dümmer waren als sie selbst; schon die Anwesenheit der Havies in diesem System – und die unheilverkündende Abwesenheit von Commodore Yeargins Kampfgruppe – bot ein klares Indiz, daß der Feind genau wußte, was er tat. Und deshalb durfte die *Prince Adrian* nicht einfach die Flucht ergreifen.

Wenn McKeons Kreuzer auf einen Kurs ging, der es Bandit-Eins unmöglich machte, ihn einzuholen, dann bestanden für den Haveniten mehrere Möglichkeiten.

Er konnte die Verfolgung weiterhin fortsetzen, auch wenn seine Chance auf ein Gefecht gering war. Vielleicht zwang ein Schwesterschiff die *Prince Adrian* zum Beidrehen, was sie wieder in die Reichweite von Bandit-Eins brachte. Der feindliche Kommandant konnte aber genausogut die Verfolgung abbrechen, auf seine alte Station zurückkehren und die *Prince Adrian* ganz den Schwesterschiffen überlassen. Oder er tat, was Honor an seiner Stelle getan hätte: nämlich auf den Punkt zuzuhalten, an dem die *Prince Adrian* in den Normalraum eingetreten war. Bandit-Eins mußte zwar in Betracht ziehen, daß die *Adrian* ein Einzelgänger war, doch jeder Kommandant mit ein wenig Phantasie hätte die Möglichkeit berücksichtigt, daß sie nicht alleine, sondern, wie es tatsächlich der Fall war, der Kundschafter eines Geleitzugs sei, der ihr bald in den Normalraum folgen würde.

Und deshalb durfte Honor ihre Trumpfkarte, einem Gefecht auszuweichen, nicht ausspielen.

»Wir können das nicht zulassen, Alistair«, stellte sie vollkommen ruhig fest. »Und ich fürchte, wir können nur auf eine einzige Weise verhindern, daß es soweit kommt.«

»Wir locken ihn hinter uns her«, sagte McKeon tonlos.

»Jawohl.« Honor drückte eine Funktionstaste auf der Armlehne seines Kommandosessels, wodurch einer der Ausweichkurse, die sie in DuChenes Station eingegeben hatte, auf McKeons taktischem W-Display erschien. »Wenn wir den Kurs um fünfunddreißig Grad nach Backbord ändern, für fünfzehn Minuten auf fünfhundert Gravos gehen und dann in der gleichen Ebene direkt zur Hypergrenze ausbrechen«, erklärte sie, »entfernen wir uns von Zwo, Drei und Vier. Zwo hat dann zwar noch immer eine Chance, zu uns aufzuschließen, aber nur, wenn er noch ein wenig Beschleunigung in Reserve hat. Durch das Manöver schenken wir Eins die Chance, uns den Kurs abzuschneiden und uns kurz vor der Hypergrenze ein Gefecht aufzuzwingen. Das wird knapp. Ich schätze, wir wären nicht mehr als fünfundzwanzig Minuten in seiner Angriffsreichweite. Um zum Schuß zu kommen, muß er an uns klebenbleiben – und der Transitionspunkt des Geleitzugs liegt außerhalb seiner Reichweite.«

»Ja, das ist offensichtlich.« McKeon betrachtete die Vektoren im Plot eingehend, dann räusperte er sich. »Ihre Argumentation ist nicht zu widerlegen, Ma'am«, sagte er leise, »und wenn er der einzige ist, der das Feuer auf uns eröffnen kann, dann muß er die Chance wahrnehmen, denn ein Spatz in der Hand ist soviel wert wie zwo Tauben im Hyperraum. Aber was, wenn er nicht anspringt?«

»Dann ist es eben so«, entgegnete Honor, »aber dann haben wir getan, was wir konnten. Selbst wenn wir augenblicklich beidrehen würden, um ihn anzugreifen, bräuchten wir über eine Stunde, um relativ zu Adler zum Stillstand zu kommen – und dann wären wir dreiundvierzig Millionen Kilometer weiter systemeinwärts. Er würde sicherlich den aktuellen Kurs und Beschleunigungswert beibehalten, bis er innerhalb der Hypergrenze wäre. Bandit Zwo hätte in dem Moment, in dem wir wieder systemauswärts beschleunigen, zuviel Aufschließgeschwindigkeit und würde uns in den Rücken fallen, bevor wir Bandit-Eins je angreifen könnten.«

McKeon rieb sich das Kinn und beschloß, die Frage nicht zu stellen, die sich ihm aufdrängte: Was sie beabsichtige, wenn ihr vorgeschlagener Kurs sie vor die Rohre eines weiteren Haveniten führte – eines

Schiffes, das seinen Antrieb noch nicht aktiviert hatte und daher keine Impelleremissionen abstrahlte, die vielleicht die *Prince Adrian* gewarnt hätten. Honor mußte diese Überlegung ebenfalls angestellt haben und war offensichtlich zum gleichen Schluß gekommen wie er: daß sie nichts dagegen unternehmen könnten.

»Wenn ich darf, Ma'am«, sagte er statt dessen, »möchte ich vorschlagen, eine RD auszusetzen, deren Gravimpulssender programmiert ist, Captain Greentree und dem Geleitzug den Befehl zu erteilen, augenblicklich wieder in den Hyperraum zu verschwinden.«

»Einverstanden.« Honor nickte knapp und trat von seinem Kommandosessel zurück. Über diese höfliche Geste grinste er schief und setzte sich.

»Ich wünschte, du wärst noch an Bord der *Alvarez*«, sagte er sehr, sehr leise, dann fuhr er mit dem Sessel zu Commander Gillespie herum.

»Na schön, Taylor«, sagte er bedächtig. »Geben Sie ›klar Schiff zum Gefecht‹ und bringen Sie uns mit fünfhundert Gravos fünfunddreißig Grad nach backbord.«

16

»Da soll mich doch der Schlag treffen.« Bürgerin Captain Helen Zachary ließ sich tiefer in den Kommandosessel sinken und bedachte den Volkskommissar, der neben ihr saß, mit einem gepreßten Lächeln. »Sieht ganz so aus, als bekämen wir doch noch Gesellschaft, Bürger Kommissar.«

»Das sehe ich.« Timothy Kuttner nickte, doch gleichzeitig zog er ein düsteres Gesicht und trommelte mit den Fingern der rechten Hand unruhig auf seinen Helm. Wie jeder an Bord der *Katana* trug Kuttner einen hautengen Raumanzug, doch statt den Helm, wie in der Flotte allgemein üblich, auf der Ablage seines Kommandosessels zu verankern, hielt er ihn auf dem Schoß. Zachary hatte bereits versucht, ihm (taktvoll) zu erklären, daß dies eine sehr schlechte Idee sei – die Schockwelle eines Treffers konnte einen nicht verankerten Helm leicht quer durch die Abteilung schleudern, was für dessen Besitzer vermutlich tödliche Konsequenzen hätte –, aber Kuttner spielte einfach zu gern an dem Ding herum. Zachary mußte zugeben, daß sie sich nicht allzu energisch bemüht hatte, den Volkskommissar von seinem gefährlichen Zeitvertreib abzubringen. Kuttner war zwar nicht so schlimm wie manch anderer Volkskommissar, aber schlimmer als die meisten. Im Augenblick zeigte er genau jene Miene, die Zachary an ihm am allerwenigsten schätzte: Das Gesicht eines Mannes, der fieberhaft nach irgendeinem Vorschlag sucht, ganz egal welchem, Hauptsache, er kann ihn anbringen, um zu beweisen, daß er Herr der Lage ist.

»Wie lange, bis wir das Schiff im Sack haben, Taktik?«

»Noch rund dreiundzwanzig Minuten, wenn gegenwärtige Beschleunigung und gegenwärtiger Kurs konstant bleiben, Bürgerin Captain«, antwortete Allworth unverzüglich. Zachary bedankte sich und dachte angestrengt nach, wobei sie sorgfältig vermied, Kuttners Blick zu begegnen. Schließlich winkte sie ihren Ersten Offizier herbei, dann erst sah sie den Volkskommissar wieder an.

»Mit Ihrer Erlaubnis würde ich gern in fünfundzwanzig Minuten auf volle Kraft gehen, Sir«, informierte sie ihn knapp.

»Aber wenn Sie so lange warten, können Sie doch gar keinen Vektorenangleich durchführen, bevor der Mantie an uns vorbeischießt, vor allem deswegen nicht, weil wir diese Raketenbehälter in Schlepp haben, habe ich recht?« brachte Kuttner mit Erstaunen hervor, und Zachary unterdrückte ein Seufzen.

»Nein, Sir«, entgegnete sie geduldig. »Für uns besteht aber auch gar kein Grund, die Vektoren anzugleichen. Die Aufschließgeschwindigkeit des Manticoraners wird nur sechstausend Kps betragen, wenn wir in fünfundzwanzig Minuten auf Maximalbeschleunigung gehen. Dann ist er uns bereits zu nahe, um noch auszuweichen. Der Manticoraner wird das Gefecht mit uns nicht mehr vermeiden können, und obwohl wir niemals seine Geschwindigkeit erreichen, bleibt er in unserer Reichweite, bis er die Hypergrenze überquert – wenn er überhaupt so lange durchhält.«

Sie warf einen raschen Seitenblick auf Luchner, doch das aufmerksame Gesicht des I.O. gab mit keiner Andeutung die Gereiztheit preis, die ihm ebenfalls zu schaffen machen mußte. Sobald eindeutig festgestanden hatte, daß das Manöver des Manticoraners ihn in Reichweite der *Katana* bringen würde, war Zachary auf fünf Prozent Schub gegangen. Diese schwache Impellersignatur konnten die elektronischen Störsysteme der *Katana* sogar vor manticoranischen Sensoren verbergen, wenn ein Abstand von wenigstens dreißig Lichtsekunden eingehalten wurde. Den Kurs des Manticoraners hatten Zachary, Luchner und Allworth fast perfekt vorherberechnet. Wenn er nicht innerhalb der nächsten dreiundzwanzig Minuten den Kurs änderte, trat er in die Raketenreichweite der

Katana ein und hielt fast genau auf den havenitischen Kreuzer zu – und das alles noch eine gute halbe Stunde, bevor der Feind die Hypergrenze passierte.

Unter anderen Umständen wäre Zachary deswegen recht nervös gewesen. Die Bürgerin Captain war nicht feige, und nur eine Närrin hätte nicht versucht, einem manticoranischen Schiff alle Vorteile, die es im Gefecht besaß, durch entsprechende Vorbereitungen abspenstig zu machen. Dazu hätte die *Katana* jedoch ihre Position preisgeben müssen. Andererseits winkte ihrem Schiff kampfstarke Unterstützung durch VFS *Nuada,* die sich kaum zehn Minuten nach der Feuereröffnung durch die *Katana* auf Gefechtsreichweite genähert haben würde. Zudem wußten die Eroberer des Adler-Systems genau, womit sie es zu tun hatten, denn zur Identifizierung des Ziels war mehr als genug Zeit gewesen. Es handelte sich um einen älteren Kreuzer der *Prince-Consort*-Klasse, nicht etwa um einen modernen *Star Knight;* damit war er ein ebenbürtiger Gegner für die *Katana.*

Genauer gesagt wäre er ebenbürtig, dachte Zachary mit einem Haifischgrinsen, *wenn wir nicht sechs Raketengondeln in Schlepp hätten.*

»Ich begreife durchaus, daß Sie ihn in Raketenreichweite behalten können, Bürgerin Captain«, unterbrach die irgendwie bockig klingende Stimme des Volkskommissars Zacharys Gedankengang, »aber sie kommen nicht auf Energiewaffenreichweite heran. Halten Sie solch ein Gefecht auf weite Distanz angesichts der ... ähem – Ungleichheit unserer Raketenabwehrkapazität für klug?«

Zachary verkniff sich mühsam eine allzu offene Antwort. Ganz kurz, aber mit größtem Verlangen malte sie sich einen urplötzlichen Druckverlust aus und hatte Helme vor Augen, die sich hüpfend von idiotischen Kommissaren entfernten, welche zwei unangenehme Eigenschaften besaßen: sich selbst zu wichtig zu nehmen und gerade genug zu wissen, um gefährlich zu sein. *Würde hübsch aussehen, wenn ihm seine Lungen aus den Nasenlöchern tropfen*, überlegte die Kommandantin, doch gleichzeitig überwand sie sich und lächelte ernst.

»Ich verstehe durchaus, was Sie meinen, Bürger Kommissar«, sagte sie, »aber die Bedingungen sind diesmal doch sehr untypisch, und ich würde es gern dabei belassen.« Kuttner runzelte verwirrt die Stirn, und Zachary ermahnte sich, ihre Aussagen leichtverständlich zu halten. »Was ich damit sagen will, Sir: Der Feind ahnt im Augenblick nicht, daß es uns gibt. Wäre es anders, hätte er von vornherein einen anderen Kurs eingeschlagen oder ihn mittlerweile korrigiert.«

Die Bürgerin Captain unterbrach sich höflich und hob eine Augenbraue, als wolle sie fragen, ob der Bürger Kommissar ihrer Darlegung habe folgen können. Man hätte die Miene als beleidigend auffassen können, und nur zu gerne hätte Zachary ihre Meinung über den Volkskommissar offener kundgetan, doch sie beherrschte sich erneut. Kuttner bekundete mit einem Nicken, er verstehe.

»Deswegen«, führte Zachary die Argumentationskette weiter, »ziehe ich es vor, unsere Anwesenheit so lange vor dem Manticoraner zu verbergen, bis er uns nicht mehr ausweichen kann. Dazu beabsichtige ich unsere Beschleunigung weiterhin niedrig zu halten, um sicherzugehen, daß unsere Eloka die Impellersignatur verbirgt. Erst wenn der Mantie um wenigstens zwo Minuten den Abstand unterschritten hat, auf dem er dem Gefecht noch hätte ausweichen können, will ich auf Vollschub gehen. Wie Sie vollkommen richtig festgestellt haben, können wir dadurch nicht mehr auf gleiche Geschwindigkeit kommen, bevor der Feind die Hypergrenze überquert, und wir können ihm auch kein Gefecht mit Energiewaffen aufzwingen. Jede Richtung, in der er unserem Raketenangriff ausweichen kann, führt ihn jedoch näher an die *Nuada* und damit tiefer in die Reichweite von Bürger Captain Turner.«

Erneut hielt sie inne und wartete ab, daß Kuttner ihr zustimmte. Diesmal nickte er einsichtiger.

»Und während es natürlich stimmt, daß unsere Raketenabwehr der manticoranischen noch unterlegen ist, besitzen wir den Vorteil unserer Gondeln. Unsere erste Salve wird daher aus vierundachtzig Vögelchen bestehen. Ich bezweifle, daß der manticoranische Kommandant mit solch heftigem Beschuß rechnet, und wenn doch, sollte die Salve seine Nahbereichsabwehr schlichtweg übersättigen.«

»Ich verstehe.« Wichtigtuerisch zog Kuttner erneut ein düsteres Gesicht und nickte ein letztes Mal. »Also gut, Bürgerin Captain. Ich stimme Ihrem Plan zu.«

»Ihre Abschätzung der Gefechtsdauer mit Bandit-Eins, Gerry?« forderte Alistair McKeon seinen Taktischen Offizier auf.

»Nicht mehr als elf Minuten, sobald wir in seine äußerste Reichweite treten, Skipper«, antwortete Lieutenant Commander Metcalf auf der Stelle. »Er hat seine erste Kehre ziemlich spät gemacht.« Sie blickte den Kommandanten an. »Allmähliche glaube ich, daß mit seiner Ortung etwas nicht stimmt, Sir. Wenn sein Gravsensor nicht richtig funktioniert, wüßten wir, weshalb er die Verfolgung so zögernd aufgenommen hat. Und wenn er lichtschnelle Signale von einer RD abwarten muß oder auf Sensorenmeldungen anderer Schiffe angewiesen ist, dann wäre auch klar, weshalb er so lange gebraucht hat, um auf unser Ausweichmanöver zu reagieren.«

»Verstehe.« McKeon überlegte. »Mittlerweile eine bessere Massenabschätzung?«

»Je weiter der Abstand fällt, desto genauer wird sie, Skip, aber dieser Havie hat eine viel bessere Eloka, als er haben dürfte. Die Operationszentrale stuft ihn noch immer als Schlachtkreuzer ein, aber ich glaube, das könnte einer der neuen Schweren Kreuzer sein, vor denen das ONI gewarnt hat. Die Beschleunigung dieses Schiffes ist für einen Schlachtkreuzer zu hoch, es sei denn, es belastet seinen Trägheitskompensator bis an den Anschlag des roten Bereichs – und ich sehe keinen Grund, weshalb man solch ein hohes Risiko eingehen sollte, um einen einzigen manticoranischen Kreuzer zu stellen. Wenn ich mein Geld setzen müßte, dann würde ich wetten, daß Bandit-Vier vom gleichen Typ ist – ob nun Schlacht- oder moderner Schwerer Kreuzer.«

»Verstehe«, sagte McKeon wieder. Er klopfte ihr leicht auf die Schulter und wollte zum Kommandosessel zurückgehen, doch dann verharrte er auf der Stelle. Neben dem Sessel stand Honor und hatte die Arme hinter dem Rücken verschränkt. Sie stand so stocksteif da, als hätte sie einen Ladestock verschluckt; ihr Gesichtsausdruck zeigte Gemessenheit. Doch im Gegensatz zu jedem anderen auf dem Kommandodeck trugen Honor, Venizelos und LaFollet keine Raumanzüge; McKeons Magen verkrampfte sich nicht zum ersten Mal bei diesem Anblick.

Er holte tief Luft, ging zu ihr und stellte sich neben sie. Honor wandte den Kopf und blickte McKeon mit ernster Ruhe an.

»Elf Minuten«, sagte er leise.

»Hab' ich gehört«, entgegnete sie. Sie blickte auf die Zeitanzeige auf dem W-Display des Kommandosessels, dann deutete sie auf das winzige Icon, das den vermutlichen Ankunftspunkt des Geleitzugs markierte.

»Zehn Minuten«, sagte sie leise, und McKeon nickte.

»Zehn Minuten«, stimmte er zu, »und Bandit-Eins ist nicht mehr in der Lage anzugreifen, bevor sie wieder in den Hyperraum gehen.«

»Auch wir, die wir davonlaufen, dienen«, entgegnete Honor mit schmalem Lächeln, und McKeon überraschte sie beide, als er ungekünstelt auflachte.

Der Augenblick der Belustigung währte indes nicht lange, und McKeons Blick richtete sich wieder auf den Plot, als übe dieser eine magnetische Anziehungskraft auf seine Augen aus. Der verzweifelte Versuch der *Prince Adrian,* Bandit-Eins vom Transitionspunkt des Geleitzugs fortzulocken, war zwar von Erfolg gekrönt gewesen, doch mittlerweile war offenbar geworden, wieviel Feuerkraft die Haveniten für ihren Überfall abgestellt hatten. Zu den anfangs vier georteten Schiffen waren inzwischen fünf weitere hinzugekommen, und zwar drei Zerstörer, ein Leichter Kreuzer und ein größeres Schiff, bei dem es sich nur um einen Schlachtkreuzer handeln konnte. Keines dieser fünf Schiffe besaß auch nur die geringste Chance, die *Prince Adrian* einzuholen, doch schon ihre Anzahl und der Umstand, daß sie es dennoch versuchten, verrieten Unheilverkündendes über denjenigen, der diesen Hinterhalt ersonnen hatte. Der havenitische Kommandeur hatte seine Schiffe mit solcher Sorgfalt positioniert, daß es der *Prince Adrian* selbst dann noch schwergefallen wäre, ihnen auszuweichen, wenn sie gleich zu Anfang alle entdeckt hätte. Ganz offensichtlich beabsichtigte der feindliche Befehlshaber, so viel Feuerkraft einzusetzen, wie er nur konnte. Ihm ging es weder um Ebenbürtigkeit noch um einen einfachen Vorteil, sondern um vernichtende Überlegenheit. Wo zahlreiche Kommandeure es aufgegeben und ihre hinteren Einheiten zurück auf die Anfangspositionen gepfiffen hätten, hatte dieser sich völlig anders verhalten. Die Zahlen mochten behaupten, daß er keine Chance hatte, die *Prince Adrian* zu fangen, aber diese Zahlen sagten nichts darüber aus, wie stark die Schäden sein würden, die das manticoranische Schiff in dem bevorstehenden Gefecht mit Bandit-Eins davontrug, und Bandit-Eins näherte sich ihm beharrlich von Steuerbord. Wenn die *Adrian* einen schweren Impellerschaden oder einen Zufallstreffer in andere wichtige Systeme erlitt – oder wenn sie einfach nur gezwungen wurde, scharf von ihrem Gegner abzudrehen –, bestand durchaus die Möglichkeit, daß ein anderer Verfolger nahe genug herankam, um anzugreifen. Obwohl dies recht unwahrscheinlich war, rückte der unbekannte havenitische Kommandeur der *Adrian* mit allem auf den Pelz, was er nur aufbieten konnte, und das würde er weiterhin tun, solange auch nur die geringste Möglichkeit bestand, daß er damit etwas ausrichten konnte. Dieses Verhalten war sehr, sehr unhavenitisch.

McKeon löste den Blick vom Plot und sah seine Geschwaderchefin an. Er preßte die Lippen zusammen, zögerte noch einen Augenblick und beugte sich schließlich dicht zu ihr hinüber.

»Honor, würdest du nun *bitte* von hier verschwinden und in einen Rettungsanzug steigen?« sagte er so leise, daß niemand außer ihr seine Worte verstehen konnte; dennoch klang er heiser vor Beunruhigung.

Honor blickte ihn mit ihren düsteren, schokoladenbrauen Augen an, und er spürte, daß er bei ihrem gelassenen Gesichtsausdruck am liebsten laut mit den Zähnen geknirscht hätte. Fragend zog er eine Augenbraue hoch. Honor hob die Hand, um Nimitz über die Ohren zu streichen, und der 'Kater schmiegte sich an ihre Hand. McKeon brauchte keinen telempathischen Link zu Nimitz, um zu ahnen, daß er Honor mit tief besorgtem Schnurren drängte, der Bitte nachzugeben. Doch Nimitz' Rat beeindruckte sie ebensowenig wie McKeons Ersuchen.

»Ich muß hierbleiben«, sagte sie sanft, und McKeon schnappte ärgerlich nach Luft. Am liebsten hätte er sie am Nacken gepackt, von der Brücke geschleift und seinen Marines mit dem Befehl übergeben, sie zu ihrem eigenen Besten in einen Rettungsanzug zu stopfen. Die Tatsache, daß ein solcher Versuch für ihn in einem schnellen und demütigenden Fiasko enden würde, nahm der Vorstellung nichts von ihrem Reiz ... nur machte sie die Idee undurchführbar. Selbst wenn LaFollet ihm nicht den Kopf abriß, weil er es wagte, Hand an die Gutsherrin von Harrington zu legen, konnte Honor ihn jederzeit zu einem Schlipsknoten binden, wenn ihr der Sinn danach stand, und das wußten sie beide. Doch Gutsherrin hin, Commodore her, McKeon wollte sie von seinem Kommandodeck wissen, bevor sie in Angriffsreichweite von Bandit-Eins kamen, denn Honor und alle anderen menschlichen Mitglieder ihrer Gruppe hatten ihre Raumanzüge an Bord der *Alvarez* gelassen.

›*Skinsuits*‹, hautenge Raumanzüge der Navy und des Marinecorps, konnte man nicht einfach von der Stange nehmen und anlegen. Diese hochkomplizierte Schutzkleidung mußte vielmehr sorgfältig an ihren Träger angepaßt werden – tatsächlich klingt auch

›angepaßt‹ noch zu beliebig; ein echter Raumanzug mußte für seinen künftigen Träger im Grunde maßgeschneidert werden. Andere Vakuumkleidung wie die schweren Schalenanzüge, die ›*Hardsuits*‹, mit denen man im luftleeren Raum Schwerstarbeit leisten konnte, oder die unförmigen Rettungsanzüge, die zur Überlebensausrüstung jedes Schiffes gehörten, paßten praktisch jedem, waren aber nur von begrenztem Nutzen. Ein Schalenanzug war im Grunde ein winziges, unabhängiges Raumfahrzeug, in dem man längere Zeiträume im Weltraum oder in evakuierten Frachträumen arbeiten konnte. Im engen Inneren eines Sternenschiffs war im wahrsten Sinne des Wortes kein Platz für sie, und während man Rettungsanzüge fast überall tragen konnte, handelte es sich dabei um nicht mehr als eine Ballonhülle mit Lebenserhaltungssystem für Notfälle; weniger darauf ausgelegt, ihrem Insassen ein Maximum an Bewegungsfreiheit zu gewähren, sondern dazu ausersehen, sich möglichst simpel handhaben zu lassen – nämlich durch Rettungsmannschaften von *außen*.

Im Grunde wären Honor und ihre Begleiter an Bord eines Ziviltransporters besser aufgehoben gewesen, denn die interstellaren Bestimmungen schrieben kommerziellen Schiffen vor, genügend Anzüge für alle Passagiere mitzuführen. Aus Kostengründen und der Unmöglichkeit, jedem Passagier in vertretbarem Zeitrahmen einen hautengen Raumanzug anzupassen, stellten die Passagieranzüge ein Mittelding zwischen Skinsuit und Rettungsanzug dar – fast einen Rückfall zu den klobigen Raumanzügen des frühen ersten Jahrhunderts nach der Diaspora, allerdings erheblich platzsparender. Auch Passagieranzüge eigneten sich nicht zum längeren Tragen, und ihren altmodischen Handschuhen fehlten die miniaturisierten Servomechanismen, die durch Biorückkopplung gesteuert wurden und es einem Menschen im Skinsuit ermöglichten, selbst im luftleeren Raum eine Nadel einzufädeln. Dennoch waren Passagieranzüge den Rettungsanzügen bei weitem vorzuziehen.

Leider führte die *Prince Adrian* nicht einen einzigen davon mit sich. Es gab Rettungsanzüge für Personen, die zufällig gerade von ihrer persönlichen Ausrüstung getrennt waren, wenn ein Notfall eintrat, doch ansonsten ging die Navy davon aus, daß Navyangehörige dafür sorgten, den an sie ausgegebenen Raumanzug jederzeit in der Nähe zu haben. Nach dem Buchstaben des Regiments hätten Honor und ihre Begleiter die Anzüge mitnehmen müssen, weil sie für mehr als zwölf Stunden an Bord der *Prince Adrian* waren, ganz gleich, wie sehr sie die unbequemen Gepäckstücke auch gestört hätten. Diese Vorschrift wurde jedoch immer wieder mißachtet, ohne daß man weiter darüber nachdachte. So kam es, daß von ihrer ganzen Gruppe nur Nimitz für den Notfall ausgestattet war, denn sein Raumanzug paßte in eine eigens gefertigte Reisetasche.

»Hör zu«, sagte McKeon, noch immer bedacht, sehr leise zu sprechen, »du bist nicht die einzige, die stirbt, wenn wir Druckverlust erleiden.« Er zeigte mit einer Kopfbewegung auf Venizelos und LaFollet, die das Gespräch geflissentlich ignorierten. »*Die* beiden haben auch keine Anzüge.«

Etwas blitzte in Honors dunklen Augen auf; sie kehrte McKeon den Rücken zu, um ihre beiden Untergebenen ansehen zu können. LaFollet schien ihren Blick zu spüren, denn er sah auf. Gelassen blickte er sie an. Honor wandte sich wieder zu McKeon um.

»Du kämpfst mit schmutzigen Tricks«, sagte sie leise mit stählernem Unterton, und er zuckte die Schultern.

»Verklag mich doch.«

Sie hielt mehrere Sekunden lang seinem Blick stand, dann räusperte sie sich.

»Andy, gehen Sie nach unten zu den anderen. Nehmen Sie Andrew mit«, befahl sie knapp.

Venizelos drehte sich zu ihr um. Sein Gesichtsausdruck verriet, daß er mit dem Befehl gerechnet hatte und ihn nicht besonders mochte.

»Ich nehme an, daß Sie uns begleiten, Mylady«, erwiderte er tonlos.

Honor preßte die Lippen zusammen. »Sie dürfen jede Annahme treffen, nach der Ihnen ist, Commander. Aber lassen Sie sich Zeit damit, bis Sie in einem Rettungsanzug auf der Hangargalerie stehen.«

»Mit allem schuldigen Respekt, Commodore Harrington, ich glaube, mein Platz ist hier«, widersprach Venizelos. Honors Augen verhärteten sich, und sie setzte zu einer heftigen Erwiderung an. Dann hielt sie inne und riß sich deutlich sichtbar zusammen.

»Das verstehe ich sehr gut, Andy«, sagte sie erheblich ruhiger zu ihm, »aber es gibt nichts, was Sie hier tun könnten, und deshalb hat es überhaupt keinen Sinn, wenn wir uns beide so dickköpfig anstellen.«

Trotz der Spannung, die zwischen ihnen knisterte, blitzten Venizelos' Augen bei dem Wörtchen ›beide‹ amüsiert auf, doch machte er keinerlei Anstalten, den Rückzug anzutreten.

»Da haben Sie völlig recht, Ma'am. Deshalb finde ich auch, Sie sollten mich zu den anderen in den Hangar begleiten.«

»Sie können ›finden‹, was Sie wollen«, entgegnete Honor ungerührt, »aber zwischen uns beiden besteht ein Unterschied, wissen Sie.« Venizelos zog fragend die Brauen hoch, und sie lächelte ihn freudlos an. »Sie sind Commander, ich bin Commodore, und das heißt, daß ich Ihnen den Befehl geben kann, ab in den Hangar zu marschieren.«

»Ich ...« setzte Venizelos an, doch Honor hob die Hand und schnitt ihm das Wort ab. Es handelte sich nicht etwa um eine hochmütige oder abweisende Gebärde, doch ihrer Endgültigkeit vermochte er einfach nicht zu widerstehen.

»Es ist mir ernst damit, Andy. Was auch immer Captain McKeon glauben mag, mein Platz ist hier. Dieses Schiff gehört zu meinem Geschwader, und befindet sich infolge meiner Befehle in der Bredouille. Sie hingegen *brauchen* nicht hier zu bleiben, und deshalb begeben Sie sich augenblicklich in den Beiboothangar.«

Venizelos verzog rebellisch den Mund und warf einen raschen Blick an ihr vorbei auf McKeon, als wollte er den Kommandanten der *Prince Adrian* ersuchen, ihm Beistand zu leisten. Doch McKeons Augen waren starr auf Honors Rücken gerichtet; in seinem Gesicht stand der Ausdruck eines Mannes, der weiß, daß er in der Diskussion unterlegen ist. Der Stabschef zögerte noch, dann ließ er die Schultern sinken und nickte.

»Sehr wohl, Ma'am«, sagte er widerstrebend, schritt zum Lift und drückte die Ruftaste. »Kommen Sie, Andrew«, forderte er resigniert LaFollet auf, doch der Waffenträger schüttelte den Kopf.

»Nein, Sir«, lehnte er ruhig ab. Venizelos' Kopf fuhr zu ihm herum, doch der Major schaute ihn nicht an. Er maß Blicke mit seiner Gutsherrin und lächelte dabei schwach. »Bevor Sie weitersprechen, Mylady, muß ich Sie daran erinnern, daß Sie mir diesen Befehl nicht erteilen können.«

»Was wollen Sie damit sagen?« fragte Honor unterkühlt.

LaFollet zuckte nicht einmal mit der Wimper. »Ich bin Ihr persönlicher Waffenträger, Mylady. Nach graysonitischem Gesetz würden Sie rechtswidrig handeln, wenn Sie mir befählen, Sie zu verlassen, obwohl Sie meiner Einschätzung nach in Gefahr schweben. Wenn Sie es dennoch versuchen, ist es nicht nur mein Recht, sondern sogar meine Pflicht, den Gehorsam zu verweigern.«

»Es zählt nicht zu meinen Gewohnheiten, Insubordination zu dulden, Major!« rief Honor mit Schärfe, und LaFollet nahm Haltung an.

»Mir täte es leid, wenn Sie mich für widersetzlich hielten, Mylady«, entgegnete er. »Wenn Sie mein Verhalten in diesem Lichte auffassen wollen, steht es Ihnen frei, mich nach unserer Rückkehr auf Grayson aus Ihren Diensten zu entlassen. Bis dahin aber bleibe ich an meinen Eid gebunden – den ich nicht nur Ihnen gegenüber abgelegt habe, sondern auch vor dem Konklave der Gutsherren. Ich muß meine Pflicht als Ihr Waffenträger erfüllen.«

Honor funkelte ihn mit glühenden Augen an, doch als sie antwortete, klang sie fast beiläufig.

»Wir sind aber nicht auf Grayson, Andrew. Wir sind an Bord eines Schiffs der Königin. Angenommen, ich instruiere Captain McKeon als Kommandanten der *Prince Adrian*, er möge Ihnen befehlen, sich auf der Stelle in den Hangar zu begeben?«

»Mylady, in diesem Fall sähe ich mich zu meinem Bedauern gezwungen, den Befehl zu verweigern«, erklärte LaFollet, und auch sein Ton hatte sich geändert, als wüßten sie beide bereits, welches Ende der Disput nehmen würde, und teilten dennoch die absonderliche Verpflichtung, das Streitgespräch weiterzuführen, bis es seinen unausweichlichen Abschluß erreicht hatte. McKeon fiel plötzlich auf, daß LaFollet nicht lediglich aus deplaziertem Stolz oder auch übersteigertem Pflichtgefühl so reagierte. Dem Grayson erwuchs seine granitene Unversöhnlichkeit aus einer tief empfundenen, unbeirrbaren persönlichen Loyalität zu der Frau, der er diente – einer auf eigentümliche Weise tiefen und beständigen Liebe, die nichts mit Romantik oder Sexualität zu tun hatte.

»Sie können den Befehl nicht verweigern«, sagte Honor sanfter. »Er ist der Kommandant dieses Schiffes.«

»Und ich, Mylady, bin Ihr Waffenträger«, erwiderte LaFollet. Diesmal lächelte er dabei.

Honor betrachtete ihn noch einen Augenblick länger, dann schüttelte sie den Kopf. »Erinnern Sie mich daran, daß wir beide ein langes Gespräch führen, sobald wir wieder zu Hause sind, Major«, sagte sie.

»Sehr wohl, Mylady«, antwortete er höflich, und sie bedachte ihn mit einem ihrer schiefen Grinsen. Dann wies sie mit langem Zeigefinger auf Venizelos.

»Was Sie betrifft, Commander: Sehen Sie zu, daß Sie Land gewinnen!« rief sie, und zu seinem eigenen Erstaunen lachte Venizelos glucksend. Er blickte LaFollet an, dann nickte er und stieg in die Liftkabine. Hinter ihm schlossen sich die Türen. Honor drehte sich um und bedachte McKeon mit einem Lächeln, das gleichzeitig Kompromißlosigkeit und Entschuldigung ausdrückte.

»Konvoi transistiert in sechs Minuten«, brach Geraldine Metcalf schließlich das tiefe Schweigen.

»In vierzehn Minuten gehen sie uns in die Falle, Bürgerin Captain«, stellte Bürger Lieutenant Allworth fest, und Helen Zachary nickte zustimmend.

»Wissen Sie, Skipper«, warf Bürger Commander Luchner ein, »etwas stimmt nicht an dem Vogel.«

»Wie meinen Sie das, Fred?«

»Das weiß ich auch nicht so genau«, antwortete der I.O. bedächtig. Stirnrunzelnd fuhr er sich mit der Seite des Zeigefingers über die Oberlippe. »Ich kann mir nur einfach nicht erklären, wieso der manticoranische Kommandant alle Manöver in der gleichen Ebene gemacht hat. An seiner Stelle hätte ich nach dem schnellsten Kurs systemauswärts gesucht, sobald ich bemerkt hätte, daß mir jemand den Weg verlegt.«

»Was wollen Sie damit sagen, Bürger Commander?« forschte Volkskommissar Kuttner.

»Das weiß ich eben nicht genau«, erklärte Luchner noch einmal und drängte die Verärgerung darüber zurück, daß dieser Kerl sich ungefragt in sein Gespräch mit seiner Kommandantin – seiner *Bürgerin* Kommandant, revolutionär korrekt gesagt – einzumischen wagte. Der zugleich nervöse und stets irgendwie quengelige Tonfall des Kommissars trug nicht gerade zur Entspannung bei, fand der I.O. und unterdrückte mühsam den Impuls, gegen die unausgesprochene Kritik zu protestieren.

»Der Bürger Eins-O will meiner Meinung nach sagen, Sir«, intervenierte Zachary, »daß der Feind nicht das bestmögliche Ausweichmanöver eingeleitet hat. Natürlich kann es sehr gut sein, daß der Kommandant eine fehlerhafte Entscheidung getroffen hat; so etwas kommt in jeder Flotte vor. Doch gehört es zu Bürger Commander Luchners Aufgaben, sich zu überlegen, ob es möglicherweise einen anderen Grund für die Entscheidung des Manticoraners gegeben haben kann – einen, der für uns ebenfalls Sinn ergeben würde, wenn wir nur wüßten, worin er besteht.«

»Mit allem schuldigen Respekt, Bürgerin Captain«, entgegnete Kuttner ungeduldig, »aber ich kann daran nichts Geheimnisvolles erkennen. Der Manticoraner hat die Einheiten entdeckt, die ihn verfolgen; und wie Sie mir selbst dargelegt haben, ahnt er nichts von uns und glaubt deshalb, auf offenen Raum zuzuhalten.«

»Vielleicht«, räumte Zachary höflich ein. »Andererseits sollte man sich nie auf eine einzige Erklärung festlegen, Sir.« Sie erstaunte sich selbst ein wenig. Sie hatte sich nur deswegen in den Dialog eingeschaltet, um Kuttner von Luchner abzulenken und ihren I.O. zu schützen; nun verspürte sie den eigenartigen Drang, die Diskussion fortzusetzen, und konnte nicht genau sagen, ob dieses Bedürfnis nun ihrer Verärgerung über Kuttners selbstgefällige Besserwisserei entsprang, oder ob Luchners Unsicherheit auch in ihr einen instinktiven Verdacht geweckt hatte, der bereits zuvor in ihr aufgekeimt war. »Der Manticoraner ahnt vielleicht nichts von uns«, fuhr sie fort, »aber sein Kurs verrät uns, daß er die *Nuada* von Anfang an bemerkt hat. Meiner Meinung nach hatte er die *Nuada* sogar schon bemerkt, bevor ihm klar wurde, daß noch andere Schiffe auf ihn lauerten.«

»Und?« hakte Kuttner ungeduldig nach, als sie verstummte.

»Und sein gegenwärtiger Kurs macht es dem Manticoraner unmöglich, dem Gefecht mit der *Nuada* auszuweichen – ausgerechnet dem Schiff, über das er die zuverlässigsten Informationen haben muß ...« antwortete Zachary langsam und nachdenklich. Ihr Blick verdüsterte sich, und sie wandte sich Luchner zu. »Das ist doch der springende Punkt, oder, Fred?« fragte sie. »Das hat Ihnen das ungute Gefühl bereitet. Warum sollte der Mantie einen Kurs wählen, mit dem er ausgerechnet dem einzigen Schiff eine Angriffschance bieten, das er mit Sicherheit von Anfang an bemerkt hat?«

»Genau, Bürgerin Captain!« Luchners Augen leuchteten auf, als er plötzlich begriff. »Genau das ist es! Wenn er in irgendeiner Ebene um neunzig Grad abgedreht wäre, hätte er die Hypergrenze überschreiten können, bevor die *Nuada* ihn einholt! Damit wäre er uns allen ausgewichen, es sei denn, er würde noch über ein anderes Schiff stolpern, das wie wir unter Schleichfahrt läuft. Aber so ...«

»Aber so hat er das einzige Schiff hinter sich hergelockt, das den Sektor beherrschte, in dem er seine Alpha-Transition ausgeführt hat«, vollendete Zachary tonlos den Satz. Kuttner schwenkte den Kopf mit verwirrtem Gesichtsausdruck zwischen den beiden Offizieren hin und her, und Zachary lehnte sich seufzend zurück. »Der Captain drüben ist ein schlauer Fuchs«, sagte sie. »Wenn man davon absieht, daß er von uns nichts wissen kann, hat er alles richtig gemacht.«

»Würde jemand die Freundlichkeit besitzen, mir zu erklären, wovon Sie reden?« fuhr Kuttner die beiden an, und Zachary drehte den Kopf und blickte ihm ins Gesicht.

»Wenn der Bürger Commander und ich richtig vermuten, Sir, ist es ganz einfach. Sehen Sie ...«

»Hyperabdruck!« bellte Bürger Lieutenant Allworth. »Multipler Hyperabdruck Peilung Eins Null Sechs zu Null Null Drei!«

GNS *Jason Alvarez* führte den Geleitzug JNMTC-76 zurück in den Normalraum. Ein Schiff nach dem anderen brach aus dem Hyperraum hervor, eins nach dem anderen sprenkelte die Leere kurzzeitig mit dem strahlendhell azurblauen Feuer, durch das die Warshawski-Segel, die Hunderte von Kilometern durchmaßen, ihre Transitenergie abstrahlten. Keine funktionierende Sensorantenne im Umkreis von vierzig

Lichtminuten hätte diese mächtige Signatur übersehen können, und kaum erstattete die Operationszentrale von VFS *Count Tilly* der Flaggbrücke Meldung, als Lester Tourville mit inbrünstiger Leidenschaft wie ein Rohrspatz zu schimpfen begann.

Damit war er nicht allein. Jeder einzelne havenitische Kommandant im Adler-System begriff augenblicklich, was die *Prince Adrian* zuwege gebracht hatte, und als die Kommandanten erkannten, welch gewaltige Prise ihnen da durch die Lappen gegangen war, reagierten sie nicht anders als ihr Admiral. Außer der *Nuada* – und selbstverständlich der lauernden *Katana* – änderte jedes Schiff der Kampfgruppe den Kurs, um dem Konvoi hinterherzujagen. Nicht weil irgend jemand noch glaubte, eine realistische Abfangchance zu besitzen, sondern weil niemand diese riesige, glitzernde Beute vor Augen haben und auf eine Verfolgung verzichten konnte.

Captain Thomas Greentree stand neben Lieutenant Commander Terracelli, um auf den größeren, detaillierteren Plot des Taktischen Offiziers blicken zu können. Die Sensoren der *Alvarez* bräuchten einige Minuten, um die Lage vollständig zu erfassen, doch bis dahin …

»Sir!«

Bei dem plötzlichen, völlig uncharakteristischen Ausruf seines Signaloffiziers fuhr Greentree herum und öffnete den Mund, um etwas zu sagen, doch Lieutenant Chavez ließ ihn gar nicht erst zu Worte kommen. »Wir fangen eine Blitzmeldung mit Vorrangpriorität von Lady Harrington auf, Sir!«

»*Blitzmeldung* mit Vorrangpriorität?« wiederholte Greentree. »Was besagt sie?«

»Das weiß ich noch nicht genau, Sir. Sie ist überlichtschnell und kommt noch herein. Ich ...«

Chavez verstummte und riß die Augen auf. Greentree zwang sich, den Mund zu schließen; es hatte gar keinen Sinn, den Signaloffizier mit Fragen zu behelligen, die der Mann noch gar nicht beantworten konnte. Trotz der zahlreichen Verbesserungen gegenüber dem Prototyp war und blieb die geringe Datenübertragungsrate der größte Nachteil des Gravimpulssenders. Die Sender konnten quasi zeitverlustfrei Gravitationsimpulse über lichtminutenweite Entfernungen schießen, doch die Zeit, die der Aufbau jedes Impulses verschlang, führte dazu, daß die Sendung eines simplen Hauptsatzes bis zu zwei Minuten dauerte. Deshalb nahm man zu Codegruppen Zuflucht. Fast erschien es wie eine Rückbesinnung auf die alten Tage der Wasser-Navy, als noch Signalflaggen benutzt wurden und eine Flagge sowohl für einen Buchstaben des Alphabets als auch für einen kompletten Satz aus dem Codebuch der Flotte stehen konnte, und ...

»Order von der Geschwaderleitung, Captain«, rief Chavez. Der Signaloffizier sprach in einem derart entsetzten Ton, daß Greentree unwillkürlich die Zähne zusammenbiß und ihn mit einer Kopfbewegung anwies fortzufahren.

»Der Konvoi hat auf der Stelle wieder in den Hyperraum einzutreten und nach Clairmont zurückzukehren«, sagte Chavez rauh und monoton. »Sie sollen das Kommando übernehmen, Sir – und Admiral Sorbanne auf Clairmont Station informieren, daß der Feind das Adler-System eingenommen hat.«

»Ich soll das Kommando übernehmen?« hörte Greentree sich fragen, und Chavez nickte.

»Jawohl, Sir. Und den Geleitzug zurück nach Clairmont führen. Unverzüglich, Sir.«

»Aber was ist mit Lady Harrington?« brachte Terracelli hervor. Greentree sah den Taktischen Offizier scharf an, aber er war nicht wirklich erzürnt, denn er stellte sich die gleiche Frage.

»Ich ...« Chavez zögerte und warf einen Blick auf sein Display, wo weitere Gruppen von alphanumerischen Zeichen aufgetaucht waren, während er sprach. Er überflog sie und schluckte. »Die *Prince Adrian* lockt havenitische Schiffe hinter sich her, Captain«, meldete er. »Sie wird unabhängig vom Geschwader nach Clairmont zurückkehren und sich uns dort wieder anschließen. Und ...« – seine tonlose Stimme geriet ins Schwanken, und er hob den Blick, um Greentree in die Augen zu sehen – »... der Befehl, unverzüglich in den Hyperraum zu gehen, wird wiederholt, Sir. Zwomal.«

Greentree trat rasch neben den Lieutenant und las selber, was auf dem Display stand. Seine Lippen erinnerten an eine schmale, straffe Linie. Chavez hatte recht, und die Lippen des Flaggkommandanten spannten sich noch fester, während Buchstabe um Buchstabe der letzte Satz auftauchte.

›Diese Order ist bindend, Thomas‹, stand dort, und Greentree ballte die Fäuste. Er blickte auf und suchte Chavez' Augen. Für einen Augenblick stand er kurz davor, dem Signaloffizier zu befehlen, diesen letzten Satz aus dem Signallog zu tilgen. Doch Greentree war Raumoffizier. Sosehr seine Instinkte auch danach verlangten, Lady Harrington beizustehen, er war Raumoffizier und nicht nur für sich allein verantwortlich, sondern auch für die Schiffe des Geschwaders und vor allem die Zivilisten, die um jeden Preis geschützt werden mußten. Thomas Greentree hatte seine Befehle.

»Sir«, meldete sich Lieutenant Commander Terracelli, »ich orte näher kommende Impellerquellen.«

»Wie viele?«

»Mindestens fünf, Sir. Zwo davon wahrscheinlich Schlachtkreuzer.«

»Wie lange noch?«

»Wenigstens einunddreißig Minuten, bis der erste auf extreme Raketenreichweite heran ist, Sir.«

»Danke.«

Greentree kehrte ihnen den Rücken zu und ging mit gesenktem Kopf zum Kommandosessel. Ächzend ließ er sich hineingleiten. Einunddreißig Minuten: für den Konvoi genügend Zeit, zu entkommen. Befand sich der Geleitzug erst einmal im Hyperraum, würde die Gravwelle, auf der er nach Adler geritten war, eine Beschleunigung von mehreren tausend Gravos gestatten. Wenn der erste Verfolger transistieren konnte, wäre der Geleitzug schon zu weit entfernt, um noch geortet, geschweige denn beschossen werden zu können. Dazu mußte Greentree nur eines tun: seinen Commodore im Stich lassen.

Aber eine andere Wahl habe ich wohl kaum, was? dachte er und schloß nur für einen Moment die Augen. Als er sie wieder aufschlug, blickte er Chavez an.

»Signal an alle, Com«, brachte er heiser hervor. »Der Konvoi tritt in zwo Minuten wieder in den Hyperraum ein.

Adrian«, sagte er, ohne den Astrogator anzublicken, »berechnen Sie einen Umkehrkurs nach Clairmont und übergeben Sie ihn Lieutenant Chavez, der sie an alle Schiffe des Konvois weiterleitet. Die *Santander* übernimmt die Vorhut.«

»Da ziehen sie hin«, sagte Luchner voll Bitternis, und Zachary nickte in stiller Zustimmung. Sie teilte das Gefühl der Verbitterung – das um so stärker war, da sie vorhergesehen hatten, was geschehen würde. Gleichzeitig aber empfand sie eine widerwillige Bewunderung für die Tüchtigkeit des manticoranischen Kreuzerkommandanten, der die *Nuada* gekonnt in eine Position manövriert hatte, aus der sie nichts mehr gegen den Geleitzug unternehmen konnte. Nicht, daß Zachary sich durch diese Bewunderung von dem Versuch abhalten ließe, ihren Opponenten zu vernichten.

Sie sah zu, wie die Impellersignaturen des Konvois eine nach der anderen verschwanden, und fragte laut: »Wie lange waren sie im Normalraum, Taktik?«

»Annähernd neun Minuten, Bürgerin Captain, doch ihre erste Transition nahm insgesamt über drei Minuten in Anspruch.«

»Danke«, sagte Zachary geistesabwesend und blickte Luchner an. »Nicht schlecht für einen Geleitzug dieser Größe, was meinen Sie, Fred?« Als Luchner den Kopf schüttelte, schenkte sie ihm ein schmallippiges Lächeln. »Nun, nachdem man uns so tüchtig und gekonnt reingelegt hat, wollen wir doch mal sehen, ob wir Mister Kreuzer nicht auch die eine oder andere kleine Überraschung bereiten können. Sagen Sie dem Maschinenraum, in vier Minuten will ich Maximalschub haben.«

17

Obwohl es Honor gelang, ihr inneres Frohlocken zu verbergen, fühlte sie sich, als sei ihr soeben die Last eines ganzen Universums von den Schultern genommen worden. In der Brückencrew ringsum spürte sie das Echo ihrer grenzenlosen Erleichterung, daß der Geleitzug den sicheren Rückzug in den Hyperraum angetreten hatte. Sie drehte den Kopf und tauschte einen zufriedenen Blick mit McKeon aus. Nun brauchten sie sich nur noch mit dem einen Gegner zu befassen, der zwischen ihnen und dem Entkommen stand. Zwar konnte während eines Gefechts im offenen Raum alles mögliche geschehen, doch hielt Honor das Risiko für vertretbar, ein elfminütiges Rückzuggefecht auf maximale Reichweite gegen ein einziges Feindschiff zu führen. Im Raketengefecht besaßen die Alliierten nach wie vor einen überwältigenden Vorteil, und selbst wenn es sich bei dem Verfolger tatsächlich um einen Schlachtkreuzer handelte, hätte er weder genügend Feuerkraft noch ausreichend Zeit, um ...

Ein schrilles Alarmsummen ertönte, und Honor drehte den Kopf ruckartig der Taktischen Station zu. In Commander Metcalfs Hauptdisplay war ein weiteres, rotleuchtendes Icon aufgetaucht– es stand dreißig Grad backbord voraus der *Prince Adrian* und beschleunigte, um ihren Basiskurs zu kreuzen.

»Unidentifizierter neuer Kontakt!« rief der Taktische Offizier voll Überraschung. »Kennzeichne ihn als Bandit-Zehn. Er muß sich auf Schleichfahrt befunden und so vor uns versteckt haben«, fuhr Metcalf fort; als sie weitersprach, wich das Erstaunen in ihrer Stimme der Verwirrung. »Skipper, die Operationszentrale deutet ihn nach seiner Impellersignatur als Kreuzer der *Sword*-Klasse, aber mit den Antriebswerten stimmt etwas nicht.«

»Was meinen Sie damit, es stimmt etwas nicht?« wollte McKeon wissen.

»Für die Energiemenge, der er abstrahlt, beschleunigt er nicht hoch genug«, antwortete Metcalf. »Bei der Stärke seiner Antriebssignatur sollte er mit wenigstens fünf Kilometern pro Sekundenquadrat beschleunigen, aber er macht nur knappe Vier Komma Zwo Fünf.«

McKeon verzog das Gesicht. Er hatte noch ganz andere Sorgen als eine unerklärliche Unstimmigkeit der feindlichen Antriebswerte. Deshalb schüttelte er unwirsch den Kopf und widmete sich den dringenderen Problemen. »Setzen Sie konstante Beschleunigung und unveränderten Kurs voraus und berechnen Sie mir die Zeit bis zur äußersten Raketenreichweite und unsere Fahrtzeit bis zur Hypergrenze«, befahl er kurz angebunden der Astrogatorin. »Legen Sie mir das Ergebnis aufs taktische Display.«

»Aye, aye, Sir.« DuChenes Hände tanzten über ihre Instrumente, und McKeon senkte stirnrunzelnd den Blick auf sein taktisches W-Display. Honor starrte ebenso düster darauf und nagte an ihrer Unterlippe, denn sie konnte sich einen nur leider allzu wahrscheinlichen Grund für die niedrige Beschleunigung des Havies denken.

»Auf Grundlage Ihrer Vorgaben brauchen wir noch einunddreißig Minuten bis zur Hypergrenze, Skipper«, meldete DuChene nach einigen Sekunden. »Die Raketengeometrie hat zur Folge, daß Bandit-Zehn ab einer Entfernung von knapp unter acht Millionen Kilometern mit manövrierfähigen Lenkwaffen angreifen kann. In siebzehneinhalb Minuten geraten wir in seine Reichweite. Wenn wir unseren Kurs und unsere Beschleunigung beibehalten, Bandit-Zehn jedoch auf Maximierung der Gefechtsdauer hinarbeitet, dann kann er bis zur Hypergrenze an uns dran bleiben – dreizehn Komma fünf Minuten ab Feuereröffnung.«

»Können wir ihm ausweichen, Waffen?« wandte McKeon sich an Geraldine Metcalf.

»Leider nein, Sir. Wir können sein Angriffsfenster verkleinern, aber wir können uns nicht außerhalb seiner Reichweite halten. Er hatte sich wirklich nahezu perfekt plaziert, Skipper. Er nähert sich uns von steuerbords oben, Bandit-Eins kommt von backbords unten. Sie haben uns in die Zange genommen. Je weiter wir uns von Bandit-Zehn entfernen, desto mehr nähern wir uns Bandit-Eins. So wie es aussieht, werden wir elf Minuten lang in Reichweite von beiden sein.«

»Ich verstehe.« McKeon rieb sich das Kinn, dann hämmerte er Zahlen in seinen Plot. Über die Ergebnisse dachte er kurz nach, probierte eine weitere Kombination und hob schließlich den Blick zu Honor. »Gerry hat recht, Ma'am«, erklärte er beherrscht. »Wir stecken zwischen Szylla und Charybdis fest. Ich kann das Angriffsfenster von Bandit-Zehn auf maximal zehn Minuten reduzieren, aber dann muß ich Bandit-Eins mindestens fünfzehn Minuten Angriffszeit gewähren. Oder ich lasse Bandit-Eins bei elf Minuten und nehme die dreizehneinhalb Minuten Beschuß durch Bandit-Zehn hin.«

Nickend verschränkte Honor die Arme auf dem Rücken. Sie schürzte die Lippen, dann seufzte sie.

»Sie sind sich des mutmaßlichen Grundes für die reduzierte Beschleunigung von Bandit-Zehn bewußt, nehme ich an, Captain McKeon«, sagte sie gedehnt.

»Raketengondeln«, erwiderte McKeon grimmig.

»Wahrscheinlich«, stimmte Honor zu. Sie blickte den alten Freund eine Weile an, fügte jedoch kein einziges Wort hinzu. Sie mochte die Chefin von CruRon 18 sein, doch der Kommandant von HMS *Prince Adrian* war und blieb Alistair McKeon. Die Verantwortung für das Schicksal seines Schiffes lastete allein auf ihm, und nur er konnte entscheiden, wie er es im Kampf einsetzte. Honor wußte ebenso gut wie McKeon, daß manch ein Flaggoffizier in einer Situation wie dieser versucht hätte, die Trennung der

Befehlsgewalt zu übergehen, weil er das dringende Bedürfnis verspürte, irgend etwas zu unternehmen. Trotzdem war hier und jetzt keine Entscheidung auf Geschwaderebene zu fällen, denn es gab kein Geschwader – nur die *Prince Adrian,* auf sich allein gestellt im Gefecht Schiff gegen Schiff. Honor legte volles Vertrauen in Alistair McKeons Urteilsvermögen und hätte ihn niemals gekränkt, indem sie sich in seine Entscheidungen einmischte oder seine Befehle hinterfragte. Sie bemerkte seinen dankbaren Blick, bevor er sich seinen Offizieren zuwandte.

»Chief Harris, rollen Sie uns um einhundert Grad nach Steuerbord, aber behalten Sie Kurs und Beschleunigung bei«, befahl er der Rudergängerin, dann drehte er sich mit dem Kommandosessel zu Metcalf. »Seiner Beschleunigung zufolge muß Bandit-Zehn Raketenbehälter in Schlepp haben, Gerry. Bandit-Eins beschleunigt hingegen so hoch, daß dies bei ihm nicht der Fall sein kann. Wir könnten die Gefechtszeit mit Bandit-Zehn verkürzen, indem wir nach Steuerbord gehen und abtauchen, aber das hat kaum Sinn. Ob die Gefechtszeit nun zehn oder dreizehn Minuten beträgt, zur ersten Salve wird er auf jeden Fall kommen, daran können wir überhaupt nichts ändern. Bandit-Eins hat hingegen wahrscheinlich eine höhere Kapazität für fortgesetzten Beschuß. Also halten wir uns bedeckt, stecken von Zehn den unvermeidbaren schweren Schlag ein, und bleiben so lange wie möglich außer Reichweite von Eins.«

»Verstanden, Sir«, antwortete Metcalf angespannt.

»Also hat er sich entschieden«, stellte Helen Zachary leise fest. Der manticoranische Kreuzer hatte sich auf die Seite gerollt und den Bauch seines Impellerkeils der

Katana zugewandt. Außerdem war nun seine Elektronische Kampfführung aktiv. Da der Feind weiterhin in Richtung der *Katana* beschleunigte, betrug die theoretische Manöverreichweite der größeren Lenkwaffen in Zacharys Raketengondeln gute achteinhalb Millionen Kilometer. Das manticoranische ECM und die Täuschkörper des Kreuzers würden hingegen die effektive Angriffsentfernung auf sieben Millionen Kilometer senken. Ausreichen sollte das allemal.

»Wie meinen Sie das, er ›hat sich entschieden‹?« verlangte Kuttner zu erfahren. »Er hat doch nichts getan, außer seine Eloka einzuschalten. Seinen Kurs hat er nicht geändert!«

»Nein, hat er nicht«, stimmte Zachary zu. »Und das wird er auch nicht mehr. Der ursprüngliche Kurs setzt ihn insgesamt für etwas weniger als fünfundzwanzig Minuten feindlichem Beschuß aus: dreizehneinhalb von uns, elf von der *Nuada.* Jede Kursänderung könnte das Gefechtsfenster für einen von uns verkürzen, würde das des anderen aber gleichzeitig erweitern. Er setzt alles auf eine Karte, aber beachten Sie, daß er sich von uns weggerollt hat.«

»Na und?« fragte Kuttner, und Zachary mußte an sich halten, um nicht enerviert aufzuseufzen.

»Indem er seinen Backbord-Seitenschild von uns wegrollt, wendet er ihn Bürger Captain Turner zu. Zwar erhält die *Nuada* dadurch kein besonders gutes Schußfeld, aber ein besseres als wir. Der Manticoraner hält den Bauch seines Impellerkeils auf uns gerichtet – das heißt, er schützt sich mehr gegen unseren Beschuß als gegen den der *Nuada*. Folglich ahnt er, daß wir Gondeln im Schlepp haben.« Zachary schüttelte den Kopf. »Ich habe ja gleich gesagt, daß wir es mit einem gewitzten Kunden zu tun haben, Bürger Kommissar.« Obwohl die digitalen Countdown-Displays auf der

Brücke der *Prince Adrian* rasten, schienen sich die Sekunden dahinzuschleppen. Diesmal gab es kein brillantes, rettendes Manöver in letzter Sekunde. Alle Variablen der Gleichung waren in brutaler, eindeutiger Weise festgesetzt. Die meisten Offiziere der *Prince Adrian* hatten alliierte Raketengondeln im Gefecht erlebt und wußten, was auf sie zukam. Nur eine einzige Frage war noch unbeantwortet: wie viele Raketen Bandit-Zehn zur Verfügung standen. Natürlich hing einiges davon ab, wie gut die Raketen waren und wann die Haveniten sie abfeuerten, doch bei genügend Lenkwaffen wurden Qualität und Timing zweitrangig. Selbst unter idealen Bedingungen konnte man mit Eloka nur eine gewisse Anzahl Raketen abwehren. Alle, die den elektronischen Schirm durchstießen, mußten durch aktive Abwehrsysteme zerstört werden. Doch die Defensivfeuerleitung und die Defensivwaffen der *Prince Adrian* vermochten nur eine bestimmte Anzahl von Zielen gleichzeitig zu bewältigen. Ohne Geschwaderkameraden, die ein einzelnes Schiff mit ihrem Abwehrfeuer unterstützten, war diese Zahl so gering, daß Honor und McKeon am liebsten gar nicht darüber nachgedacht hätten.

»Fünfzehn Sekunden bis äußerste Raketenreichweite«, verkündete Metcalf schließlich mit einer Stimme, die von der professionellen Ruhe beherrscht wurde, wie man sie ihr während der Schulung zum Taktischen Offizier beigebracht hatte.

»Greifen Sie an wie besprochen«, entgegnete McKeon energisch.

»Feind startet Raketen!« meldete Bürger Lieutenant Allworth. »Mehrere Raketenstarts. Schätzungsweise sechzehn Raketen nähern sich.«

»So früh? Wie kann er denn glauben, er könnte uns auf diese Distanz treffen?« In seiner ehrlichen Verwirrung vergaß Kuttner, amtlich zu klingen, und Zachary lächelte humorlos.

»Er feuert nicht auf die *Katana,* Bürger Kommissar, und das sind keine Laser-Gefechtsköpfe.« Kuttner starrte sie verständnislos an, und sie blähte die Nasenflügel. »Das sind altmodische Nuklearsprengköpfe, Sir, und sie werden versuchen, zu den Gondeln durchzukommen, um in deren Nähe zu detonieren und sie dadurch zu vernichten.« Sie wandte sich von dem Volkskommissar ab und betrachtete das taktische Display. Die manticoranischen Lenkwaffen hielten auf die *Katana* zu, und wenn ihre Vermutung zutraf, würden sie achteraus vom Schiff detonieren – weit genug entfernt, um der Nahbereichsabwehr die Lösung der Feuerleitgleichungen zu erschweren, aber noch dicht genug, um die Elektronik der Raketengondeln zu zerstören. Doch bis sie auf gefährliche Distanz herangekommen waren, würde noch einige Zeit vergehen, und Zachary ließ sich durch die Bedrohung keineswegs zu einem verfrühten Start ihrer eigenen Raketen bewegen.

»Bürger Lieutenant Allworth«, sagte sie.

»Jawohl, Bürgerin Captain?«

»Feuern Sie Ihre Gondeln in – einhundertundvierzig Sekunden von jetzt ab.«

Auf dem Display verfolgte Honor, wie die erste Salve der *Prince Adrian* auf den Feind zuraste. Fünfzehn Sekunden später folgte die zweite, dann die dritte; schließlich eine vierte, und noch immer reagierte der havenitische Kreuzer nicht. Bald waren zehn Breitseiten unterwegs – 160 Raketen –, ohne daß der Feind das Feuer erwidert hätte. Honor spürte, wie sich in einigen von McKeons Offizieren Hoffnung regte, doch teilte sie deren Hochgefühl nicht – ebensowenig McKeon. Sie blickten sich an, und Honor bedurfte nicht Nimitz' Hilfe, um McKeons Gedanken zu erraten.

Der Captain hatte gehofft, ein früher Start seiner Raketen könnte den feindlichen Kommandanten aus der Ruhe bringen und ihn verleiten, zu früh zu feuern, solange die Genauigkeit der Raketen noch gering war. Doch der havenitische Captain war nicht auf den Köder angesprungen, und nun blieb nur die magere Hoffnung, er könnte *zu lange* warten, so daß die erste Breitseite der *Prince Adrian* nahe genug an die Gondeln herankam und sie außer Gefecht setzte, bevor ...

»Raketenstarts!« verkündete Geraldine Metcalf. Honor fühlte, wie sich ihr die Fingernägel in die Handballen gruben, so fest hatte sie unwillkürlich hinter dem Rücken die Fäuste geballt.

»Zahlreiche Raketenstarts«, fuhr Metcalf fort. »Schätzungsweise achtzig oder mehr Raketen nähern sich.«

»Verdammt«, fluchte Alistair McKeon beinahe milde.

Vierundachtzig Raketen rasten HMS *Prince Adrian* entgegen, kaum mehr als halb so viele, wie das manticoranische Schiff bereits abgefeuert hatte. Jedoch bestand ein gewaltiger Unterschied zwischen zehn einzelnen Breitseiten à sechzehn Raketen und einer einzelnen, massiven Sintflut: die einzelnen Breitseiten waren zeitlich und räumlich voneinander versetzt gestartet und erlaubten den Raketenabwehrcrews daher getrennte Feuerleitgleichungen, was bei einer massiven Salve nicht der Fall war. Seit Beginn des

Krieges hatte die Volksflotte schon sehr oft solch grimmigem Verderben entgegengeblickt, nun war die RMN an der Reihe. Geraldine Metcalf und ihre Leute gaben das Menschenmögliche, während die Woge der Vernichtung auf sie niederfuhr.

Störsender röhrten und versuchten die Zielsucher der feindlichen Raketen zu blenden, Täuschkörper sangen ihre Sirenenlieder und verlockten sie, vom rechten Anflugweg abzuweichen. Nur verfügte die Volksflotte durch den Technologietransfer aus der Solaren Liga über verbesserte Raketen, die den Modellen, mit denen sie den Krieg begonnen hatte, bei weitem überlegen waren. Der Zielsucher war ausgeklügelter und die Leistung seiner Zielunterscheidungssoftware um den Faktor drei vergrößert worden. Weil die RMN keinerlei Daten über diesen Raketentyp besaß, blieb die Wirksamkeit von Metcalfs ECM weit hinter den Erwartungswerten zurück. Kaum ein Viertel der Raketen in der massierten Salve wurde geblendet, und nur sehr wenige erlagen der Versuchung durch die Täuschkörper. Siebenundfünfzig durchbrachen die elektronischen Abwehrmaßnahmen des Kreuzers, und Antiraketen sausten ihnen entgegen. Mit mechanischer Präzision begannen die blutroten Icons von Metcalfs Plot zu verschwinden, aber sie dünnten sich zu langsam aus. Fünfunddreißig durchstießen den Riegel aus Antiraketen und wurden von der letzten Nahbereichs-Abwehrwaffe, den Laserclustern, unter Beschuß genommen, die verzweifelt feuerten und versuchten, die Raketen zu vernichten, bevor sie Angriffsentfernung erreichten.

Die Laserstrahlen vernichteten neunzehn havenitische Raketen. Nur sechzehn Raketen, weniger als zwanzig Prozent der Anfangsstärke dieser Salve, drangen bis auf Angriffsentfernung durch, doch das war genug. Der Kreuzer wand sich verzweifelt in Ausweichversuchen. Völlig unerbittlich kamen die Raketen näher, und sie hatten noch genügend Zeit und Antriebskraft, um die letzten Angriffsmanöver durchzuführen. Die *Prince Adrian* konnte ihnen allen unmöglich ausweichen.

Vier der sechzehn Laser-Gefechtsköpfe verschwendeten sich an den Boden des Impellerkeils, denn die *Prince Adrian* rotierte, um sich hinter den undurchdringlichen Bändern aus verzerrter Gravitation zu verstecken. Drei schossen an dem Kreuzer vorbei und feuerten ebenso wirkungslos ins Dach des Keils. Von den anderen neun detonierten fünf backbords ›über‹ McKeons Schiff. Die Raketen aus den Gondeln der *Katana* kamen an Kampfstärke den Lenkwaffen eines Superdreadnoughts gleich – darin standen sie den Raketen manticoranischer Gondeln in nichts nach. Die *Prince Adrian* erbebte, als Bündel bombengepumpter Röntgenlaser mit verächtlicher Arroganz ihre Seitenschilde zerschlitzten und ihren Rumpf verheerten. Panzerung zersplitterte, interne Schottwände barsten; zwei Raketenwerfer, ein Graser, drei Lasercluster und Radar Drei verglühten. Zweiunddreißig Besatzungsmitglieder fanden den Tod, während die Energiestrahlen das Schiff durchbohrten – und diese Strahlen waren durch den Seitenschild und die Strahlungsabwehrfelder über dem Rumpf abgeschwächt und besänftigt gewesen.

Die vier Laser-Gefechtsköpfe, die vor dem Bug der *Prince Adrian* detonierten, trafen auf keinen Seitenschild. Ihre geballte Wut drang unvermindert durch den offenen Rachen des Impellerkeils; die Energie brannte sich in den Rumpf von McKeons Schiff, zerriß seine Stahlschotte wie ein Papiertaschentuch und tötete beiläufig Menschen. Schadensalarm kreischte auf. Die Energieversorgung schwankte wie wild, Spannungsspitzen schlugen so rasch durch die Bordsysteme im vorderen Schiffsteil, daß die Unterbrecher meist nicht rechtzeitig ansprachen, und gewaltige Folgeexplosionen eruptierten längs der Trefferkanäle. Als eine Riesenfaust die *Prince Adrian* schüttelte wie ein Terrier eine Ratte, der er das Genick brechen will, wurde Honor auf die Knie geschleudert. Die Brückendisplays flackerten grell auf, erloschen und fuhren wieder hoch.

»Schadensbericht!« brüllte McKeon, doch er bekam keine Antwort. Seine Hand zuckte zu den Comtasten auf der Sesselarmlehne, und er stellte eine Verbindung in den Technischen Leitstand her. »Schadensbericht!« wiederholte er und erhielt dennoch keine Antwort. Schließlich drückte er die Tastenkombination, die ihn direkt mit Commander Gillespies Com verband. »Taylor, ich brauche einen Schadensbericht!«

»Der Eins-O ist tot, Skipper«, keuchte nach einer halben Ewigkeit eine Stimme aus dem Intercom. »Den TLS gibt's nicht mehr. Hier unten lebt keiner ...«

Die Stimme erstarb, und McKeon schloß voll Trauer die Augen.

»Treffer an Bandit-Zehn!« rief Metcalf. »Wir haben wenigstens vier zu dem Mistkerl durchbekommen, Sir!«

»Nahbereichsabwehr im Vorschiff komplett ausgefallen!« bellte jemand anders. »Lidar Eins und Zwo ausgefallen! Grav Drei ausgefallen!«

»Auf Lidar Fünf umschalten!« befahl Metcalf, und eine ihrer Untergebenen bestätigte den Befehl; ihre Stimme ging allerdings in dem Wirrwarr unter. Ohne Technischen Leitstand, der im Gefecht die Koordination der Schadensbehebung übernahm, kamen die Meldungen häppchenleise – doch sie kamen an.

»Graser Eins ausgefallen. Schwerverletzte an Graser Drei und Fünf sowie Werfer Fünf. Keine Verbindung zu Werfer Sieben. Magazin Eins liefert keinen Munitionsnachschub mehr.«

»Was ist mit Impeller Eins?« brüllte McKeon der Rudergängerin zu. Offenbar hatte er die Sinnlosigkeit seines Versuchs eingesehen, mit der Schiffstechnischen Abteilung direkten Kontakt aufzunehmen.

»Sir, Impeller Eins antwortet nicht«, sagte Chief Harris nervös. »Beschleunigung ist auf zwohundert Gravos gefallen und sinkt weiter.«

»Seitenschild-Generatoren Eins, Drei, Fünf und Sieben außer Betrieb. Wir verlieren den Backbord-Seitenschild, Captain!«

»Sir, Bandit-Eins hat das Feuer eröffnet. Vierundzwanzig Raketen. Einschlag in Eins Sieben Drei Sekunden.«

»Bandit-Zehn ändert den Kurs und erhöht die Beschleunigung. Schließt auf mit fünf Komma drei Kps Quadrat!«

Wieder erbebte die *Prince Adrian* und verdrehte ihre eisernen Knochen; erneut hatte sie Treffer hinnehmen müssen.

»Volltreffer in die Operationszentrale! Wir verlieren d ...«

Die Stimme brach mitten im Wort ab. Rauch quoll aus dem Hauptlüftungsschacht, bevor er sich verriegelte, und weitere Schadensalarme jaulten und heulten ringsum.

»Brücke, hier Juno in Fusion Zwo!« Die Stimme drang aus dem Intercom und gehörte Lieutenant Juno, dem jüngsten Ingenieursoffizier der *Prince Adrian*. »Ich versuche die Schadensbehebung von hier zu koordinieren, aber es sieht nicht sehr gut aus.«

»Status von Impeller Eins?« fragte McKeon abgehackt.

»Gibt's nicht mehr, Sir«, antwortete Juno rauh. »Wir haben vielleicht noch vier oder fünf Beta-Emitter übrig, und die muß ich erst noch ans Laufen bekommen, aber das wär's dann auch schon.«

McKeon biß die Zähne zusammen. Ohne vordere Alpha-Emitter vermochte die *Prince Adrian* kein Warshawski-Segel mehr aufzubauen – und Adler lag mitten im Zentrum einer Hyperraum-Gravwelle, wo ein Schiff nur mit Hilfe von Segeln manövrieren konnte. Die erste, vernichtende Breitseite von Bandit-Zehn hatte die *Prince Adrian* zum Untergang verurteilt – McKeon machte sich darüber keine Illusionen mehr.

»Ruder, bringen Sie uns vierzig Grad nach Backbord!« fauchte er. Als Harris bestätigte, blickte McKeon quer durch die Brücke Metcalf in die Augen. »Wir gehen Bandit-Zehn an die Gurgel, Gerry. Treffen Sie den Mistkerl mit allem, was wir haben!«

»Aye, aye, Sir.« Metcalf beugte sich tiefer über ihre Konsole; sie hatte mit der Zerstörung ihrer Sensoren und Feuerleitsysteme ebensosehr zu kämpfen wie mit dem Feind. Das Schiff schüttelte sich, als weitere Raketentreffer die verstümmelten Abwehrsysteme durchbrachen, Waffenstände auslöschten und die Menschen töteten, die sie bemannt hatten.

Honor rappelte sich auf. Nimitz kauerte geduckt auf ihrer Schulter. Sie spürte, wie ihr das Blut vom Kinn tropfte; beim Fall hatte sie sich in die Lippe gebissen. Den Schmerz nahm sie jedoch nur ganz entfernt wahr, als ob er zu einer fremden Person an einem anderen Ort gehörte. Sie ließ den Blick über die flackernden, blutroten Warnlichter auf McKeons Display schweifen, öffnete den Mund und geriet ins Taumeln, als die *Prince Adrian* sich erneut schüttelte. Honor mußte sich an der Rückenlehne des Kommandosessels festklammern, um nicht erneut aufs Deck zu prallen. Irgendwie gelang es ihr, sich aufrecht zu halten, und sie ergriff McKeons Schulter.

»Ergib dich, Alistair.« Sie sprach mit ruhiger Stimme, und doch schnitten ihre Worte durch den Gefechtslärm, die schnarrenden Schadensmeldungen und das Alarmheulen. McKeon starrte sie an.

»Aber ...« begann er, doch Honor schüttelte den Kopf und drückte ihm fest die Schulter.

»Ergib dich«, wiederholte sie. »Das ist ein Befehl.«

Gleichwohl starrte McKeon sie an. Sie verstand sein gequältes Zögern sehr gut. Seine Scham. In der fünfhundertjährigen Geschichte der Royal Manticoran Navy hatten sich nur zweiunddreißig Schiffe der Krone jemals dem Feind ergeben.

»Ich sagte, Sie sollen sich ergeben, Captain!« herrschte sie ihn an. »Wir haben dem Geleitzug zur sicheren Flucht verholfen, und nun haben Sie keinen Bugimpellerraum mehr. Übergeben Sie Ihr Schiff, bevor noch mehr Ihrer Leute sinnlos sterben!«

»Ich ...« McKeon schloß die Augen, erlangte die Fassung zurück und nickte. »Ruder, drehen Sie vom Feind ab und stellen Sie die Beschleunigung ein«, befahl er mit einer Stimme, die klang, als würde er mit dem Hammer auf Eisen hämmern. »Commander Metcalf, programmieren Sie alle Drohnen, die mit Überlichtsendern bestückt sind, auf Selbstzerstörung und stoßen Sie sie aus. Löschen Sie die Massenspeicher aller Computer und befehlen Sie allen Besatzungsangehörigen, Geheimdokumente und Geheimmaterial zu vernichten. Lieutenant Sanko, rufen Sie Bandit-Zehn. Informieren Sie den Kommandanten, daß wir kapitulieren.«

18

»Was sagen Sie da? *Wer?*« Lester Tourville starrte in das Gesicht auf seinem Com; da mußte ein Mißverständnis vorliegen. Bürger Captain Bogdanovich nickte indes bekräftigend.

»Kein Irrtum möglich, Bürger Admiral. Darf ich Ihnen Bürgerin Captain Zacharys Depesche abspielen?«

Tourville nickte, Bogdanovichs Gesicht verschwand, und auf dem Display erschien der Datenvorsatz und die Sendezeit einer Raffernachricht, die an den Stabschef gerichtet war. Der Header wich einer schlanken Frau mit ernstem Gesicht. Das Namensschild auf der linken Brustseite ihres hautengen Raumanzugs lautete: ›ZACHARY, HELEN G‹, und aus ihren dunklen Augen schien das gleiche Erstaunen zu sprechen, das Tourville soeben selbst empfunden hatte. Sie blickte dem Betrachter entgegen und räusperte sich.

»Bürger Captain Bogdanovich«, begann sie förmlich, »ich gebe zu Rapport, daß VFS *Katana* unter meinem Kommando und VFS *Nuada*, Kommandant Bürger Captain Wallace Turner, den manticoranischen Schweren Kreuzer *Prince Adrian* in ein Gefecht verwickelt haben. Nach einem Raketenduell auf große Entfernung, bei dem ich die von meinem Schiff in Schlepp genommenen Raketenbehälter zum größtmöglichen Vorteil verwenden konnte, sah sich die *Prince Adrian* zur Kapitulation gezwungen. *Katana* trug begrenzte Schäden davon und hat vierzehn Verwundete und sieben Tote zu beklagen, während die *Nuada* keinerlei Schäden erlitt. Nach vorläufiger Schätzung meines Ersten Offiziers hat *Prince Adrian* wenigstens sechsmal soviel Verluste wie wir. Wir sind noch mit der Untersuchung der Prise befaßt, doch scheint es der Besatzung gelungen zu sein, als geheim eingestuftes Gerät ausnahmslos zu vernichten. Die schweren Schäden, die unser Beschuß verursacht hat, schließen die Zerstörung des Bugimpellerraums ein. Meiner vorläufigen Einschätzung zufolge ist eine Reparatur mit den zur Verfügung stehenden Mitteln aussichtslos, und so fürchte ich, daß wir *Prince Adrian* sprengen müssen und sie nicht mit uns nehmen können, wenn wir das Adler-System wieder verlassen.«

Sie machte eine Pause, als wollte sie geistig Atem schöpfen, und fuhr in beinahe mechanischem Ton fort.

»Unter den Gefangenen haben wir bislang den Kommandanten von *Prince Adrian* identifiziert, Captain Alistair McKeon, RMN, und die Kommandeurin des Geleitgeschwaders für den Konvoi, der sich unserem Zugriff entzogen hat, Commodore Honor Harrington. Außerdem befinden sich mehrere Offiziere aus dem Geschwaderstab Commodore Harringtons in unserem Gewahrsam.« Wieder schwieg sie, als fände sie das, was sie gerade gesagt hatte, selbst völlig unglaubwürdig, und dann zuckte sie fast unmerklich mit den Schultern.

»Sofern ich keine gegensätzlichen Anweisungen erhalte, beabsichtige ich Bürger Captain Turner und *Nuada* mit der Sicherung von *Prince Adrian* zu betrauen und die gefangenen Offiziere so schnell als möglich an Bord von *Katana* zum Flaggschiff zu verlegen. Auf dem Weg zum Rendezvous werde ich weiterhin eigene Gefechtsschäden eruieren und hoffe, bei Ankunft einen umfassenden Bericht liefern zu können. Bürger Kommissar Kuttner ist über meine Absichten unterrichtet und hat sein Einverständnis erteilt. Zachary aus.«

Der Bildschirm erlosch, und im nächsten Augenblick erschien wieder Bogdanovichs Gesicht. Die Augen des Stabschefs funkelten, und Tourville spürte, daß sich auch ihm selbst ein breites Grinsen aufs Gesicht stahl. Er wußte, daß seine Aufregung und sein Erfolgsgefühl in keinem Verhältnis stand zu der Kaperung eines einfachen Schweren Kreuzers, denn seine Schiffe hatten im Adler-System bereits elf andere Schiffe erbeutet. Der fragliche Kreuzer konnte ruhig zu der Navy gehören, von der die Volksflotte seit sechs Jahren regelmäßig nach Strich und Faden fertiggemacht wurde. Das spielte keine Rolle.

»Harrington«, murmelte er. »Bei Gott, *Harrington!*«

»Jawohl, Sir! Ich meine natürlich: Jawohl, Bürger Admiral!«

Bogdanovich erstattete ihm sein breites Grinsen mit Zinsen zurück, und Tourville lehnte sich mit dem Sessel zurück und schlug die Beine übereinander. Ein fast träumerischer Ausdruck stahl sich auf sein Gesicht, und er zog eine Zigarre aus seiner Brusttasche. Ob es sich nun um Gehabe handelte oder nicht, einen passenderen Moment für eine Zigarre gab es wohl kaum.

Harrington, dachte er. *Erst Adler, und jetzt* Harrington!

Er packte die Zigarre aus, biß ihr mit weißen, kräftigen Zähnen die Spitze ab und entzündete sie mit übertrieben genauen Bewegungen, während er überlegte, was die Öffentliche Information wohl aus dieser Neuigkeit machen würde. Ein kleiner Commodore wäre normalerweise nicht als besonders großer Fang angesehen worden, schon gar nicht im Vergleich zu den ganzen Legionen von republikanischen Vizeadmiralen und Volladmiralen, die den Manticoranern ins Netz gegangen waren. An diesem bestimmten Commodore aber war nichts ›klein‹. Honor Harrington war ein Schreckgespenst für die Volksflotte. Sie war zum Inbegriff des gewaltigen Abgrundes zwischen der Tüchtigkeit der RMN und VFH geworden. Tourville kostete das Gefühl aus, einen ersten großen Schritt zur Überwindung dieses Abgrundes getan zu haben. Obwohl der Sieg bei Adler nur einen untergeordneten Triumph darstellte, bedeutete er für die RMN die erste uneingeschränkte Niederlage seit fünfhundert T-Jahren, und das manticoranische Volk würde diese Tatsache mit der gleichen Klarheit erkennen wie Tourville. Vermutlich hatte er schon mehr erreicht als Bürger Admiral Theisman zu hoffen wagte, doch nun hatten die Schiffe unter seinem Befehl sozusagen als Überraschungsbonus ausgerechnet *Honor Harrington* gefangengenommen.

Er gestattete sich den Luxus, kurz über die Folgen seines Triumphes nachzusinnen, während Bogdanovich auf eine Reaktion wartete. Dann stieß Tourville eine blaue Rauchwolke aus und bemühte sich, wieder auf den Boden der Tatsachen zurückzukommen. Ihm war klar, daß der Erfolg einige nicht ganz ungefährliche Konsequenzen nach sich ziehen konnte. Zum einen war es gut möglich, daß man ihn dafür beförderte, und das wäre schlecht. Bislang hatte Tourville glücklich vermieden, daß man ihn in einen höheren Rang beförderte, welcher ein unabhängiges Kommando, wie er es so sehr liebte, fortan unmöglich machte; darüber hinaus setzte ihn eine Beförderung dem Risiko aller Flottenchefs aus: kurzem Prozeß bei einem Fehlschlag. Wenn das Ministerium für Öffentliche Information zu dick auftrug, dann blieb der Volksflotte nichts anderes übrig, als ihm eine Beförderung anzubieten, und eine Beförderung war stets ein Angebot, das man nicht ablehnte.

In jeder Flotte, auch einer, deren Oberkommando im Griff revolutionären Eifers dahinsiechte, gab es eine simple Regel in bezug auf Offiziere, die eine Beförderung ablehnten – und damit andeuteten, sie seien nicht bereit, die damit verbundene Verantwortung anzunehmen: Man fragte sie nie wieder. Und noch schlimmer, man beschäftigte sie fortan in keiner verantwortlichen Position mehr – nur unter den ungewöhnlichsten Begleitumständen wurden sie je wieder *irgendwo* verwendet. Und während Tourville bei weitem nicht der einzige war, der zu verhindern suchte, zum potentiellen Sündenbock der Systemsicherheit zu werden, mußten Offiziere, die eine Beförderung ablehnten, sehr oft feststellen, daß plötzlich ihre Kameraden aktiv die SyS bei allen Bemühungen unterstützten, sie loszuwerden.

Bei diesem Gedanken zog er ein finsteres Gesicht und nahm sich vor, in seinem Bericht das Verdienst für Harringtons Gefangennahme Zachary und Turner in vollem Umfang anzurechnen. Die *Flotte* würde schon wissen, wer das Kommando gehabt hatte, und seine Bescheidenheit würde Tourville in den Augen der Kameraden sehr gut anstehen, doch mit ein wenig Glück – nein, sehr viel Glück, wie er zugeben mußte, trotzdem war es den Versuch wert – würde die offizielle Variante jede Beförderung in Richtung Zachary und Turner steuern. *Und das hätten beide wirklich verdient,* dachte Tourville. *Sie haben zwar viel Glück gehabt, aber Glück ist mit den Tüchtigen. Weiß Gott war Harrington bisher vom Glück gesegnet – bei allem, was sie durchgezogen hat!*

Er nahm die Zigarre aus dem Mund und nickte beifällig. Stirnrunzelnd betrachtete er das glimmende Ende und ging im Geiste noch einmal Zacharys Rapport durch. Gewiß hätte die Bürgerin Captain es erwähnt, wenn Harrington im Gefecht verletzt worden wäre. Tourville war erfreut, daß nichts dergleichen geschehen war. Soviel Genugtuung die Gefangennahme ihm auch bereitete, Tourville gehörte nicht zu jenen havenitischen Offizieren, die Harrington für das haßten, was sie der Volksflotte angetan hatte. Tatsächlich war er gerade aus diesem Grund so froh, Harrington festgesetzt zu haben. Eine Gegnerin wie sie konnte er respektieren; sie kam ihm an stählerner Härte gleich, und er freute sich darauf, sie kennenzulernen. *Aber vor allem kann ich es kaum erwarten, der erste hohe republikanische Offizier zu sein, der sie kennenlernt, ohne* ihr *Gefangener zu sein!*

Daß er sie ebenso respektierte wie ihre militärischen Leistungen und ihre politische Rolle, machte es noch wichtiger, sie mit allem Protokoll zu behandeln, das ihr nach Rang und Errungenschaften zustand. Schon unter den Legislaturisten hatte die Volksrepublik den zweifelhaften Ruhm genossen, in puncto Behandlung von Kriegsgefangenen alles andere als vorbildlich zu sein. Lester Tourville hatte bereits damals zu den Offizieren gehört, die deswegen sowohl Beschämung als auch Bitterkeit empfanden, und unter dem neuen Regime hatte sich die Reputation der Republik noch verschlimmert. Die Behandlung von militärischen und politischen Häftlingen stand nunmehr unter der Oberaufsicht des Amts für Systemsicherheit, und die Volksflotte focht ohne Unterlaß einen verdeckten Konflikt, um ihre Kriegsgefangenen vor den Klauen der SyS zu bewahren. Leider gewann die Flotte in diesem Krieg nur dann eine Schlacht, wenn die SyS ihr den Sieg schenkte, und diese ›Erfolge‹ beschränkten sich in der Regel darauf, daß man der Flotte gestattete, das Personal zum Betrieb ihrer eigenen Kriegsgefangenenlager zu stellen, während die SyS sich auf wichtigere (und politisch heiklere) Gefängnisse konzentrierte.

Tourville begriff durchaus, daß die Systemsicherheit nun nicht nur möglicherweise, sondern wahrscheinlich verlangen würde, Harrington an sie auszuliefern. Sein Lächeln wich trüber Ausdruckslosigkeit. Harrington hätte es gewiß besser verdient. Tourville und alle Angehörigen der Volksflotte hatten im Gegensatz zu den SyS-Schergen ein unmittelbares Interesse an der einwandfreien Behandlung gefangengenommener alliierter Soldaten, denn weit mehr Offiziere, Unteroffiziere und Mannschaften der havenitischen Streitkräfte befanden sich in Händen der Allianz als umgekehrt. Wenn die Manticoraner sich jemals zu einer Vergeltung für die schlechte Behandlung ihrer gefangenen Kameraden hinreißen lassen sollten, müßte nicht die Systemsicherheit den Preis für ihre Übergriffe zahlen, sondern die Volksflotte.

Der Bürger Konteradmiral beugte sich wieder vor und schaute sinnend auf sein Com. Er bemerkte Bogdanovichs Gesichtsausdruck und die Verwunderung in den Augen des Stabschefs, der zwar die Stimmungswechsel seines Vorgesetzten spürte, jedoch nicht alle Gründe dafür kennen konnte. In den Gedanken Tourvilles spielte der Stabschef im Augenblick nur eine untergeordnete Rolle. Die Lage umfaßte gewisse Implikationen, die er im ersten Überschwang außer acht gelassen hatte, und sein Verstand verbiß sich nun in die Frage, wie er den Konsequenzen am besten entgegentrat, die aufgrund der Gefangennahme Harringtons in absehbarer Zeit drohten.

Konnte er Everard Honeker um Hilfe angehen? Offiziell durfte er dem Volkskommissar seine Bedenken freilich nicht auseinandersetzen, doch andererseits war Honeker nun schon so lange sein politischer Wachhund, daß sich zwischen ihnen eine Art stillschweigenden Einvernehmens und gegenseitigen Verständnisses entwickelt hatte. Honeker würde gewiß seinen Anteil vom Ruhm für die Gefangennahme Harringtons abschöpfen, und deshalb war er vielleicht geneigt, Tourville zuzuhören. Honeker gehörte nach wie vor dem Amt für Systemsicherheit an; Tourville mußte davon ausgehen, daß er seiner Organisation die Treue hielt. Andererseits war der Volkskommissar jedoch auch ein Quasi-Offizier, der die Realitäten des Flottendienstes am eigenen Leibe erfahren hatte. Vor allem aber handelte es sich bei Honeker um keinen der Idioten, die in den Scharen von Volkskommissaren anscheinend den Hauptanteil stellten. Obwohl Honeker es niemals offen zugegeben hätte, schien er sich doch im klaren zu sein, daß eine Flotte, die einen Krieg gewinnen sollte, keine operativen Fakten ignorieren konnte, nur um jedem Punkt und Komma revolutionärer Doktrin zu genügen, die zudem im Einzelfall absolut eselhaft sein mochte! Ganz eindeutig hatte Honeker seinen Willen bewiesen, im Interesse der Vernunft und der Effektivität gelegentlich in die andere Richtung zu schauen ... aber würde sich dieser Mann bewegen lassen, Tourville in seinem unfaßbaren Ansinnen zu unterstützen – nämlich Honor Harrington in Händen der Volksflotte zu belassen, anstatt sie der SyS zu übergeben?

Eins durfte Tourville sich niemals erlauben: Er konnte sich bei Honeker keinesfalls auf moralische Verpflichtungen und die Wahrung der Flottenehre berufen. Nicht etwa, daß Honeker nicht begriffen hätte, wie ernst solch ein Appell gemeint gewesen wäre; vielmehr kam er wie alle Volkskommissare mit einer vorprogrammierten Ablehnung von allem daher, was auch nur entfernt nach den prärevolutionären Konzepten des alten Regimes roch. Schließlich und endlich gehörte es zu den unauslöschlichen

Glaubensgrundsätzen des Umsturzes, daß das Legislaturistenregime unter der Last seiner eigenen korrumpierten Dekadenz zusammengebrochen sei und sich das Komitee für Öffentliche Sicherheit daraufhin in einen revolutionären Kampf auf Leben und Tod gestürzt habe – einen Kampf gegen die Kräfte der Reaktion, der Aristokratie, des Elitedenkens und der verkrusteten plutokratischen Interessen. Die Werte der Gegner von Gerechtigkeit und Fortschritt seien ausnahmslos allein zur Manipulation der Massen ersonnene Lügen, die verworfen werden müßten als Pose einer gierigen Eliteschicht, die sich historisch verschworen habe, um das Volk zu unterdrücken, zu entwürdigen und auszubeuten. Wie Bürgerin Committeewoman Ransom es so gern ausdrückte: »Ehre ist ein Wort, das Plutokraten benutzen, wenn sie jemanden in den Tod schicken wollen.«

Tourville war allmählich zu der Vermutung gelangt, Honeker könnte die dekadenten Wertvorstellungen, welche Ransom so sehr verabscheute, weitaus stärker teilen als er zugegeben hätte. Der Volkskommissar erinnerte Tourville an einen Mann aus einer tief religiösen Familie, der am Gottesdienst teilnimmt, ohne sich je eingestehen zu können, daß er in seinem Innersten längst zum Agnostiker geworden ist. Was immer in Honekers Verstand vor sich ging, auf keinen Fall würde er offen der orthodoxen Doktrin widersprechen. Deshalb mußte Tourville seine Argumente – zumindest an der Oberfläche – wie eine nachvollziehbare Analyse der greifbaren und vor allem *unmittelbaren* Vorteile präsentieren.

Das beste Pferd, auf das ich setzen kann, sind die Deneber Übereinkünfte, überlegte Tourville. *Weiß Gott hat die Systemsicherheit sie oft genug verletzt, trotzdem stellen die Vereinbarungen immer noch die offizielle Grundlage für die*

Behandlung von Kriegsgefangenen dar. Sie sehen ausdrücklich vor, daß das Militär für den ordnungsgemäßen Umgang mit militärischen Kriegsgefangenen zu sorgen hat. Die Aufsicht, daß auf beiden Seiten die Bestimmungen eingehalten werden, hat in diesem Krieg die Solare Liga übernommen. Der SyS ist es bislang zwar gelungen, die Inspektoren abzuwimmeln, aber wenn ich Honeker gegenüber nun betone, daß Harrington eine Gefangene sein wird, die ganz besonders im Rampenlicht steht? Wenn sie verschwindet, werden die Manties sich nicht mit der Entschuldigung zufriedengeben, daß es einen Fehler in den Dossiers gegeben hätte, oder ähnlichem Scheiß. Außerdem ist sie eine Gutsherrin. Wenn wir ein Staatsoberhaupt ›verlegen‹, dann werden sich sogar die Idioten, die uns von der Liga geschickt worden sind, von ihren dicken Ärschen erheben und die Lage genau unter die Lupe nehmen müssen! Außerdem könnte ich anführen, daß unsere Kampfmoral darunter leiden würde, wenn unsere Leute erwarten müßten, daß die andere Seite die Übereinkunft aus Vergeltung verletzt, und daß eine Mißhandlung ... Nein, nicht das Wort ›Mißhandlung‹ verwenden. Honeker geht sofort in die Defensive, wenn ich andeute, daß die SyS Gefangene mißhandeln könnte – obwohl wir beide genau wissen, daß dergleichen geschieht. Das kann er einfach nicht zugeben. Sagen wir lieber: Wenn unsere Behandlung Harringtons auch nur gegen ein Wort der Deneber Übereinkunft verstößt, muß bei einem reaktionären Regime wie dem Sternenkönigreich davon ausgegangen werden, daß es Vergeltungsmaßnahmen einleitet, und unsere Leute wissen das.

Noch immer betrachtete er stirnrunzelnd seine Zigarre und ging mehrere mögliche Formulierungen seines Argumentes durch. Ein wenig Politur konnte es noch gebrauchen ... die richtigen Wörter an den richtigen Stellen ... und dann mußte er Honeker irgendwo erwischen, wo die Wanzen es schwer hatten; erst dort konnte er dem Volkskommissar sein wohlformuliertes Ansinnen unterbreiten. Zum Glück blieben ihm noch mehrere Stunden, bevor die *Katana* die Gefangenen an Bord der *Count Tilly* brachte.

Endlich blickte er wieder Bogdanovich ins Gesicht und grinste.

»Prächtige Neuigkeiten, Yuri«, sagte er. »Informieren Sie unverzüglich Bürger Kommissar Honeker und bereiten Sie alles vor, um Commodore Harrington und die anderen dienstälteren Gefangenen mit den entsprechenden militärischen Ehren zu empfangen. Nach allem, was ich gehört habe, ist sie immer sehr darauf bedacht gewesen, Gefangene anständig zu behandeln; dafür wollen wir uns nun revanchieren.«

»Jawohl, Bürger Konteradmiral.«

»Ach, das erinnert mich an etwas. Benachrichtigen Sie auch Shannon. Sie wird Commodore Harrington wahrscheinlich ebenfalls ihren Respekt erweisen wollen.«

»Ich kümmere mich darum, Bürger Konteradmiral.«

»Danke. Und rufen Sie mich ... sagen wir, fünfundvierzig Minuten vor dem Rendezvous mit der *Katana*.«

»Jawohl, Bürger Konteradmiral.«

»Danke«, wiederholte Tourville und schaltete ab. Seine Zigarre war erloschen, und so entzündete er sie wieder. Paffend schaukelte er mit dem Sessel vor und zurück. In welche Schiffsabteilung sollte er Honeker locken, um ihn dort um Mithilfe anzugehen?

»Bürgerin Captain Zachary läßt sich empfehlen und Sie und Ihre Offiziere bitten, mich zwecks Transfer zum Flaggschiff in den Beiboothangar zu begleiten, Commodore.«

Honor wandte sich Bürger Commander Luchner zu, als er sie ansprach. Daß sich die Luke geöffnet hatte, mußte sie überhört haben. Sie fragte sich, inwieweit ihre Unaufmerksamkeit von ihrer niederschmetternden Verzweiflung herrührte. Ihr ausdrucksloses Gesicht mußte doch jedem als Beweis genügen, daß sie sich auf ganzer Linie besiegt fühlte. Und es forderte Honor sämtliche verbliebene Kraft ab, diese Ausdruckslosigkeit aufrechtzuerhalten. Sie nickte dem I.O. der *Katana* zu.

»Vielen Dank, Bürger Commander.« Der Ton der eigenen Stimme überraschte sie. Sie klang heiser und rauh, als hätte Honor wochenlang nicht gesprochen, doch davon abgesehen klang ihre Stimme so natürlich – so *normal* –, daß sie einer anderen Person gehören mußte, die nur vorgab, mit Honor identisch zu sein. Sie wischte diese bizarre Vorstellung beiseite und räusperte sich – was anscheinend nicht viel weiterhalf.

»Bitte richten Sie Ihrer Kommandantin meinen Dank aus. Die Besatzung und Sie haben sich vorbildlich um unsere Leute gekümmert ... besonders um die Verwundeten. Ich weiß das zu würdigen.«

Luchner setzte zu einer Antwort an und hielt inne; was konnte er schon sagen? Er begnügte sich mit einem höflichen Nicken, machte einen Schritt zur Seite und ließ Honor mit einer Handbewegung den Vortritt.

Sie gehorchte, und jeder Schritt fuhr ihr durch Mark und Bein. Ihr Gang ließ alle Spannkraft vermissen und offenbarte eine tiefe Müdigkeit, die nichts mit ihrem körperlichen Zustand zu tun hatte; genauer gesagt, kam diese Müdigkeit zu ihrer physischen Erschöpfung hinzu, und Honor glaubte fast, daß sie auch dann noch auf ihr lasten würde, wenn sie sich körperlich wieder erholt hätte.

Alistair McKeon ging neben ihr. Sein brennender Schmerz – seine Beschämung – machte ihr noch weitaus mehr zu schaffen als ihre eigene Qual. Wie gern hätte sie ihn aufgerichtet, doch wie hätte sie ihm Trost spenden sollen? Selbst wenn Honor seine Pein hätte lindern können, wäre McKeon doch nicht in der Verfassung gewesen, ihn anzunehmen. Er wirkte wie ein Vater, der den Verlust seines Kindes betrauert und sich selbst die Schuld daran gibt. Daß er sich nichts vorzuwerfen hatte, war für McKeon im Augenblick völlig unerheblich.

Und McKeons Gefühle waren längst nicht die einzigen, die auf Honor einstürmten. Hinter ihr ging Andrew LaFollet, dessen völlig unbeteiligte Miene seinen inneren Aufruhr nach außen hin verbarg; Honor aber spürte jede Nuance seiner panischen Hilflosigkeit – und des Gefühls, versagt zu haben. Von James Candless und Robert Whitman drangen dieselben Emotionen auf Honor ein, denn alle drei waren sie graysonitische Waffenträger und außerstande, die Frau vor Unheil zu bewahren, die zu schützen sie geschworen hatten. Die drei Waffenträger verzehrten sich vor Sorge, und diese Empfindungen drohten Honor zu übermannen.

Am liebsten wäre sie zu den dreien herumgewirbelt und hätte sie angebrüllt, augenblicklich damit aufzuhören – sie angefleht, ihr doch wenigstens diese Gefühle zu ersparen, sie wenigstens *davor* zu beschützen. Selbst wenn jemand diesem Befehl hätte nachkommen können, wäre Honor dennoch im Unrecht gewesen, ihn zu erteilen. Die fremden Gefühle, die an ihrer Seele nagten, entsprangen dem grundlegenden Wesen ihrer Waffenträger. Nur weil die drei ihr so treu ergeben waren, konnten sie derart außer sich geraten. Wie also hätte sie es über sich bringen sollen, die Nöte der drei Graysons noch zu verschlimmern, indem sie ihnen offenbarte, wie sehr deren Elend Honor quälte?

Nein, dergleichen stand einfach außer Frage. Honor hatte im Gegenteil alles getan, um die drei Waffenträger in ihrer Nähe zu behalten; gegenüber den Haveniten hatte sie die drei deshalb als Offiziere der graysonitischen Marineinfanterie identifiziert. Mit großen Augen hatte McKeon vernommen, wie sie Luchner erklärte, LaFollet sei ein Colonel der Marines, und wie sie Candless und Whitman als Lieutenants bezeichnete. Obwohl Alistair McKeon mit keinem Wort darauf eingegangen war, glaubte er nun von ihr, sie hätte zu einer Lüge Zuflucht genommen, um zu verhindern, daß man Candless und Whitman von ihr trennte; die Haveniten hatten nämlich die Kriegsgefangenen unterteilt und dabei die Offiziere von den Mannschaften und Unteroffizieren separiert. Doch McKeon hatte nur die halbe Wahrheit erkannt: Zwar hatte er den Grund durchschaut, aus dem Honor die drei Waffenträger als Marines identifizierte, aber gelogen hatte sie nicht.

Auf Grayson besaß das Wort ›Waffenträger‹ mehrere Bedeutungen. Zunächst bezeichnete es so gut wie alle Polizeikräfte, gewann aber eine zusätzliche Nuance, sobald man es auf die Gefolgsleute eines Gutsherrn bezog. Bei genauerem Hinsehen bestand die ›Harringtoner Gutsgarde‹ aus zwei getrennten Truppenkörpern: Innerhalb der Gutsgarde existierte noch ein kleinerer Truppenkörper, dessen genaue Bezeichnung ›Guts*herrn*garde‹ lautete. Dieser umfaßte nur fünfzig Mann, denn die Verfassung des Planeten Grayson gestand jedem Gutsherrn nur fünfzig *persönliche* Waffenträger zu. Die Harringtoner Gutsgarde als Ganzes schloß diese Gutsherrngarde ebenso mit ein wie jeden anderen uniformierten Polizisten des Guts. Zur Verwirrung Außenstehender wurden sie alle ›Waffenträger‹ genannt, obwohl ihre Aufgabenbereiche sich völlig voneinander unterschieden. Die Gutsherrngarde stellte Honors persönliche Leibwache und wurde vom Rest der Garde unterstützt, wann immer es erforderlich erschien. Ersatzleute für die Gutsherrngarde stammten in der Regel aus den Reihen der ›regulären‹ Gutsgarde. Der Grund dafür, daß die Kopfzahl der Gutsherrngarde niemals mehr als fünfzig betragen durfte, reichte bis in den graysonitischen Bürgerkrieg zurück.

Benjamin der Große hatte nicht vierzehn Jahre lang den bittersten Bruderkrieg in der Geschichte der Menschheit geführt, nur damit sein Sohn oder Enkel sich den alten Problemen erneut stellen mußte. Auf beiden Seiten hatten die Gutsherrnarmeen, die ja aus persönlichen Gefolgsleuten bestanden, den Kern der ausgebildeten Truppen gestellt, und daher setzte die Benjaminische Verfassung dem Umfang aller persönlichen Gutsherrnkohorten ein für allemal eine Obergrenze. Darüber hinaus ergriff Benjamin eine weitere Vorsichtsmaßnahme: Er verlieh jedem persönlichen Waffenträger ein Offizierspatent im graysonitischen Heer.

Die dahinterstehende Überlegung war recht einfach. Wenn alle Waffenträger zur Army gehörten, konnte ein Protector die Waffenträger eines aufmüpfigen Gutsherrn zumindest theoretisch in den aktiven Heeresdienst berufen und ihn dadurch der fünfzig persönlichen Gefolgsleute berauben, die ihm zustanden. Daß ein Gutsherr, dem nur fünfzig Waffenträger erlaubt waren, sich stets nur die besten Männer aussuchen würde, gewährleistete außerdem, daß die Army im Falle des Falles auf einen hochkalibrigen Kader von Reserveoffizieren zurückgreifen konnte. In den Überlegungen Benjamins hatte dieser zusätzliche

Nutzen allerdings nur eine zweitrangig Rolle gespielt.

Unter einem späteren (und schwächeren) Protector stellte das Oberste Planetare Zivilgericht fest, daß Waffenträger ihre Offizierspatente allein deshalb erhielten, *weil* sie Waffenträger waren – in erster Linie also aufgrund des Treueids, den sie auf ihren Gutsherrn ablegten. Das Gericht vertrat daher die Ansicht, ihre erste Pflicht liege darum bei dem Gutsherrn, dem sie dienten, und nicht bei der Army. Deshalb konnten sie fortan nur mit Einwilligung ihres Lehnsherren in den aktiven Heeresdienst berufen werden, eine Zustimmung, die natürlich kein Gutsherr jemals erteilt hätte, wenn er mit dem Protector auf Kriegsfuß stand.

Obwohl Benjamins Vorsorge damit der Grundlage beraubt worden war, bestanden die konstitutionellen Bestimmungen fort. Da graysonitische Marineinfanteristen nichts anderes waren als Heeressoldaten, die an Bord von Schiffen Dienst taten, und da LaFollet, Candless und Whitman Offizierspatente des Heeres besaßen, waren sie technisch tatsächlich Offiziere der Marineinfanterie. Die Argumentationskette mochte einige brüchige Stellen aufweisen, da sie allein auf den Besonderheiten der graysonitischen Gesetzgebung beruhte, doch war sie unwiderlegbar. Alle Personalakten über Honors Waffenträger befanden sich nach wie vor an Bord der *Jason Alvarez,* so daß den Haveniten kein dokumentierter Gegenbeweis zur Verfügung stand.

Für Honor war die Erleichterung, daß Luchner die Waffenträger als Marines akzeptierte, nicht mehr als ein flackerndes Licht inmitten der Schwärze, die sie umgab; neben dem Gefühl der Niederlage, das die Menschen um Honor beherrschte, verblaßte der kleine Triumph zur Nichtigkeit. Gleichzeitig dankten fast alle ihrem Schicksal, daß sie überlebt hatten, doch selbst diese kleine Erleichterung spendete keinen echten Trost, sondern gab Anlaß zu weiterer Scham: die Überlebenden der *Prince Adrian* fühlten sich schuldig für ihre Dankbarkeit, als wäre diese doch so menschliche Reaktion etwas Verachtenswertes ... und auch diese Gewissensnöte strömten über Nimitz auf Honor ein.

In ihrem Mund schmeckte sie die innerliche Finsternis, die ihre Offiziere erfüllte; sie schloß die Augen und drückte sich Nimitz enger an die Brust. Wie die meisten der Offiziere, die zum Beiboothangar der *Katana* marschierten, trug der Baumkater noch seinen Raumanzug. Dadurch war er für Honor zu schwer, um ihn sich auf die Schulter zu setzen, wo der eigentliche Stammplatz des 'Katers war. Mit Vorbedacht ließ sie ihn weiterhin den Anzug tragen. Als der Grund dafür ihr erneut vor Augen stand, umschloß sie Nimitz unwillkürlich fester mit den Armen.

Eine grauenvolle und sehr persönliche Furcht nagte beharrlich an ihr. Honor hatte ihr Bestes gegeben, um sie aus ihrem Bewußtsein zu verbannen, sie zu ignorieren oder sich so intensiv ihren Pflichten zu widmen, daß sie zumindest behaupten konnte, die schreckliche Befürchtung zu ignorieren. Alle ihre Bemühungen waren vergebens, reine Selbsttäuschung. Über Honors Anstrengungen, das Gefühl zu unterbinden, lachte die Furcht nur höhnisch. Flüsternd stichelte sie und verspottete Honor; und da Honor diese Angst nicht wegzuschließen vermochte, wie es ihr Intellekt von ihr verlangte, schämte sie sich wegen der Schwäche, die sie einfach nicht überwinden konnte.

Am schlimmsten war, daß ihr Intellekt, der einerseits auf der Bezwingung der Furcht bestand, ihr im nächsten Moment mitteilte, daß sie diese Furcht aus gutem Grund empfand; denn Honor fürchtete, daß man sie von Nimitz trennen könnte; daß die Haveniten ihn zwar als fremdartiges, aber gewöhnliches Haustier betrachten und ihn ihr abnehmen könnten. Wenn man ihn am Ende nicht sogar als *gefährliches* Tier von einer fremden Welt einstufte! Was das zwangsläufig zur Folge haben müßte, ängstigte Honor so sehr, daß sie es nicht wagte, den Gedankengang zu beenden. Gleichzeitig wagte sie aber auch nicht, sich der Überlegung zu entziehen. Aus diesem Grund hatte sie Nimitz im Anzug gelassen und hoffte, daß seine Fähigkeit, den Raumanzug zu bedienen, seine Intelligenz bewies und für jeden offensichtlich machte, daß er mehr war als ›nur ein Tier‹. Außerdem verbargen die Handschuhe des Anzugs die mörderischen, zentimeterlangen, rasiermesserscharfen Krallen an seinen Pfoten. Keiner der Haveniten konnte Nimitz je in Aktion erlebt haben, und deshalb hoffte Honor, die Haveniten über die Tödlichkeit seiner natürlichen Waffen hinwegtäuschen zu können, bis sich in ihrem Bewußtstein verankert hatte, daß Nimitz ein Intelligenzwesen war und sich unter Kontrolle hatte. Dann konnte sie ihn vielleicht doch schützen, wenn es zum Äußersten kam.

Vielleicht ... vielleicht aber auch nicht. Wenn es mir nicht gelingt, und wenn jemand versucht, uns zu trennen oder Nimitz etwas anzutun, wenn ...

Honor biß fest die Zähne zusammen und entzog sich der erstickenden Panik, die erneut in ihr aufzusteigen drohte. Sie hatte noch andere Pflichten, andere Verantwortungen, denen sie irgendwie genügen mußte ... Nimitz hob sanft eine Echthand und streichelte ihr damit über das Gesicht. Er spürte ihr Grauen und begriff den Grund dafür; sie empfand seine ebenso große Angst. Tatsächlich waren die beiden in einer Rückkopplungsschleife gefangen, in der sich ihre gemeinsame Furcht zu immer größerer Stärke aufschaukelte und der Resonanzkatastrophe näherbrachte. Gleichzeitig aber empfand Honor auch Nimitz' Anteilnahme, seine Liebe und grimmige Ablehnung der Gewissensbisse, die sie sich machte, weil ihre Gedanken schwankten und wie Wasser hin und her schwappten, obwohl sie sich lieber um ihre Leute kümmern sollte, die nur durch ihre Befehle in diese Situation geraten waren.

Doch hatte Nimitz unrecht. Honor mußte ihre Pflicht tun. Irgendwie gelang es ihr, die Beiboothangargalerie mit straffen Schultern und erhobenen Kopf zu betreten. Havenitische Marines mit ausdruckslosen Mienen säumten die Schotte, die Pulsergewehre in Schräghalte nach links, was keine unmittelbare Bedrohung, aber sofortige Kampfbereitschaft bedeutete. Honor verzog bitter den Mund. Wie oft hatte sie eigene Marines in ähnlicher Aufstellung gesehen, die mit aufmerksamen Augen überwachten, wie Haveniten nach der Kapitulation ihres Schiffes in Gefangenschaft gingen. Nun war sie an der Reihe, und das hätte niemals geschehen dürfen! Die Royal Manticoran Navy war es, die Gefangene machte, und kein Manticoraner wurde vom Feind verschleppt! Honor schämte sich, im Dienst der Königin versagt zu haben. Daß das Opfer der *Prince Adrian* den Geleitzug gerettet hatte, zählte für sie dabei nicht.

Bürger Commander Luchner reichte ihr die Hand, und Honor drückte sie fest. Irgendwie gelang es ihr, ihm die Karikatur eines Lächelns zuzuwerfen, doch die Armseligkeit dieses Ergebnisses verstärkte ihr Schamgefühl nur noch mehr. Niemand konnte behaupten, daß Luchner und seine Kommandantin die Gefangenen schlecht behandelt hätten, und deshalb verdiente der I.O. der *Katana* mehr als das Totenkopfgrinsen, mit dem Honor ihn bedachte. Mehr hatte sie jedoch nicht anzubieten und hoffte, daß er verstand.

Luchner trat beiseite, und die Marines teilten die alliierten Offiziere in Gruppen auf, die verschiedenen Pinassen zugewiesen wurden. Unter den Augen der Wachsoldaten schwammen sie durch die Zugangsröhren in die Beiboote und nahmen ihre Sitze ein. Dann legten die Pinassen ab, wendeten auf Düsenschub und verließen nacheinander den Hangar. Honor lehnte sich in den unangemessen bequemen Sitz zurück und schloß die Augen. Einmal mehr war sie mit ihrer Verzweiflung allein.

Als die Traktorstrahler des Beiboothangars die erste Pinasse auf dem Pralldämpfer des Andockgerüsts absetzten, unterbrach Bürger Konteradmiral Tourville das Gespräch mit seinem Flaggkommandanten, Bürger Captain Hewitt, und drehte sich um. Die mechanischen Dockarme verankerten das Beiboot, die Zugangsröhre und die Nabelschnüre wurden ausgefahren und verbanden die Pinasse mit dem Schlachtkreuzer. Tourville holte tief Luft.

Er hatte sein Bestes gegeben, um Honeker auf seine Seite zu ziehen, und wenn er ehrlich war, mußte er sich loben, denn er hatte sich besser geschlagen als gehofft. Sie hatten sich in einer Ecke der Turnhalle von VFS *Count Tilly* getroffen, wo ihnen der Hintergrundlärm eines Basketballspiels Schutz vor Lauschern bot. Keiner von ihnen erwähnte mit auch nur einer Bemerkung, weshalb der Kampfgruppenchef ausgerechnet diesen schwierig abzuhörenden Treffpunkt ausgesucht hatte, doch allein durch sein Schweigen gab Honeker bereits zu verstehen, daß er sich über die Zusammenhänge und Tourvilles Gründe bestens im klaren war.

Und ganz wie der Bürger Konteradmiral gehofft hatte, hatte Honeker ein offenes Ohr für ihn. Tourville erhielt sogar den Eindruck, daß sich Honeker über die Ehre und moralische Verantwortung der Flotte fast so sehr sorgte wie über die ›praktischeren‹ Aspekte der Behandlung von Kriegsgefangenen. Dennoch gab es natürlich Grenzen, die der Volkskommissar niemals überschreiten würde. Alles in allem willigte Honeker ein – ohne dies je deutlich auszusprechen –, sich Tourvilles Wünschen zu fügen, was die Behandlung von Harrington und ihren Leuten betraf. Die Angelegenheit sei, wie er sagte, ›ohne Einschränkung Sache des Militärs‹. Mit dieser Phrase wälzten viele Volkskommissare schwierige Entscheidungen auf die Volksflotte ab, ohne damit das Recht aufzugeben, die Flotte für alle widrigen Folgen dieser Entscheidungen verantwortlich zu machen. Diesmal jedoch hörte Tourville die Formulierung gern, denn sie räumte ihm das Recht ein, nach eigenem Ermessen zu handeln.

Doch einen Preis hatte diese Freiheit durchaus: Indem Honeker ›dem Militär‹ gestattete, die Verantwortung zu übernehmen, schloß er sich automatisch von Tourvilles Entscheidungsfindung aus, und war deswegen verdächtigerweise nicht anwesend, als die gefangenen Alliierten an Bord der *Count Tilly* kamen. Wenn er sich in Tourvilles Entscheidungen nicht einmischen wollte, mußte er sich gleichzeitig von ihnen distanzieren. Infolgedessen konnte er Tourville im weiteren Verlauf der Angelegenheit nur sehr eingeschränkt den Rücken vor übergeordneten Stellen stärken – falls er das überhaupt beabsichtigte.

Die Innenluke der Zugangsröhre öffnete sich, und Tourville verschränkte die Arme hinter dem Rücken und wartete ab. Keine zwanzig Sekunden vergingen, und die erste Person – eine athletische, hochgewachsene Frau – schwamm durch die Röhre heran. Im Gegensatz zu den meisten anderen Gefangenen trug sie Uniform und keinen Raumanzug. Sie bewegte sich bezaubernd anmutig – obwohl sie sich mit einem Arm ein gut sechzig Zentimeter langes Wesen an die Brust drückte, das in einem Raumanzug steckte. Mit der freien Hand packte sie die Haltestange am Bordende der Röhre, schwang sich durch die Grenzschicht in das interne Schwerefeld der *Count Tilly* und trat vor, um dem nächsten Kriegsgefangenen Platz zu machen.

Hochgewachsen wie sie war, stellte sie sich mit gestrafften Schultern und erhobenem Kinn vor die Grenzlinie. Das scharfgeschnittene, dreieckige Gesicht zeigte beinah unmenschlich anmutende Ruhe. Doch vor der düsteren Qual in den mandelförmigen Augen wäre Tourville fast zurückgezuckt. Ihr Blick schweifte über die Offiziere und die wachestehenden Marines auf der Hangargalerie, glitt über Tourville und blieb schließlich auf Bürger Captain Hewitt haften. Ihm wandte die Frau sich zu und salutierte.

»Commodore Harrington, Royal Manticoran Navy«, sagte sie. Ihre leise Sopranstimme klang angenehm – und entbehrte ebenso wie ihr Gesicht jeder Regung.

»Bürger Captain Alfred Hewitt, VFS *Count Tilly*«, erwiderte der Flaggkommandant. Er unterließ es, eine dumme Phrase hinzuzufügen, mit der er sie an Bord willkommen hieß, und streckte einfach die Rechte aus.

Honor blickte auf die angebotene Hand und ergriff sie schließlich. Hewitt besaß einen festeren Händedruck als sie erwartet hatte, in seinem Gesicht erkannte sie sowohl Genugtuung als auch Mitgefühl. Diesen Ausdruck kannte Honor sehr gut; nur hatte sie bislang noch nie erdulden müssen, von jemand anderem damit bedacht zu werden.

»Commodore Harrington«, sagte Hewitt förmlich, »gestatten Sie mir, Ihnen Bürger Konteradmiral Tourville vorzustellen.«

»Bürger Konteradmiral.« Honor wandte sich Tourville zu, während Alistair McKeon sich hinter ihr aus der Röhre schwang. Mit halbem Ohr hörte sie, wie er und Hewitt einander mit den gleichen förmlichen Worten vorstellten. Ihre Aufmerksamkeit war indes völlig auf Tourville gerichtet, dessen Emotionen für eine schnelle Analyse zwar zu komplex waren, Honor aber dennoch schwache Hoffnung schenkten. Wie mit Tentakeln schien seine Gefühlslage nach ihr zu greifen: Triumph und Stolz wegen der erbrachten Leistung dominierten sein Gemüt, doch als er ihr seine Hand reichte, spürte Honor sowohl Mitgefühl als auch seine Entschlossenheit zu ehrenhaftem Verhalten.

»Commodore Harrington.« Tourville sah der Gefangenen in die Augen und versuchte, sich ein Bild von ihrer Persönlichkeit zu machen. Honor wich seinem forschenden Blick nicht aus. »Tut mir leid zu hören, daß Ihre Verluste derart hoch gewesen sind«, sagte er. »Unser Sanitätspersonal wird sich um Ihre Verwundeten kümmern, als gehörten sie zu uns – und ich verspreche Ihnen, daß Sie und alle Ihre Leute dem Rang entsprechend behandelt werden.«

»Vielen Dank, Sir«, sagte Honor. Seine Lider zuckten. Am liebsten hätte sie sich getreten – wie konnte sie nur vergessen, daß an Bord havenitischer Schiffe allein die Volkskommissare mit ›Sir‹ oder ›Ma'am‹

angesprochen wurden? Da erst bemerkte sie das Fehlen eines Kommissars im Empfangskomitee, und Neugierde begann an der Schale ihrer Verzweiflung zu knabbern.

»Gern geschehen«, entgegnete Tourville und lächelte andeutungsweise und flüchtig. »Und nicht mehr als angemessen, wenn man bedenkt, wie Sie sich unseren Leuten gegenüber verhalten haben, die Ihre Gastfreundschaft in Anspruch nehmen mußten, meinen Sie nicht auch?« Als Honor ihn daraufhin erstaunt anblickte, lächelte Tourville erneut, und diesmal geriet es natürlicher. »Wenn ich mich recht entsinne, hat mein Operationsoffizier, Bürgerin Commander Foraker, einige Zeit an Bord Ihres letzten Flaggschiffs verbracht«, erklärte er.

»*Shannon* Foraker?« fragte Honor, und Tourville nickte.

»Allerdings. Ich habe mit ihr ein langes Gespräch darüber geführt, Commodore. Und während es in Zeiten des Krieges einfach keine Garantien geben kann, hoffe ich doch, daß Sie und Ihre Leute unsere Behandlung so human und anständig finden wie Bürgerin Commander Foraker umgekehrt die Ihre.« Tourville sprach aufrichtig, und dennoch enthielten seine Worte eine unausgesprochene Warnung, die Honor sehr wohl begriff. Doch Tourville blickte ihr wieder unverhohlen in die Augen. »Ganz besonders froh bin ich darüber, daß die Bürgerin Commander mir zusätzliche Kenntnisse zukommen ließ; um genau zu sein, in bezug auf Ihren – *Gefährten.*« Ohne Honors Blick freizugeben, wies er auf Nimitz. »Wenn ich recht verstanden habe, sind Sie durch ein einzigartiges, inniges Band mit ihm verbunden. Bürgerin Commander Foraker versicherte mir weiterhin, daß er wesentlich intelligenter ist, als man bei seiner geringen Körpergröße normalerweise annehmen würde. Angesichts der Umstände habe ich Anweisung erteilt, daß er für die Dauer Ihres Aufenthalts an Bord der *Count Tilly* bei Ihnen bleibt, solange er sich anständig benimmt. Selbstverständlich lege ich die Verantwortung für sein Wohlverhalten auf Ihre Schultern, und ich vertraue darauf, daß Sie – und er – mir keinen Anlaß geben, meine Entscheidung zu bereuen.«

»Ich danke Ihnen, Bürger Konteradmiral«, sagte Honor leise. »Ich danke Ihnen sehr. Und ich gebe Ihnen mein Wort, daß Nimitz und ich nichts tun werden, weshalb Sie Ihre Großzügigkeit bedauern müßten.«

Tourville wies mit einer knappen, abwehrenden Geste ihren Dank zurück und wandte sich Alistair McKeon zu. Honor bemerkte, daß sich Nimitz entspannte, denn der Baumkater hatte die Aufrichtigkeit des Bürger Konteradmirals sehr wohl gespürt. Das Nachlassen seiner Anspannung schwächte den emotionalen Rückkopplungseffekt, so daß auch Honors Muskeln sich ein wenig entspannten. Trotzdem blieb sie erheblich wachsamer als Nimitz. Baumkatzen konzentrierten sich auf das Hier und Jetzt; sie handelten der jeweiligen Situation angemessen und schoben alle Gefahren und Probleme beiseite, die nicht unmittelbar akut waren. Und so hatte Nimitz seinen empathischen Sinnen zum Trotz die subtile Einschränkung in Tourvilles Versprechen übersehen. Dessen Versicherung, daß Nimitz und Honor für ›die Dauer Ihres Aufenthalts an Bord der *Count Tilly*‹ zusammenbleiben dürften, stellte sowohl eine Erlaubnis dar – als auch eine Warnung, daß er für nichts garantieren könne, sobald sie von Bord des Schlachtkreuzers gehen müßten.

Dunkel und bedrohlich lauerte die Zukunft vor ihr, und innerlich erkannte sie bereits den zermalmenden

Effekt, den das Gefühl der Hilflosigkeit auf eine Persönlichkeit ausübte, die es gewöhnt war, das eigene Schicksal selbst in die Hand zu nehmen. Momentan bot sich ihr kein Ausweg, und deshalb rief sie sich still zur Ordnung. Sie wollte sich an Nimitz ein Beispiel nehmen und alles verdrängen, was sie nicht beeinflussen konnte.

Ein Tag nach dem anderen, ermahnte sie sich. *So läuft das ab heute: ein Tag nach dem anderen.*

Die Tatsachen standen fest, und kaum hatte Honor das Unausweichliche erkannt, als ihre bedrohliche, von Machtlosigkeit geprägte Zukunft versuchte, sie in die Tiefe zu ziehen, und Honor fürchtete sich.

19

Vizeadmiral Sorbanne kam um den Schreibtisch herum und reichte ihrem Besucher die Hand. Ein Blick auf den Tisch genügte, um zu erkennen, daß der Verlust des Adler-Systems die Last auf den Schultern der Befehlshaberin von Clairmont Station noch schwerer gemacht hatte. Diesmal jedoch zeigte Sorbanne nicht die geringste Spur ihrer berüchtigten Reizbarkeit, sondern ihre Miene drückte Mitgefühl aus.

»Captain Greentree«, sagte sie leise und wies auf die kleine Sitzgruppe des Büros. »Bitte nehmen Sie Platz.«

»Vielen Dank, Dame Madeleine.«

Der graysonitische Offizier stattete der Admiralin lediglich einen Höflichkeitsbesuch ab, bevor er die Überreste von Honor Harringtons Geschwader nach

Jelzins Stern zurückführen würde. Er sah schrecklich aus. Sein Gesicht war eingefallen, und dunkle Schatten, die an blaue Flecken erinnerten, unterlegten seine Augen. Sein stämmiger Leib wirkte zusammengeschrumpft, seine Uniform eine Nummer zu groß – sie hing an ihm herab und erweckte einen vernachlässigten Eindruck, obwohl sie maßgeschneidert, makellos sauber und frisch gebügelt war. Greentree nahm Platz, doch benahm er sich, als wäre die Bequemlichkeit des Stuhls ein Feind, dem er widerstehen mußte. Steif saß er da, mit zusammengestellten Füßen, und umklammerte die Schirmmütze auf seinem Schoß. Sorbanne glaubte die Anspannung, die er ausstrahlte, fast körperlich zu spüren.

Die Admiralin setzte sich zu ihm und beschloß instinktiv, keinen Kaffee bringen zu lassen. Diesem Mann war nicht nach luxuriösen Erfrischungen zumute, und obwohl er zweifellos höflich sein würde, hätte ihm solch ein Angebot beinahe beleidigend erscheinen müssen, geradezu als Trivialisierung seiner Bedrückung.

»Gewiß ahnen Sie, weshalb ich um Ihren Besuch gebeten habe, Captain«, begann Sorbanne unumwunden. Ihr Versuch, nicht förmlich zu klingen, mußte gescheitert sein, denn sie sah, wie sich Greentrees Gesicht verhärtete. »Ich fürchte, ich habe keine guten Nachrichten für Sie«, fuhr sie fort. Sie mußte sagen, was gesagt werden mußte, auch wenn niemand in diesem Büro es hören wollte. »Selbst mit großzügig bemessener Verspätung hätte die *Prince Adrian* bereits vor zwo Tagen im Clairmont-System eintreffen müssen. Ich fürchte, uns bleibt keine andere Wahl, als sie ab heute dreizehn Uhr Ortszeit offiziell als überfällig zu erklären – überfällig und verschollen.«

»Ich ...« begann Greentree und verstummte. Er

senkte den Blick auf seine Mütze, und seine Fingerknöchel wurden weiß, so fest umklammerte er die Kopfbedeckung. Als er tief stöhnte, beugte Sorbanne sich vor und berührte ihn sachte am Knie.

»Nichts davon ist Ihre Schuld, Captain«, sagte sie leise. »Sie haben genau das getan, was Sie tun mußten – ganz genau das, was Lady Harrington von Ihnen verlangt hat. Wir haben Ihre Sensorlogs analysiert – und auch die taktische Situation im Adler-System zum Zeitpunkt Ihrer Transition in den Normalraum. Selbst wenn Sie der *Prince Adrian* sofort zu Hilfe geeilt wären, hätten Sie ihr Schicksal nicht mehr beeinflussen können.«

»Aber ich hätte es versuchen müssen.« Der qualerfüllte Captain flüsterte so leise, daß Sorbanne sich nicht sicher war, ob er sich seiner Äußerung überhaupt bewußt war. Sie beschloß, der Satz sei für ihre Ohren bestimmt gewesen.

»Selbstverständlich hätten Sie es versuchen können«, fuhr sie ihn so scharf an, daß er überrascht aufblickte. »Versuchen kann man es immer, Captain, aber ein Raumoffizier erkennt gelegentlich rechtzeitig, wann er das lieber bleiben läßt: Nämlich dann, wenn ein Hilfeversuch lediglich den einfachsten Weg darstellt, den eigenen Ruf oder das eigene Gewissen zu schützen, die Kosten aber in Pflichtvergessenheit bestehen würden. Ganz gewiß werden sehr viele Idioten, die nicht dort gewesen sind, Ihnen vorwerfen, Sie hätten ungeachtet Ihrer Befehle systemeinwärts vorstürmen und versuchen müssen, Lady Harrington zu retten. Wenn Sie das versucht hätten, dann hätten Sie sich bestimmt alle Vorwürfe erspart. Aber Sie und ich, wir wissen doch beide – und wenn es uns noch so sehr widerstrebt, es zuzugeben: *Das wäre eine Fehlentscheidung gewesen!*«

Mit grimmigem Gesicht schaute sie ihm in die Augen.

»Selbst wenn Lady Harrington Ihnen nicht ausdrücklich befohlen hätte, unverzüglich wieder in den Hyperraum zu gehen, wären Sie niemals auf Unterstützungsreichweite an die *Prince Adrian* herangekommen. Sie war zu weit von Ihnen entfernt, um sie zu erreichen können, bevor sie die Hypergrenze überquerte. Entweder wäre die *Adrian* auf eigene Faust entkommen oder vorher in ein Gefecht verwickelt worden. In beiden Fällen hätten Sie Lady Harringtons Schicksal nicht beeinflussen können. Bei dem Versuch hätten Sie vielmehr riskiert, daß Ihnen das gleiche zustößt wie ihr – nämlich daß jemand Sie abfängt, der emissionsstill auf Ihrem Vektor lauert. Ihre Pflicht als Flaggkommandant des Geschwaders, bekräftigt durch den direkten Befehl Lady Harringtons, bestand darin, den Konvoi unter Ihrem Geleitschutz in den Hyperraum zu bringen. Wir werden es oft genug erleben, daß jemand Ihre Entscheidung hinterfragt, Captain. Aber wir sind beide erwachsene Menschen. Wir wissen, was geschehen wird, und wir wissen auch, daß einige dieser Leute unfair sein werden, sogar grausam. Fangen Sie nicht an, sich selbst so zu behandeln!«

»Aber was soll ich auf Grayson sagen?« fragte Greentree voller Elend. »Ich habe die *Gutsherrin* verloren, Admiral!«

»Verloren haben Sie überhaupt niemanden, Captain!« widersprach Sorbanne ihm fast heftig. »Lady Harrington hat ihre Pflicht getan – und Sie auch! Sie hat sich entschieden, die Uniform zu tragen, und damit die Gefahren in Kauf genommen, die in Kriegszeiten einem Geschwader drohen. Und sie hat der *Prince Adrian* befohlen, den Feind auf sich zu ziehen und vom Konvoi fortzulocken.«

»Das weiß ich«, antwortete Greentree nach kurzem Zögern. »Im Grunde weiß ich, daß Sie recht haben, und ich danke Ihnen für Ihre Freundlichkeit und Ihre ermutigenden Worte. Eines Tages wird mir das, was Sie mir heute gesagt haben, gewiß eine Menge bedeuten. Aber im Augenblick – in dieser Sekunde, Dame Madeleine – kann ich nur an die vielen Menschen auf Grayson denken. Nicht etwa, weil man mir vorwerfen wird, ich hätte Lady Harrington verloren, sondern weil *sie* Lady Harrington verloren haben. Weil wir alle sie verloren haben. Mir kommt das immer noch so ... so unmöglich vor.«

»Das verstehe ich gut«, seufzte Sorbanne. Sie lehnte sich zurück, fuhr sich mit den Fingern durch das kurzgeschnittene Haar und brachte ein mattes Lächeln zustande. »Bei den wirklich Herausragenden will es uns immer so vorkommen, nicht wahr? Sie scheinen anders zu sein als wir, unbesiegbar und mithin unsterblich. Ihr Zauber wird sie beschützen, denken wir, und sie uns zurückbringen, weil es anders nicht sein kann. Weil sie uns viel zu wichtig sind, als daß wir sie verlieren könnten. Aber in Wirklichkeit ist niemand unbesiegbar – oder unsterblich. Und wenn unsere Heroen untergehen, dann müssen wir Übrigen in ihre Fußstapfen treten.«

»Ich glaube nicht, daß wir diesmal in die ›Fußstapfen‹ passen«, entgegnete Greentree nüchtern. »Wir geben unser Bestes, Admiral, und vielleicht überleben wir.« Er erwiderte ihr mattes Lächeln. »Wir sind Graysons, und wenn sich Graysons mit etwas auskennen, dann mit dem Überleben. Aber jemanden zu finden, der in Lady Harringtons Fußstapfen tritt? Jemanden, der sie ersetzen könnte?« Er schüttelte den Kopf. »Weil wir sie verloren haben, ist unser Planet ärmer geworden, Dame Madeleine. Jeder auf Grayson, der

Lady Harrington gekannt hat, wird sich stets fragen, wozu wir imstande gewesen wären und was wir erreicht hätten, wenn sie uns nicht verlorengegangen wäre.«

»Vielleicht wird die Erinnerung an Lady Harrington Sie dazu inspirieren, all das zu leisten und durchzusetzen, was sie im Sinn hatte; vielleicht schaffen Sie es ja sogar, noch weiter zu kommen«, wandte Sorbanne sanft ein. »Man könnte ein schlimmeres Erbe hinterlassen. Und Sie sollten auch nicht automatisch annehmen, sie verloren zu haben. Bisher wissen mir lediglich, daß die *Prince Adrian* überfällig ist. Zwar müssen wir mit dem Schlimmsten rechnen, doch selbst ein Schiff, das im Gefecht verlorengeht, hat fast immer Überlebende. Nach allem, was ich von Lady Harrington weiß, besaß sie ... – *besitzt* sie genügend Mut und Verantwortungsgefühl, um einem Schiff Ihrer Majestät die Kapitulation zu befehlen. Ich bezweifle, daß sie der *Prince Adrian* gestattet hat, bis zum Äußersten zu kämpfen, wenn der Kreuzer offensichtlich nicht gewinnen konnte – nicht, nachdem der Geleitzug bereits gerettet war. Meiner Meinung nach stehen die Chancen fünfzig zu fünfzig, daß sie lebt und gefangen ist.«

»Da haben Sie vermutlich recht«, räumte Greentree ein, »und ich hoffe, Sie irren sich nicht. Die Havies haben leider nicht den besten Ruf, was die ordentliche Behandlung von Kriegsgefangenen angeht, und wenn ich im Komitee für Öffentliche Sicherheit säße, dann würde Lady Harrington zu den allerletzten Gefangenen gehören, die auszutauschen ich bereit wäre. Der Gedanke, daß sie in Feindeshand sein könnte, gefällt mir überhaupt nicht – zwar noch besser als die Vorstellung, daß sie tot ist, aber anfreunden kann ich mich jedenfalls nicht damit. Und so wie es aussieht, wird der Krieg noch sehr lange dauern. Deshalb können noch Jahre verstreichen, bis wir sie wiedersehen – sogar Jahrzehnte.«

»Da kann ich Ihnen wohl kaum widersprechen«, gab Sorbanne mit einem weiteren Seufzen zu, »aber Jahre später ist besser als nie wieder, Captain.«

»Jawohl, Ma'am«, pflichtete Greentree ihr leise bei. »So ist es.«

Wieder starrte er auf seine Mütze. Schließlich erhob er sich und steckte sie sich unter den linken Arm.

»Vielen Dank, Admiral Sorbanne«, sagte er und reichte ihr die Hand, als sie ebenfalls vom Stuhl aufstand. »Vielen Dank, daß Sie sich die Zeit genommen haben, mich persönlich zu unterrichten. Und danke für Ihren Rat.« Er rang sich ein Lächeln ab, das auf einem weniger ausgezehrten Gesicht durchaus natürlich gewirkt hätte. »Mein Jammern muß ja fast den Eindruck erwecken, wir Graysons hätten vergessen, daß Lady Harrington auch Manticoranerin ist, Ma'am, aber dem ist nicht so. Wir wissen bestimmt, wie sehr auch Ihre Navy sie vermissen wird.«

»Das tun wir, Captain«, versicherte Sorbanne ihm und drückte ihm fest die Hand. »Ich verabschiede mich nun von Ihnen«, fügte sie hinzu. »Sie müssen auslaufen, und ich habe hier einiges zu regeln. Ganz im Vertrauen: Ich plane einen Aufklärungsvorstoß nach Adler. Ich schicke ein Dutzend Schlachtkreuzer und Kreuzer hinein, unterstützt von einer Division Superdreadnoughts. Wenn die Havies nicht sehr stark angetreten sind, geben wir ihnen ein Tritt, daß sie bis nach Barnett zurückfliegen, oder woher sonst auch immer sie gekommen sind.«

»Ich wünschte, ich könnte dabei sein, Ma'am.«

»Das glaube ich Ihnen und wünschte, es ließe sich machen, aber ...« Sie zuckte mit den Schultern, und

Greentree nickte und gab ihre Hand frei. Sie erwiderte das Nicken, und er drehte sich um und schritt zur Tür.

»Noch eins, Captain«, rief sie ihm hinterher, und er wandte sich zu ihr um. »Meiner Meinung nach sind Sie ein Mann, der an seine Pflicht glaubt, so unangenehm sie auch manchmal sein mag, aber ich habe mir die Freiheit genommen, ein Kurierboot nach Jelzins Stern zu schicken. Es ist vor zwo Stunden aufgebrochen und hinterbringt die Nachricht von Lady Harringtons vermutlichem Verlust.«

»Verstehe.« Greentree musterte sie einen Augenblick, dann stieß er angestauten Atem aus. »Ich verstehe, Dame Madeleine, und obwohl ich es wahrscheinlich nicht sein sollte, bin ich Ihnen dafür dankbar.«

»›Gern geschehen‹ werde ich nicht erwidern«, meinte Sorbanne, »denn mir wäre es lieber, wenn niemand diese Meldung überbringen müßte, aber trotzdem . . .«

Sie hob erneut die Schultern, und Greentree wiegte den Kopf.

»Ich verlasse Sie nun, Ma'am«, sagte er.

Einen Augenblick später schloß sich die Tür, und Madeleine Sorbanne stierte noch eine Weile darauf, dann endlich atmete sie tief durch und nickte der Tür knapp zu.

»Alles Gute, Captain«, sagte sie leise, straffte die Schultern und kehrte an ihren Schreibtisch und zur Pflicht zurück.

Dreißig Minuten später hielt an Bord von GNS *Jason Alvarez* ein Lift an, und Thomas Greentree wappnete sich innerlich, bevor er ausstieg. Er bemühte sich, den Gang so normal entlangzugehen wie immer, dabei wußte er genau, daß sein Gesicht so reglos wirkte wie ein Felsblock. Was sollte er dagegen tun; er war sich nicht einmal sicher, ob er seinen Gesichtsausdruck überhaupt ändern wollte. Was er vorhatte, stellte im Grunde – auf sehr persönliche und schmerzliche Weise – die Generalprobe dessen dar, was ihn nach seiner Ankunft im Jelzin-System erwartete. Sein steinerner Gesichtsausdruck spiegelte nur den Zustand seines Herzens wider, das sich in seiner Brust zu einem eiskalten Klumpen zusammengeballt hatte, schwer wie Granit.

Er bog um die Ecke. Dem Grünuniformierten, der vor Lady Harringtons Kajüte stand, konnte er nicht in die Augen sehen. Normalerweise hätte hier James Candless oder Robert Whitman gestanden, die dienstjüngeren ihrer dreiköpfigen ständigen Leibwache. War Lady Harrington jedoch abwesend, so mußte jemand anderer für die Unverletzlichkeit ihres Quartiers sorgen. Als Andrew LaFollets Stellvertreter war Simon Mattingly für diese Aufgabe eigentlich zu ranghoch, doch jemand mußte die Wachschichten einteilen, wenn LaFollet abwesend war, und dieser jemand war Corporal Mattingly. Er konnte jeden zu dieser Pflicht abstellen, und so stand er nun persönlich vor der Luke, kerzengerade, die Schultern gestrafft, Knöpfe und Abzeichen poliert, daß sie so hell wie kleine Sonnen funkelten. Er trug sogar die geknotete goldene Achselschnur, mit der sich die persönlichen Waffenträger eines Gutsherrn nur bei hochoffiziellen Anlässen kenntlich machten, und Greentree biß die Zähne zusammen.

Er begriff durchaus die unausgesprochene Botschaft, die der Waffenträger schweigend verkündete. Die Anwesenheit des Corporals war alles andere als eine Formsache, sondern alltägliche Pflicht. Und die Gutsherrin war nicht von ihnen gegangen, sie war lediglich abwesend, und sobald sie wiederkehrte, würde sie ihren Waffenträger bei der Erfüllung seiner Pflicht vorfinden. So lang es bis dahin auch dauern mochte, Simon Mattingly würde für Lady Harrington wachen, und allein dadurch verhinderte er, daß sie von ihnen ging.

Der Captain blieb stehen, und Mattingly nahm Haltung an.

»Kann ich Ihnen helfen, Captain?« fragte er zackig.

»Ja, Captain, das können Sie. Ich hätte gern Steward MacGuiness gesprochen.«

»Einen Augenblick, Sir.«

Mattingly drückte den Comknopf und wartete. Mehrere Sekunden verstrichen – erheblich mehr Zeit als gewöhnlich –, dann antwortete eine Stimme, die Greentree fast nicht wiedererkannt hätte.

»Ja?« Schwerfällig und stumpf erklang die einsilbige Antwort; wie ein Stein fiel sie aus dem Intercom, und Mattingly blickte flüchtig zu dem Flaggkommandanten auf.

»Captain Greentree wünscht Sie zu sprechen, Mac«, sagte er leise. Ein Augenblick verging in völliger Geräuschlosigkeit, dann fuhr die Luke beiseite.

Mattingly sagte kein weiteres Wort. Er nahm lediglich wieder Haltung an, und Greentree schritt an ihm vorbei in Lady Harringtons Kajüte. MacGuiness stand gleich innerhalb der Luke, die in die Pantry führte. Seine Augen wirkten verdächtig geschwollen und gerötet, was Thomas Greentree geflissentlich übersah. Im Gegensatz zu Mattingly ließ MacGuiness die Schultern hängen, und zum ersten Mal, seit Greentree ihn kannte, zeigte sich das wahre physische Alter des Stewards. Seine Arme hingen ihm unbeholfen an den Seiten herab, als hätten die fähigen Hände an ihren Enden vergessen, wie nützlich sie waren; bislang vom Prolong gebannte Falten zeigten sich nun von Trauer und Sorge vertieft im Gesicht. Der Captain spürte geradezu die Energie, mit der MacGuiness sich Hoffnung machte, mit der er sich an den Glauben klammerte, es gebe etwas Neues – als könnte er durch seine inbrünstige Hoffnung seinen Wunsch geschehen machen.

»Guten Morgen, Sir«, sagte er rauh und mühte sich ein Begrüßungslächeln ab. »Darf ich Ihnen etwas zu trinken bringen? Ich bin ...« Ihm brach die Stimme, und er räusperte sich. »Ich bin sicher, der Commodore hätte es gern ...«

Er ballte die Fäuste und verstummte. Greentree empfand tiefes, widersinniges Schuldgefühl. Nur wegen der Miene, die Greentree machte, hatte MacGuiness nicht weitersprechen können. Der Flaggkommandant merkte das an der Art, wie der Steward das Gesicht verzog und die Schultern noch tiefer sacken ließ, als wolle er sich vor einem schrecklichen Hieb ducken. Doch Greentree hatte keine andere Wahl; er mußte diesen Hieb austeilen und holte tief Luft.

»Admiral Sorbanne hat es offiziell bekanntgegeben«, erklärte Greentree; er wählte möglichst knappe Worte, um MacGuiness eine lange Vorrede zu ersparen. »Ab heute mittag dreizehn Uhr gilt HMS *Prince Adrian* als offiziell überfällig und verschollen.« MacGuiness' Gesicht wurde schneeweiß und Greentree legte dem Steward eine Hand auf die Schulter. »Es tut mir so leid, MacGuiness«, sagte er in erheblich sanfterem Ton. »Im Augenblick wird Lady Harrington nur vermißt. Bevor wir keinen Bericht von den Havies oder den Inspektoren der Liga erhalten, wissen wir nicht mehr. Ich ...« Er hielt inne und drückte MacGuiness die Schulter. »Ich wollte, daß Sie es von mir persönlich hören und nicht als Latrinenparole.«

»Vielen Dank, Sir.« MacGuiness brachte nicht mehr

als ein heiseres Flüstern hervor, ließ den Blick durch die leere Abteilung schweifen und kniff die Augen zu. »Es scheint gar nicht ...« setzte er an, verkrampfte die Kiefer und drehte den Kopf weg. Er wollte nicht, daß der Flaggkommandant sein Gesicht sehen konnte. »Vielen Dank, daß Sie mir Bescheid gegeben haben, Sir«, sagte er schließlich sonderbar atemlos. »Wenn Sie mich nun entschuldigen wollen, ich habe mich um dies und das zu kümmern ...«

Er löste sich aus dem Griff der Hand, die noch immer auf seiner Schulter lag, und verschwand eilig in Lady Harringtons Schlafzimmer. Hinter ihm schloß sich die Luke, und Greentree stierte sie für einige Sekunden an. Dann seufzte er tief und begab sich wieder zum Ausgang. Ganz bestimmt ahnte Mattingly den Grund für seinen Besuch, doch das entband Greentree nicht von der Pflicht, auch ihm persönlich Bescheid zu geben. Von der Pflicht, der Herold aller Neuigkeiten über Lady Harrington zu sein, die niemand hören wollte.

Hinter ihm, in Honor Harringtons Schlafzimmer, saß James MacGuiness auf einem Stuhl und starrte auf die juwelenbesetzte Scheide des Schwertes von Harrington, das über der Kristallglasvitrine hing, in dem sich der Stern von Grayson und der Schlüssel von Harrington befanden. MacGuiness gab keinen Laut von sich, und sein ganzer Leib machte keine einzige Bewegung. Die Tränen, die sein Gesicht hinabrannen, fielen so leise wie Regentropfen.

Honor seufzte auf und hob den Blick von dem Buch, in dem sie während der vergangenen Stunde vergeblich gelesen hatte, und rieb sich müde die Augen. Einen Moment noch verharrte sie sitzend, dann legte sie den Band beiseite, schwang die langen Beine aus der schmalen Koje und begab sich in die Mitte der großen Kammer, die sie mit Marcia McGinley, Geraldine Metcalf und Sarah DuChene teilte. Dort angelangt, begann sie mit einer Reihe von Dehn- und Streckübungen.

McGinley sah von dem Schachproblem auf, mit dem sie sich gerade beschäftigte. Eine Weile beobachtete sie Honor wortlos, schaute schließlich DuChene an und zog eine Braue hoch – die Astrogatorin beantwortete die unausgesprochene Frage mit einem Nicken, und beide standen sie auf und gesellten sich zu Honor, die ihnen ein wenig Platz machte. Schließlich umkreisten die drei weiblichen Offiziere einander in dem sonderbar anmutenden, graziösen Halbtanz, der ihnen bei ihren Übungen durch den begrenzten Raum auferlegt wurde. Metcalf blieb auf ihrer Koje sitzen und beobachtete die drei. Solange sich nicht eine von ihnen setzte, gab es nicht genug Platz, als daß Metcalf sich ihnen hätte anschließen können. Deshalb wartete sie geduldig; doch Nimitz war nicht bereit, einen guten Platz auf einem gegenwärtig stationären Schoß zu verschenken. Mit einem einzigen Sprung katapultierte er sich vom Fußende an Honors Koje auf Metcalfs Bettstatt, fläzte sich zu ihrem Vergnügen über ihre Beine und reckte ihr das Bauchfell entgegen, wo er gestreichelt werden wollte.

Aus den Augenwinkeln beobachtete Honor die anderen während des Trainings und wünschte sich insgeheim ein wenig mehr Platz. Selbst wenn sie allein gewesen wäre, hätte sie nicht genügend Raum zur Verfügung gehabt, um alle ihre *Kata* ordnungsgemäß auszuführen. Da sich nun die anderen um sie drängten, hätte sie ihnen bei dem Versuch vermutlich schwere Verletzungen zugefügt. Trotz der Unbequemlichkeit, auf so engem Raum zusammengepfercht zu sein, war der Teil von ihr, der von Tag zu Tag immer mehr unter dem Gewicht ihrer Hilflosigkeit zermalmt wurde, sehr froh, daß die anderen bei ihr waren. Nicht, daß irgendeine von ihnen freiwillig anwesend war, doch wenigstens mußte Honor dadurch nicht allein mit Nimitz die zusätzliche Last völliger Isolation durchstehen, die das militärische Protokoll ihr an Bord eines größeren Schiffes auferlegt hätte.

Die Haveniten konnten keinem ihrer Gefangenen – nicht einmal Honor – eine Einzelkammer anbieten, und trotz des Dienstgradunterschieds zu Honor waren McGinley, Metcalf und DuChene die drei ranghöchsten weiblichen Kriegsgefangenen. Bürger Captain Bogdanovich hatte sich im Namen von Bürger Konteradmiral Tourville entschuldigt, daß er die vier Frauen und Nimitz zusammen in einer Kammer unterbringen müsse, doch sei die *Count Tilly* nur ein Schlachtkreuzer. Deshalb gab es nicht sonderlich viel freien Raum, und so spartanisch die Kammer auch sein mochte – in der normalerweise sechs Subalternoffiziere schliefen –, dem Zellentrakt des Schiffes war sie bei weitem vorzuziehen.

Zunächst war es Metcalf und DuChene äußerst unangenehm gewesen, mit Honor – und natürlich Nimitz – in einem Raum festgehalten zu werden. Die beiden schienen sich aus irgendeinem Grund die Schuld dafür zu geben, daß Honor die Abgeschiedenheit verwehrt blieb, die ihr eigentlich zustand. Der Rangunterschied hatte das ganze Unbehagen nur verschlimmert. Honor gab sich von Anfang an größte Mühe, dir beiden weiblichen Offiziere von dem Gedanken abzubringen, sie hätten sich etwas vorzuwerfen, und McGinleys Anwesenheit erwies sich dabei als sehr hilfreich. Weder Metcalf noch DuChene hatten bisher mit Honor gedient, und von den kurzen Kontakten während ihrer Besuche an Bord der *Prince Adrian* abgesehen war sie für sie eine Fremde. Zum Glück schuf McGinley als Honors Operationsoffizier eine Art Brücke. Sie hatte den gleichen Dienstgrad inne wie die beiden anderen und nahm dennoch völlig ungezwungen die Position als zweitwichtigster Offizier in Honors Geschwaderstab wahr; das funktionierende Arbeitsverhältnis zu Honor konnte sie schließlich auf Metcalf und DuChene ausweiten. Zwar war die Situation noch immer ungewöhnlich und befangen, doch nach den ersten Tagen hatten sich Metcalf und DuChene ein wenig beruhigt.

Den Rangunterschied schaffte auch die neue, angespannte Lage nicht aus der Welt. Honor war nicht nur eine Vorgesetzte, sondern die Kommandeurin sämtlicher alliierter Kriegsgefangenen Tourvilles, und deshalb hatte sie zu allen eine gewisse Distanz zu wahren. Nie wieder konnte sie nur ›eine von den Mädels‹ sein, und wenn die Beziehung zu Metcalf und DuChene auch distanziert blieb, so lief der Alltag mit ihnen doch recht unkompliziert ab. Honor war deswegen sehr erleichtert, denn sie war ehrlich genug, um sich einzugestehen, daß sie unter den gegebenen Umständen über jedes Quentchen Stabilität froh war. Zu den anderen Kriegsgefangenen fehlte ihr so gut wie jeder Kontakt; das Gefühl der Abschottung – nie genau zu wissen, wie es den Leuten ging, für die sie nach wie vor verantwortlich war –, setzte ihr ebenso zu wie die nagende Furcht vor der ungewissen Zukunft.

Andererseits wirkte Nimitz geradezu zufrieden ... doch kann äußerer Anschein trügen. Vor Honor vermochte der Baumkater sein Gefühl, in der Falle zu sitzen, nicht zu verbergen, wiewohl seine fröhliche

Anpassung an alle Begleitumstände jeden täuschte, der nicht wie sie eine Direktleitung zu seinem Gefühlsleben besaß. An Bord der *Alvarez* hatte er sich mit McGinley angefreundet und bedrängte sie nun schamlos in jeder freien Minute, damit sie ihn streichelte und sein Fell kraulte. Er ließ sich sogar herab, die Fürsorge aller drei Untergebenen in Anspruch zu nehmen. Hätte Honor nicht gewußt, daß er die drei Offiziere nur beanspruchte, um sie zu beschäftigen, wäre sie sich wahrscheinlich vernachlässigt vorgekommen. Außerdem hatte Nimitz' Bereitwilligkeit, sich ungeniert in fremder Aufmerksamkeit zu sonnen, Metcalf und DuChene sehr dabei geholfen, ihr anfängliches Unbehagen zu überwinden.

Honor lenkte sich gern von ihrer eigenen Bedrücktheit ab, indem sie Nimitz dabei beobachtete, wie er andere aus deren Niedergeschlagenheit befreite. Und die Offiziere in Honors Kammer waren längst nicht die einzigen, die der 'Kater für sich gewonnen hatte. Von Anfang an hatte Shannon Foraker Honor – und eben Nimitz – so häufig besucht, daß es Honor beinah Sorge bereitete. Zu große Vertrautheit mit einem manticoranischen Offizier mußte einem havenitischen Offizier irgendwann ernsthafte Schwierigkeiten bereiten, und Honor hatte ein schlechtes Gewissen, weil sie Foraker nicht darauf hinwies, daß ein wenig mehr Abstand für sie wohl ratsam wäre. Andererseits war sie viel zu dankbar für die Besuche der Havenitin, um sie ihr auszureden. Am Ende hatte Tourville sie offiziell zum Verbindungsoffizier zu Honor ernannt.

Foraker war dafür gewiß die Richtige, wenn es Tourville in erster Linie darum ging, eine Beobachterin seines Vertrauens zu entsenden, die sich davon überzeugen sollte, daß die Gefangenen korrekt behandelt wurden. Honor vermutete jedoch, daß der Bürger

Konteradmiral ein zusätzliches Motiv besaß: Forakers gegenwärtiger Posten als Operationsoffizier unterschied sich trotz ihrer Beförderung nicht sonderlich von ihrem alten Posten als Taktischer Offizier der *Vauban* – die Rolle, in der Honor sie in Silesia kennengelernt hatte. Ganz offensichtlich wollte Foraker sich für die gute Behandlung revanchieren, die Honor den havenitischen Offizieren an Bord von HMS *Wayfarer* hatte zukommen lassen. Doch was die Vorgesetzten in allen anderen Weltraumstreitkräften als ehrenvolle Absicht erkannt hätten, konnte sich gegenwärtig für einen Offizier der Volksflotte von Haven als außerordentlich gefährlich erweisen – und deshalb hatte Tourville ausgerechnet Foraker zum Verbindungsoffizier gemacht. Da sie nun unter *Befehl* stand, sich um das Wohlergehen der Gefangenen zu kümmern, war sie außer Gefahr; schließlich konnte ihr kein Volkskommissar vorwerfen, sie habe sich *zu* gewissenhaft um ihre Aufgaben gekümmert.

Daß Foraker die Absicht Tourvilles begriffen hatte (immer unter der Voraussetzung, daß Honor seine Intentionen richtig deutete), war recht unwahrscheinlich; dieser blinde Fleck trug indes zu Forakers Charme bei. Sie besaß eine geradezu kindliche Naivität – weder Torheit noch Einfalt, sondern eine Grundverweigerung (oder grundlegende Unfähigkeit), sich ihre persönlichen Beziehungen von den ideologisch aufgeheizten Sachzwängen diktieren zu lassen, welche die gesamte Volksflotte im Würgegriff hielten. Foraker besaß anscheinend kein Quentchen von jenem konstruktiven Verfolgungswahn, mit dessen Hilfe sich so viele ihrer Kameraden den Weg durch die Minenfelder ringsum bahnten. Honor fragte sich, was aus Foraker geworden wäre, wenn die Taktikerin für ihre Vorgesetzten auch nur etwas weniger wertvoll gewesen wäre ... der

Gedanke jagte Honor einen Schauder nach dem anderen den Rücken hinunter. Zweifelsohne war es albern, sich den Kopf darüber zu zerbrechen, was einem Offizier einer feindlichen Flotte zustoßen mochte, besonders, wenn es sich dabei um eine außerordentlich gefährliche Taktikerin wie Foraker handelte, doch fiel es schwer, sich dies vor Augen zu halten, wenn Foraker die Köche der *Count Tilly* wiederholt auf Honors besondere ›Diätbedürfnisse‹ hinwies oder in ihrer knappen Freizeit vorbeikam, um mit McGinley Schach zu spielen, Nimitz Sellerie oder Metcalf die Malutensilien zu bringen, die auf Forakers Anweisung aus ihrer Kammer an Bord der *Prince Adrian* geborgen worden waren.

Und sowenig Foraker sich der möglichen Gefahren bewußt sein mochte, die ihr persönlich drohten, so hatte sie zweifellos Honors größte Sorge erkannt und Schritte unternommen, um diese Sorge zu bannen. Nicht nur, daß sie andere Havies mitgebracht hatte, damit sie Nimitz kennenlernten – bei dem man sich darauf verlassen konnte, daß sein Charme auch den anfänglich steifsten Höflichkeitsbesuch auflockerte –, sie hatte sich den 'Kater sogar mehrmals ›ausgeborgt‹. Offiziell sorgte sie dafür, daß Nimitz Bewegung und Auslauf erhielt; tatsächlich stellte sie ihm so vielen Personen an Bord der *Count Tilly* vor wie möglich, und das mit der offensichtlichen Absicht, sie davon zu überzeugen, daß ihnen von Nimitz keinerlei Gefahr drohte.

Honor war Foraker für ihre Bemühungen äußerst dankbar. Allerdings hätte sie sich davon weitaus optimistischer stimmen lassen, wenn sie nicht entdeckt hätte, daß zumindest Tourville über Nimitz' Gefährlichkeit genau im Bilde war. Der Bürger Konteradmiral pflegte Honor, McKeon und ›Colonel‹ LaFollet als die ranghöchsten Kriegsgefangenen mehr oder weniger regelmäßig zum Abendessen mit seinen Offizieren einzuladen. Obwohl Honor wußte, daß diese Diners LaFollet sehr schwerfielen, nahm sie die Gelegenheit, die anderen wiederzusehen, dankbar in Anspruch. Tourville hatte einen dieser Anlässe genutzt, um durchblicken zu lassen, daß der havenitische Geheimdienst ein Dossier über Honor zusammengetragen habe.

Zuerst war sie darüber sehr erstaunt gewesen, doch nach kurzem Überlegen kam sie zu dem Schluß, daß sie nicht erstaunt zu sein brauchte. Immerhin sah sie routinemäßig Dossiers ein, die das ONI über havenitische Offiziere zusammengestellt hatte, welche man für wichtig genug hielt, um über sie auf dem laufenden zu bleiben. Honor hatte lediglich nicht erwartet, daß die Volksflotte sie selbst als derart interessanten Offizier betrachten würde. Doch genau so verhielt es sich – und die Abschnitte ihrer Laufbahn, die sich auf Grayson ereignet hatten, waren Bestandteil jenes Dossiers. Aus Tourvilles beiläufig dahingeworfenen Bemerkungen ergab sich zweifelsfrei, daß auch das Überwachungsvideo des Planetenschutzes von Grayson enthalten war, das zeigte, wie sie und Nimitz auf blutige Weise den Attentatsversuch auf Protector Benjamin und seine Familie vereitelten. Wer dieses Video gesehen hatte, würde niemals den Fehler begehen, Nimitz' Tödlichkeit zu unterschätzen. Während sich Tourville durch ihn eindeutig nicht bedroht fühlte, kam es Honor sehr unwahrscheinlich vor, daß andere Havies mit derselben Sicherheitseinstufung den Gleichmut des Bürgers Konteradmiral teilen würden.

Die Existenz des Dossiers machte es vielmehr sehr wahrscheinlich, daß man Nimitz von ihr trennen würde. Wenn sie sich in die Lage eines Haveniten versetzte und ehrlich war, hätte sie vermutlich selbst Einwände erhoben, daß irgendein Kriegsgefangener ein ›Haustier‹ behalten durfte, das bereits Menschen getötet hatte. Dieses Eingeständnis stärkte sie nicht im geringsten, und sie war entsetzt, als sie entdeckte, wie sehr die drohende Unsicherheit der Zukunft sie belastete.

Dieser Sorte Druck war sie bislang noch nie ausgesetzt gewesen und fühlte sich ihm außergewöhnlich schlecht gewachsen. Allmählich erkannte sie die schreckliche Situation: auf keine grausamere Weise hätte man an den Pfeilern sägen können, auf die sich Honors Persönlichkeit stützte. Der Befehl, die *Prince Adrian* solle sich ergeben, hatte Honors Pflichtgefühl gegenüber ihrer Königin und der Navy, die ihr stets ein Born der Kraft gewesen waren, in einen Quell der Gewissensnöte verwandelt. Die Verantwortung für ihre Leute – das Band der beiderseitigen Verpflichtung, das zwischen einem Offizier und dessen Untergebenen bestand – war zu einem weiteren Stachel in Honors Fleisch geworden, denn sie konnte dieser Pflicht nicht mehr nachkommen. Als Sprecherin ihrer Leute gab sie ihr Bestes, und der Anstand feindlicher Offiziere wie Tourville und Foraker verhinderte eine Mißhandlung der Gefangenen – aber wie lange noch? Das war der springende Punkt: Honor verfügte über keinerlei Machtmittel, um ihre Leute zu schützen, falls – *sobald* – Tourville durch jemand anderen ersetzt wurde. Und von diesen bereits zermürbenden Sorgen abgesehen, belastete sie nun ihre Bindung an Nimitz. Was mehr als vierzig Jahre lang der Eckstein ihres Lebens gewesen war, der Ursprung geistiger Ausgeglichenheit und einer Liebe, derer sie sich noch in den schwärzesten Momenten ihres Lebens sicher sein konnte, bedeutete nun die größte Gefahr, der sie je gegenübergestanden hatte: Nun konnte sie Nimitz verlieren. Jeder beliebige havenitische Flotten- oder Marinecorpsoffizier, jeder SyS-Scherge, selbst ein einfacher Wärter im Gefangenenlager konnte ihr Nimitz nehmen – konnte Nimitz sogar töten. Und *nichts*, gar nichts, was in Honors Macht stand, vermochte Nimitz gegen irgendeinen dieser Leute zu schützen. Die Verzweiflung darüber konnte sie vor ihren Untergebenen eben noch verbergen, unterdrücken ließ sich das Gefühl nicht.

Gerade aber, weil Honor diese Mutlosigkeit – oder ihre Furcht – nicht zerstreuen konnte, wuchsen beide Gefühle wie ein Infektionsherd, den man nicht durch Aufschneiden und Säubern beseitigen kann. Die Furchtgeschwüre gruben sich immer tiefer in Honors Mark, wucherten, zehrten an ihren Kraftreserven und unterminierten ihr Selbstvertrauen; doch ihr blieb keine andere Möglichkeit als zu versuchen, sie zu ignorieren. Nicht an die schwärenden Wunden zu denken. Vorzugeben, sie pochten nicht in ihrem Innern ... obwohl Honor sie keinen Augenblick lang vergessen konnte.

Sie fraßen an ihr und würden sie vernichten. Honor wußte es genau; sie spürte, daß sie immer zerbrechlicher wurde, weil die Hilflosigkeit wie ein schleichendes Gift nach und nach immer mehr von ihr verzehrte. Sie haßte dieses Gefühl. Haßte es mit Inbrunst. Nicht nur für alles, was es ihr antat; noch mehr haßte sie es dafür, daß es sie daran hinderte, ihr Bestes für die Menschen zu geben, die sie mit sich in diese Lage hineingezogen hatte.

Honor vermutete, daß nur McKeon und LaFollet – eventuell noch McGinley – bemerkten, wie sie von innen heraus verfaulte. Jedenfalls hoffte sie, daß es sonst niemandem aufgefallen war. Schlimm genug, wenn die Menschen, die ihr am nächsten standen, gezwungen waren, sich mit ihrem Versagen und ihren Sorgen zu befassen, wo sie doch eigene Ängste und Bedürfnisse hatten und ein Recht besaßen, daß Honor sie bei der Bewältigung ihrer Probleme unterstützte. Aber ...

Es läutete leise, und Honor blickte dankbar auf, weil das Geräusch sie aus der immer enger werdenden Spirale der Selbstverdammung riß. Die Kammerluke fuhr beiseite, und im Durchgang stand Shannon Foraker. Honor wollte sie mit einem Lächeln begrüßen, doch als sie Forakers Gesichtsausdruck bemerkte, gefror ihre Miene. McGinley und DuChene bewegten sich immer langsamer und hörten mit den Übungen auf.

»Ja, bitte, Bürgerin Commander?« fragte Honor wie immer und war über die Festigkeit ihrer eigenen Stimme erstaunt. Eigentlich hätte sie sich doch so verkrampft und angespannt anhören müssen, wie sie sich fühlte – vibrierend wie eine überbeanspruchte Trosse.

»Bürger Admiral Tourville hat mich geschickt, um Ihnen seine Empfehlungen auszusprechen und Sie zu informieren, daß wir neue Order empfangen haben, Commodore.« Wo Honor die eigene Stimme unnatürlich natürlich vorgekommen war, sprach Foraker nun mit gleichsam unnatürlicher Eintönigkeit. Sogar die einzelnen Wörter klangen gewissermaßen *falsch,* als wären sie Foraker von jemandem aufgeschrieben worden, und sie würde den vorbereiteten Text vom Blatt ablesen. *Und genau so ist es gewesen,* begriff Honor. Foraker war die Botin, die Nachricht aber stammte von Tourville. Die Bürgerin Commander räusperte sich, bevor sie weitersprach.

»Das Kurierboot ist von Barnett zurück«, sagte sie und sah Honor dabei direkt in die Augen. »Bürger Admiral Tourvilles Depeschen waren an Bürger Admiral Theisman adressiert, den Systemkommandeur, und an seinen Kommissar, doch Bürgerin Ransom vom Komitee für Öffentliche Sicherheit ist gegenwärtig im System, und selbstverständlich wurde die Depesche ihr vorgelegt.«

Honor hielt unwillkürlich den Atem an. Als der Name Theismans fiel, hatte sie vorübergehend aufkeimende Hoffnung verspürt, denn sie kannte den Bürger Admiral – zwar als Feind, doch zeichneten ihn Mut und moralische Integrität aus. Cordelia Ransoms Name hingegen hatte das zarte Pflänzchen von Honors Zuversicht bereits im Keim zertreten. Honor mußte darum kämpfen, daß sich ihr Entsetzen nicht auf ihrem Gesicht zeigte. Sie blickte Foraker an.

»Ihre Mannschaften, Unteroffiziere und Subalternoffiziere werden zum überwiegenden Teil in ein Kriegsgefangenenlager der Volksflotte im Tarragon-System geschafft«, eröffnete Foraker ihr. »Sie hingegen begleiten uns mit Ihren ranghöheren Offizieren und einigen älteren Unteroffizieren an Bord der *Count Tilly* ins Barnett-System.«

Die Bürgerin Commander zögerte erneut, als suchte sie nach einem – irgendeinem – Grund, die Botschaft nicht beenden zu müssen. Sie fand keinen und fuhr noch tonloser fort als zuvor.

»Bürgerin Ransom hat Bürger Admiral Tourville angewiesen, Sie persönlich nach Barnett zu bringen, Commodore. Dem Wortlaut zufolge will Bürgerin Ransom Sie persönlich befragen, bevor sie entscheidet, wie in Ihrem Fall weiter verfahren werden soll.«

»Ich verstehe«, antwortete Honor, ohne daß ihr Sopran auch nur zitterte. Es war, als stünde sie neben sich und sähe zu, wie ein Fremder ihren Körper und ihre Stimme steuerte. Honor war vom ONI über das Komitee für Öffentliche Sicherheit und seine Mitglieder informiert worden. Sie kannte Cordelia Ransoms Leumund und machte sich keine Illusionen, aus welchen Gründen Ransom sie ›befragen‹ wollte – oder wie die Havenitin mit ihr ›weiter verfahren‹ würde. In gewisser Weise war Honor sogar froh und erleichtert: Wenigstens brauchte sie sich nun nicht mehr mit falschen Hoffnungen zu quälen.

Nimitz sprang von Metcalfs Schoß, und mit einem vernehmlichen Geräusch kamen seine Pfoten auf dem Boden auf. Er flitzte über das Deck zu Honor. Ohne den Blick von Foraker zu nehmen, bückte sie sich und hob ihn auf. Sie drückte sich den 'Kater so fest an die Brust, daß sie fast erstaunt war, weil er nicht vor Schmerz jaulte. Ringsum schien das Universum ins Stocken geraten zu sein. Für Honor existierten nur noch Foraker, deren jammervolle Augen bestätigten, daß sie Honors Einschätzung ihrer Zukunft teilte, und die lebendige, unvergleichlich wertvolle Wärme des Baumkaters in ihren Armen.

Dann begriff sie, daß sie sich irrte. Eine Sache blieb, der sie sich auch jetzt nicht entziehen konnte: der Pflicht. Pflicht vor ihrer Königin, der Honor nicht dadurch Schande bereiten wollte, daß sie nun Schwäche zeigte. Pflicht gegenüber ihren Leuten, die sie nicht verraten durfte, indem sie ausgerechnet jetzt zusammenbrach, wo sie doch Honor am nötigsten brauchten. Und schließlich auch Pflicht sich selbst gegenüber: die Pflicht, sämtliche Reste ihrer zernagten und abgenutzten Willensstärke zusammenzuraffen und sich allem, was ihr drohte, möglichst würdevoll zu stellen.

»Vielen Dank, Shannon. Bitte richten Sie Bürger Admiral Tourville meinen Dank aus – sowohl dafür, daß er mich informiert hat, als auch für seine so oft bewiesene Freundlichkeit«, sagte Lady Dame Honor Harrington gelassen und lächelte.

20

Hamish Alexander war, als habe ihm jemand einen Hieb in die Magengrube versetzt.

Er ließ sich in einen Stuhl sinken, ohne die Augen von Lieutenant Nathan Robards' Gesicht zu nehmen. Es war sehr still in dem weitläufigen Arbeitszimmer an Bord des Superdreadnoughts GNS *Benjamin the Great;* nur das geduldige rhythmische Ticken der antiken Uhr durchdrang die Stille, ohne sie eigentlich zu brechen. Die Uhr war ein Geschenk des Herzogs von Cromarty, erinnerte sich White Haven zusammenhanglos, als suche er krampfhaft nach einer Ablenkung. Leider betonte das leise, präzise Ticken die herrschende Stille, eine Stille, als könne das ganze Schiff nicht glauben, was der Flaggleutnant gerade gemeldet hatte.

»Verschollen?« wiederholte White Haven schließlich, und selbst in seinen eigenen Ohren klang dieses Wort, als hätte es jemand ausgesprochen, der die Realität verändern zu können glaubte, indem er die Augen schloß und sich fest genug etwas anderes wünschte.

»Jawohl, Mylord«, antwortete der junge Grayson. »Hier ist Admiral Sorbannes Depesche.« Er reichte White Haven das elektronische Klemmbrett, das er unter dem Arm trug, als wolle er es dringend loswerden, doch der Earl schüttelte nur den Kopf.

»Später«, sagte er rauh, senkte den Blick, betrachtete seine Hände und schluckte. »Ich sehe es mir später an, Nathan«, brachte er in natürlicherem Ton hervor. »Sagen Sie mir nur das Wichtigste.«

»Admiral Sorbannes vorläufiger Bericht schweigt sich in einigen Details aus, Mylord«, begann Robards respektvoll, doch als White Haven ungeduldig abwinkte, steckte der Flaggleutnant sich unglücklich das Klemmbrett wieder unter den Arm, straffte den Rücken und nahm eine Art Rührt-euch-Stellung ein.

»Wie Dame Madeleine bereits berichtete«, erklärte er, »hat Haven das Adler-System zumindest vorübergehend wieder in seine Gewalt gebracht und im Zuge dessen Commodore Yeargins Kampfgruppe vernichtet. Aber Lady ...« Robards verstummte, als sei er von seinem eigenen Bericht überrascht worden, hustete in die vorgehaltene Faust und sprach in beherrschtem Tone weiter.

»Lady Harrington war sich dieses Umstands nicht bewußt und besaß daher keinen Anlaß, eine Begegnung mit feindlichen Kräften zu erwarten. Aus Gründen, welche Admiral Sorbannes Bericht nicht eindeutig zu entnehmen sind, befand sie sich zu Besuch an Bord von Captain McKeons Schiff, das die Führungsposition des Konvois übernommen hatte. Irgendwann zwischen der Normalraumtransition der *Prince Adrian* und der des übrigen Geleitzugs bemerkte Lady Harrington die Anwesenheit der Havies und wies Captain McKeon an, den Feind vom Ankunftspunkt des Konvois fortzulocken. Für Captain Greentree hinterließ sie den Befehl, sich mit dem Konvoi augenblicklich in den Hyperraum zurückzuziehen. Sie beabsichtigte, unabhängig vom Geleitzug nach Clairmont zurückzukehren. Als die *Prince Adrian* zum letztenmal gesichtet wurde, schien sie allen Verfolgern mit Ausnahme eines Schlachtkreuzers oder Schweren Kreuzers entkommen zu sein, und dieser letzte Verfolger hätte ihr nur ein kurzes Gefecht aufzwingen können. Aber ...«

Robards unterbrach sich und zögerte. Fast unmerklich ließ er die Schultern sinken, und er blickte dem Admiral in die Augen.

»Mehr wissen wir nicht, Mylord«, sagte er leise. »Als das Kurierboot Clairmont Station verließ, war die *Prince Adrian* fünfzig Stunden überfällig. Admiral Sorbanne hat sie daraufhin offiziell als verschollen erklärt.«

»Ja.« White Haven stierte auf die Schreibtischplatte. Als er heftig Luft einsog, bebten seine Nasenflügel. »Vielen Dank, Nathan«, sagte er. »Lassen Sie Dame Madeleines Depesche hier. Ich lese sie später.«

»Jawohl, Mylord.«

Der Flaggleutnant legte das Klemmbrett an den Rand des Schreibtischs; es klapperte leise. Dann verließ er das Arbeitszimmer, und hinter ihm schloß sich geräuschlos die Luke. Eine Stille senkte sich über das Arbeitszimmer, die nur von dem leisen, akribischen Ticken der Uhr gestört wurde, und der Earl saß lange völlig reglos da.

Wie viele Schiffe waren im Laufe der Jahre schon als ›überfällig und verschollen‹ gemeldet worden, nur um am Ende doch wieder aufzutauchen? Gewiß sehr viele. Es mußte einfach viele solche Fälle gegeben haben. Trotzdem fiel ihm kein einziger Schiffsname ein, und er wußte plötzlich, daß die *Prince Adrian* nicht wieder auftauchen würde.

Wie kann das nur geschehen sein? fragte er sich. *Harrington war viel zu gut, um sich so einfach von den Havies kassieren zu lassen – und McKeon genauso. Was in Gottes Namen also ist da vorgefallen?*

Die Raketenbehälter. Ja, das mußte es sein. Genau die Gondeln, vor denen Harrington gewarnt hatte. Das Schiff, das die *Prince Adrian* verfolgt hatte, konnte diese Gondeln nicht in Schlepp gehabt haben. Harrington war zu vorsichtig, um auf so etwas hereinzufallen. Ein Schiff, das Gondeln schleppte, beschleunigte mit reduzierten Werten, und das wäre Harrington niemals entgangen. Sie hätte sich gefragt, weshalb der Havie sein Beschleunigungsvermögen nicht ausnutzte, und den richtigen Schluß gezogen.

Er stand vom Schreibtisch auf, legte die Hände auf den Rücken und begann, auf und abzuschreiten. Dabei starrte er finster aufs Deck und ging eine Erklärung nach der anderen durch.

Jemand hat sich versteckt gehalten, folgerte er. *Ein Kampfschiff auf Schleichfahrt – die eine Gefahr, gegen die man sich eigentlich niemals schützen kann. Gott, wie gering die Chancen sind, auf ein solches Schiff zu treffen!*

Doch ergab diese Vermutung vollkommen Sinn. Ein Schiff, von dem Harrington nichts gewußt hatte und das versteckt auf dem Vektor der *Prince Adrian* lag, seine Raketengondeln aussetzte und in aller Ruhe abwartete, bis der manticoranische Kreuzer ihm nicht mehr ausweichen konnte. Voller Qual schloß White Haven die Augen und stellte sich den Moment der Erkenntnis vor, den Augenblick, in dem Harrington begriff, was vor sich ging – und daß es keine Möglichkeit mehr gab, das Verderben abzuwenden. Und dann mußte das Blutbad gefolgt sein, wie es der Earl schon viel zu oft in seinem Leben beobachtet – und selbst entfesselt – hatte; eine Welle von Laser-Gefechtsköpfen mußte über die *Prince Adrian* hereingebrochen sein wie eine sphinxianische Sintflut.

Er wandte sich zu dem riesigen Gemälde von Benjamin IV. auf der Schottwand hinter seinem Schreibtisch um, und der Schmerz hatte ihm tiefe Linien ins Gesicht gegraben. *Überfällig und verschollen,* wiederholte er wie zum Spott die amtliche Formulierung. Endlich wagte er zu überlegen, ob Harrington noch lebe oder ob sie tot sei, und ballte unwillkürlich die Fäuste. Selbst wenn sie noch lebte, war sie nun Kriegsgefangene. Wie sollte es anders sein?

Er dachte an sein Gespräch mit Hochadmiral Matthews zurück, an die Fragen, die er sich dabei gestellt, und die Gefühle, mit denen er sich plötzlich konfrontiert gesehen hatte. Die Fragen hatte er nie beantwortet, sondern sie beiseite geschoben und sich geweigert, auch nur darüber nachzudenken. Nun aber ... Nun aber erschien es nur zu wahrscheinlich, daß er die Antworten niemals erfahren würde. Als er in die haselnußbraunen Augen des Porträts starrte, wußte er, daß fortan immer ein dunkler Fleck in ihm zurückbliebe und er sich bis an sein Lebensende für Lady Harringtons Schicksal verantwortlich machen würde. Wenn sie sich nicht verfrüht zum Dienst zurückgemeldet hätte, wäre sie niemals ins Adler-System entsandt worden, und wenn er ihr an jenem Abend in der Bibliothek nicht dieses ... Gefühl vermittelt hätte, dann hätte sie sich gar nicht erst verfrüht zurückgemeldet. Deshalb lastete ihr Schicksal auf seinem Gewissen – aus einem Grund, den niemals jemand anderer erfahren würde.

White Haven konnte später nicht genau sagen, wie lange er ins Gesicht des längst verstorbenen Protectors gestarrt hatte, nach dem sein Flaggschiff benannt worden war. Am Ende atmete er tief durch und riß sich zusammen.

Noch besteht kein Grund zu der Annahme, daß sie tot ist, versicherte er seinem Gewissen. Lady Harrington hatte schon mehrmals eine schier unheimliche Überlebensfähigkeit gezeigt, und von so gut wie jedem Schiff, das im Gefecht besiegt wurde, gab es zumindest einige Überlebende. So lange ihr Tod nicht offiziell bestätigt worden war, lebte sie für ihn noch. Anders ging es nicht.

Schließlich kehrte er sich von dem Porträt ab und nahm wieder am Schreibtisch Platz. Schon wollte er das elektronische Klemmbrett zur Hand nehmen, das Robards für ihn liegengelassen hatte, doch dann zog er die Hand zurück. *Auch das kann warten,* ermahnte ihn sein gesunder Menschenverstand. Also wandte er sich dem Terminal und den zahllosen Berichten zu, um die er sich zu kümmern hatte. Admiral White Haven hätte niemals gedacht, daß er einmal froh sein könnte über die endlosen bürokratischen Nichtigkeiten, die stets beim Zusammenziehen einer Flotte zuhauf auftreten, doch an diesem Tag war er froh und stürzte sich in die Aktenarbeit wie ein Mann, der nach Zuflucht vor den Dämonen sucht, die ihn ohne Unterlaß heimsuchen.

Thomas Theismans dunkelgrüne Uniformjacke hing unordentlich über einer Stuhllehne, und seine bestrumpften Füße ruhten bequem auf dem Couchtischchen aus gehämmertem Kupfer. Sein Uniformhemd hatte er am Kragen schlampig aufgeknöpft, und er blickte trübsinnig in sein Glas. Selbst ein Bürger Admiral konnte nicht die Preise bezahlen, die heutzutage in der VFH für Whiskey von Alterde verlangt wurden, und Theisman trank nur sehr selten. Jedenfalls zu selten, um sich einen eigenen Alkoholvorrat angelegt zu haben. Sein Versorgungsoffizier hatte ihm imitierten T-Whiskey besorgt, der gleich hier im Barnett-System gebrannt wurde. Obwohl Theisman der Vergleich fehlte, hegte er den dringenden Verdacht, daß die Imitation recht armselig ausgefallen sei – zu diesem Schluß war er sofort gelangt, als das erste Glas ihm die Geschmacksknospen versengte. Das reichliche Quantum, das er seitdem getrunken hatte, brannte ihm mit einer Beharrlichkeit im Magen, die ihn keineswegs zu einer Neubewertung der Qualität bewegen konnte. Immerhin besaß das Getränk die ersehnte Eigenschaft: es betäubte Theismans Gehirn. Er goß erneut einen Schuß der bernsteinfarbenen Flüssigkeit auf das Eis in seinem Glas und verfluchte die launische Göttin des unglückseligen Zufalls.

Als Tourvilles Kurierboot eintraf, war Cordelia Ransom bereits seit zehn Tagen im Barnett-System, und zunächst hatte sich Theisman deswegen schwache Hoffnungen gemacht. Überall geisterten Ransoms HD-Kamerateams herum, mischten sich in alles ein, standen jedem im Weg und ruinierten in Theismans komplettem Kommandobereich sämtliche Leistungswerte. Selbst den Mannschaftsdienstgraden fiel es allmählich auf den Nerv, daß die Öffentliche Information überall umherwuselte, und seine Nachrichtenoffiziere erlebten einen Panikanfall nach dem anderen, wenn sie vergeblich mögliche Brüche der operativen Sicherheit zu verhindern suchten.

Theisman überlegte, wie schön es doch gewesen sein mußte, in der Zeit vor Erfindung des Warshawski-Segels zu leben, als es noch keine nennenswerte interstellare Kommunikation gegeben hatte. Heutzutage kostete es Kurierboote zwar Wochen oder Monate, um ihre Reise zu beenden, aber bedauerlicherweise erreichten so gut wie alle früher oder später ihr Ziel. Die großen Nachrichtenagenturen wie United Faxes Intragalactic, Reuters Beowulf und der Interstellar News Service – alle aus der Solaren Liga – waren schon Plage genug, doch wenigstens konnte man mit Zugangssperren und aufmerksamer Überwachung den Schaden eingrenzen, den sie anrichteten. Allerdings war auf keine einzige Gegenmaßnahme hundertprozentig Verlaß, und die Liga bestand offiziell auf der ›Freiheit der Berichterstattung‹, was alles nur noch schwieriger machte. Die

Korrespondenten glaubten anscheinend, ihre Presseausweise verliehen ihnen göttlichen Status. Zwei freischaffende Journalisten – einer im Auftrag der UFI, der andere im Auftrag des INS – waren von Marines der DuQuesne-Basis dabei festgenommen worden, als sie sich an Bord eines Frachtshuttles zu schleichen versuchten, offensichtlich in der Absicht, vor Ort die Besatzung des Superdreadnoughts zu interviewen, für den die Ladung bestimmt war.

Alles in allem fühlte sich Theisman durchaus in der Lage, gegenüber Fremdweltlern die operative Sicherheit zu wahren; fürchten mußte er nur die eigenen Propagandisten. Weiß Gott wendete die Feindaufklärung genügend Zeit und Geld auf, um über neutrale Agenten an Aufnahmen der manticoranischen Nachrichten- und Informationssendungen zu gelangen. Wenn diese Aufzeichnungen in die Hände der Fachleute gerieten, waren sie in der Regel Wochen, wenn nicht gar Monate alt, und trotzdem gelang es den Geheimdienstleuten immer, ihnen nützliche Informationen zu entnehmen – und wenn sich nur fragliche Punkte im Hintergrundmaterial klärten. Theisman ging davon aus, daß die Allianz mit havenitischen Nachrichtenbeiträgen ähnlich verfuhr, und so konnte ein einziges falsches Wort in einer Propagandasendung Geheimnisse offenbaren, die zu bewahren die Volksflotte monatelang geschuftet hatte – und das nur für den ach so 'authentischen' Bericht irgendeines Schreiberlings der Öffentlichen Information, den operative Tatsachen nicht interessierten und dem sie auch nicht begreiflich zu machen waren.

Trotz der Probleme, die Ransoms Anwesenheit ihm bescherte, hatte ihr Verhalten Theisman in der Hoffnung bestärkt, daß man ihn nicht zum Sündenbock für den Verlust des Barnett-Systems ausersehen hatte.

Selbstverständlich konnte er sich dessen niemals völlig sicher sein; Cordelia Ransom hätte eine vorzügliche Pokerspielerin abgegeben. Im Grunde aber verbrachte sie zuviel Zeit mit ihm und zeichnete zu viele Interviews mit ihm auf, als daß er noch glauben konnte, daß sie ihn tatsächlich einfach zusammen mit Barnett abgeschrieben hatte. Die Drehbücher, die seinen Interviews zugrunde lagen, gaben Theisman in der Tat allen Grund zur Hoffnung. Für seinen Geschmack war der propagandistische Inhalt zu grell und zu dick aufgetragen, doch augenscheinlich dienten die HD-Beiträge ohne Ausnahme nur einem einzigen Ziel: Thomas Theisman in möglichst heroischem Lichte erstrahlen zu lassen. Gewiß würde die Öffentlichkeit doch nicht soviel Zeit – und persönliche Aufmerksamkeit der Direktorin – investieren, um ihn zum Idol aufzubauen, wenn man ihn am Ende doch zum Bauernopfer ausersehen hatte? Würde der Verlust eines Helden aus dem Volke nicht die Moral der Zivilisten schädigen? Wo doch die Ministerin für Öffentliche Information diesen Helden als den großen Verfechter der republikanischen Sache vorgestellt hatte?

Der Gedanke, als Paladin des Komitees für Öffentliche Sicherheit zu gelten, hatte Theisman einige Magenschmerzen bereitet, doch wenn er sich damit sein Überleben erkaufen konnte, dann wollte er den Preis gern bezahlen – voller Erleichterung, daß ihm nicht noch mehr abverlangt wurde. Kaum aber hatte er sich damit abgefunden und zu glauben begonnen, Ransoms Interesse an ihm könne tatsächlich Heil und Erlösung bedeuten, als ihm der unglückliche Zufall eine weitere Last auf die Seele lud: denn wenn Ransom nicht im Barnett-System gewesen wäre, um Sondersendungen zu produzieren, die Thomas Theisman zum Nationalhelden aufbauten, hätte sie Tourvilles Depesche niemals zu Gesicht bekommen.

Der Bürger Admiral knurrte einen Fluch und nahm einen großen Schluck Whiskey. Der Alkohol brannte sich den Weg zum Magen frei und schien dort zu explodieren. Theisman kam zu dem Schluß, allen Trost erlangt zu haben, den man aus der Trunkenheit schöpfen konnte, und ließ sich seufzend zurücksinken.

Wie Tourville seinen Volkskommissar dazu gebracht hatte, den Plan abzusegnen, mit dem er seine Gefangenen in Sicherheit bringen wollte, wußte Theisman nicht genau zu sagen. Aus der Depesche war jedenfalls eindeutig hervorgegangen, daß der Kampfgruppenchef irgend etwas eingefädelt haben mußte. Tourville beabsichtigte, alle seine Gefangenen einschließlich der Offiziere ins Tarragon-System zu verlegen. Bei den Gefangenenlagern dort handelte es sich schwerlich um Luxushotels, doch immerhin war der Volksflotte im Gegensatz zur SyS daran gelegen, kriegsgefangene Alliierte anständig zu behandeln. Außerdem unterhielt die Kriegsgefangenenkommission der Solaren Liga ein Büro im Tarragon-System, das alle neu zugehenden Gefangenen in Listen erfaßte. Das Sternenkönigreich hätte also binnen weniger Wochen vom Schicksal der *Prince Adrian* erfahren – und es wäre bekannt geworden, daß Honor Harrington noch lebte. Nichts konnte sie schützen, wenn die SyS am Ende doch verlangte, sie ihr zu überstellen, bislang aber hatte das Amt für Systemsicherheit Kriegsgefangene, die einmal im Gewahrsam der Flotte waren, dort auch belassen. Theisman und Tourville konnten zumindest hoffen, daß man im Falle Harringtons ähnlich verfuhr, und andernfalls wäre zumindest ihr Aufenthaltsort offiziell bekannt.

Ihr Ruhm würde sie schützen, denn selbst die SyS konnte nicht so dumm sein, sie vor den Augen der galaktischen Öffentlichkeit zu mißhandeln. Allein der Gedanke, welche propagandistischen Gelegenheiten sich den Alliierten dadurch eröffnen würden!

Ransoms Anwesenheit im Barnett-System hatte jedoch Tourvilles Bemühen zum Scheitern verurteilt; Theisman war ein Schauder über den Rücken gelaufen, als er die Befehle der Ministerin gehört hatte. Ransom setzte Tourvilles Anweisung außer Kraft, alle Gefangenen nach Tarragon zu verlegen, und beorderte statt dessen alle höheren kriegsgefangenen Offiziere und eine Auswahl älterer Unteroffiziere nach Barnett. Dergleichen war eigentlich zu erwarten gewesen; was Theisman wirklich Sorge bereitete, war Ransoms Zusatzbefehl: Jede Erwähnung der Gefangennahme hatte zu unterbleiben. Niemand – nicht die Inspektoren der Liga, nicht die Manticoraner und nicht einmal die Volksflotte – *niemand* durfte erfahren, daß Honor Harrington eine Kriegsgefangene der Volksrepublik war. Ein Befehl dieses Wortlauts beunruhigte jeden Bürger der VFH und schüchterte ihn gehörig ein.

Vor Ausbruch des Krieges war der Staatsterror vom Amt für Innere Abwehr der Legislaturisten ausgeübt worden. Ordentliche Gerichtsverfahren und dergleichen waren für die InAb nur lästige Formalitäten gewesen, mit denen man sich nach Möglichkeit gar nicht erst abgab. Jeder hatte geflüsterte Gerüchte über diesen oder jenen gehört, der von der InAb abgeholt worden sei und niemals wieder gesehen wurde – und hatte ihn nicht in die InAb geholt, dann die Mentalhygienepolizei oder eine ihrer unzähligen Schwesterorganisationen. Die Systemsicherheit hingegen war schlimmer. Über Strafmaßnahmen brauchte nun niemand mehr zu flüstern, denn die Systemsicherheit legte großen Wert darauf, daß die Bürger über die Verhaftungen Bescheid wußten. Gerichtsverfahren stellten nun keine ärgerlichen Konventionen mehr dar, sondern hatten sich zu einmaligen Gelegenheiten gemausert, um Propaganda anzubringen und die Schreckensherrschaft der SyS zu legitimieren. Nur an Phase Eins des Vorgangs hatte sich nichts geändert: Auch wenn es später zu einem Schauprozeß kam, zuallererst wurde man von der SyS abgeholt und verschwand – bis die SyS sich schlüssig geworden war, wie mit dem Delinquenten zu verfahren sei. Wenn ein Prozeß wünschenswert erschien, tauchte die fragliche Person als Angeklagter wieder auf … und wenn es wiederum angeraten erschien, einen Prozeß zu vermeiden, dann fiel es nicht schwer, das Verschwinden dauerhaft zu machen.

Theisman konnte nicht glauben, daß Ransom dergleichen mit Harrington vorhatte, denn die Nachteile mußten doch auch für die Ministerin auf der Hand liegen! Das jedenfalls versuchte er sich energisch, fast verzweifelt einzureden. Wenn er jedoch ehrlich war, mußte er eingestehen, daran längst nicht so fest zu glauben, wie er wollte. Schon zu viele Dummheiten waren im Namen der Revolution und des ›Volkskriegs‹ begangen, zuviel Blut allein aus dem Grunde vergossen worden, weil man ungestraft damit davonkam. Und Theisman wollte nicht, daß Honor Harrington in dieses Räderwerk geriet.

Er nahm einen weiteren, kleineren Schluck, schloß die Augen und drückte sich das kalte Glas an die Stirn. Die Whiskeydämpfe lösten Gedankenketten aus, die zu verfolgen Theisman niemals gewagt hätte, wäre nicht der Alkohol gewesen, der in seinem Kopf Pirouetten tanzte.

Er respektierte Harrington. Er verdankte ihr sein Leben und das Leben seiner Besatzung, denn sie hatte ihm damals in der Schlacht von Blackbird die Kapitulation gestattet, obwohl sie jeden erdenklichen Grund gehabt hatte, sein Schiff in Fetzen zu schießen und es gut sein zu lassen. Seither hatte sie wiederholt ihr Mitgefühl für besiegte Feinde bewiesen. Warner Caslet hatte in die Volksrepublik zurückkehren dürfen, weil Harrington der Ansicht gewesen war, das Sternenkönigreich sei ihm und seiner Crew etwas schuldig. Bürger Captain Stephen Holtz und die sechsundvierzig überlebenden Besatzungsmitglieder von VFS *Achmed* waren nur deshalb noch am Leben, weil Harringtons Pinassen sie aus dem Wrack des Schlachtkreuzers geborgen hatten; diesen Befehl hatte sie sogar erteilt, ohne zu wissen, wie lange die beschädigten Lebenserhaltungssysteme ihres eigenen manövrierunfähigen Schiffes noch durchhalten würden. Dennoch hatte sie die Systeme mit weiteren Menschen belastet. Später hatte sie dafür gesorgt, daß diese Überlebenden gemeinsam mit Warner Caslet und seinen Offizieren repatriiert wurden.

Die Volksflotte von Haven stand bei Honor Harrington in einer Ehrenschuld, Thomas Theisman persönlich bei ihr in der Kreide. Im Lichte dieser Tatsachen war es um so deutlicher, daß der Umgang mit Kriegsgefangenen auf Gegenseitigkeit beruhen mußte: Honor Harrington war ein feindlicher Offizier, dem die Republik nur Würde und Achtung entgegenbringen durfte, wenn die havenitischen Kriegsgefangenen anständige Behandlung erfahren sollten. Allein der Gedanke …

Es läutete an der Tür, und Theisman stieß ein ärgerliches Grunzen aus. Er stellte das Glas auf den Tisch und drückte die Taste an der Sessellehne.

»Ja?« knurrte er.

»Ich hätte Sie gern gesprochen, Bürger Admiral«, sagte jemand, und Theisman fuhr wie von einer Hornisse gestochen auf, als er Cordelia Ransoms Stimme erkannte. Die Zeit schien stillzustehen – der Augenblick sich in alle Ewigkeit auszudehnen –, und in diesem kristallisierten Stillstand begriff Theisman, wie unfaßbar dumm er war, sich zu betrinken, während Cordelia Ransom im gleichen Sonnensystem weilte.

Dann zerbarst dieser Augenblick, und Theismans geübter Selbsterhaltungstrieb zügelte die aufkommende Panik. Dumm mochte er sein, doch Selbstgeißelung würde ihn nicht vor den Konsequenzen seines Tuns bewahren. Vielmehr mußte er die Initiative ergreifen; er riß sich gewaltig zusammen und erhob sich vom Stuhl.

»Äh, nur einen Augenblick, Bürgerin Minister!« brachte er hervor. Während er sich das Hemd wieder zuknöpfte, fuhren seine Füße ungeschickt in die Stiefel, dann griff Theisman nach dem Inhalator neben der Whiskeyflasche. Wie er das verdammte Ding haßte! Er betrank sich selten genug und benutzte den Inhalator daher fast nie, aber er hatte auf die harte Tour gelernt, ihn bereitzuhalten, wenn er sich denn einmal alkoholisierte. Bis zu diesem Abend hatte er geglaubt, daß er sich nie wieder so betrinken würde wie damals, in jener schrecklichen Nacht während seines dritten Akademiejahres. Heute wußte er es besser. Thomas Theisman hob den Inhalator, drückte auf den Knopf und atmete tief ein.

Der plötzliche, krampfartige Hustenanfall, der ihn zwang, sich zusammenzukrümmen, überraschte seinen Körper völlig, obwohl Theisman sich geistig darauf vorbereitet hatte. Unvermittelt hatte er das Gefühl, als schwölle sein Schädel zu Melonengröße an, und er glaubte kurz, er müßte sterben – dann wünschte er sich, bereits tot zu sein. Wenigstens zeigte das verdammte Zeug, das er eingeatmet hatte, die gewünschte Wirkung. Sein Magen fühlte sich zwar schlimmer an als zuvor, aber sein Hirn klärte sich – mehr oder weniger –, und das Zimmer gab endlich den Versuch auf, ihn zum Polkatanzen überreden zu wollen.

Er schüttelte sich, schob den Inhalator in eine Hosentasche und raffte die Uniformjacke vom anderen Stuhl auf. Schon wollte er die Jacke anziehen, als er es sich anders überlegte. Schließlich war er in seiner Privatkammer, und Ransom hatte ihren Besuch nicht angekündigt. Unter diesen Umständen weigerte sich Theisman, sie in voller Uniform zu empfangen wie ein Neokaninchen, das sich überschlägt, um beim Jäger den bestmöglichen Eindruck zu schinden.

Kompromißbereit hängte er den Uniformrock ordentlich an der Gardarobe auf, holte tief Luft und drückte den Türöffner.

Die Tür glitt beiseite, und Cordelia Ransom trat hindurch, wie immer mit ihren massigen Leibwächtern im Schlepp. Als Theisman sich die beiden näher betrachtete, stellte er jedoch fest, daß es nicht die gleichen Männer waren, die sie am ersten Tag in sein Büro begleitet hatten. Nicht, daß dies irgendeine Rolle spielte. Ganz offensichtlich gab es die Kerle in austauschbaren Zweierpaketen.

»Guten Abend, Bürgerin Minister«, sagte er. »Ich habe nicht mit Ihnen gerechnet.«

»Das ist mir klar, Bürger Admiral«, entgegnete sie und legte den Kopf schräg. Ihre blauen Augen ruhten kurz auf seiner Uniformjacke, dann blickte Ransom zur Whiskeyflasche und dem Glas auf dem Couchtisch. »Bitte entschuldigen Sie, daß ich Sie ohne Voranmeldung behellige, aber ich hätte einige Punkte mit Ihnen zu bereden. Unter vier Augen.«

»Tatsächlich?« fragte Theisman höflich. Die Inhalation hatte ihm einen pochenden Schädel beschert, doch schien der Kopfschmerz seinen Verstand zu klären. Er musterte auffällig die Leibwächter, doch diese Andeutung war verschwendet. Ein Gespräch unter vier Augen schloß ganz offensichtlich die Anwesenheit der beiden Kleiderschränke nicht aus. Plötzlich ereilte den Bürger Admiral eine unvermittelte Erkenntnis; er wußte nicht, ob erst der verklingende Kampf zwischen dem inhalierten Mittel und den letzten Resten seiner Trunkenheit ihm diese Assoziation ermöglichte, die er sich ansonsten verboten hätte. Doch seine Erkenntnis erschien ihm nun derart offensichtlich, daß ihm unbegreiflich war, wieso er den Sachverhalt nicht schon viel früher durchschaut hatte. Die Anwesenheit der Leibwächter war nicht etwa darauf zurückzuführen, daß Ransom sich bedroht gefühlt hätte; sondern nur auf einen einzigen Grund: weil Ransom wichtig genug war, um sie zu bekommen. Die Leibwächter repräsentierten Ransoms Macht und Bedeutung, sie waren ein Totem oder eine Trophäe, auf die zu verzichten sie nicht bereit war.

»Tatsächlich«, erwiderte sie, ohne etwas von den Gedanken zu ahnen, die ihm durch den Kopf schossen. Er trat beiseite und lud sie mit einer Handbewegung ein, sich zu setzen.

»Ich hatte gerade etwas getrunken, zur Entspannung«, erklärte er. »Darf ich Ihnen auch etwas anbieten?«

»Nein, danke. Aber lassen Sie sich durch mich nicht abhalten.«

»Im Moment nicht, danke«, entgegnete Theisman und wartete, bis sie sich niedergelassen hatte, dann nahm er ihr gegenüber Platz. »Wie kann ich Ihnen helfen, Bürgerin Minister?« fragte er in höflichem Ton, während sich die Leibwächter hinter ihr positionierten.

»Ich möchte mit Ihnen Bürger Konteradmiral Tourvilles Vorgehen diskutieren«, antwortete sie, und Theisman empfand ein erneutes Aufflackern von Vorsicht, denn sie klang sehr kühl, und in ihre Augen war wieder die Leblosigkeit zurückgekehrt.

»In welcher Hinsicht, Ma'am?« Theismans gereizter Magen verkrampfte sich, dennoch gelang es ihm, sich seine Vorbehalte weder in der Stimme noch im Gesicht anmerken zu lassen. Es bedurfte großer Konzentration, seine Deckung aufrechtzuerhalten, und Ransoms nächste Worte erschwerten es ihm noch mehr.

»Ich bin nicht sonderlich glücklich über seinen durchsichtigen Versuch, die Gefangenen an das Militär auszuliefern«, sagte sie.

»Ich fürchte, ich kann Ihrem Gedankengang nicht ganz folgen, Bürgerin Minister«, entgegnete Theisman so ruhig er vermochte. »Die Gefangenen befanden sich doch bereits in militärischem Gewahrsam, und er hat die Gefangennahme gemeldet und um Billigung seiner Absicht ersucht, sie unmittelbar nach Tarragon zu verlegen.«

»Versuchen Sie nicht, ein Spielchen mit mir zu treiben, Bürger Admiral.« Ransom klang nun noch kühler und lächelte ihn dünn an. »Seine Untergebenen zu decken ist eine bewundernswerte Eigenschaft, aber Sie wissen genau, was ich meine. Diese Harrington ist ja wohl kaum eine gewöhnliche Kriegsgefangene, darüber müssen Sie und Tourville sich doch sehr genau im klaren sein. Ihre Gefangennahme bietet uns eine politische Chance erster Klasse, und deshalb ist die

Entscheidung über ihren Verbleib nicht militärischer, sondern politischer Natur!«

»Aber Bürgerin Minister«, entgegnete Theisman, »nach der Übereinkunft von Den...«

Ransom schnellte vor und funkelte Theisman an. »Was interessieren denn *mich* die Deneber Übereinkünfte!« kanzelte sie ihn ab. »Die Deneber Übereinkünfte sind nicht von den Vertretern des Volkes, sondern von den Legislaturisten unterzeichnet worden, und das Volk ist nicht an überkommene Reste der plutokratischen Vergangenheit gebunden – schon gar nicht, wenn es auf Leben und Tod gegen andere elitäre Plutokraten kämpft! Dieser Krieg ist ein Krieg der Ideologien, und zwischen Ideologien kann es unmöglich Kompromisse geben! Wieso begreift das kein einziger Offizier? Das ist keiner dieser Kriege einer Kriegerkaste gegen ›ehrenwerte Feinde‹ oder ›Offizierskameraden‹, Bürger Admiral! Wir führen einen Krieg der Klassen, einen revolutionären Kampf, dessen einzig akzeptabler Ausgang nicht in der Niederlage, sondern nur in der *Auslöschung* unserer Feinde bestehen kann! Denn wenn wir sie diesmal nicht ein für allemal beseitigen, dann werden sie uns zermalmen und uns wieder ihr ausbeuterisches Regime aufzwingen. Das einzige – das absolut einzige –, was noch zählt, ist der Sieg, und nur ein Volk, das die politische Vision und die Willenskraft besitzt, sich das einzugestehen, hat überhaupt noch eine Überlebenschance. Nun, das Komitee für Öffentliche Sicherheit hat diese Vision, und wir weigern uns, ein Werkzeug oder eine Handlungsoption aufgrund eines wertlosen Stückes Papier wegzuwerfen, das wir nie unterzeichnet haben!«

Thomas Theisman fragte sich, ob die Inhalation überhaupt gewirkt habe, denn ihr Eifer wirkte so ...

echt auf ihn. Aber das war doch albern – oder? Was Ransom gerade gesagt hatte, stimmte völlig mit der offiziellen Linie der republikanischen Propaganda überein; aber die Frau, die für die Präsentation dieser Linie verantwortlich war, mußte es doch besser wissen, als an die eigene Agitation zu glauben!

»Theoretisch kann ich Ihnen nicht widersprechen, Bürgerin Minister«, antwortete er behutsam, »aber ich glaube, daß man gewisse praktische Konsequenzen nicht übersehen darf. Diese Konsequenzen sind zudem taktischer, nicht moralischer Natur.«

Ransoms Mund verengte sich unheilverkündend, aber sie unterbrach Theisman nicht, der sich mit einer Hand die pochenden Schläfen massierte und noch vorsichtiger weitersprach.

»Konkret meine ich damit folgendes, Ma'am. Wir müssen berücksichtigen, daß die einfachen manticoranischen Soldaten tatsächlich an das System glauben, für das sie kämpfen, und die Deneber Übereinkünfte als wichtigen Teil dieses Systems begreifen. Wenn wir sie verletzen ...«

»Unsinn!« fiel ihm Ransom ungeduldig ins Wort. »Ja, ohne Zweifel glauben viele der feindlichen Berufssoldaten an dieses Geschwätz – diejenigen, die schon vor dem Krieg im Dienst der Streitkräfte standen. Schließlich handelt es sich um nichts anderes als Söldner, die dumm genug sind, um freiwillig den imperialistischen Ausbeutern ihres eigenen Volkes zu dienen – und wenn sie nicht dumm sind, dann sind sie verblendet oder gierig genug! Aber seit Kriegsausbruch ist Manticore gezwungen, Personal aus den Volksmassen zu rekrutieren, und je länger der Konflikt andauert, desto größer wird der Anteil der Wehrpflichtigen in den Reihen der manticoranischen Streitkräfte, genau wie bei uns. Die Wehrpflichtigen jedoch werden den Lügen der Elite keinen Glauben schenken! Vielmehr werden sie begreifen, daß man sie zum Nutzen ihrer natürlichen Feinde in einem Krieg gegen Ihresgleichen verheizt, und dann werden sie sich gegen ihre Herren auflehnen, wie wir uns gegen unsere Unterdrücker erhoben haben!«

Theisman zuckte zusammen. Diese körperliche Reaktion konnte er nicht verhindern, denn soeben hatte er ein furchteinflößendes Geheimnis entdeckt: Cordelia Ransom glaubte an ihre eigene Propaganda.

Er saß völlig regungslos auf seinem Stuhl und wünschte inbrünstig, sich nicht ausgerechnet an diesem Abend betrunken zu haben. Krampfhaft bemühte er sich, seine Gedanken zu klären. *Sie kann doch nicht ernsthaft daran glauben,* hielt er sich vor. *Oder doch? Sollte es wirklich möglich sein, daß Cordelia Ransom* glaubt, *was sie den Proles erzählt?*

Nein, entschied er. Was die Manipulation der Massen anging, war sie eine wahre Meisterin. In den frühen Tagen der Revolution hatte sie den Kurs angesichts der veränderlichen Launen und Wünsche des Pöbels zu oft und zu abrupt gewechselt, um eine echte Ideologin zu sein; zudem war sie dafür stets zu erfolgreich gewesen in ihren Versuchen, den nächsten Stimmungsumschwung vorherzuahnen.

Na gut, Thomas, das verrät dir aber nur, wer sie mal gewesen *ist. Das ist nun etliche Jahre her – Jahre, in denen sie dem Willen des Mobs ihren Stempel aufgedrückt hat. Heute braucht sie keinen Stimmungsumschwung mehr vorherzuahnen; heute bestimmt sie,* wohin *die Stimmung umschlägt.*

Bei diesem Gedanken krampfte sich sein aufgewühlter Magen erneut zusammen, und doch bestand eine grundsätzliche Unvereinbarkeit zwischen dem Bild der zynischen Manipulantin, die Ransom gewiß war, und dem Bild einer leidenschaftlichen Ideologin, die wirklich an die Zeilen glaubte, die sie gerade deklamiert hatte. Ransom kreuzte zum Beweis der eigenen Wichtigkeit überall in Begleitung von Leibwächtern auf, und ihr Propagandaministerium entwarf Lügen, um jede Behauptung zu stützen, die dem Komitee für Öffentliche Sicherheit nutzte; eine solche Frau stellte einen noch schlechteren Paladin des Proletariats dar als Thomas Theisman. Sie mußte einfach wissen, daß sie log, oder ihre Lügen wären nicht so gekonnt und konsistent gewesen.

Doch es gab noch eine andere Erklärung, und die war fast so furchteinflößend wie wahrscheinlich. Sollte es möglich sein, daß Ransom nach so vielen Jahren in einer Position uneingeschränkter Macht den Bezug zur Realität verloren hatte? Nach so vielen Jahren, in denen sie stets gerade das, was ihr zupaß kam, zur offiziellen Wahrheit erklärt hatte? Theisman hatte Offiziere aus mächtigen Legislaturistenfamilien gekannt, die einer ganz ähnlichen Blindheit zum Opfer gefallen waren. Diese Leute hatten genau gewußt, daß ihre abgelieferten Berichte nur beiläufige Ähnlichkeiten zur Wahrheit aufwiesen, doch angesichts des Einflusses ihrer Familien hatte niemand es gewagt, die Berichte anzuzweifeln. Im Laufe der Jahre hatte sich ergeben, daß diese Leute auf zwei Ebenen arbeiteten: einer, auf der sie ihre Vorgesetzten belogen, um ihre kleinen Privatimperien zu schützen, und einer weiteren, auf der sie aufrichtig glaubten, sie könnten etwas zur Wahrheit erheben, indem sie behaupteten, so sei es und nicht anders.

Wer in der ganzen Volksrepublik von Haven konnte es sich leisten, Cordelia Ransom zu sagen, wann sie unrecht hatte? Außer Rob Pierre und Oscar Saint-Just gab es keine Gleichgestellten, und die Unterdrückungsmaschinerie des Amts für Systemsicherheit stand ihr zur Verfügung. Das Evangelium des Ministeriums für Öffentliche Information in Frage zu stellen, bedeutete Hochverrat, um Gottes willen!

Und Thomas Theisman erkannte zu seiner Erschütterung, daß Cordelia Ransoms Wahnsinn noch tiefer reichte, als er anfänglich befürchtet hatte. Zumindest ein Angehöriger des Triumvirats, von dem seine Sternennation regiert wurde, sah die Feinde der Republik mittlerweile nur noch durch das Kaleidoskop der eigenen Erfindungen verzerrt und traf auf dieser Grundlage Entscheidungen – Entscheidungen, die für die Republik Überleben oder Untergang bedeuten konnten!

»Ich darf nicht stellvertretend für jeden Offizier der Volksflotte sprechen, Bürgerin Minister«, fuhr er nach einer Pause fort, von der er hoffte, daß sie sich nicht gefährlich lang ausgedehnt hatte, »aber von mir selbst kann ich behaupten, niemals bezweifelt zu haben, daß das Vorgehen des Militärs von ziviler Stelle kontrolliert werden muß.«

Theisman hatte seine Worte mit außerordentlicher Sorgfalt gewählt, denn er war sich bewußt, in seinem ganzen Leben noch nie in so großer Gefahr geschwebt zu haben. Irgend jemand aber mußte Ransom dazu bewegen, wieder eine Politik zu verfolgen, die wenigstens ansatzweise auf einer rationalen Grundlage beruhte, und anscheinend war er im Moment der einzige, dem sie zuhörte. Eine große Hilfe waren ihm seine Übelkeit und sein hämmernder Schädel dabei nicht gerade. Theismans Hände fühlten sich klamm an, und doch verlieh die Furcht seinen Gedanken die Schärfe eines Rasiermessers.

»Meine Sorge um die Beachtung der Deneber Übereinkünfte entspringt dem Eindruck, den ich von den Positionen der solarischen Inspektoren erhalten habe, und – wenn Sie mir diese offenen Worte vergeben –, der politischen Orientierung, die mich geprägt hat.« Und das entsprach der Wahrheit, wenngleich nicht der Wahrheit, die Ransom vermutlich im Sinn hatte.

»Welcher ›politischen Orientierung‹?« erkundigte sie sich mißtrauisch.

»Offiziell hat die Öffentliche Information stets betont, daß die VRH alle Kriegsgefangenen ›ordentlich‹ behandeln wird, und unter ordentlich verstehen die meisten Sternennationen nun einmal einen Umgang, der mit den Deneber Übereinkünften in Einklang steht. Zwar haben wir in der Tat niemals ausdrücklich gesagt, uns daran halten zu wollen, doch mit Sicherheit erschien es, als hätten wir genau das gemeint. Ich weiß aus eigenen Gesprächen mit Vertretern der Liga, daß man unsere Erklärung dementsprechend aufgefaßt hat. Ich bin mir bewußt, wie wichtig die Rolle der Desinformation in Kriegszeiten ist, aber ich habe keinerlei Anweisungen erhalten, aus denen hervorgegangen wäre, daß wir in diesem Fall eine Täuschung beabsichtigt hätten. Deshalb konnte ich unter den gegebenen Umständen nur einen Schluß ziehen: nämlich, die Deneber Übereinkünfte für mich und meine Untergebenen als bindend zu betrachten. Ich wollte gewiß keinen Konflikt mit dem Komitee riskieren, indem ich meinen Offizieren befehle, eine entgegengesetzte Position einzunehmen.«

»Aha.« Ransom lehnte sich zurück, schlug die Beine übereinander und legte den Kopf schräg. »Unter diesem Gesichtspunkt habe ich die Angelegenheit noch gar nicht betrachtet, Bürger Admiral«, gestand sie in weitaus weniger frostigem Ton. »Sie weisen auf etwas hin, das vom Komitee offenbar nicht eingehend genug besprochen worden ist. Damit unsere kommandierenden Offiziere unsere Vorstellungen kennen, muß diese kohärent von oben nach unten verkündet werden, nicht wahr?« Sie schürzte die Lippen und nickte bedächtig. »Jawohl, das verstehe ich durchaus. Ich frage mich nur, weshalb ich selbst noch nicht daran gedacht habe? Schließlich waren wir uns doch bewußt, daß wir andere Vorgehensänderungen verkünden mußten. Ich muß mich offenbar mit Minister Saint-Just zusammensetzen und auch hier ein Konzept erarbeiten, in dem unsere Direktiven eindeutig niedergelegt sind.«

»Ich bin sicher, das Komitee wird die richtige Entscheidung treffen, Ma'am.« *Jedenfalls hoffe ich verdammt inbrünstig, daß Pierre und Saint-Just dich überstimmen!* »Darf ich einen Vorschlag machen, wie wir inzwischen vorgehen sollten?«

»Gewiß«, antwortete Ransom fast gnädig.

»Vielen Dank.« Theisman mußte große Beherrschung aufbringen, um sich nicht die Stirn abzuwischen. Es bereitete ihm Mühe, vernünftig und selbstsicher zu klingen, ohne zugleich mit aggressivem Unterton zu sprechen. Vor allem aber fiel es ihm sehr schwer, sich nicht die peinliche Sorgfalt anmerken zu lassen, mit der er seine Worte wählte. »Rein pragmatisch gesehen würde es sich für uns auszahlen, wenn wir generell die Übereinkünfte auf die Kriegsgefangenen anwenden. Dem einzelnen Befehlshabenden sollte weder erlaubt sein noch abverlangt werden, ohne die ausdrückliche Anweisung einer vorgesetzten Stelle davon abzuweichen.« Als Ransom den Mund öffnete, hob Theisman beschwichtigend die Hand. »Damit will ich nicht sagen, daß in Einzelfällen keine politischen Entscheidungen getroffen werden dürften, ich sehe jedoch drei wesentliche Vorteile, die uns erwachsen, wenn wir uns in den *meisten* Fällen auf die Deneber Übereinkünfte stützen würden.

Erstens braucht das Militär eine allgemeine Direktive, auf die es seine Entscheidungen stützen kann. Mir ist klar, daß die Kommissare uns dahingehend beraten werden, aber ohne diese generelle Leitlinie kann es leicht geschehen, daß jeder Systemkommandeur, jeder Flotten-, Kampfverbands- oder Geschwaderchef eine individuelle Politik formuliert. Und das kann meines Erachtens nur im Chaos enden. Wenn wir andererseits die Übereinkünfte zum Maßstab erheben, können die Befehlshaber Entscheidungen auf dieser Grundlage treffen, und die Behandlung von Gefangenen bleibt in sich schlüssig. Wo Abweichungen von dieser Direktive erforderlich sind, können noch immer entsprechende Leitlinien an die Befehlshaber übermittelt werden.«

Er schwieg, bis Ransom mürrisch nickte. »Und die anderen Vorteile?« fragte sie.

»Der zwote Vorteil«, antwortete Theisman, »sind die propagandistischen Gelegenheiten, die uns daraus erwachsen, die Übereinkünfte zu befolgen. Rundheraus gesagt, entstünden uns nur Nachteile, wenn wir uns offiziell von ihnen abwenden würden. Den Entscheidungsträgern sowohl der Allianz als auch der Solaren Liga sind die Übereinkünfte sehr wichtig. Ohne ihnen zuzubilligen, die legitimen Repräsentanten des Volkes zu sein« – *und ohne zu behaupten, daß sie es nicht sind,* dachte er dabei –, »können wir einfach nicht abstreiten, daß sie im Augenblick diejenigen sind, welche die Entscheidungen fällen. Zu diesen Entscheidungen gehört aber auch, daß wir insgeheim aus Kreisen der Solaren Liga Unterstützung erhalten. Wenn wir die Übereinkünfte plötzlich ablehnen, werden die Elemente innerhalb der Liga, die den Krieg gegen uns gutheißen, mit Sicherheit versuchen, uns der Öffentlichkeit im ungünstigsten Licht darzustellen. Das könnte letztendlich dazu führen, daß der Kampfeswille der Manties gestärkt wird und sie zusätzlich ein weiteres Druckmittel erhalten, um alle Unterstützung, die wir von der Liga bekommen, endgültig abzuschneiden.

Wenn wir hingegen weiterhin den Bestimmungen der Übereinkünfte folgen, können wir uns als die natürlichen Verbündeten des Volkes im Sternenkönigreich darstellen. Denken Sie nur daran, daß höchstens zwanzig Prozent der Kriegsgefangenen Offiziere sind, Bürgerin Minister. Und nicht einmal alle Offiziere stammen aus Adelskreisen oder aus plutokratischen Klassen. Anders gesagt gehören wenigstens achtzig Prozent der Gefangenen, die von unserer Einhaltung der Deneber Übereinkünfte profitieren würden, zu den unteren Schichten der manticoranischen Gesellschaft. Indem wir betonen, daß wir unsere Gefangenen nach dem Wortlaut der Übereinkünfte behandeln, versichern wir unseren natürlichen Verbündeten in den Reihen des Feindes, daß wir *sie* gut behandeln werden, sollten sie kapitulieren – oder auf unsere Seite wechseln.«

»Hm ...« Nachdenklich rieb sich Ransom die Nasenspitze, dann nickte sie zögernd. »An dem, was Sie sagten, ist sicherlich einiges dran, Bürger Admiral«, gab sie zu. »Wenn wir die Deneber Übereinkünfte zur Grundlage unserer offiziellen Linie machen, müssen wir natürlich die Fälle sehr sorgfältig auswählen, bei denen wir uns nicht an diese lächerlichen Bestimmungen halten wollen. Wenn wir das außer acht lassen, werden die manticoranischen Propagandisten gewiß die Einzelfälle, in denen wir anders ... disponieren, zum Beweis dafür erheben, daß wir lügen.«

»Das mag wohl sein, Ma'am.« *Natürlich ist es so, du dämliches Luder! Was glaubst du wohl, weshalb ich das vorgeschlagen habe?* dachte Theisman bei sich und ließ sich äußerlich nichts davon anmerken. »Ich lege Ihnen lediglich meine Sicht der Dinge dar.«

»Dessen bin ich mir bewußt, Bürger Admiral. Aber sprachen Sie nicht von einem weiteren, einem dritten Vorteil?«

»Jawohl, Ma'am. Einfach gesagt handelt es sich um eine Frage der Gegenseitigkeit. Wenn wir unsere Gefangenen gut behandeln, können wir verlangen, daß die Manties mit unseren Leuten, die in Gefangenschaft geraten, ebenfalls anständig umspringen. Sie werden unsere Leute wenigstens so gut behandeln müssen wie wir ihre, oder sie verlieren im Propagandakrieg an Boden. Meiner Meinung nach lohnt sich das für uns aus zwo Gründen. Erstens glaube ich, daß wir moralisch verpflichtet sind, nach Kräften dafür zu sorgen, daß die Menschen, die den Volkskrieg führen, unter allen Umständen so gut behandelt werden wie möglich – einschließlich nach ihrer Gefangennahme durch den Feind. Zwotens stärkt es die Kampfmoral der Volksflotte, wenn unsere Leute wissen, daß sie eine gute Behandlung erwartet, wenn sie in Feindeshand geraten.«

Eigentlich hatte er noch ein weiteres Argument anführen wollen, weshalb die gute Behandlung auf Gegenseitigkeit für die kriegsgefangenen Haveniten besonders wichtig sei. Doch wurde ihm noch rechtzeitig bewußt, was er tat, und so verkniff er sich, die Ministerin für Öffentliche Information darauf hinzuweisen, daß die Manties bisher zehn- bis fünfzehnmal so viele Gefangene gemacht hatten wie die VRH. Ein kluger Schachzug wäre diese Anmerkung wohl kaum gewesen.

»Aha«, sagte Ransom wieder. Sie stützte die Ellbogen auf die Armlehnen und ihr Kinn auf die aneinander gelegten Finger. Mit glanzlosen Augen musterte sie Theisman, der den Blick erwiderte und dabei versuchte, seinen rebellierenden Magen zu ignorieren. »Ich muß zugeben«, sagte sie nach kurzem Schweigen, »daß ich von Ihrer Argumentation und den Gedankengängen, auf die sie sich gründet, durchaus beeindruckt bin, Bürger Admiral. Jammerschade, daß Sie bislang so ... apolitisch gewesen sind. Wir brauchen dringend Flaggoffiziere mit Ihren Einsichten.«

»Ich bin apolitisch gewesen, weil ich mich nicht für eine politische Laufbahn geeignet halte«, entgegnete Theisman mit gut zehntausend Prozent Untertreibung.

»Da wäre ich mir gar nicht so sicher«, sinnierte Ransom. »Die propagandistischen Aspekte der Situation haben Sie jedenfalls sehr klar erfaßt.«

»Sehr schmeichelhaft, daß Sie das sagen, Ma'am, aber ich weiß nicht recht, ob ich Ihnen zustimmen kann«, erwiderte Theisman. *Daß sie mir zugesteht, irgendeinen Aspekt der Situation ›klar erfaßt‹ zu haben, verrät nur, wie kläglich sie selbst bei der Beurteilung der Lage gescheitert ist,* dachte er. »Wenn Sie näher darüber nachdenken, werden Sie feststellen, daß meine Beobachtungen nur die militärischen Aspekte Ihrer Übereinkunfts-Politik berücksichtigen. Ich mache mir Gedanken darüber, unseren Kontakt zu den technischen Experten aus der Solaren Liga nicht zu gefährden, nicht die Kampfmoral des Feindes indirekt zu stärken oder die unsrige zu schwächen. Aber darüber hinaus sind meine Kenntnisse über die wirtschaftlichen oder politischen Dimensionen des Krieges begrenzt. Erinnern Sie sich an unser Gespräch am Tag Ihrer Ankunft? Seit ich erwachsen bin, habe ich den Dunstkreis der Streitkräfte nicht verlassen und nur wenig Berührung mit der äußeren Gesellschaft gehabt. Und ich habe das deutliche Gefühl, daß ich mich während eines Krieges wie diesem an das halten sollte, womit ich mich auskenne.«

»Da haben Sie vielleicht recht«, antwortete Ransom. »Offen gesagt könnte es angesichts Ihrer Leistungen an der Front ein Fehler sein, wenn wir Sie ins Hauptsystem zurückbeordern würden. Ohne vernünftige politische Direktiven ist ein Sieg unmöglich, aber wir brauchen auch Offiziere, die in der Lage sind, diese Direktiven auf dem Schlachtfeld umzusetzen.«

Theisman antwortete mit einem Nicken, das eine halbe Verbeugung war, aber er sagte nichts.

Ransom senkte die Hände und fuhr damit die Armlehnen entlang. »Sie haben mir genug Material zum Nachdenken gegeben, Bürger Admiral. Vielleicht war es übereilt von mir, die Übereinkünfte als nutzlos abzutun. Wissen Sie, ich weiß immer noch keinen Grund, weshalb wir uns an obsolete Verträge gebunden fühlen sollten, die von unseren Klassenfeinden zu unserem Nachteil entworfen wurden, wenn es doch vorteilhaft für uns wäre, sie zu brechen. Aber Sie haben mir zu Bewußtsein gebracht, wie unklug es sein kann, diesen Schritt zu gehen, ohne die Konsequenzen sorgfältig erwogen zu haben.«

Theisman nickte wieder. Aufgrund seiner Anspannung und des Übermaßes an billigem Whiskey fühlte sich sein Magen nur noch wie ein enger Knoten an; die Anstrengung, sich nichts davon im Gesicht und an der Stimme anmerken zu lassen, weckte in ihm das immer stärker werdende Verlangen, sich zu übergeben. Doch wenigstens sah es ganz so aus, als trügen seine Anstrengungen Früchte. Nun durfte er auf keinen Fall über die vielen anderen Wege nachdenken, auf denen jemand wie Ransom Katastrophen hervorrufen konnte – oder Greueltaten.

»Ungeachtet dessen«, sagte sie forscher und erhob sich schwungvoll aus dem Sessel, »ist es im Moment wohl wirklich nicht angeraten, die Übereinkünfte unilateral aufzukündigen.« Die Erleichterung, die Theisman bei diesen Worten durchfuhr, machte ihn so wackelig in den Knien, daß er Schwierigkeiten hatte, ebenfalls vom Tisch aufzustehen. Aber Ransom war noch nicht fertig. »Und was die Fälle angeht, in denen eine Verletzung angeraten erscheint«, fügte sie hinzu, »müssen wir uns unsere Rechtfertigung sehr sorgfältig überlegen – auch da haben Sie ins Schwarze getroffen, Bürger Admiral.«

Zum Glück für Thomas Theisman hatte sie sich im Sprechen zur Tür umgedreht und bemerkte daher nicht den Ausdruck unverhohlenen Entsetzens, der sich bei ihren Worten trotz Aufbietung aller Selbstbeherrschung in seinem Gesicht zeigte.

»Ja«, fuhr Ransom nachdenklich fort, während er sie höflich zur Tür begleitete, »da gibt es einiges zu überdenken. Vielleicht sollten wir alle Entscheidungen über Kriegsgefangene zentralisieren. Die Namen aller gefangenen Alliierten könnten dann über zentralisierte Hauptquartiere an die Liga-Inspektoren weitergeleitet werden. Man könnte im Zuge dessen den Einsatz der Inspektoren sogar primär auf die Planeten beschränken, auf denen wir diese HQs einrichten, und sie ansonsten nur in Begleitung umherreisen lassen, nicht wahr?« Je länger sie sprach, desto begeisterter klang sie. »Aber natürlich! Wir könnten anführen, daß es um unsere militärische Sicherheit geht und ein geordneter Ablauf der Formalitäten es uns erleichtert, unseren Kriegsgefangenen die angemessene Behandlung zukommen zu lassen. Das wäre sogar die Wahrheit! Und selbstverständlich ...« – sie warf ihm eines ihrer frostigen Haifischlächeln zu – »bedeutet es, daß wir niemals zugeben bräuchten, einen ... unliebsamen Gefangenen je gesehen zu haben. Wie schade, daß ich nicht schon vorher daran gedacht habe! Das gegenwärtige Problem wäre dadurch erheblich entschärft worden ...«

Die Ministerin für Öffentliche Information blieb an der Tür stehen und bestand darauf, ihm voll Wärme die Hand zu drücken; Theisman mußte aufsteigende Galle herunterwürgen.

»Ich danke Ihnen sehr, Bürger Admiral!« rief Ransom enthusiastisch. »Sie haben einen unschätzbaren Vorteil zu unseren Kriegsanstrengungen geleistet. Wenn Sie noch mehr solch wertvolle Ideen haben, dann lassen Sie es mich *bitte* wissen!«

Sie drückte ihm noch einmal die Hand, lächelte ihn strahlend an und ging. Thomas Theisman schaffte es gerade noch bis zur Toilette, dann erbrach er sich krampfartig.

21

An Bord des Shuttles trugen alle Wächter die schwarzen Jacken und roten Hosen der Systemsicherheit, nicht das Grün und Grau der Volksflotte oder das Braun und Grau des Marinecorps. Wächter gab es viele. Um genau zu sein, gab es ebenso viele Aufseher wie Gefangene, und jeder einzelne Wächter hielt ein Schrapnellgewehr in den Händen und hatte das Gesicht eines Menschen, der diese Waffe mit Vergnügen benutzte. Honor saß steif aufgerichtet und bewegte sich nicht; Nimitz lag schwer und reglos auf ihrem Schoß. Hinter ihrer gelassenen Fassade versuchte Honor zu verbergen, daß sie sich der harten, feindseligen Blicke durchaus bewußt war, die sich in ihren Rücken bohrten. Den äußeren Anschein zu wahren fiel ihr alles andere als leicht, und einmal war diese Maske bereits ins Wanken geraten, weil anstelle der Volksflottensoldaten, die Honor erwartet hatte, SyS-Leute aufgetaucht waren. Man hatte die ausgewählten Gefangenen, die von Tourville ins Barnett-System gebracht worden waren, nicht gemeinsam auf den Planeten geschafft; in diesem Shuttle saßen nur ihre Stabsangehörigen und die ranghöheren Offiziere der *Prince Adrian*. McKeons übrige Offiziere und die ranghöheren Unteroffiziere folgten an Bord eines zweiten Shuttles. Honor war sich nicht sicher, ob man sie nach der Landung überhaupt wieder vereinen würde.

Sie hoffte, daß man die anderen von ihr getrennt hielte, denn je weiter sie von ihr und dem entfernt waren, was die Haveniten mit Honor planten, desto besser für sie. Da bestand für Honor kein Zweifel. Viele Emotionen peitschten durch den Shuttle, und alle dröhnten und hallten sie in Honor wider. Auch Nimitz' mühsam beherrschte Anspannung rührte von diesen Gefühlen her: Die Furcht der Mitgefangenen, ihre Ungewißheit, ihre Hilflosigkeit und die blanke Angst, mit der sie ihrer Zukunft entgegensahen. Als wäre das nicht schlimm genug, spürte Honor zusätzlich noch die Gefühle – und die Vorfreude – der SyS-Schläger.

Denn mehr als Schläger, als gewöhnliche Gewaltverbrecher sind diese Kerle nicht, dachte sie und klammerte sich verzweifelt an ihre Standhaftigkeit. Sie kämpfte darum, ihre äußere Gelassenheit aufrechtzuerhalten, während die Furcht der anderen ihre Ängste nährte. Die manticoranischen Geheimdienste hatten analysiert, welche Rolle die SyS dabei spielte, die Macht des Komitees für Öffentliche Sicherheit zu erhalten, und

Honor kannte die Berichte des ONI. Admiral Givens' Fachleute hatten sich in erster Linie mit den operativen Konsequenzen beschäftigt, die sich aus der Wechselwirkung zwischen Systemsicherheit und Volksflotte ergaben, und weniger mit den Folgen für die zivile Gesellschaft außerhalb der Streitkräfte, was Sache des SIS war. Dennoch wiesen die ONI-Berichte deutlich darauf hin, daß die SyS nicht nur Kritiker und Gegner des alten Regimes rekrutierte, sondern auch Angehörige des nunmehr aufgelösten Amts für Innere Abwehr. Die Geheimpolizisten und Vollstrecker der InAb waren Profis gewesen, keine Ideologen, durchaus willens, in die Dienste der neuen Machthaber zu treten und dessen Anhängern das Geschäft beizubringen; die jungen Kollegen hatten eifrig gelernt. Tatsächlich überflügelten sie schon bald ihre Ausbilder, denn es hatte sich reichlich Gelegenheit geboten, das Erlernte in der Praxis anzuwenden.

Zum Fall der Legislaturisten hatte unter anderem geführt, daß sie bei ihren Unterdrückungsmaßnahmen inkonsequent gewesen waren. Ließen sie in der einen Woche Dutzende von Unruhestiftern verschwinden und erzeugten Unruhe, so war es in der nächsten durchaus möglich, daß die Regierung eine Generalamnestie verabschiedete, um sich bei den Dolisten wieder einzuschmeicheln. Inkonsequenz war ein Fehler, den das Komitee für Öffentliche Sicherheit nicht zu begehen beabsichtigte. Cordelia Ransom hatte persönlich verkündet: »Extremismus beim Schutz des Volkes ist die erste Pflicht des Staates«, und nun verging kein Tag, an dem die Systemsicherheit nicht ihr Bestes gab, um dieser Vorgabe gerecht zu werden. Selbst die offiziellen havenitischen Nachrichtenkanäle machten keinen Hehl daraus, daß die SyS mit Vorbedacht Staatsterror gegen die ›Feinde des

Volkes‹ gebrauchte – letztere hätten schließlich nichts anderes verdient. Honor hatte die Wahrheit dieser ONI-Berichte niemals in Frage gestellt, gleichzeitig jedoch auch nie die vollen Konsequenzen erfaßt. Hätte sie sich die Mühe gemacht, so wäre ihr aufgefallen, daß nur ein besonderer Menschenschlag sich auf solch eine Beschäftigung einließ.

Nun hatte sie es begriffen. Sie konnte nichts dagegen unternehmen, denn die Emotionen der SyS-Leute drangen auf sie ein wie höhnische Dämonen und flüsterten gehässig in ihrem Hinterkopf. Einige bleckten hungrig rote Zähne; es verlangte sie danach, sich ihre Macht zu beweisen, indem sie andere unter ihrem Absatz zertraten. An diesem Appetit auf Grausamkeit war etwas Krankhaftes, und Honor drehte sich der Magen um. Dabei waren diese SyS-Schergen nicht einmal die Schlimmsten. Einige Wächter verspürten jenen Appetit nicht; wenn sie Honor und die anderen Gefangenen betrachteten, empfanden sie gar nichts. Honor und ihre Offiziere hätten genausogut Insekten sein können, denn als solche hätten diese Wächter die Gefangenen ebenfalls betrachtet, wenn man ihnen befohlen hätte, sie auf der Stelle zu töten. Der Leere in ihren Seelen haftete ein Schlachthausgestank an, der schlimmer war als Sadismus übelster Ausprägung. Diese Menschen hatten nichts Menschliches mehr an sich und waren zu Mordrobotern geworden. Ob sie sich nun zur Systemsicherheit gemeldet hatten, weil sie schon immer Soziopathen gewesen waren, oder ob der Dienst ihnen ihre menschlichen Züge genommen und sie erst zu Soziopathen gemacht hatte, spielte nicht die geringste Rolle. Solange die Blicke dieser Menschen auf Honor ruhten, empfand sie die kalte Vorfreude, die sich hinter ihren harten, ausdruckslosen Augen verbarg. Die

Wächter im Shuttle wußten ohne Ausnahme, was mit Honor geschehen sollte, und man brauchte ihr nicht eigens zu sagen, daß dieses Schicksal mit den Deneber Übereinkünften nicht das geringste zu tun hätte. Soviel verriet ihr die grimmige Zufriedenheit der haßerfüllten SyS-Schergen. Die anderen aber, die emotional toten, flößten ihr die meiste Furcht ein, denn sie warteten mit der beiläufigen Geduld einer Pythonschlange ab. In den Gefühlen dieser Leute gab es nur wenig Begierde, aber auch kein Zögern – und nicht ein Quentchen Erbarmen.

Beim Eintritt in die Atmosphäre wurde der Shuttle sanft durchgerüttelt, und Honor schloß die Augen. Ihre Hände ruhten auf Nimitz' warmem, weichen Leib. Sie verschwendete keine Mühe daran, auf das Beste zu hoffen. Das war vorbei.

Thomas Theisman betrachtete Bürger Konteradmiral Tourville aus dem Augenwinkel. Noch bevor Ransom befohlen hatte, Harrington und die anderen aus der Umlaufbahn auf den Boden zu bringen, ließ sie Tourville, Honeker, Bogdanovich und Foraker zu sich kommen. Theisman war nicht hinzugebeten worden, und nach der einstündigen Besprechung war der normalerweise so hitzige Tourville mit kreidebleichem, angespanntem Gesicht aus dem Konferenzraum gestapft. Honeker hatte ähnlich erschüttert gewirkt. Theisman wußte nicht genau zu sagen, wieviel von Tourvilles Anspannung auf Furcht und wieviel auf Zorn zurückzuführen war; was Honeker anging, zweifelte er keinen Augenblick – dem Volkskommissar stand das Entsetzen ins Gesicht geschrieben.

Bogdanovich und Foraker waren wenigstens ebenso bleich wie ihre Vorgesetzten, doch zwischen diesen beiden bestand ein subtiler Unterschied. Der Stabschef mit dem steinernen Gesichtsausdruck war eindeutig von Furcht erfüllt, die er allerdings besser beherrschte als Honeker. Der Operationsoffizier sah hingegen aus, als hätte sie am liebsten jemanden mit bloßen Händen erwürgt. Trotz ihres berüchtigten Mangels an sozialen Tugenden war Shannon Foraker alles andere als töricht und hatte sich eisern in der Gewalt, aber ihr völlig ausdrucksloses schmales Gesicht unterstrich das mordlüsterne Feuer in ihren blauen Augen um so deutlicher.

Nun war es also soweit, daß die makabre Zirkusvorstellung aufgeführt wurde. Als der Shuttle sich auf das Landefeld niedersenkte, dachte Theisman kurz an Warner Caslet. Caslet hatte sich noch mehr als Theisman über Harringtons wahrscheinliches Schicksal erregt – der Operationsoffizier war so verärgert gewesen, daß er zu Theisman ins Büro stürmte und unverhohlen vor den Augen Dennis LePics protestierte – in Worten, die kein Volkskommissar überhören konnte. Trotzdem hatte LePic weggehört ... mußte weggehört haben, denn Caslet war nicht verhaftet worden. Theisman hatte sein Bestes getan, um seinen Operationsoffizier zu schützen – er hatte ihn eilends auf eine Rundreise geschickt, um die äußeren Sensorplattformen der Systemverteidigung zu inspizieren. *Viel ist das nicht,* dachte er bitter, *aber so wie's aussieht, bedeutet es schon einen entscheidenden Sieg, Warner aus den Fängen der Systemsicherheit zu halten.*

Der Shuttle setzte auf, die Luke öffnete sich, und nun erst stellte Theisman fest, daß sich die Gefangenen bereits in Gewahrsam der SyS befanden. Unverwechselbar, die Uniformen der aussteigenden Wächter, und der Shuttle trug die Rumpfnummer von VFS *Tepes.* Darüber hinaus gehörten auch die Posten rings um das Landefeld der SyS an; kein einziger Angehöriger der Volksflotte oder des Marinecorps war anwesend. An SyS-Leuten hingegen herrschte kein Mangel, und jeder einzelne von ihnen war bis an die Zähne bewaffnet. Andererseits war die SyS grundsätzlich bis an die Zähne bewaffnet. Ihre Soldaten waren auch nie allein, sondern immer wenigstens zu zweit, und unbewaffnet gingen sie nirgendwohin. All das verriet einiges, entweder über ihr krankhaftes Mißtrauen oder über das Ansehen, das sie bei dem Volk genossen, welches sie eigentlich schützen sollten – eventuell sogar über beides. Theisman hätte am liebsten verächtlich den Mund verzogen, aber heute war wohl kaum der richtige Tag, um seine Abscheu zur Schau zu stellen – nicht, wenn seine Vermutung darüber zutraf, warum so viele Wächter zugegen waren.

Er blickte zum Terminal hinüber, wo Ransom stand und sich beiläufig mit dem Kommandanten der *Tepes* unterhielt, Bürger Captain Vladovich. Allein Vladovichs Anwesenheit strapazierte Theismans ohnehin blankliegende Nerven noch mehr, denn der Bürger Admiral kannte den Mann und wußte genau, daß er seinen gegenwärtigen Rang niemals hätte erreichen dürfen. Kurz vor Ausbruch des Krieges hatte Theisman einem Prüfungsausschuß angehört, der unter anderem über die Beförderung von Vladovich zum Lieutenant Commander entscheiden mußte – sie jedoch abgelehnt hatte, und zwar zum siebzehnten Mal. Vladovich war mehr als sechsundzwanzig T-Jahre lang Lieutenant geblieben. Selbst in einer Flotte, in der man Beziehungen zu einer Legislaturistenfamilie brauchte, um jemals Flaggoffizier zu werden, war es mehr als unüblich, daß ein Offizier den besseren Teil dreier Jahrzehnte im gleichen Rang verbrachte, wenn seine Laufbahn nicht in eine Sackgasse geraten war. Genau dies aber traf bei Vladovich zu. Sein unleugbarer Ehrgeiz, sein Antrieb und seine Erfahrung machten ihn zu wertvoll, als daß man ihn hätte auffordern können, seinen Abschied zu nehmen; aber sein häßlicher Hang zum Sadismus machte eine Beförderung zum Stabsoffizier völlig unmöglich. Dazu genoß Vladovich es zu sehr, seine Untergebenen zu peinigen, ohne jemals – offen – den Buchstaben des Reglements zu verletzen. Eine derartige Neigung tolerierten Legislaturisten nur bei ihresgleichen, und obwohl Theisman den legislaturistischen Würgegriff um die höheren Stufen der Rangleiter immer gehaßt hatte, war er froh gewesen, daß wenigstens Vladovich sie niemals ersteigen würde. Der ewige Lieutenant hingegen hatte den Grund für das Ausbleiben seiner Beförderung nie begriffen und war fest davon überzeugt gewesen, es läge daran, daß er eben kein Legislaturist war. Am Ende glaubte er sogar – er behauptete es nicht nur, er glaubte es inbrünstig –, das Opfer einer Intrige zu sein, eines kühl kalkulierten Komplotts, ihm trotz seiner Verdienste einen höheren Dienstgrad vorzuenthalten, weil er sonst mit seiner Tüchtigkeit die Legislaturisten ringsum in Verlegenheit gebracht hätte.

Unter dem alten Regime war diese Haltung erbärmlich gewesen; unter dem neuen wurde er dadurch zum natürlichen Kandidaten für die paramilitärische Truppe der SyS. Trotz all seiner Makel besaß Vladovich solide Kenntnis über die Mechanismen einer Weltraumflotte und war für seine Inbrunst bei der Ausmerzung und Vernichtung von ›Volksfeinden‹ bekannt geworden. Leider schien er jedoch überhaupt nichts über die Verantwortung eines kommandierenden Offiziers gelernt zu haben. Er galt als unbeliebt, sogar bei anderen SyS-Angehörigen, und den Berichten zufolge befehligte er die *Tepes*, als wäre sie sein Privatbesitz und ihre Besatzung seine Leibeigenen (ausgenommen nur seine persönlichen Lieblinge). Zwar war er stets sorgfältig darauf bedacht, sein Verhalten mit den passenden Platitüden über Dienst am Volke zu verbrämen, doch seine besonders widerliche Ausprägung des Nepotismus und die Art, wie er eine Fraktion seiner Besatzung gegen die andere ausspielte, drehte Theisman den Magen um. Außerdem war Vladovichs Verhalten ausgesprochen dumm und kurzsichtig. Der Kerl glaubte wahrscheinlich, sein stolzer Schlachtkreuzer würde niemals wie ein gewöhnliches Flottenschiff ins Gefecht geschickt werden, doch wenn es jemals dazu kam, dann würde er feststellen, daß er eine gefährlich unausgewogene Waffe führte. Ein Kommandant, der den einen Teil seiner Besatzung dem anderen auf den Hals hetzte, ging mit zwei auf den Rücken gebundenen Händen in den Kampf. Der Mangel an Zusammenhalt würde im Ernstfall seine Besatzung lähmen, und Vladovich schien nicht einmal das begriffen zu haben.

Im Moment allerdings, wie er so dastand und mit Ransom schwatzte, wirkte er wie der perfekte Schlachtkreuzerkommandant – wenn man von der schwarz-roten SyS-Uniform absah. Die HD-Teams, die jeden Augenblick des Tages aufzeichneten, würdigte er keines Blickes. Ransom kehrte den Fenstern und dem Shuttlelandeplatz dahinter den Rücken zu, eine betonte Zurschaustellung ihres Desinteresses. Theisman biß die Zähne zusammen. Bei jemandem, der über weniger Macht verfügte, hätte solche Theatralik amüsant gewirkt, kauzig vielleicht; an Cordelia Ransom wirkte sie furchterregend. Denn sie war alles andere als machtlos, und ihre Körpersprache verkündete eine Botschaft. Sie hätte ihre Mißachtung der

Gefangenen nicht so offensichtlich gemacht – nicht vor laufenden Kameras –, wenn sie beabsichtigt hätte, den Alliierten in irgendeiner Weise mit Anstand zu begegnen. Und Vladovichs erwartungsvolles Grinsen bekräftigte Theisman in seinen Befürchtungen.

Er wandte sich von den beiden ab und blickte aus dem Fenster, um zu beobachten, wie die gefangenen Manticoraner und Graysons den Shuttle verließen und grob in eine Reihe gestellt wurden. Die Wächter führten sie über das Vorfeld des Landeplatzes zur Terminal-Rolltreppe, und Theisman kniff die Augen zusammen, als er die Frau an der Spitze der Gefangenen erkannte. Ihre hochgewachsene, athletische Gestalt hätte er auch dann erkannt, wenn sie nicht den grau und cremefarben gesprenkelten Baumkater in den Armen gehalten hätte. Er holte tief Luft, als er den breitschultrigen Captain Senior-Grade hinter ihr erkannte. Alistair McKeon. Ein weiterer Manticoraner, den Thomas Theisman kannte und an dessen guter Meinung ihm gelegen war. Was würde McKeon nach diesem Tag von ihm halten? Theisman war an der Malaise nicht schuld und verspürte ein neues, schreckliches Aufflammen seiner Wut – die sich diesmal ebenso gegen Harrington und McKeon wie gegen Ransom richtete. Er wußte, daß seine Wut jeder rationalen Grundlage entbehrte, doch konnte er sich nicht dagegen wehren. Harrington und McKeon würden ihn verurteilen, wie er bei vertauschten Rollen sie verurteilt hätte. Nur Verachtung würden sie für ihn empfinden, wie er an ihrer Stelle auch. Doch hatten sie nie in einem solchen Zwiespalt gesteckt wie Theisman: Er war gefangen, hin und hergerissen zwischen der eigenen Selbstachtung und dem Pflichtgefühl gegenüber einer Sternennation, die Wahnsinnigen in die Hände gefallen war. Sie konnten ihn nicht verstehen – wie auch!

Thomas Theisman fragte sich, weshalb so wenige unterdrückerische Regimes begriffen, daß sie die Rebellen selbst hervorbrachten, von denen sie am Ende gestürzt wurden. Wie konnte eine Cordelia Ransom oder ein Robert Pierre so etwas übersehen, nachdem sie selbst sich eben diese Blindheit der Legislaturisten zunutze gemacht hatten?

Die Einzelreihe der Gefangenen erreichte das obere Ende der Rolltreppe, und Theisman unterbrach abrupt seinen Gedankengang, weil einer der SyS-Leute Harrington zu der ausgedehnten VIP-Lounge umdrehte, wo Ransom und die – freiwilligen wie unfreiwilligen – Angehörigen ihres Hofstaats warteten. Der Wächter benutzte dazu den Kolben seines Schrapnellgewehrs nicht allzu sanft. Theisman sah die Wut auf McKeons Gesicht, als der Gewehrkolben gegen Harringtons Schulter prallte. McKeons Haß war indes längst nicht so furchterregend wie das völlig ausdruckslose Gesicht des Mannes neben ihm, der eine grüne Uniform trug. Der Schnitt der Uniform wies ihn als Grayson aus, also war er wohl einer der ›Marines‹, bei denen es sich offenkundig um Harringtons Waffenträger handelte – was wohl auch die gefährliche Anspannung erklärte, unter der er stand. Theisman sah diese Art von Regungslosigkeit nicht zum erstenmal und wußte, was sie zu bedeuten hatte. Der hilflose Zuschauer in ihm betete, der Grayson mit dem kastanienbraunen Haar möge nicht die Beherrschung verlieren. In Gegenwart so vieler schwerbewaffneter Bewacher konnte ein Amoklauf nur in einem Massaker enden.

Ein geknurrt dahingeworfener Befehl brachte die Gefangenen zum Stehen, und Thomas Theisman zwang sich, Honor Harrington in die Augen zu blicken.

Sie sah noch schlimmer aus, als er befürchtet hatte. Theisman biß sich so fest auf die Lippe, daß es schmerzte. Harrington schaute noch ausdrucksloser drein als ihr Waffenträger. Persönlich begegnet war Theisman ihr nur während und unmittelbar nach der ersten havenitischen Operation im Jelzin-System, die in einer Katastrophe endete. Damals hatte eine Augenklappe ihr linkes Auge bedeckt, und die gesamte Gesichtshälfte war durch eine schwere Verwundung unbeweglich gewesen; dennoch hatte sie damals ausdrucksvoller gewirkt als jetzt. Denn heute zeigte ihr Gesicht überhaupt nichts: keine Furcht, keine Hoffnung, keinen Trotz, nicht einmal Neugierde. Und doch war es nur eine Maske, eine armselige zumal, und Theisman empfand Erschütterung über das, was er dahinter bemerkte. Auf Wut wäre er vorbereitet gewesen, auf Abscheu, selbst auf Haß; was er dort erblickte, war weitaus schlimmer als die tiefste Furcht, denn es handelte sich um Entsetzen, mit dem Verzweiflung einherging. Unwillkürlich biß er sich wieder auf die Lippe, und diesmal schmeckte er Blut. Theisman war sicher, daß er an Harringtons Stelle ebenfalls Furcht empfunden hätte, doch daß sie ihre Angst so deutlich zeigen würde, damit hatte er nicht gerechnet. Da bemerkte er, wie fest sie den Baumkater umklammerte; er registrierte die hoffnungslose Beschützerhaltung – und begriff.

»So.« Als dieses einzelne Wort gleichmütig ausgesprochen wurde, riß Theisman den Blick von Harrington los. Cordelia Ransom hatte sich von Vladovich abgewandt und betrachtete die Gefangenen. Ihre blauen Augen spiegelten die Verachtung wider, die ihre Stimme verraten hatte. Herablassend verzog sie die Lippen, während sie die Gefangenen der Reihe nach musterte, dann schnaufte sie geringschätzig. Der

Laut trug klar und deutlich durch die stille Wartehalle. Theisman sah, daß mehr als ein Kriegsgefangener vor Wut erstarrte.

»Und wer ist das nun, Bürger Major?« fragte Ransom den kommandierenden SyS-Wächter.

»Feinde des Volkes, Bürgerin Committeewoman!« bellte der Major.

»Ach, wirklich?«

Ransom schritt bedächtig die Reihe ab. *Nein,* überdachte Theisman seine Formulierung, *›schreiten‹ ist wohl kaum das richtige Wort dafür. Sie stolziert einher. Wie sie sich spreizt.* Plötzlich schämte er sich für den Anblick, den sie bot. Begriff sie denn auch nur im Ansatz, wie seicht und kleingeistig – wie dümmlich! – sie sich gab? Oder wie ihre Verachtung auf die Angehörigen der *Volks*flotte wirkte? Was immer die Kriegsgefangenen auch sein mochten, sie hatten offen, entschlossen und gut für ihre Sternennationen gekämpft, wie Theisman für die seinige focht; wenn Ransom nun auf ihren Mut und ihre Entschlossenheit spuckte, so spie sie auch auf Theismans Courage und Motivation. Was hatte Ransom denn geleistet, um sich das Recht zu verdienen, Soldaten mit Geringschätzung zu bedenken? Welchen Feinden hatte sie sich denn im offenen Kampf gestellt? Selbst als Aufständische vor dem Umsturz war sie Terroristin gewesen – eine Bombenlegerin und Attentäterin; eine Mörderin, aber keine Kriegerin. Es war denkbar, daß Ransom sich anders sah; die Realität veränderte sie damit nicht, und so erniedrigte sie durch ihre theatralisch vorgebrachte Verachtung sich selbst, nicht aber die Kriegsgefangenen. Ob Ransom es nun erkannte oder nicht, die HD-Teams zeichneten es auf, wie es war. Nur zu bald würde dieses erbärmliche Schauspiel in der ganzen Volksrepublik ausgestrahlt werden und danach mit Sicherheit seinen Weg ebenso in die Solare Liga wie in die Manticoranische Allianz finden; und bei diesem Gedanken knirschte Theisman mit den Zähnen. Doch er vermochte nichts, überhaupt gar nichts dagegen zu unternehmen, konnte nur mit steinernem Gesicht zusehen.

Ransom blieb vor McKeon stehen.

»Und Sie sind?« wandte sie sich kalt an ihn, als wäre er der ranghöchste anwesende Offizier. McKeon zögerte einen Augenblick mit der Antwort und warf Harrington, die neben ihm stand, einen raschen Seitenblick zu. Sie erwiderte ihn nicht, nickte aber fast unmerklich, und McKeon holte Luft.

»Captain Alistair McKeon, Royal Manticoran Navy«, krächzte er und ließ ein Wort auf das vorherige folgen wie ein Hammerschlag dem anderen. Vor Zorn blitzten seine grauen Augen, und Ransom schniefte erneut und stolzierte die gesamte Reihe entlang. Als sie an der Stelle anlangte, wo sie vorher gestanden hatte, wechselte das Kamerateam die Position, um ihr Profil einzufangen. Ransom wies auf Harrington.

»Was hat dieses Tier hier zu suchen, Bürger Major?« verlangte sie zu erfahren.

»Es gehört der Gefangenen, Bürgerin Committeewoman.«

»Und wieso ist es nicht entfernt worden?« Ransoms Stimme war sanfter, fast seidenweich geworden, und sie verzog die Lippen zu einem tückischen Lächeln, während sie ihrem Opfer in die Augen blickte. In Harringtons Gesicht zuckte kein Muskel, doch Theisman merkte, wie sie sich anspannte, während Ransom in ihrer Macht schwelgte.

»Wir erhielten Befehl, es nicht zu entfernen, Bürgerin Committeewoman«, antwortete der SyS-Major.

»Die Eigentümerin ist die ranghöchste Kriegsgefangene, und wir wurden angewiesen zu dulden, daß sie es behält.«

»Wie bitte?« Mit eisig glitzernden blauen Augen blickte Ransom Tourville an. Mehr als nur Triumph war an ihrem Gesichtsausdruck abzulesen, und Theisman sank das Herz, denn plötzlich ahnte er, was nun folgen würde: Ransom würde es Tourville heimzahlen, daß er Harrington hatte schützen wollen, indem sie ihr den Baumkater abnahm und ihn vor laufender Kamera umbringen ließ. Dessen war sich Theisman ganz sicher – und doch irrte er sich, denn seine schlimmste Befürchtung kam dem, was Ransom tatsächlich geplant hatte, nicht einmal nahe.

»Habe ich recht gehört, daß Sie diese Frau als ranghöchste *Kriegsgefangene* identifizierten, Bürger Major?« fragte sie sanft.

»Jawohl, Bürgerin Committeewoman!«

»Dann muß jemandem ein Fehler unterlaufen sein«, erklärte Ransom ihm, wobei sie die Augen nicht von Tourvilles bleichem Gesicht nahm. »Diese Frau ist überhaupt keine Kriegsgefangene.«

»Ich bitte um Verzeihung, Bürgerin Committeewoman?« fragte der Bürger Major, und wenn Theisman noch irgendeinen weiteren Beweis dafür benötigt hätte, daß der Wortwechsel zwischen Ransom und dem Bürger Major nichts anderes war als ein abgesprochener Dialog, so hätte ihm der Tonfall des SyS-Offiziers genügt. Die Wörter stimmten, aber in der Stimme des Mannes lag nicht das geringste Erstaunen. Theisman spannte sich an, als mehrere Untergebene des Majors hinter den Gefangenen fast unmerklich die Position wechselten.

»Selbstverständlich handelt es sich bei dieser Frau um keine Kriegsgefangene«, entgegnete Ransom kalt.

»Schließlich ist das Honor Harrington, Bürger Major. Heute morgen habe ich die Dossiers durchgesehen und mich noch einmal davon überzeugt, daß ein ziviler Haftbefehl gegen sie vorliegt. Ein Haftbefehl aus der Zeit vor Beginn der Feindseligkeiten.«

Selbst Harrington zuckte vor Überraschung zusammen, und Ransom grinste hämisch.

»Vor elf Jahren ist Honor Harrington«, fuhr sie nachdrücklich fort, »für ihre vorsätzliche, grundlose Vernichtung des unbewaffneten republikanischen Frachters *Sirius* im Basilisk-System wegen mehrfachen Mordes angeklagt worden, Bürger Major. Ihr wurde Gelegenheit gegeben, sich vor Gericht zu rechtfertigen, doch sie zog es vor, nicht zu erscheinen, und ihre plutokratischen Herren weigerten sich, sie auszuliefern, damit ihr der Prozeß gemacht werden konnte. Daher blieb dem Justizministerium keine andere Wahl, als sie in Abwesenheit unter Anklage zu stellen. Selbstverständlich ist sie verurteilt worden ... zum Tode.«

Sie blickte Tourville fest in die Augen, worauf der Bürger Konteradmiral die Fäuste ballte. Er blickte rasch Harrington an, dann sah er wieder zu Ransom. Theisman spürte die Wut und die schamvolle Qual seines Untergebenen. Er flehte Tourville still an, bloß das Maul zu halten, aber Ransom hatte den Bürger Konteradmiral zu weit getrieben.

»Bürgerin Committeewoman, ich muß protestieren!« knirschte er. »Commodore Harrington ist Raumoffizier. Deshalb hat sie ...«

»Sie ist kein Raumoffizier!« sagte Ransom scharf; ihre Stimme erinnerte an den Knall einer Peitsche. »Eine verurteilte Mörderin ist sie, Bürger Konteradmiral, daß Sie mir das nie vergessen!«

»Aber ...«

»Seien Sie vorsichtig, Bürger Konteradmiral, das rate ich Ihnen. Seien Sie sehr vorsichtig!«

Plötzlich war Ransom sehr leise geworden, und der Volkskommissar Honeker überraschte Theisman damit, daß er die Hand ausstreckte und Tourville am Ellbogen faßte, als wolle er ihn zurückziehen. Theisman hätte nicht gedacht, daß der Kommissar soviel Mut besaß – oder so besorgt um seinen Flaggoffizier wäre. Der Druck seiner Finger schien Tourville immerhin bewußt zu machen, daß Ransom nicht nur ihn im Visier hatte; Bogdanovich und Foraker schwebten in ebensogroßer Gefahr wie er und besaßen weniger Seniorität, die sie schützte. Mit vernehmlichem Klicken schloß Tourville den Mund.

Ransom behielt ihn noch eine Weile im Auge und nickte schließlich knapp.

»Besser«, sagte sie und wandte sich wieder dem ranghöchsten SyS-Schergen zu. »Also, Bürger Major. Da die Anordnung, diese Frau zu verhaften und hinzurichten, von ziviler Seite erteilt wurde, unterliegt sie wohl kaum der Obhut des Militärs, nicht wahr? Zu welch unglücklichen Ereignissen es später auch immer zwischen der Volksrepublik und dem Sternenkönigreich von Manticore« – ihr Ton verwandelte die letzten drei Wörter in eine Beschimpfung – »gekommen ist, kann ein in Friedenszeiten gefälltes Urteil der zivilen Gerichtsbarkeit nicht außer Kraft setzen; ebensowenig vermag ein militärischer Dienstgrad seine Trägerin vor dem Urteil eines ordentlichen Gerichtes zu schützen, das vor Ausbruch der Feindseligkeiten gefällt worden ist. Ich glaube, der Paragraph 27, Absatz 41 der Deneber Übereinkünfte betrifft genau diesen Punkt.« Sie schoß einen raschen Blick auf Theisman ab, dem es – irgendwie – gelang, seinen Haß nicht zu zeigen.

»Um genau zu sein«, fuhr Ransom fort, »bestimmt Paragraph 27 ausdrücklich, daß eine Einzelperson ihren Soldatenstatus einbüßt, wenn die Vollstreckung eines Urteils noch aussteht, das vor Ausbruch der Feindseligkeiten wegen einer zivilen Straftat gefällt wurde. Das bedeutet, daß diese Frau keine Kriegsgefangene, sondern ein Sträfling ist. Wie günstig, Bürger Major, daß Sie und Ihre Leute als Vertreter des zivilen Rechtssystems der Volksrepublik hier sind, um Harrington in Gewahrsam zu nehmen, nicht wahr?«

»Jawohl, Bürgerin Committeewoman!« Der Bürger Major nahm Haltung an und salutierte. »Wie lauten Ihre Befehle?«

Thomas Theisman konnte nur hilflos und zähneknirschend zusehen, wie Ransom den SyS-Schläger anlächelte, denn er wußte genau, was sie sagen würde. *Und alles deine Schuld, Tommy,* bekannte er verbittert. Zweifelsohne hätte Ransom ohne ihn eine andere Möglichkeit gefunden, ihren Willen durchzusetzen, doch er hatte ihr mit seinem Plädoyer für die Deneber Übereinkünfte den Dolch in die Hand gedrückt, den sie Harrington nun ins Herz stieß. Am unerträglichsten daran war, daß sie sogar richtig zitierte. Paragraph 27, Absatz 41 war nach dem Krieg der Kersey-Assoziation gegen die Republik Manitoba in die Übereinkünfte aufgenommen wurden. Die sogenannte Regierung der Kerseyiten hatte mehrere Dutzend Manitobaner, die wegen Mordes verurteilt waren, in Uniform gesteckt und sie ›zur besonderen Verwendung‹ gegen ihre Heimatwelt eingesetzt damit ihr Status als Kriegsgefangene sie im Falle einer Festnahme vor ihren Strafen bewahren würde. Die Kersey-Assoziation war zwar nie mehr gewesen als ein Zusammenschluß von Piraten und weiteren Mördern, doch dieser Mißbrauch der Deneber Übereinkünfte hatte nach Kriegsende zum Absatz 41 geführt, um die Lücke zu schließen, die von den Kerseyiten ausgenutzt worden war. *Und jetzt macht sich eine andere Mörderbande den Zusatz zunutze und mißbraucht ihn für eigene Zwecke,* dachte Theisman angewidert, *und diese Farce von Vorkriegsprozeß macht das abgekartete Spiel sogar noch legal.*

»Bürger Major, nehmen Sie Harrington in Gewahrsam und bringen Sie die Strafgefangene an Bord von *Tepes*.« Ransom sprach zwar zu dem SyS-Major, nahm die kalten, frohlockenden Augen jedoch nicht von Harringtons Gesicht. »An Bord des Schiffes ist sie in strenger Haft zu halten und wird zum Isolationsgefängnis der Systemsicherheit im Cerberus-System gebracht, wo Sie sie dem Kommandanten von Camp Charon zur Hinrichtung übergeben wird.«

Es war ein einziger Alptraum. *Das ist doch nicht wahr,* behauptete Honors Verstand, *das kann einfach nicht sein.* Trotzdem wußte sie, daß es sein konnte und tatsächlich geschah, genau in diesem Augenblick. Als Honor von Ransom als Mörderin bezeichnet wurde, blickte sie Thomas Theisman ins Gesicht, und die schamerfüllte Hilflosigkeit, die sie dort erblickte, wirkte gewissermaßen als der Tropfen, der das Faß zum Überlaufen brachte. Über Nimitz drang Ransoms kalte, vergnügte Grausamkeit auf Honor ein, wie ein Messer, das langsam und genüßlich in der Wunde umgedreht wird, doch erst Theismans Verzweiflung bewirkte Honors Zusammenbruch, denn er raubte ihr auch noch die letzte Hoffnung.

An ihre sogenannte Verurteilung hatte Honor schon seit Jahren nicht mehr gedacht. Allgemein war klar gewesen, daß es sich dabei um ein Propagandamanöver gehandelt hatte, den Versuch der Legislaturisten, die eigenen Untertanen und die Solare Liga davon zu überzeugen, die Volksrepublik wäre zum unschuldigen Opfer der manticoranischen Aggression geworden. Was sonst hätte Haven auch tun sollen? Wenn die Regierung der Volksrepublik nicht behauptet hätte, die *Sirius* wäre ein unbewaffneter Frachter gewesen, dann hätte sie eingestanden, manticoranisches Territorium vorsätzlich mit einem siebeneinhalb Millionen Tonnen massenden Q-Schiff verletzt zu haben. Die Anklage, der Prozeß und die Verurteilung waren im Grunde derart lachhaft gewesen, daß Honor niemals angenommen hatte, irgend jemand könnte die Angelegenheit ernst nehmen – zumal alles schon so lange zurücklag.

Doch kaum floß Ransoms haßerfüllter Triumph zu ihr über, hatte Honor begriffen, daß Fakten keine Rolle spielten. Ransom wollte Honors Tod, und das nicht etwa aus Rache für die Niederlagen, die Honor der Volksflotte zugefügt hatte. Nein, in Ransoms Haß lag eine schwarze, giftige Nuance – etwas Persönliches. Niedergeschmettert wie sie war, begriff Honor dennoch Ransoms eigentlichen Beweggrund:

Angst. Ransom fürchtete Honor als Personifizierung aller Gefahren, die ihre Stellung gefährdeten. Für diese Frau verkörperte Honor die militärische Bedrohung der Republik durch die Allianz – und wer die Republik bedrohte, bedrohte auch Ransom. Dennoch reichte der Haß der Komiteeangehörigen *noch* tiefer, und als Ransom wieder Tourville anschaute, verstand Honor endlich. Der Versuch des Bürger Konteradmirals, sie zu schützen, hatte ihr nur eine weitere Risikofacette verliehen: die Gefahr, daß das Militär der Volksrepublik sich gegen das Komitee für Öffentliche Sicherheit wenden könnte.

Es hatte Gerüchte über zunehmende Unruhen im Haven-System gegeben, und es hieß, irrsinnige Fraktionen des Pöbels von Nouveau Paris hätten mindestens einen Umsturz versucht, der – zum gelinden Erstaunen des ONI – von der Volksflotte niedergeschlagen worden war. Aber was, wenn die Flotte beim nächsten Aufstand die Hände in den Schoß legte? Was, wenn die Flottenangehörigen begannen, selbständig zu denken? Was geschähe, wenn Offiziere plötzlich eine eigene Politik formulierten und den Befehlen des Komitees trotzten? Anders konnte jemand mit Ransoms Charakter das Verhalten Tourvilles wahrscheinlich nicht interpretieren – als ersten Zug in einem Plan, das Komitee seiner Macht zu berauben; jemand wie Ransom wäre niemals auf den Gedanken gekommen, ein Gefühl für Anstand könnte den Bürger Konteradmiral zu seinem Verhalten bewegt haben. Cordelia Ransom war nicht in der Lage, ihre Feinde als ehrbare Gegner zu betrachten, die eine anständige Behandlung verdient hatten. Deshalb konnte sie Tourvilles Verhalten nur in einer Weise interpretieren, die sie selber nachzuvollziehen vermochte: daß er ein undurchschaubares Spiel treibe, bei dem auch Honor nicht mehr war als nur ein Stein auf dem Brett.

Dann aber mußte Tourville zermalmt werden, und zwar so brutal, daß das Militär ein für allemal begriff, besser nicht mit dem Komitee für Öffentliche Sicherheit und dessen Angehörigen die Klingen zu kreuzen. Wenn Ransom mit einem Streich auch noch Honor töten konnte, dann um so besser.

Innerhalb eines einzigen Herzschlags durchfuhren diese Überlegungen Honors Verstand. Trotzdem erschien sie nach außen hin wie gelähmt und der Sprache beraubt. Ransom wandte sich von Tourville ab und richtete ihr triumphierendes Lächeln wieder auf ihr Opfer. Honor zuckte indes keine Wimper; sie vermochte sich nicht zu bewegen. Ransom bemerkte das, und ihr Lächeln hätte selbst Helium zum Gefrieren gebracht, als sie sich wieder an den SyS-Major wandte und auf Nimitz zeigte.

»Zunächst aber, Bürger Major, nehmen Sie dieses Tier nach draußen und töten es. Auf der Stelle.«

»Jawohl, Bürgerin Committeewoman!«

Der Bürger Major salutierte erneut und winkte zweien seiner Männer.

»Ihr habt die Bürgerin Committeewoman gehört«, herrschte er sie barsch an. »Macht schon.«

»Jawohl, Bürger Major!«

Die beiden Wächter traten auf Honor zu, und in ihr zerbrach etwas. Widerstand war mehr als zwecklos, denn sobald sie Widerstand leistete, würden sich ihr wenigstens einige ihrer Leute anschließen; sie waren aber von bewaffneten Bewachern umgeben. Honor war sich dessen von vornherein bewußt gewesen und hatte zu erdulden beschlossen, was immer auch ihr oder Nimitz widerfuhr. Sie konnte und durfte nicht zulassen, daß eine nutzlose Geste ihrerseits ein Massaker unter den Männern und Frauen auslöste, für die sie verantwortlich war, und hatte sich deshalb jeden Widerstand verboten.

Doch wie sie nun feststellen mußte, konnte sie das selbstauferlegte Verbot nicht befolgen. Ihre Bindung zu Nimitz wurde plötzlich tiefer und stärker als je zuvor: Sie waren keine zwei Wesen mehr, und ihre vereinte Identität kannte keine Zweifel – und nur ein Ziel.

Die Bewacher waren über Ransoms Absichten instruiert und gewarnt worden, daß mit Schwierigkeiten zu rechnen sei. Honors Passivität hatte sie jedoch eingelullt. Vielleicht waren Honors Schwerweltler-

Reflexe auch einfach zu schnell für sie. Woran es auch lag, trotz Vorwarnung reagierten sie jedenfalls zu langsam, als Honor auf die Zehenspitzen sprang und mit einer Aufwärtsbewegung ihrer Arme Nimitz davonschleuderte wie ein Falkner seinen Raubvogel.

Der Baumkater war nur noch als grauer und cremefarbener Schemen zu erkennen. In gestrecktem Bogen setzte er über die Köpfe der beiden Wächter hinweg. Sein schrilles Fauchen, das klang wie zerreißende Leinwand, war die einzige Warnung, die der SyS-Major erhielt. Der Mann schrie vor Schmerz auf, als sechs Pranken mit rasiermesserscharfen Krallen sein Gesicht verwüsteten; der Schrei erstarb in einem ekelerregenden Gurgeln, als Nimitz' letzter Hieb ihm den Kehlkopf aufschlitzte. Doch der Major war für Nimitz nur eine Zwischenlandung – ein Sprungbrett, auf dem er seinen Kurs ändern konnte, kein echtes Ziel. Er sprang von seinem ersten Opfer einem zweiten SyS-Wächter an die Brust. Die neue Zwischenstation brüllte laut auf und versuchte vergebens, den sechsgliedrigen Dämon zu packen, der zischend und fauchend an ihm heraufkletterte und dabei mit seinen Krallen Bauch und Brust zerfetzte. Schließlich stieß sich Nimitz federnd von den Schultern des Mannes ab, um sich direkt auf Cordelia Ransom zu stürzen.

Der erste Stoß mit einem Gewehrkolben traf Honor, noch bevor Nimitz auf dem Bürger Major gelandet war, doch sie hatte ihn kommen sehen und lenkte die Wucht des Aufpralls ab. Sie ließ sich in die Seite treffen und von dem Stoß aus der Reichweite eines zweiten, ebenfalls angreifenden Wächters tragen. Als sie mit dem Rücken auf dem Boden aufkam, stieß sie mit den Füßen zu. Beide Fersen bohrten sich in den Bauch eines Angreifers, dann rollte sich Honor eilig herum, um zwei weiteren Gegnern auszuweichen. Sie erhob sich auf ein Knie und traf einen weiteren Mann mit einem wilden Fausthieb in den Unterleib. Der Getroffene klappte zusammen, Honor erhob sich und knallte ihm die Handballen ins Gesicht. Der Hieb zerschmetterte seine Nase und trieb ihm splitternde Knochen und Knorpel ins Gehirn. Er brach zusammen, und Honor griff mit der freien Hand nach dem Schrapnellgewehr, das er losgelassen hatte. Sie berührte es nicht einmal. Ein weiterer Gewehrkolben traf sie, und der SyS-Scherge, der ihn führte, hatte keinen Fehler begangen. Der Kolben knallte in ihren Nacken und warf sie gelähmt wieder zu Boden; sie vermochte sich nicht zu bewegen. Zwei weitere Wächter schlugen sie auf die Nieren und die Rippen, während ringsum Schreie, Befehle und Kampfgeräusche das Kreischen von Nimitz' zweitem Opfer übertönten.

Honor vermochte nicht einmal den Kopf zu drehen, aber sie erhaschte Bruchstücke des entfesselten Chaos. McKeon streckte einen Wächter nieder, dessen Kniescheibe bereits zerschmettert war; dann ging er selbst unter den brutalen Gewehrkolben zu Boden. Andrew LaFollet führte sich auf wie ein Wahnsinniger. Mit katzenhafter Geschmeidigkeit fuhr er herum und überraschte damit einen SyS-Mann völlig. Ein Fausthieb wie ein Hammerschlag zerschmetterte dem Mann den Solarplexus. Zwei andere Wächter stürzten sich auf ihn, und mit wirbelnden Fäusten, Ellbogen und Füßen stellte er sich ihnen. Beide gingen zu Boden, einer davon mit gebrochenem Genick. LaFollet stürzte sich seinerseits auf die Frau, die gerade Honor den Gewehrkolben in die Rippen gerammt hatte und ihre Waffe zu einem weiteren Schlag hob.

Das Gewehr eines anderen Wächters traf LaFollet seitlich so hart, daß es ihn von den Füßen riß; ein zweiter Hieb, und er brach über Honors Beinen zusammen. Gleichzeitig wurden Andreas Venizelos und Marcia McGinley unter dem Gewicht eines halben Dutzends SyS-Soldaten niedergestreckt und bewegungsunfähig festgehalten.

Die meisten anderen Gefangenen hatten kaum Zeit zu reagieren, als man sie auch schon mit Schlägen zwang, sich hinzuknien. Nur Nimitz' Kriegsschrei heulte noch durch die Wartehalle. Eine SyS-Angehörige warf sich zwischen ihn und Ransom. Sie versuchte nicht etwa, den Baumkater abzufangen – vielmehr versuchte sie verzweifelt, ihm auszuweichen –, aber sie war die letzte Barriere, die ihn noch von seinem Angriffsziel trennte, und mit einem Fauchen zerriß er ihr die Kehle. In einer Blutfontäne ging sie zu Boden, doch ihr Tod hatte ihn einen Augenblick zu lange aufgehalten, und so traf ihn doch noch ein Gewehrkolben. Mit einem Schrei stürzte Nimitz zu Boden.

Als Nimitz fiel, schrie Honor mit ihm, obwohl ihr Gesicht gegen den Boden gepreßt wurde. Der Schmerz seiner Verletzung durchfuhr sie, und ihr war, als wären ihre eigene Schulter und ihre Rippen unter dem brutalen Hieb gebrochen. Sie bäumte sich einmal auf und rollte sich in Schutzhaltung zusammen, um den Schmerz zu mindern, den jemand anderes erlitt. Sie spürte, wie das Schrapnellgewehr wieder erhoben wurde, wußte, daß es zermalmend niedersausen würde, und fletschte die Zähne. Der Gewehrkolben pfiff heran, doch jemand packte ihn mitten im Schlag und lenkte ihn zur Seite ab, so daß er auf den Fußboden knallte. Der SyS-Mann fluchte und fuhr zu dem Manticoraner herum, der es gewagt hatte, sich einzumischen, dann erstarrte er überrascht.

Es war gar kein Manticoraner gewesen. Fassungslos blickte er Shannon Foraker an, die ihn zur Seite schob und zu Ransom herumwirbelte.

»Wenn Sie den Baumkater töten, stirbt sie auch!« übertönte Theismans Operationsoffizier den Wirrwarr. Foraker streckte eine Hand nach der Informationsministerin aus. »Sie haben eine Bindung!« rief sie. »Verstehen Sie nicht? Wenn Sie den 'Kater töten, *stirbt sie auch!*«

Honor lag auf dem Fußboden der Wartehalle. Noch immer war sie zu benommen, um sich gezielt zu bewegen oder zusammenhängend zu denken, doch ihr Körper zuckte und bebte unter Nimitz' Qualen. Ransom verschmälerte die Augen. Sie hatte erwartet, daß sich eine Lage wie diese entspann – sogar geplant hatte sie es, allerdings nicht damit gerechnet, dabei selbst in Lebensgefahr zu geraten. Es war so schnell gegangen, daß sie keine Zeit für irgendeine Reaktion gefunden hatte. Nun, da sie Zeit zum Denken besaß, überkam sie beim Anblick der sechs Toten, die Nimitz, LaFollet und Honor auf dem Gewissen hatten, nachträgliche Panik. Sie fletschte die Zähne über dem verletzten 'Kater, der so entschlossen versucht hatte, sie zu töten und fast Erfolg gehabt hätte, und blickte Foraker an. Sie wollte ihr befehlen, den Weg freizugeben.

Dann zwang sie sich, zunächst einmal tief durchzuatmen. Sie schloß die Augen und versuchte, die Selbstkontrolle zurückzuerlangen. Als sie die Augen wieder aufschlug, klang sie so frostig wie zuvor.

»Was wollen Sie damit sagen?«

»Was ich bereits sagte ... Ma'am.« Foraker kniete neben Nimitz nieder. Sie ging damit ein Risiko ein, vor dem die meisten Sphinxianer zurückgeschreckt wären, denn auch eine bewußtlose Baumkatze vermochte reflexartig schreckliche Wunden zu verursachen. »Baumkatzen sind Empathen, vielleicht sogar Telepathen«, fuhr sie in betont eindringlichem und doch ruhigem Tonfall fort. »Sie gehen eine Bindung an einen Partner ein, und wenn sie sterben, dann stirbt der Partner auch oder fällt in Katatonie.«

»Das ist doch ausgemachter Blödsinn!« rief Ransom verächtlich.

»Nein, das ist es keineswegs«, sagte jemand anderer, und die Ministerin wandte sich dem Sprecher zu. Wie jeder Manticoraner im Raum kniete auch Dr. Fritz Montaya am Boden, und die Mündung eines Schrapnellgewehrs zeigte auf seinen Hinterkopf. An seinem Kragen glitzerte der Merkurstab, das Abzeichen des Sanitätsdienstes.

»Was wollen Sie damit sagen?« wiederholte Ransom mißtrauisch.

»Der Effekt ist der medizinischen Literatur bekannt«, log Montaya, um Forakers groteske Behauptung zu untermauern. »Die Bindungen von Baumkatzen an Menschen sind selten und sehr ungewöhnlicher Natur. Wir wissen viel weniger darüber als uns lieb ist. Die Folgen, wenn eine 'Katz stirbt, sind wohldokumentiert. Katatonie tritt häufiger ein als der Tod, aber die Sterblichkeitsrate überschreitet vierzig Prozent.«

Ransom verzog die Lippen, als wolle sie ausspucken, doch dann zügelte sie ihr Temperament und atmete tief durch. Ihr Adrenalinstoß klang bereits wieder ab, und der verspätete Schock schlug in ein Hochgefühl über das eigene Überleben um. Das Denken fiel ihr schwer, trotzdem versuchte sie sich das Dossier der Systemsicherheit über Harrington in Erinnerung zu rufen. Sie hatte es sorgfältig durchgearbeitet, um die Ereignisse des heutigen Nachmittags planen zu können. Ihre Vermutung, wie Harrington auf den Tötungsbefehl reagieren würde, hatte hundertprozentig gestimmt. Das Problem war nun, daß sich in dem Dossier zu viele weiße Flecken fanden, als daß Ransom mit Bestimmtheit sagen konnte, ob Foraker log oder nicht.

Ohne daß sie es sich nach außen anmerken ließ, verärgerte es sie, dieses Eingeständnis machen zu müssen. Die beste Informationsquelle zu Baumkatzen hatte in graysonitischen Nachrichtensendungen bestanden; schließlich war Harrington auf Grayson eine Art Nationalheldin. Auf ihrem angenommenen Heimatplaneten erzielte sie immer hohe Einschaltquoten, denn die Öffentlichkeit war von der Bindung zu diesem Tier fasziniert. Leider wußten auch die Graysons nur sehr wenig über die Funktionsweise des telempathischen Links. Die Sendungen hatten Ransom gewarnt, daß das Tier lebensgefährlich und außerdem intelligenter war, als es den Anschein hatte. Ferner hatte sie den Beiträgen entnommen, daß sie Harrington nicht schwerer treffen könnte, als dadurch, ihr das Tier abnehmen und es umbringen zu lassen. Über die Natur der Bindung allerdings besaß sie keinerlei Informationen. Ihr Blick richtete sich auf Harrington, die noch immer zuckend am Boden lag. Ransom kniff ungläubig die Augen zusammen. Wie Harrington dalag – halb auf der Seite und zusammengekrümmt –, ahmte sie die Haltung des Baumkaters nach. Obwohl das Tier sechs und Harrington nur vier Gliedmaßen besaß, waren ihre Haltungen so gut wie identisch. Dabei war Harrington nicht einmal bei Bewußtsein. Absichtlich konnte sie ihre Haltung also nicht eingenommen haben, immerhin ein Indiz, daß Foraker die Wahrheit gesagt haben konnte.

Andererseits glaubte der Operationsoffizier, Harrington etwas schuldig zu sein. Ob sie genug Mumm hatte – und dumm genug war –, solch eine Lüge zu riskieren, nur um eine Manticoranerin zu schützen?

»Woher wissen Sie das eigentlich, Bürgerin Commander?« fragte die Komiteeangehörige schließlich widerstrebend.

»Bürger Konteradmiral Tourville hat mich den Gefangenen an Bord der *Count Tilly* als Verbindungsoffizier zugeteilt«, antwortete Foraker ohne zu zögern. »In Ausübung meiner Pflicht fragte ich Dr. Montaya nach eventuell erforderlichen medizinischen Rücksichten. Unter den gegebenen Umständen erachtete er es als angezeigt, mich über die Natur der Bindung des Commod... der Strafgefangenen an den Baumkater zu informieren.«

»So-so«, entgegnete Ransom langsam. Sie vermutete nach wie vor, daß Foraker ihr eine Lüge auftischte, aber völlig sicher war sie sich nicht. Der manticoranische Schiffsarzt hatte die Behauptungen des Operationsoffiziers schnell und ohne zu stocken bestätigt. Ransom wünschte dem abscheulichen haarigen Biest den Tod, aber was, wenn Foraker und Montaya die Wahrheit sagten? Wenn sie den 'Kater töten ließ und Harrington tatsächlich ebenfalls starb oder in ein Koma fiel, dann konnte sie ihren Plan, Harringtons Hinrichtung in allen Einzelheiten aufzuzeichnen, naturgemäß vergessen. Zornig überdachte sie die Lage eine Weile, dann grinste sie wieder. Das Grinsen war frostig und sehr häßlich. Thomas Theisman lief ein Schauder über den Rücken.

»Also schön, Dr. Montaya«, sagte Ransom kühl, »Sie sind mir dafür verantwortlich, daß dieses Tier am Leben bleibt.« Mit einem Nicken befahl sie dem SyS-Mann hinter Montaya, die Gewehrmündung vom Hinterkopf des Schiffsarztes zu nehmen, der daraufhin sofort zu Nimitz eilte und sich neben Foraker kniete. »Tun Sie Ihr Bestes«, riet Ransom ihm. »Ich will, daß es gesund ist, wenn unser Sträfling aufs Schafott steigt.«

Ihr Lächeln kühlte um noch einige Stufen ab, als sie sich Harringtons Reaktion vorstellte, wenn diese das

Tier in einem Käfig sah und wußte, daß ihr der kostbare ›Nimitz‹ im Augenblick des Todes folgen würde. Sie wandte sich dem weiblichen, muskelbepackten SyS-Captain zu, der Stellvertreterin des toten Majors.

»Was den Rest dieser ... Leute angeht, Bürgerin Captain ... de Sangro«, sagte Ransom, indem sie das Namenschild auf der Uniformbrust ablas, »so war der Aufruhr eindeutig unprovoziert.« Mit einer Handbewegung wies sie auf die stöhnenden verwundeten SyS-Leute – und auf die Leichen derer, die nie wieder stöhnen würden. »Sogar nach den Deneber Übereinkünften verliert ein Kriegsgefangener den Schutz, den jeder Soldat in Feindesland genießt, wenn dieser Gefangene seine Bewacher aus einem anderen Grund als einem Fluchtversuch oder in Selbstverteidigung angreift.«

Sie wandte sich zu Theisman um und lächelte ihn an. Der Bürger Admiral biß die Zähne fest zusammen, als Ransom erneut den korrekten Wortlaut der Bestimmungen zitierte und gleichzeitig ihren Sinn umkehrte.

»Die Übereinkünfte geben uns nicht das Recht, diese Leute für ihre Taten hinzurichten – was wir ohnehin nicht in Erwägung ziehen würden«, erklärte sie dem SyS-Offizier scheinheilig, denn nach wie vor liefen die Kameras. »Wegen des unprovozierten Mordanschlags auf das Wachpersonal liegt es jedoch auf der Hand, daß wir die Sicherheitsmaßnahmen zu ihrer Bewachung verstärken müssen. Als Angehörige des Komitees für Öffentliche Sicherheit weise ich Sie daher an, die Gefangenen im Namen des Amts für Systemsicherheit zu verhaften und sie nach Camp Charon zu transportieren, wo sie in Gewahrsam gehalten werden. Die Häftlinge können mit dem gleichen Transport verlegt werden wie ihre ehemalige Kommandeurin, die Strafgefangene.«

»Jawohl, Bürgerin Committeewoman!« bellte die Bürgerin Captain und ließ die Hand salutierend an den Mützenschirm schnellen.

Theisman empfand vor lauter hilflosem Zorn körperliche Übelkeit. *Warum bin ich eigentlich überrascht?* fragte er sich; *aber ich bin's. Trotz allem bin ich immer noch überrascht. Schon seltsam, wie der lebenslange Glaube, die eigenen Vorgesetzten müßten doch wenigstens ansatzweise Anstand besitzen, einen davon abhält, etwas wie diese Schande zu erwarten. Im nachhinein betrachtet, stand doch alles von vornherein fest.* Ransom hatte nur ein grausames, vorher geplantes Schauspiel gegeben; schließlich brauchte man kein Genie zu sein, um sich auszurechnen, wie Harrington auf das Todesurteil für ihren Baumkater reagieren würde. Schon beim Überfliegen ihres Dossiers mußte dieser Zusammenhang jedem ins Auge springen. Die Reaktion ihrer Offiziere, als Harrington von der SyS niedergeknüppelt wurde, war gleichfalls vorhersehbar gewesen, und Ransom hatte die Abfolge der Ereignisse von Anfang an geplant, um einen Grund zu erhalten, alle ohne Ausnahme zusammen mit Harrington nach Cerberus zu verlegen.

Jawohl, so war es gewesen; und Ransom wußte, daß es ihm klar war. Tücke und Triumph standen ihr ins Gesicht geschrieben, als sie sich Tourville wieder zuwandte.

»Was Sie betrifft, Bürger Konteradmiral«, sagte sie, »so halte ich es für angebracht, wenn Sie mich nach Haven begleiten. Was hier geschehen ist, wirft ein überaus fragwürdiges Licht auf Ihr Urteilsvermögen in bezug auf diese Häftlinge. Meiner Meinung nach sollten Sie dem Admiralstab einen Besuch abstatten und dort ein langes Gespräch über die angemessene Behandlung in Gefangenschaft geratener Feinde führen.«

Tourville gab keine Antwort. Ihren Blick erwiderte er offen, ohne vor ihr zurückzuweichen, aber das war Ransom nur recht. Diese Herausforderung ließ sie ihm gerne durchgehen. Das Ende würde dadurch nur um so befriedigender ausfallen.

»Ich glaube«, fuhr sie fort, »Sie sollten Ihren Stab mitbringen – einschließlich Bürger Kommissar Honeker.« Sie wandte sich an Theisman. »Bürger Konteradmiral Tourville wird *Tepes* mit *Count Tilly* zum Cerberus-System eskortieren, Bürger Admiral«, erklärte sie. »Bitten lassen Sie umgehend dementsprechende Befehle erteilen.«

»Jawohl, Bürgerin Committeewoman«, sagte Theisman, und ihm gelang es, natürlicher zu sprechen als Tourville. Leicht fiel es ihm nicht, und daß es ihm gelang, vermittelte ihm das Gefühl, sich beschmutzt zu haben.

»Dann sind wir hier wohl fertig«, sagte Ransom fröhlich und winkte de Sangro. »Kümmern Sie sich darum, daß die Häftlinge ...« – sie zeigte abfällig auf die Knienden – »an Bord gebracht werden, Bürgerin Captain. Ich bin sicher, wir finden dort eine angemessene Unterbringung für sie.«

»Sofort, Bürgerin Committeewoman!«

Erneut salutierte die Bürgerin Captain und setzte ihren Trupp mit einer knappen Geste in Bewegung. Mit Gewehrkolben wurden die Gefangenen auf die Füße gebracht und aus der Wartehalle getrieben. Wer nicht selbständig gehen konnte, wurde mitgeschleift. Thomas Theisman blickte ihnen nach und ahnte plötzlich, daß er sich nie wieder sauber fühlen würde.

22

Schmerz.

Ein tosender Ozean aus Schmerz, der feurige Sturzwellen aus brennendem Schmerz durch ihr Gehirn sandte. Brechern gleich suchten sie ihre Gedanken unter sich zu zerschmettern. Sie biß die Zähne zusammen, um ein peinerfülltes Stöhnen zu unterdrücken. Ihr Verstand verweigerte die Mitarbeit, und doch wußte sie, daß die furchtbare Qual nur zu einem ganz kleinen Teil auf ihre eigenen Verletzungen zurückzuführen war. Sie spürte Abschürfungen und Schwellungen, wo sie von den Gewehrkolben getroffen worden war, doch der Schmerz der Knochenbrüche und Muskelrisse gehörte zu jemand anderem. Ihre Seele schrie auf, als eine neue Schmerzwelle von Nimitz auf sie überschlug.

Sie öffnete die Augen und blinzelte benebelt. Benommen versuchte sie, ihre Umgebung zu einem zusammenhängenden Bild zu vereinen. Dazu brauchte sie etliche Sekunden, die sich zäh dahinschleppten, und erst als sie verstrichen waren, begriff sie, daß sie nach vorn und zur Seite gesunken in den Sicherheitsgurten eines Shuttlesitzes hing und aufs Deck stierte. Weitere Sekunden verstrichen, bis ihr klar wurde, was sie dagegen unternehmen konnte.

Sie mußte sich im Sitz aufrichten. Doch die Handschellen, mit denen ihr die Arme auf den Rücken gefesselt waren, erleichterten diesen Versuch nicht gerade. Ihre Sicht verschwamm, als ein neuerlicher Schmerzansturm von Nimitz ihr die Tränen in die Augen trieb. Noch immer umschloß sie die denkwürdige Verbindung, die in ihrer Intensität fast einer Verschmelzung gleichkam und die sie im Augenblick höchster beiderseitiger Verzweiflung zu ihm besessen hatte, und ihr Gesichtsfeld erschien fast verdoppelt. Das war nicht allein eine Nachwirkung der empfangenen Schläge, denn während sie das Deck und die vordere Schottwand der Passagierkabine sah, blickte sie gleichzeitig durch Nimitz' Augen Fritz Montaya an, der sich gerade besorgt über den Baumkater beugte. Fritz betastete Nimitz sehr sanft, und doch durchschoß ihn und Honor bei der leisesten Berührung neue Qual. Der Teil von ihnen, der noch immer Honor war, hoffte inbrünstig, daß Fritz wußte, was er tat. In menschlicher Physiologie war er ausgebildet, nicht in sphinxianischer, und sie versuchte ihre panische Furcht vor seiner möglichen Unwissenheit im Keime zu ersticken, bevor die Hälfte von ihnen, die Nimitz war, sie bemerkte.

Erneut mußte sie blinzeln, biß die Zähne zusammen und kämpfte gegen die Dualität der Sinneseindrücke an. Das war schwer – so schwer –, denn jede Faser ihres Seins schrie danach, mit Nimitz vereint zu bleiben, und in der Hoffnung sein Leid zu teilen, es dadurch lindern und ihm zeigen zu können, daß er nicht allein stand. Aber zu stark sog an ihr der Strudel aus Schmerz, Angst und Not – letztere nicht nur von ihr, sondern allen Gefangenen im Shuttle empfunden. Die Empfindungen raubten ihr die Denkfähigkeit. Nimitz war zu tief in seiner Qual versunken, um ihre Nähe überhaupt zu bemerken. Deshalb kämpfte sie so hart darum, sich von ihm zu lösen und wieder sie selbst zu sein.

Als es ihr endlich gelang, weckte der Erfolg in ihr tiefe Beschämung, als hätte sie den 'Kater im Stich gelassen. Das Bedürfnis, wenigstens körperlich bei ihm zu sein, ließ sie die Muskeln anspannen und sich gegen die Handschellen aufbäumen, als könnte sie die

Fesseln brechen – als glaubte sie, wirklich zu ihm gehen zu dürfen, wenn sie sich befreien konnte. Vergebliche Hoffnung! Sie würde sich nur noch weitere Wunden zufügen, und hätte sie sich tatsächlich befreien können, wäre sie von den SyS-Wächtern erneut zusammengeschlagen worden, sobald sie versuchte, sich Nimitz zu nähern. Soviel war sicher. Sie biß die Zähne zusammen und mühte sich um Selbstbeherrschung.

Der Schmerz, der auf sie eindrang, bewies ihr wenigstens, daß Nimitz noch lebte. Am liebsten hätte sie vor Erleichterung laut geschluchzt. Wieso lebte er noch? Das konnte sie kaum begreifen. Sie und der 'Kater hatten nur zu deutlich das hämische Vergnügen gespürt, mit dem Ransom den Mordbefehl erteilte. Dieses Vergnügen, die Gewißheit, daß Ransom es ernst meinte, hatte sie beide zum Handeln getrieben, denn ihnen war klar gewesen, daß sie nichts mehr zu verlieren hatten. Doch aus einem unersichtlichen Grund hatte Nimitz überlebt, und sie erlangte allmählich die Oberhand über die Schmerzaufwallungen und verwirrenden geistigen Echos, die durch die enge Vereinigung mit dem 'Kater entstanden waren, und zwang sich darüber nachzudenken, wie das sein konnte.

Gleich jenseits ihres Zugriffs flackerten vage Erinnerungen auf. Wie sie Nimitz von sich geschleudert hatte, wußte sie noch sehr gut. Auch erinnerte sie sich an ihren kurzen Kampf mit den Wächtern, bis sie zu Boden ging; danach wurde alles neblig und unscharf. Das Bild von LaFollet, der versuchte, sich zu ihr durchzukämpfen, trat ihr vor Augen, und McKeon, der geschlagen wurde, daß er in die Knie ging ... Sie biß sich auf die Lippen, denn ihr wurde bewußt, was ihr Widerstand die anderen hätte kosten können.

Trotzdem, es bestand kein Grund, weshalb Nimitz noch immer am Leben sein sollte, es sei denn ...

Sie runzelte die Stirn, als sich der schwache Widerhall einer Stimme durch ihr Gedächtnis schlängelte. Sie erkannte die Stimme. Die Stimme gehörte Shannon Foraker. Zwar konnte sie sich an die genauen Worte Forakers einfach nicht mehr erinnern, aber die Eindringlichkeit, mit der sie ausgesprochen wurden, klang ihr wieder ganz deutlich in den Ohren. Irgendwie mußte Shannon Ransom dazu bewegt haben, Nimitz nicht auf der Stelle töten zu lassen, aber wie? Und welchen Preis hatte Shannon dafür bezahlt?

Honor fand auf die vielen Fragen keine einzige Antwort und drehte den Kopf auf der Suche nach jemandem, der ihr vielleicht weiterhalf. Neben ihr saß niemand. Sie war alleine in der vordersten Sitzreihe, wo man sie bewußtlos abgelegt hatte. Sie wollte sich umdrehen und einen Blick hinter sich werfen, doch sie konnte nur vor Schmerz aufkeuchen, als eine Hand ihr Haar packte und grausam daran zerrte. Die Hand hinderte sie daran, sich umzudrehen, und zwang sie, geradeaus nach vorne zu blicken. Honor biß die Zähne noch fester zusammen und schnitt jeden weiteren Schmerzeslaut ab.

»Du bleibst schön, wo du bist, *Chica.*« Ihre Peinigerin war der weibliche SyS-Captain, der das Kommando übernommen hatte. Der Akzent klang quälend vertraut. Honor benötigte einige Sekunden, bevor sie ihn einordnen und sagen konnte, wo sie ihn schon einmal gehört hatte: bei Tomas Ramirez und anderen Flüchtlingen von San Martin, dem bewohnten Planeten von Trevors Stern, der vor Jahren von Haven besetzt worden war. Sie fragte sich, was ihre Peinigerin wohl dabei empfand, daß ihre Heimatwelt nun von der Allianz erobert worden war. Im Augenblick war für Honor jedoch weniger der Akzent von Interesse, sondern vielmehr der schadenfrohe, verächtliche Ton der Stimme. »Du sagst nichts, du drehst nicht den Kopf, du tust überhaupt nichts, solange man es dir nicht befiehlt. Kapiert?«

Honor gab keine Antwort; zur Strafe drehte sich die Hand in ihrem Haar und hob sie tatsächlich einige Millimeter vom Sitz hoch. Auf San Martin war die Schwerkraft noch erheblich höher als auf Sphinx. Die Wächterin demonstrierte ihr die Stärke, die ihr von der Heimatwelt verliehen worden war, und Honor biß sich fest auf die Lippe. Niemals hätte sie für möglich gehalten, daß einfaches An-den-Haaren-Zerren solche Schmerzen verursachen könnte, und die Schergin zischte kalt und schroff:

»Ich habe dich gefragt, ob du das kapiert hast, *Chica!*«

»Ja.« Honor brachte das einsilbige Wort so ungerührt vor, wie sie nur konnte, und zwang sich – irgendwie –, nicht vor Erleichterung zu stöhnen, als die Frau hämisch kicherte und mit einer verächtlichen Handbewegung ihr Haar losließ. Nimitz' pulsierender Schmerz unterband Honors Fähigkeit, die Emotionen anderer Menschen zu erfassen, aber auch so begriff sie die tückische Befriedigung der Frau – und ihre Vorfreude. *Das ist keine von den Kalten, Gefühllosen,* dachte Honor. *Die hier hat Freude an ihrer Arbeit.*

»Gut. Auf der Reise nach Hell wirst du schon Spaß genug haben, *Chica.* Glaub mir eins: Mehr solltest du dir nicht einhandeln.«

Honor hörte Uniformstoff leise auf dem Sitzpolster rascheln und schloß daraus, daß ihre Peinigerin sich wieder zurückgelehnt hatte. Ohne sich umzusehen wußte sie, daß niemand mit dieser Frau in der gleichen Reihe saß. Die SyS-Leute verwendeten die Sitzreihe als eine Art Burggraben, um Honor der moralischen Unterstützung der anderen Offiziere zu berauben, indem man sie physisch von ihr trennte. Und sie war sich völlig darüber im klaren, daß es sich dabei nur um den ersten Schritt handelte.

Ransoms Absichten standen Honor deutlich vor Augen. Im Laufe der Jahre hatten die Sicherheitsdienste der Volksrepublik entdeckt, daß es bei weitem am effektivsten war, wenn Unruhestifter einfach ›verschwanden‹. Die InAb der Legislaturisten hatte diese Taktik oft genug gegen Regimegegner eingesetzt, doch erst von der Systemsicherheit war die Methode zu einem Instrument der Einschüchterung geschmiedet worden, vor dem sich niemand mehr sicher wähnen konnte. Sie funktionierte, denn was konnte schrecklicher sein, als unter der ständigen Bedrohung zu leben, daß jederzeit Menschen, an denen man hing, einfach verschwinden mochten? Ihr Tod wäre zwar ebenfalls schrecklich gewesen, doch stellt der Tod immerhin ein Ende dar, einen Abschluß. Ein Verschwinden hingegen öffnet der Ungewißheit Tür und Tor und dem grausamsten aller Gefühle: der Hoffnung, daß der oder die Verschwundene doch noch lebt – irgendwo. Dieses Druckmittel ist auch deshalb so effektiv, weil es gewissermaßen Kreise zieht: Ein einziger ›Verschwundener‹ hält leicht ein Dutzend anderer Menschen in Schach, weil sie hoffen, ihr Wohlverhalten könnte der Person, an der sie hängen, das Leben und vielleicht sogar die Freilassung erkaufen.

Honors Fall hingegen lag anders, denn Ransom hatte die Konfrontation vor den Kameras geschickt choreographiert, um sie zur Rechtfertigung von Honors Exekution heranziehen zu können. Trotzdem hielt sie sich die Möglichkeit offen, auf eine Verbreitung der Aufnahmen zu verzichten; als Ministerin für

Öffentliche Information konnte sie jeden Bericht nach Gutdünken unterdrücken. Honor bezweifelte allerdings, daß Ransom diesen Schritt ginge; die Ministerin würde darauf bedacht sein, daß alle ihre Feinde, innere wie äußere, echte wie eingebildete, von Honors Schicksal erfuhren, und deshalb würde Honors Tod als Sondermeldung durch die Abendnachrichten gehen. Sie erinnerte sich an die unheilverkündenden Warnungen vor ›gewalttätigen Szenen‹, die ›für Jugendliche nicht geeignet‹ seien; diese Heuchelei ging jeder Sendung voraus, in der gezeigt wurde, wie die ›Volksfeinde‹ ihre Verbrechen sühnten. Auf distanzierte Weise war sie im Grunde erstaunt darüber, daß man sie nicht schon längst erschossen hatte. Im Barnett-System mußte es etliche abgeschiedene Stellen geben, wo man eine unwesentliche Kleinigkeit wie ihre Hinrichtung erledigen konnte. Weshalb also sandte man sie eigens ins ferne Camp Charon?

Sinnlos, über solche Details zu grübeln, doch Honor konnte nicht aufhören. Über die eigene Ermordung nachzusinnen faszinierte sie in schrecklicher Weise, und mit einemmal kam ihr der Gedanke, ob Ransom das Camp Charon etwa deswegen als Hinrichtungsstätte ausgesucht hatte, um der Öffentlichkeit die Existenz des Lagers zu bestätigen. In diesem Fall markierte der Entschluß die grundlegende Abkehr von einer Richtlinie, der das Amt für Innere Abwehr und später auch die Systemsicherheit jahrzehntelang gefolgt war. Honor überlegte distanziert, ob sie sich geschmeichelt fühlen solle, Katalysator dieses Kurswechsels zu sein.

Mehr als siebzig Jahre lang hatten zuerst die Legislaturisten und dann das Komitee für Öffentliche Sicherheit bestritten, daß es einen Planeten namens Hades oder ein Straflager namens Camp Charon gebe.

Deren Existenz sei nichts weiter als ein böswilliges Gerücht, das Dissidenten in Umlauf gesetzt hätten, ohne daß irgendeine reelle Grundlage existiere. Die Dementi der Legislaturisten hatten so gut miteinander im Einklang gestanden, daß die Nachrichtendienste des Sternenkönigreichs ernstlich erwogen hatten, ihnen zu glauben. Mehr als ein Sachverständiger hatte darauf hingewiesen, daß *Gerüchte* über die Existenz eines solchen Straflagers die havenitische Bevölkerung beinahe ebenso wirksam einschüchtern könnten wie die Existenz des Lagers selbst. Dahingegen sei es weitaus kostengünstiger, den Gerüchten Nährboden zu verschaffen, als wirklich ein Camp Charon einzurichten.

Dennoch glaubte man allgemein an die Existenz des Lagers. Einige Dutzend einstmals ›verschollene‹ Regimegegner waren später ›rehabilitiert‹ worden, und dabei war immer wieder das Gerücht aufgetaucht, sie seien in Camp Charon gewesen. Ihre bruchstückhaften Beschreibungen fügten sich sehr gut zum Bild eines Straflagerplaneten zusammen, der offiziell Hades hieß und von jedem Menschen, der jemals dorthin gesandt worden war, nur ›Hell‹, Hölle genannt wurde. Niemand außerhalb der volksrepublikanischen Sicherheitsdienste kannte die Koordinaten dieser Welt, und alle Berichte stimmten darin überein, daß eine Flucht von dort völlig ausgeschlossen sei. Immer wieder machten Geschichten die Runde, daß die aufsässigsten unter den militärischen wie politischen Häftlingen, die von der Volksrepublik im Laufe der letzten siebzig T-Jahre festgenommen worden waren, auf diesem Planeten festgesetzt worden seien.

Und nun beabsichtigte Ransom, die Existenz der Höllenwelt durch Honors Hinrichtung preiszugeben. Einen Augenblick lang weckte ein Gedanke Honors schwache Hoffnung: Ransom könnte sich so bedroht fühlen – die Autorität des Komitees für Öffentliche Sicherheit für so geschwächt halten –, daß sie allen ihren Feinden die Existenz der eisernen Faust beweisen wollte; daß sie sich gezwungen sah, alle Gerüchte über die Unterdrückungsmaschinerie der Machthaber zu bestätigen. Für Honor schien es, als gebe es eine Schwachstelle in der feindlichen Panzerung.

Doch dieses Hochgefühl erstarb schneller als es aufgekommen war. Was diese eventuelle Schwäche der havenitischen Führung für den Ausgang des Krieges und das Schicksal der Volksrepublik auch bedeuten mochte, Honor Harrington würde es nicht mehr miterleben. Während sie blicklos geradeaus auf die Schottwand starrte, brach die Trostlosigkeit erneut und mit unverminderter Wucht über ihr zusammen. Daß man es darauf anlegte, ihr alle Hoffnung zu rauben, war ihr durchaus bewußt – und klar war ihr auch, daß diese Schlägerin hinter ihr alles daran gesetzt hatte, um die Ausweglosigkeit von Honors Lage zu betonen und nur den ersten Schlag von vielen geführt hatte, unter denen ihr Geist gebrochen werden sollte. Doch sich dessen bewußt zu werden und fähig zu sein, dagegen anzukämpfen, das waren zwei Paar Stiefel. In Honors Ohren klangen noch immer die Worte, mit denen Cordelia Ransom ihr Todesurteil gesprochen hatte; immer und immer wieder hörte Honor den Wortlaut wie eine defekte Tonaufzeichnung; als wollte sie sich deutlich machen, daß es für sie und Nimitz keine Zukunft mehr gab. Der Gedanke war so dumm, und dennoch gelang es ihr nicht, ihn abzuschütteln, ja, sie war sich nicht einmal sicher, ob sie das überhaupt wollte. Da sie ihr drohendes Schicksal anerkannte, waren ihre Sinne geschärft und kristallklar. *Vielleicht liegt es an der Gewißheit,* überlegte sie. *Mit eigenen Ohren zu hören, wie man zum Tode verurteilt wird, beseitigt jede Ungewißheit. Und löscht die letzte quälende Hoffnung, die sowieso nur von Dickköpfigkeit am Leben erhalten wird ...*

Auf ganz eigene Weise lag eine Gnade darin. Wenn keine Hoffnung mehr bestand, dann gab es auch keinen Grund mehr, sich so zu verhalten, als wäre noch nicht alles verloren. Plötzlich empfand Honor die Apathie gar als tröstlich, die sich über sie senken wollte. Sie durfte nun von ihrer Würde, vom äußeren Anschein absehen. Sie konnte die Fassade von Stolz und Mut aufgeben, denn indem sie dieses Bild weiter aufrechterhielt, verlockte sie ihre Wärter nur dazu, es zu zerschmetterten, und was bedeuteten einer Toten noch Stolz und Ehre? Warum sollte Honor weiter die Maske tragen und ihre alte Rolle weiterspielen: den Offizier der Königin, der allen Widrigkeiten durch innere Stärke trotzt?

Laß dich gehen, drängte eine innere Stimme. *Sie geben ihr Bestes, um dich zu brechen. Das weißt du doch bereits. Warum sperrst du dich dagegen? Weißt du, was es dich kostet, wenn du dich wehrst? Willst du dir das wirklich antun lassen? Mach doch lieber einfach mit und spiele die Rolle, die sie dir zugedacht haben. Das hat überhaupt nichts zu bedeuten! Bedeuten würde es nur dann etwas, wenn du eine Wahl hättest, wenn eine Möglichkeit bestünde, damit noch etwas zu erreichen – und die gibt es nicht mehr.*

Hinterhältig war sie, diese Stimme, und voller Versuchung. Ein kühler, rationaler Kern in Honor mußte der Stimme sogar recht geben. Sie besaß keinen vernünftigen Grund, sich der Marter auszusetzen, mit der ihre Wärter versuchen würden, ihren Trotz zu brechen – nicht, wenn sie am Ende sterben mußte. Dennoch bestanden Gründe, stellte sie fest, denn ihre Gedanken wiesen noch immer jene eigenartige, kristallene Klarheit auf. Keine folgerichtigen Gründe, nein, doch ein Motiv verlor nicht an Wichtigkeit, nur weil es unlogisch war.

Am Ende würde niemand außer den Havies und ihr wissen, wie sie sich verhalten und ihr Los getragen hatte. Niemanden kümmerte, wie sie dem Schicksal ins Auge blickte – niemanden außer ihr. Und genau das war der springende Punkt. Ihr bedeutete es sehr wohl etwas, wie sie sich dem Tod stellte. Wenn sie starb, und wenn Nimitz mit ihr sterben mußte, dann sollten sie aufrecht in den Tod gehen. Nicht, weil Honor Offizier der Königin war, und nicht einmal, weil sie ihren Leuten ein Beispiel schuldete. Beides war unbestreitbar wahr, und beides war auch wichtig. Obwohl diese Identität und diese Schuldigkeit einen wesentlichen Bestandteil ihres Ichs bildeten, zählte letztendlich beides nur wegen der persönlichen Bedeutung, die beides für Honor besaß, und nicht aufgrund dessen, was jemand anderer davon hielt. Nein. Der eigentliche Grund, weshalb Honor die Selbstaufgabe verweigerte, bestand in der Selbstachtung, die sie und Nimitz *sich* schuldig waren. Sie mußten sich einfach auflehnen gegen Unmenschen wie die SyS-Frau hinter ihr, die zu allem Erforderlichen bereit waren, um ihnen diese letzte Selbstachtung zu nehmen. Zwar forderte jeder Widerstand die Wärter zu noch willkürlicheren Schikanen und Mißhandlungen auf, aber plötzlich spürte Honor, wie eine unterschwellige Kraft sie durchströmte.

Mit der Kraft, die Honor heraufbeschwor, wenn sie ein Schiff ins Gefecht führte, hatte diese unterschwellige Energie wenig zu tun, und ähnelte auch nicht dem Mut, den sie wie einen Panzer anlegte, wenn sie ihren Leuten in den drohenden Tod voranging. In diesem Moment auffälliger Klarheit, in dem Honor sich selbst ins Gesicht blickte, begriff sie, daß die Kraft, die sie bei jenen Gelegenheiten beschworen und auf die sie sich verlassen hatte, immer ein gewisses Element enthielt, das gespielter Tapferkeit nahekam – etwas, das durchaus real war, aber nicht für sie bestimmt, sondern für andere. In mancher Hinsicht handelte es sich dabei um eine Gabe, eine Befähigung, die sie von außerhalb erhielt und die ihr gestattete, Menschen selbst dann noch mitzureißen, wenn es außer Honors Charisma keine andere Hoffnung mehr gab; ein Sammelbecken von Pflicht und Verantwortung, von Entschlossenheit, ihre Aufgaben zu erfüllen, weil das Leben anderer davon abhing und sie sich auf Honor verließen – weil sie einen Eid geschworen hatte und lieber gestorben wäre als ihn zu brechen – weil die Regeln von ihr verlangten, das Spiel bis zum letzten Zug durchzuhalten. Und jenseits dieser Kreuzung, an der sich die Pfade der Pflicht, der Entschlossenheit und der Bedürfnisse anderer trafen, stand die Tradition, das Beispiel der großen Kommandanten des Sternenkönigreichs, die gleichzeitig als inspirierendes Vorbild und als Herausforderung dienten. Wie oft war sie in die Fußstapfen von Edward Saganami oder Travis Webster oder Ellen D'Orville getreten, ohne auch nur zu ahnen, was sie tat – ohne sich dessen im geringsten bewußt zu sein?

Doch die Kraft, von der sie sich nun durchströmt fühlte, hatte mit diesen äußeren Quellen oder dem Bedürfnis, anderen zum Wohl ihre Pflicht zu tun, nicht das geringste zu tun. Zum erstenmal, seit sie zurückdenken konnte, befand Honor Harrington sich in einer Position, in der all das nichts zählte. Halt, ganz so war es auch nicht! Die Tradition der Flotte zählte durchaus, aber augenblicklich stand sie nur an zweiter Stelle und wirkte sich weniger auf Honors

Moral aus als sonst. Nun stand ihre Pflicht sich selbst und Nimitz gegenüber im Vordergrund – das war ihre Kraft, ihre und Nimitz' Kraft, die sie nun erfüllte und die Verzweiflung aus ihren Augen verscheuchte.

Ist schon komisch, dachte sie. Nun war sie an einen Punkt gelangt, an dem sie begriff, daß alles, was sie war und hätte sein können, enden mußte und ausgelöscht werden sollte, nur um ausgerechnet dort ihre wahre Kraft zu finden, die in ihrem Innersten schlummerte. Nun, da Honor sie gefunden hatte und mit blanken geistigen Augen musterte, sah sie, daß diese Kraft keine Grenzen kannte. Die Kraft mochte schwinden und sogar für eine Weile aus Honor vertrieben werden. Wieder und wieder konnte sie unterdrückt und ihr entrissen werden, aber die Kraft würde immer zurückkehren, denn die Kraft war Honor, und Honor war die Kraft. Sie war zu sehr Realistin und sich selbst gegenüber zu ehrlich, um sich zu belügen. Mit genügend Zeit und Entschlossenheit vermochten die Kreaturen der Systemsicherheit jede und jeden zu vernichten, doch eigentlich ging es gerade darum. Sie *konnten* Honor vernichten. Mit Hilfe der richtigen Drogen und durch Anwendung von Druck und Gewalt konnten die SyS-Schergen sie zerstören oder sie sogar zu einer anderen Persönlichkeit umprogrammieren. Doch auch das war nichts anderes als eine Hinrichtung, und so lange Honor lebte – so lange eine Spur ihrer Persönlichkeit verblieb –, würde auch die Kraft existieren, die sie nun anfüllte. In diesem Sinne vermochte niemand ihr diese Kraft zu nehmen; sie konnte sie nur freiwillig übergeben.

Commodore Lady Dame Honor Harrington saß mit auf den Rücken geketteten Händen auf dem Shuttlesitz, Gesicht und Leib schmerzten und waren von blauen Flecken übersät. Nimitz' Qual durchlief sie in regelmäßigen Abständen wie ein Pulsschlag, doch ihre gelassene Miene war nun keine Maske zur Täuschung ihrer Feinde mehr.

»Sie können jetzt hinein, Bürger Commander.«

»Danke.« An sich hatte Warner Caslet gegenüber dem Schreiberbootsmann im Vorzimmer von Bürger Admiral Theisman gar nicht so kurz angebunden sein wollen. Er bedauerte es im nächsten Augenblick sogar, Bürger Chief Maynard fast angefaucht zu haben, und wußte auch, wie gefährlich solches Verhalten sein konnte. Trotzdem konnte er sich nicht zurückhalten. Im Moment war er zu wütend, um solche Aspekte zu berücksichtigen, bevor er handelte – und erst das machte die Schärfe seines Tonfalls gefährlich.

Er betrat Theismans Büro und zögerte, als er Dennis LePic neben dem Schreibtisch des Bürger Admirals stehen sah. Das Zögern ging rasch vorüber, dann trugen ihn seine Füße wie von selbst über den Teppich vor seine Vorgesetzten. Der Anblick des Volkskommissars wirkte auf Caslet wie ein Guß Eiswasser, wie die Aufforderung, sämtliche Gründe zum Bezähmen seiner Wut noch einmal herunterzubeten – doch gleichzeitig verstärkte die Anwesenheit LePics seinen Zorn. Nicht, weil er LePic persönlich die Schuld für das Geschehene gab, sondern weil sich der Volkskommissar trotz aller Versuche, ein anständiger Mensch zu sein, mit den Mächten eingelassen hatte, die nach Caslets Auffassung die Verantwortung trugen.

Du selbst aber auch, mein lieber Warner, oder etwa nicht? fragte ihn höhnisch eine innere Stimme. *Du hättest dich dem neuen Regime doch heldenhaft widersetzen und dich weigern können, dir die Hände schmutzig zu machen und von deinen Prinzipien und deiner Ehrauffassung abzurücken, nicht wahr? Dafür hätte man dich zwar erschossen, aber die Wahl hast du trotzdem gehabt, stimmt's? Und du, du hast es seingelassen. Also spiel dich gegenüber einem Mann wie LePic bloß nicht als Pharisäer auf!*

»Sie haben mich rufen lassen, Bürger Admiral?« fragte Caslet. Den verärgerten Unterton versuchte er dabei in Forschheit zu ersticken. Theisman nickte.

Etwas am Gesicht des Bürger Admirals war anders. Obwohl keine neuen Falten zu sehen waren, wirkte Theisman, als wäre er innerhalb von Stunden um Jahre gealtert. Kaum hatte Caslet diese Veränderung bemerkt, als ihm klarwurde, daß die Gefangenen um einiges übler behandelt worden sein mußten, als aus dem Bericht hervorging, den er als Operationsoffizier erhalten hatte. Oder aber es war doch nicht schlimmer zugegangen, als dem Bericht zu entnehmen war, und Theisman hatte die Geschehnisse aus zu großer Nähe beobachten müssen und ihre Bedeutung allzu klar erkannt.

»Das ist richtig, Warner«, antwortete Theisman nach einem Augenblick. »Sicherlich haben Sie bereits von den – *skandalösen* Ereignissen heute morgen gehört.«

Obgleich der Bürger Admiral die Frage an Caslet gerichtet hatte, blickte er LePic an, während er sprach. Der Volkskommissar sagte kein Wort, nur seine Augen blitzten auf. Er preßte die Lippen zusammen, seine Nasenflügel bebten, und dann nickte er knapp und unwillig, als wolle er dem von Theisman gewählten Adjektiv beipflichten. Zwar handelte es sich nur um eine kleine Geste, doch ihre Bedeutung war für Caslet so offenbar, als hätte jemand sie herausgeschrien: Der Volkskommissar stellte sich – zumindest für den Augenblick – auf die Seite der Offiziere, die er eigentlich ausspionieren sollte.

»Jawohl, Bürger Admiral, ich hörte davon.« Caslet sprach völlig tonlos, und das nicht nur, weil er Theismans Wahl des Adjektivs voll und ganz zustimmte. Als der Bürger Admiral ihn auf die Inspektionstour schickte, von der er gerade erst zurückgekehrt war, hatte es keine Diskussion über seine Motive gegeben. Trotzdem glaubte Caslet sie zu kennen. Er fühlte sich hin und her gerissen zwischen Dankbarkeit und dem vagen Gefühl, er wäre seiner Pflicht ausgewichen, Zeuge zu sein, wie Honor Harrington vor Cordelia Ransom geschafft wurde.

»Nun, ich fürchte, diese Geschehnisse werden einige Nachwirkungen zeigen«, erklärte Theisman und sah erneut LePic an, als überlege er, wie offen er sprechen durfte. Das konnte Caslet sehr gut verstehen. Ob der Bürger Kommissar nun vorübergehend ihr Bündnisgenosse war oder nicht, für die Freimütigkeit, die Theisman vor LePic an den Tag legen durfte, gab es deutliche Grenzen. Caslet sah am Gesicht seines Kommandeurs, daß er die gleichen Überlegungen anstellte, dann zuckte der Bürger Admiral mit dem Kopf wie ein Pferd, das eine Bremse verjagt – oder wie ein Stier kurz vor dem Angriff.

»Insbesondere«, sagte Theisman, »ist die Bürgerin Committeewoman zu dem Schluß gelangt, unser Militär habe die Realitäten des totalen Kriegs gegen den Klassenfeind nur unzureichend verinnerlicht. Sie findet, zu viele Offiziere klammerten sich an überkommene, elitäre Konzepte wie die sogenannte ›Ehre‹. Während ihr solche Altlasten auf abstrakter Ebene durchaus verständlich erscheinen, vertritt die Bürgerin Committeewoman die Ansicht, es sei allmählich an der Zeit, Denkgewohnheiten zu überwinden, die ein gefährliches Sympathiegefühl für die Feinde des Volkes erzeugen könnten, denn diese bemühen sich immerfort, unseren Kampfwillen zu unterminieren, was ein wesentlicher Bestandteil ihrer Anstrengungen ist, die Volksrepublik zu besiegen und zu vernichten.«

Seiner Wut zum Trotz riß Caslet bei dem unverhohlenen Gift in Theismans Satzungeheuer die Augen auf und schaute kurz LePic an. Niemand hätte dem Bürger Admiral seine Worte verübeln können, doch der Ton, in dem er sie ausgesprochen hatte, zeugte von einer Abscheu, die mindestens so groß war wie bei Caslet. Der Volkskommissar scharrte voll Unbehagen mit den Füßen, sagte jedoch kein Wort. Offenbar war er über Theismans Ton längst nicht so unglücklich wie über den Umstand, daß er als Volkskommissar den Tonfall für gerechtfertigt hielt.

»Im Lichte ihrer Schlußfolgerungen«, fuhr der Bürger Admiral mit unveränderter Stimme fort, die Caslet an tiefgekühlte Säure denken ließ, »hält es die Bürgerin Committeewoman als Angehörige des Komitees für Öffentliche Sicherheit für ihre Pflicht, sich mit den Fehlleistungen des Offizierskorps zu befassen. Sie hat daher folgendes beschlossen: Obwohl die Häftlinge nun in den Gewahrsam des Amts für Systemsicherheit übergegangen sind, soll eine Delegation von Flottenoffizieren vorübergehend der SyS zugeteilt werden, um zu beobachten, wie man Volksfeinde angemessen behandelt. Zu diesem Zweck hat sie mich angewiesen, die *Count Tilly* zu detachieren. Das Schiff wird die *Tepes* nach Cerberus eskortieren, so daß Bürger Konteradmiral Tourville und sein Stab den Kern der Delegation bilden. Darüber hinaus« – Theisman verengte die Augen und blickte Caslet bohrend wie der Beschuß aus einem Zwillingslaser an – »hat die Bürgerin Committeewoman ausdrücklich Sie angefordert.«

»Mich, Bürger Admiral?« fragte Caslet in höchstem und aufrichtigem Erstaunen. Als Theisman daraufhin bestätigend nickte, blinzelte der Bürger Commander verwirrt. »Hat die Bürgerin Committeewoman denn erklärt, weshalb Sie meine Begleitung wünscht?«

»Nein«, entgegnete Theisman, wenngleich seine ungerührte Stimme verriet, daß er einen Verdacht hegte. Und nach einigen Sekunden begriff auch Caslet die Beweggründe Ransoms.

Natürlich. Nach allem, was ihm bereits zu Ohren gekommen war, hatte Shannons Unvorsichtigkeit sie schließlich doch noch in die Katastrophe gestürzt, vor der Caslet die Taktikhexe immer bewahren wollte. Jemand wie Ransom hätte sich gewiß mit Shannons Dienstakte befaßt. Wie konnte Foraker anders in ihren gegenwärtigen Rang aufgestiegen sein, ohne daß ihre politische Unzuverlässigkeit der Systemsicherheit auffiel, wenn ihre militärischen Vorgesetzten sie nicht gedeckt hatten? Bei dieser Überprüfung mußte Ransom festgestellt haben, daß Caslet nicht nur Shannons Kommandant gewesen war, sondern sie auch *zweimal* zur Beförderung vorgeschlagen hatte. Eine weitere Überprüfung ergab dann gewiß, daß Caslet sich gerade auf ›Inspektionstour‹ befand. Während sich offiziell nichts gegen Theismans Befehle vorbringen ließ, konnte Ransom sich angesichts der Verbindung zwischen Caslet und Shannon die wahre Absicht des Bürger Admirals an den Fingern einer Hand abzählen. Die Bürgerin Committeewoman machte keine halben Sachen. Wenn Caslet einen Offizier wie Shannon Foraker unter seinem Kommando geduldet hatte, dann mußte er ohne Zweifel gefährliche elitäre Sympathien hegen. Vielleicht bedeutete Caslets Abstellung nur einen Denkzettel an Theismans Adresse, weil dieser seinen Operationsoffizier außer

Gefahr geschafft hatte. Schließlich konnte Ransom doch nicht dulden, daß Flottenoffiziere zusammenhielten und sich gegenseitig vor ihrer sogenannten Regierung schützten, oder?

Caslet empfand die Bitternis seiner Gedanken als furchterregend, denn sie lenkten ihn in eine Richtung, in die er nicht gehen wollte. Mit Bedacht vermied er den Blick auf das Ende der Straße.

»Ich habe verstanden, Bürger Admiral«, sagte er nach kurzem Schweigen. »Wann brechen wir auf?«

»Die Bürgerin Committeewoman beabsichtigt, heute abend um neunzehn Uhr dreißig mit Kurs auf das Cerberus-System auszulaufen«, antwortete Theisman. »Schaffen Sie es, bis dahin zu packen?«

»Selbstverständlich, Bürger Admiral. Wird Bürger Lieutenant Commander Ito während meiner Abwesenheit meine Pflichten übernehmen?«

»Ja, davon gehe ich aus.«

»In diesem Fall sollte ich ihn einweisen, bevor ich an Bord der *Count Tilly* gehe, und sicherstellen, daß er weiß, was Sie, Bürger Kommissar LePic und ich besprochen haben«, begann Caslet und verstummte mit erhobenen Augenbrauen, als ihm Theismans Miene bewußt wurde.

»Sie haben zwar einiges mit Ito zu besprechen«, entgegnete der Bürger Admiral seufzend, »aber Sie gehen nicht an Bord der *Count Tilly*.«

»Gehe ich nicht, Bürger Admiral?«

»Nein, Bürger Commander. Bürgerin Committeewoman Ransom hat ausdrücklich darum gebeten, Sie vorübergehend ihrem persönlichen Stab zuzuteilen, wo Sie als Verbindungsoffizier zu den Häftlingen fungieren, bis diese offiziell an Cerberus übergeben worden sind.«

»Als Verbindungsoffizier . . .?« begann Caslet, dann

erlangte er die Fassung wieder und schloß den Mund. Die geballten Fäuste stemmte er in die Seiten.

»Mit allem schuldigen Respekt, Bürger Admiral, ich bin für diese Aufgabe nicht qualifiziert«, sagte er, nachdem er einige Sekunden angespannt überlegt hatte, und blickte Theisman bittend an. »Ich besitze keinerlei Erfahrung in Sicherheitsfragen und hatte noch keine nachrichtendienstliche Verwendung, erst recht nicht bei der Systemsicherheit. Gewiß gibt es andere Offiziere, die sich besser dazu eignen, mit Kriegsgefangenen umzugehen.«

Ohne den Blick abzuwenden, schüttelte Theisman den Kopf – nicht, um Caslets Standpunkt zurückzuweisen, sondern um den Bürger Commander sanft zu beschwichtigen, und Caslet schaute LePic an. Der Volkskommissar erwiderte den Blick ernst und seufzte.

»Ich fürchte, Bürgerin Committeewoman Ransom besteht darauf, Bürger Commander«, sagte er. LePic klang weitaus weniger beißend als Theisman, doch an ihm waren die stille Wut – und das Mitgefühl –, um so bemerkenswerter. Schließlich war er nicht nur direkter Repräsentant des Komitees für Öffentliche Sicherheit, sondern hatte sich einst freiwillig für diese Aufgabe gemeldet. Kaum nahm Caslet die Ablehnung des Kommissars wahr, als er überlegte, ob Ransom überhaupt begriff, wie sehr sie ihre Sache an diesem Morgen geschädigt hatte.

Welche Konsequenzen das Verhalten der Ministerin in Zukunft auch hätte, sie bewahrten Warner Caslet nicht vor ihrer unmittelbaren Vergeltung.

»Ich habe verstanden, Sir«, wandte er sich erstickt an LePic. Die unglückliche Miene des Volkskommissars weckte in Caslet tatsächlich eine merkwürdige Sympathie. »Ich kann Ito um dreizehn Uhr einweisen, Bürger Admiral«, fuhr er fort. »Zwo oder drei Stunden sollten ausreichen. Wird es Ihnen möglich sein, zu uns zu stoßen?«

»Das beabsichtige ich«, antwortete Theisman, erhob sich und reichte Caslet die Hand. Der Bürger Commander straffte den Rücken und schüttelte sie fest. Theisman bedachte ihn mit einem Lächeln, in dem sich sowohl Trauer als auch die Mahnung zur Vorsicht verbargen.

»Bis dahin kümmern Sie sich wohl am besten um Ihr Gepäck. Bürger Chief Maynard arbeitet bereits Ihre Order aus und sollte damit fertig sein, wenn ich zu Ihnen und Ito komme.«

»Jawohl, Bürger Admiral.« Caslet drückte Theismans Hand ein letztes Mal, nickte LePic respektvoll zu, wandte sich um und ging zur Tür. Sie öffnete sich vor ihm, und er wollte sie schon durchschreiten, als Theisman sich räusperte. Caslet blieb stehen und drehte sich um.

»Ito wird Ihre Aufgaben versehen, solange Sie fort sind, aber Bürger Kommissar LePic und ich erwarten, daß Sie so schnell wie möglich zurückkehren, Warner«, sagte der Bürger Admiral. »Ich rechne damit, daß die militärische Lage sich innerhalb der nächsten Wochen aufheizt. Da der Bürger Kommissar und ich in diesem Fall auf Ihre Fähigkeiten angewiesen sind, haben wir die Bürgerin Committeewoman gebeten, Ihre Rückkehr nach Möglichkeit zu beschleunigen.«

Caslet weitete die haselnußbraunen Augen, und als LePic nickte, wurden sie weich. Wenn er wirklich, wie er befürchtete, auf Ransoms Abschußliste stand, dann gingen seine Vorgesetzten mit ihrem Ersuchen ein ernstes Risiko ein. Genau diese Sorte Risiko paßte nach Caslets Ansicht zu einem Offizier wie Theisman, doch daß LePic die Anfrage mit unterzeichnet hatte, ließ ihm einen Kloß in die Kehle steigen. Er hatte

Mühe, ihn herunterzuschlucken, bevor er antwortete. »Vielen Dank, Bürger Admiral. Ich bin Ihnen für diesen Vertrauensbeweis verbunden. Ihnen beiden«, fügte er hinzu, und fast stockte ihm die Stimme.

»Nicht mehr als Sie verdient haben, Bürger Commander«, entgegnete LePic.

»Dennoch, Sir. Ich versuche, so schnell wie möglich wieder da zu sein.«

»Gewiß, Warner«, sagte Theisman leise. »Ich wünsche Ihnen eine glückliche Fahrt.«

»Vielen Dank, Bürger Admiral.«

Caslet blickte seinem Kommandeur noch einmal in die Augen, nickte und verließ das Büro. Hinter ihm glitt geräuschlos die Tür zu, und Thomas Theisman und Dennis LePic blickten sich schweigend an.

23

Schon bei Kiellegung hatte man den grundlegenden Aufbau von VFS *Tepes* geändert, um sie für den Dienst in der Privatflotte des Amts für Systemsicherheit zu optimieren. Der größte Unterschied fiel Warner Caslet auf, als sein Kutter sich dem Schiff näherte: Die *Tepes* besaß in jeder Breitseite drei Graser und einen Raketenwerfer weniger, als für die *Warlord*-Klasse vorgesehen war; die eingesparte Tonnage war in ein erweitertes Lebenserhaltungssystem investiert worden, um ein doppelt starkes Kontingent ›Marineinfanterie‹ an Bord nehmen zu können. Zudem besaß das Schiff zwei zusätzliche, sehr große Beiboothangars.

Die Umbauten verschafften dem Schlachtkreuzer die Beibootkapazität eines Superdreadnoughts, was

Caslet übertrieben vorkam, bis die Traktorstrahler den Kutter in einen dieser gewaltigen Hangars zogen und er zu Gesicht bekam, was hier bereits angedockt hatte: Nicht weniger als drei übergroße, für Schwerlasten ausgelegte Sturmshuttles hingen in den Dockgerüsten; jeder von ihnen war anderthalbmal so groß wie eine Pinasse und entsprechend schwer gepanzert und bewaffnet. Caslet kniff die Lippen zusammen.

Niemals würde dieses Schiff einem regulären Kampfverband der Volksflotte zugeteilt werden, und deshalb käme keiner dieser Sturmshuttles je bei einem Gefecht gegen die Feinde der Volksrepublik zum Einsatz. Vielmehr waren sie dazu gedacht, die Gegner des Komitees für Öffentliche Sicherheit zu bekämpfen, ein feiner, aber entscheidender Unterschied. Mit den Sturmshuttles sollten Stoßtruppen auf den Planeten der *Volksrepublik* gelandet werden, um die aufrührerischen Bürger der Republik niederzuschlagen und den Planeten zu sichern. Caslet wünschte, er könnte noch glauben, die Existenz der Sturmshuttles entspränge simplem Verfolgungswahn. Leider traf dies nicht zu. Was auch immer man vom Komitee für Öffentliche Sicherheit oder der Systemsicherheit hielt, unbestreitbar besaßen beide echte – und gewaltbereite – innere Feinde. Caslet versank noch tiefer in Niedergeschlagenheit.

Die Begrüßung durch den Hangaroffizier verbesserte seine Laune nicht im geringsten. In Abweichung von den Gepflogenheiten der Flotte war es nicht erforderlich, beim Betreten eines SyS-Schiffes um Erlaubnis zu bitten, an Bord kommen zu dürfen. Statt dessen wurden noch einmal die Papiere überprüft, und bewaffnete Posten warteten nur darauf, jeden Dummkopf niederzuschießen, der sich mit gefälschtem Ausweis an Bord eines SyS-Schiffes schmuggeln wollte.

Caslet mußte einräumen, daß die Tradition des offiziellen Anbordkommens und Vonbordgehens nicht mehr als eben eine Tradition war, die nur den Sinn hatte, den Hangaroffizier feststellen zu lassen, wer sich noch an Bord befand und wer nicht. Trotzdem war Caslet der Meinung, diese Tradition gehöre befolgt, und die arroganten Blicke der Wächter und die gemächliche Art des Hangaroffiziers zerrte an seinen Nerven. Es schien den Bürger Lieutenant nicht zu bekümmern, ob Caslet nun einen schlechten Eindruck von seinem Schiff erhielt oder nicht. Wie jedes Besatzungsmitglied der *Tepes* gehörte auch er zur SyS und nicht zur Volksflotte; als er den Neuankömmling erblickte, verzog er den Mund und musterte Caslet unverschämt. Die beiden Rangstufen, die der Bürger Commander über ihm stand, waren schließlich nur Flottendienstgrade. Außerdem kochte seit vier bis sechs Stunden die Gerüchteküche über, und der SyS-Offizier wußte, daß Bürgerin Committeewoman Ransom den Bürger Commander Caslet auf dem Kieker hatte. Zusammengenommen machten diese Faktoren Caslet zu einer Person, die man nicht respektieren mußte, sondern verachten durfte.

»Sie sind Caslet?« verlangte er zu wissen und streckte gebieterisch die Hand nach den Papieren seines Gegenübers aus.

Der Tonfall des Mannes war mürrisch und gelangweilt zugleich, und er wies zudem mehr als nur einen Hauch von Frechheit auf. Caslet wandte sich dem SyS-Offizier langsam zu. An sich hatte es keinen Sinn, auf die Unverschämtheit des Hangaroffiziers einzugehen, doch hatte der Ton des Mannes die glühenden Scheite der schwelenden Wut Caslets zu lodernder Flamme angefacht. Caslet war klar, daß er sich bereits auf reichlich dünnes Eis begeben hatte; Vernunft und

Selbsterhaltungstrieb rieten ihm, sich nun nicht auch noch mit der SyS anzulegen und dem Bürger Lieutenant die Unverschämtheit durchgehen zu lassen. Andererseits besaß das Wissen, ohnehin schon bis zum Hals im Schlamassel zu stecken, eine geradezu befreiende Wirkung auf ihn. Man könnte sagen, Warner Caslet stand unter dem Eindruck, nichts mehr verlieren zu können, und so stellte er seine Reisetasche aufs Deck, musterte mit eiskalten haselnußbraunen Augen den SyS-Offizier von oben bis unten und ignorierte die ausgestreckte Hand.

Der Hangaroffizier errötete unter dem frostigen Blick, aus dem grenzenlose Abscheu sprach, und Caslet verzog die Lippen zu einem Lächeln, das eher bedrohlich denn freundlich wirkte.

»Ganz recht, ich bin *Bürger Commander* Caslet. Und Sie wären?« erkundigte er sich mit einer Stimme, die noch mehr Frost enthielt als sein Blick. Der schneidende Unterton trat deutlich zutage, denn Caslet war hinreichend wütend – und fühlte sich verwegen genug –, um diesen Unterton tief einschneiden zu lassen.

Der SyS-Offizier setzte zu einer unwirschen Erwiderung an, doch dann hielt er inne. Verzweiflung hatte er oft genug erlebt, bei Männern wie bei Frauen, und deshalb beunruhigte ihn das eisige Glitzern in Caslets Augen zutiefst. Den Gerüchten zufolge befand der Mann sich vielleicht auf der Einbahnstraße in den Untergang, er selbst schien das nicht zu wissen – und so selten es auch vorkam, Latrinenparolen irrten manchmal. Wenn dieser unwahrscheinliche Fall eintrat, hätte Caslet hinterher eine stärkere Position inne. Immerhin war er bereits Operationsoffizier im Stab des zweitwichtigsten Flottenkommandeurs der Republik. Kehrte er unversehrt auf diesen Posten zurück, hätte er das Ohr sehr hochgestellter Persönlichkeiten, und Caslets Blick nach zu urteilen, gehörte zu der Sorte Raumoffizier, die leichthin vergab und vergaß.

»Bürger Lieutenant Janseci, Bürger Commander«, meldete er daher weitaus eifriger. Caslet nickte knapp, und Janseci nahm so etwas wie Haltung an. Er fühlte sich versucht zu salutieren, doch damit hätte er eingestanden, sich von Anfang an unpassend verhalten zu haben – und daß Caslet ihn eingeschüchtert hatte. »Ich muß Ihre Identität überprüfen, Bürger Commander«, fügte er fast entschuldigend zu.

Bedächtig griff Caslet in seine Uniformjacke und zog den Dienstausweis hervor. Er reichte ihn an Janseci und empfand eine innere Genugtuung, bitter wie Lauge, als die bewaffneten Posten tatsächlich Haltung annahmen. Und das alles für einen gewöhnlichen Raumoffizier. Wie schmeichelhaft. Der Hangaroffizier überprüfte rasch den Ausweis, klappte das Mäppchen wieder zu und gab es Caslet zurück. Der Bürger Commander blickte vielleicht drei Sekunden kühl darauf, dann erst streckte er die Hand aus, nahm es an und schob es in die Uniformtasche zurück.

»Nun, Bürger Lieutenant Janseci«, fragte er nach einem Augenblick, »weiß denn zufälligerweise jemand, wohin genau ich mich begeben soll?«

»Jawohl, Bürger Commander. Ihr Führer ist auf dem Weg, und ich erwarte ihn ...« Janseci unterbrach sich und winkte den Bootsmann herbei, der gerade aus einem der beiden Lifte des überdimensionalen Hangars getreten war. »Da ist er ja schon«, wandte er sich erleichtert an Caslet. »Bürger Chief Thomas bringt Sie in Ihre Kammer.«

»Danke«, sagte Caslet kühl, aber korrekt und wandte sich ab.

Der CPO trat näher und salutierte. »Bürger Commander Caslet?« Nachdem Caslet den Gruß erwidert und seine Identität bestätigt hatte, sagte Thomas: »Wenn Sie mir bitte folgen wollen, Bürger Commander, dann sehen wir mal, ob wir eine Koje für Sie finden.« Damit nahm er zwei der drei Koffer auf, welche die Kutterbesatzung durch die Zugangsröhre gehievt hatte, während Janseci und Caslet sich aufeinander konzentrierten.

»Vielen Dank, Bürger Chief«, sagte Caslet in erheblich verbindlicherem Ton als er ihn gegenüber Janseci benutzt hatte. Er nahm den dritten Koffer und hängte sich die Reisetasche am Riemen über die Schulter. Dann folgte er Thomas zum Lift und fragte sich, was einen offenbar anständigen Mann wie den Bürger CPO an Bord der *Tepes* verschlagen hatte. Anders als Janseci verhielt sich Thomas wie ein Mann, der in der echten Flotte gedient hatte, und zwar gut; Caslet vermochte sich nicht vorzustellen, was den Mann verlockt hatte, sich ... hierher versetzen zu lassen.

Er unterließ es, ihn danach zu fragen; zum einen, weil es Caslet nichts anging, zum anderen, weil er sich ein wenig vor dem fürchtete, was er vielleicht zu hören bekam. Gute, ehrbare Männer wie Dennis LePic waren freiwillig Volkskommissar geworden – und damit technisch zu hochrangigen Offizieren der Systemsicherheit –, weil sie an die Versprechen des Komitees für Öffentliche Sicherheit glaubten. Bis zu einem gewissen Grade konnte Caslet sie sogar verstehen, ja sogar ihre Entscheidung respektieren. Andererseits wollte er nicht einmal im Ansatz wissen, was jemanden – gleich wen – dazu bewog, sich zu den Feldkräften der Systemsicherheit zu melden.

Obwohl die Kammer, die der CPO ihm zeigte, kleiner war, als jemand mit seinem Rang sie an Bord eines Schiffs der Volksflotte hätte erwarten können, handelte es sich wenigstens nicht um eine Zelle. Unter den gegebenen Umständen mußte Caslet selbst das als gutes Zeichen werten; dennoch ermahnte er sich, nicht allzu optimistisch zu denken. Er dankte Bürger Chief Thomas und begann damit, sich einzurichten. Caslet öffnete seine Koffer und verstaute ihren Inhalt mit der raschen Effizienz eines Mannes, der die letzten zwanzig Jahre seines Lebens vom einen Schiff zum nächsten versetzt worden war. Dabei versuchte er, nicht darüber nachzudenken, daß das Cerberus-System 168 Lichtjahre von Barnett entfernt lag. Selbst ein Schlachtkreuzer benötigte für diese Reise fast einen Monat, und deshalb hätte Ransom genügend Zeit, um darüber nachzudenken, ob sie ihn nicht doch lieber in eine Zelle stecken wollte.

Und wenn du dich nicht einfügst und wenigstens so tust, als wärst du ein lieber, netter Junge, dann wird sie genau das beschließen, du Idiot! schalt er sich. *Entweder das, oder sie bringt dich einfach nicht mehr von Hades mit nach Hause.*

Caslet ermahnte sich, er müsse den Schlamassel, in dem er steckte, als taktisches Problem ansehen, und gleichzeitig an seiner Selbstbeherrschung arbeiten. Als Kommandant eines Kriegsschiffs hatte er gelernt, seine Gefühle in den Hintergrund zu drängen, und beschwor nun diese Selbstdisziplin herauf, als ginge er ins Gefecht. Natürlich war es sehr unglückselig, daß er mit solcher Selbstverständlichkeit Cordelia Ransom und die Systemsicherheit für den Feind hielt. Auf lange Sicht würde es ihm das Überleben erschweren, wenn er in diesen Bahnen dachte, auch wenn es ihm kurzfristig das Dasein erleichterte.

Als das Com klingelte, war er fast mit dem Auspacken fertig. Er hielt inne und starrte das Com an, da läutete es wieder. Der Gedanke, das Gespräch anzunehmen und tiefer in das Geschehen an Bord hineingezogen zu werden, erfüllte ihn nicht gerade mit Eifer, aber das Gespräch nicht entgegenzunehmen, wäre sowohl sinnlos als auch kindisch gewesen. Daher drückte er den Knopf.

»Bürger Commander Caslet?« fragte die schwarzrot uniformierte Frau auf dem Bildschirm forsch, und er nickte. »Gut. Ich bin Bürgerin Commander Lowell, der Eins-O. Bürger Captain Vladovich bat mich, Sie an Bord zu begrüßen.«

»Danke, Bürgerin Commander«, antwortete Caslet höflich, obwohl er vermutete, daß Vladovich ihn ebensosehr mochte, wie Caslet das komplette Amt für Systemsicherheit.

»Außerdem soll ich Sie davon in Kenntnis setzen, daß Bürgerin Committeewoman Ransom und Bürger Captain Vladovich die Häftlinge binnen kurzem befragen werden – der erste Schritt in ihrer gerichtlichen Belangung –, und daß man Sie um Ihre Anwesenheit bittet.«

»Verstanden, Bürgerin Eins-O«, antwortete Caslet. Wenigstens bewahrten sie den Anschein von Höflichkeit. Zunächst einmal. Sie konnten es sich schließlich auch leisten.

»Ich glaube, Sie kennen Bürger Lieutenant Janseci. Er wird Sie in etwa einer halben Stunde abholen und zur Befragung bringen, Bürger Commander.«

Caslet bedankte sich erneut, und Lowell nickte höflich. Er trennte die Verbindung. Einen Augenblick lang starrte er noch auf den leeren Bildschirm, dann schüttelte er sich. »Janseci«, brummte er. »Wunderbar! Ob er wohl so gern den Fremdenführer für mich spielt, wie es mich freut, ihn als Führer zu haben?«

Der Bildschirm gab keine Antwort, und Caslet seufzte, schüttelte sich erneut und machte sich wieder ans Auspacken.

»Nanu, nanu, nanu. Was hat die Katze denn da wieder angeschleppt?«

Honor weigerte sich schlichtweg, den Kopf zu drehen oder auch nur die Augen zu bewegen, um den Mann auszumachen, der gesprochen hatte. Statt dessen blieb sie völlig reglos stehen und blickte stur geradeaus. Sie hatte Mühe, sich nicht anmerken zu lassen, daß ihr der Anblick des nackten, graugestrichenen Korridors den Magen umdrehte. Gleich woher sie kamen und wohin sie gingen, Menschen blieben Menschen. In jeder Gruppe gab es unausweichlich Unruhestifter, und deshalb hatte jedes Kriegsschiff ein Schiffsgefängnis. Das Gefängnis dieses Schiffes war größer als jedes, das Honor je gesehen hatte; das grelle Licht, die scheußlichen grauen Schotte und der starke Desinfektionsmittelgeruch – alles nur darauf abgestellt, den Willen jedes Insassen so rasch wie möglich zu brechen.

Kein Zweifel, dachte Honor. Das war nicht nur eine Einrichtung zum Festsetzen von Häftlingen; es war der erste Schritt in einem Vorgang, der sie in gehorsame, nachgiebige, eilfertige Sklaven verwandeln sollte – vorausgesetzt, man entledigte sich ihrer nicht einfach kurzerhand.

Sie begehrte dagegen auf, daß diese Vorstellung sie niederschmetterte, und wappnete sich für das Bevorstehende. Ihre Gedanken waren nun klarer, denn die an- und abschwellenden Wogen von Nimitz' Schmerz waren versiegt. Honor wußte nicht, ob dies an der Trennung lag, oder ob es Montaya gelungen war, die Qualen des 'Katers zu lindern; sie empfand zwiespältige Gefühle: zum einen Dankbarkeit über die wiedergewonnene Klarheit ihres Denkens, zum anderen Trennungsschmerz. *Dich in die Trauer zu ergeben, hilft dir nicht weiter,* rief sie sich zur Ordnung; *ein klarer Verstand hingegen schon.*

»Ein freches Miststück, was?« fragte die Männerstimme, als sie wartete, ohne ein Wort zu sagen. »Das bringen wir schon in Ordnung.«

Jemand kicherte, doch Bürgerin Captain de Sangro schüttelte den Kopf.

»Nichts da, Timmons. Committeewoman Ransom wünscht, daß sie lebend ankommt. Jede Beschädigung kostet jemanden den Kopf, und ich werde das nicht sein.«

»Hmpf!« machte der Mann namens Timmons, zog lautstark Rotz hoch und spuckte aufs Deck. Der Schleimbrocken landete zwei Zentimeter vor Honors Füßen, und der Raumoffizier in ihr registrierte die Tat mit distanzierter Abscheu. An Bord keines einzigen manticoranischen Schiffes wäre solches Verhalten geduldet worden, und sei es nur aus hygienischen Gründen. Hier hingegen schien es niemand zu bemerken. »Keine Beschädigung also? Wo bleibt denn da der Spaß, de Sangro?«

»Mir blutet das Herz«, entgegnete der SyS-Captain. »Hören Sie, ich hab Besseres zu tun, als mit Ihnen Maulfechten zu spielen. Sehen Sie zu, daß Sie mir für diese *Puta* unterschreiben, dann mach ich mich wieder auf den Weg.«

»Sie haben's immer so verdammt eilig, was?« Timmons lachte glucksend. »Also gut, also gut! Geben Sie mir schon das verdammte Ding.«

Während Timmons seine Unterschrift in das Scannerfeld des elektronischen Klemmbretts kritzelte und seinen Daumenabdruck anbrachte, rührte Honor sich nicht. Ihr Gesicht zeigte keine Regung, obwohl der Mann für sie unterzeichnete, als wäre sie ein Frachtstück. Nur jemand, der sie noch nie in der *Salle* gesehen hatte, wie sie den *Coup de vitesse* trainierte oder ihre Fertigkeiten im Schwertkampf vervollkommnete, hätte sie nun für teilnahmslos halten können. Sie machte sich keine Illusionen, daß ihre Kenntnisse im unbewaffneten Kampf sie vor dem bewahren könnten, was man ihr antun würde, doch sie hatte ihre Fertigkeiten nicht erworben, nur um sie im Kampf einzusetzen: Vierzig Jahre lang hatte sie geübt, im Notfall diszipliniert und konzentriert zu sein – und keine dieser Eigenschaften hatte sie jemals so dringend gebraucht wie jetzt.

»Da!« sagte Timmons und gab de Sangro das Klemmbrett zurück. »Abgezeichnet, besiegelt, geliefert. Einen schönen Tag noch, de Sangro.«

»Arschloch«, schnaubte der weibliche SyS-Captain, winkte den beiden SyS-Soldaten, die sie begleitet hatten, ihr zu folgen, und ließ Honor mit Timmons und seinen Leuten allein.

Einige Sekunden verstrichen in völligem Schweigen, dann packten zwei Hände Honor bei den Oberarmen und rissen sie herum. Die Bewegung kam rasch und war brutal. Sie hatte nur einen einzigen Zweck: Honor zu überraschen und zu desorientieren, doch sie fiel in die Drehung ein, als gäbe sie dem Angriff eines Sparringspartners in der Turnhalle nach, um ihm die Wucht zu rauben. Ihr mangelnder Widerstand brachte den Mann hinter ihr aus dem Gleichgewicht. Er torkelte und mußte ihre Oberarme fester umklammern, um die Balance wiederzugewinnen. Dabei fluchte er knurrend, und Honors rechter Mundwinkel zuckte kurz; ein bitteres Beinahe-Grinsen. Der Triumph war winzig, aber in einer Schlacht, die man in dem Wissen begann, besiegt zu werden, besaß auch der geringste Triumph höchste Wichtigkeit.

Die Drehung zwang sie, Timmons ins Gesicht zu sehen; was sie erblickte, gefiel ihr nicht sonderlich. Der Mann war mehrere Zentimeter größer als sie, hatte breite Schultern und ein Gesicht, das auf eine ungehobelte Weise gut aussah. Er trug die Rangabzeichen eines First Lieutenant im Volks-Marinecorps, was bei den Bodentruppen der Systemsicherheit vermutlich dem gleichen Rang entsprach. Sein Haar war sauber geschnitten, seine Uniform frisch gebügelt, die Zähne, die er beim Lächeln zeigte, waren stark und weiß, und trotzdem bildete sein makelloses Äußeres nur eine Maske, eine falsche Oberfläche, die nicht darüber hinwegtäuschte, daß sich dahinter etwas ganz anderes verbarg.

Trotz ihrer Selbstbeherrschung stutzte Honor, als sie begriff, welche Gefühle in dem Mann schlummerten und weshalb Timmons' Maske vor ihr vollkommen versagte. Ihr war, als umgäbe Timmons ein Gestank nach verfaulendem Blut, allerdings nicht in körperlicher Hinsicht; vielmehr spürte sie, wie dieser Eindruck aus dem Mann zu ihr überschlug. Blitzartig begriff sie, daß sie noch immer die Emotionen anderer Menschen spürte, obwohl sie so weit von Nimitz getrennt war, daß sie seine Qualen kaum noch teilte. So etwas war ihr noch nie passiert. Zumindest glaubte sie, es noch nie erlebt zu haben, war sich allerdings nicht absolut sicher. Bei den seltenen Gelegenheiten, wenn sie und der Baumkater räumlich voneinander getrennt waren, hatte sie bislang noch nie versucht, die Gefühle ihres Gegenübers aufzufassen. War das etwas Neues? Oder hätte sie es jederzeit vermocht und hatte es nur nie probiert? Und da ihr Eindruck von Nimitz' Bewußtsein so schwach war, fragte sie sich, ob sie Timmons' Emotionen überhaupt noch über den Baumkater las – oder empfing sie die Gefühle etwa selbständig?

Die Entdeckung lenkte sie für einen Augenblick ab und brach ganz kurz ihren Kokon der Ausdrückslosigkeit. Timmons bemerkte nichts davon. Seine ganze Aufmerksamkeit galt dem Klemmbrett, das er von de Sangro erhalten hatte. Etliche Male drückte er die Seitenwechseltaste und studierte wenigstens fünf Minuten lang eingehend die Daten auf dem Bildschirm. Dann blickte er mit einem weiteren blitzblanken Grinsen auf, und Honor mußte ihr Erschauern verbergen. Sphinxianische Lebewesen waren durchweg immun gegen die Alterdenseuche, die man Tollwut nannte, doch wenn ein Hexapuma daran erkrankt wäre, hätte er wahrscheinlich ein ähnliches Grinsen gezeigt wie dieser Mann.

»Jungs und Mädels, vor uns steht ein ganz besonderer Sträfling«, erklärte er seiner Wachmannschaft. »Das ist Honor Harrington. Ich nehme an, ihr habt schon einmal von ihr gehört?« Timmons erhielt unangenehmes Gelächter zur Antwort und lachte glucksend. »Dacht' ich mir's doch. Jetzt ist sie natürlich ein bißchen heruntergekommen. Es heißt, wir bringen sie nach Camp Charon, um ihr den Hals ein wenig zu strecken. Schade drum.«

Der Blutgeruch seiner Emotionen brandete auf, und Honor drehte sich der Magen um. Trotzdem behielt sie ihren Gesichtsausdruck unter Kontrolle, und ihre Augen blickten durch den Mann hindurch. Das gefiel ihm überhaupt nicht. Honor spürte Wut, legiert mit einem Sadismus, der schlimmer war als alles, was sie an de Sangro wahrgenommen hatte. Sogleich wußte sie, daß ihre Ausdruckslosigkeit sie in große Gefahr brachte. Andererseits wäre alles, was sie tun konnte, mindestens ebenso riskant gewesen.

Honor rechnete damit, daß seine brodelnden Emotionen jeden Augenblick überkochten, doch soweit kam es nicht; ihr schauderte noch stärker, als sie begriff, daß Timmons hinter seiner gelassenen, grinsenden Fassade die kochende Wut genießerisch auskostete. Der Zorn und seine Vorliebe für Grausamkeit waren für ihn wie Drogen, die sein Leben mit einem zusätzlichen Kitzel versahen. Daß er sich oft zügeln mußte, verstärkte den Reiz. Offenbar genoß er es sehr, wenn sich die Befriedigung seiner Lust hinauszögerte – als ob das Warten sein Verlangen noch zusätzlich veredelte; der Augenblick, in dem er endlich seiner Wut freien Lauf lassen durfte, bedeutete ihm fast weniger als seine kranke Vorfreude.

»Nach dem, was hier steht«, fuhr Timmons mit ruhiger Stimme fort, deren gedehnter Ton weder ihn noch Honor täuschte, »kommen ein paar von ihren Freunden mit, aber sie gelten als verhaftete Kriegsgefangene. Sie fahren oben, und sie ist ganz allein hier unten. Da wird einem doch ganz traurig ums Herz, oder?«

Die anderen Stimmen kicherten wieder, und Honor fragte sich beiläufig, ob diese Vorstellung nun Teil eines einstudierten Psychospielchens war, durch das der Widerstand eines Häftlings gebrochen werden sollte, oder ob Timmons sich einfach nur in der Effekthascherei gefiel. Was auch immer richtig war, es besaß keine Bedeutung, denn beides lief auf das gleiche hinaus.

»Wie kommt's, daß die da oben Militärhäftlinge sind und die hier nicht?« fragte ein Wärter mit dem Rang eines Corporals. »Für mich sehen diese Uniformen alle gleich aus.«

»Jeder kann sich eine Uniform anziehen, Dummkopf«, erklärte Timmons in einer Pose unendlicher Geduld. »Nach dem, was hier steht ...« – er schwenkte das elektronische Klemmbrett –, »ist das hier eine ganz besondere Volksfeindin: eine Massenmörderin. Vor uns steht eine gewöhnliche Kriminelle, und wie wir alle wissen, gelten die Deneber Übereinkünfte nicht für Kriminelle, die von einem ordentlichen zivilen Gericht verurteilt worden sind. Und das bedeutet, daß wir in ihrem Fall den ganzen Scheiß von wegen korrekter Behandlung von Kriegsgefangenen und so weiter aus der Schleuse blasen können!«

»Na, das klingt doch wie die Gelegenheit ...« murmelte der Corporal.

»Holen Sie Ihren Verstand sofort aus den schmutzigen Bahnen heraus, in denen Sie ständig denken, Hayman«, ermahnte Timmons ihn grinsend. »Mich schockiert allein die Andeutung, daß jemand aus meiner Wache sich irgendwelche Freiheiten gegenüber einem Sträfling herausnehmen könnte! Die hier ist zwar keine Kriegsgefangene, aber trotzdem erwarte ich jederzeit absolut korrektes Verhalten, habe ich mich deutlich genug ausgedrückt?«

»Wenn Sie sagen, Sir«, maulte Hayman, »aber Verschwendung ist das schon.«

»Man kann nie wissen«, beschwichtigte Timmons ihn. »Vielleicht wird sie einsam nach einer Weile hier unten und wünscht sich Gesellschaft, und was sich im Einvernehmen zwischen Erwachsenen abspielt ...« Schulterzuckend ließ er den Satz offen, und neue, eklige Belustigung überschwemmte Honor.

»Jetzt aber wollen wir sie einweisen«, sprach Timmons geschäftiger fort. »Das ist Ihr Job, Bergren.« Er reichte das Klemmbrett an einen untersetzten, kräftig gebauten Sergeant weiter. »Hier steht, sie hat ein künstliches Auge, und Sie wissen, was bei Implantaten zu tun ist. Holen Sie Wade, damit er es abschaltet; wenn er's nicht schafft, rufen Sie den Schiffsarzt.«

»Jawohl, Sir. Und der Rest?«

»Sie ist eine verurteilte Mörderin, Bürger Sergeant, kein zahlender Gast«, erklärte Timmons mit leichtem

Unmut. »Standardprozedur. Ausziehen, Leibesvisitation, Untersuchung der Körperhöhlen, Haarschnitt, Gesundheitsprüfung – Sie kennen den Ablauf ja. Und da Committeewoman Ransom großen Wert darauf legt, daß sie wohlbehalten in Camp Charon ankommt, stufen wir sie als suizidgefährdet ein. Ja, ich glaube« – und wieder grinste er strahlend –, »wir sollten sämtliche Sicherheitsvorkehrungen treffen. Also wird sie jedesmal durchsucht, wenn ihre Zelle geöffnet wird – *komplett* durchsucht, haben Sie verstanden. Damit sind auch die Mahlzeiten gemeint.«

»Jawohl, Sir. Ich fange sofort an«, versprach Bergren und packte Honor beim Uniformkragen. »Na los, du Knastperle«, knurrte er und zerrte sie mit sich. Bergren war klein, und sein Griff zwang Honor zu einer unbeholfen wirkenden, gebeugten Haltung, so daß sie hinter ihm herwanken mußte. Eine beabsichtigte Demütigung – und Honor wußte, daß es nur der Anfang war.

»Einen Augenblick, Bergren«, sagte Timmons.

Der Sergeant wandte sich zu dem Lieutenant um und ließ dabei Honor durch seinen Griff keine andere Wahl, als sich ebenfalls wieder umzudrehen. Weder ließ er sie los noch lockerte er den Griff. Timmons stolzierte herbei, legte Honor zwei Finger unter das Kinn und hob ihr Gesicht, so daß sie ihn anblicken mußte. Die Geste war höchst herablassend; er behandelte sie wie ein Kind. Dennoch gab sie dem sanften Druck nach und bemerkte, wie sich Enttäuschung in seinem Gesicht breit machte, denn ihre Widerstandslosigkeit beraubte ihn der Gelegenheit, ihren Kopf nach oben zu biegen.

»Eine Sache noch, Galgenvogel«, sagte er. »Immer wieder kommt es vor, daß ein Häftling meint, nichts zu verlieren zu haben, und glaubt, er könnte pampig werden. Im Klemmbrett steht, daß du von einer Hochschwerkraftwelt kommst. Außerdem steht da, daß du Kampfsportlerin bist, und ich nehme an, du hast gehört, wie Captain de Sangro mir gesagt hast, daß du mit heiler Haut in Camp Charon ankommen sollst. Deshalb könntest du natürlich glauben, du dürfest dir hier etwas herausnehmen, weil wir dir nicht in den Arsch treten können, ohne daß Committeewoman Ransom auf uns sauer wird. Wenn du also meinst – bitte schön. Aber behalte eins im Hinterkopf: Oberschiffs sind zwanzig oder dreißig deiner Freunde, und niemand gibt auch nur einen Scheiß darum, was mit ihnen passiert. Jedesmal, wenn du hier irgendwelchen Ärger machst und wir dich nicht dafür bestrafen können, müssen wir es eben an einem von ihnen auslassen.«

Wieder grinste er, schnippte höhnisch nach ihrem Kinn und nickte Bergren zu.

»Schaffen Sie sie mir aus den Augen und machen Sie sich mit ihr bekannt«, befahl Timmons.

»Und? Können Sie etwas für ihn tun?«

Fritz Montaya blickte von dem Baumkater auf, der vor ihm auf der Koje lag. Er, McKeon, Venizelos, LaFollet und Anson Lethridge, die ranghöchsten männlichen Offiziere, waren zusammen in eine große, kahle Kammer gelegt worden. Wären die sechs Kojen und die primitive Waschgelegenheit in der Ecke nicht gewesen, hätte man die Abteilung für einen Frachtraum halten können. Die Kargheit verlieh ihm das Odium des Improvisierten und der unpersönlichen Kälte. Wenigstens gab es eine überzählige Koje, auf der sie Nimitz unterbringen konnten – was immer das helfen mochte. Der Brustkorb des Baumkaters hob sich langsam und schwach, die Augen hatte er noch immer zugekniffen, und sie zeigten nicht den Anflug von Bewußtsein. Montaya hielt Nimitz' Bewußtlosigkeit für ein schlechtes Zeichen, doch immerhin konnte er den Baumkater nun berühren, ohne ihm sofort heisere Schmerzensschreie zu entlocken.

»Ich weiß es nicht«, mußte der Arzt zugeben. »Ich kenne mich mit Baumkatzen nicht genügend aus. Soweit ich weiß, kennt sich außerhalb von Sphinx niemand mit Baumkatzen aus.«

»Aber irgend etwas müssen Sie doch wissen.« LaFollet bettelte fast. Der Waffenträger kniete neben der Koje und hatte die Hand fast unmerklich auf Nimitz' Seite gelegt. Wo ein Gewehrkolben ihn ins Gesicht getroffen hatte, war seine Wange aufgeplatzt, verfärbt und geschwollen. Den Weg zu ihrer Kammer – oder besser: Zelle – hatte LaFollet humpelnd und unter Schmerzen zurückgelegt. Montaya glaubte, daß die linke Schulter des Waffenträgers zumindest ausgekugelt sei. Trotzdem betraf die Qual in LaFollets Stimme nur Nimitz, nicht ihn selbst.

»Ich weiß, daß seine rechten Mittelrippen gebrochen sind«, erklärte Montaya widerwillig, »und soweit ich sagen kann, auch die rechte Mittelschulter und der Oberarm. Der Gewehrkolben hat ihn von oben erwischt, und deshalb vermute ich, daß der Aufprall sowohl das Schulterblatt als auch das Gelenk gebrochen hat. Ich glaube nicht, daß der Treffer Nimitz' Rückgrat verletzt hat, aber da kann ich mir nicht sicher sein. Ich weiß zu wenig über den Knochenbau der Baumkatzen, als daß ich selbst unter günstigsten Bedingungen die Knochen richten könnte, bei denen hundertprozentig feststeht, *daß* sie gebrochen sind. Nach allem, was ich sagen – oder raten – kann, benötigt das Schultergelenk chirurgische

Rekonstruktion. Daß mir dazu sämtliche Mittel fehlen, versteht sich wohl von selbst.«

»Wird ...« LaFollet schluckte. »Wollen Sie damit sagen, daß er sterben muß?« fragte er zurückhaltend, und Montaya seufzte.

»Ich will damit sagen, daß ich es nicht weiß, Andrew«, antwortete er freundlicher. »Es gibt auch mehrere günstige Zeichen. Am wichtigsten ist, daß er nicht aus Maul oder Nase blutet. Obwohl er langsam und flach atmet, holt er gleichmäßig Luft, und das deutet darauf hin, daß keiner der gebrochenen Knochen seine Lungen verletzt hat. Weiterhin spüre ich beim Abtasten seines Mittelleibs keine verhärteten Schwellungen, und das heißt, daß eventuelle innere Blutungen nur schwach gewesen sind. Wenn ich etwas in die Hände bekäme, das ich als Schienen einsetzen kann, dann könnte ich ihm wenigstens den gebrochenen Arm und die Schulter ruhigstellen und damit – hoffentlich – weitere Schäden verhindern, aber ansonsten ...« Er seufzte. »Davon abgesehen kann ich eigentlich gar nichts tun, Andrew. Ob er durchkommt oder nicht, hängt viel mehr von ihm ab als von mir. Immerhin sind Baumkatzen zähe Zeitgenossen.«

»Ich verstehe schon«, sagte LaFollet heiser und streichelte behutsam Nimitz' Hüfte. »Bisher hat er noch nie gekniffen, Doc«, sagte der Waffenträger leise. »Und jetzt gibt er auch nicht auf.«

»Das hoffe ich auch, aber ...«

Der Arzt verstummte, als die Luke sich öffnete und ein arrogant wirkender Lieutenant der SyS-Bodentruppen eintrat. Zwei Männer mit Schrapnellgewehren folgten ihm. In instinktiver Solidarität wandten die gefangenen Offiziere sich ihnen zu, und der Lieutenant schnaubte verächtlich.

»Auf die Beine!« bellte er. »Bürgerin Committeewoman Ransom will euch sprechen!«

»Ich fürchte, das steht außer Diskussion.« Montayas kühle, feste Kommandostimme hätte jeden überrascht, der noch nicht erlebt hatte, wie der Surgeon Commander eine Notoperation durchführte, während ringsum ein Volltreffer nach dem anderen das Lazarett erbeben ließ. Selbst der Lieutenant wirkte einen Augenblick lang verdutzt, doch gewann er rasch die Fassung zurück.

»Offenbar haben wir einen Komiker an Bord«, rief er den Bewaffneten zu. Obwohl sie erheitert kicherten, klang der Lieutenant völlig eisig, als er sich zu Montaya vorbeugte und sagte: »Du legst hier nicht die Regeln fest, Manty! Das tun wir – und wenn wir sagen ›Spring!‹, dann springst du, verdammt noch mal!«

»Committeewoman Ransom hat mich angewiesen, diesen Baumkater am Leben zu erhalten«, erwiderte Montaya mit noch frostigerer Stimme als der Havenit. »Ich würde Ihnen raten, sehr genau nachzufragen, ob es ihr damit ernst gewesen ist, bevor Sie mich von ihm wegzerren.«

Der SyS-Lieutenant wiegte sich auf den Fersen. Sein Gesicht wirkte plötzlich geradezu nachdenklich. Einen Augenblick zögerte er noch, dann blickte er einen anderen Wächter an.

»Rufen Sie die Bürgerin Captain via Intercom«, befahl er. »Stellen Sie klar, ob der Arzt ebenfalls kommen oder ob er bei dem Tier bleiben soll.«

»Jawohl, Bürger Lieutenant!« Der Soldat salutierte und ging in den Korridor. Er blieb mehrere Minuten lang fort, die sich zu Stunden zu dehnen schienen, dann kehrte er zurück und salutierte erneut. »Die Bürgerin Captain sagt, der Arzt soll hierbleiben, den Rest sollen wir mitnehmen«, meldete er.

»Also gut.« Der Lieutenant sah McKeon an und deutete mit dem Kopf auf die Luke. »Du hast's gehört, Manty. Beweg deinen faulen Hintern.«

Die Gefangenen blieben stehen, ohne sich zu bewegen, und blickten McKeon an. Der Lieutenant preßte die Lippen zusammen und ging einen Schritt auf den Captain zu. Als McKeon ihn verächtlich musterte, hielt er wieder inne.

»Du kannst uns nicht allzuoft mit dem Gewehrkolben treffen, bevor einer von uns dich in die Hände bekommt, Havie.« McKeons tiefe Stimme war so kalt wie seine Augen, und der Lieutenant zögerte. Dann rang er sich ein verächtliches Lachen ab.

»Da hast du vermutlich recht, Manty. Wie kommst du auf die Idee, daß wir dich nicht vorher niederschießen wie einen Hund?«

»Weil deine Eier noch kleiner sind als dein Verstand und du Order in dreifacher Ausfertigung brauchst, bevor du dich traust, aufs Klo zu gehen«, entgegnete McKeon herablassend und grinste dünn, als der Lieutenant rot anlief. Doch McKeon wußte es besser, als es auf die Spitze zu treiben, nickte den anderen zu und sagte: »Dann wollen wir mal, Gentlemen. Wir haben eine Einladung von Ms. Ransom.«

Warner Caslet wünschte, er wäre woanders. Ganz gleich, wo. Doch Bürger Lieutenant Janseci führte ihn in die Mannschaftsturnhalle der *Tepes*. Wie das Gerippe eines längst toten Dinosauriers säumte Turngerät das Basketballfeld, an dessen Rand ein Dutzend schwerbewaffnete SyS-Soldaten standen. Hinter einem Tisch, der hastig mit der Flagge der VRH bedeckt worden war, saßen Cordelia Ransom und Bürger Captain Vladovich; hinter Ransom standen ihre allgegenwärtigen Leibwächter. Zwei HD-Kamerateams hatten sich strategisch plaziert, daß keine Nuance des sich anbahnenden Dramas ihren Objektiven entgehen konnte. Die Szenerie strahlte eine makabre Unwirklichkeit aus. Caslet nahm an, daß der Raumbedarf die Verwendung der Turnhalle unumgänglich gemacht hatte – sie war einer der wenigen Räume an Bord des Sternenschiffs, der Ransoms Anforderungen genügte. Völlig unpassend erschien ihm der Hintergrund aus Bodybuildinggeräten, Gestellen voller Basket- und Volleybällen und vielen anderen friedvollen Trainings- und Übungsgeräten.

Doch was Warner Caslet dachte, interessierte niemanden. Janseci brachte ihn hinter den Tisch, und Ransom blickte einen Augenblick über die Schulter zu ihm auf. Ihre blauen Augen schimmerten kalt wie immer, doch da sie sich deutlich der wachsamen Kameras bewußt war, sagte sie kein Wort und deutete nur auf einen leeren Stuhl an der Seite, weit entfernt von ihr und Vladovich. Die wütende Aufsässigkeit, die Caslet zu seiner Auseinandersetzung mit Janseci angetrieben hatte, ertrank in den ungerührten blauen Augen, denn es bestand ein himmelweiter Unterschied zwischen einem arroganten untergebenen Offizier und der Frau, die im Komitee für Öffentliche Sicherheit den dritten, vielleicht sogar zweiten Rang einnahm.

Caslet ließ sich auf den Stuhl sinken und wartete schweigend, bis das Geräusch sich nähernder Schritte ihm verriet, daß die Gefangenen herbeigebracht wurden. Er drehte den Kopf in die Richtung, aus der die Stiefelschritte kamen, und mußte die Zähne fest aufeinanderbeißen. Zwar wurden nun die Gewehrkolben weniger oft eingesetzt, doch die abgekämpften Gefangenen zeigten im Überfluß Spuren vorheriger

Mißhandlung. Einige hatten Schwierigkeiten, gerade zu stehen oder auch nur zu gehen, und seine Kiefer verkrampften sich noch stärker, als Geraldine Metcalf ins Taumeln geriet und um ihr Gleichgewicht kämpfen mußte. Das linke Auge des Taktischen Offiziers war völlig zugeschwollen, an der Braue, die unter einem Schlag mit dem Gewehrkolben aufgeplatzt war, klebte Blutschorf, und ihr rechtes Auge zuckte. Auch der medizinische Laie erkannte sofort, daß sie Orientierungsschwierigkeiten hatte. Marcia McGinley stand neben ihr. Selber von Blutergüssen gezeichnet, stützte sie ihre Freundin.

Einige der Gefangenen kannte Caslet aus seiner Zeit als Kriegsgefangener an Bord von HMS *Wayfarer*. Schmerz durchfuhr ihn, als er sah, wie Scotty Tremaine, Andrew LaFollet und James Candless grob durch die Luke gestoßen wurden, und zu dem Schmerz gesellte sich tiefe Scham, als die drei wiederum ihn erkannten. Er zwang sich, ihnen in die Augen zu blicken, und hoffte, sie würden seine Isolation erkennen und richtig einordnen, doch ihre Mienen verrieten nicht, was in ihnen vorging. Caslet zwang sich, auch die anderen Gefangenen zu mustern. Fünfundzwanzig waren es noch: Caslet erkannte die fünf höchsten überlebenden Brückenoffiziere der *Prince Adrian*, fünf Offiziere aus Honor Harringtons Stab und ihre drei Waffenträger; drei Offiziere hatte er zuvor noch nie gesehen, ebenso wie die neun Bootsleute. Nur einen der Unteroffiziere kannte er mit Namen; es war unmöglich, Horace Harkness' Preisboxergesicht zu vergessen, wenn man es einmal gesehen hatte. Caslet wunderte sich über die Anwesenheit der Unteroffiziere. Wieso hatte man ausgerechnet sie zum Transport nach Barnett ausgesucht, während einige ihrer Vorgesetzten in das Gefangenenlager im Tarragon-System verlegt wurden? Nach ihren Gesichtsausdrücken zu schließen, stellten sie sich die gleiche Frage, doch gemeinsam mit den Offizieren standen sie reglos und harrten der Dinge, die da kommen würden – und der Antworten.

Über die Turnhalle legte sich Schweigen. Ransom lehnte sich zurück und musterte ernst die Gefangenen. Caslet bemerkte, wie eins der HD-Teams die Position änderte, um Ransom im Profil aufzunehmen – und ihren stählernen Blick besser einzufangen. Sie schien nichts davon wahrzunehmen, und die Sekunden verstrichen. Dann endlich räusperte sie sich.

»Sie …« begann Ransom mit kalter Verachtung, »können sich als verhaftet betrachten. Die Uniformen, die Sie tragen, identifizieren Sie als Feinde des Volkes, und trotzdem hätte die Volksrepublik Ihnen die Behandlung zukommen lassen, die Kriegsgefangenen zusteht, wenn Sie durch Ihr Verhalten auf Enki nicht Ihr wahres Gesicht offenbart hätten. Da Sie es als passend erachteten, unser Sicherungspersonal anzugreifen und sechs unserer Leute zu *ermorden,* haben sie sich jeden Schutz verwirkt, der Ihnen aus Ihrem Status als Kriegsgefangene erwachsen wäre. Seien Sie sich darüber im klaren.«

Sie machte eine Pause, und die nun einsetzende Stille lastete mit kaltem, unheilverkündendem Druck auf der Szene, denn ganz offensichtlich diente Ransoms einleitende Bemerkung nur einem Zweck: das Tableau vorzubereiten, und keiner der Gefangenen wußte, wofür.

»Sie befinden sich auf dem Weg nach Camp Charon auf dem Planeten Hades«, fuhr sie nach einer kleinen Ewigkeit fort und setzte ein eisiges Lächeln auf. »Gewiß haben Sie alle schon Gerüchte über Camp Charon gehört, und eines darf ich Ihnen versichern:

Was auch immer Sie gehört haben, entspricht der Wahrheit. Ich kann mir nicht vorstellen, daß irgend jemand unter Ihnen den Aufenthalt dort genießen wird – und er wird sehr, sehr lange dauern.«

Deutlich war ihrer grausamen Stimme das Vergnügen anzumerken. Jemand wie Ransom gab sich nicht damit zufrieden, wehrlose Menschen lediglich zu verspotten, und Caslet fragte sich, worauf sie wohl hinarbeitete.

»Die Volksrepublik weiß jedoch, daß einige unter Ihnen, vielleicht sogar die meisten, von Ihren korrupten, elitären Führern in die Irre geleitet worden sind. Schließlich werden die Bürger plutokratisch regierter Staaten nie zu Rate gezogen, wenn ihre Oberherren sich entscheiden, einen Krieg vom Zaun zu brechen. Als Vorkämpfer im Aufstand des Volkes gegen die Plutokratie hat das Komitee für Öffentliche Sicherheit die Pflicht, den Opfern imperialistischer Regimes brüderlich die Hand zu reichen. Als Repräsentantin dieses Komitees ist mein oberstes Anliegen daher, Ihnen Gelegenheit zu geben, sich von Ihren Führern zu distanzieren, von denen Sie belogen werden und die jeden einzelnen von Ihnen für ihre eigennützigen Ziele mißbrauchen.«

Sie hielt für einen Moment inne, und wieder hatte sich die Qualität des Schweigens geändert. Die meisten Gefangenen starrten sie mit offenem Unglauben an und konnten nicht fassen, daß diese Frau es wirklich ernst meinte. Caslet war ebenfalls erstaunt. Wie die meisten Bürger der Republik hatte auch er gesehen, wie alliierte Kriegsgefangene in den Nachrichtensendungen Kriegsverbrechen eingestanden, und niemals auch nur ein Wort davon geglaubt. Die meisten der ›geständigen‹ Kriegsverbrecher hatten ganz offensichtlich hölzern und stockend Worte wiederholt, die ihnen von jemand anderem vorgelegt worden waren. Manche hatten sich mit der Benommenheit von Menschen, die unter Drogen standen, durch ihre Bekenntnisse gekämpft, andere mit verängstigten Augen in die Kameras gestarrt und allerlei Vergehen eingestanden, von denen sie glaubten, daß ihre Wärter sie vielleicht hören wollten. Es stimmte schon, einige hatten erheblich natürlicher geklungen, doch Caslet sagte sich, daß es in jeder Gruppe von Menschen die eine oder andere Ratte gab. Wahrscheinlich brauchte man gar nicht so niederträchtig sein, um sich davon überzeugen zu lassen, daß eine Zusammenarbeit mit der Systemsicherheit den Alternativen durchaus vorzuziehen sei.

Aber das Schauspiel, das Ransom hier frei nach dem Motto: ›Freiwillige Verräter vor!‹ vor laufender Kamera bot, war doch wirklich nicht zu fassen! Was auch immer die Proles glauben mochten, Ransom mußte doch wissen, daß solche Geständnisse von den gleichen Leuten verfaßt wurden, die sie den Gefangenen abpreßten. Die Bürgerin Minister mußte noch dümmer sein als Caslet befürchtete, wenn sie ernstlich damit rechnete, daß jemand, der unter Honor Harrington diente, so leicht zusammenbrechen würde.

Er saß völlig reglos da und beobachtete die Gefangenen, die unerschütterlich Ransoms und Vladovichs Blick standhielten. Von seinem Platz aus hatte Caslet eine sehr gute Sicht auf Ransoms Gesicht und bemerkte daher, wie sie die Zähne zusammenbiß und rot anlief. Aber sie konnte doch nicht allen Ernstes erwartet haben, so leicht ans Ziel zu gelangen, oder?

»Ich will nur eines klarstellen«, hob Ransom nach einer weiteren langen Pause emotionslos an. »Die Volksrepublik ist bereit, Gnade vor Recht ergehen zu lassen. Aber nur für diejenigen, die die verbrecherischen Ziele ihrer Führer als solche erkennen und sich von den Fesseln der Plutokratie zu befreien wünschen. Vielleicht hat ein Element der Gehirnwäsche, der Sie von Ihren Oberherren unterzogen worden sind, in Ihnen das Gefühl verankert, es sei unehrenhaft, zur anderen Seite ›überzugehen‹, wie man es so schön nennt. Aber Sie wären doch gar keine Verräter! Vielmehr würden Sie sich auf Ihre eigene Seite stellen – die Seite des Volkes, das sich gegen seine Unterdrücker auflehnt! Denken Sie sorgfältig darüber nach, bevor Sie dieses Angebot ablehnen. Es wird Ihnen nie wieder gemacht werden, ganz gleich, wie sehr die Bedingungen in Camp Charon Sie auch wünschen lassen werden, es hier angenommen zu haben!«

Die Arme auf den Tisch gelegt, beugte sie sich vor und blickte mit kalten blauen Augen durchdringend von einem Gefangenen zum anderen. In dieser Haltung wirkte sie wie ein goldhaariges, zum Sprung geducktes Raubtier, und unter ihrem gierigen Starren rutschte der eine oder andere Kriegsgefangene unruhig auf der Stelle umher. Doch niemand meldete sich zu Wort, und endlich atmete Ransom vernehmlich durch und lehnte sich zurück.

»Wie Sie wollen. Sie haben sich entschieden. Ich bezweifle, daß Sie mit dieser Entscheidung glücklich werden. Bürgerin Captain de Sangro, entfernen Sie die Häftlinge.«

»Jawohl, Bürgerin Committeewoman!« Der SyS-Captain nahm zackig Haltung an und nickte den Soldaten zu. »Sie haben die Bürgerin Committeewoman gehört. Schaffen Sie diesen elitären Abschaum in die Käfige zurück.«

»Einen Augenblick!« Köpfe fuhren herum, als einer der Gefangenen doch noch das Wort ergriff. Ein breitschultriger Offizier, den Caslet nicht kannte und dessen dunkles Haar erste silbrige Strähnen aufwies, trat vor, indem er die warnenden Blicke der Wärter ignorierte, und Ransom legte den Kopf schräg.

»Und Sie sind?« fragte sie geringschätzig.

»Captain Alistair McKeon«, antwortete der unbekannte Offizier tonlos.

»Sie wünschen sich dem Volk in seinem Kampf gegen die Unterdrückung anzuschließen?« erkundigte sich Ransom ironisch, doch McKeon ging nicht auf ihre Frage ein.

»Als dienstältester anwesender Offizier der Königin«, sagte er schneidend, »lege ich offiziell Protest gegen die Mißhandlung und Beschimpfung meiner Leute ein. Ferner verlange ich Commodore Harrington zu sehen – und zwar auf der Stelle.«

»Ein ›Offizier der Königin‹ zählt hier gar nichts!« fauchte Ransom. »Und mich beeindrucken weder Ihre Proteste noch Ihre Forderungen. Sie haben hier nur genau die Rechte, die das Volk Ihnen zugesteht, und im Augenblick sehe ich keine Veranlassung, Ihnen irgend etwas einzuräumen. Was die Frau betrifft, die Sie als Commodore Harrington bezeichnen, so werden Sie sie wiedersehen, wenn wir die Dame hängen!«

»Nach den Deneber Übereinkün...« begann McKeon, und Ransom erhob sich mit einem Ruck.

»Bürgerin Captain de Sangro!« schnarrte sie, und ein Gewehrkolben traf McKeon auf den Mund. Er brach zusammen und spuckte Blut und ausgeschlagene Zähne. Zornentbrannt trat Venizelos vor, doch Lethridge und Tremaine packten ihn. Surgeon Lieutenant Walker kniete sich neben seinen Kommandanten und schaute zu dem Soldaten hoch, der den Hieb geführt hatte. Vor dem Blick des Schiffsarztes wich der Soldat unwillkürlich einen Schritt zurück. Ransom beobachtete ungerührt, wie Walker seinen Captain untersuchte und ihm schließlich aufhalf. McKeon taumelte, hielt sich an seinem Schiffsarzt fest und fuhr sich mit dem Handrücken über die zerschlagenen Lippen. Fast leidenschaftslos blickte er auf das Blut, dann sah er Cordelia Ransom in die Augen.

»Ich hoffe, Ihre Kameras haben alles im Kasten«, sagte er mühsam, aber verständlich. »Das ist gutes Material, wenn der Krieg vorüber ist und Ihnen der Prozeß gemacht wird.«

Ransom erbleichte, und einen Augenblick lang befürchtete Caslet, sie würde den Manticoraner auf der Stelle töten lassen. Dann atmete sie tief durch und bezähmte sich.

»Wenn es nach Kriegsende zu Prozessen kommt, so werde ich nicht auf der Anklagebank sitzen«, entgegnete sie eisig. »Und Sie werden keine Gelegenheit haben, die Prozesse zu verfolgen. Bürgerin Captain de Sangro!«

Mit einer ruckhaften Kopfbewegung deutete sie auf die Luke, und de Sangro bellte neue Befehle.

Die Wärter begannen, die Gefangenen zum Ausgang der Turnhalle zu treiben, und Caslet sackte angeekelt, müde und geschlagen auf seinem Stuhl zusammen. Die ›Befragung‹ war kürzer gewesen, als er befürchtet hatte, und trotz der Untat gegenüber McKeon weniger häßlich. Dennoch handelte es sich dabei um das Zerrbild aller Werte, an die zu glauben man ihn gelehrt hatte, und …

»Warten Sie mal! Warten Sie doch mal!«

Caslet drehte ruckartig den Kopf, und Ransom, die mit Vladovich gesprochen hatte, wirbelte wie von der Tarantel gestochen herum, als die polternde Stimme ertönte. Senior Chief Harkness stand noch immer trotzig an der Stelle, wo er gestanden hatte, ohne sich dem Versuch eines SyS-Soldaten, ihn fortzuschaffen, im eigentlichen Sinne des Wortes zu widersetzen; er ignorierte vielmehr dessen Bemühungen. Wie eine Eiche ragte der Senior Chief auf, doch in seinem Gesicht stand ein Ausdruck der Panik, den Caslet niemals bei ihm vermutet hätte.

»Warten Sie mal!« rief Harkness wieder. »Ich bin kein Held ... und ich hab ganz bestimmt nichts in diesem Camp Charon verloren, verdammt noch mal!«

»Senior Chief!« brüllte Venizelos. »Was zum Teufel ...«

Der Ruf des Commanders verstummte, als ihm ein Gewehrkolben in den Unterleib gerammt wurde. Harkness drehte nicht einmal den Kopf, denn sein Blick haftete mit verzweifelter Eindringlichkeit auf Ransom.

»Hören Sie, Ma'am – Ms. Committeewoman oder was Sie auch sind –, ich bin seit fast fünfzig verdammten T-Jahren in der Navy. Ich hab mich zu keinem verdammten Krieg freiwillig gemeldet, aber das war doch mein Job, verstehen Sie? Jedenfalls haben sie mir das gesagt, und 'nen anderen Job kenn' ich nicht. Aber ich bekomme durch diesen Krieg kein Extrageld aufs Konto, und ich hab keine Lust, für den Kampf von irgendeinem reichen Hundesohn im Gefängnis zu verfaulen!«

»Harkness, nein!« Scotty Tremaine starrte den Senior Chief mit einem Gesicht an, das vor Unglauben verzerrt war, und auch ihm brachte der Zuruf einen Stoß mit dem Gewehrkolben ein. Er stürzte zu Boden und würgte. Diesmal blickte Harkness hinüber.

»Tut mir leid, Sir«, sagte er rauh, »aber Sie sind ein Offizier. Und Offiziere glauben eben, sie müssen in der brennenden Kiste sitzen bleiben, wenn sie abstürzt. Ich bin nur Unteroffizier, und Sie wissen ja, wie oft man mich degradiert hat, bevor ich endlich Chief wurde.« Er schüttelte den Kopf und wandte sich wieder Ransom zu. Seine Miene zeigte eine Mischung aus Scham, Furcht und Verzweiflung. »Wenn Sie eine Versetzung anbieten, Ma'am, dann greif' ich zu!« stieß er hervor.

24

»*Was* bitte hat sie getan?«

In ungläubiger Entrüstung starrte Rob Pierre auf den Combildschirm. Der Mann, den der Bildschirm zeigte, schluckte schwer. Am Revers trug er das Emblem des Ministeriums für Öffentliche Information und ein Namensschild: L. BOARDMAN, ZWEITER STELLVERTRETENDER DIREKTOR FÜR INFORMATION. Ganz offensichtlich genoß er dieses Gespräch nicht im geringsten.

»Ich könnte Ihnen die Chips schicken, Bürger Vorsitzender.« Vor Hast überschlug sich Boardmans Stimme, denn er empfand einen überwältigenden Drang, dem mächtigsten Mann der Volksrepublik zu verdeutlichen, daß er an nichts die Schuld trug. »Ich meine, soviel weiß ich ja nun auch wieder nicht, Sir, und die Chips klären alles vielleicht viel besser, als ich es kann, deshalb ...«

»Halten Sie das Maul«, schnitt Pierre ihm kühl das Wort ab, und Boardman schloß unverzüglich den Mund. Der Vorsitzende des Komitees für Öffentliche Sicherheit betrachtete den Zweiten Stellvertretenden Direktor aufgebracht und zügelte sich – ein wenig. Das Entsetzen des Bürokraten betonte den gewaltigen Abgrund, der zwischen ihnen klaffte, und Pierre empfand deswegen ein gelindes Schuldgefühl. Aus einer Laune heraus hätte er Boardman vernichten können – wörtlich oder bildlich gesprochen, ganz wie es ihm beliebte –, und das wußten sie beide. Pierre ermahnte sich ständig, niemals zu vergessen, welches Gefahrenpotential solche Macht einschloß. Sie vermochte eine zerstörerische Wirkung zu entfalten, gegen die er sich immerfort schützen mußte, denn trotz aller Vorsicht schmeckte die Vernichtung süß. Dieses eine Mal könne er sich doch austoben, verlockte sie ihn ständig – einmal wäre doch keinmal! In einer Zeit, da die ganze Galaxis sich gegen ihn verschworen hatte, könnte ihm doch gewiß niemand verübeln, wenn er sich gelegentlich bewies, das eine oder andere Ärgernis durch ein einziges Wort zerquetschen zu können?

Robert S. Pierre atmete tief durch, räusperte sich und beugte sich zum Erfasser vor.

»Selbstverständlich werde ich mir die Chips ansehen«, erklärte er in einem Ton, der seine Meinung so deutlich machte, daß er das Wörtchen ›Idiot!‹ nicht mehr auszusprechen brauchte. »Aber vorher will ich die wichtigsten Punkte hören. Und zwar *sofort.*«

»Jawohl, Sir!« Anscheinend nahm Boardman auf dem Sessel Habachtstellung an. Seine Hände befanden sich außerhalb des Erfassungsbereichs, doch seine Schultern bebten, während er auf seinem Schreibtisch umhersuchte. Papier raschelte; er hatte die gesuchten ausgedruckten Notizen endlich gefunden.

»Nun, wollen wir einmal sehen«, murmelte er und tupfte sich beim Lesen den Schweiß von der Stirn. »Aha. Ja, Bürger Vorsitzender ...« Er hob den Kopf, schaute in den Erfasser und lächelte gezwungen. »Laut dem Bericht Bürger Mancusos, meines Assistenten, hat Bürger Konteradmiral Tourville ...« – er warf wieder einen Blick auf die Notizen – »... ja, genau.

Bürger Konteradmiral *Lester* Tourville hat mehrere manticoranische Schiffe gekapert, darunter einen Kreuzer mit Honor Harrington an Bord.«

Er hielt inne und fixierte den Ausdruck, als fürchtete er, die Notizen könnten sich im gleichen Moment verändern, in dem er die Augen davon abwendete. *Oder,* überlegte Pierre, *als könnte er selber kaum fassen, was er da sagt.* Diese Ungläubigkeit lag nahe, wenn man bedachte, daß Harrington bislang stets jeden VFH-Offizier fertiggemacht hatte, den das Unglück ereilte, ihr zu begegnen. Die Pause dehnte sich indes so lange, daß in Pierre wieder Zorn aufstieg. Der Vorsitzende des Komitees für Öffentliche Sicherheit räusperte sich lautstark; der abrupte Laut riß Boardman aus der Nachdenklichkeit, in die er versunken war.

»Äh – entschuldigen Sie bitte, Bürger Vorsitzender!« rief er. »Wie ich schon sagte, gelang es Bürger Konteradmiral Tourville, Honor Harrington gefangenzunehmen. Davon unterrichtete er die DuQuesne-Basis. Dort erfuhr Bürgerin Minister Ransom von dieser Großtat. Die propagandistischen Aspekte des Vorgangs waren ihr klar, keine Frage, und deshalb hat sie Tourville an-gewiesen, Harrington nach Barnett zu schaffen.«

»Das habe ich schon verstanden!« fuhr Pierre ihn an. »Was sie danach getan hat, das interessiert mich! Was zum Teufel hat sie sich dabei gedacht?«

Boardman krümmte sich zusammen, und seine Augen huschten panikerfüllt hin und her. Interne Streitigkeiten zwischen den Angehörigen des Komitees für Öffentliche Sicherheit waren sehr selten – zumindest drangen sie nur sehr selten an die Öffentlichkeit –, doch wenn es soweit kam, endete der Streit in der Regel mit dem Verschwinden eines der Disputanten. Rob Pierre hielt sich normalerweise sehr zurück, wenn es darum ging, die Handlungen eines anderen Komiteemitglieds zu verurteilen; nicht etwa, weil er niemals zornig wurde, sondern weil es sich jemand in seiner Stellung nicht erlauben konnte, seinen Ärger offen zu zeigen. Wenn er eine Auseinandersetzung publik machte, blieb ihm in seiner Eigenschaft als Kopf des Komitees keine andere Wahl, als die Person zu eliminieren, die ihn verärgert hatte, denn jede gemäßigtere Reaktion hätte nur seine Autorität und seine Position untergraben.

Boardman war sich dessen genau bewußt – und es lag nahe, daß er als einer von Cordelia Ransoms ranghöchsten Assistenten Pierres Zorn wohl kaum ungeschoren entkommen könnte. Wenn er andererseits seiner Dienstherrin nicht den Rücken stärkte und sie die Auseinandersetzung überlebte, würde sie von seiner mangelnden Unterstützung erfahren – und das zöge ähnlich unerfreuliche Konsequenzen nach sich. Doch im Augenblick befand sich Ransom Lichtjahre entfernt, während Rob Pierre nur knapp sechzig Stockwerke über ihm im gleichen Gebäude saß. Der Bürokrat blickte Pierre widerstrebend in die Augen.

»Ich bin mir nicht ganz sicher, was die Bürgerin Minister sich dabei gedacht hat, Sir«, gab er mit überraschender Festigkeit zu. »Ich bin nicht dort gewesen und hatte noch keine Zeit, die Chips eingehend durchzusehen. Aus der Zusammenfassung, die ich erhielt, ging jedoch folgendes hervor: Die Bürgerin Minister hat sich daran erinnert, daß das alte Regime schon vor Ausbruch des Krieges Harrington zum Tode verurteilt hat, und ... nun ja ...« Er zögerte, atmete tief durch und gab sich einen Ruck. »Deshalb hat sie entschieden, Harrington persönlich nach Camp Charon zu bringen, damit das Urteil dort vollstreckt wird, Sir.«

»Können wir das noch stoppen?« verlangte Esther McQueen schroff zu erfahren. Sie saß neben Oscar Saint-Just vor Rob Pierres gewaltigem Schreibtisch, und ihre grünen Augen blitzten. Sie hatte sich in ihre neuen Aufgaben verbissen und dabei festgestellt, daß sich das Kriegsministerium in einem weitaus schlechteren Zustand befand, als sie während ihrer Zeit als Frontoffizier vermutet hätte. Bei den Verhältnissen, die sie bislang aufgedeckt hatte, drängte sich ihr unwillkürlich immer wieder der abgenutzte Vergleich mit dem Augiasstall auf. Keinesfalls konnte sie nun eine unmotivierte Wahnsinnstat wie diese gebrauchen, die alles noch mehr erschwerte.

»Ich sehe keine Möglichkeit«, antwortete Saint-Just tonlos. »Theismans Kurierboot ist erst drei Tage nach Cordelias Aufbruch Richtung Cerberus gestartet. Im Augenblick ist sie keine sechs Tage mehr von Hades entfernt, und von hier aus braucht selbst ein Kurierboot sieben Tage bis dahin.«

»Wir könnten es wenigstens versuchen!« rief McQueen. »Selbst Ransom wird Harrington nicht gleich am Tag der Ankunft hängen lassen!«

»Ich fürchte, Sie haben nicht ganz begriffen, worauf ich hinauswollte, Bürgerin Admiral«, entgegnete Pierre zögernd. »Selbst wenn wir sie rechtzeitig erreichen würden, können wir es uns nicht leisten, ihre Anordnung zu widerrufen.«

»Wieso nicht?« In letzter Sekunde gelang es McQueen, ihre Stimme zu senken, doch trotz ihrer beachtlichen Selbstbeherrschung war ihr die Frustration anzumerken, und Pierre seufzte. Nur zu gern hätte er ihr Verhalten als Überreaktion abtun können.

»Weil sie ihre ›Befragung‹ Harringtons schon allenthalben in die Sendekanäle eingespeist hat«, antwortete Saint-Just an seiner Stelle. »Unsere Bevölkerung weiß bereits davon. Mittlerweile haben die Reporter aus der Liga ihre Berichte an ihre Büros im Allianzgebiet geschickt, und gewiß können Sie sich vorstellen, wie sehr die dortigen Nachrichtenagenturen diese Neuigkeit aufbauschen werden. Selbst wenn die Solarier aus irgendeinem Grunde die Finger davon lassen, besitzen die Spione der Allianz die Information bereits, denn schließlich überwachen sie unsere Nachrichtensendungen. Wenn Manticore von der geplanten Exekution noch nicht weiß, kann es jedenfalls nicht mehr lange dauern, bis man es erfährt ... und wir können nicht plötzlich einen anderen Kurs einschlagen, ohne wie komplette Idioten dazustehen.«

McQueen starrte ihn einige Sekunden lang aufgebracht an und sah zu Pierre hinüber, der gewichtig nickte. Die neue Kriegsministerin saß eine Weile völlig regungslos auf ihrem Stuhl und zwang sich zur äußersten Ruhe, bevor sie wieder das Wort ergriff.

»Bürger Vorsitzender, wir müssen das sehr sorgfältig abwägen. Allein als Raumoffizier ist Harrington nicht sonderlich bedeutend. Ich will damit weder ihre Fähigkeiten kleinreden noch den Schaden, den sie uns zugefügt hat. Im Gegenteil, ich gebe zu, daß sie zu den Besten gehört, ob sie nun auf der Seite des Feindes steht oder nicht. Taktiker wie sie gibt's in jeder Generation nur ein halbes Dutzend – wenn man Glück hat. Trotzdem ist sie militärisch ein Admiral unter vielen gewesen – oder sogar nur Commodore, je nachdem, in wessen Streitkräften sie gerade diente.

Doch Bürgerin Committeewoman Ransom begeht einen überaus gravierenden Fehler, wenn sie Harrington lediglich als Raumoffizier sieht. Das Sternenkönigreich von Manticore zählt diese Frau zu seinen größten Kriegshelden aller Zeiten. Das Protectorat von Grayson betrachtet sie nicht nur als Heldin, sondern zudem als eine seiner bedeutendsten Adligen. Unsere eigene Flotte sieht sie als herausragendsten jüngeren Flaggoffizier der Gegenseite. Sowohl unsere Streitkräfte als auch einige Teile der zivilen Öffentlichkeit werden mit Erleichterung und Triumph zur Kenntnis nehmen, daß Harrington nicht mehr im Spiel ist. Aber dazu genügt, sie in ein Gefangenenlager zu stecken. Umbringen müssen wir sie dazu nicht ... Und eine Exekution aufgrund von falschen Beschuldigungen ... – ich hoffe, Sie vergeben mir, wenn ich das ganz offen so nenne –, muß Folgen haben, die weit über den Verlust ihrer militärischen Fähigkeiten für die Gegenseite hinausgehen. Auch wenn wir einen kurzfristigen Propagandavorteil aus der Sache zögen, hätten wir langfristig nur Nachteile. Wir würden eine Märtyrerin aus ihr machen, Sir, und als Märtyrerin ist sie zehnmal – hundertmal gefährlicher als lebend! Selbst wenn wir völlig außer acht lassen, was Harringtons Hinrichtung auf der Gegenseite auslösen würde, müssen wir an unsere eigenen Leute denken und an das, was es für sie hieße. Die Manties würden uns das niemals – und ich meine *niemals* – vergeben. Mit allem schuldigen Respekt vor Bürger Saint-Just, aber es sind keine SyS-Leute, die ihnen in die Hände fallen, sondern Angehörige der Volksflotte und der Marines. Unsere kämpfenden Einheiten werden sich bewußt sein, daß sie den Preis für diesen Propagandastreich aus eigener Tasche bezahlen müssen! Unsere Leute werden sich große Sorgen darüber machen, was ihnen zustößt, wenn sie ihrerseits in Gefangenschaft geraten sollten. Harringtons Hinrichtung wird einen Keil zwischen die regulären Einheiten und die Systemsicherheit treiben, denn ob es stimmt oder nicht, man wird der SyS die Schuld an der Hinrichtung geben.«

Während sie sprachen, hatte sie die Mienen beider Männer beobachtet, doch der Zorn, mit dem sie gerechnet hatte, blieb aus. Tatsächlich konnte McQueen sich nicht erinnern, auf Saint-Justs Gesicht je irgendeine Gefühlsregung bemerkt zu haben. Pierre zeigte eher erschöpfte Zustimmung als Verärgerung. Trotzdem schüttelte der Vorsitzende den Kopf, nachdem McQueen gesprochen hatte. Er ließ sich zurücksinken und legte eine Hand auf die Schreibunterlage, während er sich mit der anderen die Augen massierte. Er klang beladen.

»Ich kann Ihrer Analyse nicht widersprechen«, sagte er. »Und doch, selbst wenn Harrington für uns als Märtyrerin gefährlicher ist als lebend, dürfen wir Cordelias Entscheidung nicht widerrufen. Jedenfalls nicht öffentlich.« Er ließ die erhobene Hand sinken, und sein finsterer Blick fesselte McQueen an ihren Stuhl. »Sie ist im Unrecht. Ich bin mir durchaus bewußt, wie dumm ihre Entscheidung ist, und Oscar sieht es genauso, aber sie hat sie bereits publik gemacht. Wenn ich ihre Entscheidung widerrufe, muß ich damit ebenfalls an die Öffentlichkeit gehen, und das kann ich nicht. Dazu liegt die Levellers-Affäre noch nicht lange genug zurück. Außerdem ist Cordelia ein Gründungsmitglied des Komitees und das Oberhaupt der Öffentlichen Information. Eine öffentliche Auseinandersetzung können wir uns zum augenblicklichen Zeitpunkt einfach nicht leisten – denn Gott allein weiß, wer alles nur darauf wartet, einen Riß auf Führungsebene gegen uns zu nutzen. Nein, Bürgerin Admiral«, und er schüttelte traurig den Kopf, »soviel uns Harringtons Hinrichtung auch kosten mag, der Preis, den es hätte, Cordelia aufzuhalten, ist höher.«

McQueen hob den Kopf und schloß trotz der Proteste, die ihr auf der Zunge brannten, den Mund. Wut und Abscheu nährten ihre Entrüstung ebenso wie die Logik in Pierres Worten, aber sie benötigte nicht die Auffassungsgabe eines Hyperphysikers, um zu begreifen, daß die Entscheidung schon gefallen war, bevor man sie überhaupt vom Geschehenen informiert hatte. Zumindest auf lange Sicht verhielten sich Pierre und Saint-Just ebenso dumm wie Ransom, doch mit dem Versuch, den beiden diese bittere Erkenntnis nahezubringen, gefährdete McQueen die eigene, ohnehin wacklige Position noch mehr. Wenigstens war ihr Protest auf Zustimmung gestoßen. Die beiden stritten nicht etwa die Stichhaltigkeit ihrer Argumente ab, sie waren nur der Ansicht, das Risiko eines Bruchs mit Ransom wiege schwerer als die Gefahren, die McQueen angeführt hatte. Auch da täuschten sich Pierre und Saint-Just. Doch wenn McQueen sich den Respekt erhalten wollte, den sie durch ihre Darlegung errungen hatte, dann mußte sie die Erörterung einstellen. Ansonsten könnte es nur allzu rasch geschehen, daß sich das Bedauern der beiden, ihr widersprechen zu müssen, in etwas Unangenehmeres verwandelte.

»Also gut, Bürger Vorsitzender«, seufzte sie schließlich. »Ich halte es nach wie vor für einen gravierenden Fehler, aber letztendlich handelt es sich um eine politische Entscheidung. Wenn Sie und Bürger Committeeman Saint-Just beide der Meinung sind, es sei ... nicht ratsam, Bürgerin Committeewoman Ransom zu überstimmen ... Sie müssen die Lage beurteilen.«

»Danke, Bürgerin Admiral.« Pierre klang ehrlich dankbar, und McQueen fragte sich, wofür eigentlich. Er war der Vorsitzende des Komitees, und Saint-Just und er konnten alles tun, was immer ihnen einfiel, ob sie damit nun einverstanden war oder nicht, spielte keine Rolle – jedenfalls noch nicht. »Ich fürchte, Ihre Analyse der Reaktionen, die Harringtons Hinrichtung bei unseren Streitkräften auslösen wird, ist zutreffend«, fuhr er fort, »und wir werden jegliche Unterstützung brauchen, um dem Problem die Spitze abzubrechen. Aus diesem Grunde würde ich jeden Hinweis, den Sie Bürger Boardman geben können, sehr begrüßen.« McQueen blickte ihn fragend an, und Pierre lächelte verschmitzt. »Bürger Boardman verfaßt die offizielle Verlautbarung durch das Komitee und entwirft ein Kommuniqué an die Streitkräfte, aber ich bringe seinen Fähigkeiten ... sagen wir, keinen lebhaften Respekt entgegen. Besonders hinsichtlich des Militärs wird er alle Hilfe brauchen, die er bekommen kann, damit es sich wenigstens gut *anhört.*«

»Bürger Vorsitzender«, gestand McQueen offen, »meiner Meinung nach ist es nicht zu bewerkstelligen, daß sich Harringtons Hinrichtung für das Militär *gut* anhört. Wir können allenfalls hoffen, daß es sich nicht ganz so schlecht anhört, aber selbstverständlich werde ich Bürger Boardman jede Hilfe zukommen lassen, die ich geben kann.«

»Danke«, sagte Pierre noch einmal, und McQueen entnahm seinem Ton, daß sie entlassen sei. Sie erhob sich und nickte den anderen mit genau der richtigen Mischung aus Ehrerbietung und Selbstwertgefühl zu, dann verließ sie das Büro und ging zu den Aufzügen. Sie mußte alle Willenskraft aufwenden, damit ihren Bewegungen nicht die Wut anzumerken war, die noch immer in ihr kochte.

Wenigstens habe ich die Entscheidung nicht getroffen. Ich habe sogar Einwände dagegen erhoben – und das nicht nur aus Zweckmäßigkeit. Schon komisch. Zum erstenmal seit Jahren kann ich sagen, daß ich meine Hände in Unschuld wasche ... und ich habe damit nicht das gering-

ste bißchen bewirkt. Per Knopfdruck rief sie eine Liftkabine und verschränkte die Arme, um zu warten.

Andererseits zeigt sich trotz allem vielleicht doch noch ein Silberstreif am Horizont, überlegte sie. *Nicht kurzfristig, aber die verdammte Hinrichtung war Ransoms Idee, und Pierre und Saint-Just haben sich geweigert, die Entscheidung zu widerrufen, stimmt's? Das Offizierskorps wird das so gut wissen wie ich. Was das angeht, die Manties auch. Wenn der richtige Zeitpunkt gekommen ist, muß ich diesen Trumpf ausspielen. Schließlich kann ich dann in Anspruch nehmen, aus moralischer Entrüstung über die Exzesse des Komitees und der Systemsicherheit zu handeln, nicht wahr? Ja, das kann ich.*

Die Aufzugtüren öffneten sich, und Esther McQueen verzog den Mund zu einem bitteren, zynischen Lächeln. Dann trat sie in die Liftkabine.

Miranda LaFollet saß im Schatten auf der Bank und beobachtete die Kinder beim Spielen. Neben ihr lag Farragut ausgestreckt auf dem Bauch. Sein Kinn ruhte bequem auf ihrem Oberschenkel. Sie lächelte ihn an, streckte die Hand aus und fuhr sein zauberhaft weiches Rückgrat entlang. Er schnurrte sanft und wölbte ganz leicht den Rücken, aber selbst diese fast unmerkliche Reaktion ließ Miranda das Wunder einmal mehr als etwas völlig Neues erleben. Sie hätte nicht sagen können, was sie geleistet hatte, um Farraguts Liebe oder den Zauber ihrer Bindung zu verdienen. Er war ihr Gefährte, ihr Ritter und engster Freund in einem, und selbst nach solch kurzer Zeit erschien ihr ein Leben ohne ihn völlig unvorstellbar. So etwas konnte einfach nicht geschehen, und sie war dafür so unglaublich dankbar, daß ...

Der Gedanke brach ab, und ihre grauen Augen verfinsterten sich. So kam es immer. Für eine Weile gelang es ihr, den Gedanken, den sie nicht denken wollte, beiseite zu drängen, indem sie sich auf ihre Aufgaben konzentrierte – die einfachen täglichen Pflichten, die soviel Zeit in Anspruch nehmen konnten. Doch immer wieder ereilte sie die Erinnerung, und abrupt kehrte mit brutaler Macht die Finsternis zurück.

Sie blickte auf die anderen 'Katzen, und vertraute Sorge wand sich in ihrem Innersten. Auf zwei Ästen der Alterdeneiche lagen Samantha und Hera ausgestreckt; nur ihre Schweifspitzen zuckten: Sie bewachten die 'Kätzchen. Cassandra und Andromeda beschlichen unter Artemis' Anleitung ihre Brüder im Unterholz. Alles erweckte den Anschein von Normalität. Miranda hatte indes James MacGuiness' Rückkehr nach Grayson miterlebt und zugesehen, wie er vor Samantha trat. Sie hatte Farragut in den Armen gehalten und seine Anspannung gespürt, während der Steward Samantha vom Schicksal ihres Partners berichtete.

Kein Beobachter dieser Szene, der schon einmal in Frage gestellt hatte, ob Baumkatzen die menschliche Sprache verstanden, hätte daraufhin noch irgendwelche Zweifel gehegt. Als MacGuiness hereinkam, überfielen Samantha, die eindeutig den Gefühlsaufruhr des Stewards spürte, Unruhe und Anspannung – nicht etwa, daß man eine empathische Begabung benötigt hätte, um zu spüren, was in MacGuiness vorging. Allen Zuschauern verkündete sein abgehärmtes, graues Gesicht, was er empfand, und er ließ sich vor Samantha auf die Knie sinken. Die 'Katz richtete sich kerzengerade auf, und MacGuiness berichtete.

Bis an ihr Lebensende würde Miranda diese Szene nicht vergessen. Sie hatte die schlechte Nachricht schon vorher erhalten und wußte, daß ihr Bruder und ihre Gutsherrin vermißt wurden. Trotzdem war ihr eine große, liebevolle Familie geblieben – und Farragut. So schrecklich die Nachricht war, Miranda hatte Menschen, die Anteil nahmen, und Arbeit, mit der sie sich ablenken konnte. Samantha hingegen hatte ihren adoptierten Menschen kaum zwanzig T-Monate zuvor verloren. Nun waren ihr Partner und dessen Person verschollen, und das Gefühl der Einsamkeit in den Augen der Baumkatze wollte Miranda schier das Herz zerreißen. Die anderen 'Katzen einschließlich Farragut scharten sich um Samantha, umgaben sie mit der körperlich spürbaren Wärme ihrer Leiber und schenkten ihr zugleich die tiefere, innere Wärme ihrer Gegenwart. Doch Empathin hin, Telepathin her, in diesem Moment war Samantha allein.

In gewisser Hinsicht bedeuteten die endlosen Tage, die seither verstrichen waren, einen Segen, denn sie hatten das Unmittelbare abgestumpft. Die Zeit heilt zwar längst nicht alle Wunden, doch niemand – weder Mensch noch Baumkatze – kann trotz allen Schmerzes den Augenblick des schrecklichen Verlustes unbegrenzt ausdehnen. Wie Miranda hatte auch Samantha eine Familie: den Rest des kleinen graysonitischen Clans und ihre Kinder. Bei ihnen suchte sie so verzweifelt Zuflucht wie Miranda bei ihrer eigenen Familie. Die 'Katzen vergaßen auch MacGuiness nicht. Eindeutig erkannten sie sein Bedürfnis, sich an eine ›Familie‹ zu wenden, und so wurde ihm von den Erwachsenen immer ein Kätzchen gebracht, das in den Schlaf gewiegt werden wollte, oder ein anderes Problem tat sich auf, das nur von ihm gelöst werden konnte. Die Baumkatzen wachten so aufmerksam über MacGuiness wie über Samanthas Nachwuchs, und Miranda sorgte dafür, daß das Personal von Harrington House sich ähnlich verhielt. Keiner von Lady Harringtons Leuten hätte je zugegeben, daß sie MacGuiness absichtlich beschäftigt hielten, doch in Wirklichkeit hingen sie an ihm fast ebensosehr wie an der Gutsherrin, und auf ihn acht zu geben bedeutete quasi das Versprechen an Lady Harrington, daß ihr Haus und ihr Gut allzeit auf ihre Rückkehr vorbereitet wäre.

Farragut hob den Kopf von ihrem Schoß. Miranda schaute sich um, um zu sehen, was seine Aufmerksamkeit erregt hatte. Als sie die neuste Angehörige des Guts von Harrington den Weg entlang auf sich zugehen sah, spielte ihr ein schelmisches Lächeln um die Mundwinkel. In mancherlei Hinsicht hätte Dr. Harrington zu keinem ungünstigeren Zeitpunkt auf Grayson ankommen können, und doch war Miranda für ihre Anwesenheit zutiefst dankbar.

Die Mutter der Gutsherrin hatte sich mit einer Energie in den Aufbau der Klinik gestürzt, die nicht weniger beeindruckend war als die ihrer Tochter. Die Ergebnisse konnten sich sehen lassen. In den vergangenen Jahren waren zahlreiche manticoranische Ärzte auf den Planeten Grayson gekommen, darunter fast ein Drittel Frauen. Der gewaltige Unterschied zwischen der modernen Medizin und dem Stand, auf dem sich Grayson vor dem Beitritt zur Allianz befunden hatte, trug sehr dazu bei, eventuelle Vorurteile gegen Ärztinnen zu zerschlagen. Schließlich klang es nicht besonders folgerichtig, wenn ein Arzt anführte, Frauen seien weniger fähig als Männer, wenn die medizinischen Kenntnisse der fraglichen Frauen denen der Männer um wenigstens ein Jahrhundert voraus waren. Bei hinreichender Verbohrtheit gab es natürlich nichts, was unmöglich gewesen wäre. Ein gewisser Prozentsatz der konservativsten graysonitischen Ärzte hatte sich seine Vorurteile bewahrt, doch handelte es sich um eine verschwindend kleine Minderheit. Ungeachtet dessen hatten einige Angehörige der graysonitischen Ärzteschaft angenommen, daß Dr. Harrington den Posten als Leiterin der Klinik nicht wegen ihrer Fähigkeiten bekommen hatte, sondern wegen ihres Verwandtschaftsverhältnisses zur Gutsherrin; längst nicht alle dieser Ärzte dachten so aus Bigotterie.

Doch bisher hatte niemand diese Vermutung länger als zwanzig Minuten aufrechterhalten, nachdem er Dr. Harringtons Bekanntschaft machte, ob man sie nun in einer medizinischen oder einer administrativen Frage konsultierte. Sie war an der besten medizinischen Fakultät und den besten Lehrkrankenhäusern der erforschten Galaxis ausgebildet worden; sie konnte auf fünfundsechzig Jahre Erfahrung zurückgreifen, dazu auf eine Energie und einen Enthusiasmus, um die manch einer sie beneidet hätte, der nur ein Viertel so alt war; und wie ihre Tochter konnte sie schlichtweg nicht weniger leisten als ihr Bestes. Dr. Allison Chou Harrington mußte sich keine Mühe geben, um ihre Kritiker zu beeindrucken; dazu brauchte sie einfach nur sie selbst zu sein.

Miranda schwankte noch, ob sie es für gut oder schlecht befinden sollte, daß die Unterschiede zwischen Harrington und der Gutsherrin sehr rasch zutage getreten waren. Einem distanzierten Beobachter hätte man vielleicht sogar die Frage verziehen, ob die graysonitische Gesellschaft den Zusammenstoß mit Dr. Harrington überleben würde oder nicht.

Nach Mirandas Überzeugung besaß Allison Harrington zwar nicht die leiseste Neigung zur Boshaftigkeit, leider aber zur Schadenfreude. Was die konservativen Elemente Graysons über ihre Heimatwelt Beowulf dachten, mußte ihr nur allzu deutlich bewußt sein: Schon nach dem allerersten Diner bei den Clinkscales hatte dies unmißverständlich festgestanden, denn sie war in einem rauchgrauen, rückenfreien, sehr tief ausgeschnittenen Kleid aus dünner – sehr dünner – Neoseide erschienen. Der einfache Stil wirkte auf jeden Grayson geradezu brutal, und der blickdichte Stoff schmiegte sich an sie und betonte die Umrisse ihres Körpers so deutlich, daß Miranda sich in den ersten Sekunden ernsthafte Sorgen um die Gesundheit des Regenten gemacht hatte. Schließlich war Clinkscales schon lange kein junger Mann mehr, und man mußte an die mögliche Wirkung des Kleides auf seinen Blutdruck denken. Doch Clinkscales hatte Dr. Harringtons Lebenseinstellung bei ihrer Begegnung offenbar viel genauer registriert, als Miranda vermutet hätte, und daher keinerlei Verwirrung, Bestürzung oder Zorn gezeigt. Als er sich über ihre Hand beugte, um sie mit auserlesener Förmlichkeit zu begrüßen, grinste er sogar versteckt, dann führte er sie zum Eßtisch und stellte sie seinen Ehefrauen vor.

Miranda wußte nicht, ob Clinkscales seine Frauen vorgewarnt hatte. Allerdings zweifelte sie daran, denn in den letzten Jahren hatten alle drei eine Flexibilität gezeigt, die ihren Gemahl früher gewiß erstaunt hätte. Ihre Reaktion auf Allisons Gewand beschränkte sich darauf, den schönen Stoff und die Einfachheit des Schnitts zu loben. Daraus entspann sich ein ausführlicher Vergleich der graysonitischen und manticoranischen Stile. Zu Mirandas Überraschung ließ sich Allison sofort und mit funkelnden Augen auf das Thema ein; in diesem Moment erkannte Miranda etwas, womit sie im entferntesten nicht gerechnet hätte:

Allison Harrington war eitel. Nicht im negativen Sinne, sondern vielmehr in der Hinsicht, daß sie sich ihrer Attraktivität bewußt war. Ihre Vorliebe für das Sich-Herausputzen, das ›Auftakeln‹, war wenigstens ebensogroß wie die der Frauen Graysons. Miranda war ganz automatisch davon ausgegangen, daß Lady Harrington für alle Manticoranerinnen typisch sein müßte. Auch die Gutsherrin legte Wert auf ihr Äußeres und liebte es, einen makellosen, bezaubernden Anblick zu bieten, aber es war immer zweitrangig für sie gewesen. In gewisser Weise war es auch für ihre Mutter zweitrangig. Wenn sie arbeitete, um den Klinikbetrieb zu organisieren und das gewaltige Projekt in die Wege zu leiten, die Genomen jedes einzelnen Bürgers auf dem Gut von Harrington zu erfassen, war sie ebenso in ihre Aufgabe versunken und disziplinierte sich ohne Rücksicht; und dann interessierte sie sich überhaupt nicht für ihr Äußeres. Doch kaum ließ sie die Klinik hinter sich, erfreute sie sich geradezu wie ein Kind an schönen Kleidern, Schmuck und Kosmetik – Dingen, denen ihre Tochter anscheinend völlig gleichgültig gegenüberstand.

Allisons Freude an Äußerlichkeiten ging einher mit einem gnadenlosen Vergnügen, jedem Wichtigtuer und Heuchler Nadelstiche zu versetzen. Allison Harrington vereinigte in sich Schönheit, den Status als beste Genetikerin auf Mirandas Welt, Sinn für Humor und beowulfianische Herkunft. Zusammengenommen machte sie dies auf Grayson zu einer tödlichen Waffe. Traditionalisten, die sich bereits über ›diese Fremdweltlerin‹ aufgeregt hatten, bildeten für die Mutter dieser Fremdweltlerin unbewegte Ziele. Dr. Harrington war selbstsicher und kühn; im Gegensatz zu ihrer Tochter liebte sie Partys, Bälle und Diners. Mit ungekünsteltem, geradezu überschwenglichem Entzücken vergnügte sie sich dort. Während sich die Gutsherrin in ›richtiger‹ Frauenkleidung zunächst fehl am Platze und lächerlich gefühlt hatte, ersann Allison mit Hilfe der Regentengattinnen und Katherine Mayhew unter Beachtung traditioneller Stilmerkmale die ausgefallensten Kreationen, die man auf Grayson je gesehen hatte. Nur wenige Frauen des Planeten hätten solche Kleidung je getragen, doch Allison Harrington schuf sich ihr eigenes Gesetz. Ihre mandeläugige Schönheit und ihr entwaffnender und zugleich überwältigender Charme gestatteten ihr alles Denkbare.

Den Angehörigen der alten Garde mußte es sehr verführerisch erscheinen, Lady Harringtons Mutter kurzerhand als frivole dumme Gans abzutun, die einer leichtlebigen, lasterhaften Gesellschaft entstammte. Wer sich allerdings durch ihr jugendliches Aussehen dazu verleiten ließ, sie zu unterschätzen, beging einen fatalen und nicht wiedergutzumachenden Fehler. Ganz offensichtlich vermißte Allison Harrington ihren geliebten Ehemann sehr, doch andererseits erfreute sie sich seit etwas mehr als siebzig T-Jahren an ihrer Gabe, die männliche Hälfte der Spezies Mensch zu reizen und zu fesseln. Bislang, das mußte Miranda zugeben, hatte sie alles vermieden, was ihre Tochter auch nur im geringsten in Verlegenheit gebracht hätte; Miranda wurde jedoch den Verdacht nicht los, daß Allison sich nur deswegen Schranken auferlegte, weil sie Lady Harrington jede Peinlichkeit ersparen *wollte.* Auf keinen Fall verzichtete sie jedenfalls darauf, die gesellschaftlichen Geier in falsche Positionen zu locken, damit sie ihnen die Beine unter dem Leib wegtreten konnte. Miranda hatte Allison Harrington nur auf einer einzigen Party beobachten müssen, um zu erfahren, wie ihre Tochter zu ihren einzigartigen taktischen Instinkten gekommen war.

Allison war nicht genügend Freizeit beschieden,

um die graysonitische Gesellschaft flächendeckend mit Skandalen zu überziehen. Mit niederschmetternder Gewalt brach die Nachricht vom Verschwinden der Gutsherrin herein, und alle Feste wurden abgesagt. Eine Wolke legte sich über das Gut von Harrington; am schwärzesten war sie über Harrington House und den Menschen, die die Gutsherrin am besten kannten. Lord Clinkscales schickte augenblicklich die *Tankersley* nach Manticore, um Lady Harringtons Vater nach Grayson zu holen. Protector Benjamin und seine Familie boten sich an, Allison während der Wartezeit auf ihren Mann Trost zu spenden. Doch kam es anders als erwartet, denn nun zeigte sich, daß im Herzen Dr. Harringtons, hinter den Scherzen, Modephantasien und Posen, eine gewaltige Gemütsruhe und eine bodenlose Stärke schlummerten. Nach der Vermißtmeldung hatte sie den Quell innerer Kraft angezapft und schaffte es auf irgendeine Weise, auch Lady Harringtons Gefolgschaft mit dieser inneren Stärke zu unterstützen. MacGuiness, Miranda und Howard Clinkscales, die von der Gutsherrin scherzhaft als ihr innerer Kreis bezeichnet wurden, bedurften solcher Gemütsruhe besonders, und Allison teilte sie bereitwillig mit ihnen. Kaum zwei Monate befand sie sich nun auf Grayson, und doch konnte – und wollte – sich Miranda kaum noch das Harrington House ohne sie vorstellen.

Nun blickte sie der näher kommenden Allison entgegen, und ihr selbstironisches Lächeln vertiefte sich. Als menschliche ›Großmutter‹ von Samanthas Kindern hielt sich Dr. Harrington über das Treiben der Kleinen auf dem laufenden, ja, an allen Baumkatzen, die es nach Grayson verschlagen hatte, nahm sie lebhaft Anteil. Miranda fragte sich manchmal, ob sie in diesem Punkt wohl eine Gemeinsamkeit mit ihrer

Tochter zeigte, doch wo immer der Grund zu suchen war, Dr. Harrington empfand aufrichtiges, tiefes Interesse an den 'Katzen. Miranda legte größten Wert darauf, ihr alles Wissenswerte oder Amüsante – letzteres war im Moment besonders wichtig – weiterzugeben, und freute sich schon darauf, ihr von dem ausgeklügelten Streich zu erzählen, den Farragut und Hood dem Chefgärtner am Morgen gespielt hatten.

Plötzlich verschwand Mirandas Lächeln – etwas stimmte nicht. Sie benötigte etliche endlose Sekunden, um sich klar zu machen, was ihr so seltsam vorkam. Als sie es erkannte, traf es sie mit Gewalt, und von Entsetzen erfüllt sprang sie von der Bank auf. Noch nie hatte sie Allison so gehen sehen. Schwung und Energie, ja die Lebensfreude, ein integraler Bestandteil ihrer Persönlichkeit, waren verschwunden; sie bewegte sich schwerfällig und mechanisch, als arbeiteten ihre Beine nur deshalb, weil sie keine andere Wahl hatten, oder als wäre es ihrer Besitzerin gleich, wohin sie ging; als würde sie blind und ziellos weitergehen, bis sie schließlich an ein Hindernis kam, das sie stoppte.

Miranda blickte Farragut an. Die Augen des 'Katers ruhten auf Allison. Er hatte die Ohren flach an den Kopf gelegt, und ein gespenstisch tiefes, leises Fauchen regte sich in seiner Kehle. Er spürte den Blick seiner Person und sah kurz hoch: Seine grünen Augen hatten sich verdüstert. Sofort richtete er, ohne einmal zu blinzeln, seine volle Aufmerksamkeit wieder auf Allison. Verunsichert blickte Miranda um sich. Was ging hier vor? Als wie durch Magie eine der erwachsenen Baumkatzen nach der anderen erschien, bis sie alle versammelt waren, verkrampfte sich Mirandas Magen vor Anspannung. Die 'Katzen schoben sich aus dem Gebüsch hervor, hoppelten über die Äste herbei und sprinteten Wege entlang. Jede von ihnen – jede einzelne – hielt die Augen mit der gleichen drängenden Intensität wie Farragut auf die Mutter der Gutsherrin gerichtet.

Langsam und kraftlos schritt Allison näher. Miranda hob die Hand und kämpfte das Gefühl formlosen Entsetzens nieder. Beiläufig fragte sie sich, inwiefern ihre heftige Reaktion auf die Bewegungen Allisons zurückzuführen sei und wieweit es sich – wenn überhaupt – um eine Resonanz dessen handelte, was die Baumkatzen empfanden. Welche Rückkopplung hatte ein Mensch von *neun* erwachsenen, sehr besorgten Baumkatzen zu erwarten? Miranda schob den Gedanken beiseite und legte Allison die Hand auf die Schulter.

»Mylady?« Miranda vernahm die Furcht in ihrer eigenen Stimme, obwohl sie nicht hätte sagen können, was die Quelle dafür war. Bei der Berührung blieb Allison stehen, und einen Augenblick lang glaubte Miranda, ihre Stimme sei ungehört geblieben – oder daß Dr. Harrington so tief in ihrem Schmerz versunken war, daß sie niemandem Beachtung schenken konnte. Dann blickte Allison auf. Als Miranda die völlige Trostlosigkeit in den mandelförmigen Augen sah, schnürte ihr die Furcht die Kehle zu.

»Was ist denn geschehen, Mylady?« fragte sie; sie klang harsch und drängend. Allison hob eine Hand und berührte Mirandas Finger auf ihrer Schulter.

»Miranda«, sagte sie mit stumpfer, lebloser Stimme, die kaum wiederzuerkennen war.

»Was ist geschehen, Mylady?« fragte sie sanfter, und plötzlich bebten Allisons Lippen.

»Ich habe gerade ...« Sie verstummte und schluckte. »Es war im HD«, erklärte sie schließlich. »Ich – ich habe gerade die Nachrichten gesehen. Nach Meldung einer Agentur in der Liga ... von den Havies ...« Ihr versagte die Stimme, und sie konnte nicht mehr tun, als vor Miranda zu stehen und aus riesigen, gepeinigten Augen zu ihr hochzustarren.

»Was besagte denn die Meldung?« fragte Miranda vorsichtig, als ob sie mit einem sensiblen Kind spreche. Allison Harrington verlor die Beherrschung über ihr Gesicht, und Mirandas Furcht verwandelte sich in Entsetzen.

25

Als Scotty Tremaine mit den isometrischen Übungen fertig war, wischte er sich den Schweiß mit einem der kratzigen Handtücher vom Gesicht, die man den Gefangenen zur Verfügung gestellt hatte. Das Handtuch war ungefähr so saugfähig wie ein Stück Plastikplane, aber vermutlich mußten die Manticoraner sich sogar dankbar schätzen, überhaupt welche erhalten zu haben. Mehr hatte man ihnen jedenfalls nicht gegeben!

Für die Systemsicherheit hatte offenbar keine Notwendigkeit bestanden, das Gepäck der Gefangenen mitzuführen, und deshalb besaß Scotty Tremaine wie alle anderen nur die Uniform, die er am Leibe trug, seit sie zum ersten Mal vor Cordelia Ransom geschafft worden waren. Obwohl die modernen Synthetikgewebe sehr widerstandsfähig und haltbar waren, konnte ein Satz Kleidung nur bis an eine gewisse Grenze beansprucht werden. Die Wärter hatten ihnen als Ersatz leuchtend orange Overalls angeboten, doch ohne Erfolg, denn jeder Gefangene wußte, daß dieses

Angebot keineswegs einem Hang zur Großherzigkeit entsprang. Die Overalls hätten den Gefangenen ein Stück von ihrer Identität genommen; trug man einen davon, wurde man vom Raumoffizier zum anonymen Häftling, für den keine Hoffnung mehr bestand. Mochten die Uniformen ruhig abgewetzt und fadenscheinig werden, mochte es nötig sein, sie abwechselnd in der winzigen Toilettenkabine der Kammer zu waschen – keiner von Scotty Tremaines Kameraden war auf das Angebot eingegangen.

Er preßte die Lippen fest zusammen und wischte sich erneut über das Gesicht, um hinter dem Handtuch seine Miene vor den anderen zu verbergen, denn er hatte sich an den einzigen Mann erinnert, der ein anderes Angebot der Haveniten angenommen hatte. Wie sehr ihm das zusetzte – Tremaine hätte es nie für möglich gehalten. Manchmal glaubte er, Harkness' Desertion hätte ihn noch tiefer getroffen als der Augenblick, als Lady Harrington von diesem sadistischen Paradestück menschlicher Armseligkeit zum Tode verurteilt worden war. Im großen und ganzen bedeutete Horace Harkness' Treubruch vermutlich nicht sonderlich viel: Auf den Kriegsverlauf wirkte er sich nicht aus, und er sollte Tramaine auch bei weitem nicht soviel Schmerz bereiten wie die Tatsache, daß ausgerechnet die Frau ermordet werden sollte, der Tremaine von allen Menschen in der Galaxis den höchsten Respekt entgegenbrachte. All das hatte sich Tremaine genau überlegt. Trotzdem wußte er genau, daß ein himmelweiter Unterschied bestand zwischen dem, was sein sollte, und dem, was wirklich war.

Er ließ das Handtuch sinken und setzte sich auf seine Koje, um das nackte Schott anzustarren. Trotz der vielen Dinge, an die er hätte denken können, kehrte sein Bewußtsein immer wieder zu seinem ersten Einsatz zurück, zum Basilisk-Vorposten. Damals war er fast so jung gewesen wie nun Carson Clinkscales und ebenso unsicher und furchtsam, wenn er auch alles getan hatte, um es zu verbergen. Harkness hatte ihn an die Hand genommen und dem Subalternoffizier beigebracht, ein Offizier zu sein – nicht, indem er Tremaine sagte, was er zu tun habe, sondern indem er es ihm vorlebte. Gemäß der unsterblichen Tradition, die nicht nur in der Navy der Königin, sondern in *allen* Flotten üblich war, hatte Harkness ihn in die Ecke gedrängt und auf die Probe gestellt. Zweifellos waren schon in den punischen Kriegen junge karthagische Landratten von grimmigen Bootsleuten an die Hand genommen und zu Offizieren gemacht worden, denn das war die Aufgabe der erfahrenen Unteroffiziere. Was immer sie auch sonst zu erledigen hatten, sie waren die Hüter der Stammesweisheit, die Alten, von denen die neue Generation auf den rechten Pfad gelenkt wurde, und Horace Harkness hatte Scotty Tremaine auf den richtigen Kurs geschickt.

Doch selbst da hatte es nicht aufgehört. Tremaine wären fast die Tränen in die Augen getreten, als ihm in den Sinn kam, was Harkness und er alles zusammen durchgestanden hatten. Außer dem Jahr vor der Ersten Schlacht von Jelzins Stern, als Harkness auf dem Schweren Kreuzer *Fearless* fuhr und Scotty auf Captain McKeons *Troubadour*, hatten er und der Senior Chief immer zusammen gedient, zuerst an Bord der *Prince Adrian*, auf der sie Jelzin Drei und die ersten beiden Schlachten um Nightingale erlebten. Als Scotty auf HMS *Wayfarer* versetzt wurde, war Harkness ihm gefolgt, und sie hatten sich gegenseitig das Leben gerettet – und allen anderen Überlebenden des manövrierunfähigen Q-Schiffs ebenfalls. Tremaine hätte ihre Beziehung niemals definieren können – das war in seinen Augen auch überhaupt nicht erforderlich –, und doch hatte sie immer bestanden. Bislang war Scotty Tremaine fest davon überzeugt gewesen, er könnte, egal wie verzweifelt die Situation war und wie schlecht die Chancen standen, nie die Hoffnung verlieren, solange Harkness an seiner Seite war.

Und nun, nach Harkness' Verrat, kam es ihm vor, als hätte sich ein grundlegendes Gesetz der Physik ad absurdum geführt. Einer der unerschütterlichen Eckpfeiler des Lebens war ihm unter den Füßen zerfallen, und tief verletzt wollte er den Kosmos dafür anbrüllen, ihn derart hintergangen zu haben. Nur hatte nicht das Universum den Verrat verübt, und mit Wutanfällen ließ sich nie etwas ändern.

Er holte tief Luft und hielt den Atem an. Tremaine betrauerte den Tod des Mannes, der Horace Harkness einmal gewesen war, dann zwang er sich, seine Trauer beiseite zu schieben. Zurück käme sie schon von ganz allein. In dieser Kammer aber war er der rangälteste Offizier, und deshalb hatte er die Pflicht, die anderen zu führen – ein Beispiel zu geben. Sofort fielen ihm die zahlreichen Lektionen ein, die Harkness ihn vor seinem Verrat erteilt hatte. Das Bedürfnis, nach Harkness' Lehren zu leben, erschien Tremaine sonderbarerweise gerade jetzt besonders dringlich. Fast war ihm, als wäre Harkness auf irgendeine Weise noch nicht verloren, solange er nur diese Lehren hochhielt. Genau das würde auch Lady Harrington von ihm erwarten – und Captain McKeon ebenfalls. Für Scotty Tremaine war es unvorstellbar, in den Augen gewisser Menschen zu versagen. Er fragte sich, ob Lady Harrington oder McKeon je ahnten, daß nicht Mut oder Entschlossenheit ihn davon abhielten, vor Clinkscales, Mayhew, Candless oder Whitman seine Verzweiflung zu zeigen, sondern die Unmöglichkeit, sich selbst so weit zu vergessen, daß er den Maßstäben seiner Vorbilder nicht mehr genügte.

Und natürlich lag es auch an Horace Harkness. Zu sehr hatte er die Lektionen des Senior Chiefs verinnerlicht, um sie einfach abzustreifen, ganz gleich, was an Bord der *Tepes* geschehen war.

James Candless beobachtete Lieutenant Commander Tremaine, der zu Clinkscales ging, sich neben den Ensign setzte und dann leise und ermutigend auf ihn einredete. Obwohl Candless als Offizier der Marineinfanterie geführt wurde, fühlte er sich unter den Offizieren völlig fehl am Platze. Whitman empfand, wie er wußte, das gleiche. Der wahre Grund für ihre Verlorenheit bestand jedoch darin, daß man ihnen den zentralen Bezugspunkt ihres Lebens genommen hatte. Sie waren graysonitische Waffenträger, aber man hatte ihre Gutsherrin eingekerkert und zum Tode verurteilt, und trotzdem lebten sie noch.

Diese Schande tragen wir bis an unser Ende, dachte Candless.

Sie waren nicht einmal zugegen gewesen, als die Havenitin das Todesurteil sprach, und die Offiziere, die dabei gewesen waren, hatten ihnen nicht sagen wollen, was geschehen war. Trotzdem wußten sie es. Zwar trugen sie keine Schuld, doch das bedeutete gar nichts. Die Gutsherrin war geschlagen und zu Boden geprügelt, Nimitz verletzt und beinahe getötet worden, und die Waffenträger lebten noch. Davongeschleift hatte man die Frau, die mit ihrem Leben zu schützen sie geschworen hatten, und nun befand sie sich in der Gewalt von Menschen, die sie haßten, und noch immer lebten ihre Waffenträger.

Candless biß die Zähne aufeinander, kniff fest die Augen zusammen und kämpfte gegen das quälende Gefühl an, völlig versagt zu haben. Auch Whitman wurde von diesen Gefühl gepeinigt, doch wußte der andere Waffenträger nicht, wie tief Candless' Verzweiflung reichte. Sechs Jahre lang deckte er nun der Gutsherrin den Rücken, er und Major LaFollet. Sechs lange Jahre waren sie immer dort gewesen, wo sie hingehörten, und hatten die Gutsherrin gegen ihre Feinde beschützt und notfalls sogar gegen sich selbst – gegen ihren Mut und ihre Neigung, sich für andere in Gefahr zu begeben. Nun war sie allein, und allein Gott, der Prüfer, wußte, wo sie sich befand. Gewiß erduldete sie nun Mißhandlungen, über die auch nur der Prüfer berichten konnte, und wußte, daß sie sterben würde; Jamie Candless aber sollte sein Recht verwehrt bleiben, an ihrer Seite den Tod zu finden.

Er öffnete wie die Augen wieder und beobachtete Tremaine und Clinkscales. Das Gesicht des Ensigns wirkte gereifter; mit der eigenen Hilflosigkeit konfrontiert zu werden hatte seine jugendliche Unsicherheit weggebrannt. Candless drehte den Kopf und sah Whitman an, der in der Toilettenkabine stand und seine Uniform wusch, dann Lieutenant Mayhew, der in der Ecke saß und gegen Surgeon Lieutenant Walker Schach spielte; das Schachbrett existierte nur in ihren Köpfen. Alle machten irgendwie weiter, denn jeder lehnte es ab, sich aufzugeben, aber wie lange hielten sie noch durch? Selbst wenn sie die exakte Reisedauer nach Hades gekannt hätten, besaß keiner von ihnen eine Uhr oder einen Kalender; sie wußten nicht, wie lange sie schon an Bord waren. Am Ende jedenfalls würden sie auf Hades ankommen, und was wäre dann? Was würde geschehen, wenn die Gutsherrin tot war und sie alle nicht mehr waren als ein paar weitere namenlose, vergessene Häftlinge in einem planetenweiten Gefängnis?

Candless konnte die vielen Fragen nicht beantworten, und das spielte eigentlich auch keine Rolle, denn diese Antworten hätten ohnehin nicht auf ihn zugetroffen. Er vermochte die Gutsherrin ebensowenig zu retten, wie er das ganze Schiff in seine Gewalt bringen konnte. Eine Möglichkeit zu handeln aber stand ihm offen; für jemanden, der nicht wußte, daß in Candless ein Berserker schlummerte, wäre seine Entscheidung sehr überraschend gekommen. Man würde ihm also nicht gestatten, mit seiner Gutsherrin zu sterben – doch früher oder später erhielt er schon eine Chance. Nicht sofort vielleicht. Er wollte keinesfalls überstürzt handeln, denn nur eins zählte: der Erfolg. Und Candless war entschlossen, Erfolg zu haben. Wenigstens einen von ihnen wollte er bekommen – einen der Lumpenhunde in den schwarz-roten Uniformen wollte er kriegen, bevor er sie zwang, ihn zu töten ... mehr wollte er gar nicht. Und das war seine letzte Bitte auf dieser Welt.

»Also schön, Galgenvogel! Zieh dich an!« Verächtlich warf die Wärterin Honor den orangefarbenen Overall zu, trat einen Schritt zurück und schälte sich den dünnen Plastikhandschuh von der Hand.

Honor fing das rauhe Kleidungsstück aus der Luft, ohne hinzusehen. Seit dem Moment, in dem die beiden Wärter ihre Zelle zur routinemäßigen ›Untersuchung zwecks Verhinderung von Selbstmordabsichten‹ betraten, die sich an jede Mahlzeit anschloß, starrte sie unbewegt geradeaus. Normalerweise erschienen zwei von ihnen zu dem herabwürdigen Ritual. Der zweite war meist, wie auch heute, Sergeant Bergren, der mit besonderem Vergnügen jede Gelegenheit nutzte, Honor zu demütigen, und wenn er nicht gekommen wäre, dann entweder Hayman oder sogar Timmons persönlich, denn der zweite Wärter war stets männlich – was zum Akt der Erniedrigung gehörte.

Selbst bei der Systemsicherheit gab es Vorschriften. Ihre Angehörigen ignorierten und verletzten sie zwar, wie es ihnen paßte, doch zumindest existierte dergleichen und wirkte auf dem Papier sogar fast vernünftig. Timmons und seine entmenschte Truppe indes verstanden sich vorzüglich darauf, den Sinn der Bestimmungen zu entstellen, ohne sie technisch zu übertreten, und gewannen so noch mehr Möglichkeiten, die Unglücklichen zu demütigen und zu entwurzeln, die ihnen in die Hände gefallen waren. Die Vorschriften legten eindeutig fest, daß Leibesvisitationen und Durchsuchungen der Körperöffnungen nur von Sicherheitspersonal gleichen Geschlechts ausgeführt werden durften, und Timmons bestand darauf, daß seine Leute sich daran hielten. Das Reglement verlangte jedoch auch, daß grundsätzlich mindestens zwei Wärter anwesend sein mußten, wenn ein Gefangener durchsucht wurde – und dieser zweite Wärter war ausnahmslos männlich.

Honor wußte genau, welche Wirkung Timmons damit bei ihr auszulösen hoffte. Früher einmal wäre seine Rechnung sogar aufgegangen, aber heute nicht mehr. Die Jahre, in denen der Schatten von Pavel Young über ihrem Leben lag, waren vorbei, denn sie hatte seinen verderblichen Einfluß abgeschüttelt. Die Zeit, die sie im Training mit Männern verbrachte, hatte sicherlich dazu beigetragen, doch letztendlich war es Paul Tankersleys Liebe zu verdanken, daß Youngs Gift nicht mehr durch ihre Adern rann. Die

Erinnerung an diese Liebe half ihr nun, und sie verbarg sich dahinter wie hinter einem Schild. Das Tier mit den gierigen Augen, das sich keine Einzelheit ihrer demütigenden Nacktheit entgehen ließ, mochte männlich sein, doch niemals wäre es Honor eingefallen, es als Mann zu bezeichnen. Die bodenlose Verachtung, die sie für ihn und alle Wärter empfand, verschmolz mit ihren Erinnerungen an Paul und ihrer Entschlossenheit, sich niemals von solchen Kreaturen unterwerfen zu lassen. Diese Verschmelzung all ihrer Stärken, erlaubte es Honor, den Overall ohne eine Änderung ihres Gesichtsausdrucks, ohne ein Wimperzucken aus der Luft zu fangen.

Sie begann das Kleidungsstück anzulegen, schaute dabei weiterhin unverwandt die nackte Schottwand an und ignorierte die Wärter völlig. Hinter der Fassade aus Hohn und Schadenfreude spürte Honor deutlich ihre Verwirrung und Verärgerung. Mit ihrem Verhalten brachte sie die Wärter aus der Fassung, die nicht ahnen konnten, wo der Quell ihrer Kraft lag, denn sie begriffen nicht, was es Honor ermöglichte, so konstant und gleichgültig zu bleiben trotz allem, was man ihr antat. Allerdings wußten sie genau, daß es sich dabei keineswegs um Teilnahmslosigkeit handelte. Daß diese Strafgefangene sie zu ignorieren trachtete, kam einer Aufsässigkeit gleich; sie äußerte weder Flucht noch Kapitulation. Woher sie ihre Widerstandskraft auch bezog, sie vermochte sich ihren Wärtern auf eine grundlegende Weise zu entziehen, wie es bislang noch niemandem gelungen war, und dafür haßten die SyS-Schergen Honor.

Sie begriff die Verunsicherung der Wärter durchaus. Deren Erfahrungen zufolge hätte ihr Widerstand mittlerweile durch die Mißhandlung und die fortwährende Verweigerung aller Menschenrechte gebrochen sein müssen wie bei allen anderen Sträflingen zuvor. Oberflächlich betrachtet hätte es in der Tat auch diesmal so kommen müssen.

In der trostlosen Zelle gab es selbstverständlich keinen Spiegel; Honor wußte trotzdem, wie sie aussah. Die kostbaren Vorschriften der SyS verboten Sträflingen jede kybernetische Prothese oder Verstärkung von Organen und Gliedmaßen, und deshalb hatte ein Mechaniker ihr künstliches Auge abgeschaltet – und die synthetischen Nerven in ihrer linken Gesichtshälfte gleich dazu. Diese Maßnahme war nicht mehr als eine weitere unbegründete Grausamkeit, eine höhnische Aberkennung jeder Menschenwürde und diente keinem sinnvollen Zweck. Wie sollten ihr künstliches Auge oder ihre Gesichtsnerven denn ein ›Sicherheitsrisiko‹ darstellen? Das hatte die Haveniten jedoch nicht davon abgehalten, sie ihr zu nehmen. Weil die havenitische Technik so rückständig war, wußte der Mechaniker nicht einmal, wie man die Implantate abschaltete. Weil er weder den Befehlssatz der Implantate kannte noch die erforderliche Technik besaß, um ihn herzuleiten, griff er auf brutale Gewalt zurück und schloß die Schaltkreise kurz, so daß Honor nun auf dem linken Auge blind und ihre linke Gesichtshälfte reg- und gefühllos, also so gut wie tot war. Den Schaden hielt Honor für irreparabel, so daß ein kompletter Austausch vonnöten war – oder zumindest erforderlich gewesen wäre, wenn man sie nicht zum Tode verurteilt hätte.

Die kleinlichen Grausamkeiten fanden damit keineswegs ihre Grenze. Unter dem Vorwand der ›Hygiene‹ schor man ihr den Kopf kahl. Somit verlor sie die langen Zöpfe, die mehrere Jahre gebraucht hatten, um zu wachsen. Doch dieser Demütigungsversuch löste bei Honor nur Belustigung aus, denn anscheinend war man sich nicht bewußt, daß sie aus Gründen der Bequemlichkeit das Haar mehr als dreißig Jahre lang freiwillig fast genauso kurz getragen hatte. Was immer man sich davon erhoffte, der Verlust ihrer Zöpfe konnte Honors Widerstand jedenfalls nicht zum Einsturz bringen.

Doch obwohl sie geistig ungebrochen blieb, zermürbte die Haft sie körperlich, das wußte sie auch ohne Spiegel. Timmons war sich anscheinend ihres beschleunigten Stoffwechsels oder ihres erhöhten Nahrungsbedarfs nicht bewußt. Ob das nun stimmte oder ob er sie dazu bringen wollte, die von ihr über das Normalmaß hinausgehende, zusätzlich benötigte Nahrung zu erbetteln, konnte sie nicht sagen, und sie interessierte sich auch nicht dafür. Schon vor langem hatte sie sich geschworen, eher zu sterben, als *ihn* um irgend etwas zu bitten.

Auch die belebte Seite ihres Gesichts war eingefallen, und durch unzureichende Ernährung und mangelnde Bewegung schwand allmählich ihr Muskeltonus. Da Honor von Cordelia Ransoms Absicht wußte, sie vor laufender Kamera in gesundem Zustand aufs Schafott zu bringen, weckte das Wissen, was Ransom tatsächlich erhalten würde, in ihr eine grimmige, widernatürliche Vorfreude. Doch hinter den Wehrmauern ihres Geistes war Honor sich nur zu sehr bewußt, daß sie sich immer mehr verlor. Sie konnte nicht genau sagen, wie lange sie schon in der Zelle war, in der sich weder die Beleuchtung noch die Temperatur je änderte, wo es nichts zu lesen oder zu tun gab, wo die einzige Abwechslung in den Mahlzeiten und der höhnischen Demütigung durch die Wärter bestand. Ohne Zweifel erreichten sie bald Hades, und damit kam der Zeitpunkt ihrer Hinrichtung näher, und auch das schien aus irgendeinem Grunde keine

Rolle mehr zu spielen. Während ihrer Haft im Schiffsgefängnis der *Tepes* hatte Honor kein einziges Wort an ihre Wärter gerichtet, und wenn sie allein war und ihre Gedanken dahinschweiften, fragte sie sich manchmal, ob sie vielleicht vergessen hatte, wie man sprach. Auf merkwürdige Weise war sie zu einer Stummen geworden und hatte sich von den Bereichen ihres Verstandes zurückgezogen, die der Verständigung mit anderen dienten, um die lebenswichtigen Zonen in ihrem Innersten besser schützen zu können. Mit diesem Sprachverlust einher ging das Gefühl zu schwinden, als würde das Tau eines Ankers, der sie mit der Welt verband, sich immer mehr abnutzen. Dabei wußte Honor genau, daß es sich bei diesem Gefühl lediglich um eine weitere Facette ihrer inneren Abgrenzung von den Sadisten handelte, welche die Gewalt über ihre körperliche Existenz ausübten.

Doch noch ein weiterer Anker existierte, von dem die Wärter nichts ahnten und von dem Honor wußte, daß er sie niemals im Stich ließe. Diese Stütze war zwar durch die Entfernung sehr, sehr schwach, doch weil es diese Stütze noch gab, wußte Honor mit Sicherheit, daß Nimitz noch lebte.

Und an diesen Anker hängte sie sich – nicht wie eine Ertrinkende an eine Spiere, sondern wie eine Liebende an den Geliebten. Sie spürte seine Qualen – die fortwährenden körperlichen Schmerzen und die geistige Pein, die ihm daraus erwuchs, daß er ihre Not spürte und nichts dagegen unternehmen konnte. Mehr denn je brauchten sie einander und teilten wenigstens diese letzte Gnade, weil keine der haßerfüllten, sadistischen Kreaturen an Bord von VFS *Tepes* auch nur im entferntesten ahnte, daß sie noch immer miteinander verbunden waren – daß sie sich gegenseitig stärkten. Nicht durch Hoffnung, denn alle Hoffnung war verloren, sondern durch etwas viel Wichtigeres: Liebe. Durch die unumwundene Versicherung, immer füreinander da zu sein und nicht allein in die Dunkelheit gehen zu müssen, ganz gleich, was die Havies planten.

Auch auf diesem Bein ruhte Honors Stärke, und dieses Bein konnte weder Lieutenant Timmons noch Sergeant Bergren und auch nicht Corporal Hayman ihr unter dem Leib wegtreten.

Sie stieg in den Overall, zog ihn die Beine hoch und wollte gerade die Arme in die Ärmel des Oberteils schieben, als sie eine Hand bei der Schulter packte. Sofort hielt Honor inne und verharrte bewegungslos. Trotz der Distanz, die sie sich erarbeitet hatte, schlug ihr Herz heftiger, denn die Hand gehörte Bergren.

»Bald kommen wir an, Galgenvogel«, erklärte er. Seine höhnische Stimme erklang ganz dicht an ihrem Ohr, und sie spürte seinen warmen Atem. »Nicht mehr lange, und dein starrer Hals wird ein wenig gestreckt.« Honor gab keine Antwort und zuckte nicht einmal mit einem Muskel. Trotzdem lachte Timmons und quetschte ihr in spöttischer Parodie einer Liebkosung die Schulter. »Ich glaube, du würdest dich gern noch ein bißchen trösten lassen, bevor sie deinen wertlosen Hintern zum Galgen schleifen«, sagte er, drückte noch fester zu und zog sie zu sich herum.

Seine Augen glitten an ihr herab, und sie bemerkte die Verderbtheit dahinter. Zwischen der Lust, die Bergren verspürte, und dem, was Paul und sie miteinander empfunden hatten, gab es nicht die Spur einer Gemeinsamkeit. Bergrens krankhafte Gier war noch schlimmer als alles, was Honor je von Pavel Young wahrgenommen hatte. Young hatte sie gehaßt und wollte sie bestrafen, weil sie ihn durch die Zurückweisung seiner Avancen vor den Augen jener erniedrigt hatte, die er als Gleichgestellte erachtete – so hatte Young geglaubt. Sein Haß war seicht und dumm gewesen – der Haß eines Menschen, für den andere keine Lebewesen, sondern Gegenstände waren, die nur zu seiner Annehmlichkeit existierten –, doch wenigstens hatte Young sie persönlich gehaßt.

Bergrens Haß hingegen hatte nichts mit ihr zu tun. Ihn kümmerte nicht, wer oder was Honor war; er nahm nur ihren passiven Widerstand wahr, den sie ihm entgegenbrachte und durch den sie seine Versuche scheitern ließ, ihr Furcht einzujagen. Für ihn zählte nur, jemandem Schmerz zuzufügen, nicht, wer dieser jemand war. Wäre es nicht Honor Harrington gewesen, dann eben ein anderer Mensch. Und welchen Schmerz er anderen zufügte, war Bergren ebenfalls egal – körperlich, geistig, spirituell ... es zählte nicht für ihn. Sein Bedürfnis, zu quälen und zu strafen, entsprang keinem bestimmten Übergriff, den jemand gegen ihn unternommen hatte, sondern ging auf alle echten oder eingebildeten Ungerechtigkeiten und Demütigungen zurück, die er jemals hatte ›erdulden‹ müssen. Außer Haß lebte in ihm nichts mehr, und in seiner Seele gähnte eine Leere, die danach gierte, jeden zu vernichten und zu verschlingen, der seinen Haß nicht teilen wollte.

Honors künstliches Auge war tot, die Pupille fixiert und der Fokus unveränderlich eingestellt, doch ihr rechtes Auge flackerte in kalter Abscheu vor diesem wandelnden Untoten, obwohl sie sich noch immer nichts anmerken lassen wollte.

Bergren verzog höhnisch den Mund. »Ja, Galgenvogel«, sagte er mit sanfter und noch unangenehmerer Stimme, »ich glaube, ein bißchen Trost täte dir ganz gut. Warum also machst du nicht einfach die Beine breit?«

Er leckte sich die Lippen und warf der Wärterin einen raschen Seitenblick zu. Nicht, daß die Chance bestanden hätte, daß sie Einwände erhob; sie war so verdorben wie jeder aus Timmons' Truppe, und ihre Vorfreude noch ekelhafter als Bergrens.

»Na komm, Galgenvogel«, flüsterte der Sergeant, zog Honor zu sich und faßte nach ihren Brüsten.

Doch berührte er sie niemals. Als Bergren die Finger nach ihr ausstreckte, schoß Honors linke Hand wie eine zustoßende Viper vor, und ihre Finger schlossen sich mit der Kraft eines Schraubstocks um sein Handgelenk. Bergren keuchte vor Schmerz auf und versuchte sich loszureißen, doch Honor hielt ihn mit stählernem Griff fest. Ihre wochenlange Teilnahmslosigkeit hatte ihn eingelullt und vergessen lassen, daß sie von einer Welt mit hoher Schwerkraft stammte. Als sie nun zum allererstenmal reagierte, stand ihm plötzlich Furcht in den Augen – finstere, häßliche Angst, die wegen der völligen Überraschung besonders heftig ausfiel. Honor verstärkte den Druck und verzog die rechte Mundhälfte zum Zerrbild eines Grinsens.

»Fassen Sie mich nie wieder an.«

Nur sechs Wörter, doch Honor sprach sie leise und mit einer bedrohlichen Klarheit aus, von der sie nach so vielen endlosen Tagen des Schweigens selbst überrascht war. Für einen Augenblick gefror ihm das Blut in den Adern. Trotzdem erholte er sich rasch und trat einen Schritt vor, um sie zurück gegen das Schott zu drängen. Das funktionierte nicht. Sie schwankte nicht einmal und verdrehte Bergren die Hand; er grunzte rauh vor Schmerz und ging unwillkürlich in die Knie.

»Laß ihn los, du Miststück!« Die Wärterin trat vor und griff nach dem Schlagstock an ihrem Koppel. Honor wandte den Kopf und schaute der Frau in die Augen.

»Wenn Sie mich mit dem Knüppel auch nur berühren, breche ich Ihnen das Rückgrat«, erklärte sie tonlos, und die SyS-Frau erstarrte angesichts der unerschütterlichen Selbstsicherheit, die Honor ausstrahlte.

Schließlich faßte sie sich ein Herz. »Das glaub' ich kaum, Galgenvogel!« zischte sie verächtlich. »Selbst wenn, kannst du hier nicht weg, und du willst gar nicht wissen, was der Rest mit dir anstellt, wenn du es auch nur versuchst. Außerdem hast du Freunde oben, schon vergessen?«

Mit neuer Zuversicht trat sie wieder vor – und Bergren brüllte auf, als Honor ihm das Handgelenk brach. Mit einem Tritt stieß sie ihn von sich fort und drehte sich vollends zur Wärterin um, die vor dem kalten, ungezügelten Feuer in Honors Auge zurückwich.

»Sie haben recht«, sagte Honor leise. »Ich habe Freunde ›oben‹, und Sie können mich dazu bringen, bei Ihren kranken kleinen Spielchen mitzuwirken, indem Sie sie bedrohen. Aber jetzt reicht es. Selbst um meiner Freunde willen lasse ich das nicht mit mir machen. Und falls Sie es vergessen haben sollten, Ransom will mich ›unbeschädigt‹, nicht wahr? Also treiben Sie Ihre Spielchen, Havie, aber sagen Sie dem Rest des Lumpenpacks, daß es Grenzen gibt.« Bergren versuchte sich auf die Knie zu erheben, während er gleichzeitig sein Handgelenk umklammert hielt. Honors rechter Fuß raste vor, und die nackte Sohle knallte ihm vor den Mund. Stöhnend und halb bewußtlos brach er in einer Ecke wieder zusammen. Ein Angstschauder ergriff die Wärterin, und dafür haßte die Havenitin Honor nur um so mehr.

»Sie können mit Ihren Freunden zurückkommen und tun, was immer Ihnen in den Sinn kommt«, fuhr Honor ruhig fort. »Das weiß ich. Aber am besten kommen Sie alle zusammen, Havie, und wenn es vorbei ist, dann besteht keine Chance – nicht die leiseste –, daß Sie mich noch lebend an Ransom übergeben.«

Die lebhafte Hälfte ihres Mundes verzog sich zu einem dünnen, furchteinflößenden Grinsen, und wider Willen wich die Wärterin wieder zurück. Sie umklammerte den Schlagstock und versuchte zu begreifen, wie sich das Machtverhältnis in dieser Zelle innerhalb eines winzigen Augenblicks umkehren konnte, wo sie doch alle Karten in der Hand hielt. Dann blickte sie noch einmal in das eine Auge der hageren, halbnackten Frau und sah sich einer Wölfin gegenüber – einer verletzten Rudelführerin, die von den Hunden auf ihrer Fährte verwundet und bedrängt worden war, die sich jedoch kein einziges Mal mehr bedrängen lassen würde. Eine Wölfin, die lieber auf dem Fleck starb, an dem sie stand, als sich noch weiter treiben zu lassen. Eine Wölfin, begriff die Wärterin erschüttert, die bereit war zu sterben – die willig sterben würde –, wenn sie nur noch einmal die Zähne in die Kehlen der Köter schlagen konnte, die sie heulend verfolgten.

Die Wärterin blickte in das drohende, verlangende Auge und wußte Bescheid – hatte erkannt, wie das Machtverhältnis sich so rasch verändern konnte.

Äußerst behutsam nahm sie die Hand vom Schlagstock, beugte sich vor, ohne den Blick von Honor zu nehmen, zerrte den stöhnenden, kraftlosen Bergren hoch und schleppte ihn ohne ein weiteres Wort aus der Zelle. Als sie die Tür hinter sich verriegelte, fragte sie sich im Stillen unbehaglich, ob sie nun die Wölfin in den Käfig sperrte – oder sich in die Sicherheit außerhalb einschloß.

26

»Na, was steht heute auf dem Programm?«

Als Horace Harkness, ehemals Senior Chief Gunner's Mate der manticoranischen Navy, diese Frage stellte, lümmelte er sich in einem bequemen Lehnsessel, hatte die Hände hinter dem Kopf verschränkt, die Füße auf den Hocker davor gelegt und wackelte mit den unbeschuhten Zehen seinen sogenannten ›Bewachern‹ zu. Nachdem er sich zum Überlaufen entschlossen hatte, waren ihm Bürger Corporal Heinrich Johnson und Bürger Private Hugh Candleman als ständige Hüter zur Seite gestellt worden. Ihre Aufgabe war eindeutig zu erkennen: nämlich, ihn gar nicht erst auf den Gedanken kommen zu lassen, irgend etwas Ungehöriges zu tun. Warum man ausgerechnet diese beiden Schergen der Systemsicherheit zu seiner Bewachung ausgesucht hatte, lag ebenfalls auf der Hand: Beide waren sie groß und stark, zäh und gut ausgebildet in der Kunst, einen Mitmenschen lediglich unter Zuhilfenahme der bloßen Hände zu zerlegen. Ein wenig unglücklich erschien es indessen, daß damit auch schon so gut wie alle ihre verwendbaren Fähigkeiten aufgezählt waren, aber man konnte schließlich nicht alles verlangen.

»Nicht viel – glaube ich jedenfalls«, antwortete Johnson. Der Bürger Corporal hatte keine so breiten Schultern wie Harkness, überragte ihn aber um mehrere Zentimeter und wirkte in der schwarz-roten Uniform sehr beeindruckend. Er suchte in den Jackentaschen nach seinem Memopad, fand es, schaltete das Display ein und schielte darauf. »Dreizehn Uhr dreißig haben wir noch ein HD-Interview«, erklärte er. »Danach will Bürgerin Commander Jewel mit dir wieder über die manticoranischen Signalsysteme sprechen. Der Termin ist um … äh, siebzehn Uhr. Davon abgesehen hast du heute Freizeit.« Er schob das Pad zurück in die Tasche und lachte. »Anscheinend können sie dich wirklich gut leiden, Harkness.«

»Warum auch nicht?« entgegnete Harkness mit einem trägen Grinsen, und die beiden SyS-Männer lachten. Ein Bonus wie Harkness fiel der Öffentlichen Information nicht alle Tage in den Schoß, und daß er ein Raketentechniker war, der sich mit den Überlichtsendern in den manticoranischen Aufklärungsdrohnen auskannte, machte ihn zu einer noch wertvolleren Quelle technischer Daten für die Forschung und Entwicklung. Die langfristige Bedeutung von Propagandasendungen und technischen Informationen ging indes über Johnsons und Candlemans Horizont. Sie besaßen eigene Gründe, sich über Harkness' Desertion zu freuen, welche mit seinem Wert für die VRH im allgemeinen nicht das geringste zu tun hatten.

»Also, bist du bei *Farley's Crossing* weitergekommen?« fragte Candleman gespannt, und Harkness' Lächeln war nun weniger träge denn verschlagen.

»Ach ihr Kleingläubigen«, brummte er. »Ich hab' euch doch gesagt, daß ich eure Chancen ein wenig … neu gewichten könnte, oder nicht? Sieh dir das an.«

Er holte einen Datenchip aus der Hemdtasche und schnippte ihn quer durch die Abteilung zu Candleman, der ihn eifrig aus der Luft fing. Der Private starrte auf das glatte Gehäuse, als wäre er der Meinung, er müsse die Daten eigentlich mit bloßem Auge lesen können, und nach allem, was Harkness wußte, glaubte Candleman das wirklich.

»Wie geht es?« fragte Johnson, der am Schott gegenüber lehnte.

»Es ist komplizierter als die anderen, weil es diesmal viel mehr Variablen gibt«, antwortete Harkness achselzuckend. »Die Mehrspieler-Versionen machen alles nur noch schlimmer. Deshalb hab' ich es diesmal nicht so arrangiert, daß ihr von vornherein bestimmen könnt, wie es ausgeht, sondern daß ihr während des Spiels eine bestimmtes Entwicklung erzwingen könnt.«

»Hä?« warf Candleman ein, und Harkness verbarg sein Bedürfnis, vor Verzweiflung aufzuseufzen, hinter einem weiteren freundlichen Grinsen.

Seine Wachhunde waren beide Highschool-Abgänger, Johnson hatte sogar zwei Jahre auf dem College hinter sich. Leider – oder, je nach Blickwinkel, zum Glück – waren beide Dolisten gewesen, und ihre Schulbildung stellte ein repräsentatives, wenngleich trauriges Beispiel für die ›Erfolge‹ des volksrepublikanischen Bildungssystems dar. Zwar war es theoretisch denkbar, auch aus dieser Quelle eine brauchbare Ausbildung zu erhalten, doch dazu mußte der einzelne die verfügbaren Mittel benutzen, um sich selbst auszubilden, denn nach mehreren Jahrzehnten, in denen das Leistungsprinzip zugunsten von ›Demokratisierung‹ des Lehrplans und ›Erfolgserlebnissen‹ des Schülers verleumdet worden war, hatte kaum ein Mitglied eines beliebigen Lehrkörpers noch eine Vorstellung davon, wie man jemand anderen schult.

Hinzu kam ein weiteres Problem: Nur sehr wenige Menschen sind aus sich heraus zum Lernen motiviert. Den meisten jungen Menschen muß man eben erklären, weshalb es wichtig ist zu lernen, sonst begreifen sie nicht, warum sie sich die Mühe machen sollten. Zwar gibt es immer Ausnahmen zu dieser verallgemeinernden Aussage, aber die meisten Menschen lernen aus Erfahrung und nicht aus Prinzip. Solange jemand nicht am eigenen Leibe die Folgen verspürt, die es nach sich zieht, wenn man ungebildet ist, empfindet er wohl kaum den Drang, dem abzuhelfen. In jemandem ein Lernbedürfnis zu wecken, der nicht bereits von selber die Freude am Lernen entdeckt hat, erfordert eine entsprechende gesellschaftliche Basis, in der die Älteren eindeutig klarstellen, daß von jedem erwartet wird, Wissen zu erwerben und sich in dessen Anwendung zu üben. Genau diese gesellschaftliche Basis aber hatte den Vorkriegs-Dolisten gefehlt, denn egal, wie unproduktiv sie waren, hatten sie stets pünktlich ihren Lebenshaltungszuschuß erhalten. Was hätte ein Dolist auch mit einer Ausbildung anfangen sollen?

Zu allem Übel hatten die Vorkriegs-Legislaturisten großen Wert darauf gelegt, letztere Frage stets mit einem deutlichen ›Nichts!‹ zu beantworten, denn Wissen war gefährlich. Den früheren Machthabern hatte weder an ausgebildeten Dolisten gelegen noch daran, daß Dolisten zum Funktionieren des Staates beitrugen. Die Dolisten mochten eine fast untragbare Belastung einer ohnehin dem Untergang geweihten Ökonomie gewesen sein, doch solange der LHZ ausreichte, um ihnen den gewohnten Lebensstandard zu gestatten, empfanden sie keinen besonderen Drang, an politischen Entscheidungen teilhaben zu wollen. Schließlich und endlich hatte genau darin der Handel bestanden, den ihre Vorfahren einst mit den Ahnen der Legislaturisten schlossen: Dafür, daß man sich ›um sie kümmerte‹, überschrieben die Bürger der VRH die Entscheidungsgewalt denjenigen, die die Maschine am Laufen hielten, und solange die Maschinerie nicht zum Stillstand kam, hatte keiner ein Bedürfnis empfunden, die zahlreichen Mißstände in Ordnung zu bringen.

Oberflächlich war Harkness der gegenseitige

Selbstmordpakt der Legislaturisten und ihres Bildungssystems zunächst als akademisches Problem erschienen, doch auf persönlicher Ebene hatten die Auswirkungen dieses Zustands für ihn große Bedeutung erlangt, denn Johnson und Candleman waren typische Produkte dieses Systems. Ohne das geringste davon zu ahnen, litten sie an einem Unwissen, das den meisten Manticoranern unmöglich erschienen wäre. Beide hatten sie kaum die Grundrechenarten gemeistert. Außerhalb des havenitischen Amts für Bildung hätte man sie wohl als Analphabeten bezeichnet, und solche Menschen konnten innerhalb einer modernen Kriegsmaschine nur sehr begrenzt verwendet werden. Die Wartung oder Reparatur von Gerät, das komplizierter war als ein Pulsergewehr, erforderte wenigstens Grundkenntnisse in Elektrotechnik, Kybernetik, Gravitationstheorie und Dutzenden anderer Disziplinen. Man konnte zwar jedem beibringen, modernes Gerät zu bedienen, denn schließlich mußte jeder eine gewisse oberflächliche Befähigung besitzen, um in einer technisierten Gesellschaft zu überleben. Im Falle von Menschen wie Johnson und Candleman war diese Befähigung jedoch mit mathematischen Kenntnissen vergleichbar, die gerade dazu ausreichten, um beim Einkaufen das Wechselgeld auszurechnen und nachzuzählen. Die beiden besaßen nicht mehr Vorstellung von dem Geschehen hinter den Eingabetasten und Displays als ein Mensch, der vor der Industrialisierung auf Terra lebte.

So kam es, daß bei der Volksflotte die meisten Wartungsarbeiten von Offizieren oder erfahrenen Unteroffizieren ausgeführt wurden. Wenn die Vorkriegs-Volksflotte fähige Techniker wollte, mußte sie die Leute selbst ausbilden, und die meisten Wehrpflichtigen blieben einfach nicht lange genug im Dienst, um die Unzulänglichkeiten zu überwinden, mit denen sie zur Flotte stießen. Man hatte daher keine andere Wahl, als sie zunächst zu Operateuren auszubilden und erst später zu echten Technikern. Das kostete Zeit, in den meisten Fällen Jahre, und deshalb schulte man nur die Leute richtig, die sich für längere Zeit verpflichteten und als Berufssoldaten den Kern der Volksflotte bildeten.

Das Marinecorps der Volksflotte stand dem gleichen Problem gegenüber, wenngleich in geringfügig kleinerem Maßstab. Panzeranzüge und schwere Waffen gab man nicht in die Hände von technischen Ignoranten, und die Tage, als man den Bodensatz einer ungebildeten Gesellschaft einfach so zu Elitesoldaten schleifen konnte, waren zusammen mit dem Zylinderverschlußgewehr verschwunden. Bei den Marines hatte es hingegen schon immer einen höheren Anteil an Zeitsoldaten und einen geringeren Prozentsatz von Wehrpflichtigen gegeben. Da auch ihr Gerät relativ gesehen simpler war als das der Volksflotte, fiel es leichter, bei ihnen einen durchgehenden Ausbildungsstandard zu erreichen, und ihre taktischen Fähigkeiten entsprachen daher beinahe dem Niveau ihrer manticoranischen Gegner. Doch für die Marines bedeuteten Wartung und Instandsetzung ein chronisches Problem.

Die schweren Verluste der Volksflotte und des Volks-Marinecorps in den Anfangsstadien des Krieges hatten für den Stamm an ausgebildetem Personal tiefe Einschnitte bedeutet – ganz zu schweigen von den Säuberungen des Offizierskorps nach dem Harris-Attentat und den Verlusten während des Aufstands der Levellers. Das Komitee für Öffentliche Sicherheit berief daraufhin Veteranen in den aktiven Dienst zurück. Dadurch gelang es zwar, die frühen Verluste auszugleichen, aber die einzige echte Lösung bestand nach wie vor darin, die benötigten Ersatzleute nach modernen Standards zu schulen – am besten schon vor der militärischen Grundausbildung. Innerhalb der VRH gab es genügend Realisten, die diese Notwendigkeit deutlich erkannt hatten, und trotz ihrer sonstigen Unzulänglichkeiten war es Cordelia Ransom gelungen, den Dolisten diese Erkenntnis nahezubringen. Die Logik kehrte sich um, wenn man überlegte, daß ausgerechnet der Krieg, der ursprünglich den Dolisten ihren parasitären Lebensstil sichern sollte, nun zu einer Situation geführt hatte, in der besagte Parasiten nicht nur willens, sondern begeistert waren, ihr Dasein als Schmarotzer aufzugeben, das Schulsystem zu sanieren und zu lernen, was gelernt werden mußte, um das Militär zu unterstützen. Eine Schande, daß niemandem der Gedanke gekommen war, eben diese Reformen durchzuführen, um den Krieg von vornherein zu verhindern.

Bis die Bildungsprogramme griffen, waren vollständig ausgebildete Leute nach wie vor äußerst knapp. Nicht nur das Militär meldete Bedarf an, sondern auch die zivile und industrielle Infrastruktur der Volksrepublik. Das größte Problem bestand augenblicklich darin, das verfügbare Personal gerecht zwischen den Streitkräften und der Industrie zu verteilen, welche die Waffen herstellte, mit denen die Streitkräfte in den Kampf zogen. Die Lage verbesserte sich allmählich – und zwar schneller, als die meisten Führer der Alliierten für möglich gehalten hätten. Für die absehbare Zukunft würde der Personalnachschub jedoch sehr knapp bleiben.

Immerhin hatte das System auch Verwendung für Menschen mit minimaler Bildung, und das brachte Harkness wieder zu Candleman und Johnson. Die beiden waren weder geistesschwach noch zurückgeblieben, sondern typische Ex-Dolisten, denen nie jemand gezeigt hatte, was sie mit ihrem Verstand bewirken konnten. Sie waren unwissend, aber nicht dumm, und bei der Systemsicherheit benötigte man keine Genies. Selbst zur Bemannung von Schiffen wie der *Tepes* hatte die SyS keinen besonders großen Bedarf an Raketen- und Gravitationstechnikern; im Bedarfsfall konnten solche Spezialisten jederzeit der Volksflotte abspenstig gemacht werden, denn die Systemsicherheit genoß in allen Personalfragen absoluten Vorrang und bildete deshalb nicht aus.

Die SyS benötigte vielmehr Stoß- und Besatzungstruppen, die bedingungslos Befehlen gehorchten und zuverlässig den Widerstand der Volksfeinde brachen. Fünfundsiebzig bis achtzig Prozent der SyS-Stärke gehörte zu dieser Kategorie. Um einen Pulserabzug zu drücken oder Dissidenten niederzuprügeln, hatte man keine komplizierte Ausbildung nötig. Nach den Maßstäben ihrer Kameraden waren Johnson und Candleman überdurchschnittlich befähigt – doch keiner von beiden hätte an Bord irgendeines Schiffes, auf dem Harkness schon gefahren hatte, Dienst tun dürfen. Letztendlich gab es doch einen Punkt, an dem Unwissenheit zu Dummheit wurde: Niemand durfte erwarten, daß gleichwohl intelligente Menschen sich gegen Risiken schützten, von denen sie nichts wußten, weil niemand es je für nötig befunden hatte, sie über deren Existenz aufzuklären.

Und genau das stellten Harkness' Wächter in diesem Augenblick eindrucksvoll unter Beweis.

Er grinste Candleman noch immer an und sagte: Paßt auf. Farley's Crossing ist anders als alle Spiele, dich ich bisher für euch – na, modifiziert habe, Jungs. Hier haben wir es mit einem vereinfachten Schulungssimulator der Flotte zu tun, und das heißt, seine Parameter sind viel komplizierter als bei anderen Programmen, ja?«

Er zog fragend die Augenbrauen hoch, und Candleman blickte Johnson an. Der Corporal nickte, was Candleman zu beruhigen schien, und er wandte sich aufmerksam wieder Harkness zu.

Kurz meldete sich bei Harkness das schlechte Gewissen, weil der SyS-Schläger ihn mit vertrauensseligen Augen anblickte, die bestürzend deutlich zeigten, daß er nicht im entferntesten ahnte, wovon der Manticoraner eigentlich sprach. Harkness hatte lange genug gedient, um vorhersehen zu können, daß die beiden SyS-Schergen für die Idee empfänglich sein würden, die elektronischen Spiele aus der Schiffsbibliothek zu manipulieren. Das Zusammenspiel von Langeweile, Gier und dem sehr menschlichen (wenngleich schändlichen) Ehrgeiz, sich über den Bruder zu erheben, hatte in so gut wie jedem manticoranischen Schiff, auf dem Harkness je diente, den gleichen Wunsch geweckt. An Bord der *Tepes* besaßen diese Faktoren weitaus mehr Gewicht. Harkness wußte, daß er mit diesen beiden das große Los gezogen hatte, denn Johnson war ein alter Schwarzmarkthändler und besaß die nötigen Verbindungen. In Anbetracht seiner begrenzten Bildung kannte er sich sehr gut aus und war gleichzeitig die personifizierte Gier. Weder er noch Candleman verfügte über das Wissen, um die Folgen zu erahnen, die es haben konnte, Harkness Zugriff auf die Spielebibliothek zu gewähren.

Harkness hatte nicht etwa den Fehler begangen, den beiden die Idee nahezulegen, denn er durfte auf keinen Fall irgend etwas tun, was seine Vereinbarung mit Committeewoman Ransom verletzte. Willig ließ er sich auf alles ein, worum man ihn ersuchte: Dutzende von Propagandasendungen aufzunehmen, in denen er fröhlich einen Meineid nach dem anderen auf seine unsterbliche Seele legte und zahlreiche Kriegsverbrechen gestand, an denen er angeblich entweder beteiligt gewesen war oder die er beobachtet hatte. In weiteren Aufnahmen appellierte er in herzergreifendem Ton an seine ehemaligen Kameraden, seinem Beispiel zu folgen, sich auf die Seite ihrer Klasse zu stellen und ihren plutokratischen Ausbeutern den Dienst zu verweigern. Von vornherein hatte er Bürgerin Commander Jewel klargemacht, er sei nur ein Techniker und könne die Gravimpulsgeneratoren zwar bedienen, verstehe aber nicht sonderlich viel von der zugehörigen Theorie. Dennoch diskutierte er stundenlang mit ihr darüber und warf ihr Fingerzeige zu deren Funktionsweise hin. Bislang hatte er Landesverrat in mindestens dreißig Fällen begangen – genug, um ihm eine Rückkehr ins Sternenkönigreich unmöglich zu machen – oder jedenfalls nicht sonderlich ratsam.

Je häufiger Harkness den havenitischen Offizieren seine Vertrauenswürdigkeit unter Beweis stellte (und im Gegenzug immer größere Bewegungsfreiheit erhielt), desto mehr betrachteten Johnson und Candleman ihre Bewachungsaufgabe als reine Formalität. Seine umfangreichen früheren Schmuggel- und Schwarzhandelsaktivitäten – in den Zeiten vor seiner Verwendung im Basilisk-System – schadeten seiner Akzeptanz als Kamerad in fremder Uniform nicht im geringsten. Nachdem Johnsons Schilde einmal gesenkt waren und die beiden Geschichten über vergangene Fischzüge auszutauschen begannen, begriff der Bürger Corporal schon bald, daß er sich entweder einem wahren Meister seiner Kunst gegenübersah, dessen Fertigkeiten alles in den Schatten stellten, was er sich je auch nur vorzustellen gewagt hätte, oder dem größten Lügenbold der erforschten Milchstraße.

Je mehr Geschichten zusammenkamen, desto mehr mußte Johnson eingestehen, daß Harkness ein höchst begabter Mensch sein mußte – und eine verwandte Seele. Zunächst bat er sehr vorsichtig um Rat in gewissen Fragen, die seine eigenen geschäftlichen Umtriebe betrafen, und schon nach einer Woche stieg sein Gewinn durch Harkness' Tips um mehr als zwanzig Prozent. Danach dauerte es nicht lange, bis Johnson ihn in den Glücksspielring einweihte, an dem er beteiligt war. Zwar war ein gewisser Staff Sergeant Boyce der Kopf aller vorschriftswidrigen Umtriebe an Bord der *Tepes*, doch Johnson gehörte zu seinen engeren ›Mitarbeitern‹. Weil jedes Glücksspiel an Bord eines Kriegsschiffes gegen die Vorschriften verstieß, war Boyce' Nebenerwerb besonders einträglich, denn schließlich konnte sich kein Verlierer an einen Offizier wenden und sich beschweren, ohne selbst empfindlich bestraft zu werden. Dennoch befand sich der Sergeant immer auf der Suche nach Möglichkeiten, den Ertrag zu maximieren, und als er bemerkte, daß Johnson seine Einnahmen um vierzig Prozent gesteigert hatte, war er entzückt. Er entschloß sich sogar, den Bürger Corporal nicht zu fragen, wie er das bewerkstelligt habe – offenbar auf Grundlage der Theorie, man könne für etwas, was man nicht weiß, auch nicht bestraft werden. Statt dessen hatte er den Glücksspielring komplett an Johnson übergeben.

Im Grunde hieß das allerdings, daß Boyce' Glücksspielring sich nun in den Händen von Horace Harkness befand. Die Spielprogramme in den Bibliotheken der *Tepes* ließen sich weitaus leichter manipulieren als irgendeines, das man an Bord eines manticoranischen Schiffes finden konnte.

Mit höchster Verblüffung hatte Harkness festgestellt, wie veraltet die havenitischen Spielprogramme waren. Bei einigen davon handelte es sich um Versionen, denen er bereits vor fünfzig T-Jahren begegnet war, ganz zu Anfang seiner Laufbahn als Raumfahrer. Er war immer davon ausgegangen, daß das militärische Gerät der Haveniten (und die Software, die es steuerte) dem der RMN zumindest ähnlich sein mußte; wäre die havenitische Ausrüstung nicht unterlegen gewesen, hätte die Allianz den Krieg schon vor Jahren verloren. Jedenfalls hätte Horace Harkness es nie für möglich gehalten, das Glücksspielprogramme an Bord eines modernen Kriegsschiffs so einfach gestrickt sein konnten – und solch primitive Sicherheitseinrichtungen besaßen. Man mußte doch einfach davon ausgehen, daß jedes Spiel, das sich manipulieren ließ, auch manipuliert werden würde! An Bord von manticoranischen Schiffen wurden alle Spieleinrichtungen regelmäßig von Elektronikerteams aus der Schiffstechnischen Abteilung inspiziert, um sicherzustellen, daß niemand sie verändert hatte. Die Entwickler solcher Spiele wußten zudem, daß es immer einige ausgefuchste und außerordentlich versierte Leute geben würde, die ihre beeindruckenden Fähigkeiten aufboten, um die Sicherheitsmaßnahmen der Programmierer auszutricksen.

In der Volksflotte hingegen gab es längst nicht so viele gut ausgebildete Leute ... und in der Systemsicherheit noch weniger. Deshalb enthielt die Spielebibliothek einen ganzen Stapel von Programmen, deren Sicherheitsmechanismen jedem lachhaft vorkommen mußten, der sich schon mit manticoranischen Spieleprogrammierern gemessen hatte. Harkness hatte es langsam angehen lassen und zunächst nur bei einigen Karten- und Würfelspielen die Chancen des Hauses um eine Winzigkeit angehoben. Nachdem er so seine Talente hinlänglich bewiesen hatte, ging jegliche Initiative von Johnsons Habsucht aus.

Von Harkness' Standpunkt barg sein Vorhaben ein gewaltiges Gefahrenpotential. Nicht beim Ändern der Software – das war ein Kinderspiel –, sondern weil er Zugriff auf die Bibliothek benötigte, um die Software überhaupt umschreiben zu können. Wenn Johnsons Vorgesetzte entdeckt hätten, daß ein Manty, und sei er zehnmal *Ex*-Manticoraner, Zugriff auf irgendwelche Computersysteme des Schiffe erhielt, währen die Folgen für alle Beteiligten gravierend gewesen. Doch Johnson hatte jeden Grund zu verschleiern, was vor sich ging – und ahnte nicht einmal, weshalb seine Vorgesetzten etwas dagegen haben sollten.

Soweit es Johnson oder Candleman betraf, handelte es sich bei der Spielebibliothek eben um die Stelle, wo man *Spiele* herbekam, und nicht mehr: einen Raum mit vielen Computern, die sie nicht recht verstanden und auf denen die Spiele abgespeichert waren. Beide wußten ganz genau, daß die Rechner auf kein anderes System im ganzen Schiff Zugriff besaßen. Doch Horace Harkness war ein Künstler. Schon so manchen Beobachter hatte seine Fähigkeit verblüfft, auf das Personalsystem der RMN dahingehend einzuwirken, daß er stets dorthin versetzt wurde, wohin es Scotty Tremaine verschlug. Denn niemand rechnete damit, daß ein grobschlächtiger Kerl wie Harkness ein versierter Hacker sein könnte, der in die Dateien von BuPers einzubrechen verstand. Seit seiner ersten Reise mit Tremaine und Lady Harrington im Basilisk-System hatte er sich erheblich gebessert und die verschiedenen Geschäfte mit Konterbande aufgegeben, die er zuvor nebenher betrieb, aber er hielt sich gern in Übung ... Die Barrieren, die einer Besatzung aus technischen Analphabeten unzulässige Systemzugriffe verwehrten, wirkten jedoch lächerlich auf jemanden, dem es gelungen war, in die streng abgeschirmten Geheimakten beim Bureau für Personalangelegenheiten der Royal Manticoran Navy einzubrechen.

Und so hatte sich Harkness in den vergangenen beiden Wochen praktisch ungehindert durch die grundlegenden Informations- und Kontrollnetzwerke von VFS *Tepes* gewühlt. Davon abgesehen, daß er die Spielprogramme manipulierte, war er sorgfältig darauf bedacht, keinerlei Spuren zu hinterlassen, die sich zu ihm zurückverfolgen ließen. Trotzdem häufte er eine gewaltige Wissensmenge über das Schiff an, seinen Kurs, seinen Bestimmungsort, die Crew und die üblichen Prozeduren. Daß sich für Johnson und Candleman seine Hackertätigkeit nicht sonderlich von Schwarzer Magie unterschied, kam Harkness sehr zupaß. Die beiden verschafften ihm die Abgeschiedenheit, die stets das Vorrecht der Zauberer gewesen ist. Deshalb hatte er sich keine Methode ausdenken müssen, seine Erkundungen auszuführen, während sie ihm mißtrauisch über die Schulter blickten. Vielmehr ließen sie ihn auf seiner Seite des Schlafraums allein an dem Minicomputer arbeiten, den sie ihm überlassen hatten, und spielten auf der anderen Seite altmodischen Poker. Nur um sicherzugehen, hatte Harkness sich ein ›Boß-Programm‹ geschrieben, wie man es noch immer nannte. Das Programm erlaubte ihm, die Bildschirmanzeige augenblicklich zu etwas Unverfänglichem umzuschalten, falls jemand doch zu neugierig wurde, aber er brauchte es kaum jemals.

Das größte Problem bestand im Augenblick vielmehr darin, daß seine Vorbereitungen beendet waren. Nur ein Bruchteil der Stunden, die er am Minicomputer verbrachte, hatte der Modifikation der Spielesoftware gedient. Johnson und Candleman gingen selbstverständlich davon aus, daß seine Arbeit allein den Zwecken diente, von denen sie wußten. Wenn er nun jedoch plötzlich immer weniger Zeit benötigen würde, um die Veränderungen an den Spielen vorzunehmen, stellten am Ende sogar sie sich die Frage, wieso dies auf einmal der Fall wäre. Deshalb hatte er vorgeschlagen, Farley's Crossing zu manipulieren, eine allzustark vereinfachte Nachstellung des letzten größeren Flottengefechts, das die Navy der Solaren Liga geführt hatte. Zu simpel oder nicht: ein Spiel, in dem bis zu zehn Spieler bis zu sechshundert Schiffe kontrollieren konnten, war um mehrere Größenordnungen komplexer als die anderen Programme, und Harkness war sich gewiß gewesen, daß die Stunden, die er für die Manipulation benötigte, seine überschüssige Zeit problemlos verbrauchen würden.

Nun war er zwar damit fertig, aber er mußte seinen Komplizen noch erklären, was es damit auf sich hatte, und atmete tief durch.

»Hört zu«, sagte er. »In dem Spiel gibt es sehr viele Variablen. In einem richtig großen Spiel könnte jedes Schiff von einem echten Spieler und nicht vom Computer kontrolliert werden, und das macht alles nur noch schwieriger. Deshalb mußte ich vorsichtig sein, denn eine primitive Hauruckmethode würde viel zu schnell auffallen, hab' ich recht?«

Candleman sagte kein Wort, aber Johnson nickte.

»Das verstehe ich schon«, stimmte der Corporal zu. »Du meinst, wenn – sagen wir, bei der Tango-Variante die Sollies schon bei der Ankunft immer im Vorteil wären, dann würde das irgendwann jemandem auffallen.«

»Genau!« gratulierte ihm Harkness. »Deshalb habe

ich es so eingerichtet, daß ihr immer dann, wenn ihr eine von meinen besonderen Kennungen verwendet, im Spiel einen kleinen Vorteil habt. Ihr müßt ihn vorsichtig einsetzen, aber wenn ihr in einer heiklen Lage den Feuerknopf zwomal drückt, dann addiert der Computer fünfzig Prozent auf eure Trefferwahrscheinlichkeit.«

»Junge! Das versteh' sogar ich!« rief Candleman fröhlich.

»Das dachte ich mir schon«, entgegnete Harkness grinsend. »Wie gesagt, benutzt es nicht zu häufig, aber ihr bekommt dadurch einen gewaltigen Vorteil, wenn's eng wird. Außerdem habe ich das Unterprogramm, das die Gefechtsschäden berechnet, ein wenig abgeändert. Wenn eins von ›unseren‹ Schiffen einen Treffer erhält, dann kassiert es nur verringerten Schaden. Daran muß ich allerdings noch ein wenig arbeiten, aber bei Einzelspielen solltet ihr damit erst mal hinkommen. Mit solch einem Vorteil könnt ihr bei einem armen Trottel schon ganz gut absahnen.«

»Ja, das mein' ich auch«, stimmte Johnson grinsend zu. »Danke.« Er nahm Candleman den Chip ab und klopfte sich damit auf die Handfläche. »Du bist echt in Ordnung, Harkness«, sagte er dann. »Und du bist jeden Centicredit von deinem Anteil wert, weißt du.«

»Schön, daß du es so siehst«, entgegnete Harkness ebenfalls lächelnd. »Ich möchte mir mein Brot verdienen, wo immer ich auch bin, Corp, und meine Freunde lasse ich nie im Stich.«

27

»Bürger Admiral, Signal von der *Tepes*.«

Als Lester Tourville die Meldung Bürger Lieutenant Fraisers hörte, hob er die Hand, unterbrach sein Gespräch mit Bürger Captain Bogdanovich und Everard Honeker und wandte sich dem Signaloffizier zu.

»Was besagt es, Harrison?« Seiner Stimme war keine Gemütsregung anzumerken, doch gerade diese Ungerührtheit schien seine Anspannung zu verkünden. Die *Count Tilly* befand sich 690 Stunden von Barnett entfernt, und der weißliche Glutofen des G3-Sternes Cerberus B stand nur vierundzwanzig Lichtminuten voraus.

»Die *Tepes* begibt sich in einen Parkorbit um Hades, während wir in eine Umlaufbahn um Cerberus B III gehen sollen, Bürger Admiral«, erklärte Fraiser respektvoll und räusperte sich. »Dazu kommt ein persönlicher Anhang von Bürgerin Committeewoman Ransom. Sie erteilt Anweisung, daß Sie, Bürger Admiral, Bürger Kommissar Honeker, Bürger Captain Bogdanovich und Bürgerin Commander Foraker sich per Pinasse nach Hades begeben und morgen um neun Uhr Ortszeit bei ihr melden sollen.«

»Na, ist das nicht goldig?« knurrte Bogdanovich voller Abscheu, die jeder Angehörige von Tourvilles Stab nur zu gut verstand. Die ursprüngliche Order der *Count Tilly* hatte gelautet, die *Tepes* bis nach Hades zu begleiten. Die Änderung der Order in letzter Sekunde wirkte auf alle nicht nur beleidigend, sondern legte zudem für jeden Offizier an Bord ein Zeugnis der Inkompetenz ab. »Die lassen kein Flottenschiff näher an ihr kostbares Gefängnis ran als unbedingt nötig!« rief Bogdanovich. »Wahrscheinlich haben sie Angst, wir könnten darauf feuern oder so etwas.«

Die schneidende Bemerkung des Stabschefs war sehr haßerfüllt, und noch vor einem Monat hätte er dieses Gefühl niemals so offen gezeigt. Wie ein Peitschenhieb wirkte der Kommentar, doch Honeker zuckte nicht einmal mit der Wimper. Während der Reise hatte der Volkskommissar genügend Zeit gehabt, um zu begreifen, daß er ebenso vor dem Aus stand wie Tourville und seine Offiziere. Vermutlich hätte er dem Bürger Konteradmiral die Schuld daran geben sollen, doch das vermochte er nicht. Mit offenen Augen hatte er sich in seine Lage manövriert und war nach wie vor der Meinung, Tourville sei im Recht. Cordelia Ransoms Entschlossenheit, an Honor Harrington einen Justizmord zu begehen, würde für jeden einzelnen zum Desaster werden – nicht nur für diejenigen, die versucht hatten, es zu verhindern. Die Solare Liga würde über die offensichtliche Beugung aller Vereinbarungen beinahe ebenso erzürnt sein wie die Manticoraner und ihre Verbündeten, und dadurch würden sich einschneidende Konsequenzen für den Technologietransfer aus der Liga in die Republik ergeben. Zu viele Angehörige des republikanischen Militärs würden so angeekelt und beschämt reagieren, wie Tourville es prophezeit hatte. Selbst wenn man alle pragmatischen Erwägungen beiseite stellte, aus denen heraus Honor Harringtons Hinrichtung nur ein Akt des Irrsinns sein konnte: moralisch war der Versuch, ihr das Leben zu retten, ganz einfach das Richtige.

Nein, sosehr Honeker die drohenden Konsequenzen für sie alle bedauerte, sowenig konnte er Tourville den Versuch verübeln, um sein, Honekers, stillschweigendes Einverständnis zu werben. Die Annäherung Tourvilles hatte auf Honeker eine sehr merkwürdige Wirkung ausgeübt. Er befand sich an Bord der *Count*

Tilly, um den Bürger Konteradmiral für die SyS und das Komitee für Öffentliche Sicherheit auszuspionieren. Bereits an Bord von Tourvilles altem Flaggschiff, der *Rash al-Din*, hatte er das gleiche getan. Obwohl er den aggressiven, verbissenen Kämpfer Tourville schätzen gelernt hatte, vergaß er doch niemals, daß er zum Hüter des Bürger Konteradmirals bestimmt war. Diese Trennung mußte er aufrechterhalten – Honeker mußte abseits stehen und auf Anzeichen der politischen Unzuverlässigkeit achten.

Nun aber existierte jene Distanz nicht mehr; möglicherweise deswegen, weil Honeker wußte, daß sie alle zum Untergang verurteilt waren. Und dennoch barg diese Erkenntnis eine gewaltige Erleichterung. Endlich brauchte er niemanden mehr zu belügen – weder andere noch sich selbst –, um Vorgehensweisen zu rechtfertigen, die durch nichts zu rechtfertigen waren. Den systemimmanten Idiotien zum Trotze hatte Everard Honeker seine Pflicht gegenüber dem System erfüllt, und dafür strafte das System ihn mit Verrat und Vernichtung. Dadurch aber hatte das System die Bindung zwischen sich selbst und Honeker gelöst und den Volkskommissar befreit. Nun durfte er erkennen, daß ›Unzuverlässige‹ wie Lester Tourville und sein Stab viel bessere Vorkämpfer des Gedankens waren, für den das Komitee für Öffentliche Sicherheit einmal gestanden hatte, als Leute wie Cordelia Ransom jemals zu sein hoffen durften.

In völliger Unkenntnis dessen, was hinter der Stirn des Volkskommissars vorging, nickte Tourville seinem Stabschef zu, denn Bogdanovich hatte völlig recht. Das Cerberus-System stellte einen einzigen monumentalen Tribut an den Verfolgungswahn der republikanischen Sicherheitsorgane dar, ob des alten oder des neuen Regimes, war unerheblich. Die Koordinaten des Doppelsterns befanden sich nicht einmal in der astrographischen Datenbank der *Count Tilly*. Allein die Existenz des Sonnensystems, ganz zu schweigen von seiner Position, war schon unter dem alten Regime vom Amt für Innere Abwehr für streng geheim erklärt worden, nachdem man Camp Charon errichtet hatte. Selbst heute – oder vielleicht gerade heute – behütete die Systemsicherheit dieses Geheimnis auf geradezu fanatische Weise; daß niemand wissen durfte, wo Cerberus zu finden war, bildete nur die oberste Schicht eines tiefgestaffelten Schutzschirms.

In den vielen Jahren, die Lester Tourville in der Flotte diente, hatte er nur selten solch massierte orbitale Verteidigungsanlagen gesehen wie jene in der Umlaufbahn von Hades – auch bekannt als Cerberus B II – und seinen drei großen Monden. Die *Count Tilly* besaß nur fragmentarische Daten darüber, doch immerhin hatte Bürger Captain Vladovich ein sorgfältig zensiertes Dossier übermittelt, als noch geplant gewesen war, daß Tourvilles Schiff die *Tepes* bis in die Umlaufbahn von Hades begleiten sollte. Das Planeten-Monde-System platzte vor Feuerkraft förmlich aus den Nähten, und jedes sich nähernde Schiff, das eine falsche Bewegung machte, wäre binnen kurzem nur noch ein Wrack gewesen. Doch schon ein flüchtiger Blick auf Vladovichs Informationen hatte Tourville genügt, um zu erkennen, daß das chronische Mißtrauen der Systemsicherheit (oder der InAb) zur Errichtung eines höchst bizarren Defensivsystems geführt hatte, wie es weder dem Admiral noch irgendeinem seiner Stabsoffiziere je in den Sinn gekommen wäre.

Im gesamten Sonnensystem existierte keine einzige bemannte Festung. Den Planeten und seine Monde umgaben Unmengen von Minen – altmodische

Nuklearsprengköpfe mit Annäherungszündern, mit denen Beiboote vernichtet wurden. Auch gab es Lasersatelliten, die LACs und Sternenschiffe abschießen sollten; Minen und Laser standen dicht an dicht im All, daß man sie fast zu Fuß überqueren konnte. Dazwischen schwebten kompliziertere, moderne Energieplattformen, und Tourville vermutete stark, daß auf dem Planeten bodengestützte Abwehrraketen stationiert waren, und auf den Monden vermutlich auch. Alles in allem besaß Hades gewiß die Kampfkraft eines vollen Superdreadnoughtgeschwaders – aber all diese Waffen wurden von Camp Charon aus ferngesteuert. Ansonsten existierte in der Umlaufbahn nicht einmal eine Frachtumschlagstation. Innerhalb einer Lichtminute um den Planeten wurde alles von massierter Feuerkraft beherrscht, und dennoch duldete man keinerlei bemannte Schiffe in der Umlaufbahn. Tourville fragte sich, aus welchem Grund.

Nun waren Minenfelder und Energiestrahlerplattformen natürlich billiger als bemannte Stationen, und weil sie unbemannt waren, mußte man auch gar nicht erst Personal für ihre Besatzungen finden. ›Billiger‹ war freilich ein relativer Begriff, wenn es um Defensivanlagen dieser Größenordnung ging, doch auch relative Ersparnisse summieren sich. Tourville vermochte diese Überlegung durchaus nachzuvollziehen und verstand auch, daß die SyS – und vor ihr die InAb – nicht einerseits die Position dieses Sonnensystems geheimhalten und andererseits Flottenpersonal anfordern konnte, das die Stationen bemannte. Doch die Besatzung für eine Frachtumschlagstation hätte die SyS doch gewiß irgendwo auftreiben können! Dadurch hätte sich der Umschlag von Fracht (und von Häftlingen) aus der Umlaufbahn zur Oberfläche doch gewiß stark vereinfachen lassen, warum also verzichtete man darauf? War man bei der SyS so paranoid geworden, daß man im Orbit über sich nicht einmal die eigenen Leute wissen wollte?

Tourville bezweifelte, ob er jemals eine Antwort auf diese Frage erhielte. Ebensowenig verstand er, weshalb man überhaupt orbitale Verteidigungsanlagen einrichtete. Denn ohne Vorpostengeschwader waren letztendlich auch die vielen Minen und ferngesteuerten Plattformen völlig nutzlos. Ein Planet wies nun einmal einen unabänderlichen taktischen Nachteil auf: er vermochte nicht auszuweichen. Ein Angreifer kannte die Position eines Planeten jederzeit *exakt*, und daher reichte ein einziger Schlachtkreuzer aus – eventuell sogar ein Schwerer Kreuzer –, um alle Waffensysteme im Orbit um Hades mit altmodischen nuklearen Gefechtsköpfen auszuschalten. Die Gefechtsköpfe brauchten nur aus einer Position jenseits der Reichweite dieser orbitalen Defensivsysteme gestartet werden und sich auf ballistischen Flugbahnen dem Planeten nähern. Wenige Dutzend Detonationen in der Größenordnung von fünfzig oder sechzig Megatonnen hätten klaffende Löcher in die massiven, ineinander übergehenden Minensphären gerissen. Selbst modernste Abschirmung würde nicht verhindern können, daß der EMP dieser Detonationen wenigstens zeitweilig die elektronischen Schaltkreise in allen ferngesteuerten Geschützplattformen lahmlegte, die der direkten Vernichtung entkamen. Tourville räumte ein, daß bodengestützte Raketenstellungen auf dem Planeten und seinen Monden (falls es denn welche gab) diesen Angriff überstehen würden, doch allein wären sie zu schwach, um einen ernstgemeinten Landungsversuch abzuwehren. Jeder tüchtige Defensivexperte wußte, daß orbitalgestützte Anlagen allein

– selbst echte Festungen mit Blasenschilden – gegen bewegliche Angreifer auf lange Sicht nutzlos waren.

Es gab nur eine einzige Erklärung für diese Totgeburt: Wer immer diesen gewaltigen (und verschwendeten) Kostenaufwand befohlen hatte, konnte sich nicht die Mühe gemacht haben, einen tüchtigen Defensivexperten hinzuzuziehen, und das ergab im Lichte der bereits beobachteten Paranoia sogar Sinn. Man mißtraute dem eigenen Militär aus einem bestimmten Grund so sehr, daß man ihm nicht einmal mitteilen wollte, daß ein gewisses Gefängnis tatsächlich existierte, geschweige denn, wo es sich befand. Diese Geheimhaltung sollte verhindern, daß die eigenen Admirale auf den Gedanken kamen, das Gefängnis aus einem unerfindlichen Grund anzugreifen, und daher würde man diese Leute wohl kaum bitten, eine Verteidigungsanlage zu ihrer eigenen Abwehr zu entwerfen! Zudem hätten Vorpostengeschwader aus den Verbänden der Volksflotte stammen müssen, was in der Lesart der SyS inakzeptabel war.

Welche Überlegungen nun auch hinter diesen Defensivformationen steckten, Bogdanovich hatte jedenfalls recht: Niemals würden die Paranoiker, die für diese Befestigungen verantwortlich waren, ein Kriegsschiff mit fremder Besatzung näher als unbedingt nötig an Hades heranlassen. Die Parkumlaufbahn um Cerberus B III hielt die *Count Tilly* auf einem Abstand von siebzehn Lichtminuten zu der Gefängniswelt – und verurteilte Tourville, Honeker, Bogdanovich und Foraker zu einem fast dreistündigen Pinassenflug nach Hades. Wenigstens blieb die *Count Tilly* außer Reichweite der Defensivanlagen. In seiner gegenwärtigen Stimmung verbuchte Lester Tourville diesen Umstand als kräftiges Plus.

»Na schön«, sagte er schließlich zu Fraiser. »Ich

nehme an, Bürger Captain Hewitt ist bereits informiert?« Als Fraiser nickte, hob Tourville die Schultern. »Dann richten Sie Bürgerin Committeewoman Ransom bitte aus, daß wir ihr Signal empfangen haben.«

Jeder auf der Flaggbrücke bemerkte, daß er Fraiser nicht befohlen hatte, Ransoms Signal zu *bestätigen,* womit er gewährleistet hätte, ihren Befehl zu befolgen. Einschließlich Honekers wußten sie alle, daß eine simple, knappe Empfangsmeldung eine nicht allzu sorgfältig kaschierte Beleidigung für den Empfänger des Antwortsignals darstellte. Möglicherweise entging Ransom dies, doch Tourville interessierte es mittlerweile nicht mehr, was Cordelia Ransom kapierte und was nicht.

Allmählich divergierten die Vektoren der *Count Tilly* und der *Tepes* immer stärker, und Tourville beobachtete, wie der kleine, helle Punkt von Cerberus B III auf dem Hauptbildschirm immer weiter anschwoll.

Horace Harkness zuckte zusammen, als das Chrono unter seinem Kopfkissen piepte. Er hatte die Uhr vom Handgelenk genommen und sie unters Kissen geschoben, damit ihr Geräusch keinen anderen weckte als ihn. Als sie nun erneut piepte, verbiß er sich einen Fluch. Die ganze Nacht hatte er nicht schlafen können. Nachts beobachtete man ihn zwar nicht – zumindest hoffte er das –, trotzdem hatte er den Wecker der Uhr gestellt, damit er nicht zwanghaft alle fünf Minuten auf das Chrono blickte. Er war überzeugt gewesen, das Kissen würde das Geräusch völlig verschlucken, doch nun, da die Uhr Signal gab, schien ihr gedämpftes Piepen wie Donner durch die ganze Abteilung zu hallen.

Aber das bildest du dir nur ein, versicherte er sich

fest – nicht, daß sein Pulsschlag sich davon beeindrucken ließ. Sein Puls raste, weil das Piepen ihm sagte, die Zeit sei gekommen, seine Pläne in die Tat umzusetzen. Zudem wußte er nur zu gut, wie gering die Chancen standen. Leider war ihm kein besserer Plan eingefallen. Also hatte er keine Wahl.

Das Chrono piepte erneut. Harkness schob eilig die Hand unter das Kissen und brachte die Uhr zum Schweigen. Dann atmete er tief durch, befeuchtete sich mit der Zunge die Lippen und setzte sich auf. Er schwang die Beine aus der Koje, erhob sich sehr leise und schlich mit nackten Füßen über das Deck. Heinrich Johnsons langsames, schweres Atmen und Hugh Candlemans nasales Schnarchen veränderten sich nicht im mindesten. Harkness biß die Zähne zusammen. Nun kam er zu dem Teil, auf den er am liebsten verzichtet hätte, aber ihm blieb nichts anderes übrig. Gespenstisch leise schlich er zu Johnson. Das Nachtlicht, auf dem Candleman bestand, tauchte die Abteilung in einen schwachen Schein, der Harkness genügte, um zu sehen, wohin er ging. Geräuschlos trat er an Johnsons Koje. Er stellte sich ans Kopfende, verharrte und atmete noch einmal tief durch, dann schlug Horace Harkness zu.

Mit der linken Hand packte er Johnson blitzschnell am Kinn und zerrte es hoch, während er ihm gleichzeitig den Kopf in den Nacken drückte und tiefer ins Kissen preßte. Der Corporal riß die Augen auf und rollte sie fassungslos, doch er hatte noch nicht einmal begriffen, daß er wach war, als Harkness' rechte Hand wie eine Axt herabsauste. Johnson zog Luft ein, doch der Schrei, den er ausstoßen wollte, erstarb in seinem zerschmetterten Kehlkopf zu einem qualvollen Röcheln. Er zuckte und schlug um sich, krallte mit den Händen nach seiner Kehle und kämpfte um Luft, die er nie wieder bekommen würde. Harkness hatte sich schon abgewendet. Heinrich Johnson war bereits ein toter Mann; er hatte es nur noch nicht begriffen. Harkness mußte sich nun mit Candleman befassen.

Der zweite SyS-Scherge schnaubte leise und rührte sich im Schlaf. Johnsons Todeszuckungen waren heftig aber nicht sehr laut, und Candleman erhielt nie die Chance zu begreifen, was das rauhe Keuchen zu bedeuten hatte, das seinen Schlaf störte. Er befand sich noch im Halbschlaf, als zwei schwielige Hände seinen Kopf packten und grob herumrissen. Einen Augenblick lang betäubte das übelkeitserregende Krachen der Nackenwirbel Johnsons hoffnungslose Versuche, Luft zu bekommen, dann erstarben alle Laute, und Horace Harkness trat in die Dunkelheit zurück, schloß die Augen und erschauerte angeekelt.

Er tötete nicht zum erstenmal, doch bisher hatte er weder jemanden umgebracht, den er kannte, noch hatte er die Tat mit bloßen Händen verübt anstatt mit Raketen oder einem Energiegeschütz, und das war etwas ganz anderes. Harkness fühlte sich unrein, denn weder Johnson noch Candleman hatte auch nur im leisesten damit gerechnet, daß er sie angriff. Doch genau darum war es ja gegangen: Harkness hatte ihnen nicht gestatten können, mit einem Angriff zu rechnen. Deshalb war er ihr Partner geworden, ihr guter Freund und Kumpel, der durchtriebene Ex-Manty: um sie im Schlaf zu ermorden.

Er ließ die Arme an den Seiten herabhängen und ballte die Fäuste. Von dem leichten Beben abgesehen, das er nicht unterdrücken konnte, stand er völlig regungslos da. Dann zuckten seine Nasenflügel, und er schlug wieder die Augen auf. Das alles hatte er durchdacht, als er den Plan faßte, und damals hatte er recht gehabt. Ihm blieb keine andere Wahl, soviel stand fest. Ganz gleich, wie nett es gewesen sein mochte, mit Johnson und Candleman ein paar Bier zu kippen, während man den nächsten Coup plante, beide waren SyS-Schergen gewesen. Gott allein wußte, wie viele andere Menschen sie gefoltert oder getötet hatten – oder in wie vielen Fällen sie zumindest Beihilfe geleistet hatten. Selbst wenn dieser Gedanke nur dazu diente, sein Gewissen zu beruhigen, blieb es doch wahr. Er kehrte den Toten den Rücken zu, um sich mit ihren Spinden zu befassen.

Beide Spinde waren abgeschlossen, doch Horace Harkness hatte im Laufe seines bewegten Lebens schon viele Schlösser geöffnet, deren Schlüssel jemand anderes besaß. Außerdem genoß er den unschätzbaren Vorteil, die Besitzer der Spinde schon zu Dutzenden von Gelegenheiten beim Öffnen beobachtet zu haben. Rasch gab er die Kombinationen ein und verzog den Mund zu einem grimmigem Lächeln, als die Innenbeleuchtung der Spinde auf den Waffen seiner toten Wachhunde schimmerte.

Er legte sich Johnsons Koppel um, zog den Pulser und überprüfte ihn. Magazin und Kondensator zeigten volle Ladung. Rasch überzeugte sich Harkness, daß die Koppeltaschen mit Ersatzmagazinen und Energiepacks gefüllt waren, steckte eine der Uniformjacken des Corporals und eine Hose in einen Wäschebeutel und wandte sich Candlemans Spind zu. Die Handfeuerwaffe des Privates überprüfte er ebenfalls, hängte sich das zweite Koppel wie einen Patronengurt diagonal vor die Brust und schloß die Spinde. Dann nahm er den Minicomputer an sich, mit dem er die Spielprogramme manipuliert hatte, und schob ihn in den Zugangsschlitz am Schott.

Er loggte sich mit Johnsons Paßwort ein. Hätten Computer sich Gedanken über dergleichen machen können, so hätte der Bordcomputer der *Tepes* sich wahrscheinlich über den unglaublichen Fortschritt gewundert, den die Programmierkenntnisse von Bürger Corporal Heinrich Johnson, Dienstnummer SYS-1002-56722-0531-HV, binnen kurzem gemacht hatten. Doch Computern war dergleichen egal, und Harkness bewegte sich geschwind auf den Datenwegen, die er angelegt hatte, während Johnson und Candleman glaubten, er würde lediglich Computerspiele zu ihren Gunsten manipulieren.

Harkness hatte nicht gewagt, ein Hauptsystem grundlegend zu verändern, denn zu leicht hätte ein Offizier oder Unteroffizier, der kein Computer-Analphabet war, über sein Werk stolpern können. Deshalb hatte er alle Modifikationen auf dem Minicomputer programmiert und abgespeichert. Es war nicht leicht gewesen, dafür zu sorgen, daß alle seine kleinen Pakete zur richtigen Zeit und in der richtigen Reihenfolge aktiviert werden würden, doch Harkness hoffte, die Schwierigkeiten hinreichend berücksichtigt zu haben. Nur bei einem Teilprogramm war er gezwungen gewesen, es im voraus auszulösen. Nun überprüfte er es und grunzte zufrieden: Es hatte sich wie geplant vor achtzehn Minuten und einundzwanzig Sekunden aktiviert. Harkness grinste. Noch immer konnten tausend Dinge schiefgehen, aber diese kleine und doch entscheidende Einzelheit hatte ihm die größten Sorgen bereitet. Nun mußte er das nächstgrößte Risiko eingehen und drückte eine Funktionstaste. Soweit jedermann an Bord von VFS *Tepes* sagen konnte, geschah überhaupt nichts. Nur Harkness und sein Minicomputer wußten es besser. Überall in den elektronischen Eingeweiden des Schlachtkreuzers wurden schlagartig ein halbes Dutzend Programme von Versionen ihrer selbst überschrieben, die Harkness sich schon vor Tagen oder Wochen in seinen Minicomputer geladen und verändert hatte – in den meisten Fällen handelte es sich um sehr subtile Variationen, in einigen wenigen nicht.

Trotz der Größe einiger dieser Programme und Programmgruppen gelangten die Abwandlungen mit einer Geschwindigkeit an Ort und Stelle, die jemandem, der in der Zeit der gedruckten Schaltungen und Siliciumchips gelebt hatte, unfaßbar erschienen wäre. Als die Bestätigungen seiner Befehle auf dem Display aufblitzten, stieß Harkness geräuschvoll den Atem aus. Er hatte gar nicht bemerkt, daß er die Luft angehalten hatte. Harkness loggte sich aus, zog den Minicomputer aus dem Steckplatz und schob ihn sich in die Tasche. Er bückte sich, hängte sich den Wäschebeutel mit Johnsons Uniform über die Schulter und ging rasch ans Ende der Abteilung. Stämmig wie er war, paßte er kaum in den Ventilationsschacht, aber das war im Moment wirklich seine geringste Sorge.

Warner Caslet straffte Schultern und Rückgrat, als der Lift anhielt und sich die Türen öffneten. Die letzten vier Wochen waren noch schlimmer gewesen als befürchtet. Nicht etwa, daß es konkrete Unannehmlichkeiten gegeben hätte; vielmehr war es die völlige Machtlosigkeit, die an seinem Nervenkostüm zerrte. Caslet wußte genau, was mit Honor Harrington und ihren Leuten geschehen würde, und er konnte daran ebensowenig ändern wie an Cordelia Ransoms Plänen mit ihm. Zunächst hatte ihn ein wenig überrascht, daß sie ihrem ›militärischen Verbindungsoffizier‹ gestattete, längere Zeit mit den Gefangenen allein zu sein, doch bei näherem Nachdenken kam ihm der Gedanke, daß er ihre Intelligenz möglicherweise unterschätzt hatte. Je länger sie das Damoklesschwert über seinem Haupt schweben ließ, desto größer wäre der Schmerz, wenn sie es endlich fallen ließ und ihm zeigte, daß alle Hoffnung, die er sich gemacht hatte, nur eine Seifenblase gewesen war.

Was auch geschehen mochte – die *Tepes* stand im Begriff, in den äußersten Ring von Wachsatelliten rings um den Planeten Hades einzudringen. Nur noch eine halbe Stunde, bis sie auf die Parkumlaufbahn eintrat; nicht einmal das hätte Caslet wissen dürfen. Welchen Sinn es haben sollte, ihm derart triviale Informationen vorzuenthalten, begriff er nicht, aber diese besessene Vorsicht war charakteristisch für die SyS: nach Möglichkeit alles für sich behalten. Sonderlich schwer war es allerdings nicht gewesen, die ETA herauszufinden, und da Caslet nun wußte, was geschehen würde, hatte er beschlossen, Alistair McKeon und Andreas Venizelos ein letztes Mal zu besuchen.

Freilich hätte er besser davon abgesehen. Offiziell war er an Bord der *Tepes*, damit er die Verantwortung für den Zustand der Gefangenen übernahm. Unnötig Kontakt mit ihnen zu suchen, konnte seine ohnehin geringe Überlebenschance nur zusätzlich schmälern. Dennoch gedachte Caslet nicht, sich diese Anstandsgeste zu versagen.

Seiner offiziellen Position zum Trotz hatte man ihm keinen Zutritt zu Lady Harrington gewährt – unter dem Vorwand, sie sei Sträfling, keine Kriegs-gefangene. Seinem ersten und einzigen Versuch, Informationen über ihr Befinden zu erlangen, war eine derart heftige Reaktion gefolgt, daß er es nicht gewagt hatte, ein zweites Mal nachzufragen. Immerhin hatte er durchsetzen können, daß er die alliierten Soldaten, die man noch immer als Kriegsgefangene ansah, beinahe jederzeit besuchen konnte. Offiziell hatte er nie um

Besuchserlaubnis gebeten, sondern das Gewicht seines Dienstgrades und seiner Pflichten als Verbindungsoffizier angewendet. Zu seiner Überraschung kam Caslet damit immer wieder durch, vermutlich, weil der für die Bewachung zuständige Lieutenant die Besuche seinen Vorgesetzten nicht meldete – oder besagte Vorgesetzte hatten beschlossen, Caslet genügend Leine zu lassen, um sich selbst einen Strick daraus zu drehen, und die Aufzeichnungen der Überwachungskameras als Beweise seines Abfalls zu verwenden. Welchen legitimen Grund sollte ein Offizier der VFH schließlich besitzen, sich auch nur eine Sekunde länger mit Volksfeinden abzugehen als seine offiziellen Pflichten erforderlich machten? Zweifellos erwiesen sich die HD-Chips bei seiner Verhandlung als sehr nützlich – falls man sich die Mühe machte, ihn vor Gericht zu stellen.

Caslet trat aus dem Lift und nickte knapp den vier Wächtern an der ›Pforte‹ zu, dem Kontrollpult auf halber Länge des Ganges. Die SyS-Soldaten blickten alarmiert auf, strafften die Schultern und ließen unzulässige Kaffeetassen verschwinden, doch als sie sahen, daß es nur Caslet war, entspannten sie sich. Selbst wenn sich über ihn und sein bevorstehendes Schicksal keine Gerüchte im Umlauf befunden hätten, wäre er trotzdem bloß ein Flottenoffizier gewesen. Der Sergeant vom Dienst gab den anderen mit einem Wink zu verstehen, sitzen zu bleiben, und ging in schlenderndem Schritt dem Besucher entgegen.

»Was kann ich für Sie tun, Bürger Commander?« fragte er; zu salutieren erachtete er offenbar als überflüssig.

»Ich hätte gern mit den dienstältesten Häftlingen gesprochen, Bürger Sergeant Innis«, antwortete Caslet, und der Wärter zuckte mit den Schultern.

»Nicht mein Bier«, grunzte er und winkte einen der drei anderen herbei; dann drehte er sich um und ging zu der verschlossenen Luke. Eine Frau hinter dem Schreibtisch reagierte auf seine Geste, indem sie ein Schrapnellgewehr aus der Wandhalterung nahm, sich fünf Schritte hinter dem Sergeant aufstellte und das Gewehr auf die Luke richtete. Erst dann gab Innis die Kombination ein, die das Schloß entriegelte.

»'n bißchen lebendiger, Manties!« rief er durch die zur Seite fahrende Lukentür. »Ihr habt 'nen Gast!«

Die Beleuchtung der Kammer schaltete sich ein, und Caslet empfand ein leichtes Schuldgefühl, als sich schlaftrunkene Männer in ihren Kojen aufsetzten. Nach den Uhren der *Tepes* war es mitten in der Nacht, doch am Morgen wären die Männer bereits fortgeschafft gewesen, ohne daß Caslet sie noch einmal hätte sehen können.

Er nickte dem Sergeant zu und trat in die Kammer, so daß Innis hinter ihm die Luke verschließen konnte. Gähnen verstummte plötzlich, und die Schläfrigkeit in den Augen der Gefangenen wich angespannten Mutmaßungen. Caslet blieb an der Luke stehen, bis die Männer endgültig aufgewacht waren.

Als er diese Kammer zum erstenmal aufsuchte, hatte man ihn mit Frostigkeit begrüßt, was Caslet den Gefangenen kaum übelnehmen konnte. Tatsächlich rechnete er damals mit Schlimmerem, und niemand hatte ihn unterrichtet, daß ›Colonel‹ LaFollet sich in dieser Zelle befand. Lady Harringtons Waffenträger hatte ihn jedoch erkannt und ihn den anderen Offizieren vorgestellt – auf eine Weise, die wortlos, wenngleich deutlich sagte, dieser Havie sei anders. Mittlerweile verband Caslet mit McKeon eine vorsichtige Freundschaft. Venizelos stand ihm mißtrauischer gegenüber, doch McKeon – und besonders LaFollet und Montaya – waren zu dankbar über Caslets Bemühungen, medizinisches Material zur Versorgung von Nimitz heranzuschaffen, als daß sie ihm noch echte Feindseligkeit entgegenzubringen vermochten.

Der Gedanke an den Baumkater bewegte Caslet dazu, die Abteilung zu durchqueren und sich an LaFollets Koje zu stellen. Wie jedesmal verkrampfte sich ihm auch diesmal das Herz, als Nimitz sich in seinem Nest aus Decken auf die Pfoten stellte, um ihn zu begrüßen. Baumkatzenknochen heilten zwar schneller als menschliche, doch da man an Bord der *Tepes* Montaya die nötigen Instrumente verweigerte, war der Arzt nicht imstande, Nimitz' Verletzungen optimal zu behandeln. Der 'Kater war zwar wieder ein wenig zu Kräften gekommen, aber die zerschmetterte Mittelschulter und der Mittelarm waren nach wie vor verkrümmt und unbrauchbar; Montaya hatte sie nur in annähernd richtige Positionen bringen können. Nimitz sah sich durch die Verletzung seiner gewohnten, dahinfließenden Anmut beraubt, und wenn er sich bewegte, zeigten seine Augen und die halb zurückgelegten Ohren deutlich seinen Schmerz. Der 'Kater wehrte jedes Selbstmitleid ab. Nun erhob er sich zu einer beinahe aufrechten Haltung und schwankte dabei ein wenig nach rechts, weil seine verletzte Körperhälfte seinen Gleichgewichtssinn beeinträchtigte. Er begrüßte Caslet mit einem »Bliek«.

Caslet war sich im klaren, wie entscheidend Nimitz' Sympathie und Vertrauen dazu beigetragen hatten, daß die Gefangenen ihn akzeptierten, und strich dem 'Kater behutsam mit der Hand über den Kopf, dann wandte er sich an McKeon.

»Tut mir leid, Sie zu wecken, Captain«, sagte er, »aber ich fand, Sie sollten erfahren, daß wir in vierzig Minuten in die Umlaufbahn um Hades eintreten.«

McKeon erstarrte, und Caslet spürte, wie die Nervosität die Abteilung durchlief wie eine Druckwelle. »Die Bordzeit ist nicht mit der Ortszeit synchron«, fuhr er fort, »und in zwo Stunden hat Camp Charon Tageslicht. Dann wird man Sie hinunterschaffen. Ich dachte ... das würden Sie vielleicht erfahren wollen.«

Harkness kroch um die letzte Kurve und verharrte flach auf dem Bauch. Er zog den Minicomputer hervor. Das Bewegungsfenster auf dem Display zeigte einen bestimmten Ausschnitt des Lageplans für das Ventilations- und Wartungssystem. Der Plan hatte er sich aus der Datenbank der Schiffstechnischen Abteilung kopiert. Ein Tastendruck vergrößerte den Ausschnitt im Fenster; der neue Maßstab zeigte Harkness die Umgebung mit erheblich mehr Einzelheiten, und er grunzte zufrieden.

Wenn Planetenhocker das Wort ›Sternenschiff‹ hörten, dachten sie an dicke Brocken aus Stahl, die irgendwie druckfeste Abteilungen bildeten und von vielen Gängen durchzogen waren. Jeder Berufsraumfahrer wußte es besser: wie den menschlichen Körper durchzogen auch Sternenschiffe Arterien und Kapillaren, die Energie, Licht, Atemluft, Wasser und die vielen anderen lebenswichtigen Ingredienzien einer künstlichen Welt transportierten. Und im Gegensatz zum menschlichen Körper gab es hier zahlreiche Inspektionsklappen und Kriechwege, um den Zugang zu Baugruppen zu ermöglichen, die irgendwann einmal gewartet oder repariert werden mußten.

Es braucht wohl nicht eigens betont zu werden, welch große Schwierigkeiten die Notwendigkeit solcher Hilfsschächte den Schiffbauingenieuren bereitete, denn genau wie die Korridore und Liftschächte, von denen die Planetenhocker wußten, benötigte jeder einzelne dieser Zugangswege Sperrschotte, durch die sie im Falle eines plötzlichen Druckverlustes abgedichtet werden konnten; diese Schotte waren unerläßlich. Wenn man sich in den engen, niedrigen Gängen zurechtfand und genügend Zeit mitbrachte, dann konnte man sich auf diesem Wege so gut wie überallhin begeben, ohne Korridore und Lifte zu benutzen.

Genau das hatte Horace Harkness vor. Er schaltete den Minicomputer wieder ab, schob ihn in die Tasche zurück und ließ sich die letzten paar Meter des Ventilationsschachtes hinabgleiten. Zwar nicht der beste Weg zu seinem Ziel, aber wahrscheinlich kam er ihm hier so nahe wie man es nur verlangen konnte. Der Gitterrost, zu dem der Schacht führte, saß in der Längswand eines Ganges, an dessen anderem Ende der Lift war. Niemand hätte einen Grund, in diese Richtung zu blicken ... schließlich gab es hier nur das Schott zu sehen, das sich am Ende des Ganges befand. Von seiner Position aus konnte Harkness leider nicht in den Korridor blicken, bevor er handelte, und eigentlich sprang er nicht sehr gern blind ins kalte Wasser. Andererseits blieb ihm keine andere Wahl, und er hatte lange genug die Aufnahmen der Überwachungskameras studiert, um zu wissen, womit er in diesem Korridor rechnen mußte. Er hauchte ein Stoßgebet, er möge alles bedacht haben, wand sich auf der Stelle herum, so daß er die Füße gegen den Rost stemmen konnte, zückte beide Pulser und trat kräftig zu.

»Was meinst du, warum verbringt der soviel Zeit mit den Manties, Sarge?« fragte Bürger Corporal Porter.

»Woher soll ich das wissen?« entgegnete Bürger

Sergeant Calvin Innis achselzuckend und reckte sich nach seiner Kaffeetasse. Bürgerin Private Donatelli bemerkte die Bewegung und schob ihm die Tasse ein wenig entgegen. Der Sergeant nickte ihr dankend zu, dann sah er Porter wieder an. »Ich weiß nur, daß er ihr sogenannter ›Verbindungsoffizier‹ ist, und so lange mir niemand sagt, daß er nicht zu ihnen darf, interessiert's mich keinen Furz, was er von ihnen will. Wenn er natürlich keine Erlaubnis hat, hier einfach runterzukommen, dann steckt er ganz schön tief in Schwulitäten, falls Bürger Captain Vladovich das je rausbekommt, oder etwa nicht?«

»Ja, ich glaube, das kann man so sagen«, warf Bürger Private Mazyrak, der vierte Wächter, grinsend ein. »Wollen wir wetten, wie lange es noch dauert, bis er sich selber ein Zimmer hier auf unserem Korridor buchen muß?«

Innis und er tauschten ein gehässiges Grinsen aus, dann lachte der Sergeant kehlig und hob die Kaffeetasse. Das Lachen hatte er bitter nötig, das Koffein hingegen noch mehr, und beim Trinken knurrte er etwas vor sich hin. Zwar war er noch keine Stunde im Dienst, aber er haßte die Hundewache. Wenn er nachts arbeiten mußte, fühlte er sich ständig unausgeschlafen, obwohl die Begriffe Tag und Nacht an Bord eines Sternenschiffs nur durch das Chronometer Bedeutung erhielten. Trotzdem ging es ihm so. Auf Hundewache hatte er immer dieses Gefühl der Erschöpfung, das Gefühl, daß sich die Haut rings um die Augen spannte, und dann war er für Kaffee besonders dankbar ...

Ein lautes Klappern unterbrach ihn mitten im Gedanken. Erschrocken fuhr er auf und schüttete sich brühheißen Kaffee über die Uniform. Die Flüssigkeit durchdrang das Gewebe und gelangte auf seine Haut.

Der Sergeant fluchte unterdrückt, während er sich mit der freien Hand noch die Brust abtupfte. Dann wandte er den Kopf dem Geräusch zu und schwor sich, dem Verursacher, ganz gleich, wer es war, bei lebendigem Leibe die Haut abzuziehen.

Erst als er sich bereits umdrehte, holte sein Gehirn seine automatischen Reaktionen wieder ein, und er hob erstaunt eine Augenbraue, denn das Geschepper war von links gekommen, obwohl die Lifte sich rechts befanden. Dabei waren die Lifte der einzige Weg in die Abteilung, und seine drei Untergebenen befanden sich alle hier vor ihm: Bürgerin Private Donatelli saß hinter der Kontrollkonsole, während Bürger Corporal Porter und Bürger Private Mazyrak lässig die Ellbogen auf die Theke gestützt hatten. Wenn sie also bei ihm und die Lifte links waren, wer zum Teufel ...?

Diesen Gedanken führte er nicht mehr zu Ende, denn noch bevor er den Ventilatorrost entdeckte, der noch immer über das Deck schepperte, erblickte er den menschlichen Körper, der mit den Füßen voran folgte. Dem Sergeant blieb nicht mehr genug Zeit, um den manticoranischen Petty Officer zu erkennen, der zur Republik übergelaufen war – genauer gesagt, hatte er kaum genügend Zeit, um zu begreifen, woher der Mann gekommen war –, denn die Erscheinung hatte zwei langläufige Militärpulser in den Händen. Das letzte, was Bürger Sergeant Calvin Innis je empfand, war Erstaunen, dann riß ein Wirbelsturm aus Dreimillimeterbolzen ihn und seine Leute in Stücke.

28

»Ich weiß Ihre Geste zu schätzen, Bürger Commander, aber wenn wir den Fahrplan nicht erfahren sollen, dann wären Sie lieber nicht hierhergekommen.« Alistair McKeon klang ein wenig undeutlich, denn er hatte mit vier ausgeschlagenen und zwei abgebrochenen Zähnen für seine Forderung bezahlt, Lady Harrington zu sehen. An seiner Aufrichtigkeit konnte jedoch kein Zweifel bestehen.

Warner Caslet hob fatalistisch die Schultern. »Viel mehr Ärger kann ich wirklich nicht mehr bekommen, Captain«, entgegnete er. »Und weder Sie noch Lady Harrington sind die Ursache dafür. Es ist eben so. Und da es so ist, kann ich genausogut ein wenig Zeit für Dinge verwenden, die ich für richtig halte.«

McKeon sagte lange kein Wort und schaute Caslet in die Augen, doch schließlich weichte sein Blick auf, und er nickte. Er wußte so gut wie Caslet, daß der Bürger Commander nahezu nichts hatte ausrichten können. Doch was er erreicht hatte, war für die Gefangenen wertvoll gewesen: die kleinen Gefallen, die er ihnen erweisen konnte, das Verbandsmaterial für Nimitz, die Medikamente, mit denen sich der unablässige Schmerz von McKeons zerstörten Zähnen immerhin dämpfen ließ. Man hatte sie gern angenommen, diese Gefallen, aber zu wissen, daß man sie dem Anstandsempfinden eines feindlichen Offiziers zu verdanken hatte, war für die Moral der Gefangenen wichtiger gewesen als Warner Caslet wahrscheinlich ahnte. Daß sie alle wußten, welchen Preis er am Ende für seinen Anstand bezahlen müßte, machte ihn nur um so wertvoller.

»Danke«, sagte der Manticoraner leise und reichte

Caslet die Hand. »Dame Honor hat mir gesagt, Sie seien jemand Besonderes, Bürger Commander. Ich weiß nun, daß sie recht hatte.«

»Sie irren sich. Ich bin nichts Besonderes, nur die SyS ist ein Misthaufen. Da sticht man heraus«, entgegnete Caslet bitter, ergriff aber trotzdem McKeons Hand und schüttelte sie.

»Das mag sein. Ich kann nur beurteilen, was ich sehe, und ...«

Der Manticoraner verstummte mitten im Satz und blickte an Caslet vorbei, denn hinter dem havenitischen Offizier öffnete sich ohne Vorwarnung die Luke. Caslet erstarrte, wandte sich jedoch nicht um. Es gab nur einen denkbaren Grund, weshalb sich die Luke öffnen sollte, bevor er Innis anwies, ihn wieder aus der Kammer zu lassen. Deshalb wartete er darauf, daß sich ihm schwer und verächtlich eine Hand auf die Schulter legte und eine Stimme ihn wegen Umgangs mit Volksfeinden als verhaftet erklärte. Doch nichts dergleichen geschah, und niemand rührte sich, niemand sagte etwas, als ob keiner der Anwesenden glauben könnte, was vor sich ging – was immer es war.

Dann zerriß diese Stille.

»*Harkness?*«

Venizelos stieß den Namen hervor, und zwar in solch grenzenlos ungläubigem Ton, daß Caslet trotz seines vorher gefaßten Vorsatzes herumfuhr. Ebenso fassungslos wie der Stabschef riß er die Augen auf, als er den Mann in der offenen Luke erkannte – den Mann, der vier schwere Schrapnellgewehre wie ein unhandliches Bündel Feuerholz unter dem linken Arm trug, während ihm vier Pulser in Halftern und die dazugehörigen Koppel von der rechten Hand baumelten.

»Jawohl, Sir«, bestätigte Horace Harkness an Venizelos gewandt, dann nickte er McKeon zu. »Tut mir leid, daß ich so lange gebraucht habe, Captain.«

»Mein Gott, Harkness.« McKeon klang noch ungläubiger als Venizelos. »Was zum Teufel glauben Sie eigentlich, was Sie da tun?«

»Ich ziehe einen Ausbruch auf, Sir«, entgegnete Harkness nüchtern, als wäre es das Natürlichste schlechthin.

»Aber wohin?« wollte McKeon wissen. Eine durchaus vernünftige Frage, kam es Caslet in den Sinn, denn sie waren 130 Lichtjahre vom nächsten Stützpunkt der Allianz entfernt.

»Sir, ich hab' einen Plan, glaube ich ... aber wir haben nicht die Zeit, hier rumzustehen und darüber zu sprechen«, antwortete Harkness noch immer sachlich, aber mit drängendem Unterton. »Wenn es funktionieren soll, dann sind wir an einen richtig engen Zeitrahmen gebunden, und ...« Er verstummte und starrte Caslet an, als hätte er den Haveniten gerade erst wahrgenommen. Seine Lippen zogen sich zusammen. »Ach du *Scheiße,* Commander! Wie lange sind Sie denn schon hier?«

»Ich ...« setzte Caslet an und verstummte wieder. Was hier vor sich ging, konnte er genausowenig sagen wie die alliierten Offiziere, nur eins wußte er mit Gewißheit: daß sich sein Status soeben geändert hatte. Von einem ihrer Wärter, wenngleich einem ehrenwerten und geachteten, war er zu einem einzelnen feindlichen Offizier in einer Kammer voller Verzweifelter geworden. Aber stimmte das wirklich? War er überhaupt noch ihr Feind? Und konnten sie verzweifelter sein als er im Laufe des letzten Monats geworden war?

»Ich bin erst seit ein paar Minuten hier, Senior

Chief«, antwortete er schließlich. »Höchstens fünf bis zehn Minuten.«

»Gott sei Dank!« atmete Harkness auf. Dann wandte er sich wieder McKeon zu. »Captain, könnten Sie mir nicht einfach vertrauen und den anderen Beine machen, Sir? Wir müssen uns beeilen, wenn es uns nicht ganz heftig erwischen soll!«

McKeon starrte ihn noch einen Augenblick an, dann hatte er die Fassung wiedergewonnen und nickte heftig. »Vermutlich sind Sie unheilbar wahnsinnig und führen uns in den Tod, Senior Chief«, sagte er und nahm eins der Koppel, »aber wenigstens wissen wir diesmal, mit wem wir es zu tun haben.« Grimmig bleckte er sein lückenhaftes Gebiß. Seine Augen glitzerten kalt.

»Wenn es Ihnen gleich ist, Sir, dann würde ich hier lieber lebend herauskommen«, erwiderte Harkness. »Und vielleicht bin ich verrückt, aber ich glaube, wir haben eine Chance.«

»Na schön, Senior Chief.« McKeon winkte die anderen vor, die wölfisch grinsten, als Harkness seine Waffenlast verteilte. Die meisten Waffen und Koppel waren mit Blutspritzern gesprenkelt, obwohl Harkness versucht hatte, sie sauberzuwischen. McKeon warf einen Blick in den Korridor und verzog den Mund, als er die gewaltige Blutlache rings um die verkrümmten Leichen der Wachmannschaft sah.

»Gibt es irgendeinen Grund, weshalb Ihnen die SyS-Schläger noch nicht zu beiden Ohren rauskommen?« fragte er fast sanft.

»Nun, jawohl, Sir, den gibt es tatsächlich.« Harkness reichte Andrew LaFollet das letzte Schrapnellgewehr, holte den Minicomputer hervor und schaltete das Display ein. »Ich bin in ihr Computersystem eingebrochen, könnte man sagen. Deshalb hat mir der

Commander hier solch einen Schrecken eingejagt.« Er nickte Caslet zu. »Ich hab' eine Schleife in die Bilderfassung der Überwachungskameras dieser Sektion programmiert.«

»Eine Schleife?« fragte Venizelos.

»Jawohl, Sir. Ich habe die Kameras angewiesen, fünf Minuten nach Beginn der gegenwärtigen Wache auf Aufnahme zu schalten und zwanzig Minuten so zu bleiben. Vor knapp sechzehn Minuten haben sie begonnen, den Leuten an den Monitoren diese Aufnahmen vorzuspielen. Solange nicht jemand hier heruntergeschickt wird, sehen sie das, was sie sonst auch immer sehen, und nach den Dateien der Sicherheitsabteilung soll niemand hierherkommen, bevor Sie und die anderen Offiziere für den Transport zum Boden abgeholt werden. Dadurch bekommen wir einen kleinen Zeitrahmen – immer vorausgesetzt, daß alles nach Plan verläuft. Aber wenn ich die Ankunft des Commanders aufgezeichnet und man ihn zwomal kommen gesehen hätte, ohne daß er zwischendurch wieder geht ... na ja ...«

Er hob die Schultern, und Venizelos nickte. Dann wandte er sich zu Caslet um, bedachte den Haveniten mit einem langen, nachdenklichen Blick, drehte sich McKeon zu und sah ihn fragend an.

»Er kommt mit uns, Andy«, sagte der Kommandant unnachgiebig. Caslet blinzelte, und McKeon grinste ihn grimmig an. »Ich fürchte, wir haben keine andere Wahl, Bürger Commander. Sosehr wir Sie mögen, und soviel Sie für uns getan haben, Sie sind und bleiben havenitischer Offizier. Es wäre Ihre Pflicht, zu verhindern, was immer Harkness auch vorhat. Und wenn wir Sie eingesperrt zurücklassen, tun wir Ihnen auch nicht gerade einen Gefallen, was meinen Sie?«

»Nein, das glaube ich auch nicht«, stimmte Caslet zu.

In seinem schiefen Grinsen steckte aufrichtiger Humor, und er fragte sich, ob McKeon sich über seine Belustigung wunderte wie er selbst. »Man könnte schließlich nur vermuten, ich hätte etwas damit zu tun, richtig?«

»Das meine ich wohl auch«, nickte McKeon und fragte Harkness: »Können Sie die anderen Kammern öffnen?«

»Kein Problem, Sir. Ich hab' ihre Kombination aus dem Sicherheitsterminal da drüben.«

Mit einer Kopfbewegung wies er auf die Konsole, und McKeon unterdrückte ein Grausen. Das Pult triefte nicht nur vor Blut, es war zudem mit Fetzen von den Leichen der Wachmannschaft bedeckt; am Schott dahinter klebte noch mehr. Um an den Computer zu gelangen, war Harkness dennoch gezwungen gewesen, mitten in dem ...

Der Captain blickte in den Gang und bemerkte die blutigen Fußabdrücke, die von der Konsole bis kurz vor die Kammerluke führten. Einen Augenblick lang starrte er darauf, dann atmete er tief durch und wandte sich wieder Harkness zu.

»Dann geben Sie die Kodes an Commander Venizelos weiter, damit er die Zellen öffnen kann. Und währenddessen erklären Sie mir, was zum Teufel wir hier eigentlich tun, Senior Chief«, befahl er.

»... darum also geht es«, beendete Harkness seine Zusammenfassung und blickte sich im Kreis der Männer und Frauen um, die aus ihren Zellen befreit worden waren. Außer den fünf Unteroffizieren waren alle ihm vorgesetzt, trotzdem gehörte ihm ihre ungeteilte Aufmerksamkeit. Insbesondere die von Scotty Tremaine, der offenbar nicht seine leuchtenden Augen von dem bärbeißigen Senior Chief nehmen konnte.

»Fast im ganzen Schiff habe ich die Sicherheitsalarme abgeschaltet, und ich habe eine Karte angefertigt, die den Weg zum Beiboothangar zeigt. Meine kleinen Überraschungen für die Havies konnte ich leider nicht per Zeitschaltung auslösen, weil ich nicht wußte, wie lange wir brauchen würden, bis wir bereit sind. Das bedeutet, daß wir einen Aktivierungskode senden müssen, sobald wir in Position sind, und dazu muß jemand meinen kleinen Computer hier zur richtigen Zeit in einen Steckplatz einführen. Mir ist es außerdem nicht gelungen, in die Systeme des Bunkers einzubrechen. Das Gefängnis hat die höchste Sicherheitsstufe im ganzen Schiff, und die Computer dort sind nicht vernetzt. Es gibt keine direkte Verbindung zwischen den Dingern da und dem Bordnetz, und deshalb ist es der schwierigste Teil, dorthin zu kommen, Captain. Das können wir zwar tun, aber wenn die Wärter am Bunker Zeit haben, einen Alarmknopf zu drücken, dann geht der Alarm auch los, denn ich kann ihn nicht abklemmen.«

»Verstanden.« McKeon rieb sich das Kinn und blickte nacheinander in die Gesichter der sechsundzwanzig Anwesenden. Furcht und grimmige Entschlossenheit spiegelten sich in ihren Mienen. Vom Standpunkt des Berufsoffiziers stellte Harkness' Plan das Hanebüchenste dar, was McKeon je gehört hatte; am verrücktesten erschien allerdings, daß er tatsächlich funktionieren konnte.

»Wir werden uns aufteilen müssen«, sagte er. »Chief, geben Sie Commander Venizelos das Klemmbrett.«

Harkness nickte und reichte dem Stabschef das elektronische Gerät, das er auf der Kontrollkonsole gefunden hatte. Er hatte den Plan des Ventilationssystems und der Wartungsgänge in das Klemmbrett übertragen und drückte eine Abruftaste, als Venizelos es ihm aus der Hand nahm. »Wir sind genau hier, Sir«, sagte er, als das Display aufflackerte. »Was da leuchtet, ist meiner Meinung nach die beste Route zum Gefängnis. Ich bin mir aber nicht sicher, ob die Pläne genau sind. Diese Idioten sind so mißtrauisch – ich habe ein paar Stellen gefunden, an denen sie eindeutig absichtlich Falschinformationen abgespeichert hatten. In ihren eigenen Computern! Und selbst wenn das hier hundertprozentig stimmt« – mit dem Zeigefinger tippte er nachdrücklich auf das Klemmbrett –, »müssen Sie sich verdammt beeilen, damit Sie zurück sind, bevor die Kacke ins Dampfen gerät.«

»Verstanden, Senior Chief.« Venizelos studierte das Display, und als er fertig war, blickte er McKeon fragend an. »Wer noch?«

»Ich brauche Scotty, Sarah und Gerry im Beiboothangar«, überlegte McKeon laut. »Und natürlich Carson.« Ensign Clinkscales errötete, als sich aller Augen ihm zuwandten. Er trug die SyS-Uniform, die Harkness gestohlen hatte, und fühlte sich darin unbehaglich und sehr auffällig. Er war jedoch der einzige, dem Johnsons Kleidung halbwegs paßte, und im Beiboothangar wäre das entscheidend. McKeon musterte ihn einen Augenblick, rieb sich die Stirn und seufzte.

»Wir gehen es falsch an. Es hat keinen Sinn, irgend jemanden zur Rettung des Commodore zu schicken, der keine Waffe hat, und wir haben einfach nicht genügend von den Dingern.« Er überlegte noch einen Moment und nickte. »Andy. Sie, LaFollet, Candless, Whitman« – Alistair McKeon machte gar nicht erst den Versuch, einen von Honors Waffenträgern auszuschließen – »und McGinley. Macht sechs. Wir geben euch drei Schrapnellgewehre und drei Pulser. Damit haben wir noch ein Schrapnellgewehr und drei Pulser für den Sturm des Beiboothangars.«

»Haben Sie dann wirklich genügend Feuerkraft?« fragte Venizelos besorgt.

»Zum Eindringen brauchen wir an sich nicht sehr viel, Commander«, versicherte Harkness ihm. »Und sobald wir drin sind, finden wir genügend Waffen, um den Hangar auch zu halten.«

»Also schön«, sagte McKeon und lächelte angriffslustig. »Wie Dame Honor sagen würde, Herrschaften: ›Dann wollen wir mal.‹«

Einunddreißig Minuten später standen McKeon und Harkness mit Carson Clinkscales im Lifttunnel und schnappten keuchend nach Luft. Scotty Tremaine kam hinzu. Die Falten, die sich im Laufe des vergangenen Monats in sein Gesicht gegraben hatten, waren noch immer zu sehen, wirkten jedoch längst nicht mehr so schroff und alt. Der Rest der Gruppe hatte sich in einer langen Linie hinter ihnen im Schacht verteilt und suchte in den Inspektionstunnels Deckung, die in regelmäßigen Abständen die Wände durchbrachen. Während ihres vorsichtigen Marsches waren wenigstens ein Dutzend Liftkabinen an ihnen vorbeigefahren, und kein einziger Passagier dieser Kabinen hegte auch nur den leisesten Verdacht, daß sich jenseits der dünnen Wände ihres Transportmittels noch jemand durch den Tunnel bewegen könnte. McKeon legte dem Ensign eine Hand auf die Schulter und blickte ihm in die Augen.

»Schaffen Sie es, Carson?« fragte er leise, woraufhin Clinkscales nickte. Die Gebärde wirkte angespannt und abgehackt, doch gleichzeitig haftete ihr eine merkwürdige Reife an. Carson Clinkscales war noch jung, aber nur körperlich. Der vergangene Monat hatte die Reste seiner Jugendlichkeit ausgebrannt, und McKeon fragte sich, ob sie wohl je zurückkehren würde. Er hoffte es sehr ... aber im Augenblick zählte nur, daß der junge Mann mit den harten Augen vor ihm längst nicht mehr der ungelenke und unsichere Bursche war, den McKeon von der *Jason Alvarez* und der *Prince Adrian* kannte.

»Jawohl, Sir«, antwortete der Ensign, der nicht wußte, was seinem Vorgesetzten durch den Sinn ging.

»Dann also los«, sagte McKeon und holte ein Handcom hervor. Noch vor einer halben Stunde hatte es Bürger Sergeant Innis gehört. Das Gerät zu benutzen stellte ein Risiko dar – wenngleich auch ein geringes. Aus Sicherheitsgründen wurden alle persönlichen Comgespräche an Bord der *Tepes* aufgezeichnet, ein weiteres Beispiel für das Mißtrauen der SyS gegenüber dem eigenen Personal, und deshalb bestand die entfernte Gefahr, daß einer der Aufnahmetechniker zufällig gerade lauschte und hörte, was McKeon sagen wollte. Dieses Risiko ließ sich jedoch nicht vermeiden, und er gab die Kombination des Coms ein, das einmal Bürger Corporal Porter gehört hatte.

»Ja?« meldete sich Andreas Venizelos fast augenblicklich. McKeon blickte Harkness und Clinkscales an.

»Das Geschenk ist angekommen«, sagte er zu Venizelos. »Seid ihr schon fertig? Kann die Party losgehen?«

»Wir brauchen noch zehn Minuten«, entgegnete Venizelos. McKeon runzelte die Stirn. Am besten war es abzuwarten, bis die Gruppe des Stabschefs an Ort und Stelle angelangte, doch mit jeder Minute nahm die Gefahr zu, daß McKeons Gruppe entdeckt wurde – oder eine der Leichen, die Harkness' Weg pflasterten. Wenn McKeon nun seiner Gruppe den Befehl gab, ihre Mission zu beginnen, würde es trotzdem noch fast zehn Minuten dauern, bis sie Wirkung zeigte.

Doch sobald eine der beiden Gruppen aktiv wurde, verginge dummerweise nicht mehr viel Zeit, bis die Besatzung der *Tepes* begriff, daß sich entkommene Häftlinge frei im Schiff bewegten.

Zehn Sekunden lang überlegte McKeon hin und her, dann seufzte er. Eigentlich hatte er keine Wahl.

»Wir liefern es pünktlich ab«, sagte er.

»Verstanden«, antwortete Venizelos. McKeon trennte die Verbindung und nickte Harkness zu, der Clinkscales den Minicomputer reichte. Der Gedanke, das Gerät aus der Hand zu geben, war dem Senior Chief höchst zuwider, aber er hatte keine andere Wahl. Selbst wenn jeder in der Gruppe Waffen gehabt hätte – die Chance, mit Hilfe des Überraschungsmoments auch nur einen einzigen Hangar erfolgreich zu stürmen, wäre vernachlässigbar gering gewesen. Damit der Plan funktionierte, mußten sie jedoch *alle* Beiboothangars der *Tepes* in ihre Gewalt bringen. Und leider gab es dazu nur eine einzige Möglichkeit.

»Nun geben Sie acht, Mr. Clinkscales«, sagte Harkness in genau dem Ton, den er schon gegenüber Generationen von Subalternoffizieren benutzt hatte. »Sie brauchen nur in den Hangar zu spazieren, den Computer in den Steckplatz einzuführen und auf diese Funktionstaste zu drücken. Dann wird Johnsons Zugangskode gesendet, der Computer in das System eingeloggt und die Programme ausgeführt. Haben Sie verstanden?«

»Hab' ich, Senior Chief.« Die nüchterne Antwort Clinkscales' brachte Harkness zum Blinzeln. Der Junge klang ganz so, als sei er zu allem entschlossen, und das war gut.

»Dann schnappen Sie sich die Havies, Sir!« rief er leise und schlug dem Jungen fest auf die Schulter.

Carson Clinkscales hielt den Atem an und bückte sich, damit er durch die Wartungsklappe treten konnte, die ihm Senior Chief Harkness und Captain McKeon geöffnet hatten. Die Bewegung glich indes mehr einem schnellen, umständlichen Kriechen als einem Schritt – es mußte schnell gehen, denn wenn ausgerechnet in dem Augenblick jemand den Korridor entlang kam und ihn sah ... Er stolperte über die Kante der Öffnung. Dem Sturz nahe, hopste er ungraziös auf einem Bein durch den schmalen Gang und streckte den Arm aus, um das Gleichgewicht zu halten. Einen schrecklichen Augenblick lang stürmten die Erinnerungen an die vielen ungeschickten, demütigenden Katastrophen in seinem Leben auf ihn ein und schnürten ihm wie eine Würgeschlange den Hals zu. In diesem Augenblick wußte er mit absoluter Gewißheit, daß er auch diese Sache vermasseln würde, und dann mußten alle, die auf ihn zählten, sterben.

Doch dann knallte seine ausgestreckte Hand gegen die Schottwand gegenüber der Wartungsklappe, und er fing sich. Die Würgeschlange der Panik kroch ihm wieder das Rückgrat hinauf, für dergleichen aber hatte er keine Zeit, und er stellte sich vor, wie er sie gnadenlos unter dem Stiefelabsatz zermalmte. Gegen seinen heftig pochenden Puls konnte Carson nichts tun. Er straffte den Rücken, nahm die Schultern zurück und schob sich von dem Schott fort, das sein Taumeln gebremst hatte. Dann zupfte er sich die Jackenärmel herunter – Johnson hatte kürzere Arme gehabt als er – und schaute beiläufig in beide Richtungen. Sein Puls beruhigte sich wieder, als er sich vergewissert hatte, daß niemand in Sicht war.

Schließlich hat hier unten auch niemand was zu suchen, sprach er sich Mut zu. Der Gang diente nur zur Bedienung der Greif- und Nabelschnurarme von Beiboothangar Vier. Wenn kleine Raumfahrzeuge gestartet oder gelandet wären, dann hätte ein sehr großes Risiko bestanden, jemanden in diesem Gang anzutreffen, doch auf dem Flugplan, den Harkness aus dem Hauptcomputer gestohlen hatte, waren keine Startbefehle verzeichnet gewesen. Und selbst wenn Beiboote unterwegs gewesen wären, hätte man nicht ausgerechnet Hangar Vier benutzt – es sei denn, Cordelia Ransom hätte aus irgendeinem Grund befohlen, den eigenen Gefängnisplaneten durch ein großangelegtes Landungsunternehmen zu stürmen.

Der Gedanke brachte Clinkscales tatsächlich zum Grinsen, und er holte tief Luft. Als er sich in Bewegung setzte, staunte er selbst über seine gelassene Miene und seinen gemessenen Schritt – und seine Gefaßtheit hätte jeden, der ihn kannte, zutiefst überrascht.

Andreas Venizelos blickte auf das Schott vor sich, dann auf das Display des Klemmbretts und stieß einen lästerlichen Fluch aus. Andrew LaFollet riß den Kopf herum, und die konzentrierte Entschlossenheit in den Augen des Waffenträgers traf Venizelos wie ein Schlag mit der Faust. Diese Entschlossenheit grenzte dicht an Verzweiflung – wenn es überhaupt eine Trennlinie gab. Venizelos streckte die Hand aus und drückte fest die Schulter des Graysons.

»Wir tun unser Bestes, Andrew«, sagte er bedächtig. »Gehen Sie mir nur keine unnötigen Risiken ein. Ich brauche Sie, und Lady Harrington erst recht.«

LaFollet nickte knapp, wandte die Augen jedoch nicht ab. Sein Blick verlangte nach einer Erklärung für Venizelos' Fluch, und der Manticoraner seufzte.

»Wir haben hier eine Abweichung vom Plan«,

erklärte er. Er ließ LaFollets Schulter los und deutete auf die Panzerplatte, die ihnen den Weg im Lüftungsschacht versperrte. »Laut Grundriß müßte hier eine Kreuzung sein, und der Schacht voraus sollte direkt zum Bunker führen. Statt dessen sitzt da eine Panzerplatte.« Er zuckte mit den Schultern.

LaFollet umklammerte das schwere Schrapnellgewehr fester. »Welchen Weg nehmen wir dann?« fragte er rauh, und Venizelos deutete nach rechts.

»Diesen. Anscheinend hat man den Gefängnistrakt noch viel säuberlicher vom übrigen Schiff abgeschirmt als Harkness glaubte. Diese Platte muß später eingefügt worden sein. Vermutlich hat man sich entschieden, alle Querverbindungen der Ventilationsschächte zu unterbrechen, als feststand, daß die *Tepes* an die SyS gehen sollte, sozusagen als zusätzliche Sicherheitsmaßnahme. Der Trakt grenzt nämlich direkt an einen der Lufterneurer, und deshalb braucht man nur einen Versorgungs- und einen Ableitungsschacht; alles auf unserer Seite des Bunkers ist Teil des Verteilungssystems für den Rest des Schiffes. Und wenn man so paranoid ist, daß man Ventilationsschächte absperrt, dann brauchen wir uns die Wartungstunnel gar nicht erst anzusehen.«

»Und das heißt?« wollte LaFollet wissen.

Dem Waffenträger gefiel es nicht im geringsten, daß er auf jemand anderen angewiesen war, um seine Gutsherrin zu retten, und das zeigte sich deutlich. Trotz aller Zeit, die er mit Lady Harrington an Bord von Sternenschiffen verbracht hatte, kannte er sich darin eigentlich nicht aus. Andreas Venizelos schon, und deutlich nahm er den Verdruß wahr, der aus LaFollets Ergebenheit und seinem Hilflosigkeitsgefühl entstand. Deshalb zwang er sich zur Ruhe. Als er dem Grayson wieder die Hand auf die Schulter legte und ihn ansprach, klang er beherrschter, als er es selbst für möglich gehalten hätte.

»Das heißt, wir können uns nicht an die Wärter des Commodore heranschleichen wie Harkness es bei unseren getan hat.« Er drückte einige Tasten auf dem Klemmbrett. Der Displaymaßstab veränderte sich. Nun wurde die weitere Umgebung mit weniger Einzelheiten dargestellt, und Venizelos wies auf eine bestimmte Stelle. »Wir müssen durch diesen Gang zum Lift und dann durch den Schacht ein Deck tiefer in den Gefängnistrakt. Wenn man uns schon auf den Fersen ist, sind vielleicht schon Kameras im Schacht, und dann warten sie auf uns. Die Kabinen werden auf jeden Fall überwacht, aber Harkness hat keinen Hinweis gefunden, daß die Schächte selber verwanzt sind. Wenn sie sauber sind, haben wir immer noch den Überraschungsvorteil auf unserer Seite, aber wir müssen uns blind ins Getümmel stürzen.«

»Hm ...« grunzte LaFollet und verdaute unglücklich den Gedanken an einen blindwütigen Angriff auf eine unbekannte Anzahl Feinde. Daß der Umweg sie hinter den Zeitplan brachte, mußte Venizelos nicht eigens erwähnen. Wenn sie den Liftschacht benutzten, könnten sie vielleicht wieder etwas Zeit aufholen, denn darin kam man rascher voran als in den engen Lüftungstunneln. Taktisch gefiel es dem Waffenträger jedoch überhaupt nicht, ausgerechnet aus der vorhersehbarsten Richtung das Gefängnis stürmen zu müssen. Obwohl der Überraschungsvorteil einiges wettmachte – wenn sie ihn denn auf ihrer Seite hätten –, würde es verdammt schwierig werden.

»Gut, Commander«, sagte er schließlich. »Wir nehmen den Weg, aber geben Sie Ihr Schrapnellgewehr bitte Bob.« Als Venizelos fragend die Augenbrauen hochzog, entblößte LaFollet in einer Weise die Zähne, die niemand je mit einem Lächeln verwechselt hätte. »Er gibt Ihnen dafür seinen Pulser, und wenn wir den Gefängnistrakt stürmen, gehen Sie und Commander McGinley nach hinten.« Venizelos öffnete den Mund, doch LaFollet schnitt ihm mit einer raschen Handbewegung das Wort ab. »Sie beide sind Flottenoffiziere und deshalb von größerem Nutzen, wenn es darum geht, uns aus dem Schlamassel wieder herauszuführen als ich, Jamie oder Bob. Wenn wir also jemanden verlieren müssen ...«

Auch wenn es Venizelos nicht im geringsten gefiel, war gegen LaFollets Logik nichts einzuwenden. Statt zu protestieren, nahm er das Schrapnellgewehr von der Schulter und reichte es Robert Whitman.

Carson Clinkscales durchschritt zügig den engen Gang, und die Luke am Ende öffnete sich automatisch, als er näherkam. Er trat hindurch und versuchte, sich völlig gleichmütig zu geben. Inständig hoffte er, daß niemand sich fragen würde, was ein Soldat der Bodentruppen zwischen den Steuereinheiten der Dockarme zu suchen habe.

Zwischen zwanzig und dreißig Menschen befanden sich auf der Hangargalerie. Einige von ihnen führten anscheinend an der Pinasse vorn im Hangar routinegemäße Wartungsarbeiten aus, und einige Männer in Fluganzügen unterhielten sich müßig an der Zugangsröhre eines der gewaltigen gepanzerten Sturmshuttles, die den übrigen Hangarraum einnahmen. Clinkscales schaute sich beiläufig um und versuchte herauszubekommen, wohin er denn eigentlich mußte. Obwohl Harkness ihn so gut es ging eingewiesen hatte, erwies es sich als schwerer denn erwartet, einen Steckplatz zu finden, den er noch nie gesehen hatte. Dort! Clinkscales wandte sich nach links, ging ohne Eile hinüber und griff unauffällig in die Jacke nach dem Minicomputer, den Harkness in eine tödliche Waffe verwandelt hatte. Mit einer äußeren Gelassenheit, die er innerlich längst nicht empfand, zog er ihn hervor und steckte ihn in den Schlitz. Das Display blinkte, als die Kopplung erfolgte und die Verbindung den Minicomputer aktivierte.

»Hey, Sie da!« Der Ruf kam von links. Er wandte den Kopf, und sein Herz wollte ihm stehenbleiben, denn zwanzig Meter entfernt stand ein SyS-Sergeant und sah ihn drohend an. »Was zum Teufel machen Sie da?« wollte der Sergeant wissen.

Der Unteroffizier klang eher gereizt als mißtrauisch, doch wieder überfiel den Ensign die absolute, übermächtige Panik. Plötzlich aber – ebenso abrupt, wie die Panik aufgekommen war – empfand Clinkscales etwas völlig anderes. Ihm war, als hätte sich soeben die Zeitskala des Kosmos geändert, und kühle, kristallisierte Entschlossenheit verdrängte die erstickende Furcht. Angst hatte er zwar noch immer, doch angesichts der absoluten Gewißheit, was er zu tun hatte, schien sie klein und unbedeutend zu sein.

Er drückte die Funktionstaste, die zu drücken Senior Chief Harkness ihn angewiesen hatte. Das Display des Minicomputers blitzte auf, als die gespeicherten Befehle über die Schnittstelle rasten, doch Clinkscales sah nicht hin. Seine ganze Aufmerksamkeit galt dem Sergeant, den er mit gleichmütigem Interesse ansah. Er ging dem Mann entgegen. Durch den Winkel, in dem sie aufeinander zugingen, konnte der Sergeant die rechte Seite Clinkscales' nicht sehen, und der Ensign ließ den rechten Arm ganz natürlich herabhängen. Seine Hand fiel dabei auf den Knauf des Pulsers, der noch im Holster steckte. Clinkscales grinste den Sergeant an und legte den Kopf schräg, als wollte er ihn im nächsten Moment fragen, was er für ihn tun könne. Prickelnde Anspannung legte sich wie eine eiskalte Klammer um seinen Kopf, und er fragte sich, wie lange Harkness' Programme wohl brauchen würden, um sich zu aktivieren, und was geschähe, wenn es denn soweit wäre, und – *Süßer Prüfer, der Sergeant kommt mir ganz schön nahe ...*

Etwas explodierte tief in den stählernen Eingeweiden von VFS *Tepes*, und das ganze Schiff erbebte heftig unter dem Widerhall.

Gewöhnlich stuft man einen Beiboothangar nicht als gefährliche Umgebung ein. Zwar bieten sich dort etliche Möglichkeiten, in Schwierigkeiten zu geraten, doch das ist fast überall an Bord eines Sternenschiffs der Fall. Die wirklich gefährlichen Stellen des Hangars – zum Beispiel die Tankventile, aus denen Wasserstoff und Notraketentreibstoff in Beiboote gepumpt werden, oder die Depots für Munition und Außenlasten – weisen eine Reihe von Schutzvorrichtungen auf. Eine solide Ausbildung in Bedienung und Wartung der Anlagen ist die erste dieser Schutzmaßnahmen, eine weitere die räumliche Trennung, bei der man die eine Gefahrenquelle so weit von der anderen entfernt wie es die Arbeit im Hangar effektiv erlaubt. Und zusätzlich zu den menschlichen Sicherheitsmaßnahmen überwachen Computer ununterbrochen alle Gefahrenpunkte.

Nur war das Computernetz der *Tepes* leider nicht mehr intakt. Kein einziges Besatzungsmitglied wußte davon – und den Computern war befohlen worden, sich nicht darum zu scheren. Sie existierten ohnehin nur, um die Befehle ihrer menschlichen Herren und

Meister auszuführen, und die Befehlszeiten, die Horace Harkness verändert hatte, ergaben ebensoviel Sinn wie die ursprünglichen, *korrekten* Instruktionen.

Als die Ausführungsbefehle vom Minicomputer im Steckplatz Nummer fünf, Beiboothangar Vier, in das Netz übertragen worden waren, aktivierten sich jene Programme, die bereits versteckt im Hauptsystem warteten, und überall in der *Tepes* starrten Offiziere, Maate und Gasten auf ihre Displays – zuerst verwirrt, dann bestürzt, dann voller Aufregung.

Die Operationszentrale traf es als erstes. Der weibliche diensthabende Ortungsoffizier fluchte lauthals, als das Holodisplay plötzlich nichts mehr anzeigte. Im Orbit um Hades war das zwar nicht gerade ein lebensbedrohliches Desaster, aber verdammt ärgerlich, und vor allem ließ sich der Totalausfall durch nichts erklären.

Zumindest gab es keine sichtbare Erklärung; selbstverständlich bestand ein Grund: Das Display zeigte nichts mehr an, weil keinerlei Daten mehr übertragen wurden, die seine Bilderzeuger ansteuerten. Als der Ortungsoffizier das feststellte, empfand sie vorübergehend Erleichterung, weil keiner ihrer Leute die Schuld am Ausfall des Displays trug, dann runzelte sie in neuerlicher – und tieferer – Verwunderung die Stirn. Wie um alles in der Welt konnten sämtliche Ortungssysteme gleichzeitig ausfallen?

Harkness' Programm, das zuallererst die Sensoren der *Tepes* abgeschaltet hatte, wandte sich nun seiner zweiten Aufgabe zu. Innerhalb eines Sekundenbruchteils, viel zu schnell, als daß irgendein menschlicher Operateur es bemerken, geschweige denn verhindern konnte, benutzte es die Computer der Operationszentrale als Startplattform, um in die Zentrale Datenverarbeitung der Taktischen Abteilung einzubrechen. Es unterwarf das System seiner Gewalt – und befahl ihm, sich selbst neu zu formatieren und zu initialisieren.

Der wachhabende Taktische Offizier riß ungläubig die Augen auf, als seine Instrumente sich abschalteten. Zuerst verlor er die Ortung, und von dort breiteten sich die Fehlfunktionen aus wie ein Lauffeuer. Ein Display nach dem anderen flackerte und erlosch: Radar Eins, Gravsensoren Eins und Zwo, Lidar Drei, Raketenabwehr, Hauptfeuerleitung ... er konnte zusehen, wie das Nervenzentrum für die Kampf- und Verteidigungsfähigkeit des Schiffes einen langsamen Tod starb. Und diese Schäden ließen sich nicht auf die Schnelle beheben: Die Computer mußten von Grund auf neuprogrammiert werden, bevor man sie wieder in Betrieb nehmen konnte – ein Alptraumjob in einer Flotte, der es an qualifizierten Technikern fehlte. Alles geschah so schnell, daß der Taktische Offizier kaum begriffen hatte, was vor sich ging, da war es auch schon vorüber.

Andere Programme tanzten und tollten mit der Gewalt eines plündernden Heerbanns durch das Netz. Interne Warnanlagen und die zentralen Kommunikationssysteme waren plötzlich nur noch unbrauchbarer Schrott, denn die Software, von denen die Systeme gesteuert wurden, hatte sich in sinnloses Gefasel verwandelt. Die Ruderanlage fiel aus, die Antriebsräume nahmen Notabschaltungen vor. Die ›Gruft‹, in der sämtliche Panzeranzüge gelagert wurden, verriegelte sich ohne Warnung selbsttätig. Die Kontrollcomputer, die jeden Bereitschaftsanzug überwachten, damit der Panzer stets einsatzbereit war, sandten Überspannungen durch die Kontrolleitungen und löschten so die Bordcomputer der Anzüge, die völlig nutzlos wurden und bleiben würden, bis Techniker ihnen stundenlang neue Software eingespeist hatten. Während diese Katastrophen ihren Lauf nahmen, erhielten die Computer, die für den Kraftstoffbedarf der Beiboote zuständig waren, eigene Anweisungen. Ventile öffneten sich, und der Techniker, der in Beiboothangar Eins zufällig gerade eine geringfügige Störung an Nabelschur Zwo reparierte, riß vor Entsetzen die Augen auf, als er sah, was geschah. Er sprang an die Handsteuerung und versuchte, den Vorgang abzubrechen, aber dazu hatte er nicht genügend Zeit. Doch selbst wenn es ihm gelungen wäre zu verhindern, daß sich der Nottreibstoff in Nabelschnur Zwo ergoß, hätte er nichts mehr dagegen unternehmen können, daß in Nabelschnur Vier genau das gleiche geschah.

Der binäre Nottreibstoff war hypergolisch, das heißt, er entzündete sich bei Mischung selbsttätig, ohne dazu Sauerstoff oder eine Zündquelle zu benötigen. Der Wartungstechniker rannte schreiend davon, obwohl er wußte, daß es zu spät war. Die Komponenten, die sich hinter ihm mischten, waren viel zu ... unbändig, und die *Tepes* erbebte wie ein verletztes Pferd, als Beiboothangar Eins explodierte. Die Detonation zerfetzte sechsundzwanzig Besatzungsmitglieder und alle Raumfahrzeuge im Hangar. Alarmsirenen gellten auf, als die Druckwelle sich in den Rumpf fortpflanzte. Schotte barsten, und weitere einundvierzig Männer und Frauen fanden den Tod, als ihre Atemluft in Form eines beinahe perfekten Feuerrings aus der schrecklichen Wunde in den Weltraum entwich.

Sperrschotte knallten zu, noch mehr Warnsignale ertönten, und Offiziere und Unteroffiziere brüllten Befehle in die Comsysteme. Die Comsysteme aber funktionierten nicht mehr, und dann erbebte das Schiff erneut – Beiboothangar Zwo war ebenfalls explodiert.

Bei der ersten Explosion geriet der Sergeant, der Clinkscales angebrüllt hatte, ins Taumeln. Er breitete die Arme aus, um das Gleichgewicht zurückzuerlangen, und unter anderen Begleitumständen hätte der Tanz, mit dem er auf den Beinen zu bleiben versuchte, gewiß ein wenig lächerlich gewirkt. An den herrschenden Umständen jedoch war nichts Komisches, und als Clinkscales den linken Arm ausstreckte, um sich an der Schottwand abzustützen, bemerkte er, wie der Blick des Sergeants an ihm vorbei auf den Minicomputer fiel, der noch immer in dem Schlitz steckte. Einen logischen Grund gab es nicht, aber das spielte keine Rolle; der Sergeant ahnte weder, was getan worden war, noch zu welchem Zweck: Aber in diesem Augenblick intuitiver Einsicht wußte er, wer es verursacht hatte. Fast schien es, als wäre sein Bewußtsein auf unerfindliche Weise mit dem Verstand des Ensigns verknüpft worden, denn im gleichen Moment, in dem der Sergeant begriff, daß Clinkscales den Vorfall irgendwie verursacht hatte, erkannte Clinkscales die Gedanken des Mannes.

Der hochgewachsene junge Mann, der sich mit der linken Hand abrupt vom Schott abstieß, zeigte keine Spur mehr von dem unbeholfenen Jüngling, der mit Lady Harrington an Bord von GNS *Jason Alvarez* gegangen war. Der Stoß warf Clinkscales vor den Sergeant, der noch um sein Gleichgewicht kämpfte und nun den Mund öffnete, um eine Warnung zu rufen. Doch die brachte er nie heraus, denn als er gerade brüllen wollte, packte Clinkscales ihn mit der linken Hand an der Uniformbrust und zog ihn an sich. Beide Männer gingen zu Boden, Clinkscales lag unten. Der Sergeant spürte, wie ihm etwas Hartes an die Brust gedrückt wurde. Er blickte Clinkscales in die Augen, und Verwirrung wich Wut und Haß, aber er hatte noch immer nicht begriffen, was da gegen ihn drückte, als Clinkscales den Abzug durchzog und ein Feuerstoß aus dem Pulser das Herz des Sergeants zerriß.

Zuckend brach die Leiche auf Clinkscales zusammen und überschüttete ihn mit Blut, das dem Ensign brühendheiß vorkam. Er stieß den Toten beiseite und rollte sich auf ein Knie. In diesem Augenblick erbebte das Schiff unter der Explosion von Beiboothangar Drei, und Horace Harkness' Stimme drang aus den Lautsprechern von Beiboothangar Vier.

»Kraftstoffleck!« rief die Stimme. »Mehrere Kraftstofflecks! Den Hangar sofort räumen! Wiederhole, sofort den Hangar räumen!«

Es handelte sich offensichtlich weder um eine computergenerierte Stimme noch um eine Bandansage, doch in der Panik, die sich über die Hangargalerie senkte, fragte sich ohnehin niemand, wer da eigentlich sprach. Eine Stimme kam aus den Intercomlautsprechern und gab einen Befehl. Mehr wollten die Leute gar nicht wissen. Rote und bernsteingelbe Warnlichter blitzten auf, und die Haveniten eilten wie eine durchgehende Viehherde zu den Liften. Als Beiboothangar Fünf explodierte, rüttelte es die *Tepes* erneut heftig durch, und die neuerliche Erschütterung ließ der Hangarbesatzung die Flucht besonders dringlich erscheinen. Die Leute drängten sich in die Lifte und waren zu sehr auf ihre Flucht bedacht, um den blutüberströmten Corporal zu bemerken, der neben einem toten Sergeant kniete. Während Carson Clinkscales ihnen nachblickte, sonnte er sich in der Gewißheit, zum ersten Mal in seinem ganzen Leben alles genau richtig gemacht zu haben.

29

Bürger Lieutenant Hanson Timmons war schlechter Laune.

In voller Paradeuniform stand er aufrecht wie ein Ladestock, die behandschuhten Hände auf den Rücken gelegt, das Offiziersstöckchen unter dem rechten Arm, und starrte finster auf die Lifttüren. Neben ihm stand ein doppelter Wachtrupp mit umgehängten Waffen. Jeder einzelne Mann und jede einzelne Frau der Abteilung war ebenso makellos aufgeputzt wie er selbst. Sie warteten auf die Kamerateams, die filmen sollten, wie der einzige Sträfling im ganzen Trakt abgeholt wurde. Timmons' Leute hatten größten Wert auf ihr Äußeres gelegt, und das nicht nur wegen der drohenden Kameras. Schon seit Wochen war die wachsende Frustration ihres Vorgesetzten offensichtlich, und niemand wollte Timmons auch nur den geringsten Anlaß bieten, Dampf abzulassen. Timmons war das nicht entgangen. Doch da er wußte, daß seine Leute seinen Groll bemerkt hatten, wuchs sein Zorn nur um so mehr, denn wenn sie seine Laune mitbekamen, dann kannten sie auch die Ursache dafür.

Erst wenige Wochen vor Cordelia Ransoms Aufbruch nach Barnett war Timmons zum Gefängnisoffizier der *Tepes* ernannt worden, und in Anbetracht seines relativ untergeordneten Dienstgrades stellte die Ernennung einen verheißungsvollen Schritt in seiner Karriere dar. Außerdem bewies sie, daß er in der Gunst seiner Vorgesetzten stand und diese Vertrauen in seine Fähigkeiten besaßen. Während seiner Karriere bei der Systemsicherheit hatte er sich auf die Behandlung politisch heikler Häftlinge spezialisiert und sie stets in der geforderten Verfassung abgeliefert. Normalerweise hieß das, daß die Leute vor ihm zu Kreuze krochen und sie allem zustimmten, was die SyS ihnen abverlangte. Timmons war davon überzeugt, *jeden* brechen zu können. Schließlich machte ein Mensch normalerweise die Arbeit am besten, die er am meisten liebte.

Deswegen hatte man ihn wohl auch Ransoms persönlichem Schiff zugeteilt, denn die Ministerin für Öffentliche Information hatte geahnt, gelegentlich Verwendung für einen Spezialisten seines Metiers zu haben. Doch diesmal war der Bürger Lieutenant völlig unzufrieden mit sich selbst, denn Honor Harrington hatte selbst seinen intensivsten Bemühungen widerstanden. Freilich hatte ihn die Auflage behindert, daß Harrington in gesundem Zustand an den Henker übergeben werden mußte, damit sie alles begriff, was ihr widerfuhr, und angemessen darauf reagieren konnte. Schließlich sollten die Kameras ihren großen Moment für spätere Propagandasendungen aufzeichnen. Daß sie vor diese Kameras treten mußte, hatte es ihm unmöglich gemacht, sie körperlich zu züchtigen und ihre Kooperation zu erzwingen. Schließlich hätte es keinen Sinn, sie so schwer zu verletzen, daß die Zuschauer am Ende noch Sympathie für die Volksfeindin empfanden, und weil sie nach Ransoms Vorgabe angemessen auf ihre Hinrichtung reagieren sollte, stand auch der Einsatz von Drogen außer Frage.

Objektiv betrachtet, erschienen Timmons die Restriktionen durchaus vernünftig: Immerhin versuchten sie Harrington keine Informationen zu entreißen, und weil sie ohnehin gehängt wurde, bestand auch kein zwingender Grund, sie zuvor zu brechen. Das alles linderte jedoch nicht im geringsten den brennenden Wunsch des Bürger Lieutenants, sie zu *zerquetschen.* Schließlich hatte auch er seinen Berufsstolz. Er genoß seine Arbeit und war davon überzeugt gewesen, Harrington ebenso brechen zu können, wie er bisher jeden und jede gebrochen hatte – und nun, da er darin versagt hatte, fühlte er sich um so schwerer in seinem Stolz getroffen.

Eigentlich hätte Harrington kein Problem darstellen dürfen! Auch ohne die gröberen Mittel wie körperliche Mißhandlung und Drogen hätte die Demütigung ausreichen müssen. Den Stahl in Harringtons Kern hatte Timmons durchaus erkannt, doch vergrößerte dergleichen nur seine Vorfreude und das Vergnügen an der Arbeit, denn nichts haßte er mehr als stolze Menschen. Denn dieser Menschenschlag schwebte oft hochnäsig in den erhabenen Gefilden seiner großartigen Leistungen und blickte höhnisch auf die geringen Sterblichen zu seinen Füßen hinab, und deshalb weckten solche Menschen in Timmons eine ganz besondere Freude, wenn er sie von ihren Höhen zu sich herunter zerrte. Im Umgang mit verhafteten Legislaturisten war ihm eines klargeworden: je größer die Macht einer Person vor ihrer Verhaftung gewesen war, desto wirksamer waren Demütigungen, wenn es darum ging, den Widerstand des Gefangenen zu brechen. Jemand, der gewöhnt war, über sich und seine Umwelt selbst zu bestimmen, der es nicht anders kannte, als daß seine Anweisungen umgehend ausgeführt wurden, den traf die plötzliche Machtlosigkeit weitaus tiefer als jemanden, der nie in seinem Leben Befehle erteilen durfte. Wenn dem Delinquenten unmißverständlich aufging, sein Schicksal in keiner Weise mehr beeinflussen zu können – daß sich seine Macht in komplette Hilflosigkeit verwandelt hatte –, dann schlugen Schmach und Schande mit vernichtender Gewalt zu. Schon so oft hatte Timmons diesen Effekt beobachtet, bei zivilen Sträflingen und bei Kriegsgefangenen gleichermaßen, und deshalb nie daran gezweifelt, daß Harrington in die gleiche Kategorie gehörte.

Diese Erwartung hatte sich jedoch nicht erfüllt, und das konnte Timmons nicht begreifen. Schon andere Häftlinge hatten vor ihm zu fliehen versucht, indem sie sich in ihre privaten Traumwelten zurückzogen, aber keinem war Erfolg beschieden gewesen. Dazu boten sich stets zu viele Möglichkeiten, die Leute in die Realität zurückzureißen, und diese Methoden funktionierten stets. Nur diesmal nicht. Harringtons Widerstand haftete etwas merkwürdig Elastisches an, als entkräftete sie die Hiebe, die er auf sie niederprasseln ließ, indem sie sich ihnen nicht widersetzte. Auf undefinierbare Weise leistete Harrington gerade durch ihre Weigerung, sich zu widersetzen, den wirksamsten Widerstand, mit dem Timmons sich je konfrontiert gesehen hatte. Zwar versuchte er sich noch immer einzureden, daß er nach einiger Zeit auch diese ›Nicht-Aufsässigkeit‹ überwinden könne, doch tief in seinem Inneren hatte er bereits eingesehen, wie unmöglich es war.

Dabei hatte er alles so sorgfältig vorherberechnet, jede Demütigung minutiös inszeniert. Für den Tod durch tausend Nadelstiche hatte er sich entschieden und ihr mit der Würde auch die Abwehr nehmen wollen. Ihr Selbstvertrauen wollte er ihr entreißen, indem er ihr klarmachte, daß sie ihr Schicksal nicht länger in Händen hielt. Eine Weile glaubte er sogar, Erfolg damit zu haben, doch dann mußte er allmählich feststellen, daß er sich irrte. Was Harrington vor drei Tagen Bergren angetan hatte, bestätigte eindeutig, was Timmons längst klargeworden war: Diesmal würde er keinen Erfolg haben. Über einen T-Monat hatte er sie in der Gewalt gehabt, und da es ihm nicht gelungen war, sie innerhalb dieses langen Zeitraums zu brechen, würde es ihm nie gelingen, wenn er nicht zu härteren Mitteln griff.

Und diese Mittel blieben ihm verwehrt. Am liebsten wäre Timmons mit einer Nervenpeitsche in Harringtons Zelle gestürmt und hätte ausprobiert, wie ihr die stundenlange direkte Stimulation ihrer Schmerzempfindung gefiel. Außerdem kannte Timmons andere, altmodische Techniken – die gröber waren und vielleicht gerade wegen ihrer Grobheit effektiv. Sein ehemaliger Ausbilder, ein InAb-Mann, hatte sie ihm beigebracht. Ransoms Befehl, Harrington nicht zu verletzen, schloß solche Methoden freilich aus. Im stillen fürchtete Timmons sich ein wenig vor der Reaktion der Bürgerin Committeewoman, wenn sie ihr teures Beutestück wiedersah.

Die Vorschriften verlangten, daß Harringtons Implantate abgeschaltet wurden, aber wie hätte Timmons ahnen sollen, was diese Abschaltung mit ihrem Gesicht anstellte? Außerdem hatte er nicht damit gerechnet, daß der Techniker, der die Implantate deaktivieren sollte, sie kurzerhand zum Durchbrennen bringen und jede Wiederherstellung des alten Zustands unmöglich machen würde. Harrington sah aus wie das Opfer eines Schlaganfalls, und darüber würde sich Ransom kaum erfreut zeigen. Daß sie zudem hager und ausgehungert wirkte, würde die Bürgerin Committeewoman wohl erst recht verärgern. Aber daran war er doch nicht schuld! Er hatte Harrington regelmäßig zu essen gegeben! Er hatte sogar …

Ein Stoß durchlief das Schiff. Mehr eine Erschütterung, aber auch das genügte, um Timmons zu beunruhigen. Der Schlachtkreuzer masste beinah eine Million Tonnen. Nur eine furchterregende Kraft konnte den riesigen Kreuzer erschüttern, und Timmons drehte sich der ›Pforte‹ zu – als das Schiff sich zum zweiten Mal schüttelte.

Dieser zweite Ruck war stärker als der erste, und Timmons hastete vor. Bürger Private Hayman machte ihm eilig Platz, doch der Lieutenant beachtete ihn gar nicht. Er drückte die Comtaste, als eine dritte Erschütterung das Schiff erbeben ließ – doch nichts geschah.

Timmons runzelte die Stirn und hieb auf eine andere Taste, und noch immer tat sich nichts. Eine vierte Schockwelle, und Timmons spürte, daß bei seinen Untergebenen eine Verunsicherung entstand, die jederzeit in Panik umschlagen konnte. Als er einen dritten Comkanal öffnen wollte und wieder keine Antwort erhielt, regte sich in ihm Bestürzung.

Menschen an Bord von Sternenschiffen verlassen sich bedingungslos auf die Technik, und es gibt nichts Erschreckenderes, als mitzuerleben, wenn die Technik versagt – besonders, wenn kein offensichtlicher Anlaß dazu besteht. Timmons machte von dieser Regel keine Ausnahme und fletschte vor dem toten Combildschirm die Zähne, schob die Hand in die Tasche, hielt inne, faßte einen Entschluß und zog sein persönliches Com hervor, das ihm als Gefängnisoffizier unter der strengen Maßgabe zugeteilt war, es nur im äußersten Notfall zu benutzen. Äußerlich unterschied es sich nicht von den anderen Geräten, wies jedoch eine entscheidende Eigenschaft auf: Es war nicht vom allgemeinen Signalnetz abhängig. Statt dessen stellte es über ein isoliertes System eine abgeschirmte Verbindung mit absolutem Vorrang zu Bürger Colonel Livermore dar, dem Chef der Sicherheitsabteilung und der Bodentruppen an Bord von VFS *Tepes*.

»Ja?«

Das einzelne Wort ohne jede Identifizierung verstieß gegen jedes Signalprotokoll und klang ein wenig besorgt. Doch allein die Stimme zu hören erleichterte den Bürger Lieutenant Timmons gewaltig.

»Timmons, Gefängnistrakt«, meldete er sich forsch. Daß er sich streng an die Vorschriften für den Comverkehr hielt, verlieh ihm eine zusätzliche Stütze. »Wir haben keine Verbindung nach außen. Was ist denn los?«

»Woher zum Teufel soll ich das wissen?« fauchte ihn die unidentifizierte Stimme an. »Das ganze beschissene Schiff geht in die Brüche, und ...«

Hanson Timmons sollte nicht erfahren, was der Sprecher sonst noch sagen wollte, denn in diesem Moment öffneten sich die Lifttüren. Ruckartig hob der Bürger Lieutenant den Kopf und wandte sich eilig zum Lift um, denn der Kontrollton, der gewöhnlich eine näher kommende Liftkabine ankündigte, war ausgeblieben. Als hinter den Lifttüren nur die Dunkelheit des Schachtes gähnte, verstärkte sich Timmons Verwirrung. Er begriff, daß es keinen Ton gegeben hatte, weil gar keine Liftkabine angekommen war ... dann hustete das erste Schrapnellgewehr.

Der Korridor, der vom Lift in den Gefängnistrakt führte, knickte vor dem Zellengang nach rechts ab. LaFollet konnte nicht sagen, ob es sich dabei um eine bedachte Sicherheitsmaßnahme handelte, seine Aufgabe jedenfalls wurde ihm durch den Knick entscheidend erschwert.

Candless und er waren kampfbereit gewesen, als der Rest der Gruppe die Lifttüren von Hand öffnete – und das konnte man von dem halben Dutzend SyS-Leute in den schwarz-roten Paradeuniformen nicht behaupten. Jeder von ihnen hatte ein Schrapnellgewehr umgehängt und einen Pulser an der rechten Hüfte, aber die meisten von ihnen blickten nicht zum Lift, sondern auf den Offizier, der hinter dem Kontrollpult am Korridorknick stand. Als die Türen sich öffneten, wandten sie die Köpfe, und einer von ihnen reagierte sogar so schnell, daß er noch etwas brüllen und an seiner umgehängten Waffe zerren konnte, aber das war viel zu spät. Andrew LaFollet und James Candless hatten Schulden zu begleichen – eine Schuld gegenüber ihrer Gutsherrin und eine völlig andere gegenüber ihren Feinden. Ohne jedes Erbarmen in den Augen drückten sie die Abzüge.

Schrapnellgewehre waren eigens für das Gefecht an Bord von Sternenschiffen entwickelt worden. Man kann sagen, sie waren die modernen Pendants der alten Schrotgewehre. Ihre Gravtreiber spuckten massenhaft scheibenförmige, rasiermesserscharfe Geschosse aus. Die Mündungsgeschwindigkeit lag weit unter der eines Pulserbolzens, was die Gefahr von Querschlägern stark verringerte und es unwahrscheinlich machte, daß die Geschosse wichtiges Gerät zerstörten, aber für jede ungepanzerte Person waren sie tödlich. Die Projektile streuten, und das Ausmaß der Verteilung ließ sich durch die ›Drosselspule‹ an den Pistolengriffen einstellen: Man konnte einen tödlichen Konus erzeugen, der fünf Meter von der Mündung entfernt bereits einen Durchmesser von einem Meter besaß oder auf fünfzig Meter Entfernung einen Durchmesser von nur fünfzehn Zentimetern. Fleisch und Knochen boten den vernichtenden Geschossen keinen nennenswerten Widerstand.

LaFollet und Candless hatten ihre Gewehre auf maximale Streuung und Feuerstoß eingestellt. Ein Schrapnellgewehr lud langsamer nach als ein Pulser, doch angesichts des breiten Wirkungsbereichs spielte die Feuergeschwindigkeit keine Rolle. Die Gewehre husteten rhythmisch, spuckten Tod und Vernichtung und zerfetzten die wartenden SyS-Leute zu blutigem Nebel.

»Wir werden beschossen! *Wir werden beschossen!*« kreischte Timmons in sein Com, während er sich hinter die Kontrollkonsole warf. Geschosse prasselten wie tödlicher Graupelschauer gegen das Gehäuse, und Timmons robbte auf Ellbogen und Bauch den Gang entlang. Eine einzige Schrapnellscheibe pfiff zwischen Konsole und Schott hindurch und traf Timmons in den Schenkel. Der Bürger Lieutenant schrie auf vor Schmerz. Obwohl das Geschoß viel langsamer war als ein Pulserbolzen, bewegte es sich doch mit dreihundert Metern pro Sekunde und schlitzte ihm das Bein auf wie eine weißglühende Skalpellklinge. Unwillkürlich ließ er das Com fallen und umklammerte das verletzte Bein mit beiden Händen. Der Kommunikator schlitterte übers Deck davon. Zwischen seinen eigenen Schmerzensschreien hörte Timmons die Rufe vom anderen Ende des Gangs, aber er hatte keine Zeit, um sie zu beantworten. Die meisten seiner Leute waren bereits tot, nur die beiden, die er als offizielle Wächter an Harringtons Zelle postiert hatte, waren vom Knick des Korridors geschützt worden. Eigentlich hätten die beiden nur Teil der Inszenierung für das Kamerateam sein sollen, doch nun erwuchs Timmons aus ihrer Postierung eine taktische Reserve. Er fletschte schmerzerfüllt die Zähne.

»*Anlegen!*« keuchte er ihnen zu und nahm die rechte Hand von seinem aufgeschlitzten Bein. Seine Finger waren vom eigenen Blut glitschig, trotzdem zog er den Pulser und richtete ihn auf die Gangbiegung. Auf dem Hosenboden rückwärts rutschend zog er sich zurück. Sein verletztes Bein hinterließ eine hellrote Blutspur.

»Los!« rief LaFollet, und Robert Whitman warf sich aus dem Liftschacht in den Korridor. »Wenigstens einer ist hinter der Gangbiegung!« warnte LaFollet ihn.

Der andere Waffenträger nickte, verlangsamte jedoch nicht seinen Sturmlauf auf die Kontrollkonsole. Er ließ sich auf ein Knie nieder und hob die Waffe. Als er die Stimme hörte, erstarrte er.

»Timmons! *Timmons!* Was zum Teufel ist da unten bei Ihnen los?«

Whitman begriff augenblicklich, was er da hörte – und daß der Unbekannte am anderen Ende der Leitung so schnell als möglich Verstärkung schicken würde. Plötzlich war die Zeit zu einem noch tödlicheren Feind geworden. Er warf einen Blick auf LaFollet und Candless, die hinter ihm gerade aus dem Liftschacht kletterten.

»Funkverbindung aktiv!« warnte Whitman, dann, bevor ihn jemand aufhalten konnte, rollte er sich mit vollautomatisch feuerndem Schrapnellgewehr aus der Deckung.

Als Timmons den Warnruf hörte, grinste er gehässig. Jetzt wußten die Hundesöhne, daß ihnen jede Minute jemand in den Rücken fallen würde. Er und seine Überlebenden mußten nun nur noch so lange durchhalten, bis die Verstärkung eintraf. Unvermittelt kam ihm die rettende Idee. Diese Idioten konnten nur aus einem einzigen Grund hergekommen sein: um Harrington zu retten. Also brauchte Timmons sie nur aus der Zelle zu zerren und als lebendigen Schutzschild zu verwenden ...

Sein Gedankengang brach ab, als jemand sich plötzlich mitten in den Korridor rollte. Timmons war völlig überrascht und blickte ihn erstarrt an, als wäre er ein Geist. Wie konnte sich jemand mit offenen Augen in diese offensichtliche Todesfalle stürzen? Timmons hatte es noch nie zuvor mit einem graysonitischen Waffenträger zu tun gehabt, dessen Gutsherr in Gefahr schwebte. Robert Whitman kannte nur einen Lebenszweck, und sein erster Feuerstoß riß Bürger Lieutenant Timmons in blutige Fetzen.

Die beiden Männer weiter hinten im Gang erwiderten das Feuer, doch die nackten Schotte und das Deck boten keinerlei Deckung – niemandem. Tödliche Schrapnellwolken stoben aneinander vorbei, mischten sich, trennten sich wieder – alle auf maximale Streuung gestellt, und niemand konnte sich vor ihnen schützen.

»Bürger Admiral?«

Lester Tourville schaute rasch auf, denn Shannon Foraker klang merkwürdig belegt.

»Was denn?« fragte er ungehalten, und der Operationsoffizier blickte ihm stirnrunzelnd ins Gesicht.

»Ich glaube, das sollten Sie sich ansehen, Sir«, antwortete sie. »Die *Tepes* hat gerade die aktive Ortung abgeschaltet.«

»Wie bitte?« Tourville klang nun völlig anders.

»Komplett, Sir.« Im Laufe des letzten Monats war Foraker in bezug auf ihr ›elitäres‹ Vokabular erheblich sorgloser – oder entschlossener – geworden als zuvor, diesmal aber hatte sie Tourvilles Meinung nach das

Wort ›Sir‹ wie gewohnt benutzt, ohne darüber nachzudenken. »Das ist vollkommen unsinnig«, erklärte sie. »Das Schiff hat zwar das Minenfeld passiert und ist in die Umlaufbahn eingetreten, aber solange der Kommandant noch bei Verstand ist, läßt er doch den Radar nicht abstellen.«

Tourville nickte und kam an Forakers Station. Sie hatte recht. Auch wenn sich die *Tepes* mittlerweile im Parkorbit befand, mußte sie angesichts der Unzahl von Minen mit der Möglichkeit rechnen, daß die eine oder andere ihre geplante Bahn verlassen hatte und dem Schiff in die Quere kam.

»Ein Signal von ihr, Harrison?« wollte er wissen.

»Nein, Bürger Admiral«, antwortete der Signaloffizier. »Völlige Funkstille. Ich ... einen Moment, Bürger Admiral.« Bürger Lieutenant Fraiser lauschte intensiv seinem Ohrhörer und drehte sich ganz zu Tourville um. »Bürger Captain Hewitt meldet, daß er gerade ein Signal von Bürger Captain Vladovich empfing, Bürger Admiral. Offenbar ist die Nachricht mitten im Satz unterbrochen worden.«

Tourville und Bogdanovich tauschten einen Blick, dann wandten sie sich einmütig Everard Honeker zu. Der Volkskommissar sah ebenso verständnislos drein wie die beiden Raumoffiziere, war jedoch nicht so besorgt wie sie, denn im Gegensatz zu ihnen begriff er nicht ganz, wie grundlegend der Störfall sein mußte, den die Systeme der *Tepes* allem Anschein nach erlitten hatten.

Tourville bemerkte Honekers Ahnungslosigkeit und setzte zu einer Erklärung an, besann sich jedoch und sah zu Foraker hinüber. Der Operationsoffizier beugte sich in höchster Konzentration über ihr Display, und statt sie anzusprechen, trat er näher und warf persönlich einen Blick darauf.

Durch die relativen Positionen von Hades und Cerberus B III hatte die *Count Tilly* den Gefängnisplaneten auf dem Weg in ihren Parkorbit in einem Abstand von weniger als zwei Lichtminuten passiert. Nun lag Hades annähernd dreieinhalb Lichtminuten steuerbords des Schlachtkreuzers, der sich mit etwas über 26.000 Kps von ihm entfernte und dabei mit Kurs auf Cerberus B III abbremste. Tourville blickte Bürger Commander Lowe fragend an.

»Angenommen, wir gehen auf Maximalschub. Wie bald könnten wir die *Tepes* erreichen?«

Lowe gab rasch einige Werte in ihr Terminal und sah ihn an.

»Wir würden etwas über dreiundachtzig Minuten benötigen, um relativ zu Hades zum Stillstand zu kommen, Bürger Admiral. Schlagen wir dann den schnellsten Kurs zu dem Planeten ein, erreichen wir ihn nach weiteren einhundertundsiebzehn Minuten – insgesamt also drei Stunden und zwanzig Minuten –, aber unsere relative Geschwindigkeit würde dann über sechsunddreißigtausend Kps betragen. Wenn wir den Planeten mit Geschwindigkeit Null erreichen wollen, benötigen wir eine Stunde mehr.«

Tourville knurrte eine Bemerkung und musterte wieder Forakers Anzeigen. Er zog eine Zigarre aus der Tasche und wickelte sie langsam aus, ohne die Augen vom Display zu nehmen. Als er sich die Zigarre in den Mund stecken wollte, sog Foraker vernehmlich den Atem ein, und seine Hand erstarrte mitten in der Bewegung.

»Bürg. . .«

»Schon gesehen, Shannon«, sagte Tourville ruhig und führte die Zigarre zum Mund. »Wie schlimm?« fragte er in beinahe geistesabwesendem Ton.

»Kann ich noch nicht sagen, Bürger Admiral. Aber

schauen Sie – da ... und da.« Sie deutete auf ein zweites Display. Tourville las die Anzeigen ab und nickte langsam.

»Bleiben Sie dran«, sagte er und winkte sowohl Bogdanovich als auch Honeker zu sich.

»Ich kann nicht genau sagen, was sich dort abspielt, aber an Bord der *Tepes* ist irgend etwas ganz fürchterlich schief gegangen«, erklärte er ihnen mit tonloser, gesenkter Stimme.

»Was meinen Sie denn mit ›schief‹, Bürger Admiral?« fragte Honeker gepreßt.

»Bürger Kommissar, Kriegsschiffe unterbrechen nicht ihre Funksendungen, ohne daß ihnen etwas sehr Ungewöhnliches zustößt. Soeben hat Bürgerin Commander Foraker Trümmer geortet und Atemluftverlust festgestellt. Meiner Ansicht nach hat die *Tepes* wenigstens ein größeres Leck erlitten.«

»Ein Leck? Im Rumpf?« Honeker riß ungläubig die Augen auf, doch Tourville nickte nur grimmig.

»Ich weiß nicht, wovon es verursacht wurde, und der Luftstrom ist schwach genug – bis jetzt wenigstens –, um anzunehmen, daß man die drucklosen Abteilungen absperren konnte. Aber was auch immer dort vor sich geht, es ist ernst, Bürger Kommissar. Sehr ernst.«

»Verstehe.« Honeker rieb sich die schweißigen Hände. »Was schlagen Sie vor zu unternehmen, Bürger Admiral?« fragte er leise.

»Was wir im Augenblick beobachten, ist bereits vor Minuten geschehen«, erinnerte Tourville ihn im gleichbleibend ungerührten Tonfall. »Mittlerweile könnte die *Tepes* schon hochgegangen sein, und wir erfahren das erst in ein paar Minuten. Aber wenn sie in ernsthaften Schwierigkeiten steckt, dann braucht sie Hilfe.«

»Und Sie schlagen vor, die *Tilly* nach Hades zu bringen, um ihr helfen zu können«, sagte Honeker.

»Jawohl, Sir. Wir wissen allerdings leider nicht, was die *Tepes* bereits an Camp Charon gemeldet hat – und wie man dort reagiert, wenn wir plötzlich auf den Planeten zuhalten, obwohl man uns deutlich befohlen hat, dem Mistding bloß nicht zu nahe zu kommen.«

»Ich weiß, was Sie meinen.« Honeker senkte für einen Moment unschlüssig den Kopf, dann blickte er Fraiser an. »Rufen Sie Camp Charon, Bürger Lieutenant. Melden Sie, daß wir der *Tepes* auf meinen Befehl mit höchster Beschleunigung zu Hilfe kommen und um Bestätigung ersuchen, daß die Minenfelder für unsere Annäherung entschärft werden.«

Als die Zellentür sich öffnete, stand Honor Harrington auf und blickte ihrem Schicksal gelassen entgegen. Die rechte Hälfte ihres Gesichts war beinahe ebenso ausdruckslos wie die gelähmte linke.

Leicht fiel es ihr nicht. Mit großem Vergnügen hatte Timmons ihr angekündigt, wenn ihre Zelle sich das nächste Mal öffnete, würde man sie für ihren Gang zum Henker abholen. Die Fassung zu bewahren wäre daher schon schwierig genug gewesen, doch erschwerend kam nun hinzu, daß sie seit kurzem blitzartige Gefühlsregungen von Nimitz' empfing. Sie waren zu weit entfernt, und die Verbindung war zu schwach, als daß Honor mit Bestimmtheit hätte sagen können, was der Baumkater empfand, doch unzweifelhaft spürte sie ... Bewegung und aufflackernden Schmerz, der durch diese Bewegung verursacht wurde. Zunächst war Honor schicksalsergeben davon ausgegangen, daß Ransom ihre Drohung wahr machte und Nimitz auf den Planeten bringen ließ, damit er dort mit Honor starb. Mittlerweile aber war sie sich dessen längst nicht mehr gewiß, denn Aufregung und unpassende, wilde Entschlossenheit hatten sich über all seine anderen Empfindungen gelegt. Nun, dabei konnte es sich freilich um eine Selbsttäuschung handeln, um eine Halluzination, geboren aus Furcht, Schwäche und rasendem Hunger. Doch was auch immer vorging, sie würde Timmons und seinen Ghoulen gegenübertreten, ohne sich irgend etwas anmerken zu lassen.

Die Tür schwang auf, und Honor spannte sämtliche Muskeln an. Da ...

»Mylady! *Lady Harrington!*«

Honor geriet ins Taumeln, und ihr gesundes Auge flatterte. Andrew LaFollet hatte ihren Namen gerufen! Ihr persönlicher Waffenträger stand in der Tür. Sein Gesicht war hager, seine normalerweise makellose Uniform zerlumpt. Er hielt ein Schrapnellgewehr in den Armen.

Das kann nicht sein! sagte ihr Verstand gelassen. *Das ist unmöglich. Du mußt halluzinieren!*

Doch sie träumte keineswegs. Sie taumelte vor, und LaFollet löste einen Arm von der Waffe und reichte ihn ihr. Tränen quollen ihr aus dem gesunden Auge, und ihre Sicht verschwamm. Seine Hand schloß sich warm und fest um ihre abgemagerten Finger. Er drückte sie kräftig. Honor sog tief und bebend Atem ein, legte die Arme um den Grayson und drückte ihn fest an sich.

»Wir holen Sie hier raus, Mylady«, versprach er, den Mund an ihre Schulter gedrückt, und Honor nickte. Widerstrebend ließ sie ihn los, trat zurück und blinzelte, um ihre Sicht zu klären. Sie bemerkte die Veränderung auf seinem Gesicht, als ihm ihr Aussehen bewußt wurde. Der grellorange Overall schien ihr zwei Nummern zu groß zu sein, so sehr war sie abgemagert, und als LaFollet die Reglosigkeit ihrer linken Gesichtshälfte bemerkte, wurden seine grauen Augen härter als Stahl. Er wollte etwas sagen, aber Honor schüttelte den Kopf.

»Keine Zeit, Andrew«, sagte sie rauh. »Keine Zeit. Später.«

Er musterte sie noch einen winzigen Augenblick, dann schüttelte er sich wie ein Hund, der aus dem Wasser kommt.

»Jawohl, Mylady«, antwortete er und nickte jemandem zu. Wer immer es war, trat von links auf sie zu, und Honor wandte rasch den Kopf. Der Anblick Andreas Venizelos' stürzte sie erneut in Erstaunen. Ihr Stabschef legte ihr ein Koppel mit einem Pulserfutteral an. Dann hob er den Kopf und blickte ihr mit einem gezwungenen Lächeln auf den Lippen angespannt in die Augen. Sie berührte ihn dankbar an der Schulter, zog den Pulser und überprüfte ihn rasch.

»Hier entlang, Mylady«, drängte LaFollet, und sie drehte sich um, um ihm zu folgen – doch dann verharrte sie auf der Stelle. Auf dem Deck lagen vier Leichen, und Blut sickerte aus ihren zahlreichen Schrapnellwunden. Honor erkannte zwei Wärter, deren Namen zu merken sie sich nie die Mühe gemacht hatte, dazu Timmons ... und Robert Whitman.

»*Bob*«, flüsterte sie und schluckte. Sie wollte sich neben ihn knien, doch LaFollet ergriff sie am Oberarm und schüttelte entschieden den Kopf.

»Keine Zeit, Mylady!« Wenn Honor ihn auch nur ein wenig schlechter gekannt hätte, so wäre sie in diesem Moment erbost über ihn gewesen, denn er brachte die Worte harsch und bar jeden Gefühls hervor. Doch sie kannte ihn sehr gut und entdeckte den Schmerz hinter seiner empfindungslosen Fassade. Erneut zog er an ihrem Arm. »Wir müssen uns beeilen, Mylady. Sie konnten Alarm geben, bevor Bob sie tötete.«

Honor nickte und bemühte sich um einen klaren Kopf. Candless trat zu ihr und hob sie gemeinsam mit LaFollet in den Liftschacht. Marcia McGinley wartete ab, ob sie helfen konnte, und Honor hielt sich an ihr fest, während ihre Waffenträger neben ihr hinuntersprangen. Sie wollte etwas sagen, doch ihr Operationsoffizier drückte sie nur kurz und inbrünstig, dann nahm McGinley das Schrapnellgewehr auf und verschwand hinter Candless in der Dunkelheit des Schachtes. Venizelos kam zu Honor und LaFollet.

»Wenigstens haben wir jetzt genügend Gewehre«, sagte der Commander grimmig und reichte Honor zusätzlich zu ihrem Pulser ein Schrapnellgewehr. »Ich habe so viele Ersatzmagazine mitgenommen wie möglich«, sagte er.

»Beeilen Sie sich, Mylady!« drängte LaFollet, und er und Venizelos zogen Honor mit sich.

»Sie versuchen es wieder über den Lift!« hörte Alistair McKeon jemanden brüllen. Ein schnellfeuerndes Granatgewehr bellte.

Drei Granaten pfiffen an dem Captain vorbei und fielen säuberlich durch die Türen, die sich beim ersten Sturmangriff in halb geöffneter Position verklemmt hatten. Einen Augenblick herrschte Stille, dann ertönten laute Schreie, und einen halben Herzschlag später detonierten die Granaten in rascher Folge. Die Wirkung der Explosionen im engen Liftschacht mußte unbeschreiblich sein; trotzdem schickte Jasper Mayhew zwei weitere hinterher.

McKeon grunzte zufrieden, dann wandte er sich an Solomon Marchant.

»Wir brauchen einen vorgeschobenen Beobachter, der sehen kann, wer gerade durch den Schacht kommt«, erklärte er. »Schließlich wollen wir nicht unsere eigenen Leute töten, wenn sie mit Lady Harrington ausgerechnet diesen Weg nehmen!«

»Ich kümmere mich darum«, versprach ihm der Grayson und winkte Clinkscales herbei, während er schon mit langen Sprüngen zum halb offenen Lift eilte. Der zweite Lift am anderen Ende der Hangargalerie war noch unbeschädigt, doch Russ Sanko und Senior Chief Halburton hatten gleich vor seinen Türen aus Maschinentrümmern und Frachtpaletten eine Barrikade errichtet, hinter der sie mit einem Plasmagewehr in Stellung gegangen waren.

Ein weiteres Programm aus Harkness' ›Feder‹ hatte sämtliche Lifte in Beiboothangar Vier verriegelt – was die Haveniten ganz offensichtlich bereits bemerkt hatten. Im Augenblick konzentrierten sie sich auf den bugwärtigen Lift, und weil sie keine Kabine benutzen konnten, waren sie den Schacht hinuntergeklettert und hatten versucht, die Türen zum Hangar zu sprengen. Dabei hatten sie einen Teilerfolg zu verbuchen. Bei der Explosion war Chief Reilly getötet worden, doch McKeons übrige Leute hatten das Sturmkommando massakriert, bevor auch nur ein SyS-Mann den Schacht verlassen konnte. Der unbeschädigte Lift achtern bedeutete nach wie vor eine Gefahr, doch McKeon hatte sich dagegen entschieden, ihn zu sprengen. Vielleicht brauchte Honor ihn, und Sanko und Halburton stellten einen recht wirksamen Schutz dar. Wer versuchte, auf diesem Weg den Hangar zu stürmen, konnte zwar die Türen sprengen, doch weiter vordringen würde er nicht.

McKeon drehte sich langsam auf der Stelle und beobachtete den Rest seiner Leute, die sich eilig um ihre Aufgaben kümmerten. Während er Befehle bellte, mußte er sich immer wieder über Horace Harkness wundern. Auf die ›Desertion‹ des Senior Chiefs war sogar McKeon selbst hereingefallen, und er beabsichtigte, die ganze Geschichte aus Harkness herauszubringen – notfalls wollte er den Kerl in den Schwitzkasten nehmen. Doch das mußte warten. Im Moment war nur wichtig, daß Harkness' irrwitziger Plan tatsächlich zu funktionieren schien.

Daß es sich bei der *Tepes* um ein Schiff der Systemsicherheit handelte, wirkte sich nun sogar zum Vorteil der geflohenen Gefangenen aus. Jeder der Sturmshuttles im Hangar war darauf ausgelegt, binnen kurzem eine Kompanie SyS-Bodentruppen zu landen, und diese Kompanien waren überstark, fast um fünfundsiebzig Prozent größer als eine Kompanie Royal Manticoran Marines. An den externen Waffenstationen der Shuttles hingen ständig Außenlasten, die Bordgeschütze waren stets feuerbereit, die Handfeuerwaffen in den Waffenschränken geladen, die Munitionsvorräte reichlich. Dank der Systemsicherheit stand McKeons Häufchen weitaus mehr Feuerkraft zur Verfügung, als es verwenden konnte, und mit grimmiger Befriedigung setzten seine Leute alle schweren Waffen, die sie bedienen und abfeuern konnten, gegen deren frühere Besitzer ein.

Trotzdem kamen nicht alle in den Genuß, auf den Gegner schießen zu dürfen. Harkness hatte seinen kostbaren Minicomputer aus dem Steckplatz gezogen, im Cockpit eines Shuttles angeschlossen und auf Terminalbetrieb gestellt. Von dort führte er Krieg gegen die havenitischen Computertechniker, die mittlerweile begriffen hatten, was an Bord ihres Schiffes vorging. Der Senior Chief verbuchte zwei gewaltige Vorteile für sich: Als Programmierer war er jedem einzelnen von ihnen überlegen, und außerdem wußte er genau, was er getan hatte – eine Information, die der Gegner noch deduzieren mußte. Harkness' Vorteile wurden andererseits durch zwei entsprechend große Nachteile ausgeglichen: Seine havenitischen Programmiergegner waren ihm gegenüber in der Überzahl, und sie besaßen Zugang zu den Schiffssystemen. Nachdem sie zwanzig Minuten lang versucht hatten, ihm die Gewalt über die Innereien des Schiffes zu entreißen, begannen sie nun damit, die Computer von Hand abzuschalten – oder zu zerstören – und die Anlagen manuell zu bedienen. Zum Glück für die entkommenen Gefangenen hatte Harkness seinen Plan sorgfältig durchdacht. Wo immer es möglich war, hatte er die Bordsysteme durch die manipulierten Computer so schwer es ging beschädigt, anstatt sie nur abzuschotten. Daher standen der *Tepes* monatelange Reparaturen bevor, dann erst würde man sie wieder in Dienst stellen können. Leider schien die Crew diese Tatsache bereits begriffen zu haben und durchaus bereit zu sein, weitere schwere Beschädigungen ihres Schiffes in Kauf zu nehmen, wenn man dadurch nur der entflohenen Gefangenen wieder habhaft wurde.

»Startbereit, Sir!«

McKeon fuhr bei Geraldine Metcalfs Ausruf herum. Sie stand vor der Zugangsröhre, die in den Sturmshuttle Nummer zwo führte, und der Captain bestätigte ihre Meldung, indem er ihr zuwinkte. Sein Taktischer Offizier durchschwamm die Röhre, während Anson Lethridge die Dockarme löste. Die Schubdüsen des Shuttles spien Feuer, und Metcalf ließ es langsam aus dem Hangar hinaustreiben. McKeon nahm sich einen Augenblick Zeit für ein Stoßgebet, daß es Harkness wirklich gelungen sein möge, die Waffensysteme der *Tepes* außer Gefecht zu setzen.

Geraldine Metcalf bewegte den Shuttle allein mit Hilfe der Schubdüsen längsseits zum Schlachtkreuzer. Das große Sturmboot fühlte sich hölzern und behäbig an, und in ihr schrie es danach, den Impeller zu aktivierten und mehr Beschleunigung zu erhalten. Doch das stand völlig außer Frage. Metcalf hatte eine sehr präzise formulierte Mission zu erfüllen, und verräterische Emissionen hätten den Erfolg mit Sicherheit vereitelt.

Sie begab sich in eine Position oberhalb des Schiffes. Die passiven Sensoren ihres Shuttles erfaßten den Raum jenseits des Hammerkopfbugs. Wenn irgendein Raumfahrzeug von Camp Charon aus zur *Tepes* kommen wollte, würde es sich mit großer Wahrscheinlichkeit von vorn nähern. Metcalf beobachtete aus dem Augenwinkel, wie Sarah DuChene, ihre Kopilotin, mit den Fingern über die Waffensteuerung fuhr und die grünen Bereitschaftslichter in unheilverkündendes Scharlachrot umschlugen.

»Signal von Camp Charon, Bürger Admiral«, meldete Harrison Fraiser. Tourville bedeutete dem Signaloffizier fortzufahren. »Ihre Absicht, der *Tepes* bei Bedarf zu Hilfe zu kommen, ist genehmigt, doch Bürger Brigadier Tresca hält Ihre Hilfe nicht für erforderlich. Er sendet Shuttles in die Umlaufbahn, um die Lage zu eruieren. Er wird uns über ihre Ergebnisse informiert halten. Bis dahin bleibt es uns verboten, ohne Genehmigung in den äußeren Minengürtel einzudringen.«

»Na prima«, knurrte Bogdanovich. »Die Mistkerle wollen uns immer noch nicht an *ihrem* Himmel sehen, was?«

»Na, na, Yuri«, schalt Tourville ihn milde, während er gleichzeitig Honeker forschend in die Augen blickte, ob der Volkskommissar die Äußerung des Stabschefs etwa mißbillige. Der Bürger Konteradmiral bemerkte dafür kein Anzeichen, ein guter Grund, sich eingehend Gedanken zu machen ...

»Runter!«

LaFollet warf sich über Honor, als vor ihnen plötzlich Schüsse peitschten. Der Aufprall trieb ihr die Luft aus den Lungen und brachte sie zum Husten. Sie rang um Atem. Den Schacht vor ihnen erfüllte das Jaulen von Pulsern und das bellende Husten von Schrapnellgewehren. Rufe und Schmerzensschreie ertönten. LaFollet ließ Honor los und kletterte weiter den Schacht hinauf. Honor wollte ihm folgen, doch eine Hand schloß sich um ihren Knöchel, und sie riß den Kopf herum.

»Sie bleiben hier«, befahl Andreas Venizelos in einem Ton, der keinen Widerspruch duldete. Trotzdem öffnete sie den Mund, und der Commander schüttelte unnachgiebig den Kopf. »Sie sind ein Commodore. Außerdem sind Sie die Gutsherrin dieses Mannes, und er ist nicht den ganzen Weg hierher gekommen, um zuzusehen, wie Sie jetzt noch getötet werden.«

Sirrend und funkensprühend prallten Querschläger vor irgendeinem Vorsprung ab, und LaFollet duckte sich unwillkürlich. In seiner Bewegung hielt er jedoch nicht inne, und binnen kurzem hatte er Candless und McGinley eingeholt. Sie lagen bäuchlings hinter einem Flansch in Deckung, der zum Druckantrieb des Liftsystems gehörte. Von dort besaßen sie ein ausgezeichnetes Schußfeld. Leider galt für die Haveniten weiter oben im Schacht das gleiche, und damit war der günstigste Fluchtweg nach Beiboothangar Vier verstellt.

Wieder kreischten Pulserbolzen den Schacht hinunter, und Candless warf sich zur Seite und beschoß den Gegner mit dem Schrapnellgewehr. Er hatte die Streuung auf mittlere Verteilung eingestellt und bestrich methodisch den gesamten Querschnitt. Ein schrecklicher, gurgelnder Schrei ertönte, aber noch immer erwiderte der Feind das Feuer. Candless zog den Kopf ein.

»Wie viele?«

»Weiß ich nicht«, antwortete Candless und musterte das Zwielicht vor ihnen. »Reines Glück, daß wir sie rechtzeitig gesehen haben und in Deckung gehen konnten. Ich fürchte, es sind wenigstens fünfzehn oder zwanzig. Keine schweren Waffen, sonst hätten sie uns schon ausgeschaltet, aber das kann sich jederzeit ändern. Es ist nur eine Frage der Zeit.«

»Wenn die Havies sich hinreichend koordinieren können«, warf McGinley ein. Sie klang angespannter als Candless, denn diese Art von Gefecht war sie nicht gewohnt. »Wenn Harkness' Sabotage funktioniert hat, dann haben sie vermutlich ebensowenig Kommunikation wie wir.«

LaFollet nickte abwesend. Ihre gestohlenen Coms empfingen nur Kauderwelsch, was vermutlich bedeutete, daß Harkness' Versuch funktioniert hatte, die Fernmeldeanlagen der *Tepes* außer Gefecht zu setzen. Die Anwesenheit der Kämpfer vor ihnen bewies unzweifelhaft, daß es kein Erfolg auf ganzer Linie gewesen sein konnte. Selbst wenn die Haveniten erraten hätten, was vorging, hätten sie keinesfalls wissen können, daß sie ausgerechnet den Liftschacht zwischen dem Gefängnistrakt und Beiboothangar Vier blockieren mußten. Ohne Kommunikation hätten sie niemanden herbeibeordern können, der die Absperrung übernahm. Wieviel Fernmeldekapazität hatten sie noch? Wenn die Möglichkeiten der Haveniten besser waren, als erwartet, bestand kaum noch eine Chance, die Gutsherrin in Sicherheit zu bringen, denn dazu waren schlichtweg zu viele SyS-Leute an Bord. Und wenn ihre Offiziere ihnen sagen konnten, wo sie die Flüchtigen abfangen sollten ...

»Ich mach's«, sagte Candless gelassen. Er hatte die Augen nicht vom Schacht angewandt und LaFollet nicht angeblickt, doch sein beiläufiger Ton bewies, daß er genau dem gleichen Gedankengang gefolgt war wie der Major. »Gehen Sie rund sechzig Meter zurück und probieren Sie es mit dem Wartungstunnel auf Deck Neunzehn«, sagte er. »Commander McGinley zeigt Ihnen den Weg.«

»Einen Augenblick mal!« begehrte McGinley auf. »Wir können Sie doch nicht ...«

»Doch, das können wir«, entgegnete LaFollet sanft. »Hier.« Er reichte ihr das Klemmbrett und deutete mit dem Daumen über die Schulter den Schacht hinab. »Gehen Sie«, sagte er im Befehlston. McGinley starrte ihn an, dann holte sie scharf Luft, wandte sich um und glitt ins Zwielicht davon. LaFollet blickte Candless ins Gesicht.

»Du hast dich entschlossen, Jamie?« fragte er leise.

»Das habe ich.« Candless' Antwort klang fast kindlich ernst, und er drehte den Kopf, um LaFollet ein letztes Mal anzugrinsen. »Es war 'ne schöne Zeit, Major. Jetzt schaffen Sie nur die Gutsherrin hier raus.«

»Das werde ich«, schwor LaFollet; es handelte sich um mehr als ein Versprechen, es war ein Eid, und Candless nickte zufrieden.

»Du verschwindest jetzt lieber, Andrew«, sagte er

viel sanfter. »Und wenn ihr hier raus und in Sicherheit seid, dann sag ihr ...« Er verstummte, weil ihm die Worte fehlten, und LaFollet nickte.

»Ja«, versprach er, legte seinem Kameraden den Arm um die Schulter und drückte ihn fest. Dann wandte er sich ab und kletterte wieder den Schacht hinunter.

Nach wenigen Minuten hatte er Honor, Venizelos und McGinley erreicht, die sich sogleich umwandte und losmarschierte. Als ein Schrapnellgewehr hustend das Schnellfeuer eröffnete, blickten Honor und Venizelos den Schacht hinauf, und LaFollet schritt rasch an ihnen vorbei.

»Hier entlang, Mylady«, sagte er und bedeutete den beiden, ihm zu folgen, doch Honor rührte sich nicht vom Fleck.

»Wo ist Jamie?« wollte sie wissen, und LaFollet verharrte. Einen Augenblick lang starrte er McGinley hinterher, dann seufzte er.

»Er kommt nicht mit uns, Mylady«, sagte er so sanft er konnte.

»*Nein!* Ich kann doch ...«

»Doch, Sie können!« raunzte er Honor an, die vor der Mischung aus Stolz und Schmerz auf seinem Gesicht zurückfuhr. »Wir sind *Waffenträger,* Mylady, und Sie sind unsere Gutsherrin. Und Sie haben verdammt noch mal zu tun, was immer erforderlich ist!«

Unfähig, auch nur ein Wort zu sagen, starrte Honor ihm ins Gesicht, dann ließ sie die Schultern sinken. Ihr persönlicher Waffenträger nahm sie wie ein Kind bei der Hand.

»Kommen Sie, Mylady«, forderte er sie leise auf. Honor folgte ihm den Schacht hinab. Über ihnen bellte Jamie Candless' Schrapnellgewehr auf.

30

Scotty Tremaine kroch aus dem Elektronikschacht der Pinasse und wischte sich den Schweiß von der Stirn. Niemals hätte er für möglich gehalten, was er gerade getan hatte, und die Problemlosigkeit, mit der das Undenkbare sich bewerkstelligen ließ, bereitete ihm eine Gänsehaut. Viele Männer und Frauen waren bessere Bordmechaniker für Beiboote als er – zum Beispiel Horace Harkness –, doch hätte es keines Genies bedurft, um die Modifikationen durchzuführen, die Tremaine soeben vorgenommen hatte. Genau das war daran so furchterregend. Keinerlei ernsthafte Schutzmaßnahmen hatten ihn behindert, denn niemand, der alle Sinne beisammen hatte, wäre je auf die Idee gekommen, daß jemand absichtlich eine Wahnsinnstat wie diese begehen könnte.

Und doch war sie nun ausgeführt. Tremaine hoffte, daß Harkness sich dabei ebensowenig geirrt hatte wie bei den anderen Aspekten seines Plans. Soweit sie wußten, war bislang alles perfekt abgelaufen – *soweit* sie wußten –, doch erschien es Tremaine ungerecht, einem einzigen Mann so viel Verantwortung auf die Schultern zu laden.

Aber wir haben sie ihm nicht aufgebürdet, nicht wahr? Er hat sich von vornherein ›freiwillig‹ gemeldet. Wir haben nichts weiter dazu beigetragen, als auf unserm Hintern zu sitzen und zu glauben, er wäre wirklich zu den Havies übergelaufen.

Bei diesem Gedanken überkam Tremaine ein neuerlicher Schwall brennender Scham, obwohl dafür eigentlich kein sachlicher Grund bestand. Harkness hatte gut genug gespielt, um die Havies zu täuschen, und die Reaktionen seiner Mitgefangenen hatten gewiß zu seinem Erfolg beigetragen. Trotz alledem konnte sich Tremaine einfach nicht verzeihen, auch nur einen Augenblick lang geglaubt zu haben, Horace Harkness könnte wirklich zum Verräter werden.

Er zwang sich, seine Reue auf später zu verschieben, schloß den Deckel des Schachts und erhob sich. Er stand mit Chief Barstow in der Passagierkabine der Pinasse und nickte dem Bootsmann zu.

»Der Vogel ist fertig«, sagte er. »Jetzt kümmern wir uns um unseren eigenen.«

»Basis, ich habe die *Tepes* visuell erfaßt.«

Geraldine Metcalf legte die gewölbte Hand über den Ohrhörer, als fiele ihr dadurch das Lauschen leichter. Dabei hatte sie das gar nicht nötig: die Stimme war deutlich und klar zu verstehen. Drei Frachtshuttles näherten sich der *Tepes*. Angespannt betrachtete sie die drei blutroten Punkte auf dem Zieldisplay und wünschte, sie wäre mit der Bedienung eines havenitischen Sturmshuttles etwas vertrauter. Was das anging, so hätte sie durchaus drei Finger ihrer linken Hand dafür geopfert, ihre aktiven Ortungsgeräte benutzen zu dürfen. Der Sturmshuttle verbarg sich zum größten Teil im Sicht- und Radarschatten des ausladenden Bugs der *Tepes*. Seine passiven Sensoren hatten die Frachtshuttles offenbar gut erfaßt, aber das Gefühl, in einem fremden Beiboot zu sitzen, und nicht jedes Bordsystem völlig verstanden und gemeistert zu haben, nagte an Metcalf, als würde ihr ständig ein spitzer Stock in die Seite gestoßen.

Sie hatte Tausende von Flugstunden in Beibooten hinter sich; als Pilotin mochte sie kein Naturtalent sein wie Scotty Tremaine, aber sie verfügte über ein gerüttelt Maß an Erfahrung. Aus diesem Grund hatte sie diese Aufgabe erhalten, und ihr Verstand versicherte ihr, sie sei durchaus in der Lage, die Mission erfolgreich abzuschließen. Trotzdem ließ sie der Wunsch nicht los, sich einen oder zwei Monate lang mit diesem Klotz von Beiboot vertraut gemacht zu haben. Der Shuttle kam ihr schwerfällig und unbeholfen vor, eine Illusion zwar, vor der es jedoch kein Entrinnen gab. Jedenfalls ließ sich nicht abstreiten, daß DuChene und sie hoffnungslos unterlegen wären, sollte es zu einem Kurvengefecht mit einem anderen Kampfboot kommen. Unter diesen Umständen hätte sich ihre Unerfahrenheit mit dem Sturmshuttle nur zu deutlich gezeigt – aber schließlich diente ihre Mission ja nur einem einzigen Ziel: dafür zu sorgen, daß es gar nicht erst zu einem Kurvenkampf kam! Davon abgesehen waren diese Schrottboote dort drüben nicht einmal bewaffnet.

»Zeichen für Rumpfschäden, Eins?« fragte eine andere Stimme in Metcalfs Ohrhörer.

»Negativ, Basis. Ich fasse einiges an Trümmerteilen auf, aber keinen Hinweis auf Rumpflecks. Ich vermute, daß ihnen ein Beiboothangar in die Luft gegangen ist – vielleicht sogar mehr als einer. Keine Zeichen für Schlimmeres. Die *Tepes* verliert jedenfalls keine Atemluft mehr, und ich empfange auch keine Rettungskapselbake. Es muß sich um eine Art internen Elektronikversager handeln.«

»Ach ja?« Charon-Basis klang zweifelnd. »Ich habe noch nie von einem Elektronikversager gehört, der sämtliche Signalanlagen eines Schiffes ausfallen läßt und außerdem noch die Beiboothangars in die Luft sprengt, und Sie?«

»Nein, aber was zum Teufel soll es denn sonst gewesen sein? Bei einem ernsthaften Störfall müßte es hier doch von Rettungskapseln und Beibooten nur so wimmeln!«

Metcalf unterdrückte ein Kichern. Auf sie wirkte der enervierte Tonfall der Haveniten sehr erheiternd. Die Logik ihrer Argumentation war schlüssig, basierte jedoch auf einer falschen Voraussetzung; doch wo hätten die Havies auch von einem ›Elektronikversager‹ namens Horace Harkness gehört haben können?

»Da kann ich Ihnen nicht widersprechen, Eins«, gab Charon-Basis schließlich zu. »Ihre ETA bis Rendezvous?«

»Knapp fünfzehn Minuten, Basis. Vielleicht etwas länger. Ich werde unter ihr passieren und einen Blick auf ihre Hangars werfen, dann versuchen wir, an einem der externen Dockpunkte anzulegen.«

»Wie Sie wollen, Eins. Geben Sie uns Bescheid, sowie Sie etwas Interessantes sehen.«

»Mach ich, Basis. Eins, aus.« Die Stimmen verstummten, und Metcalf betrachtete wieder die näher kommenden Shuttles. Ein leiser, melodischer Ton erklang. Sie drehte sich um und sah DuChene an.

»Aufgefaßt und anvisiert«, meldete ihr Waffenoffizier und schaute auf. Nun spielte es keine Rolle mehr, wie gut die passiven Sensoren des Shuttles waren, denn die Zielsucher der Raketen hatten die Haveniten erfaßt. Startbereit hingen die Lenkwaffen an ihren Trägern, und das Lächeln, das Geraldine Metcalf und Sarah DuChene teilten, hätte einen Stern zum Gefrieren bringen können.

»Noch immer nichts von der *Tepes?*« fragte Tourville.

»Nein, Bürger Admiral«, antwortete Fraiser mit solcher Nachsicht, daß Tourville errötete. Zur Entschuldigung klopfte er dem Signaloffizier leicht auf die Schulter, dann stellte er sich neben Shannon Foraker und warf einen bohrenden Blick auf das taktische Display.

Die *Count Tilly* hatte ihre Relativgeschwindigkeit zu Hades auf 10.750 Kps gesenkt. Weitere 35 Minuten würden vergehen, bis der Schlachtkreuzer endgültig abgebremst hatte. Dann befände sich das Schiff noch immer mehr als sieben Lichtminuten von dem Planeten entfernt. Selbst für dieses an sich dürftige Ergebnis hatte Bürger Captain Hewitt sein Schiff bis an die Belastungsgrenzen beanspruchen müssen, ohne daß auch nur der geringste Sicherheitsspielraum für den Trägheitskompensator verblieb. Tourville nahm an, daß später energisch hinterfragt würde, ob seine Vorgehensweise wirklich klug gewesen sei, wo doch eine planetare Basis Nachforschungen anstellen konnte, aber kein Berufsraumfahrer hätte je ein Schiff ignoriert, das seinen Informationen zufolge möglicherweise in Gefahr schwebte. Je mehr Minuten verstrichen, desto mehr verdichtete sich für Tourville die Vermutung zur Gewißheit, mit der *Tepes* könnte etwas ernsthaft nicht in Ordnung sein. Um diese völlige Emissionsstille hervorzurufen, mußten zu viele Systeme gleichzeitig ausgefallen sein, und er unterdrückte nicht zum erstenmal einen Fluch über die Saumseligkeit von Camp Charon. Teufel noch eins, es war doch schließlich eins von ihren eigenen Schiffen, das in der Klemme steckte! Was für eine Veranstaltung boten ihm diese SyS-Idioten da eigentlich?

Darauf erhielt er keine Antwort – und er befand sich noch immer eine Stunde und zwanzig Minuten von der *Tepes* entfernt.

»Mir gefällt das nicht«, sagte Honor rundheraus; sie war in die Hocke gegangen, um zusammen mit ihren Begleitern das Klemmbrettdisplay zu betrachten. »Wir sind dort völlig ungedeckt.«

»Das will ich nicht abstreiten, Ma'am«, gab Venizelos ebenso offen zurück, »aber uns fliegt die Zeit davon.«

»Was, wenn wir den Umweg durch die Wartungstunnel nehmen?« fragte Honor und tippte auf den Rand des Displays.

»Ich bezweifle, daß es klappt, Ma'am«, erwiderte McGinley, bevor Venizelos etwas sagen konnte. »Zumindest ein paar von den Havies haben gemerkt, daß wir durch Lift- und Lüftungsschächte krabbeln. Wenn sie ihr Wissen weitergeben konnten, dann wird der Gegner genau damit rechnen. Außerdem hat Commander Venizelos recht: Uns geht die Zeit aus. Wir müssen uns wirklich beeilen, und in diesem Korridor sind wir insgesamt am kürzesten exponiert.«

Honor runzelte die Stirn, knetete sich mit den Fingerspitzen die taube Gesichtshälfte und wünschte, sie spürte etwas davon. Sie war Nimitz näher gekommen, und die Emotionen des Baumkaters knisterten in ihr. Die dunklen Schatten seines körperlichen Schmerzes waren stärker, aber er war auch aufgeregter. Noch immer erhielt Honor kein klares Bild von dem, was vorging, doch war *Nimitz* immerhin der Ansicht, alles verlaufe genau nach Plan. An diesen Hoffnungsschimmer klammerte sich Honor.

Wie immer die Lage im Hangar war, Venizelos und McGinley hatten recht: Zuerst mußten sie dorthin gelangen, und ihnen standen immer weniger Möglichkeiten zur Auswahl. Die Route, die Venizelos ausgesucht hatte, führte auf kürzestem Wege zu einem Liftschacht, der in Beiboothangar Vier endete, und wenn die Haveniten erst erkannt hatten, daß ein paar Versprengte zu den übrigen Flüchtigen stoßen wollten ...

»Andrew?« fragte sie knapp und blickte ihren Waffenträger an.

»Ich glaube, Commander Venizelos und McGinley

haben recht, Mylady. Wir gehen gewiß ein Risiko ein, aber kein so großes wie bei einem Umweg. Wenn wir zu lange brauchen, dann ist Captain McKeon gezwungen, uns zurückzulassen – und im schlimmsten Fall wartet er so lange auf uns, daß die Havies seine Leute auch noch erwischen.«

»Also schön«, seufzte Honor und verbog den rechten Mundwinkel zu einem Grinsen. »Wer bin ich denn, mit den Irren zu streiten, die sich diesen Plan haben einfallen lassen?«

»Da sind sie ja ...« murmelte DuChene. Metcalf nickte. Die havenitischen Frachtshuttles hatten sich nun so weit genähert, daß sie den Sturmshuttle bald entdecken mußten, ob er sich nun verbarg oder nicht. Außerdem begannen sie sich voneinander zu trennen, und das konnte Metcalf ihnen nicht gestatten.

Sie beobachtete die Fähren noch fünf Sekunden, dann drückte sie den Knopf.

Auf einem Abstand von weniger als sechzig Kilometer zum entferntesten Shuttle lösten sich die Raketen von den Startschienen und aktivierten ihre Impeller. Im Gegensatz zu schiffsgestützten Waffen konnten sie nicht mit Beschleunigungswerten von achtzig- bis neunzigtausend Gravos aufwarten, doch immerhin brachten sie bis zu 40.000 *g* zustande. Der längste Raketenflug betrug nur 0,576 Sekunden, und das war viel zu kurz, um eine Warnung zu senden oder auch nur zu begreifen, was vor sich ging.

»Was zum ...?«

Shannon Foraker fuhr senkrecht in ihrem Sessel auf, und ihr Blick schien in ihrem Display zu versinken.

Dann riß sie sich los und wandte sich ihrem Kommandeur zu. Tourville hatte gesehen, wie sie aufsprang, und bereits das halbe Flaggdeck überquert.

»Was?« knirschte er.

»Diese drei Shuttles von Charon sind gerade explodiert, Sir«, erklärte Foraker gelassen.

»Was sagen Sie da?« fragte Bogdanovich, der Tourville auf dem Fuße folgte.

»Ich sage, daß Sie verschwunden sind, Sir. Ihre Antriebssignaturen durchliefen ein Maximum, und dann sind sie explodiert.«

»Was zum Teufel geht da vor?« fragte Bogdanovich. Der Stabschef rauchte förmlich vor Zorn.

»Nun, wenn ich eine Vermutung anstellen sollte, Sir, dann würde ich sagen, daß jeder dieser drei Shuttles soeben eine impellergetriebene Rakete zu schmecken bekommen hat«, entgegnete Foraker. »Es dürfte sich um sehr kleine Raketen gehandelt haben, sonst hätte ich ihre Impellersignaturen aufspüren müssen. Das war nicht der Fall.« Der Stabschef starrte sie an, als weigerte er sich zu glauben, was sie ihm da gerade erklärt hatte. Er wirbelte zu Tourville herum.

Wenn er angenommen hatte, der Bürger Konteradmiral würde die Diagnose des Operationsoffiziers zurückweisen, so wurde er enttäuscht. Tourville nickte bedächtig und ging langsam an seinen Kommandosessel zurück. Betulich schwang er sich hinein, dann sagte er äußerst gemessen:

»Shannon, bitte starten Sie eine Aufklärungsdrohne. Die kommt erheblich schneller dort an als wir, und ich möchte einen näheren Blick auf die Geschehnisse werfen. Haben Sie verstanden?«

»Aye, Bürger Admiral«, antwortete Foraker. Als Bogdanovich und Honeker sich beiderseits seines Sessels positionierten, blickte er auf.

»Mir will es vorkommen«, sagte er beiläufig und mit einem angespannten Grinsen, »als hätte sich Committeewoman Ransom in der eigenen Falle gefangen.«

»Wie meinen Sie das?« fragte Honeker tonlos.

»Damit meine ich, daß ich mir die Geschehnisse nur folgendermaßen erklären kann: Die Häftlinge haben etwas vor.«

»Aber das ist ja noch verrückter als jede andere Erklärung!« begehrte Bogdanovich auf. *Das glaubt er wahrscheinlich selber nicht*, dachte Tourville. *Er widerspricht nur, weil er meint, irgendwer* muß *einen Einwand erheben*.

»Es sind nur dreißig Häftlinge, und Vladovich hat mehr als zwotausend Leute!« rief sein Stabschef.

»Manchmal bedeutet Quantität nicht soviel wie Qualität«, stellte Tourville fest. »Und was immer die Manties versuchen, sie scheinen einen ganzen Schlachtkreuzer komplett gelähmt zu haben. Ich frage mich nur, wie sie Zugriff auf den Computer der *Tepes* erhalten haben ...«

Nachdenklich runzelte er die Stirn, dann zuckte er mit den Schultern. Im Augenblick war das Wie unerheblich; es zählte nur, *was* die Gefangenen zuwege gebracht hatten. Er seufzte unzufrieden, als ihm klar wurde, was er zu tun hatte. Vermutlich würde er es in den nächsten Wochen – und wohl auch Monaten – vermeiden müssen, in den Spiegel zu blicken, aber sein Pflichtgefühl ließ ihm keine andere Wahl.

»Harrison, rufen Sie Bürger Brigadier Tresca.« Er hob den Kopf und blickte Honeker in die Augen. »Melden Sie ihm, daß die Gefangenen an Bord der *Tepes* versuchen, das Schiff in ihre Gewalt zu bringen – oder zu vernichten.«

»Da kommen sie wieder!«

McKeon war sich nicht sicher, wer die Warnung gebrüllt hatte; auf jeden Fall kam sie keine Sekunde zu früh. Die Haveniten hatten sich neu gruppiert und stürmten hinter einem Granatenvorhang durch den zerstörten Liftschacht. Pulser kreischten, Schrapnellgewehre husteten, und McKeon fluchte bitterlich, als ein Bolzen Enrico Walker den Kopf abriß. Mit der Kraftlosigkeit der Toten brach der Sanitätsoffizier zusammen. Im nächsten Moment traf ein Feuerstoß aus einem Schrapnellgewehr Jasper Mayhew und schleuderte ihn zurück. Wie alle anderen hatte auch Mayhew die Zeit gefunden, sich einen der unmotorisierten Körperpanzer aus den Sturmshuttles anzulegen, und er richtete sich auf ein Knie auf und schoß mit seinem Granatgewehr zwischen die heranstürmenden SyS-Leute. Ein weiblicher Petty Officer von der *Prince Adrian* ging – tot, wie McKeon annahm – zu Boden, als eine havenitische Granate zwischen den halb geöffneten Lifttüren hervorschoß und direkt hinter ihr explodierte. Dann hatten Sanko und Halburton endlich das Plasmagewehr herumgeschwenkt, und ein Bündel weißglühender Energie röhrte durch den Schacht. Wer dem Plasma im Wege stand, hatte nicht einmal genügend Zeit, um zu begreifen, daß er tot war, doch wer von dem Energiebündel nur gestreift wurde, hatte noch weniger Glück. Entsetzliche Schmerzensschreie und das Rattern explodierender Munition drangen aus dem Liftschacht und erinnerten an das Klagen der Verdammten. Dann schoß Sanko ein zweites Mal, und die Schreie verstummten augenblicklich.

Im Schacht wurde nicht mehr gefeuert, und McKeon seufzte erleichtert auf. Trotzdem wußte er, daß die Kampfpause nur kurz sein würde. Das Arsenal, das die Havies willentlich gegen sie einsetzten, war begrenzt, so lange er und seine Leute den Hangar hielten; die Explosionen der anderen Hangars erinnerten die Havies nur zu deutlich daran, daß es im Inneren eines jeden Hangars sehr vieles gab, was auf Brand und Hitze nicht allzu freundlich reagierte. Dennoch – die Haveniten waren in der Überzahl, und McKeons Häuflein schrumpfte zusammen. *Jedesmal werden wir weniger,* dachte er mit einem Blick auf Walkers Leiche.

Er sprang auf und ging zu Harkness. Das schweißüberströmte Gesicht des Senior Chiefs wirkte abgespannt. Seine Hände indes lagen reglos auf der Tastatur, und er blickte seinem Kommandanten entgegen.

»Ich fürchte, jetzt haben sie mir einen Tritt in den Arsch gegeben und mich rausgeschmissen, Sir«, sagte er und entblößte die Zähne zu einem wölfischen Grinsen. »Aber vorher hab' ich ihnen alles außer dem Lebenserhaltungssystem in Scherben geschlagen. Selbst wenn wir's nicht schaffen, wird es verdammt lange dauern, bis sie diesen Haufen Schrauben wieder raumtüchtig haben.«

»Die Havies besitzen also die Kontrolle über alles, was noch funktioniert?« fragte McKeon.

»Fast alles, Sir. Ich glaube nicht, daß sie mein Schloß an dem Lift da geknackt bekommen ...« – er deutete auf die Türen des intakten Lifts, durch die noch kein Angriff erfolgt war –, »und hier unten im Hangar *gibt* es keine Software mehr. Aber noch vierzig bis fünfzig Minuten, und sie bekommen die ersten Sensoren und Geschützlafetten unter Handbedienung ans Laufen. Und dann ...«

Achselzuckend verstummte er, und McKeon nickte grimmig.

»Vergessen Sie es nicht, Ma'am«, sagte Venizelos leise und eindringlich. Sie kauerten hinter einem Lüftungsgitter. »Falls Harkness es geschafft hat, wird der Lift dort auf uns warten, wenn wir hinkommen.«

Honor nickte. Die Reise durch die Eingeweide des Schiffes war viel zu eilig vonstatten gegangen, als daß Venizelos ihr Harkness' Taten in allen Einzelheiten hatte schildern können. Wenigstens die Höhepunkte hatte sie erfahren und war erstaunt, wie gründlich der Senior Chief seinen Plan durchdacht hatte. Daß die Systemsicherheit es für nötig erachtete, veraltete Grundrisse des Gefängnistrakts im Computer zu speichern, hatte den Plan zum Teil sabotiert, doch das konnte man Harkness nicht anlasten. Wäre der Rest ebenfalls gescheitert, hätten die Haveniten mittlerweile das Computersystem wieder in Betrieb genommen – und dann wiederum wäre alles bereits längst vorbei gewesen. Wenn sie und ihre Retter durchkommen wollten, dann mußten sie schnellstmöglich in den Beiboothangar, da hatten Andy und Marcia völlig recht. Honor lehnte sich schnaufend an die Wand des Lüftungsschachtes und hoffte, die anderen würden ihre Schwäche nicht bemerken. Das Gewicht und die Muskelkraft, die sie während ihrer Haft verloren hatte, hingen an ihr wie ein Anker. Sie schlug die Augen wieder auf und bedachte ihre Leute – ihre Freunde – mit einem ihrer halben Lächeln.

»Wenigstens dürfte ich keine Schwierigkeiten haben, mich an den Kode zu erinnern«, sagte sie, und Venizelos erstaunte sie mit einem aufrichtigen, glucksenden Lachen, denn Harkness hatte ihren Geburtstag genommen. Wieso er sich ausgerechnet daran erinnerte, wußte sie nicht, doch der Senior Chief erwies sich eben immer wieder als Mann der vielen Überraschungen.

»Also«, sagte Venizelos und schaute LaFollet an. »Andrew?«

»Wir folgen dem Gang in Einzelreihe«, erklärte der Waffenträger. Ich übernehme die Spitze, dann kommen Lady Harrington, Commander McGinley und Sie. Hier, Mylady.« Er reichte ihr das Klemmbrett, damit er sein Schrapnellgewehr mit beiden Händen halten konnte.

»Sie sind sich sicher wegen der Route?« fragte sie.

»Vollkommen.« LaFollet tippte sich kurz mit zwei Fingern gegen die Schläfe. »Und auf jeden Fall sollten Sie die Karte haben, falls ...«

Er zuckte die Achseln; Honor nickte nur, obwohl ihr innerlich das Herz schmerzte wegen der Risiken, die diese Leute um ihretwillen eingingen – und wegen des Opfers, das Jamie Candless und Bob Whitman gebracht hatten. Sie wollte etwas sagen, sich bedanken, doch war es weder die passende Zeit noch wollten ihr geeignete Worte einfallen. Deshalb grinste sie ihren Waffenträger nur schief an und legte kurz den Arm um ihre Stabsoffiziere. »Na gut«, sagte sie und nahm ihre Waffe wieder auf. »Dann wollen wir mal.«

»Direktor Tresca dankt Ihnen für die Warnung, Bürger Admiral«, meldete Harrison Fraiser. »Dennoch glaubt er, daß Sie sich zu viele Sorgen machen, und ist überzeugt, daß die Crew der *Tepes* schon bald die Gewalt über ihr Schiff zurückerlangt. Inzwischen erwartet er, mit jedem startenden Beiboot allein fertigzuwerden.«

»Na, das ist ja wunderprächtig!« Diesmal empörte sich Shannon Foraker und nicht Bogdanovich. Tourville schaute auf Honeker, und dann grinsten sie sich zu ihrem gegenseitigen Erstaunen hilflos an, als wollten sie fragen: ›Was zum Teufel tun wir jetzt?‹

»Wieso, Shannon?« fragte Honeker nach einem Augenblick, und Tourville fragte sich beiläufig, ob Foraker bemerkt hatte, daß der Bürger Kommissar sie mit ihrem Vornamen angesprochen hatte.

»Nun, ich mache mir eben meine Gedanken, Sir«, entgegnete der Operationsoffizier. »Er sagt, er wird mit jedem Beiboot fertig, daß von der *Tepes* startet?« Der Volkskommissar nickte, was Foraker ein Achselzucken entlockte. »Diese Behauptung würde mich viel mehr beruhigen, wenn von dort nicht schon wenigstens ein Beiboot gestartet wäre – und zwar ein bewaffnetes.« Honeker hob erstaunt die Augenbrauen, und Foraker seufzte. »Sir«, fragte sie sanft, »woher sonst sollen die Raketen denn gekommen sein, die Charons Shuttlers vernichtet haben?«

»Los!«

LaFollet trat das Gitter aus dem Rahmen und stürzte hinterher. Bevor Honor dicht hinter ihm aus dem Schacht gesprungen war, hatte er schon zweimal das Schrapnellgewehr abgefeuert. Nur eines seiner Opfer erhielt überhaupt genügend Zeit, um aufzuschreien, dann stürmte der Waffenträger, von Honor dichtauf gefolgt, den Gang entlang.

Trotz ihrer längeren Beine fiel es ihr schwer, mit ihm Schritt zu halten. Das Herz pochte ihr bis zum Hals, und ihr gesundes Auge verschwamm vor Anstrengung. Heftig kämpfte sie darum, das Tempo beizubehalten, und das kostete sie alle Kraftreserven. Im stillen verfluchte sie ihre lange Gefangenschaft und die schlechte Ernährung. Hinter sich hörte sie McGinley und Venizelos. Als noch weiter zurück jemand brüllte, gefror Honor das Blut in den Adern. Pulser jaulten, Schrapnellgewehre stotterten, und Honor wandte unwillkürlich den Kopf. Die Flüchtigen bogen um eine Ecke, und Venizelos scherte aus und blieb dort stehen. Honor wollte anhalten und ihn unterstützen, doch McGinley stieß sie von hinten weiter.

»*Los, los!*« brüllte der Operationsoffizier. Honor sah ein, daß McGinley recht hatte. Ihre Beine gehorchten ihrer Stabsangehörigen, doch wie sie sich innerlich dagegen sträubte und mit sich haderte! Venizelos ließ sich auf das rechte Knie nieder, und so sollte Honor ihn in Erinnerung behalten: Kniend an die Ecke gelehnt, feuerte er methodisch und in völliger Ruhe wie jemand, der nacheinander seine Ziele auf dem Schießstand absolviert. So ermöglichte er Honor die Flucht, und sie floh und ließ ihn zum Sterben zurück.

Noch mehr Schüsse donnerten, diesmal von vorn, und Honor stolperte über eine Leiche. Einen schrecklichen Augenblick lang glaubte sie, es wäre LaFollet, doch dann erkannte sie die SyS-Uniform und begriff, daß ihr Waffenträger den Mann getötet hatte. Und er war noch immer mit Töten beschäftigt.

Andrew LaFollet hatte Honor schon einmal bei einem Mordanschlag das Leben gerettet – er, Jamie Candless und Eddy Howard –, doch damals war Honor vom Geschehen viel zu gelähmt gewesen, um vollends zu begreifen, was vor sich ging. Heute war es anders, vielleicht deswegen, weil Jamie und Eddy tot waren und sie im Grunde ihres Herzens wußte, daß LaFollet zum gleichen Schicksal verdammt war – daß er ebenfalls für sie sterben mußte. Sie konnte nicht genau sagen, was anders war ... doch diesmal blinzelte sie und befreite ihr gesundes Auge von dem verschwommenen Schleier, der ihren Blick trübte. Zum erstenmal begriff sie wirklich, welch tödliche Kampfmaschine der Major war.

Er rannte rasch und geschmeidig; wie von einem

Metronom gesteuert drehte er den Kopf hin und her, damit ihm keine Einzelheit des Korridors entging. Das schwere Schrapnellgewehr hielt er im Hüftanschlag, und der Tragegurt lief über seine Schulter, um ihm einen Teil des Gewichts abzunehmen und zu helfen, die Waffe ruhiger zu halten. Mit dem Abzugsfinger entlockte er der Waffe kurze, präzise Feuerstöße, wann immer überraschte Haveniten vor ihm auftauchten, angelockt von dem Kampflärm, der plötzlich mitten unter ihnen ausgebrochen war. Andrew LaFollet erschien als Todeszauberer, der seine Magie gerecht und freigiebig in tödlichen Schwärmen aus Schrapnellscheiben verteilte, denn er kämpfte um das Leben seiner Gutsherrin, und jeder, der sich ihm in den Weg stellte, war verloren.

Dann bog er um die letzte Ecke und brüllte triumphierend auf, als er endlich die Lifttüren erreichte. Er wirbelte herum und winkte Honor herbei, damit sie den Kommandokode eingab, während er und Marcia McGinley rechts und links von ihr niederknieten; jeder bewachte eine Richtung des Korridors, dem sie gefolgt waren, und bestrich ihn mit Feuer. Schwere Waffen schossen zurück, und im gleichen Augenblick, als Honor auf den Liftknopf schlug, hörte sie erstmals das unverkennbare, ohrenbetäubende Kreischen eines zerstörerischen Drillingspulsers, der mit gleicher Mühelosigkeit durch Panzerstahlschotte schnitt wie eine Kettensäge durch Holz.

Die Türen öffneten sich. Honor sprang in die Kabine und gab bereits den Kode in die Schalttafel. Am Display flackerten Lichter auf und leuchteten beständig, das Zeichen, daß Harkness den Lift noch immer unter Kontrolle hatte. Honor wandte sich zu ihren Freunden um.

»Los!« rief sie. »*Kommt schon!*«

McGinley hörte sie und fuhr herum. Sie entblößte die Zähne zu einem triumphierenden Grinsen, während sie auf den Lift zueilte – dann schien sie mitten im Schritt zu stolpern, und ihr Brustkorb zerbarst. Der Drillingspulser hatte durch das Schott gefeuert. Honor schrie vor sinnloser Wut auf.

»Gehen Sie, Mylady!« brüllte LaFollet und rammte sein letztes Magazin in das Schrapnellgewehr. »*Verschwinden Sie!*«

Er ließ sich auf das linke Knie nieder und feuerte verzweifelt – feuerte wie Jamie, wie Robert und Venizelos und Marcia ... und Honor konnte ihn nicht zurücklassen. Es ging einfach nicht!

»*Kommen Sie her, Andrew!*« schrie sie, aber er beachtete sie nicht. Dann schlitterte eine Granate um die Ecke, und LaFollet ließ die Waffe fallen und warf sich vor den Sprengkörper. Irgendwie erreichte er die Granate, bevor sie explodierte, und schickte sie mit einem hastigen Stoß in die Richtung zurück, aus der sie gekommen war – aber nicht rasch genug. Die Druckwelle ihrer Detonation erfaßte ihn, hob ihn in die Luft und schleuderte ihn gegen das Schott. Wie eine Flickenpuppe rutschte er von der Wand ab und brach reglos auf dem Deck zusammen. Honor war, als versage ihr das Herz.

Sie mußte fliehen – das wußte sie. Damit sie fliehen konnte, waren ihre Waffenträger – ihre Freunde – schließlich gestorben: Erst Honors Entkommen verlieh ihrer aller Tod einen Sinn, und deshalb war es ihre Pflicht – ihre Schuldigkeit – zu fliehen.

Doch sie vermochte es nicht. Das hätte sie mehr gekostet als sie in sich hatte und geben konnte. Sie ließ die Waffe fallen und stürzte aus dem Lift. Die Explosion der Granate schien die Angreifer betäubt zu haben – soweit es Überlebende gab –, denn kein einziger Schuß fiel, als Honor sich neben LaFollet kniete. Sie war schwach und erschöpft, Aufregung und Verzweiflung bildeten ihren einzigen Antrieb, aber das spielte keine Rolle mehr. Sie packte den Grayson, als wäre er nur ein Kind, wuchtete ihn sich auf die Schultern und wandte sich wieder dem Lift zu.

Und ausgerechnet in diesem Moment erwachten die Haveniten aus ihrer Erstarrung. Pulserbolzen heulten und prallten als sirrende Querschläger ringsum von den Schotten ab. Weitere Granaten detonierten. Der Drillingspulser eröffnete wieder das Feuer und zerschmetterte Schottwände, und es schien nichts mehr zu existieren außer einer durchdringenden, kreischenden, ohrenbetäubenden Flut aus zerreißendem Metall und verbissenem Haß.

Honor taumelte, als ein Schrapnellgeschoß ihren rechten Oberschenkel streifte und aufriß, aber es gelang ihr, auf den Beinen zu bleiben und in den Lift zu springen. Sie wirbelte auf den Zehenspitzen herum und spürte das eigene Blut, das pulsierend aus der Wunde schoß, warm am Bein herunterlaufen. Irgendwie traf sie den Freigabeknopf, ohne LaFollet fallenzulassen.

Die Kabine fuhr los, und in Honor breitete sich Erleichterung aus. Diese Erleichterung stand im Widerstreit zu ihrem Schmerz und ihrer Trauer, aber wenigstens würde sie es schaffen. Sie und Andrew würden es schaff...

In diesem Moment zerfetzte der Drillingspulser die Lifttüren.

»Der Lift! Jemand kommt mit dem Lift!«

McKeon schoß herum, als er den Ruf hörte, und sein Herz machte einen Sprung. Wenn Harkness' Verriegelung gehalten hatten, konnte in dem Lift niemand anders sitzen als die Gruppe, die Honor retten sollte, und wenn nicht ...

Er winkte. Sanko und Halburton schwenkten das Plasmagewehr wieder auf den unbeschädigten Lift, während Anson Lethridge mit einem Granatgewehr herbeieilte. Da hielt der Lift schon an, und die Türen öffneten sich. Lethridge erstarrte. Er warf einen Blick hinein, und sein häßliches Gesicht wurde kreidebleich. Er legte sein Gewehr auf den Boden und stürmte in die Kabine. McKeon folgte ihm dichtauf und riß entsetzt die Augen auf.

Das obere Drittel der Liftkabine war in Fetzen gerissen worden – weniger zerschmettert als vielmehr von einem großkalibrigen Drillingspulser *zerschnitten*. Messerscharfe Splitter aus Panzerstahl – manche nur so groß wie ein abgeschnittener Fingernagel, andere von der Größe einer Männerhand – waren aus den Wänden gerissen worden und wie Geschosse durch die Kabine gewirbelt. Anders ließ sich nicht erklären, daß Honor Harrington unter Andrew LaFollet auf dem Boden lag, wo sich eine dicke Blutlache ausgebreitet hatte.

Lethridge hatte sich schon niedergekniet und löste vorsichtig LaFollet von dessen Gutsherrin. McKeon nahm ihn behutsam auf und reichte ihn an andere helfende Hände weiter. Seine Augen nahm er dabei nicht von Honor. Lethridge kniete in ihrem Blut.

Es lag an ihrem Arm. Ihr linker Arm war knapp über dem Ellbogen zerschmettert. Lethridge bewegte sich mit verzweifelter Hast, legte sein Koppel gleich unter der Achselhöhle um ihren Oberarm und zog die improvisierte Aderpresse zu. Dann nahmen er und McKeon Honors schrecklich schlaffen, blutüberströmten Körper auf und eilten damit zum Shuttle.

»Reißaus-Eins, hier Reißaus-Zwo. Ihr Status?«

Geraldine Metcalf seufzte vor Erleichterung, als endlich die ersehnte Stimme Captain McKeons aus ihrem Ohrhörer drang, dann erst bemerkte sie seinen Ton: schroff und scharf vor Wut – oder vor Sorge. So hatte Metcalf ihn noch nie gehört. Sie wandte sich DuChene zu.

»Status Grün«, sagte sie dann in ihr Com. »Wiederhole, Status Grün.«

»Sehr gut«, antwortete McKeons Stimme. »Bereithalten für Herbstlaub.«

Zwei gestohlene Sturmshuttles der Systemsicherheit näherten sich einander im Radarschatten der *Tepes*. Den schwer angeschlagenen Schlachtkreuzer benutzten sie als Deckung. An Bord der *Tepes* wurden zwar die ersten Systeme unter Handsteuerung wieder betrieben, aber allzu viele waren es nicht, und das Ungetüm war nach wie vor blind und ahnte nichts von den beiden winzigen Mücken, die sich allein durch die Kraft ihrer Schubdüsen in Richtung des Schiffshecks bewegten. Niemand an Bord des Schlachtkreuzers hegte den Verdacht, daß Horace Harkness' letzte – und tödlichste – Computerprogramme sich überhaupt nicht im Hauptnetz befanden. Sie steckten vielmehr im letzten Sturmshuttle und der Pinasse in Beiboothangar Vier.

Scotty Tremaine steuerte Reißaus-Zwo; McKeon saß im Sitz des Kopiloten. Tremaine ließ den digitalen Countdown auf dem Instrumentenbrett nicht aus den Augen und betete inbrünstig, Harkness möge richtig kalkuliert haben. Zwar kam es ihm fast vor, als falle er dem Senior Chief mit diesem Gebet in den Rücken, doch man konnte schließlich von niemandem verlangen, wirklich komplett ohne Patzer zu arbeiten! Niemand machte immer alles richtig! Und wenn ...

Unter maximalem Düsenschub schoß der dritte Shuttle aus Beiboothangar Vier. Sein sorgfältig programmierter Flug steuerte ihn um die gepanzerte Flanke der *Tepes*, dann ging das Beiboot auf einen Kurs, der von Hades wegführte und so berechnet war, daß sich der Schlachtkreuzer immer in der Mitte zwischen dem Shuttle und dem Planeten befand. Kaum hatte das Sturmboot sich auf Sicherheitsabstand von der *Tepes* entfernt, baute es seinen Impellerkeil auf und erhöhte die Beschleunigung schlagartig auf vierhundert Gravos.

»Impellersignatur!« bellte Shannon Foraker.

Die *Count Tilly* war relativ zu Hades zum Stillstand gekommen und hatte den Rückmarsch begonnen, befand sich jedoch viel zu weit von dem Planeten entfernt, um etwa im Falle einer Auseinandersetzung eingreifen zu können, die sich in der Umlaufbahn abspielte. Die Aufklärungsdrohne, die der Schlachtkreuzer gestartet hatte, war noch nicht nahe genug, um hochaufgelöste Bilder zu übermitteln, doch es reichte, um die strahlende Gravitationsbake einer Pinasse zu erfassen, die systemauswärts beschleunigte. Nun erfaßten auch die bordeigenen Sensoren der *Count Tilly* den Impeller. Foraker biß die Zähne zusammen und beobachtete, wie das Beiboot der Freiheit entgegenraste.

»Hat Camp Charon den Impeller geortet?« fragte Tourville ungeduldig.

»Kann nicht anders sein, Sir«, antwortete Foraker. Sie hob den Kopf und suchte den Blick ihres Admirals, dann wandte sie sich ab und betrachtete wieder ihr Display, obwohl sie bereits ahnte, was sie zu sehen bekäme.

Die Verteidigungsanlagen rings um Hades dienten der Vernichtung von Sternenschiffen; für den Angriff auf ein Beiboot waren sie nicht vorgesehen. Keiner der Energiestrahler und keine der Jagdraketen vermochten etwas derart Winziges anzuvisieren – nicht wirksam jedenfalls –, und Camp Charon war offenbar nicht in Experimentierlaune. Dazu bestand auch keine Notwendigkeit, denn gegen Beiboote hatte man die altmodischen volumendeckenden Minen ausgesetzt. Die Bodenstation wartete gelassen ab, bis das Beiboot fast genau zwischen zwei 200-Megatonnen-Minen hindurchraste, und dann drückte jemand auf den Knopf.

»Jetzt!« stieß McKeon hervor, und Scotty Tremaine gab mit den Düsen einen kurzen, starken Schubstoß, durch den Reißaus-Zwo sich rasch von der *Tepes* zu entfernen begann. Die Bordsensoren des Shuttles waren vorübergehend nutzlos, weil die gewaltige Energie der nahen Kernexplosion sie blendete – doch das gleiche galt hoffentlich auch für die Ortungsanlagen von Camp Charon.

»Aktiviert sich gleich ... genau – *jetzt!*« rief McKeon und blickte durch das Bullauge auf den Schlachtkreuzer, der vor dem Hintergrund des Sternenhimmels zusammenschrumpfte.

Die Beiboote aller impellergetriebenen Flotten weisen eine Gemeinsamkeit auf: Ob sie groß sind oder klein, bewaffnet oder unbewaffnet, schnell oder langsam – an Bord jedes einzelnen verhindern Schutzvorrichtungen, daß es jemals den Antrieb einschaltet, solange sich innerhalb der Reichweite seines Impellerkeils irgendein festes Objekt befindet, das groß genug ist, um das Beiboot zu gefährden oder von ihm gefährdet zu werden. Und das oberste Gebot von allen lautet, daß es unmöglich sein muß, versehentlich den Impeller zu aktivieren, solange das Raumfahrzeug sich noch im Beiboothangar befindet.

Besagte Schutzvorrichtungen sind zwar so unfehlbar wie nur möglich, jedoch dazu ersehen, *Unfälle* zu verhindern, und im Beiboothangar Vier von VFS *Tepes* geschah eben kein Unfall. Das einzige zurückgebliebene Raumfahrzeug war die Pinasse, an der Scotty Tremaine gearbeitet hatte, und Horace Harkness' allerletztes Programm fuhr in diesem Augenblick das System dieser Pinasse hoch. Scotty hatte nur eine kleine Änderung vorgenommen: Er hatte die Verbindungen zwischen den Sensoren der Pinasse und ihrem Autopiloten durchtrennt. Der Flugcomputer ›sah‹ daher den Beiboothangar ringsum nicht mehr. Nach allem, was der Autopilot wußte, befand er sich tief im finstersten interstellaren Weltraum, und deshalb empfand er nicht das geringste elektronische Unbehagen, als er den Keil der Pinasse aktivierte, obwohl das Beiboot noch immer in den Greifarmen des Dockgerüstes hing.

»*Du lieber Gott.*« Den gedämpften Ausruf, der im Flaggdeck der *Count Tilly* ohne Ablaß widerzuhallen schien, hatte Shannon Foraker in dem Moment gemacht, als VFS *Tepes* explodierte.

Nein, dachte Lester Tourville erschüttert, *explodiert ist das falsche Wort. Sie ist nicht ›explodiert‹. Sie ist … zerfallen. Aufgelöst hat sie sich.*

Aufgelöst – das war genau das richtige Wort. Die Fusionskraftwerke des Schlachtkreuzers explodierten, als die Stellaratoren versagten, die ›magnetischen Flaschen zerbrachen‹, wie die LIs sagen, und ihr weißglühendes Plasma versengte die Wrackteile. Doch das spielte schon keine Rolle mehr, denn nichts konnte der schrecklichen, zermalmenden Gewalt standhalten, die aus der *Tepes* kam und ihren Rumpf von innen zerschmetterte. Die Fusionskraftwerke verdampften ein paar Hundert Tonnen Wrackteile zusätzlich und ließen den Rest hell wie Sterne aufglühen, als wären es Schneeflocken, die nachts in den Scheinwerferkegel eines Flugwagens geraten.

Mit heiliger Scheu starrte Tourville auf das Massaker, das die Aufklärungsdrohne zum Hauptbildschirm übertrug, und wußte dabei genau, was geschehen war, obwohl er dergleichen noch nie gesehen hatte. Nur auf eine Weise hatten die Manties diese Katastrophe verursachen können. Der Flaggoffizier in ihm fragte sich beiläufig, wie die Manticoraner wohl die Schutzvorrichtungen überlistet hätten, die es unmöglich machen sollten, daß dieser Anblick sich jemals bot.

Vor Tourville stand Everard Honeker und war noch stärker gebannt als jeder Offizier auf der Flaggbrücke. Der Admiral holte tief Luft und stierte auf den Rücken des Volkskommissars. Dann blickte er nacheinander die Stabsoffiziere, die Schreibersmaaten und die Gasten an – mit einer Ausnahme waren sie alle von dem Anblick ebenso hypnotisiert wie Honeker. Die Ausnahme bildete Shannon Foraker, die sich noch immer über ihr Display beugte und unfähig erschien, einen klaren Gedanken zu fassen. Tourville indes war dazu in der Lage, und in ihm kämpfte eine ausgelassene Freude gegen das Grauen über den gerade beobachteten Tod so vieler Menschen. Intellektuell fand Tourville, daß er ebenso geschockt sein sollte wie die anderen, unfähig, einen Gedanken zu fassen, und eben das konnte er sich nicht gestatten – vielmehr wurde er einen bestimmten Gedanken nicht los.

Cordelia Ransom war tot. Mit ihr waren Henri Vladovich gestorben und alle anderen Menschen an Bord der *Tepes*, die gewußt hatten, was Ransom für Lester Tourville und seinen Stab geplant hatte. Niemand sonst konnte es wissen, denn die beiden Schlachtkreuzer waren ohne Zwischenstopp von Barnett nach Cerberus marschiert, und Ransom hatte zuviel Vergnügen dabei empfunden, die Spannung aufrechtzuerhalten und Tourville zappeln zu lassen, als daß sie irgend jemandem anvertraut hätte, was sie vorhatte. Nun lebte sie nicht mehr, und ihre Akten und Dateien und ihr persönlicher Stab waren mit ihr vernichtet worden. Wenn es moralisch falsch war, über den Tod dieser vielen Menschen Entzücken zu empfinden, so tat es Tourville leid, doch er konnte es nicht ändern.

Da bemerkte er, daß Shannon Foraker die rechte Hand vom Schoß genommen hatte und sie nun langsam, beinahe verstohlen, zu ihren Instrumenten bewegte. Irgend etwas an dieser Bewegung erregte Tourvilles Aufmerksamkeit, und leise trat er zu ihr und stellte sich hinter sie. Sie hörte ihn jedoch und blickte auf, dann zog sie die Hand wieder von den Instrumenten fort – noch langsamer und zögernder, als sie sich ihnen genähert hatte. Foraker hatte eine Taste drücken wollen, die mit dem Wort ›LÖSCHEN‹ betitelt war.

Tourville schaute ihr über die Schulter und musterte die taktische Aufzeichnung, die Foraker abgespielt hatte. Als er erkannte, was zuvor der Operationsoffizier bemerkt hatte, biß er die Zähne zusammen: zwei Wrackteile, größer als die meisten, bewegten sich auf einem Vektor, der eindeutig verriet, daß sie sich bereits vor der Explosion von dem Schlachtkreuzer gelöst hatten. Ein Vektor, dessen Extrapolation ganz nach einem Kurs für einen antriebslosen Atmosphäreneintritt aussah.

Noch kurz starrte Tourville auf das Display. Er fuhr sich mit dem Zeigefinger über den gesträubten Schnurrbart. Shannons Drohne hatte die Wrackteile erfaßt, doch erschien es ihm als höchst unwahrscheinlich, daß die vom EMP geblendeten Sensoren der Hades-Basis dazu ebenfalls in der Lage gewesen sein sollten. Nachdem die ›Fluchtpinasse‹ vernichtet worden war, würde niemand auf den Gedanken kommen, nach weiteren Flüchtlingen zu suchen. Tourville empfand große Bewunderung für den unbekannten Kopf hinter diesem Fluchtplan, aber er wußte genau, was seine Pflicht von ihm verlangte.

Ja, ich weiß genau, was die ›Pflicht‹ verlangt, dachte er, reichte über Forakers Schulter und drückte fest auf den Löschknopf. Er hörte, wie der Operationsoffizier scharf Luft holte; ihr Kopf fuhr ruckartig zu ihm herum, aber sie sagte kein Wort, und er wandte sich von ihrem Platz ab. Langsam ging er zu Honeker und Bogdanovich, die immer noch schaudernd auf das sich ausbreitende Trümmerfeld starrten, dessen Bild Shannons Drohe ihnen übermittelte. Schließlich räusperte Tourville sich. »Wie schade«, sagte er gewichtig, und der Klang seiner Stimme erschreckte Honeker so sehr, daß er sich wie von der Nadel gestochen umdrehte. »Das kann keiner überlebt haben«, erklärte Bürger Konteradmiral Lester Tourville mit bedauerndem Kopfschütteln seinem Volkskommissar. »Wie schade ... Lady Harrington hätte einen besseren Tod verdient gehabt.«

Epilog

Sie erwachte nur ganz allmählich, und das war für sie höchst untypisch. In fünfunddreißig Jahren Flottendienst hatte sie gelernt, rasch aufzuwachen und sofort bereit zu sein, sich mit einem Notfall auseinanderzusetzen, doch diesmal war es anders. Diesmal strengte das Aufwachen sie an. Sie wollte überhaupt nicht erwachen. Zuviel Schmerz und zuviel Verzweiflung erwarteten sie, zuviel Verlust, und ihr schlaftrunkenes Hirn schreckte davor zurück, sich all dem zu stellen.

Dann aber änderte sich etwas: Ein warmes Gewicht, das sich auf ihre Brust senkte, erfüllte sie mit den Schwingungen eines sonoren, sanften, liebevollen Schnurrens, und diese Vibrationen berührten sie im tiefsten Innern ihrer Seele.

»N-Nimitz?« Fast hätte sie ihre eigene, verwunderte Stimme nicht erkannt. Sie klang holprig und heiser, die Artikulation ließ zu wünschen übrig. Dennoch war es ihre Stimme. Honors Lider flatterten, als eine starke, sehnige Echthand ihr mit grenzenloser Behutsamkeit über die rechte Wange strich.

Sie riß die Augen auf und schnappte bebend nach Luft. Nimitz beugte sich vor und berührte sie mit seiner Nase an der Nasenspitze. Honor starrte ihn mit dem gesunden Auge an, hob schließlich die rechte Hand und streichelte ihm damit die Ohren, so vorsichtig, als wäre bereits der Luxus, ihn berühren zu dürfen, der größte, wertvollste Schatz im ganzen Kosmos. Ihr zitterte dabei die Hand, sowohl vor Schwäche als auch vor Rührung. Der 'Kater schmiegte sich an sie und legte seine Wange an die ihre, während er ihr mit dem tiefen Rumpeln seines Schnurrens seine Liebe übermittelte.

»Ach, *Nimitz!*« wisperte sie ihm in das weiche Fell, und aller zurückliegende Schmerz lag in diesem leisen Ausruf, all die Furcht und Verzweiflung, die sie selbst dann keinem Feind hätte eingestehen wollen, wenn davon ihr Leben abgehangen hätte. Denn Nimitz war ihre zweite Hälfte, und sie hatte geglaubt, sie sähe ihn niemals wieder. Tränen rannen ihr über die ausgezehrten Wangen, und sie hob die Arme, um ihn eng an sich zu drücken – und erstarrte.

Ihr rechter Arm hatte erwartungsgemäß reagiert, aber der linke ...

Ihr Kopf ruckte nach links, ihr gesundes Auge weitete sich, ihre Nasenflügel bebten, und der Schock versetzte ihr einen Hieb in den Magen, denn sie hatte keinen linken Arm mehr.

Sie starrte den bandagierten Stumpf an, und der Unglaube, der sie überflutete, wirkte wie ein Betäubungsmittel. Sie empfand keinen Schmerz, aber ihr Verstand schwor heilige Eide, sie könne die Finger an der Hand noch spüren, die sie nicht mehr besaß – die Finger gehorchten ihr doch noch und ballten sich zu einer Faust, wenn sie das nur wollte! Aber diese Empfindungen waren nichts als Trug. Gebannt und erstarrt lag sie auf ihrem Lager, während sich Nimitz fester an sie schmiegte und sein Schnurren noch tiefer und stärker auf sie eindrang.

»Es tut mir so leid, Ma'am.«

Honor drehte den Kopf in die andere Richtung und erkannte Fritz Montaya. Der Schiffsarzt hatte tiefe Ringe unter den Augen, und Honor spürte sein Bedauern und sein Schuldgefühl, als er sich neben sie setzte. »Mir blieb nichts anderes übrig«, erklärte er. »Das Glied war zu stark geschädigt, zuviel ...« Er verstummte, atmete tief durch und suchte ihren Blick. »Ihr Arm war nicht zu retten, Ma'am. Nicht mit den

Mitteln, die mir zur Verfügung stehen. Wenn ich nicht amputiert hätte, dann hätten wir Sie verloren.«

Honor konnte den Blick nicht von ihm abwenden. Sie vermochte keinen klaren Gedanken zu fassen, dazu stürmte zuviel auf sie ein: Freude über das Wiedersehen mit Nimitz, Erstaunen, daß sie überhaupt noch am Leben war, der Schock über ihre Verstümmelung, dazu die immer deutlicheren Erinnerungen an die Freunde, die tatsächlich gestorben waren, die anders als Honor nicht mehr aufwachen und feststellen würden, daß sie irgendwie doch überlebt hatten. Schuld senkte sich mit vernichtender Last auf sie, und sie brachte kein Wort hervor. Sie konnte nur in Montayas verhärmtes Gesicht blicken und Nimitz mit dem rechten Arm fest umschlingen. Noch verzweifelter klammerte sich ihre Seele an ihn.

Später konnte sie nicht sagen, wie lange dieser Zustand angehalten hatte. Schließlich aber begann ihr rechter Mundwinkel sich allmählich zu einem unsicheren Beinahe-Lächeln zu verziehen, und sie löste ihre Hand von Nimitz und hielt sie Montaya hin.

»Fritz«, sagte sie leise und verwundert. Er nahm ihre Hand und drückte sie überschwenglich. Ihre allzu dünnen Finger erwiderten den Druck.

»Es tut mir so leid«, wiederholte er, und Honor schüttelte den Kopf.

»Wieso?« fragte sie sanft. »Weil Sie mir das Leben gerettet haben – schon wieder?«

»Ja, er hat Ihnen das Leben gerettet, Mylady«, sagte eine andere Stimme, und Honor keuchte auf. Sie wollte sich aufsetzen, mit der rechten Hand aber hielt sie noch immer Montaya fest. Sie versuchte, sich mit der linken Hand abzustützen, die sie nicht mehr besaß, und preßte den verbundenen Stumpf gegen das weiche Lager, auf dem sie ruhte. Vor Schmerzen zischte sie laut. Mit besorgtem Gesicht sprang Montaya auf, doch die Arme eines anderen stützten Honor. Nimitz huschte von ihrer Brust und legte sich neben sie. Honor entzog Montaya die rechte Hand. Sie streckte den Arm aus, und der Schmerz, der sie noch durchpulste, bedeutete nichts mehr, denn sie konnte Andrew LaFollet mit all der Kraft an sich drücken, die ihrem ausgezehrten Körper verblieben war.

Der Waffenträger erwiderte die Umarmung, und Honor spürte die furchterregende Intensität seiner Emotionen in *sich* widerhallen. Sie empfand seine Erleichterung, überlebt zu haben, seine Trauer um alle, die es nicht geschafft hatten – und seinen grimmigen Stolz auf ihren Mut. Doch über allem anderen spürte sie seine Ergebenheit ihr gegenüber – seine Liebe –, und seine Freude, daß sie noch lebte. Sie klammerte sich ähnlich fest an ihn wie zuvor an Nimitz.

Momente wie dieser waren einfach zu leidenschaftlich, um lange anzuhalten, und schließlich sog Honor tief Luft ein und lockerte ihre Umarmung. LaFollet ließ los und wollte einen Schritt zurücktreten. Doch sie schüttelte rasch den Kopf und klopfte neben sich aufs Bett. Geradezu flehend war der Ausdruck auf der lebendigen Hälfte ihres Gesichts, und LaFollet zögerte nur kurz, dann zuckte er mit den Schultern und setzte sich neben sie. Sie schaute zu ihm hoch, dann zu Montaya, und eine andere Art Unglaube erfüllte sie, als sie an dem Schiffsarzt vorbeisah und das Schott und die niedrige Decke einer Pinasse oder eines Shuttles erkannte. Das Baumuster war ihr unbekannt, und jemand hatte Vorhänge aufgehängt, um die Reihe zurückgeklappter Sitze abzuschirmen, die ihr als Bett dienten. Wo immer sie sich auch befand, sie war jedenfalls nicht im Schiffsgefängnis von VFS *Tepes*, und sie wandte sich fragend an LaFollet.

»Wie haben Sie das geschafft?« fragte sie nur, worauf er lächelte.

»Das versuchen wir selbst noch herauszubekommen, Mylady«, entgegnete er trocken, »aber wir wissen, *wer* es geschafft hat.«

Er blickte Montaya mit erhobener Augenbraue an, und der Arzt griff nach Honors Handgelenk. Behutsam fühlte er ihr den Puls, dann sah er ihr ins gesunde Auge und nickte.

»Ich glaube, sie hält durch«, sagte er. »Aber machen Sie dem Captain eins klar: Wenn ich sage *raus,* dann verschwinden Sie alle auf der Stelle.«

»Jawohl, Sir«, entgegnete LaFollet grinsend und erhob sich. Er klopfte Honor leicht auf die Schulter, machte kehrt und schob sich durch die Vorhänge. Honor begann ihr Bett entschlossen hochzukurbeln. Montaya wollte einen scharfen Einwand erheben, doch dann seufzte er kopfschüttelnd, half ihr in die aufrechte Position und rückte die Kissen zurecht.

Zum Dank lächelte sie ihm zu, doch sogleich kehrte ihre Aufmerksamkeit zu Nimitz zurück. Der Baumkater kam herbei, um es sich auf ihrem Schoß bequem zu machen. Sie spürte seinen aufblitzenden Schmerz, und das Licht wich aus ihrem gesunden Auge, als sie das schlingernde Humpeln bemerkte, das seine gewohnte geschmeidige Anmut ersetzt hatte. Nimitz ließ sich vorsichtig hin, und Honor achtete darauf, daß er es so bequem hatte wie möglich. Mit bebenden Fingern betastete sie seine verkrümmte Mittelschulter und das Mittelglied. Erneut sah sie Montaya an, und der Arzt erwiderte ihren Blick offen.

»Ich habe mein Bestes getan, Skipper«, versicherte er ihr, »aber die Hundesöhne haben mir praktisch nichts zur Verfügung gestellt. Die gute Neuigkeit lautet, daß er außer dem Schaden an Knochen und

Gelenken wohl nichts Bleibendes davongetragen hat – und das heißt, daß jeder gute sphinxianische Tierarzt den Knochenschaden in Ordnung bringen kann. Die schlechte ist, daß er bis dahin ununterbrochen leichte Schmerzen haben wird, und bevor wir ihn zum Chirurgen bringen, wird er auch auf keinen Baum mehr klettern.«

»Sie irren sich, Fritz«, widersprach Honor und legte die Hand sanft auf den Kopf des 'Katers. »Die wirklich gute Nachricht lautet, daß er noch lebt, und wenn ich mich nicht sehr irre, habe ich das Shannon Foraker und Ihnen zu verdanken.«

»Mehr Foraker als mir«, erklärte Montaya. Er öffnete den Mund, um etwas hinzuzufügen, schloß ihn jedoch sogleich wieder, als jemand die Vorhänge zurückzog.

Honor wandte den Kopf und hob erneut erstaunt die rechte Augenbraue. Den Mann mit den haselnußbraunen Augen in der havenitischen Uniform neben Alistair McKeon kannte sie. Warner Caslet grinste sie schief an und zuckte mit den Schultern.

»Ich hätte nicht gedacht, Sie unter diesen Umständen wiederzusehen, Mylady«, sprach er sie mit ironischer Belustigung an. »Angesichts der Alternative für beide von uns muß ich jedoch sagen, daß ich über die Gelegenheit entzückt bin.«

»Warner«, sagte Honor verwundert und schaute fragend McKeon an. Der breitschultrige Captain sah fast so abgespannt aus wie sie sich fühlte, und als er grinste, zeigten sich Lücken in seinen Zähnen. Sie reichte ihm die Hand, und McKeon ergriff sie. Seine Augen leuchteten vor Freude.

»Ganz schön weit mit uns gekommen seit Basilisk Station, nicht wahr?« fragte er, und Honor war über ihr eigenes Lachen erstaunt.

»Das meine ich auch«, stimmte sie zu und blickte an ihm vorbei auf Horace Harkness. Der Senior Chief wirkte beinahe verschämt, als würde er am liebsten mit den Füßen scharren und auf die Schuhspitzen starren.

»Ich habe das deutliche Gefühl«, sagte McKeon grinsend, »daß Sergeant-Major Babcock sehr stolz sein wird auf ihren Mann, sobald wir ihn nach Hause bringen. Er hat uns alle rausgeholt.«

»Das habe ich auch schon gehört.« Honor blickte von McKeon zu Harkness, und nun starrte der Senior Chief tatsächlich auf die eigenen Schuhspitzen.

»Jawohl, Ma'am. Er hat die Havies sozusagen davon überzeugt, er sei zu ihnen übergelaufen, verschaffte sich einen Minicomputer – die Einzelheiten wird er Ihnen später berichten –, und brach in ihr Netzwerk ein. Er hat den gesamten Ausbruch eingefädelt – und als Dreingabe alles so eingerichtet, daß die Havies glauben müssen, wir seien tot.«

»Ich weiß nicht ...« begann Honor und verstummte. Hier ging viel zuviel vor, und sie war schlichtweg nicht in der Verfassung, alles aufzunehmen. Das mußte noch warten ... vermutlich dauerte es eine ganze Weile, bis man ihr alle Einzelheiten berichtet hatte, für nun aber ...

»Ich werde mir das alles anhören, wenn ich in Form bin und alles begreifen kann«, erklärte sie ihren Untergebenen. »Im Augenblick bräuchte ich einen Lagebericht dringender.«

»Jawohl, Ma'am«, sagte McKeon und rieb sich einen Moment über die Brauen, als wolle er seine Gedanken ordnen. »Zunächst einmal, wir befinden uns auf der Oberfläche des Planeten Hades. Wir konnten von der *Tepes* fliehen, nachdem sie in die Umlaufbahn eingetreten war. Das haben wir unserem Harkness hier zu verdanken, dem verschlagensten Hacker außerhalb eines Hochsicherheitstraktes – oder besser, außerhalb eines anderen Hochsicherheitstraktes. Darüber hinaus hat Harkness das Schiff zur Explosion gebracht, und die Havies glauben, wir wären dabei ebenfalls umgekommen.«

»Er ...« Honor blinzelte und wandte sich wieder Harkness zu. »Sie haben die *Tepes* zur Explosion gebracht, Senior Chief?« fragte sie sehr langsam.

»Äh, jawohl, Ma'am«, murmelte Harkness und lief zu einem besorgniserregenden Rot an. »Tatsächlich ... hab' ich ... na ja ...«

»Er hat demonstriert, was passiert, wenn eine Pinasse im Beiboothangar den Impeller einschaltet, Skipper«, sprang McKeon ihm bei. Honor blinzelte erneut und blickte Harkness mit Entsetzen und Respekt gleichzeitig an.

»Verstehe«, sagte sie, dann zuckte ihr rechter Mundwinkel. »Erinnern Sie mich bitte daran, daß ich Sie bloß nie wütend auf mich mache, Horace.«

Harkness lief noch dunkelroter an, als sie ihn zum erstenmal in den elf Jahren, seit sie einander kannten, mit dem Vornamen anredete. Er setzte an, noch etwas zu murmeln, verstummte aber vor der ersten Silbe, blickte sie an und zuckte hilflos die Achseln.

»Außerdem hat er eine Reihe von Daten über Hades aus der Datenbank der *Tepes* gewonnen«, fuhr McKeon rasch fort, um Harkness vor weiterer Verlegenheit zu retten und zugleich Honor auf den aktuellen Stand zu bringen. »Nach unserer Landung habe ich mich damit befaßt und begreife nun, weshalb die Havies diese Welt als besonders sicheres Gefängnis betrachten.«

»Aha?« Honor blickte ihn mit neuerwachter Aufmerksamkeit an.

»Jawohl, Ma'am. Es ist ganz simpel: Auf dieser Welt

kommt nichts vor, was der menschliche Organismus verdauen könnte.« Honor blickte McKeon fragend an, und er nickte. »Sie haben richtig verstanden, Skipper. Die Havies brauchen niemanden einzusperren; sie brauchen die Häftlinge nur vom Lebensmitteldepot *auszuschließen*. Wir haben keine Zahlen über die Häftlingspopulation, aber wenn die Gerüchte stimmen, dann werden seit über siebzig Jahren politische und militärische Häftlinge hier ausgesetzt; die meisten dieser Leute sind prolongbehandelt. Vermutlich gibt es hier Tausende von ›Insassen‹, aber die Havies haben sie in kleinen Gruppen über den ganzen Planeten verstreut, und niemand kann sich allzu weit von seinem Absetzpunkt entfernen, denn nur dort teilen die Havies Rationen aus.«

»Verstehe.« Honor strich Nimitz über die Ohren und runzelte die Stirn. »Wie groß ist die Garnison?«

»Auch da besitzen wir keine genauen Zahlen, aber ich würde vermuten, daß es gut tausend oder fünfzehnhundert Leute sind. Ihre Hauptbasis befindet sich auf einer Insel mitten im größten Ozean auf Hades und wird von einem Satellitenaufklärungssystem geschützt. Der Datenbank der *Tepes* zufolge besitzt sie ringsum leichte und mittelschwere Luftabwehranlangen. Der Kontakt zwischen der Basis und dem übrigen Planeten kann nur auf dem Luftweg erfolgen. Nachdem Häftlinge einmal auf die Oberfläche verbracht wurden, dürfen sie die Insel nicht mehr betreten.« McKeon zuckte mit den Achseln. »Da die Basis nicht nur die Lebensmittelquellen kontrolliert, sondern auch den einzigen Zugang dazu darstellt, brauchte man sich angesichts der orbitalen Defensivanlagen bisher kaum Gedanken um die Sicherheit zu machen.«

»Verstehe«, wiederholte Honor und deutete mit der Hand auf die Schotte ringsum. »Und jetzt?« fragte sie.

»Jetzt wird sich das vielleicht ändern«, nickte McKeon mit unheilverkündendem Grinsen. »Dank Harkness verfügen wir über zwo schwere Sturmshuttles mit beinahe kompletten Außenlasten. Wir haben Schränke voller Handfeuerwaffen und hinlängliche Mengen unmotorisierter Körperpanzerung.«

Honor schenkte Harkness einen weiteren anerkennenden Blick.

»Außerdem sind wir uns fast sicher, daß die Havies nichts von unserer Anwesenheit wissen«, führte McKeon weiter aus. »Nach den Informationen, die Harkness uns beschafft hat, verfügen sie über ein leistungsfähiges Satellitenüberwachungsnetz, das sich jedoch auf die Deckung ihrer Hauptbasis konzentriert, und wir sind auf der entgegengesetzten Seite des Planeten gelandet. Wir haben uns angenähert, ohne den Impellerantrieb zu benutzen, und wir haben die Kontragravs erst aktiviert, als unsere Höhe weniger als einhundert Meter betrug. Niemand kann unseren Atmosphäreneintritt oder unsere Landung beobachtet haben, und nun verstecken wir uns unter einem dreischichtigen Dschungeldach. Nach der Landung war es also nicht gerade schwierig, die Shuttles zu tarnen. Davon abgesehen sind wir nun bereits drei Ortstage hier. Wenn die Havies den Verdacht hegten, wir könnten die Explosion der *Tepes* überlebt haben, dann würden sie uns mit Aufklärungsflügen eindecken. Wahrscheinlich hätte die Systemsicherheit sogar die *Count Tilly* herbeibeordert und würde ihre Beiboote für die Suche benutzen. Aber wir haben überhaupt keinen Flugverkehr beobachtet.«

»Einverstanden«, stimmte Honor nach kurzem Nachdenken zu. »Mir will es auch so scheinen, als hätten Sie damit recht, aber was machen wir nun?«

»Das hängt von Ihrer Entscheidung ab, Ma'am, und

offen gesagt bin ich froh darüber«, gab McKeon zu. »Im Augenblick sind wir am Boden und getarnt, besitzen einiges Gerät, um damit zu arbeiten, und genügend Rationen, um uns fünf Monate am Leben zu erhalten, wenn wir sparsam sind. Aber wir sind nur achtzehn – zwanzig, wenn wir Warner und Nimitz mitzählen.« Er grinste den havenitischen Offizier ironisch und entschuldigend an. »Der Gegner hat erheblich mehr Feuerkraft als wir, ganz zu schweigen von einer eingerichteten Basis, wenigstens einem Dutzend bewaffneter Pinassen und diesen verdammten Satelliten, die ihnen den Rücken stärken. Ganz gleich, wie Sie es betrachten, Ma'am, zahlenmäßig sind wir verflixt unterlegen!«

»Unterlegen, Alistair?« Honor lehnte sich zurück und vergrub ihre mageren Finger in Nimitz' warmem, weichem Fell. Mit ihrem rasierten Kopf, dem einseitig gelähmten Gesicht und dem Armstumpf sah sie mehr denn je wie eine ausgemergelte, halbverhungerte Wölfin aus, doch in ihrem verbliebenen Auge glitzerte die unbändige Energie einer Rudelführerin. Sie ließ dieses Auge über die Männer ringsum schweifen, hob die Oberlippe und entblößte ihre Zähne.

»Sie haben uns von der *Tepes* befreit und auf diesen Planeten gebracht«, erinnerte Honor die Umstehenden. »An Bord dieses Schiffes waren zwo- oder dreitausend Bewaffnete, die uns eingesperrt hatten, und trotzdem haben Sie uns herausgeholt. Nun steht uns viel mehr Ausrüstung zur Verfügung als in dem Schiff, stimmt's?«

Sie blickte McKeon in die Augen, bis der Captain nickte, dann richtete Honor ihr Auge auf die anderen, und sie hätte das wilde, grimmige Aufwallen ihrer Emotionen selbst dann nicht definieren oder beschreiben können, wenn ihre Seele davon abgehangen hätte.

Doch das spielte überhaupt keine Rolle. Honor brauchte nichts zu definieren oder zu beschreiben, denn sie empfand wie ihre Offiziere Entschlossenheit und Trotz. Allerdings bemerkte sie nicht, wie sehr ihre Gegenwart die Gefühle der anderen mitbestimmte, und ebensowenig ahnte sie, daß ihre Leute sie als lebenden Siegestalisman betrachteten. Auch das war nicht wichtig. Im Augenblick zählte nur das Gefühl, im Morgenlicht blanke Schwerter zu heben und aus rauhen Kehlen zu brüllen – entschlossen zu sein, es selbst mit den Göttern aufzunehmen. Kaum empfand sie das innere Echo dieses Aufbegehrens, da spielte es keine Rolle, daß sie weniger als zwanzig Mann hatte und nur zwei unterlichtschnelle Shuttles. Es war einerlei, daß sie sich auf einem Planeten befand, der mehr als anderthalb Lichtjahrhunderte vom nächsten befreundeten Stützpunkt entfernt war, denn für Honor war völlig unvorstellbar, daß ihre Leute sich von den Haveniten hier festhalten ließen. Nicht nach allem, was sie bereits geleistet und hinter sich gebracht hatten.

»Wenn hier jemand zahlenmäßig unterlegen ist«, erklärte Lady Dame Honor Harrington leise ihren Freunden, »dann sind es die Havies.«

ENDE

Dramatis Personae

Manticoraner

Jonas Adcock, Vizeadmiral der Grünen Flagge, RMN	Chef des Bureaus für Waffensysteme der Royal Manticoran Navy
Hamish Alexander, Admiral der Grünen Flagge, RMN	Dreizehnter Earl von White Haven Haven; Traditionalist innerhalb der Royal Manticoran Navy; Eroberer von Trevors Stern
Jessica Dorcett, Commander, RMN	Kommandantin von HMS *Windsong* und Chefin einer im Adler-System stationierten Zerstörerdivision
Arnold Dreyfus, Lieutenant Commander, RMN	I.O. des Zerstörers HMS *Windsong*
Sarah DuChene, Lieutenant Commander, RMN	Astrogatorin des Schweren Kreuzers HMS *Prince Adrian*
Taylor Gillespie, Commander, RMN	Erster Offizier (I.O.) der *Prince Adrian*
Patricia Givens, Admiral der Grünen Flagge, RMN	Zweiter Raumlord der königlich-manticoranischen Admiralität, Chefin von BuPlan
Horace Harkness, Senior Chief Gunner's Mate, RMN	Der wahrscheinlich gerissenste Bootsmann der Royal Manticoran Navy; ältere Hälfte des ›Desaster-Duos‹

Dr. Allison Chou Harrington	Honor Harringtons Mutter, gebürtig auf dem Planeten Beowulf; zählt zu den bedeutendsten manticoranischen Genetikern
Lady Dame Honor Harrington, Commodore, RMN	Die Gräfin und Gutsherrin von Harrington, Ritter im Orden von König Roger, Admiral der Grayson Space Navy und Champion Protector Benjamins IX. erhält ein neues Kommando
George LeMoyne, Lieutenant, RMN	Logistik- und Versorgungsoffizier im Geschwaderstab von CruRon 18
James MacGuiness, Senior Master Chief Steward's Mate, RMN	Persönlicher Steward Honor Harringtons und Haushofmeister von Harrington House
Alex Maybach, Chief Steward's Mate, RMN	Alistair McKeons persönlicher Steward
Marcia McGinley, Lieutenant Commander, GSN	Zeitweilig an die GSN überstellt; Operationsoffizier im Geschwaderstab von CruRon 18
Geraldine Metcalf, Lieutenant Commander, RMN	Taktischer Offizier der *Prince Adrian*
Fritz Montaya, Surgeon Commander, RMN	Schiffsarzt der *Jason Alvarez*
Palliser Lieutenant Commander, RMN	LI (Leitender Ingenieur) der *Prince Adrian*

Russell Sanko, Lieutenant, RMN	Signaloffizier der *Prince Adrian*
Holden Singer, Lieutenant, RMN	Taktischer Offizier von HMS *Enchanter*
Dame Madeleine Sorbanne, Vizeadmiral der Roten Flagge, RMN	Für ihre Reizbarkeit weithin bekannte Befehlshaberin von Clairmont Station
Prescott ›Scotty‹ Tremaine, Lieutenant Commander RMN	Elektronikoffizier im Geschwaderstab von CruRon 18; bildet mit Horace Harkness das ›Desaster-Duo‹
Andreas Venizelos, Commander, RMN	Honor Harringtons Stabschef
Enrico Walker, Surgeon Lieutenant, RMN	Schiffsarzt der *Prince Adrian*
Frances Yeargin, Commodore, RMN	Chefin der Kampfgruppe Adler

Graysons

James Candless, Armsman, HGG	Waffenträger in Honor Harringtons Leibwache
Carson Clinkscales, Ensign, GSN	Honors Flaggleutnant; Neffe von Howard Clinkscales
Howard Clinkscales	Regent des Gutes von Harrington, Geschäftsführer von Grayson Sky Domes Ltd.
Thomas	Kommandant des Schweren Kreu-

Greentree, Senior Captain, GSN	zers GNS *Jason Alvarez* und Honor Harringtons Flaggkommandant
Andrew LaFollet, Major, HGG	Chef von Honor Harringtons persönlicher Leibwache, Bruder von Miranda LaFollet
Miranda LaFollet	Honor Harringtons Zofe; Schwester von Major Andrew LaFollet
Howard Latham, Commander, GSN	Signaloffizier im Geschwaderstab von CruRon 18
Solomon Marchant, Commander, GSN	Erster Offizier der *Jason Alvarez*; entfernter Vetter von Edmond Marchant
Wesley Matthews, Hochadmiral, GSN	Oberkommandierender der Grayson Space Navy
Simon Mattingly, Corporal, HGG	Waffenträger in Honor Harringtons Leibwache; Stellvertreter Andrew LaFollets
Benjamin Mayhew IX.	Protector des Planeten Grayson
Jasper Mayhew, Lieutenant, GSN	Nachrichtenoffizier im Geschwaderstab von CruRon 18
Katherine Mayhew	Benjamin Mayhews erste Frau; Freundin Honor Harringtons
Lord Henry Prestwick	Kanzler des Planeten Grayson und Gutsherr von Prestwick
Nathan Robards, Lieutenant, GSN	Flaggleutnant Admiral White Havens
Reverend Jeremiah Sullivan	Geistiges Oberhaupt der Kirche der Entketteten Menschheit, Nachfolger von Reverend Julius Hanks
Michael Voland, Lieutenant Commander, GSN	Stabskaplan von CruRon 18

Robert Whitman, Armsman, HGG	Waffenträger in Honor Harringtons Leibwache

Erewhoner

Anson Lethridge, Lieutenant Commander, EN	Stabsastrogator von CruRon 18

Baumkatzen (Sphinxianer)

Nimitz	Honor Harringtons Gefährte, wasserscheu und versessen auf Sellerie wie alle Baumkatzen; passionierter Frisbeespieler; Vater von Jason, Cassandra, Achilles und Andromeda
Samantha	Nimitz' Partnerin, Gefährtin des gefallenen Lieutenant Commander Harold Tschu, Mutter von Jason, Cassandra, Achilles und Andromeda
Jason, Cassandra, Achilles und Andromeda	Nimitz' und Samanthas Nachwuchs
Hera, Athena und Artemis	Weibliche Angehörige der Baumkatzenkolonie auf Grayson; Babysitter für Jason, Cassandra, Achilles und Andromeda
Nelson, Togo, Hood, Farragut und Hipper	Männliche Angehörige der Baumkatzenkolonie auf Grayson; Babysitter für Jason, Cassandra, Achilles und Andromeda

Haveniten

Bürger Lieutenant Allworth, VFH	Taktischer Offizier der *Katana;* ein Fan von Shannon Foraker
Bürger Sergeant Bergren, SyS-Bodentruppen	Gefängniswärter auf der *Tepes*
Leonard Boardman	Zweiter stellvertretender Direktor für Information der Volksrepublik Haven
Yuri Bogdanovich, Bürger Captain, VFH	Stabschef von Bürger Konteradmiral Tourville
Hugh Candleman, Bürger Private, SyS-Bodentruppen	Einer von Horace Harkness' Bewachern
Warner Caslet, Bürger Commander, VFH	Operationsoffizier im Stab von Bürger Admiral Theisman
Bürgerin Captain de Sangro, SyS-Bodentruppen	Bewacherin der Kriegsgefangenen an Bord von VFS *Tepes*
Shannon Foraker, Bürgerin Commander, VFH	Operationsoffizier im Stab von Bürger Konteradmiral Tourville
Harrison Fraiser, Bürger Lieutenant, VFH	Signaloffizier im Stab von Bürger Konteradmiral Tourville
Megan Hathaway, Bürgerin Captain, VFH	Stabschefin von Bürger Admiral Theisman
Bürger Corporal Hayman, SyS-Bodentruppen	Gefängniswärter auf der *Tepes*

Alfred Hewitt, Bürger Captain, VFH	Kommandant des Schlachtkreuzers VFS *Count Tilly* und Flaggkommandant von Bürger Konteradmiral Tourville
Everard Honeker, Bürger Kommissar	Volkskommissar von Bürger Konteradmiral Tourville
Bürger Lieutenant Janseci, SyS-Flotte	Hangaroffizier der *Tepes*
Heinrich Johnson, Bürger Corporal, SyS-Bodentruppen	Einer von Horace Harkness' Bewachern
Timothy Kuttner, Bürger Kommissar	Volkskommissar der *Katana*
Dennis LePic, Bürger Kommissar	Volkskommissar von Bürger Admiral Theisman
Karen Lowe, Bürgerin Commander, VFH	Stabsastrogatorin von Bürger Konteradmiral Tourville
Fred Luchner, Bürger Commander, VFH	I.O. des Schweren Kreuzers VFS *Katana*
Esther McQueen, Bürgerin Admiral, VFH	Ehemalige Systemkommandeurin von Trevors Stern und Retterin des Triumvirats
Robert Stanton Pierre	Vorsitzender des Komitees für Öffentliche Sicherheit der Volksrepublik Haven – der mächtigste Mann der Volksrepublik
Cordelia Ransom	Ministerin für Öffentliche Information der Volksrepublik Haven, Angehörige des Komitees für Öffentliche Sicherheit

Oscar Saint-Just	Leiter des Amts für Systemsicherheit der Volksrepublik Haven, Angehöriger des Komitees für Öffentliche Sicherheit
Thomas Theisman, Bürger Admiral, VFH	Politisch suspekter Flaggoffizier, Kommandeur des Barnett-Systems
Hanson Timmons, Bürger First Lieutenant, SyS-Bodentruppen	Gefängnisoffizier auf der *Tepes*
Lester Tourville, Bürger Konteradmiral, VFH	Chef einer havenitischen Kampfgruppe, stationiert im Barnett-System
Wallace Turner, Bürger Captain, VFH	Kommandant des Schweren Kreuzers VFS *Nuada*
Henri Vladovich, Bürger Captain, SyS-Flotte	Kommandant des Schlachtkreuzers VFS *Tepes*
Helen Zachary Bürgerin Captain, VFH	Kommandantin des Schweren Kreuzers VFS *Katana*

Abkürzungen und Glossar

Admiralität – Die *Admiralsdienstgrade* der RMN (außer Commodore und Fleet Admiral, »Flottenadmiral«) sind in zwei Divisionen unterteilt: Die dienstjüngere Hälfte jeden Ranges besteht aus Admiralen der Roten Flagge (oder der Gryphon-Division), die dienstältere Hälfte aus Admiralen der Grünen Flagge (oder der Manticore-Division). Die militärische Hierarchie der Admiralität untersteht den *zivilen* Lords der Admiralität (welche ehemalige Militärs sein können, aber nicht sein müssen). Den Lords der Admiralität untergeordnet sind die Raumlords; der Erste Raumlord ist militärischer Oberkommandierender der Navy, die anderen Raumlords stehen den Bureaus vor (siehe **Bureaus**).

BatCruRon – Abk. für **Bat**tle **Cru**iser Squad**ron**: Schlachtkreuzergeschwader. Entsprechend steht **BatRon** für Schlachtgeschwader (aus Dreadnoughts, Superdreadnoughts und bei der VFH auch Schlachtschiffen).

Blechbüchse oder **Blechdose** – umgangssprachlich für Zerstörer.

Bogey – unidentifiziertes Objekt auf dem Radar; ein als feindlich identifiziertes Objekt heißt ›Bandit‹.

Bureaus – Ressorts der Navyverwaltung, geleitet von rangälteren Admirals und Raumlords. Beispiele: BuAstro – Bureau für Astrographie (Weltall-Vermessungswesen, Sternkarten, Gravwellenkarten); BuMed – Bureau für Medizin (Gesundheit der Navy- und Marinecorpsangehörigen, untergeordnet ist BuPsych, das Bureau für Psychologie); BuPers – Bureau für Personalangelegenheiten, Chef ist der Fünfte Raumlord, zur Zeit Admiral der Grünen Flagge Sir Lucien Cortez; BuPlan – Bureau für Planung (untergeordnet ist der Nachrichtendienst der Navy, das ONI), Chef ist der Zweite Raumlord, zur Zeit Admiral der Grünen Flagge Patricia Givens; BuShips – Bureau für Schiffsbeschaffung und Wartung, Chef ist der Dritte Raumlord, zur Zeit Admiral der Grünen Flagge Lady Lucy Danvers; BuWeaps – Bureau für Waffensysteme, Chef ist zur Zeit Vizeadmiral der Grünen Flagge Jonas Adcock; dem Bureau untergeordnet ist das Weapons Development Board (Amt für Waffenentwicklung) WDB.

c – Abkürzung für Lichtgeschwindigkeit. Im Vakuum ist *c* = 299.792,50 km/s (Kps).

CGM = Conspicuous Gallantry Medal – Orden für herausragende Tapferkeit.

Coup de vitesse – ein Kampfsport, der vor achthundert Jahren auf Nouveau Dijon entwickelt worden ist und in sich sowohl orientalische als auch westliche Elemente vereint. Der ›Coup‹, wie er kurz genannt wird, ist ein aggressiver Angriffsstil, eine Kombination kühler Selbstkontrolle und alles riskierender Wildheit. Er profitiert von der größeren Reichweite und Körperlänge der ›Abendländer‹ und schämt sich nicht, von jeder Kampftechnik zu borgen – von *Savate* bis *T'ai chi*. Dabei ist er nur wenig um Förmlichkeiten besorgt und dient, anders als die meisten orientalischen Disziplinen, nicht dazu, die Kraft des Gegners gegen ihn zu wenden.

CPO – Abk. für Chief Petty Officer.

DSO = Distinguished Service Order – Auszeichnung für hervorragende Leistung im Gefecht.

Diaspora – Der Aufbruch des ersten interstellaren Kolonistenschiffes im Jahre 2103 n. Chr.; dieses Jahr ist das Jahr 1 Post Diaspora (P. D.).

Dienstgrade – *Ensign* ist der niedrigste Offiziersdienstgrad in den Flotten der Allianz und Havens (und in der US-Marine auf Alterde), damit entspricht er dem deutschen Leutnant (zur See). Vom Aufgabenbereich und den Kompetenzen her ist er jedoch eher mit einem Offiziersanwärter wie dem Fähnrich zu vergleichen. In den britischen und amerikanischen Streitkräften sind die beiden unteren Offiziersdienstgrade (First und Second Lieutenant bzw. Ensign und Lieutenant Junior-Grade) mit eingeschränkten Befugnissen ausgestattet und werden in den US-Streitkräften als »junior officers« und in den britischen als »subalterns« bezeichnet; übersetzt wurde der Begriff als *Subalternoffizier*.

Division – Unterableilung eines Geschwaders aus meist zwei, bis vier Schiffen.

Dolist – Empfänger des Lebenshaltungszuschusses (LHZ) in der Volksrepublik Haven; angelehnt an das englische Wort *dole* = Sozialhilfe, ›Stütze‹; vielleicht spielt auch das französische *dolent* = jammernd eine Rolle. Vor der **Erhebung** waren die Dolisten nominell wahlberechtigt, ihr Stimmrecht wurde den ›Dolisten-Managern‹ übertragen, die es im *Quorum des Volkes* für sie ausübten; vgl. **Prole**.

Drohne – ein unbemannter, ferngelenkter Flugkörper.

ECM – Abk. für Electronic Counter Measures: elektronische Gegenmaßnahmen; aktive Aussendung von Signalen, die die Ortung des Gegners stört; die Suchköpfe hereinkommender Raketen werden dadurch abgelenkt. ECM ist ein Teil der Funkelektronischen Kampfführung (Eloka).

EMP – ElectroMagnetic Pulse = elektromagnetischer Impuls, durch Kernexplosionen ausgelöste ›Druckwelle‹ aus schnellen Elektronen, die elektronische Geräte aller Art zerstört.

ETA – Abk. für Estimated Time of Arrival: geschätzte Ankunftszeit.

Farragut – David G. Farragut (1801-1871), US-amerikanischer Admiral. Farragut leitete im Amerikanischen Bürgerkrieg die Invasion von New Orleans 1862 und griff 1864 die Mobile Bay in Alabama an. Die Bucht war durch Minen gesichert, die man damals als ›Torpedos‹ bezeichnete. Legendär wurde sein Ausruf: »Zum Teufel mit den Torpedos! Volle Kraft voraus!« Farragut war der erste Offizier der US-Marine, der die Dienstgrade Konteradmiral, Vizeadmiral und Admiral führte.

GNS – Grayson Navy Starship – Designation für graysonitische Kriegsschiffe.

GSN – Grayson Space Navy.

Graser – eine Waffe, die kohärente Gammastrahlen verschießt wie ein Laser kohärentes Licht und ein Röntgenlaser kohärente Röntgenstrahlen.

Gravimpulssender – manticoranische Neuentwicklung, durch die man Gravitationsimpulse modulieren und somit zur Nachrichtenübermittlung einsetzen kann. Da sich Gravitationsimpulse ohne Zeitverlust ausbreiten, lassen sich dadurch überlichtschnelle Signale übertragen. Die RMN verwendet die Gravimpulssender an Sensorplattformen in den Außenbereichen von Sonnensystemen, die somit ein überlichtschnelles Frühwarnnetz bilden und die Kommandostellen in Echtzeit mit Informationen über weit entfernte Feindverbände versorgen können, ohne daß die Übertragungsverzögerungen durch die Lichtgeschwindigkeit eine Rolle spielen würden. Hemmnis ist allerdings die große Relaxationszeit der Sender: Nach jedem Impuls kommt eine sekundenlange Wartepause.

Gravwelle – eine hochenergetische Strömung gebündelter Gravitationsenergie im Hyperraum, die mit Hilfe von Warshawski-Segeln als Antriebsquelle benutzt werden kann.

Grayson

1. *Austin Grayson* – Reverend Austin Grayson war Gründer der Kirche der Entketteten Menschheit, ein christlicher Fundamentalist mit einer Abneigung gegen jede Art von Technik. Er führte die Kolonisierung des Jelzin-Systems an, sabotierte das Sternenschiff und starb zehn Jahre nach der Ankunft, immer noch im Glauben, das Ziel des Technikverzichts könnte schon bald erreicht werden.

2. *Planet Grayson* – einziger bewohnbarer Planet von Jelzins Stern, im Jahre 988 P. D. von christlich-fundamentalistischen Siedlern kolonisiert, die unter Führung von Austin Grayson zu einer ›dem Menschen vorbestimmten‹, untechnisierten Lebensweise zurückfinden wollten. Grayson erwies sich jedoch als außerordentlich schwermetallreicher Planet: Im Wasser, im Boden und in den einheimischen Lebewesen waren giftige Schwermetalle allgegenwärtig. Die gestrandeten Siedler waren darauf angewiesen, Erdreich, Wasser und sogar ihre Atemluft vor der Verwendung zu dekontaminieren. Alle Nahrungsmittel mußten in abgeschotteten Habitaten, den **Gütern**, angebaut und aufgezogen werden, und nur darin konnten die Siedler leben – der Technologieverzicht war unmöglich geworden.

Die ›Graysons‹, wie sich die Bewohner der Welt nach dem frühen Tod ihres geistigen Führers nannten, konzentrierten sich daher in Zukunft auf die Pflege ihres Glaubens, der beispielsweise die Frau dem Mann unterordnete. Diese Tendenz wurde dadurch verstärkt, daß nur etwa jeder vierte geborene Grayson ein Mann war. Zudem war längst nicht jede Frau fruchtbar und die Kindersterblichkeit erschreckend hoch. In der Folge kam es zwischen den ›Gemäßigten‹ und den ›Wahren Gläubigen‹ in der Kirche der Entketteten Menschheit zu einem **Schisma**. Letztere versuchten in einem Handstreich, die Gewalt an sich zu reißen und die Gutsherren, den graysonitischen Hochadel, als Geiseln zu nehmen. Dieses Unterfangen endete jedoch in einem Fiasko: ›Die *Dreiundfünfzig*‹ starben lieber mitsamt ihren Waffenträgern, als sich gefangennehmen zu lassen; gleichzeitig ermöglichten sie die Flucht des Thronfolgers, Benjamin IV.

Der Siebzehnjährige floh und sammelte die versprengten Reste der anderen Gutsherrngarden um sich. Er schmiedete aus ihnen ein Heer, doch mittlerweile beherrschten die Wahren Gläubigen zwei Drittel des Planeten. Ein vierzehnjähriger, blutiger Bürgerkrieg folgte und endete mit der Niederlage der Wahren Gläubigen. Sie wurden auf den einzigen Planeten des nahe gelegenen Endicott-Systems exiliert, den sie ›Masada‹ nannten. Benjamin IV., der als der Große in die Geschichte eingehen sollte, setzte unter dem Eindruck der Kriegsschrecken eine neue Verfassung auf, durch welche die zuvor sehr schwache Position des Protectors enorm ausgebaut wurde. Die beschlagnahmten Güter von Bancroft, Oswald und Simonds wurden zu einem protectoralen Gut zusammengefaßt, das Protectorenamt wurde erblich, die Größe für die persönlichen Garden der Schlüsselträger beschränkt und ein stehendes Heer unter dem Befehl des Protectors aufgestellt. Zu seinem Symbol erwählte Benjamin der Große ein Schwert, und nicht den Schlüssel der Gutsherren. Indes waren längst nicht alle späteren Protectoren so stark wie Benjamin der Große. Bei Geburt des regierenden Protectors, Benjamin IX., hatten die Schlüssel über den Rat erneut die Kontrolle über den Planeten erlangt.

Zwischen Grayson und Masada herrschte jahrhundertelang ein kalter Krieg, der nur zu oft in einen ›heißen‹ umschlug, ohne daß eine Entscheidung eintrat. Erst nachdem die Volksrepublik Haven und Masada einen Geheimbund zur Eroberung Graysons schlossen und Honor Harrington den Eroberungsversuch verhindern konnte, endete die masadanische Bedrohung mit der Besetzung des Planeten der ›Wahren Gläubigen‹.

HGG – Harringtoner Gutsgarde.

Hipper – Franz Ritter von Hipper (1863-1932), deutscher Admiral. Hipper führte 1912-18 als Befehlshaber der Aufklärungsstreitkräfte die deutschen Schlachtkreuzer; in der Schlacht am Skagerrak versenkte er mehrere britische Schlachtkreuzer; ab August 1918 war er Chef der Hochseestreitkräfte.

Hood – Lord Samuel Hood (1724-1816), britischer Admiral. Hood entstammte einer der berühmtesten britischen ›Marinefamilien‹ und kämpfte als Vizeadmiral unter Admiral Rodney im Amerikanischen Unabhängigkeitskrieg. 1793 war Hood der Oberkommandierende der britischen Mittelmeerflotte und eroberte die französische Marinebasis Toulon, die er im gleichen Jahr wieder aufgeben mußte. Unter seinen Kommandanten befand sich Captain Horatio Nelson vom 64-Kanonen-Schiff *Agamemnon*. Hoods Bruder Alexander, Lord Bridport, kommandierte die Kanalflotte. Dessen Sohn Samuel Hood der Jüngere kommandierte später im Mittelmeer ein Schiff unter Nelsons Oberbefehl.

Hypergrenze – Bereich rings um einen Stern, in dem keine Transition in den oder aus dem Hyperraum erfolgen kann. Die Hypergrenze eines G5-Sterns durchmißt 40, die eines M9-Sterns 10 Lichtminuten. Eine nähere Erläuterung findet sich in David Weber,

Die Siedler von Sphinx, Bergisch Gladbach 2001 (in Vorbereitung).

Jeune école (frz. ›Neue Schule‹) – eine Denkrichtung innerhalb der manticoranischen Admiralität, welche die Meinung vertritt, taktische Gegebenheiten seien den technischen Eigenschaften der Kampfsysteme untergeordnet, die Waffensysteme würden die Taktik bedingen, und richtig angewendete Technik mache historische Analysen überflüssig. Als Kopf der *jeune école* gilt Admiral der Roten Flagge Lady Sonja ›Horrible‹ Hemphill. Die Traditionalisten, als deren Anführer man Admiral der Grünen Flagge Hamish Alexander, den Dreizehnten Earl von White Haven betrachtet, sind demgegenüber der Ansicht, daß die Grundlagen des taktischen Denkens von der Natur der Waffensysteme unberührt bleiben, neue Waffensysteme in die existierenden Konzepte integriert und die Konzepte an die Stärken und Schwächen eben dieser Waffensysteme angeglichen werden müßten.

Kirche der Entketteten Menschheit – von Austin Grayson gegründete Glaubensgemeinschaft, Staatsreligion auf dem Planeten Grayson.

Kps – Kilometer pro Sekunde.

Kps² – Kilometer pro Sekundenquadrat.

LAC – Abk. für Light Attack Craft: Leichtes Angriffsboot, das keinen Überlichtantrieb und nur verhältnismäßig schwache Seitenschilde besitzt. Nachdem es eine Weile ganz danach aussah, als wären die LACs von der technischen Entwicklung überholt und würden bald außer Dienst gestellt, haben sie durch die von Lady Sonja Hemphill betriebenen Aufrüstprogramme neue Bedeutung erlangt.

Legislaturisten – die ehemalige herrschende Klasse in der Volksrepublik Haven. Eine zivile oder militärische Führungsposition durfte sich nur erhoffen, wer aus einer einflußreichen Legislaturistenfamilie stammte und hinreiche Protektion genoß. Die Präsidentschaft in der VRH war erblich und befand sich in den Händen der Familie Harris. Der letzte Erbpräsident, Sidney Harris, starb bei einem Attentat, das Robert Stanton Pierre und Oscar Saint-Just inszenierten und der Volksflotte anlasteten.

Levellers – englisch: Gleichmacher. Bezeichnung für eine ab 1645 in England auftretende königs- und adelsfeindliche Agitationsgruppe aus dem städtischen Mittelstand, die unbeschränkte bürgerliche und religiöse Freiheit forderte; 1649 gewaltsam unterdrückt. – In der VRH waren die Levellers eine postrevolutionäre Strömung, die völlige Anarchie forderte und insbesondere verlangte, daß alle Offiziere ab Lieutenant Commander beziehungsweise Major hingerichtet würden, ›weil der militärisch-industrielle Komplex den Krieg auf verräterische Weise fehlerhaft geführt hat‹. Nur das Eingreifen von Bürgerin Admiral Esther McQueen rettete während des Levellers-Aufstands das Komitee für Öffentliche Sicherheit.

Lichtminute (-sekunde, -stunde) – die Entfernung, die das Licht in einer Minute (Sekunde, Stunde) zurücklegt; 1 Lichtminute = 17.987.550 km; 1 Lichtsekunde = 299.792,5 km; 1 Lichtstunde = 1.079.253.000 km. Zum Vergleich: Die Erdbahn durchmißt im Mittel 16,6 Lichtminuten.

Mps – Meter pro Sekunde.

Mps² – Meter pro Sekundenquadrat, Einheit der Beschleunigung (= zeitliche Änderung der Geschwindigkeit). Die normale Erdbeschleunigung (1 *g* = 1 Gravo) beträgt 9,81 Mps².

n. d. L. – Abk. für »nach der Landung«, Zeitrechnung im Sternenkönigreich von Manticore (zur Zeitmessung siehe David Weber, *Auf verlorenem Posten*,

Bergisch-Gladbach 1997, 1999, Bastei-SF 23 194, S. 509 ff.)

Nelson – Horatio Viscount Nelson (1758-1805), britischer Vizeadmiral der Weißen Flagge. Diente unter Admiral Sir John Jervis und nahm maßgeblich an der Schlacht von Saint Vincent teil, vernichtete in der Schlacht von Abukir die französische Mittelmeerflotte und verhalf dem von den Franzosen aus Neapel vertriebenen Ferdinand IV. zur Rückkehr. Bei der Eroberung von Bastia auf Korsika verlor er das rechte Auge, beim Angriff auf Santa Cruz den rechten Arm. 1805 schlug er die vereinigte spanisch-französische Flotte bei Trafalgar, wo er an Bord von HMS *Victory* durch eine Musketenkugel den Tod fand. Seine Tapferkeit und seine Tatkraft machten Nelson zum populärsten Nationalhelden des Königreichs.

Nimitz – Chester W. Nimitz (1885-1966), US-amerikanischer Fleet Admiral, führte als Oberkommandierender des Pazifikgebiets und der Pazifikflotte (1942-5) den größten Feldzug zur See aller Zeiten und drängte durch das ›Inselspringen‹ die kaiserlich-japanischen Streitkräfte auf die Mutterinseln zurück.

ONI – Abk. für Office of Naval Intelligence: Nachrichtendienst der Royal Manticoran Navy.

Proles – Herabsetzende Bezeichnung für die **Dolisten** Havens, die ohne Bildung und ohne Beschäftigung vom Lebenshaltungszuschuß (LHZ) leben. Unter dem neuen Regime sind Bezeichnungen wie Prole (verkürzt von frz. *Prolétaire*) und Mob oder Pöbel als Sammelbezeichnung für die Massen politisch höchst unkorrekt und werden nur noch insgeheim gebraucht.

Q-Schiffe – Als Handelsschiffe getarnte Hilfskreuzer, die im 1. Weltkrieg eingesetzt wurden, um U-Boote auf Angriffsentfernung heranzulocken.

RD – Reconaissance Drone, Aufklärungsdrohne, eine Sonde zur Bespitzelung feindlicher Einheiten, die sich jenseits der Ortungsreichweite befinden, oder denen man seine Anwesenheit nicht durch aktive Ortung bekanntgeben möchte.

Saganami, Edward – Commodore, Begründer der Royal Manticoran Navy. Saganami schuf die Grundlagen für die Offiziersausbildung innerhalb der RMN, fußend auf der Vorstellung, daß Offiziere Eigeninitiative aufbringen müßten. Die Standards, an denen zukünftige Offiziere der RMN gemessen würden, legte Saganami in seinem letzten Gefecht selber fest: Er fiel bei der Verteidigung eines Konvois gegen eine fünffache Übermacht. Nach ihm ist Saganami Island benannt, Standort der RMN-Offiziersakademie.

Saint Vincent – John Jervis, Baron Meaford, Earl Saint Vincent (1734-1823), britischer Admiral, Förderer Nelsons, eroberte 1794 Martinique und Santa Lucia, besiegte 1797 die französische Flotte am Kap Saint Vincent, 1801-1805 Erster Lord der Admiralität.

SAR – Search and Rescue: Suche und Rettung aus See- oder Raumnot.

Schiffsklassen – Kriegsschiffe sind nach Größe, Tonnage und Kampfkraft in unterschiedliche Klassen eingeteilt: Fregatten (FG) – Zerstörer (DD) – Leichte Kreuzer (CL) – Schwere Kreuzer (CA) – Schlachtkreuzer (BC) – Schlachtschiffe (BB, nur Volksrepublik Haven) – Dreadnoughts (DN) – Superdreadnoughts (SD). Dreadnoughts und Superdreadnoughts zählen als Wallschiffe, also Großkampfschiffe, die in den Schlachtwällen von Flottengefechten kämpfen.

Schlachtwall – Großkampfschiffe werden in einem Flottengefecht zum klassischen ›Schlachtwall‹ angeordnet. Die Schiffe bewegen sich in Kiellinie, und diese Linien sind senkrecht zu einer Formation ›gestapelt‹, die nur ein Schiff dick ist und an eine Mauer, einen Wall erinnert. Die ›Wallschiffe‹ kommen einander dabei so nahe, wie es ihre Impellerkeile erlauben. Der Schlachtwall ist alles andere als leicht zu manövrieren, aber er gestattet maximales Breitseitenfeuer. Die Undurchdringlichkeit der Impellerkeile macht den Schlachtwall somit zum einzig praktikablen Weg, innerhalb der Formation die Hauptbewaffnung der Wallschiffe einzusetzen, die konstruktionsbedingt in der Breitseite liegt. Außerdem gestattet der Schlachtwall eine zentrale Koordination der Nahbereichs-Abwehrwaffen und damit größtmögliche Effizienz der Raketenabwehr. (Zu Bewaffnung und Konstruktion der Kriegsschiffe vgl. den Anhang in David Weber, *Ein schneller Sieg*, Bergisch-Gladbach 1998, Bastei-SF 23 205.)

Seniorität – Das Prinzip, daß der Aufstieg innerhalb der Rangleiter einer Flotte nach dem Rangdienstalter zu geschehen hat. Beförderung nach Seniorität fand sich in der britischen Royal Navy, in der man bei der Beförderung zum ›Post Captain‹ auf die Kapitänsliste kam. Alle Kapitäne, die schon länger auf dieser Liste standen, waren rangdienstälter als der neue Captain und ihm daher vorgesetzt. Der rangdienstälteste Kapitän wude als nächster zum Flaggoffizier befördert. Auf diese Weise wurd er zum Konteradmiral der Blauen Flagge und gelangte auf die Liste der Admirale. An der Reihenfolge dieser Liste konnte sich nur durch den Tod etwas ändern. Es bestand nicht die Möglichkeit, nach Verdienst bevorzugt befördert zu werden. Diese Regelung wurde eingeführt, um Protektion und Vetternwirtschaft in der Beförderung der Kapitäne und Admirale unmöglich zu machen – welche bei allen Beförderungen unterhalb des Kapitänsrangs eine große Rolle spielte.

In der RMN existieren ebenfalls Kapitäns- und Admiralslisten, die als Grundlage für Beförderungen dienen. Die Reihenfolge der Seniorität ist jedoch nicht so starr wie in der alten RN und kann übergangen werden (wie es zum Beispiel Admiral Webster in Bezug auf die Beförderung Mark Sarnows zum Konteradmiral der Roten Flagge erwähnt).

Stealth – Heimlichkeit: umschreibt die Eigenschaft bestimmter Materialien und Bauformen, besonders wenig Radarwellen u. ä. Ortungsstrahlen zu reflektieren.

Stern von Grayson – Die höchste Tapferkeitsauszeichnung des Planeten Grayson. Der Stern von Grayson besteht aus einem vielzackigen goldenen Stern an einem blutroten Band. Der Träger des Sterns von Grayson wird gleichzeitig zum Champion des Protectors.

T-Standard – Planetarische Parameter von Alterde wie Länge des Tages oder Jahres, die Schwerkraft etc. sind auch im 20. Jahrhundert P. D. noch immer grundlegend und werden als ›Terranische Standardwerte‹ bezeichnet.

Togo – Heihachiro Togo (1847-1934), japanischer Admiral, Vater der kaiserlich-japanischen Kriegsmarine und Sieger der Seeschlacht von Tsushima (1905), wo er mit der japanischen Großen Flotte das II. Fernostgeschwader der russischen Marine vernichtend schlug.

Verbandsbeschleunigung – vom Kommandeur (Flaggoffizier) vorgegebener Beschleunigungswert eines Sternenschiffes oder einer Schiffsgruppe beim gemeinsamen Fahren im Verband. Sie richtet sich nach der Aufgabe, der Lage im Gebiet und nach astrographischen Bedingungen.

VFH – Volksflotte von Haven.

VFMC – Volksflotten-Marinecorps.

VFS – Volksflottenschiff – Designation für Kriegsschiffe der VRH.

VRH – Volksrepublik Haven.

W-Display, Wiederholdisplay – Displays an Bord von Raumschiffen, die nicht aktuelle Daten zeigen, sondern Aufzeichnungen vorheriger Ereignisse wiedergeben. Insbesondere der Kommandosessel ist mit W-Displays sehr reichhaltig versehen. Die meisten Aktuell-Displays lassen sich auf Wiederholfunktion umschalten.